Constituição Federal Anotada

Atualizada até a
EC 128, de 22.12.2022

VOL. I

CIP-BRASIL. CATALOGAÇÃO NA PUBLICAÇÃO
SINDICATO NACIONAL DOS EDITORES DE LIVROS, RJ

S239c

Santos, Valdeci dos, 1951-
Constituição Federal anotada, volume 1 / Valdeci dos Santos. - 1. ed. - Mauá [SP] : Letras Jurídicas, 2023.
1.040 p. ; 23 cm.

Apêndice
Inclui bibliografia e índice
"Anexos"
ISBN 97865-89565413

1. Brasil. [Constituição (1988)]. 2. Direito constitucional - Brasil. I. Título.

23-84295 CDU: 342(81)

Meri Gleice Rodrigues de Souza - Bibliotecária - CRB-7/6439

31/05/2023 07/06/2023

VALDECI DOS SANTOS

Constituição Federal Anotada

atualizada até a EC 128, de 22.12.2022

VOL. I

1ª EDIÇÃO – 2023 – Mauá - SP

LETRAS Jurídicas

Capa:
@armenioalmeidadesigner

Diagramação e Montagem de Capa:
@armenioalmeidadesigner

Revisão:
Paulo Ribeiro

Editor:
Claudio P. Freire

1a Edição – 2023 – Mauá – SP

LETRAS Jurídicas

LETRAS JURÍDICAS EDITORA
Rua Eduardo Prado, 28, Casa 1 – Vila Bocaina
CEP 09310-500 – MAUÁ – SP.
Telefone/Fax (11) 3107-6501 – Celular (11) 9-9352-5354
Site: www.letrasjuridicas.com.br;
E-mail: vendas@letrasjuridicas.com.br;

Impresso no Brasil

Este livro é dedicado aos meus netos
Matheus Augusto e Helena, ambos depositários
da minha fé e esperança na construção
de um mundo melhor.

Nota do Autor

O objetivo deste livro é servir como instrumento de consulta rápida, para profissionais e estudantes de Direito, a respeito da doutrina e da jurisprudência relativas a cada um dos dispositivos da Constituição Federal de 1988. Portanto, a obra pretende ser uma ferramenta de trabalho, fundando as notas doutrinárias e jurisprudenciais nas respectivas correntes de pensamento mais consolidadas, sem prejuízo de referência às demais, quando relevante o registro da dissenção correspondente.

O trabalho encontra-se organizado com notas de doutrina, que pretendem ser concisas e objetivas, segundo a matéria tratada na respectiva norma constitucional; e, ainda, com notas de jurisprudência, ora ocorrendo transcrição de ementa oficial, ora ementa por mim preparada e, nesse caso, serão citados apenas o tribunal de origem e o nome da publicação que veiculou a decisão.

Convém registrar que as normas constitucionais anotadas são aquelas vigentes na data de publicação do livro, constituindo-se, pois, normas oriundas do exercício do poder constituinte originário, ou de normas acrescentadas ou que tiveram redação modificada por meio de emenda constitucional da lavra do poder constituinte derivado. Esse expediente tem por finalidade facilitar a leitura do texto, que resta mais ágil sem as infindáveis remissões, sem, certamente, representar perda de conteúdo.

Por último, tratando-se de obra destinada ao estudo, desejo que o estudante, ou o profissional do direito, nela encontre alento para perseverar na busca de seus objetivos.

ABREVIATURAS

AC - Apelação Cível
ACO - Ação Cível Originária
ACr - Apelação Criminal
ADCT - Ato das Disposições Constitucionais Transitórias
ADIN - Ação Direta de Inconstitucionalidade
Ag. - Agravo
AgI - Agravo de Instrumento
AgMS - Agravo em Mandado de Segurança
AgRg - Agravo Regimental
AGU - Advocacia-Geral da União
AMS - Apelação em Mandado de Segurança - Ação Originária
AP - Ação Penal
ApReeNec - Apelação/Remessa Necessária
ARE - Agravo Interno em Recurso Extraordinário
AREsp - Agravo em Recurso Especial
BC - Banco Central do Brasil
CC - Código Civil
CComp - Conflito de Competência
CDC - Código de Defesa do Consumidor
CF - Constituição Federal
CJ - Conflito de Jurisdição
CMN - Conselho Monetário Nacional
CN - Congresso Nacional
CR - Carta Rogatória
CTN - Código Tributário Nacional
CVM - Comissão de Valores Mobiliários

d.	- decisão
D.E.	- Diário Eletrônico
Des. Fed.	- Desembargador Federal
DJE	- Diário da Justiça Eletrônico
DJU	- Diário da Justiça da União
DOU	- Diário Oficial da União
EC	- Emenda Constitucional
ECR	- Emenda Constitucional de Revisão
ED	- Embargos de Declaração
e-DJF1	- Diário da Justiça Eletrônico do TRF da 1.ª Região
e-DJF2R	- Diário da Justiça Eletrônico do TRF da 2.ª Região
e-DJF3	- Diário da Justiça Eletrônico do TRF da 3.ª Região
EREsp	- Embargos de Divergência em Recurso Especial
EXT	- Extradição
FGTS	- Fundo de Garantia do Tempo de Serviço
Funai	- Fundação Nacional do Índio
HC	- *Habeas Corpus*
HD	- *Habeas Data*
IBGE	- Instituto Brasileiro de Geografia e Estatística
Incra	- Instituto Nacional de Colonização e Reforma Agrária
Inq	- Inquérito
INSS	- Instituto Nacional do Seguro Social
IF	- Intervenção Federal
IOF	- Imposto sobre Operações Financeiras
IPI	- Imposto sobre Produtos Industrializados
IR	- Imposto sobre a Renda e Proventos de Qualquer Natureza
IRRF	- Imposto sobre a Renda Retido na Fonte
IU	- Incidente de Uniformização

j.	- julgamento
JEF	- Juizado Especial Federal
LC	- Lei Complementar
LOMAN	- Lei Orgânica da Magistratura Nacional
LOMP	- Lei Orgânica do Ministério Público
MC	- Medida Cautelar
MC-REF	- Referendo na Medida Cautelar
MERCOSUL	- Mercado Comum do Sul
MI	- Mandado de Injunção
MP	- Medida Provisória
MPF	- Ministério Público Federal
MS	- Mandado de Segurança
OAB	- Ordem dos Advogados do Brasil
OEA	- Organização dos Estados Americanos
OIT	- Organização Internacional do Trabalho
OMC	- Organização Mundial do Comércio
OMS	- Organização Mundial da Saúde
ONU	- Organização das Nações Unidas
QC	- Queixa-crime
QO	- Questão de Ordem
PET	- Petição
PSESS	- Publicado em Sessão
RDA	- Revista de Direito Administrativo
RE	- Recurso Extraordinário
REO	- Remessa *ex officio*
Recl.	- Reclamação
REe	- Recurso Especial eleitoral
REsp	- Recurso Especial
RF	- Revista Forense

RHC	- Recurso Ordinário em *Habeas Corpus*
RHD	- Recurso Ordinário em *Habeas Data*
RISTF	- Regimento Interno do Supremo Tribunal Federal
RISTJ	- Regimento Interno do Superior Tribunal de Justiça
RO	- Recurso Ordinário
RODC	- Recurso Ordinário em Dissídio Coletivo
ROMS	- Recurso Ordinário em Mandado de Segurança
Rp	- Representação
RR	- Recurso de Revista
RSE	- Recurso em Sentido Estrito
RTJ	- Revista Trimestral de Jurisprudência
RT	- Revista dos Tribunais
RTDP	- Revista Trimestral de Direito Público
SE	- Sentença Estrangeira
STF	- Supremo Tribunal Federal
STJ	- Superior Tribunal de Justiça
STM	- Superior Tribunal Militar
TCU	- Tribunal de Contas da União
TFR	- Tribunal Federal de Recursos
TJ	- Tribunal de Justiça
TNU	- Turma Nacional de Uniformização
TPI	- Tribunal Penal Internacional
TRF	- Tribunal Regional Federal
TRE	- Tribunal Regional Eleitoral
TRT	- Tribunal Regional do Trabalho
TSE	- Tribunal Superior Eleitoral
TST	- Tribunal Superior do Trabalho
UNESCO	- Organização das Nações Unidas para a Educação, a Ciência e a Cultura

SUMÁRIO SISTEMÁTICO DA CONSTITUIÇÃO DA REPÚBLICA FEDERATIVA DO BRASIL

TÍTULO III

TÍTULO IV

ÍNDICE CRONOLÓGICO DAS EMENDAS CONSTITUCIONAIS DE REVISÃO

ECR 1, de 01.03.1994 - Altera o Ato das Disposições Constitucionais Transitórias para incluir dispositivos sobre o Fundo Social de Emergência, e dá outras providências

ECR 2, de 07.06.1994 - Altera dispositivos da Constituição Federal, acrescentando expressões ao seu artigo 50

ECR 3, de 07.06.1994 - Altera a alínea *c* do inciso I, a alínea *b* do inciso II, o § 1.º e o inciso II do § 4.º do art. 12 da Constituição Federal

ECR 4, de 07.06.1994 - São acrescentadas ao § 9.º do art. 14 da Constituição expressões

ECR 5, de 07.06.1994 - Altera o art. 82 da Constituição Federal.

ECR 6, de 07.06.1994 - Acrescenta o § 4.º ao artigo 55 da Constituição Federal.

ÍNDICE CRONOLÓGICO DAS EMENDAS CONSTITUCIONAIS

EC 1, de 31.03.1992 - Dispõe sobre a remuneração dos Deputados Estaduais e dos Vereadores.

EC 2, de 25.08.1992 - Dispõe sobre o plebiscito previsto no art. 2.° do Ato das Disposições Constitucionais Transitórias.

EC 3, de 17.03.1993 - Altera os arts. 40, 42, 102, 103, 155, 156, 160, 167 da Constituição Federal.

EC 4, de 14.09.1993 - Dá nova redação ao art. 16 da Constituição Federal.

EC 5, de 15.08.1995 - Altera o § 2.° do art. 25 da Constituição Federal.

EC 6, de 15.08.1995 - Altera o inciso IX do art. 170, o art. 171 e o § 1.° do art. 176 da Constituição Federal.

EC 7, de 15.08.1995 - Altera o art. 178 da Constituição Federal e dispõe sobre a adoção de Medidas Provisórias.

EC 8, de 15.08.1995 - Altera o inciso XI e a alínea *a* do inciso XII do art. 21 da Constituição Federal.

EC 9, de 09.11.1995 - Dá nova redação ao art. 177 da Constituição Federal, alterando e inserindo parágrafos.

EC 10, de 04.03.1996 - Altera os arts. 71 e 72 do Ato das Disposições Constituições Transitórias, introduzidos pela Emenda Constitucional de Revisão n.° 1, de 1994.

EC 11, de 30.04.1996 - Permite a admissão de professores, técnicos e cientistas estrangeiros pelas universidades brasileiras e concede autonomia às instituições de pesquisa científica e tecnológica.

EC 12, de 15.08.1996 - Outorga competência à União para instituir contribuição provisória sobre movimentação ou transmissão de valores e de créditos e direitos de natureza financeira.

EC 13, de 21.08.1996 - Dá nova redação ao inciso II do art. 192 da Constituição Federal.

EC 14, de 12.09.1996 - Modifica os arts. 34, 208, 211 e 212 da Constituição Federal e dá nova redação ao art. 60 do Ato das Disposições Constitucionais Transitórias.

EC 15, de 12.09.1996 - Dá nova redação ao § 4.° do art. 18 da Constituição Federal.

EC 16, de 04.06.1997 - Dá nova redação ao § 5.° do art. 14, ao *caput* do art. 28, ao inciso II do art. 29, ao *caput* do art. 77 e ao art. 82 da Constituição Federal.

EC 17, de 22.11.1997 - Altera dispositivos dos arts. 71 e 72 do Ato das Disposições Constitucionais Transitórias, introduzidos pela Emenda Constitucional de Revisão n.° 1, de 1994.

EC 18, de 05.02.1998 - Dispõe sobre o regime constitucional dos militares.

EC 19, de 04.06.1998 - Modifica o regime e dispõe sobre princípios e normas da Administração Pública, servidores e agentes políticos, controle de despesas finanças públicas e custeio de atividades a cargo do Distrito Federal, e dá outras providências.

EC 20, de 15.12.1998 - Modifica o sistema de previdência social, estabelece normas de transição e dá outras providências.

EC 21, de 18.03.1999 - Prorroga, alterando a alíquota, a contribuição provisória sobre movimentação ou transmissão de valores e de créditos e de direitos de natureza financeira, a que se refere o art. 74 do Ato das Disposições Constitucionais Transitórias.

EC 22, de 18.03.1999 - Acrescenta parágrafo único ao art. 98 e altera as alíneas *i* do inciso I do art. 102, e *c* do inciso I do art. 105 da Constituição Federal.

EC 23, de 02.09.1999 - Altera os arts. 12, 52, 84, 91, 102 e 105 da Constituição Federal (criação do Ministério da Defesa).

EC 24, de 09.12.1999 - Altera dispositivos da Constituição Federal pertinentes à representação classista na Justiça do Trabalho.

EC 25, de 14.02.2000 - Altera o inciso VI do art. 29 e acrescenta o art. 29-A à Constituição Federal, que dispõem sobre limites de despesas com o Poder Legislativo Municipal.

EC 26, de 14.02.2000 - Altera a redação do art. 6.° da Constituição Federal.

EC 27, de 21.03.2000 - Acrescenta o art. 76 ao Ato das Disposições

Constitucionais Transitórias, instituindo a desvinculação de arrecadação de impostos e contribuições sociais da União.

EC 28, de 25.03.2000 - Dá nova redação ao inciso XXIX do art. 7.º e revoga o art. 233 da Constituição Federal.

EC 29, de 13.09.2000 - Altera os arts. 34, 35, 156, 160, 167 e 198 da Constituição Federal e acrescenta artigo ao Ato das Disposições Constitucionais Transitórias, para assegurar os recursos mínimos para o financiamento das ações e serviços públicos de saúde.

EC 30, de 13.09.2000 - Altera a redação do art. 100 da Constituição Federal e acrescenta o art. 78 no Ato das Disposições Constitucionais Transitórias, referente ao pagamento de precatórios judiciários.

EC 31, de 14.12.2000 - Altera o Ato das Disposições Constitucionais Transitórias, introduzindo artigos que criam o Fundo de Combate e Erradicação da Pobreza.

EC 32, de 11.09.2001 - Altera dispositivos dos arts. 48, 57, 61, 62, 64, 66, 84, 88 e 246 da Constituição Federal, e dá outras providências.

EC 33, de 11.12.2001 - Altera os arts. 149, 155 e 177 da Constituição Federal.

EC 34, de 13.12.2001 - Dá nova redação à alínea *c* do inciso XVI do art. 37 da Constituição Federal.

EC 35, de 20.12.2001 - Dá nova redação ao art. 53 da Constituição Federal.

EC 36, de 28.05.2002 - Dá nova redação ao art. 222 da Constituição Federal, para permitir a participação de pessoas jurídicas no capital social de empresas jornalísticas e de radiodifusão sonora e de sons e imagens, nas condições que especifica.

EC 37, de 12.06.2002 - Altera os arts. 100 e 156 da Constituição Federal e acrescenta os arts. 84, 85, 86, 87 e 88 ao Ato das Disposições Constitucionais Transitórias.

EC 38, de 12.06.2002 - Acrescenta o art. 89 ao Ato das Disposições Constitucionais Transitórias, incorporando os Policiais Militares do extinto Território Federal de Rondônia aos Quadros da União.

EC 39, de 19.12.2002 - Acrescenta o art. 149-A à Constituição Federal (instituindo contribuição para custeio do serviço de iluminação pública nos Municípios e no Distrito Federal).

EC 40, de 29.05.2003 - Altera o inciso V do art. 163 e o art. 192 da Constituição Federal, e o *caput* do art. 52 do Ato das Disposições Constitucionais Transitórias.

EC 41, de 19.12.2003 - Modifica os arts. 37, 40, 42, 48, 96, 149 e 201 da Constituição Federal, revoga o inciso IX do § 3.° do art. 142 da Constituição Federal e dispositivos da Emenda Constitucional n.° 20, de 15 de dezembro de 1998, e dá outras providências.

EC 42, de 19.12.2003 - Altera o Sistema Tributário Nacional e dá outras providências.

EC 43, de 15.04.2004 - Altera o art. 42 do Ato das Disposições Constitucionais Transitórias, prorrogando, por 10 (dez) anos, a aplicação, por parte da União, de percentuais mínimos do total dos recursos destinados à irrigação nas Regiões Centro-Oeste e Nordeste.

EC 44, de 30.06.2004 - Altera o Sistema Tributário Nacional e dá outras providências.

EC 45, de 30.12.2004 - Altera dispositivos dos arts. 5.°, 36, 52, 92, 93, 95, 98, 99, 102, 103, 104, 105, 107, 109, 111, 112, 114, 115, 125, 126, 127, 128, 129, 134 e 168 da Constituição Federal, e acrescenta os arts. 103-A, 103-B, 111-A e 130-A, e dá outras providências.

EC 46, de 05.05.2005 - Altera o inciso IV do art. 20 da Constituição Federal.

EC 47, de 05.07.2005 - Altera os arts. 37, 40, 195 e 201 da Constituição Federal, para dispor sobre a previdência social, e dá outras providências.

EC 48, de 10.08.2005 - Acrescenta o § 3.° ao art. 215 da Constituição Federal, instituindo o Plano Nacional de Cultura.

EC 49, de 08.02.2006 - Altera a redação da alínea *b* e acrescenta alínea *c* ao inciso XXIII do *caput* do art. 21 e altera a redação do inciso V do *caput* do art. 177 da Constituição Federal para excluir do monopólio da União a produção, a comercialização e a utilização de radioisótopos de meia-vida curta, para usos médicos, agrícolas e industriais.

EC 50, de 14.02.2006 - Modifica o art. 57 da Constituição Federal.

EC 51, de 14.02.2006 - Acrescenta os §§ 4.°, 5.° e 6.° ao art. 198 da Constituição Federal.

EC 52, de 08.03.2006 - Dá nova redação ao § 1.º do art. 17 da Constituição Federal para disciplinar as coligações eleitorais.

EC 53, de 19.12.2006 - Dá nova redação aos arts. 7.º, 23, 30, 206, 208, 211 e 212 da Constituição Federal e ao art. 60 do Ato das Disposições Constitucionais Transitórias.

EC 54, de 20.09.2007 - Dá nova redação à alínea *c* do inciso I do art. 12 da Constituição Federal e acrescenta o art. 95 ao Ato das Disposições Constitucionais Transitórias, assegurando o registro nos consulados de brasileiros nascidos no estrangeiro.

EC 55, de 20.09.2007 - Altera o art. 159 da Constituição Federal, aumentando a entrega de recursos pela União ao Fundo de Participação dos Municípios.

EC 56, de 20.12.2007 - Prorroga o prazo previsto no *caput* do art. 76 do Ato das Disposições Constitucionais Transitórias e dá outras providências.

EC 57, de 18.12.2008 - Acrescenta artigo ao Ato das Disposições Constitucionais Transitórias para convalidar os atos de criação, fusão, incorporação e desmembramento de Municípios.

EC 58, de 23.09.2009 - Altera a redação do inciso IV do *caput* do art. 29 e do art. 29-A da Constituição Federal, tratando das disposições relativas à recomposição das Câmaras Municipais.

EC 59, de 11.11.2009 - Acrescenta o § 3.º ao art. 76 do Ato das Disposições Constitucionais Transitórias para reduzir, anualmente, a partir do exercício de 2009, o percentual da Desvinculação das Receitas da União incidente sobre os recursos destinados à manutenção e desenvolvimento do ensino de que trata o art. 212 da Constituição Federal, dá nova redação aos incisos I e VII do art. 208, de forma a prever a obrigatoriedade do ensino de quatro a dezessete anos e ampliar a abrangência dos programas suplementares para todas as etapas da educação básica, e dá nova redação ao § 4.º do art. 211 e ao § 3.º do art. 212 e ao *caput* do art. 214, com a inserção neste dispositivo de inciso VI.

EC 60, de 11.11.2009 - Altera o art. 89 do Ato das Disposições Constitucionais Transitórias para dispor sobre o quadro de servidores civis e militares do ex-Território Federal de Rondônia.

EC 61, de 11.11.2009 - Altera o art. 103-B da Constituição Federal, para modificar a composição do Conselho Nacional de Justiça.

EC 62, de 09.12.2009 - Altera o art. 100 da Constituição Federal e acrescenta o art. 97 ao Ato das Disposições Constitucionais Transitórias, instituindo regime especial de pagamento de precatórios pelos Estados, Distrito Federal e Municípios.

EC 63, de 04.02.2010 - Altera o § 5.º do art. 198 da Constituição Federal para dispor sobre piso salarial profissional nacional e diretrizes para os Planos de Carreira de agentes comunitários de saúde e de agentes de combate às endemias.

EC 64, de 04.02. 2010 - Altera o art. 6.º da Constituição Federal, para introduzir a alimentação como direito social.

EC 65, de 13.07.2010 - Altera a denominação do Capítulo VII do Título VIII da Constituição Federal e modifica o seu art. 227, para cuidar dos interesses da juventude.

EC 66, de 13.07.2010 - Dá nova redação ao § 6.º do art. 226 da Constituição Federal, que dispõe a dissolubilidade do casamento civil pelo divórcio, suprimindo o requisito de prévia separação judicial por mais de 1 (um) ano ou de comprovada separação de fato por mais de 2 (dois) anos.

EC 67, de 22.12.2010 - Prorroga, por tempo indeterminado, o prazo de vigência do Fundo de Combate e Erradicação da Pobreza.

EC 68, de 21.12.2011 - Altera o art. 76 do Ato das Disposições Constitucionais Transitórias.

EC 69, de 29.03.2012 - Altera dos arts. 21, 22 e 48 da Constituição Federal, para transferir da União para o Distrito Federal as atribuições de organizar e manter a Defensoria Pública do Distrito Federal.

EC 70, de 29.03.2012 - Acrescenta art. 6.º-A à Emenda Constitucional n.º 41, de 2003, para estabelecer critérios para o cálculo e a correção dos proventos da aposentadoria por invalidez dos servidores públicos que ingressaram no serviço público até a data da publicação daquela Emenda Constitucional.

EC 71, de 29.11.2012 - Acrescenta o art. 216-A à Constituição Federal para instituir o Sistema Nacional de Cultura.

EC 72, de 02.04.2013 - Altera a redação do parágrafo único do art. 7.º da Constituição Federal para estabelecer a igualdade de direitos trabalhistas entre os trabalhadores domésticos e os demais trabalhadores urbanos e rurais.

EC 73, de 06.06.2013 - Cria os Tribunais Regionais Federais da 6.ª, 7.ª, 8.ª e 9.ª Regiões.

EC 74, de 06.08.2013 - Altera o art. 134 da Constituição Federal.

EC 75, de 15.10.2013 - Acrescenta a alínea *e* ao inciso VI do art. 150 da Constituição Federal, instituindo imunidade tributária sobre os fonogramas e videofonogramas musicais produzidos no Brasil contendo obras musicais ou literomusicais de autores brasileiros e/ou obras em geral interpretadas por artistas brasileiros bem como os suportes materiais ou arquivos digitais que os contenham.

EC 76, de 28.11.2013 - Altera o § 2.º do art. 55 e o § 4.º do art. 66 da Constituição Federal, para abolir a votação secreta nos casos de perda de mandato de Deputado ou Senador e de apreciação de veto.

EC 77, de 11.02.2014 - Altera os incisos II, III e VIII do § 3.º do art. 142 da Constituição Federal, para estender aos profissionais de saúde das Forças Armadas a possibilidade de cumulação de cargo a que se refere o art. 37, inciso XVI, alínea *c*.

EC 78, de 14.05.2014 - Acrescenta o art. 54-A ao Ato das Disposições Constitucionais Transitórias, para dispor sobre indenização devida aos seringueiros de que trata o art. 54 desse Ato.

EC 79, de 27.05.2014 - Altera o art. 31 da Emenda Constitucional n.º 19, de 4 de junho de 1998, para prever a inclusão, em quadro em extinção da Administração Federal, de servidores e policiais militares admitidos pelos Estados do Amapá e de Roraima, na fase de instalação dessas unidades federadas, e dá outras providências.

EC 80, de 04.06.2014 - Altera o Capítulo IV – Das Funções Essenciais à Justiça, do Título IV – Da Organização dos Poderes, e acrescenta artigo ao Ato das Disposições Constitucionais Transitórias da Constituição Federal.

EC 81, de 05.06.2014 - Dá nova redação ao art. 243 da Constituição Federal.

EC 82, de 16.07.2014 - Inclui o § 10 ao art. 144 da Constituição Federal, para disciplinar a segurança viária no âmbito dos Estados, do Distrito Federal e dos Municípios.

EC 83, de 05.08.2014 - Acrescenta o art. 92-A ao Ato das Disposições Constitucionais Transitórias (ADCT).

EC 84, de 02.12.2014 - Altera o art. 159 da Constituição Federal para aumentar a entrega de recursos pela União para o Fundo de Participação dos Municípios.

EC 85, de 26.02.2015 - Altera e adiciona dispositivos na Constituição Federal para atualizar o tratamento das atividades de ciência, tecnologia e inovação.

EC 86, de 17.03.2015 - Altera os arts. 165, 166 e 198 da Constituição Federal, para tornar obrigatória a execução da programação orçamentária que especifica.

EC 87, de 16.04.2015 - Altera o § 2.º do art. 155 da Constituição Federal e inclui o art. 99 no Ato das Disposições Constitucionais Transitórias, para tratar da sistemática de cobrança do imposto sobre operações relativas à circulação de mercadorias e sobre prestações de serviços de transportes interestadual e intermunicipal e de comunicação incidente sobre as operações e prestações que destinem bens e serviços a consumidor final, contribuinte ou não do imposto, localizado em outro Estado.

EC 88, de 07.05.2015 - Altera o art. 40 da Constituição Federal, relativamente ao limite de idade para aposentadoria compulsória do servidor público em geral, e acrescenta dispositivo ao Ato das Disposições Constitucionais Transitórias.

EC 89, de 15.09.2015 - Dá nova redação ao art. 42 do Ato das Disposições Constitucionais Transitórias, ampliando o prazo em que a União deverá destinar às Regiões Centro-Oeste e Nordeste percentuais mínimos dos recursos destinados à irrigação.

EC 90, de 15.09.2015 - Dá nova redação ao art. 6.º da Constituição Federal, para introduzir o transporte como direito social.

EC 91, de 18.02.2016 - Altera a Constituição Federal para estabelecer a possibilidade, excepcional e em período determinado, de desfiliação partidária, sem prejuízo do mandato.

EC 92, de 12.07.2016 - Altera os arts. 92 e 111-A da Constituição Federal, para explicitar o Tribunal Superior do Trabalho como órgão do Poder Judiciário, alterar os requisitos para o provimento dos cargos de Ministros daquele Tribunal e modificar-lhe a competência.

EC 93, de 08.09.2016 - Altera o Ato das Disposições Constitucionais Transitórias para prorrogar a desvinculação de receitas da União e estabelecer a desvinculação de receitas dos Estados, Distrito Federal e Municípios.

EC 94, de 15.12.2016 - Altera o art. 100 da Constituição Federal, para dispor sobre o regime de pagamento de débitos públicos decorrentes de condenações judiciais; e acrescenta dispositivos ao Ato das Disposições Constitucionais Transitórias, para instituir regime especial de pagamento para os casos em mora.

EC 95, de 15.12.2016 - Altera o Ato das Disposições Constitucionais Transitórias, para instituir o Novo Regime Fiscal, e dá outras providências.

EC 96, de 06.06.2017 - Acrescenta § 7.º ao art. 225 da Constituição Federal para determinar que práticas desportivas que utilizem animais não são consideradas cruéis, nas condições que especifica.

EC 97, de 04.10.2017 - Altera a Constituição Federal para vedar as coligações partidárias nas eleições proporcionais, estabelecer normas sobre acesso dos partidos políticos aos recursos do fundo partidário e ao tempo de propaganda gratuito no rádio e na televisão e dispor sobre regras de transição.

EC 98, de 06.12.2017 - Altera o art. 31 da Emenda Constitucional n.º 19, de 4 de junho de 1998, para prever a inclusão, em quadro em extinção da administração pública federal, de servidor público, de integrante da carreira de policial, civil ou militar, e de pessoa que haja mantido relação ou vínculo funcional, empregatício, estatutário ou de trabalho com a administração pública dos ex-Territórios ou dos Estados do Amapá ou de Roraima, inclusive suas prefeituras, na fase de instalação dessas unidades federadas, e dá outras providências.

EC 99, de 14.12.2017 - Altera o art. 101 do Ato das Disposições Constitucionais Transitórias, para instituir novo regime especial de pagamento de precatórios, e os arts. 102, 103 e 105 do Ato das Disposições Constitucionais Transitórias.

EC 100, de 26.06.2019 - Altera os arts. 165 e 166 da Constituição Federal para tornar obrigatória a execução da programação orçamentária proveniente de emendas de bancada de parlamentares de Estado ou do Distrito Federal.

EC 101, de 03.07.2019 - Acrescenta § 3.º ao art. 42 da Constituição Federal para estender aos militares dos Estados, do Distrito Federal e dos Territórios o direito à acumulação de cargos públicos prevista no art. 37, inciso XVI.

EC 102, de 26.09.2019 - Dá nova redação ao art. 20 da Constituição Federal e altera o art. 165 da Constituição Federal e o art. 107 do Ato das Disposições Constitucionais Transitórias.

EC 103, de 12.11.2019 - Altera o sistema de previdência social e estabelece regras de transição e disposições transitórias.

EC 104, de 04.12.2019 - Altera o inciso XIV do *caput* do artigo 21, o § 4.º do art. 32 e o art. 144 da Constituição Federal, para criar as polícias penais federal, estaduais e distrital.

EC 105, de 12.12.2019 - Acrescenta o art. 166-A à Constituição Federal, para autorizar a transferência de recursos federais a Estados, ao Distrito Federal e a Municípios mediante emendas ao projeto de lei orçamentária anual.

EC 106, de 07.05.2020 - Institui regime extraordinário fiscal, financeiro e de contratações para enfrentamento de calamidade pública nacional decorrente de pandemia.

EC 107, de 02.07.2020 - Adia, em razão da pandemia da Covid-19, as eleições municipais de outubro de 2020 e os prazos eleitorais respectivos.

EC 108, de 26.08.2020 - Altera a Constituição Federal para estabelecer critérios de distribuição da cota municipal do Imposto sobre Operações Relativas à Circulação de Mercadorias e sobre Prestação de Serviços de Transporte Interestadual e Intermunicipal e de Comunicação (ICMS), para disciplinar a disponibilização de dados contábeis pelos entes federados, para tratar do planejamento na ordem social e para dispor sobre o Fundo de Manutenção e Desenvolvimento da Educação Básica e de Valorização dos Profissionais da Educação (Fundeb); altera o Ato das Disposições Constitucionais Transitórias; e dá outras providências.

EC 109, de 15.03.2021 - Altera os arts. 29-A, 37, 49, 84, 163, 165, 167, 168 e 169 da Constituição Federal e os arts. 101 e 109 do Ato das Disposições Constitucionais Transitórias; acrescenta à Constituição Federal os arts. 164-A, 167-A, 167-B e 167-C, 167-D, 167-E, 167-F e 167-G; revoga dispositivos do Ato das Disposições Constitucionais Transitórias e institui regras transitórias sobre redução de benefícios tributários; desvincula parcialmente o superavit financeiro de fundos públicos; e suspende condicionalidades para realização de despesas com concessão de auxílio emergencial residual para enfrentar as consequências sociais e econômicas da pandemia da Covid-19.

EC 110, de 12.07.2021 - Acrescenta o artigo 18-A ao Ato das Disposições Constitucionais Transitórias, para dispor sobre a convalidação de atos administrativos praticados do Estado de Tocantins entre 1.º de janeiro de 1989 e 31 de dezembro de 1994.

EC 111, de 28.09.2021 - Altera a Constituição Federal para disciplinar a realização de consultas populares concomitantes às eleições municipais, dispor sobre o instituto da fidelidade partidária, alterar a data de posse de Governadores e do Presidente da República e estabelecer regras transitórias para distribuição entre os partidos políticos dos recursos do fundo partidário e do Fundo Especial de Financiamento de Campanha (FEFC) e para o funcionamento dos partidos políticos.

EC 112 , de 27.10.2021 - Altera o art. 159 da Constituição Federal para disciplinar a distribuição de recursos pela União ao Fundo de Participação dos Municípios.

EC. 113, de 08.12.2021 - Altera a Constituição Federal e o Ato das Disposições Constitucionais Transitórias para estabelecer o novo regime de pagamentos de precatórios, modificar normas relativas ao Novo Regime Fiscal e autorizar o parcelamento de débitos previdenciários dos Municípios; e dá outras providências.

EC 114, de 16.12.2021 - Altera a Constituição Federal e o Ato das Disposições Constitucionais Transitórias para estabelecer o novo regime de pagamentos de precatórios, modificar normas relativas ao Novo Regime Fiscal e autorizar o parcelamento dos débitos previdenciários dos Municípios; e dá outras providências.

EC 115, de 10.02.2022 - Altera a Constituição Federal para incluir a proteção de dados pessoais entre os direitos e garantias fundamentais e para fixar a competência privativa da União para legislar sobre proteção e tratamento de dados pessoais.

EC 116, de 17.02.2022 - Acrescenta § 1.º-A ao art. 156 da Constituição Federal para prever a não incidência sobre templos de qualquer culto do Imposto sobre a Propriedade Predial e Territorial Urbana (IPTU), ainda que as entidades abrangidas pela imunidade tributária sejam apenas locatárias do bem imóvel.

EC 117, de 05.04.2022 - Altera o art. 17 da Constituição Federal para impor aos partidos políticos a aplicação de recursos do fundo partidário na promoção e difusão da participação política das mulheres, bem como a aplicação de recursos desse fundo e do Fundo Especial de Financiamento de Campanha e a divisão do tempo de propaganda gratuita no rádio e na televisão no percentual mínimo de 30% (trinta por cento) para candidaturas femininas.

EC 118, de 26.04.2022 - Dá nova redação às alíneas *b* e *c* do inciso XXIII do *caput* do art. 21 da Constituição Federal, para autorizar a produção, a comercialização e a utilização de radioisótopos para pesquisa e uso médicos.

EC 119, de 27.04.2022 - Altera o Ato das Disposições Constitucionais Transitórias para determinar a impossibilidade de responsabilização dos Estados, do Distrito Federal, dos Municípios e dos agentes desses entes federados pelo descumprimento, nos exercícios de 2020 e 2021, do disposto no *caput* do art. 212 da Constituição Federal; e dá outras providências.

EC 120, 05.05.2022 - Acrescenta §§ 7.°, 8.°, 9.°, 10 e 11 ao art. 198 da Constituição Federal, para dispor sobre a responsabilidade financeira da União, corresponsável pelo Sistema Único de Saúde (SUS), na política remuneratória e na valorização dos profissionais que exercem atividades de agente comunitário de saúde e de agente de combate às endemias.

EC 121, de 10.05.2022 - Altera o inciso IV do § 2.° do art. 4.° da Emenda Constitucional n.° 109, de 15 de março de 2021.

EC 122, de 17.05.2022 - Altera a Constituição Federal para elevar para setenta anos a idade máxima para a escolha e nomeação de membros do Supremo Tribunal Federal, do Superior Tribunal Federal, dos Tribunais Regionais Federais, do Tribunal Superior do Trabalho, dos Tribunais Regionais do Trabalho, do Tribunal de Contas da União e dos Ministros Civis do Superior Tribunal Militar.

EC 123, de 14.07.2022 - Altera o art. 225 da Constituição Federal para estabelecer diferencial de competitividade para os biocombustíveis; inclui o art. 120 no Ato das Disposições Constitucionais Transitórias para reconhecer o estado de emergência decorrente da elevação extraordinária e imprevisível dos preços do petróleo, combustíveis e seus derivados e dos impactos sociais dela decorrentes; autoriza a União a entregar auxílio financeiro aos Estados e ao Distrito Federal que outorgarem créditos tributários do Imposto sobre Operações relativas à Circulação de Mercadorias e sobre Prestações de Serviços de Transporte Interestadual e Intermunicipal e de Comunicação (ICMS) aos produtores e distribuidores de etanol hidratado; expande o auxílio Gás dos Brasileiros, de que trata a Lei n.° 14.237, de 19 de novembro de 2021; institui auxílio para caminhoneiros autônomos; expande o Programa Auxílio Brasil, de que trata a Lei n.º 14.284, de 29 de dezembro de 2021; e institui auxílio para entes da Federação financiarem a gratuidade do transporte público.

EC 124, de 14.07.2022 - Institui o piso salarial nacional do enfermeiro, do técnico de enfermagem, do auxiliar de enfermagem e da parteira.

EC 125, de 14.07.2022 - Altera o art. 105 da Constituição Federal para instituir no recurso especial o requisito da relevância das questões de direito federal infraconstitucional.

EC 126, de 21.12.2022 - Altera a Constituição Federal, para dispor sobre as emendas individuais ao projeto de lei orçamentária, e o Ato das Disposições Constitucionais Transitórias para excluir despesas dos limites previstos no art. 107; define regras para a transição da Presidência da República aplicáveis à Lei Orçamentária de 2023; e dá outras providências.

EC 127, de 22.12.2022 - Altera a Constituição Federal e o Ato das Disposições Constitucionais Transitórias para estabelecer que compete à União prestar assistência financeira complementar aos Estados, ao Distrito Federal e aos Municípios e às entidades filantrópicas, para o cumprimento dos pisos salariais profissionais nacionais para o enfermeiro, o técnico de enfermagem, o auxiliar de enfermagem e a parteira; altera a Emenda Constitucional nº 109, de 15 de março de 2021, para estabelecer o superávit financeiro dos fundos públicos do Poder Executivo como fonte de recursos para o cumprimento dos pisos salariais profissionais nacionais para o enfermeiro, o técnico de enfermagem, o auxiliar de enfermagem e a parteira; e dá outras providências.

EC 128, de 22.12.2022 - Acrescenta § 7º ao art. 167 da Constituição Federal, para proibir a imposição e a transferência, por lei, de qualquer encargo financeiro decorrente da prestação de serviço público para a União, os Estados, o Distrito Federal e os Municípios.

CONSTITUIÇÃO DA REPÚBLICA FEDERATIVA DO BRASIL

(promulgada em 5 de outubro de 1988)

PREÂMBULO

Nós, representantes do povo brasileiro, reunidos em Assembleia Nacional Constituinte para instituir um Estado democrático, destinado a assegurar o exercício dos direitos sociais e individuais, a liberdade, a segurança, o bem-estar, o desenvolvimento, a igualdade e a justiça como valores supremos de uma sociedade fraterna, pluralista e sem preconceitos, fundada na harmonia social e comprometida, na ordem interna e internacional, com a solução pacífica das controvérsias, promulgamos, sob a proteção de Deus, a seguinte Constituição da República Federativa do Brasil.

Doutrina

Todas as Constituições brasileiras (1824, 1891, 1934, 1937, 1946, 1967, 1969 e 1988) são dotadas de preâmbulo, seguindo a tradição comum do constitucionalismo ocidental.

Releva observar que a Constituição Federal de 1988 foi votada e promulgada por representantes do povo brasileiro reunidos em Assembleia Nacional Constituinte, daí decorrendo o seu caráter democrático e a sua inegável legitimidade. A referida Carta foi promulgada em 5 de outubro de 1988 e publicada no Diário Oficial da União de n.º 191-A, da mesma data.

Princípio da supremacia da Constituição

Significa que a Constituição é a Lei Fundamental do País e fonte de legitimação dos Poderes constituídos e da ordem jurídica, que nela encontra o seu fundamento de validade.

Jurisprudência

> "(...). 3. A reparação ou compensação dos fatores de desigualdade factual com medidas de superioridade jurídica constitui política de ação afirmativa que se inscreve nos quadros da sociedade fraterna que se lê desde o preâmbulo da Constituição de 1988" (STF – 1.ª Turma, ROMS 26.071/DF, rel. Min. Carlos Britto, j. 13.11.2007).
>
> "Constituição: Preâmbulo. Normas Centrais. Constituição do Acre. I. – Normas centrais da Constituição Federal: essas normas são de reprodução obrigatória na Constituição do Estado-membro, mesmo porque, reproduzidas, ou não, incidirão sobre a ordem local. Reclamações 370-MT e 383-SP RTJ 147/404. II. – Preâmbulo da Constituição: não constituiu norma central. Invocação da proteção de Deus: não se trata de norma de reprodução obrigatória na Constituição estadual, não tendo força normativa. III. – Ação direta de inconstitucionalidade julgada improcedente" (STF – Pleno, ADIN 2.076/AC, rel. Min. Carlos Velloso, j. 15.12.2003).
>
> "O princípio da supremacia da ordem constitucional – consectário da rigidez normativa que ostentam

os preceitos da nossa Constituição – impõe ao Poder Judiciário, qualquer que seja a sede processual, que se recuse a aplicar leis ou atos estatais reputados em conflito com a Carta Federal. A superioridade normativa da Constituição traz, ínsita em sua noção conceitual, a ideia de um estatuto fundamental, de uma *fundamental law*, cujo incontrastável valor jurídico atua como pressuposto de validade de toda a ordem positiva instituída pelo Estado" (STF – Pleno, RE 107.869, rel. Min. Célio Borja, RTJ 140/954).

"A Constituição não pode submeter-se à vontade dos poderes constituídos e nem ao império dos fatos e das circunstâncias. A supremacia de que ela se reveste – enquanto for respeitada – constituirá a garantia mais efetiva de que os direitos e as liberdades não serão jamais ofendidos" (STF – Pleno, ADIN 293, rel. Min. Celso de Mello, RT 700/221).

"(...). 4. O regime jurídico da prisão domiciliar, especialmente no que diz respeito à proteção da integridade física e emocional da gestante e dos filhos menores de 12 anos, e as inovações trazidas pela Lei n. 13.257/2016 decorrem, indiscutivelmente, do resgate constitucional do princípio da fraternidade (Constituição Federal: preâmbulo e art. 3.º)" (STJ – 5.ª Turma, HC 410.260, rel. Min. Reynaldo Soares da Fonseca, DJE, 21.09.2017).

"(...). 3. Em recente julgado, a Quinta Turma assentou que a interpretação extensiva conferida ao art. 126 da LEP é a que mais se aproxima da Constituição Federal, que faz da cidadania e da dignidade da pessoa humana dois de seus fundamentos (incisos I e III do art. 1.º). Mais: Constituição que tem por objetivos fundamentais erradicar a marginalização e construir uma sociedade livre, justa e solidária (incisos I e III do art. 3.º). Tudo na perspectiva da construção do tipo ideal de sociedade que o preâmbulo de nossa Constituição caracteriza como 'fraterna' (HC 94.163, Relator: Min. Carlos Britto, Primeira Turma, julgado em 02/12/2008, DJE-

200 divulgado em 22-10-2009, publicado em 23-10-2009, Ementário vol. 02379-04 pp. 00851) (HC, Relator Ministro Reynaldo Soares da Fonseca, Quinta Turma, julgado em 4/4/2017)" (STJ – 6.ª Turma, HC 381.858, rel. Min. Nefi Cordeiro, DJE, 08.05.2017).

"(...). 2. A moldura fática delineada pelo Tribunal de origem – e intangível no âmbito do Recurso Especial por óbice da Súmula 7/STJ – evidencia clara situação de violação à garantia constitucional de respeito da integridade física e moral do preso e aos princípios da dignidade da pessoa humana e do mínimo existencial. 3. Nessas circunstâncias – em que o exercício de pretensa discricionariedade administrativa acarreta, pelo não desenvolvimento e implementação de determinadas políticas públicas, seriíssima vulneração a direitos e garantias fundamentais assegurados pela Constituição – a intervenção do Poder Judiciário se justifica como forma de pôr em prática, concreta e eficazmente, os valores que o constituinte elegeu como 'supremos de uma sociedade fraterna, pluralista e sem preconceitos fundada na harmonia social', como apregoa o preâmbulo da nossa Carta Republicana" (STJ – 2.ª Turma, REsp 1.389.952, rel. Min. Herman Benjamin, DJE, 07.11.2016).

"Referência à divindade – seja no preâmbulo da Constituição, seja nas cédulas monetárias – tem raízes na História brasileira e nos costumes de nosso povo; não é uma afronta a qualquer culto ou religião em particular; menos ainda é um acinte contra os brasileiros que se declaram ateus. Essa prática de referir-se ou dirigir-se a uma divindade – genericamente tratada como Deus – alcançava 73,6% dos brasileiros em 2016. E está longe de trazer ofensa aos cerca de 8,00% que se dizem sem religião" (TRF3 – 6.ª Turma, ApReeNec 1.891.300/SP, rel. Des. Fed. Johonsom di Salvo, e-DJF3, Judicial 1, 21.12.2017).

TÍTULO I
DOS PRINCÍPIOS FUNDAMENTAIS

Art. 1.º A República Federativa do Brasil, formada pela união indissolúvel dos Estados e Municípios e do Distrito Federal, constitui-se em Estado democrático de direito e tem como fundamentos:

I – a soberania;

II – a cidadania;

III – a dignidade da pessoa humana;

IV – os valores sociais do trabalho e da livre iniciativa;

V – o pluralismo político.

Parágrafo único. Todo o poder emana do povo, que o exerce por meio de representantes eleitos ou diretamente, nos termos desta Constituição.

Doutrina

República Federativa do Brasil. É o nome oficial do Estado, pessoa jurídica de direito público externo. O nome do país é Brasil. Trata-se de um Estado Federal, dotado de soberania e formado pelos seguintes entes federativos: União, Estados Federados, Distrito Federal e Municípios, todos autônomos, com personalidade jurídica de direito público interno. A forma de governo é a republicana.

O princípio republicano. A República foi instaurada no Brasil pelo Decreto n.º 01, de 15 de novembro de 1889, vigendo, desde então, a forma republicana de governo. A violação do princípio republicano, por parte de Estado federado, sujeita-o à intervenção federal para restaurar a sua observância (art. 34, VII, *a*).

Secessão. Ao consagrar o princípio da indissolubilidade, a Constituição veda qualquer possibilidade de secessão ou separação de quaisquer dos entes que integram o Estado Federal, sujeitando à intervenção federal (art. 34, inc. I) o Estado-membro que tentar a separação.

Estado Democrático de Direito. Significa que o Estado há de ser reverente ao princípio da soberania popular, buscando a sua legitimação no povo, e ao princípio da legalidade, porque Estado de Direito é aquele que estriba a sua atuação na lei, não apenas na sua acepção formal, mas também material, com o objetivo de viabilizar a todos o acesso aos bens da vida.

Fundamentos do Estado brasileiro: a) *soberania* – é a condição inerente ao Estado, que estabelece de forma independente a sua ordem jurídica e a exerce de maneira plena no seu território e sobre aqueles que a ela devem obediência; b) *cidadania* – é a condição do nacional que pode exercer os direitos políticos garantidos pela Constituição; c) *dignidade da pessoa humana* – significa que a atuação estatal deve reconhecer os atributos próprios da pessoa humana, respeitando os seus direitos e contribuindo para a melhoria de sua condição geral; d) *valores sociais do trabalho e da livre iniciativa* – a liberdade de trabalho e a de iniciativa são dois princípios fundamentais do Estado brasileiro e da organização de sua ordem econômica baseada na economia de mercado; e) *pluralismo político* – significa que o Estado brasileiro deve assegurar espaço para a livre manifestação das ideias de todos os grupos existentes no espectro do pensamento político da sociedade.

Princípio democrático. Consagra a soberania popular no sentido de que todo o poder tem origem no povo. Este poderá exercê-lo por meio de representantes eleitos (o que se convencionou chamar de democracia representativa), ou diretamente, por meio do plebiscito – como o de 1993, para decidir sobre a forma e o sistema de governo –, do referendo ou da iniciativa popular.

Jurisprudência

> "A proteção das minorias e dos grupos vulneráveis qualifica-se como fundamento imprescindível à plena legitimação material do Estado Democrático de Direito. Incumbe, por isso mesmo, ao Supremo Tribunal Federal, em sua condição institucional de guarda da Constituição (o que lhe confere 'o monopólio da última palavra' em matéria de interpretação constitucional), desempenhar função contramajoritária, em ordem a dispensar efetiva proteção às minorias contra eventuais excessos (ou omissões) da maioria, eis que ninguém se sobrepõe, nem mesmo os grupos majoritários, à autoridade hierárquico-normativa e aos princípios superiores consagrados na Lei Fundamental do Estado. Precedentes. Doutrina" (STF – 2.ª Turma, RE 477.554/MG AgRg, rel. Min. Celso de Mello, j. 16.08.2011).
>
> "O postulado da dignidade da pessoa humana, que representa – considerada a centralidade desse princípio essencial (CF, art. 1.º, III) – significativo vetor interpretativo, verdadeiro valor-fonte que conforma e inspira todo o ordenamento constitucional vigente em nosso País, traduz, de modo expressivo, um dos fundamentos em que se assenta, entre nós, a ordem republicana e democrática consagrada pelo sistema de direito constitucional positivo. Doutrina. – O princípio constitucional da busca da felicidade, que decorre, por implicitude, do núcleo de que se irradia o postulado da dignidade da pessoa humana, assume papel de extremo relevo no

processo de afirmação, gozo e expansão dos direitos fundamentais, qualificando-se, em função de sua própria teleologia, como fator de neutralização de práticas ou de omissões lesivas cuja ocorrência possa comprometer, afetar ou, até mesmo, esterilizar direitos e franquias individuais. – Assiste, por isso mesmo, a todos, sem qualquer exclusão, o direito à busca da felicidade, verdadeiro postulado constitucional implícito, que se qualifica como expressão de uma ideia-força que deriva do princípio da essencial dignidade da pessoa humana. Precedentes do Supremo Tribunal Federal e da Suprema Corte americana" (STF – 2.ª Turma, RE 477.554/MG AgRg, rel. Min. Celso de Mello, j. 16.08.2011).

"Mostra-se inconstitucional interpretação de a interrupção da gravidez de feto anencéfalo ser conduta tipificada nos artigos 124, 126 e 128, incisos I e II, do Código Penal" (STF – Pleno, ADPF 54/DF, rel. Min. Marco Aurélio, j. 12.04.2012).

"A incolumidade física do feto anencéfalo, que, se sobreviver ao parto, o será por poucas horas ou dias, não pode ser preservada a qualquer custo, em detrimento dos direitos básicos da mulher. No caso, ainda que se conceba o direito à vida do feto anencéfalo – o que, na minha óptica, é inadmissível, consoante enfatizado –, tal direito cederia, em juízo de ponderação, em prol dos direitos à dignidade da pessoa humana, à liberdade no campo sexual, à autonomia, à privacidade, à integridade física, psicológica e moral e à saúde, previstos nos artigos 1.º, inciso III, 5.º, cabeça e incisos II, III e X, e 6.º, cabeça, da Carta da República. Os tempos atuais, realço, requerem empatia, aceitação, humanidade e solidariedade para com essas mulheres. Pelo que ouvimos ou lemos nos depoimentos prestados na audiência pública, somente aquela que vive tamanha situação de angústia é capaz de mensurar o sofrimento a que se submete. Atuar com sapiência e justiça, calcados na Constituição da República e desprovidos de qualquer dogma ou paradigma moral e religioso, obriga-nos a garantir, sim, o direito da mulher de manifestar-se livremente, sem temor de tornar-se ré em eventual ação por crime de aborto" (Trecho do voto do relator. STF – Pleno, ADPF 54/DF, rel. Min. Marco Aurélio, j. 12.04.2012).

"(...). 3. O direito ao nome insere-se no conceito de dignidade da pessoa humana e traduz a sua identidade, a origem de sua ancestralidade, o reconhecimento da família, razão pela qual o estado de filiação é direito indisponível, em função do bem comum maior a proteger, derivado da própria força impositiva dos preceitos de ordem pública que regulam a matéria (Estatuto da Criança e do Adolescente, artigo 27)" (STF – Pleno, RE 248.869/SP, rel. Min. Maurício Corrêa, j. 07.08.2003).

"Sendo fundamento da República Federativa do Brasil a dignidade da pessoa humana, o exame da constitucionalidade de ato normativo faz-se considerada a impossibilidade de o Diploma Maior permitir a exploração do homem pelo homem. O credenciamento de profissionais do volante para atuar na praça implica ato do administrador que atende às exigências próprias à permissão e que objetiva, em verdadeiro saneamento social, o endosso de lei viabilizadora da transformação, balizada no tempo, de taxistas auxiliares em permissionários" (STF – Pleno, RE 359.444/RJ, rel. Min. Carlos Velloso, redator p/ acórdão Min. Marco Aurélio, j. 24.03.2004).

"Na hipótese dos autos, o recorrido propôs ação ordinária visando à condenação da União ao pagamento de indenização dos danos morais que suportou com as diversas sessões de tortura e com seu banimento para o Chile durante o regime da ditadura militar, porém o Tribunal de origem extinguiu com julgamento de mérito ao reconhecer a ocorrência de prescrição. 2. Ocorre que segundo a jurisprudência do STJ, em face do caráter imprescritível das pretensões indenizatórias dos danos a direitos da personalidade ocorridos durante o regime militar, não há que se falar em aplicação de prazos prescricionais. Precedentes. 3. Logo, com razão a decisão agravada, que afastou a ocorrência da prescrição declarada pela Corte *a quo*". (STJ – 1.ª Turma, AREsp 1.280.101, rel. Min. Mauro Campbell Marques, DJE, 09.08.2012).

"1. Trata-se de ação civil pública proposta pelo Ministério Público Federal contra o Município de Serra, a Funasa e o Estado do Espírito Santo em decorrência de grave incidente de utilização equivocada de substância química perigosa (Malathion), durante o procedimento de desinsetização em posto de saúde, com sérios danos aos frequentadores do estabelecimento. 2. Está corretamente afastada a prescrição, que, quando cabível, deve ter, como marco inicial, a efetiva ocorrência e a identificação da extensão da lesão (princípio da *actio nata*, segundo o STJ), sobretudo no campo da proteção da saúde das pessoas e de outros direitos da personalidade, bem como de danos futuros, de manifestação diferida, protraída ou prolongada, condições que exigem, amiúde, sofisticados e dispendiosos exames laboratoriais ou de campo". (STJ – 2.ª Turma, REsp 1.236.863, rel. Min. Herman Benjamin, DJE, 27.02.2012).

"Trata-se de questão atinente à reabilitação de crianças e adolescentes acometidos por câncer ósseo e, certamente, o fornecimento de prótese pelo SUS, além de se constituir em dever elementar, muito contribuirá para a recuperação psicológica dessas pessoas, resgatando a autoestima e a esperança de uma vida melhor, em lídima concreção do elevado princípio da dignidade humana que, não por acaso, tem foro constitucional. Ora, esse direito fundamental assegurado pela Constituição Federal deve se sobrepor quando confrontado com outro, sendo certo que qualquer empenho destinado a devolver a dignidade humana a uma criança ou adolescente é sempre louvável, não sendo plausível qualquer tentativa de escusa por parte do Estado, seja sob o frágil argumento de alto custo ou de falta de previsão orçamentária para tanto ou, ainda, sob o argumento de ser mero financiador e gestor do SUS e não executor de suas atividades, não podendo propiciar a concessão de próteses aos necessitados" (TRF3, AC 1.446.057/SP, rel. Juiz Federal Convocado Valdeci dos Santos, e-DJF3, 09.08.2010, p. 318).

Art. 2.° São Poderes da União, independentes e harmônicos entre si, o Legislativo, o Executivo e o Judiciário.

Doutrina

Princípio da separação de poderes. Trata-se de princípio protegido contra emenda constitucional tendente a aboli-lo (art. 60, 4.°, III). Na verdade, o poder político é uno, indivisível e indelegável; porém, é exercido por órgãos distintos que se encarregam de exercer funções distintas. Assim, o Poder Legislativo exerce a função legislativa, produzindo as leis; o Poder Executivo exerce a função executiva, aplicando as leis nos negócios do governo e da administração; e o Poder Judiciário exerce a função jurisdicional, aplicando as leis nos casos concretos para a solução de conflitos. Nenhuma função é exercida em caráter de exclusividade, conquanto a Constituição estabelece importantes exceções: a função administrativa é exercida também pelo Legislativo quando administra o funcionamento e a polícia de seus serviços (arts. 51, IV e 52, XIII) e pelo Judiciário quando organiza suas secretarias e serviços auxiliares (arts. 96, I, *b*); a função legislativa é exercida também pelo Executivo, principalmente nos casos de adoção de medidas provisórias ou elaboração de leis delegadas, e pelo Judiciário para baixar os regimentos internos de seus tribunais; e a função jurisdicional é exercida pelo Legislativo quando autoriza a instauração de processo (art. 51, I), processa e julga (art. 52, I e II) as autoridades públicas listadas na Constituição.

Funcionamento independente e harmônico. A independência é relativa, pois o exercício das competências constitucionais pelos Poderes, em que pese pleno, não é absoluto, conquanto se houver abuso de parte de um, haverá correção por parte de outro, funcionando, assim, o sistema de freios e contrapesos instituído pela Constituição. O objetivo é o de garantir a harmonia como pressuposto do bom funcionamento dos Poderes, evitando conflitos de atribuições que poderão resultar em crises institucionais.

Jurisprudência

> "I – O Poder Judiciário, em situações excepcionais, pode determinar que a Administração Pública adote medidas assecuratórias de direitos constitucionalmente reconhecidos como essenciais, sem que isso configure violação do princípio da separação de poderes" (STF – 2.ª Turma, ARE 1.017.511/SE, rel. Min. Ricardo Lewandowski, j. 17.08.2018, DJE, 191, 12.09.2018).
>
> "O princípio constitucional da separação de poderes impede que Juízes e Tribunais – que não dispõem de função legislativa – estendam, a categorias funcionais não beneficiadas pelo ato estatal, as vantagens que somente foram concedidas a determinados estratos do Serviço Público.
>
> A Súmula 339/STF – cuja formulação presta obséquio ao postulado nuclear da separação de poderes – foi recebida, quanto ao seu enunciado, pela nova ordem constitucional promulgada em 1988, que erige o legislador como sujeito concretizante do princípio da isonomia" (STF – 1.ª Turma, RE 165.864-9, rel. Min. Ilmar Galvão, rel. p/ acórdão Min. Celso de Mello, RTJ, 147/931).
>
> Não viola o princípio da independência e harmonia entre os Poderes a edição de medida provisória nova em substituição à anterior já submetida à apreciação do Congresso Nacional. É que, não sendo possível ao Presidente da República de lá retirá-la, pode, no entanto, ab-rogá-la adotando outra, sem prejuízo de o Congresso restabelecê-la, mediante a rejeição da medida ab-rogatória (STF, DJ1, 25.08.1995, p. 26.022).

Viola o princípio da separação dos Poderes norma da Constituição de Estado que institui Conselho Estadual de Justiça, integrado por membros da magistratura estadual, autoridades vinculadas a outros Poderes, advogados e representantes de serviços notariais e judiciários, destinado à fiscalização e acompanhamento do desempenho dos órgãos do Poder Judiciário (STF, DJU, 03.10.1997, p. 49.227).

Viola o princípio da independência e harmonia entre os Poderes norma de Constituição estadual que subordina à aprovação da Assembleia Legislativa convênios, acordos, contratos e atos firmados por Secretaria de Estado (STF, RT 722/344, RDA 206/228).

Art. 3.º Constituem objetivos fundamentais da República Federativa do Brasil:

I – construir uma sociedade livre, justa e solidária;

II – garantir o desenvolvimento nacional;

III – erradicar a pobreza e a marginalização e reduzir as desigualdades sociais e regionais;

IV – promover o bem de todos, sem preconceitos de origem, raça, sexo, cor, idade e quaisquer outras formas de discriminação.

Doutrina

Objetivos fundamentais. São os seguintes os propósitos que o Estado visa a realizar concretamente: a) a construção de uma sociedade baseada nos princípios da liberdade, da justiça e da solidariedade; b) a garantia de atingir um novo estágio econômico e social para a melhoria do bem-estar da população; c) a erradicação da pobreza para integrar à sociedade os segmentos sociais que estão à sua margem, atenuando, assim, as desigualdades sociais e a diminuição das desigualdades entre as diversas regiões do país mediante a aplicação de políticas públicas de recuperação econômica e de avanços sociais; d) a promoção do bem-estar de todos sem discriminação de qualquer natureza, principalmente sem preconceitos de origem, raça, sexo, cor ou idade.

Jurisprudência

"A Lei 8.899/1994 é parte das políticas públicas para inserir os portadores de necessidades especiais na sociedade e objetiva a igualdade de oportunidades e a humanização das relações sociais, em cumprimento aos fundamentos da República de cidadania e dignidade da pessoa humana, o que se caracteriza pela definição de meios para que eles sejam alcançados" (STF – Pleno, ADIN 2.649, rel. Min. Cármen Lúcia, j. 08.05.2008).

"Ação direta de inconstitucionalidade. Direito Constitucional e Registral. Pessoa transgênero. Alteração do prenome e do sexo no registro civil. Possibilidade. Direito ao nome, ao reconhecimento da personalidade jurídica, à liberdade pessoal, à honra e à dignidade. Inexigibilidade de cirurgia de transgenitalização ou da realização de tratamentos hormonais ou patologizantes. 1. O direito à igualdade sem discriminações abrange a identidade ou expressão de gênero. 2. A identidade de gênero é manifestação da própria personalidade da pessoa humana e, como tal, cabe ao Estado apenas o papel de reconhecê-la, nunca de constituí-la. 3. A pessoa transgênero que comprove sua identidade de gênero dissonante daquela que lhe foi designada ao nascer por autoidentificação firmada em declaração escrita desta sua vontade dispõe do direito fundamental subjetivo à alteração do prenome e da classificação de gênero no registro civil pela via administrativa ou judicial, independentemente de procedimento cirúrgico e laudos de terceiros, por se tratar de tema relativo ao direito fundamental ao livre desenvolvimento da personalidade. 4. Ação direta julgada procedente" (STF – Pleno, ADIN 4.275/DF, rel. Min. Marco Aurélio, rel. p/ o acórdão Min. Edson Fachin, j. 01.03.2018).

"Ninguém, absolutamente ninguém, pode ser privado de direitos nem sofrer quaisquer restrições de ordem jurídica por motivo de sua orientação sexual. Os homossexuais, por tal razão, têm direito de receber a igual proteção tanto das leis quanto do sistema político-jurídico instituído pela Constituição da República, mostrando-se arbitrário e inaceitável qualquer estatuto que puna, que exclua, que discrimine, que fomente a intolerância, que estimule o desrespeito e que desiguale as pessoas em razão de sua orientação sexual" (STF – RE 477.554/MG AgRg, rel. Min. Celso de Mello, j. 16.08.2011).

"Direito Constitucional. Ação Direta de Constitucionalidade. Reserva de vagas para negros em concursos públicos. Constitucionalidade da Lei n.° 12.990/2014. Procedência do pedido. 1. É constitucional a Lei n.° 12.990/2014, que reserva a pessoas negras 20% das vagas oferecidas nos concursos públicos para provimento de cargos efetivos e empregos públicos no âmbito da administração pública federal direta e indireta, por três fundamentos. 1.1. Em primeiro lugar, a desequiparação promovida pela política de ação afirmativa em questão está em consonância com o princípio da isonomia. Ela se funda na necessidade de superar o racismo estrutural e institucional ainda existente na sociedade brasileira, e garantir a igualdade material entre os cidadãos, por meio da distribuição mais equitativa de bens sociais e da promoção do reconhecimento da população afrodescendente. 1.2. Em segundo lugar, não há violação aos princípios do concurso e da eficiência. A reserva de vagas para negros não os isenta da aprovação no concurso público. Como qualquer outro candidato, o beneficiário da política deve alcançar a nota necessária para que seja considerado apto a exercer, de forma adequada e eficiente, o cargo em questão. Além disso, a incorporação do fator 'raça' como critério de seleção, ao invés de afetar o princípio da eficiência, contribui para sua realização em maior extensão, criando uma 'burocracia representativa', capaz de garantir que os pontos de vista e interesses de toda a população sejam considerados na tomada de decisões estatais. 1.3. Em terceiro lugar, a medida observa o princípio da proporcionalidade em sua tríplice dimensão. A existência de uma política de cotas para o acesso de negros à educação superior não torna a reserva de vagas nos quadros da administração pública desnecessária ou desproporcional em sentido estrito. Isso porque (i) nem todos os cargos e empregos públicos exigem curso superior; (ii) ainda quando haja essa exigência, os beneficiários da ação afirmativa no serviço público podem não ter sido beneficiários das cotas nas universidades públicas; e (iii) mesmo que o concorrente tenha ingressado em curso de ensino superior por meio de cotas, há outros fatores que impedem os negros de competir em pé de igualdade nos concursos públicos, justificando a política de ação afirmativa instituída pela Lei n.º 12.990/2014. 2. Ademais, a fim de garantir a efetividade da política em questão, também é constitucional a instituição de mecanismos para evitar fraudes pelos candidatos. É legítima a utilização, além da autodeclaração, de critérios subsidiários de heteroidentificação (e.g., a exigência de autodeclaração presencial perante a comissão do concurso), desde que respeitada a dignidade da pessoa humana e garantidos o contraditório e a ampla defesa. 3. Por fim, a administração pública deve atentar para os seguintes parâmetros: (i) os percentuais de reserva de vaga devem valer para todas as fases dos concursos; (ii) a reserva deve ser aplicada em todas as vagas oferecidas no concurso público (não apenas no edital de abertura); (iii) os concursos não podem fracionar as vagas de acordo com a especialização exigida para burlar a política de ação afirmativa, que só se aplica em concursos com mais de duas vagas; e (iv) a ordem classificatória obtida a partir da aplicação dos critérios de alternância e proporcionalidade na nomeação dos candidatos aprovados deve produzir efeitos durante toda a carreira funcional do beneficiário da reserva de vagas. 4. Procedência do pedido, para fins de declarar a integral constitucionalidade da Lei n.º 12.990/2014." **Tese de julgamento**: *"É constitucional a reserva de 20% das vagas oferecidas nos concursos públicos para provimento de cargos efetivos e empregos públicos no âmbito da administração pública direta e indireta. É legítima a utilização, além da autodeclaração, de critérios subsidiários de heteroidentificação, desde que respeitada a dignidade da pessoa humana e garantidos o contraditório e a ampla defesa"* (grifei) (STF – Pleno, ADC 41/DF, rel. Min. Roberto Barroso, j. 08.06.2017, DJE 180, 17.08.2017).

"(...). 3. De acordo com precedentes do STF, a reserva de vagas para cotistas deve-se ater aos limites da lei de regência, 'afastada a possibilidade de, mediante arredondamento, majorarem-se as percentagens mínima e máxima previstas'. Por todos: Precedentes" (STJ – 2.ª Turma, ROMS 54.422, rel. Min. Herman Benjamin, DJE 17.10.2017).

"(...). 7. Não havendo qualquer prejuízo da impetrante quanto à identificação das notas e dos prazos para impugnação administrativa, não se declara nulidade em virtude de suposto vício na publicação dos resultados, apenas porque ocorreu a divulgação de uma listagem com os candidatos não cotistas e outras com aqueles inseridos no programa de reserva de vagas para negros e pessoas com deficiência" (STJ – 2.ª Turma, ROMS 45.854/MS, rel. Min. Og Fernandes, DJE 14.05.2015).

"(...). 6. A promoção da igualdade fática, expressamente determinada na Constituição da República de 1988, fundada na dinâmica da dimensão material do princípio da igualdade autoriza a implementação de ações afirmativas, combatendo discriminações raciais, sociais, sexuais, étnicas e regionais, tudo no contexto da promoção da justiça social, da solidariedade, dos direitos fundamentais sociais, do pluralismo. O mandamento da igualdade material (tratar aos iguais igualmente e aos desiguais desigualmente, na medida da desigualdade) conduz à promoção da igualdade fática, pois, conforme a segunda parte da máxima da igualdade jurídica (a norma de tratamento desigual), se há uma razão suficiente para ordenar um tratamento desigual, então está ordenado um tratamento desigual, decorrendo, portanto, o direito à criação de igualdade fática. 7. A reserva de vagas para os egressos do ensino público tem fundamento constitucional, dados os mandamentos constitucionais da solidariedade, da promoção da diversidade e da igualdade material, bem como a racionalidade e consistência fática da política pública que adota a presunção de inferioridade econômica dos beneficiados em face daqueles oriundos do ensino privado. Incidência do princípio de interpretação constitucional da correção funcional, a orientar o exame judicial da política pública racional, com fundamento na realidade, eleita pelos Poderes Legislativo e Executivo. 8. Ações afirmativas e reserva de vagas para egressos do ensino público atendem às noções fundamentais de retidão, equilíbrio, justiça e respeito à dignidade humana, consagradas na Constituição de 1988, que repelem a perpetuação de privilégios raciais e sociais no acesso aos benefícios propiciados pelas políticas públicas. Ao contrário: é a ausência destas políticas, mantenedoras de uma situação de exclusão injusta, racista e elitista de vastas camadas da população que atenta contra princípios básicos de justiça, como a não-discriminação, a liberdade positiva, a dignidade humana, o direito ao trabalho e à educação e à ética das instituições no regime democrático. (...)" (TRF4 – 3.ª Turma, ApReeNec 2008.71.00.002546-2, rel. Des. Fed. Roger Raupp Reis, D.E. 05.08.2009).

"A história das provas orais evidencia evolução, no sentido de superar preconceito com algumas pessoas. Durante muito tempo, recusou-se credibilidade ao escravo, estrangeiro, preso, prostituta. Projeção, sem dúvida, de distinção social. Os romanos distinguiam patrícios e plebeus. A economia rural, entre o senhor do engenho e o cortador de cana, o proprietário da fazenda de café e quem se encarregasse da colheita. Os Direitos Humanos buscam afastar distinção. O Poder Judiciário precisa ficar atento para não transformar essas distinções em coisa julgada. O requisito moderno para uma pessoa ser testemunha é não evidenciar interesse no desfecho do processo. Isenção, pois. O homossexual, nessa linha, não pode receber restrições. Tem o direito-dever de ser testemunha. E mais: sua palavra merece o mesmo crédito do heterossexual. Assim se concretiza o princípio da igualdade, registrado na Constituição da República e no Pacto de San Jose de Costa Rica" (STJ – 6.ª Turma, REsp 154.857, rel. Min. Luiz Vicente Cernicchiaro, DJ, 26.10.1998, p. 169).

"I – Afigura-se odiosa a negativa do reconhecimento dos direitos concedidos às pessoas de sexos diferentes aos do mesmo sexo, inclusive aos relacionados com a inclusão como dependente/beneficiário de plano de assistência médica, porque tal discriminação preconceituosa afronta os objetivos da República Federativa do Brasil, entre eles, o da construção de uma sociedade livre, justa e solidária, da erradicação da marginalização e da redução das desigualdades sociais, e, também, o da promoção do bem de todos, sem preconceitos de origem, raça, sexo, cor, idade e quaisquer outras formas de discriminação. II – O reconhecimento de vínculos entre pessoas do mesmo sexo atende, também, a defesa constitucional da unidade familiar, da promoção do bem estar e da dignidade da pessoa humana, da igualdade e da legalidade, e, especificamente na espécie dos autos, da saúde, que é direito de todos e dever do Estado, garantido mediante políticas sociais e econômicas que visem à redução do risco de doença e de outros agravos e ao acesso universal igualitário às ações e serviços para sua promoção, proteção e recuperação (artigo 196, da Constituição Federal). III – Se o homossexual não é cidadão de segunda categoria e sua opção ou condição sexual não lhe diminui direitos, muito menos, a dignidade de pessoa humana (STJ - REsp 238715/RS - Terceira Turma - DJ de 02/10/2006, p. 263) e, se todos são iguais perante a lei, sem distinção de qualquer natureza (CF, art. 5.°, *caput*), não há de se admitir a submissão de qualquer pessoa a tratamento discriminatório e marginalizador ou degradante, garantindo-se o desenvolvimento sustentável do patrimônio cultural do povo brasileiro, constituído dos bens de natureza material e imaterial, tomados individualmente ou em conjunto, como portadores de referência à identidade à ação, à memória dos diferentes grupos formadores da sociedade brasileira, nos quais se incluem as formas de expressão e os modos de criar, fazer e viver (CF, arts. 216, I e II), essenciais à sadia qualidade de vida das presentes e futuras gerações (CF, arts. 225, *caput*)" (TRF1, AMS 200534000132481, rel. Des. Fed. Souza Prudente, DJ 01.10.2007, p. 87).

"Não se pode estabelecer como admissão no serviço público ou inscrição em concurso, critério ou limitação por idade. CF, arts. 3.°, IV; 5.°, *caput*; 7.°, XXX; e 39, § 2.°, *in fine*." (TRF1, REO 91.01.03198-8/MG, rel. Juiz Jirair Aram Meguerian, DJ 2, 19.12.1991, p. 32.880).

"(...). 2. A autora ajuizou a presente ação visando a compelir a Universidade Federal de Alagoas a realizar a sua matrícula no curso de Direito, para o qual teria logrado aprovação com nota superior a alguns dos alunos cotistas. 3. Há de se atentar ao teor do julgamento proferido pelo Pleno deste e. Tribunal na Arguição de Inconstitucionalidade suscitada por esta c. Primeira Turma, que declarou a constitucionalidade do regime de cotas raciais estabelecido pela UFAL por meio da Resolução n.° 09/2004 – CEPE/UFAL, ratificado pela decisão plenária do e. Supremo Tribunal Federal na ADPF n.° 186. O c. STF julgou, à unanimidade, improcedente tal Arguição de Descumprimento de Preceito Fundamental, entendendo que os programas de ação afirmativa que criam um sistema de reserva de vagas baseado em critério étnico-racial para o acesso ao ensino superior estão em consonância com a Constituição" (TRF5, 1.ª Turma, AC 562.744/AL, rel. Des. Fed. José Maria de Lucena, DJE, 24.10.2013).

Art. 4.º A República Federativa do Brasil rege-se nas suas relações internacionais pelos seguintes princípios:

I – independência nacional;

II – prevalência dos direitos humanos;

III – autodeterminação dos povos;

IV – não intervenção;

V – igualdade entre os Estados;

VI – defesa da paz;

VII – solução pacífica dos conflitos;

VIII – repúdio ao terrorismo e ao racismo;

IX – cooperação entre os povos para o progresso da humanidade;

X – concessão de asilo político.

Parágrafo único. A República Federativa do Brasil buscará a integração econômica, política, social e cultural dos povos da América Latina, visando à formação de uma comunidade latino-americana de nações.

Doutrina

Princípios de relações internacionais. Nas suas relações com os demais países, o Estado brasileiro informará a sua atuação baseado nos seguintes princípios: *a) independência nacional*, entendida como poder de autodeterminação; *b) prevalência dos direitos humanos*, cujo respeito será sempre exigido; *c) autodeter-*

minação dos povos, que será sempre respeitada e prestigiada; *d) não-intervenção*, significando não-ingerência de qualquer forma ou por qualquer meio noutro Estado; *e) igualdade entre os Estados*, no sentido de que todos são parte da comunidade internacional em igualdade de condições, devendo ser tratados como tal; *f) defesa da paz*, atuando sempre para a sua prevalência; *g) solução pacífica dos conflitos*, envidando esforços para resolvê-los através de negociações diretas, arbitragem e outros meios pacíficos; *h) repúdio ao terrorismo e ao racismo*, significando reprovação contra qualquer política de terror instalada por grupos ou pelo próprio Estado, rechaçando, ainda, qualquer prática atentatória contra grupos étnicos minoritários; *i) cooperação entre os povos para o progresso da humanidade*, baseando a sua política internacional nos princípios da solidariedade e da cooperação; *j) concessão de asilo político*, que será concedido a todo estrangeiro que for perseguido por razões de ordem política ou ideológica.

Comunidade latino-americana de nações. Este é o objetivo último da atuação do Estado brasileiro para integrar econômica, política, social e culturalmente os povos latino-americanos, sem prejuízo de suas relações e eventual integração com outros países ou comunidade de nações. Nesse contexto, o Tratado para a Constituição de um Mercado Comum, na sua origem, com a Argentina, Paraguai e Uruguai, o MERCOSUL (Decreto n.º 350, de 21.11.91), apresenta-se como o primeiro passo concreto no sentido da integração prevista pela norma constitucional. Anote-se que a Venezuela, também aceita como membro pleno, tem sua condição de Estado parte suspensa desde 2016 devido ao retrocesso em sua situação política. Chile, Colômbia, Equador, Guiana, Peru e Suriname são Estados associados, e a Bolívia, também associada, encontra-se em processo de adesão.

Jurisprudência

> Os tratados internacionais firmados pelo Brasil submetem-se à autoridade da Constituição Federal e nenhum valor jurídico terão se, ainda que formalmente integrados ao direito interno, transgredirem, formal ou materialmente, a Lei Magna. Aliás, após a incorporação ao ordenamento jurídico interno, têm, como regra, a validade e

eficácia das normas infraconstitucionais, situando-se no mesmo plano hierárquico (STF, DJU, 02.08.1996, p. 25.794).

O Protocolo de Cooperação e Assistência Jurisdicional, chamado Protocolo de Las Leñas, firmado pelos países integrantes do MERCOSUL e promulgado pelo Decreto n.° 2.067, de 12.11.96, assegura que as sentenças estrangeiras oriundas dos países signatários poderão ser homologadas e executadas no país mediante carta rogatória em face do que dispõe o seu artigo 19: "O pedido de reconhecimento e execução de sentenças e de laudos arbitrais por parte de autoridades jurisdicionais será tramitado por via de cartas rogatórias e por intermédio da Autoridade Central." (STF, Informativo n.° 66).

"Recurso ordinário em habeas corpus. Direito penal. Crime de racismo religioso. Inépcia da denúncia. Inocorrência. Imprescritibilidade. Previsão constitucional expressa. Livro. Publicação. Proselitismo como núcleo essencial da liberdade de expressão religiosa. Trancamento da ação penal. 1. Não se reconhece a inépcia da denúncia na hipótese em que a tese acusatória é descrita com nitidez e o acusado pode insurgir-se, com paridade de armas, contra o conteúdo veiculado por meio da respectiva peça acusatória. 2. Nos termos da jurisprudência do STF, a divisão dos seres humanos em raças resulta de um processo de conteúdo meramente político-social (HC 82424, Relator(a): Min. MOREIRA ALVES, Relator(a) para o acórdão: Min. MAURÍCIO CORRÊA, Tribunal Pleno, julgado em 17.09.2003), de modo que o conceito jurídico associado ao racismo não pode ser delineado a partir de referências raciais ancoradas em compreensões científicas há muito superadas. Assim, a imprescritibilidade de práticas de racismo deve ser aferida segundo as características político-sociais consagradas na Lei 7.716/89, nas quais se inserem condutas exercitadas por razões de ordem religiosa e que se qualificam, em tese, como preconceituosas ou discriminatórias. 3. A liberdade religiosa e a de expressão constituem elementos fundantes da ordem constitucional e devem ser exercidas com observância dos demais direitos e garantias fundamentais, não alcançando, nessa ótica, condutas reveladoras de discriminação. 4. No que toca especificamente à liberdade de expressão religiosa, cumpre reconhecer, nas hipóteses de religiões que se alçam a universais, que o discurso proselitista é da essência de seu integral exercício. De tal modo, a finalidade de alcançar o outro, mediante persuasão, configura comportamento intrínseco a religiões de tal natureza. Para a consecução de tal objetivo, não se revela ilícita, por si só, a comparação entre diversas religiões, inclusive com explicitação de certa hierarquização ou animosidade entre elas. 5. O discurso discriminatório criminoso somente se materializa após ultrapassadas três etapas indispensáveis. Uma de caráter cognitivo, em que atestada a desigualdade entre grupos e/ou indivíduos; outra de viés valorativo, em que se assenta suposta relação de superioridade entre eles; e, por fim, uma terceira, em que o agente, a partir das fases anteriores, supõe legítima a dominação, exploração, escravização, eliminação, supressão ou redução de direitos fundamentais do diferente que compreende inferior. 6. A discriminação não libera consequências jurídicas negativas, especialmente no âmbito penal, na hipótese em que as etapas iniciais de desigualação desembocam na suposta prestação de auxílio ao grupo ou indivíduo que, na percepção do agente, encontrar-se-ia em situação desfavorável. 7. Hipótese concreta em que o paciente, por meio de publicação em livro, incita a comunidade católica a empreender resgate religioso direcionado à salvação de adeptos do espiritismo, em atitude que, a despeito de considerar inferiores os praticantes de fé distinta, o faz sem sinalização de violência, dominação, exploração, escravização, eliminação, supressão ou redução de direitos fundamentais. 8. Conduta que, embora intolerante, pedante e prepotente, se insere no cenário do embate entre religiões e decorrente da liberdade de proselitismo, essencial ao exercício, em sua inteireza, da liberdade de expressão religiosa. Impossibilidade, sob o ângulo da tipicidade conglobante, que conduta autorizada pelo ordenamento jurídico legitime a intervenção do Direito Penal. 9. Ante a atipicidade da conduta, dá-se provimento ao recurso para o fim de determinar o trancamento da ação penal pendente" (STF – 1.ª Turma, RHC 134.682/BA, rel. Min. Edson Fachin, j. 29.11.2016).

TÍTULO II
DOS DIREITOS E GARANTIAS FUNDAMENTAIS

CAPÍTULO I
DOS DIREITOS E DEVERES INDIVIDUAIS E COLETIVOS

Art. 5.º Todos são iguais perante a lei, sem distinção de qualquer natureza, garantindo-se aos brasileiros e aos estrangeiros residentes no País a inviolabilidade do direito à vida, à liberdade, à igualdade, à segurança e à propriedade, nos termos seguintes:

Doutrina

Princípio da igualdade perante a lei. Significa isonomia jurídico-formal, conforme a qual todos devem ser tratados igualmente em face da lei. Contudo, não veda tratamento desigual quando necessário para igualar as situações, pois o sentido da igualdade é o de tratar igualmente os iguais e desigualmente os desiguais, visando igualá-los no plano objetivo. Ademais, é necessário avançar na busca da igualdade material ou substancial de todos perante os bens da vida.

Proibição de distinção. Não pode a lei estabelecer nenhuma distinção que implique discriminação ilegítima entre pessoas quanto ao exercício de direitos ou ao cumprimento de obrigações.

Direitos fundamentais. A Constituição assegura aos brasileiros e aos estrangeiros residentes no País os seguintes direitos fundamentais: *a) direito à vida*, como direito da pessoa de estar viva e ter garantidas a sua integridade física e moral e a sua existência através de trabalho ou outro meio legítimo; *b) direito à liberdade*, como poder da pessoa de autodeterminar-se, orientando a sua vida para a busca dos meios necessários para a sua existência e para a realização de seus objetivos materiais e espirituais; *c) direito à igualdade*, como direito da pessoa de ser tratada em igualdade de condições com as demais, sem prejuízo do reconhecimento da existência de diferenças entre elas; *d) direito à segurança*, como meio de garantir o exercício de direitos e liberdades, ou o direito à segurança pessoal, domiciliar, ou jurídica; *e) direito à propriedade*, como direito de ser reconhecido como proprietário de bens, podendo deles fazer uso, gozo e disposição, sem, contudo, descurar de sua função social.

Estrangeiros não residentes no país. Os seus direitos fundamentais também são assegurados pela Constituição quando se encontrarem, em trânsito ou temporariamente, no território nacional, porque este é o âmbito de validade do ordenamento jurídico do Estado brasileiro.

Jurisprudência

"I – Não contraria – ao contrário, prestigia – o princípio da igualdade material, previsto no *caput* do art. 5.º da Carta da República, a possibilidade de o Estado lançar mão seja de políticas de cunho universalista, que abrangem um número indeterminado de indivíduos, mediante ações de natureza estrutural, seja de ações afirmativas, que atingem grupos sociais determinados, de maneira pontual, atribuindo a estes certas vantagens, por um tempo limitado, de modo a permitir-lhes a superação de desigualdades decorrentes de situações históricas particulares. II – O modelo constitucional brasileiro incorporou diversos mecanismos institucionais para corrigir as distorções resultantes de uma aplicação puramente formal do princípio da igualdade. III – Esta Corte, em diversos precedentes, assentou a constitucionalidade das políticas de ação afirmativa. IV – Medidas que buscam reverter, no âmbito universitário, o quadro histórico de desigualdade que caracteriza as relações étnico-raciais e sociais em nosso País, não podem ser examinadas apenas sob a ótica de sua compatibilidade com determinados preceitos constitucionais, isoladamente considerados, ou a partir de eventuais vantagens de certos critérios sobre outros, devendo, ao revés, ser analisadas à luz do arcabouço principiológico sobre o qual se assenta o próprio Estado brasileiro. V – Metodologia de seleção diferenciada pode perfeitamente levar em consideração critérios étnico-raciais ou socioeconômicos, de modo a assegurar que a comunidade acadêmica e a própria sociedade sejam beneficiadas pelo pluralismo de ideias, de resto, um dos fundamentos do Estado brasileiro, conforme dispõe o art. 1.º, V, da Constituição. VI – Justiça social, hoje, mais do que simplesmente redistribuir riquezas criadas pelo esforço coletivo, significa distinguir, reconhecer e incorporar à sociedade mais ampla valores culturais diversificados, muitas vezes considerados inferiores àqueles reputados dominantes. VII – No entanto, as políticas de ação afirmativa fundadas na discriminação reversa apenas são legítimas se a sua manutenção estiver condicionada à persistência, no tempo, do quadro de exclusão social que lhes deu origem. Caso contrário, tais políticas poderiam converter-se em benesses permanentes, instituídas em prol de determinado grupo social, mas em detrimento da coletividade como um todo, situação – é escusado dizer – incompatível com o espírito de qualquer Constituição que se pretenda democrática, devendo, outrossim, respeitar a proporcionalidade entre os meios empregados e os fins perseguidos. VIII – Arguição de descumprimento de preceito fundamental julgada improcedente" (STF – Pleno, ADPF 186/DF, rel. Min. Ricardo Lewandowski, j. 26.04.2012).

O princípio da isonomia compreende dois aspectos: a) o da igualdade na lei; e b) o da igualdade perante a lei. A igualdade na lei é exigência que se destina ao legislador, que, na elaboração da norma jurídica, não poderá incluir fatores de discriminação que violem a isonomia. A igualdade perante a lei tem como pressuposto norma já elaborada e dirige-se aos demais Poderes, que, na sua aplicação, não poderão sujeitá-la a critérios que impliquem tratamento discriminatório (STF, RDA 183/143).

O princípio da igualdade perante a lei, assegurado pela Constituição Federal a brasileiros e estrangeiros residentes no país, não compreende a União e as outras pessoas jurídicas de direito público interno, conquanto em benefício delas a lei poderá conferir privilégios ditados pelo interesse coletivo sem violação da garantia constitucional (STF, RF 201/118).

Não viola o princípio da isonomia a norma que afasta o limite de idade para inscrição em concurso público, destinado ao provimento de cargos do magistério, quando aplicada em favor de candidato que já é professor e deseja acumular, na forma da Constituição, outra cadeira (STF, Informativo n.º 32).

"O princípio da igualdade perante a lei, consubstanciado no art. 5.º da Constituição Federal de 1988, há de ser entendido em harmonia com outros dispositivos constitucionais e com as exigências da justiça social, eliminando as discriminações de qualquer natureza, conforme o art. 3.º, IV, da Carta Magna." (TRF2, REO 90.02.17.286/RJ, rel. Juiz Alberto Nogueira, DJ 2, 18.10.94, p. 59.110).

I – homens e mulheres são iguais em direitos e obrigações, nos termos desta Constituição;

Doutrina

Igualdade entre homens e mulheres. Na verdade, o princípio geral da igualdade inscrito no *caput* do artigo já consagra tratamento igual entre as pessoas, independentemente do sexo. Contudo, é possível sustentar que o objetivo da norma é o de vedar qualquer discriminação de direitos ou obrigações entre homens e mulheres, salvo aquelas inscritas na Constituição em favor destas, por razões de ordem econômica ou social.

Jurisprudência

Decorre do princípio da igualdade entre homens e mulheres o dever recíproco da prestação de alimentos (TJSP, RT 704/114).

Trabalhadora rural que cumpriu os requisitos da lei tem direito a aposentadoria por idade, sendo inconstitucional (CF, art. 5.º, I) a negativa ao argumento de que o benefício é devido somente ao chefe ou arrimo de família, pois a referida norma constitucional proíbe qualquer tipo de discriminação entre homens e mulheres (TRF1, DJ 2, 20.02.1992, p. 3.295).

II – ninguém será obrigado a fazer ou deixar de fazer alguma coisa senão em virtude de lei;

Doutrina

Princípio da legalidade. Significa que nenhuma pessoa poderá ser obrigada a fazer (ação positiva) ou deixar de fazer (abstenção) alguma coisa, prestação positiva ou negativa, senão quando a exigência decorrer de lei. Esta deve ser entendida no sentido de lei formal, norma primária oriunda do poder competente para legislar. Contudo, em face da atual divisão constitucional de competências, verifica-se que o Presidente da República poderá adotar medidas provisórias (art. 62) ou elaborar leis delegadas (art. 68) nas hipóteses previstas na Constituição. Tais normas também têm força de obrigar a pessoa a fazer ou não fazer alguma coisa.

Jurisprudência

> "A necessidade de respeito ao império da lei e a possibilidade de invocação da tutela jurisdicional do Estado - que constituem valores essenciais em uma sociedade democrática, estruturada sob a égide do princípio da liberdade - devem representar o sopro inspirador da harmonia social, além de significar um veto permanente a qualquer tipo de comportamento cuja motivação derive do intuito deliberado de praticar gestos inaceitáveis de violência e de ilicitude, como os atos de invasão da propriedade alheia e de desrespeito à autoridade das leis da República". (STF – Pleno, ADIN-MC 2.213/DF, rel. Min. Celso de Mello, j. 04.04.2002).
>
> Não se constitui em negativa de prestação jurisdicional decisão contrária ao interesse da parte e muito menos implica em violação do princípio da legalidade, pois ao Judiciário cabe decidir o conflito mediante interpretação da lei e zelando para fazer prevalecer a sua vontade concreta (STF, DJ 1, 16.02.1996, p. 2.999).

III – ninguém será submetido a tortura nem a tratamento desumano ou degradante;

Doutrina

Tortura. É o sofrimento físico e moral a que uma pessoa é submetida com o objetivo de obter dela admissão de culpa ou confissão sobre determinado fato de interesse do agente ou do Estado.

Tratamento desumano ou degradante. É aquele que reduz a pessoa a uma situação que viola sua dignidade moral, impondo-lhe humilhações por meio de expedientes cruéis e infamantes.

Jurisprudência

> "Tortura contra criança ou adolescente - Existência jurídica desse crime no Direito Penal Positivo brasileiro - Necessidade de sua repressão - Convenções internacionais subscritas pelo Brasil - Previsão típica constante do Estatuto da Criança e do Adolescente (Lei n.º 8.069/90, art. 233) - Confirmação da constitucionalidade dessa norma de tipificação penal - Delito imputado a policiais militares - Infração Penal que não se qualifica como crime militar - Competência da Justiça comum do Estado-membro - Pedido deferido em parte" (STF - Pleno, HC 70.389-5/SP, rel. Min. Celso de Mello, j. 23.07.1994).

IV - é livre a manifestação do pensamento, sendo vedado o anonimato;

Doutrina

Liberdade de pensamento. É o direito de expressar o que se pensa sobre qualquer assunto utilizando-se de qualquer meio. O pensamento não exteriorizado é irrelevante para o direito, somente tomando relevância e expressão quando comunicado ao mundo exterior como um produto do espírito humano.

Anonimato. É a condição daquele que se mantém anônimo, não declinando o seu nome. É proibido pela norma constitucional, sem prejuízo do uso de pseudônimo, porque a identificação constitui ônus do autor de um pensamento, conquanto daí poderá surgir eventual dever de indenizar.

Jurisprudência

> A Constituição Federal garante a livre manifestação do pensamento, vedado o anonimato, e assegura o direito de resposta, a inviolabilidade da intimidade, a vida privada, a honra e a imagem das pessoas, derrogando, pois, a Lei de Imprensa, que continua vigente naquilo que não contrariar a Lei Maior (STJ, DJ 1, 21.02. 1994, p. 2.180).
>
> "I. A Constituição Federal assegura, no artigo 5.º, IV, que 'é livre a manifestação do pensamento, sendo vedado o anonimato'. Trata-se, pois, de um direito fundamental, o qual, por óbvio, não é absoluto. Tanto assim o é que logo em seguida, no artigo 5.º, V, a Constituição estabelece que 'é assegurado o direito de resposta, proporcional ao agravo, além da indenização por dano material, moral ou à imagem'. A CF/88, a um só tempo, assegura a livre manifestação do pensamento e o direito de resposta, sendo certo que este tem lugar quando aquela é exercida abusivamente" (TRF3 – 11.ª Turma, ACr 0004512-10.2008.4.03.6181/SP, rel. Des. Fed. Cecília Mello, j. 09.08.2016, D.E. 18.08.2016).

V – é assegurado o direito de resposta, proporcional ao agravo, além da indenização por dano material, moral ou à imagem;

Doutrina

Direito de resposta proporcional ao agravo. A parte citada em matéria veiculada por qualquer meio tem o direito de contradizê-la, oferecendo a sua versão sobre os fatos narrados, que deverá ser publicada pelo veículo segundo as mesmas características da matéria contestada, segundo uma relação adequada de proporcionalidade suficiente para o desagravo.

Indenização por dano material, moral ou à imagem. A indenização decorrente de uma situação de agravo deverá cobrir a diminuição patrimonial sofrida pelo ofendido e ser acrescida, quando for o caso, de um *quantum* destinado a reparar-lhe o dano moral causado pelo sofrimento que suportou, compreendido neste também o dano à imagem.

Jurisprudência

> Súmula 37 do STJ: "São cumuláveis as indenizações por dano material e dano moral oriundos do mesmo fato".
>
> A Convenção de Varsóvia, que trata das normas relativas ao transporte aéreo internacional, subscrita pelo Brasil, ao dispor somente sobre indenização por danos materiais, não exclui a devida por danos morais, que também é devida em face das normas contidas nos incisos V e X do art. 5.º da Constituição Federal (STF, DJU, 14.08.1997, p. 36.790).
>
> "(...). No nosso ordenamento jurídico, o direito de resposta é assegurado quando o direito à livre manifestação de pensamento é exercido de forma abusiva, o que sói ocorrer quando se veiculam informações inexatas ou ofensivas à honra, reputação ou imagem alheia. III. No caso dos autos, não se vislumbra que a matéria impugnada pelo apelante renda ensejo ao direito de resposta pleiteado, por não se divisar que o editorial de fl. 22 tenha veiculado informações inexatas ou ofensivas ao requerente" (TRF3 – 11.ª Turma, AC 0004512-10.2008.4.03.6181/SP, rel. Des. Fed. Cecília Mello, j. 09.08.2016, D.E. 18.08.2016).

VI – é inviolável a liberdade de consciência e de crença, sendo assegurado o livre exercício dos cultos religiosos e garantida, na forma da lei, a proteção aos locais de culto e a suas liturgias;

Doutrina

Liberdade de consciência. É liberdade de foro íntimo inerente à pessoa humana, que poderá guardar para si, nas regiões insondáveis de seu interior, as suas opiniões sobre fé, religião, filosofia, ou qualquer outro assunto, não sendo obrigada a manifestá-las.

Liberdade de crença religiosa. Trata-se de espécie de liberdade de manifestação do pensamento, podendo a pessoa escolher uma religião ou não escolher nenhuma, sendo-lhe assegurado o livre exercício dos cultos, ritos e cerimônias próprios de sua fé religiosa.

Proteção aos locais de culto e a suas liturgias. A lei disporá sobre os meios de proteção aos templos e a outros locais de culto, como praças ou estádios, podendo estabelecer alguns limites ditados pela fiel observância do interesse público sem, no entanto, implicar em qualquer embaraço para a prática do culto religioso. A proteção é extensiva à liturgia, ou conjunto de atos que compõem o ofício religioso.

Jurisprudência

> "(...). O charlatanismo e o curandeirismo integram o rol dos crimes contra a saúde pública, ou seja, praticados contra número indeterminado de pessoas. Crimes de perigo concreto (probabilidade de dano). O direito penal da culpa é incompatível com o perigo abstrato, hipótese ocorrente no plano hipotético. O homem responde pelo que fez ou deixou de fazer. Refuta-se a simples suposição. Dessa forma, a denúncia precisa indicar o resultado (sentido normativo). Caso contrário, será inepta. A liberdade de culto é garantia constitucional, com proteção do local e da liturgia" (STJ – 6.ª Turma, HC 1.498/RJ, rel. Min. Luiz Vicente Cernicchiaro, DJ 1, 16.08.1993, p. 15.994).
>
> "Ensino Superior – Igreja Adventista: atividades aos sábados – Liberdade religiosa – Ofensa. 1. A liberdade de consciência e de crença e o livre exercício dos cultos religiosos são garantias constitucionais (art. 5.°, inciso

> VI, da CF). 2. Prevalência dos direitos fundamentais sobre normatização restritiva. 3. Apelação provida". (TRF3 – AMS 261.100/SP, rel. Juiz Convocado Leonel Ferreira, e-DJF3, 29.09.2011, p. 812).

VII – é assegurada, nos termos da lei, a prestação de assistência religiosa nas entidades civis e militares de internação coletiva;

Doutrina

Assistência religiosa. A assistência religiosa poderá ser prestada, nos termos da lei, a internos das Forças Armadas, de estabelecimentos prisionais, de casas de proteção a menores e instituições congêneres. Referida assistência compreenderá a prática de atos e ritos de uma confissão religiosa qualquer, sujeitando-se a limites compatíveis com as circunstâncias da internação.

Jurisprudência

> "(...). IV. Situação peculiar em que o agente religioso prestou auxílio espiritual ao paciente por período de cerca de cinco anos, com habitualidade, o que demonstra a seriedade de seu trabalho. V. O fortalecimento dos ensinamentos morais ao paciente, oportunizado tanto pela possibilidade de convivência no lar do conselheiro, quanto pela recompensa advinda de um benefício obtido pela demonstração de interesse em acolher uma vida ética e digna, devem ser, de fato, considerados como uma atividade que contribuirá para seu retorno ao convívio social" (STJ – 5.ª Turma, HC 175.674/RJ, rel. Min. Gilson Dipp, j. 10.05.2011).

VIII – ninguém será privado de direitos por motivo de crença religiosa ou de convicção filosófica ou política, salvo se as invocar para eximir-se de obrigação legal a

todos imposta e recusar-se a cumprir prestação alternativa, fixada em lei;

Doutrina

Objeção de consciência. É vedada qualquer privação de direito por motivo de credo religioso ou por ideologia política ou filosófica em decorrência do princípio fundamental da igualdade, que proíbe qualquer tipo de discriminação fundada nos motivos acima. Contudo, a escusa não é absoluta, pois não poderá ser invocada para o fim de eximir-se de obrigação legal imposta a todos, devendo, neste caso, o interessado cumprir prestação alternativa prevista em lei, sob pena de restrição de direitos, também prevista em lei, podendo culminar com a perda ou suspensão de direitos políticos (CF, art. 15, IV).

Jurisprudência

> "Estabelecer, em nome da escusa de consciência, um horário diferente para que adventistas realizem provas de vestibular, resguardando obrigações de seu culto, importa ao Estado – que é leigo e separado da religião – fazer discriminação favorecedora daqueles que professem determinada fé, o que é proibido pela Constituição" (TRF1, REO 101.978/GO, rel. Juiz Hércules Quasímodo, DJ, II, 17.12.1990, p. 30.767).

IX – é livre a expressão da atividade intelectual, artística, científica e de comunicação, independentemente de censura ou licença;

Doutrina

Liberdade de expressão e proibição de censura ou licença. A expressão da atividade intelectual, artística, científica e de comunicação é livre e não se sujeita a licença ou censura de qualquer natureza. A norma constitucional consagra a proibição da censura, que é o procedimento de autoridade, realizado prévia ou posteriormente, com o fim de verificar se o conteúdo do pensamento veiculado se adequa ao permitido pelas normas legais pertinentes. Da mesma forma, a expressão do pensamento independe de licença de autoridade.

Jurisprudência

> "Abolida do novo Texto Constitucional a prévia censura ou licença para a expressão da atividade intelectual, artística, científica ou de comunicação, e inexistindo na letra da canção impugnada ofensa à dignidade pessoal de autoridade pública, confirma-se a concessão da ordem, presente ainda o interesse em radiodifundir a música" (TRF4 – 2.ª Turma, REO 89.04.15300/RS, rel. Juiz José Morschbacher, DJ 1, 07.08.1991, p. 18.089).

X – são invioláveis a intimidade, a vida privada, a honra e a imagem das pessoas, assegurado o direito a indenização pelo dano material ou moral decorrente de sua violação;

Doutrina

Direito à intimidade e à vida privada. Intimidade é o espaço privado da vida que a pessoa tem o direito de manter protegido contra conhecimento de terceiro. Vida privada da pessoa é o seu âmbito de atuação, que compreende a sua intimidade e as relações com o seu grupo familiar e de pessoas mais próximas.

Proteção da honra e da imagem. A honra consiste num conjunto de atributos de ordem moral, física, intelectual e social, que integram a personalidade. A imagem exterioriza as qualidades de uma pessoa e a estima de que goza perante o seu meio social.

Indenização por danos materiais ou morais. A violação de quaisquer dos bens protegidos pela norma constitucional enseja direito à indenização. Esta será por danos materiais quando se destinar à recomposição do patrimônio da pessoa e por danos morais quando destinada a reparar lesão no patrimônio ideal da pessoa injustamente atingido por conduta de terceiro.

Jurisprudência

"Direito à proteção da própria imagem, diante da utilização de fotografia em anúncio com fim lucrativo, sem a devida autorização da pessoa correspondente. Indenização pelo uso indevido da imagem. Tutela jurídica resultante do alcance do direito positivo" (STF – 2.ª Turma, RE 91.328/SP, rel. Min. Djaci Falcão, DJ 1, 11.12.1981).

"Responsabilidade civil. Dano moral. Pessoa jurídica. A honra objetiva da pessoa jurídica pode ser ofendida pelo protesto indevido de título cambial, cabendo indenização pelo dano extrapatrimonial daí decorrente" (STJ – 4.ª Turma, REsp 60.033/MG, rel. Min. Ruy Rosado Aguiar, DJ 1, 27.11.1995, p. 40.893).

O direito à intimidade, consagrado no artigo 5.º, X, da Constituição Federal não é absoluto e a quebra do sigilo bancário - espécie daquele - é legítima quando fundada em interesse público relevante (STJ, RDA 206/261).

XI – a casa é asilo inviolável do indivíduo, ninguém podendo nela penetrar sem consentimento do morador, salvo em caso de flagrante delito ou desastre, ou para prestar socorro, ou, durante o dia, por determinação judicial;

Doutrina

Proteção do domicílio. A inviolabilidade do domicílio institui a casa como asilo inviolável do indivíduo, entendida esta como qualquer compartimento individual habitado, ou aposento ocupado de habitação coletiva, ou, ainda, compartimento não aberto ao público onde alguém exerça profissão ou atividade. Ninguém pode adentrar uma casa sem o consentimento do morador, salvo nas hipóteses excepcionadas pela norma constitucional.

***Exceções à proteção do domicílio*.** São instituídas em favor do próprio morador e fundadas em razões de interesse público. Assim, é permitida a penetração na casa, independentemente da vontade do morador, nos seguintes casos: *a) flagrante delito*, de crime ou contravenção, para capturar o autor no momento ou logo após a perpetração da conduta delituosa; *b) desastre*, para acudir alguém, morador ou não, nos casos de acontecimentos calamitosos ou acidentes; *c) prestação de socorro*, por qualquer pessoa, profissional ou não, a alguém que se encontre no interior da casa; *d) determinação judicial*, nos casos previstos em lei e a ser cumprida por autoridade somente durante o dia, entendido este como o período em que haja luz natural, normalmente das seis horas da manhã às dezoito horas da tarde. Portanto, a violação de domicílio está autorizada nas hipóteses dos itens *a* a *c* durante o dia ou à noite e, no caso do item *d*, somente durante o dia.

Jurisprudência

> "O amplo sentido conceitual da noção de jurídica de 'casa' revela-se plenamente consentâneo com a exigência constitucional de proteção à esfera de liberdade individual e de privacidade pessoal (RT, 214:409; 467:385; e 636:341). É por essa razão que a doutrina – ao destacar o caráter abrange desse conceito jurídico – adverte que o princípio da inviolabilidade estende-se ao espaço em que alguém exerce, com exclusão de terceiros, qualquer atividade de índole profissional" (Trecho do voto do Min. Celso de Mello. STF – 2.ª Turma, AP 370-3/DF, rel. Min. Ilmar Galvão, RTJ, 162:249).

> "A essencialidade da ordem judicial para efeito de realização das medidas de busca e apreensão domiciliar nada mais representa, dentro do novo contexto normativo emergente da Carta Política de 1988, senão a plena concretização da garantia constitucional pertinente à inviolabilidade do domicílio" (STF – 2.ª Turma, AP 307-3/DF, rel. Min. Ilmar Galvão, DJU, 13.10.1995).

> "As Comissões Parlamentares de Inquérito não podem determinar a busca e apreensão domiciliar, por se

tratar de ato sujeito ao princípio constitucional da reserva de jurisdição, ou seja, ato cuja prática a CF atribui com exclusividade aos membros do Poder Judiciário" (STF – Pleno, MS 23.642/DF, rel. Min. Néri da Silveira, j. 29.11.2000).

Mesmo sendo a casa asilo inviolável do indivíduo, não pode ser transformada em garantia de impunidade de crimes eventualmente cometidos em seu interior (STF, RTJ 74/881).

No caso de crime permanente, a situação é de flagrância e a penetração na casa dispensa mandado judicial, pois incide no caso a exceção do art. 5.º, XI, da Constituição (STF, Informativo n.º 75).

"Policiais que, em diligência, pela madrugada, autorizados pelo morador, ingressam em residência para verificação de denúncia de ocultação de drogas. Hipótese não contemplada pelo art. 5.º, XI, da Constituição Federal, que pressupõe o não consentimento do morador" (STJ – 5.ª Turma, RHC 4.225/MG, rel. Min. Assis Toledo, DJ, 1, 06.03.1995, p. 4.374).

XII – é inviolável o sigilo da correspondência e das comunicações telegráficas, de dados e das comunicações telefônicas, salvo, no último caso, por ordem judicial, nas hipóteses e na forma que a lei estabelecer para fins de investigação criminal ou instrução processual penal;

Doutrina

Inviolabilidade da correspondência e das comunicações. A norma garante o sigilo da correspondência epistolar de qualquer natureza, que não pode ser violada, bem como das comunicações telegráficas (como os telegramas), das comunicações de dados (como as transmissões em rede de dados econômicos, financeiros ou de qualquer outra natureza) e das comunicações telefônicas (as intercomunicações por meio de telefone).

Quebra do sigilo das comunicações telefônicas. A interceptação das comunicações telefônicas ou do fluxo de comunicações em sistemas de informática e telemática poderá ser autorizada pelo juiz competente para a ação principal quando necessária para a produção de prova para fins de investigação criminal, na fase do inquérito policial ou de instrução processual penal de delito punido com pena de reclusão. Deve correr em segredo de justiça e somente ser autorizada quando existentes indícios razoáveis de autoria ou de participação na conduta delituosa e não ser possível a obtenção do elemento de prova por outros meios disponíveis. Portanto, a licitude da prova obtida por meio de interceptação pressupõe a autorização judicial, sendo ilícitas as conseguidas por qualquer outro meio.

Restrições decorrentes da defesa do Estado e das Instituições Democráticas. A Constituição Federal autoriza, na decretação do estado de defesa, restrições ao direito de sigilo de correspondência (art. 136, § 1.°, *b*), e na vigência do estado de sítio, restrições relativas à inviolabilidade da correspondência, ao sigilo das comunicações e à prestação de informações, na forma que a lei estabelecer (art. 139, III).

Jurisprudência

> "Sigilo de dados - Afastamento. Conforme disposto no inciso XII do artigo 5.° da Constituição Federal, a regra é a privacidade quanto à correspondência, às comunicações telegráficas, aos dados e às comunicações, ficando a exceção – a quebra do sigilo – submetida ao crivo de órgão equidistante – o Judiciário – e, mesmo assim, para efeito de investigação criminal ou instrução processual penal" (STF – Pleno, RE 389.808/PR, rel. Min. Marco Aurélio, DJE 86, 10.05.2011).
>
> "O reconhecimento constitucional do direito à privacidade (CF, art. 5.°, X) desautoriza o valor probante do conteúdo de fita magnética que registra, de forma clandestina, o diálogo mantido com alguém que venha a sofrer a persecução penal do Estado. A gravação de diálogos privados, quando executada com total desconhecimento de um de seus partícipes, apresenta-se eivada

de absoluta desvalia, especialmente quando o órgão da acusação penal postula, com base nela, a prolação de um decreto condenatório" (Excerto do voto do Min. Celso de Mello. STF – 2.ª Turma, AP 307/3/DF, rel. Min. Ilmar Galvão, Ementário 1804-11).

"Não representa gravação clandestina, de modo a qualificar-se como prova obtida por meio ilícito, a gravação de conversa entre os próprios interlocutores, ainda que a pessoa que se encontra do outro lado da linha não tenha conhecimento de que a conversa estaria sendo gravada" (TJSP, Ag. 187.942-1/SP, rel. Des. Fonseca Tavares, 8ª Câmara Civil, JTJ/SP-LEX 143/199).

"A existência nos autos de prova obtida ilicitamente (escuta telefônica autorizada por juiz antes do advento da Lei 9.296/96) não basta à invalidação do processo, se há outras provas consideradas autônomas, isto é, colhidas sem necessidade dos elementos informativos revelados pela prova ilícita" (STF – 1.ª Turma, HC 76.231/RJ, rel. Min. Nelson Jobim, Informativo n.º 115).

"A ordem jurídica autoriza a quebra do sigilo bancário, em situações excepcionais. Implicando, entretanto, na restrição do direito à propriedade do cidadão, garantida pelo princípio constitucional, é imprescindível demonstrar a necessidade das informações solicitadas, com o estrito cumprimento das condições legais autorizadoras" (STJ – 2.ª Turma, REsp 124.272/RO, rel. Min. Hélio Mosiman, DJ, 1, 02.02.1998).

XIII – é livre o exercício de qualquer trabalho, ofício ou profissão, atendidas as qualificações profissionais que a lei estabelecer;

Doutrina

Liberdade de trabalho, ofício ou profissão. A norma consagra o princípio da liberdade de escolha e de exercício de trabalho (atividade humana destinada a criar utilidades), de ofício (ocupação manual ou intelectual constituída por um conjunto de tarefas) ou de profissão (atividade especializada que exige preparo técnico ou científico para o seu exercício).

Limites ao exercício de trabalho, ofício ou profissão. A liberdade de exercício de trabalho, ofício ou profissão não é absoluta, pois lei de competência privativa da União (CF, art. 22, XVI) disporá sobre as condições para o exercício de profissões, estabelecendo as qualificações profissionais exigíveis em cada caso, e sobre o exercício do poder de polícia visando a preservar o interesse coletivo.

Jurisprudência

> "I – A Constituição Federal, art. 5.º, XIII, remeteu à legislação infraconstitucional o estabelecimento de condições para o exercício de qualquer trabalho, ofício ou profissão. II – O impetrante atendeu aos requisitos legais de capacitação profissional para o exercício da função. III – Remessa oficial improvida" (TRF3 – 2.ª Turma, REO 91.03.026461/SP, rel. Juiz Aricê Amaral, DJ 2, 26.07.1995, p. 46.075).

> "(...). Os jornalistas são aquelas pessoas que se dedicam profissionalmente ao exercício pleno da liberdade de expressão. O jornalismo e a liberdade de expressão, portanto, são atividades que estão imbricadas por sua própria natureza e não podem ser pensadas e tratadas de forma separada. Isso implica, logicamente, que a interpretação do art. 5.º, XIII, da Constituição, na hipótese da profissão de jornalista, se faça, impreterivelmente, em conjunto com os preceitos do art. 5.º, IV, IX, XIV, e do art. 220 da Constituição, que asseguram as liberdades de expressão, de informação e de comunicação em geral" (STF – Pleno, RE 511.961, rel. Min. Gilmar Mendes, DJE, 13.11.2009).

> Não viola o art. 5.º, XIII, da Constituição Federal, a exigência em concurso público de qualificação específica para o preenchimento de cargo, desde que contida

em lei e de acordo com os demais diplomas legais que disciplinam o exercício da profissão (STF, RT 706/245).

XIV – é assegurado a todos o acesso à informação e resguardado o sigilo da fonte, quando necessário ao exercício profissional;

Doutrina

Acesso à informação. Trata-se de direito inédito previsto no constitucionalismo brasileiro e compreende tanto o direito de informar, no sentido prestar a informação obtida, quanto o de ser informado, no sentido de receber a informação sobre fatos ou ideias por meio de veículo apropriado.

Sigilo da fonte. É assegurado àquele que obteve a informação o direito de resguardar a sua fonte, quando necessário ao exercício profissional. Contudo, o sigilo deverá ser relativizado em face da proibição constitucional do anonimato.

Esquecimento. Esquecer, no sentido comum, é tirar da lembrança. Na acepção jurídica, é o ato de buscar uma decisão judicial capaz de evitar que algo, seja um fato desagradável a alguém ou uma lembrança, vir a lume e causar-lhe desgaste ou sofrimento. A Constituição Federal de 1988 dispõe sobre rol alentado de direitos e garantias individuais; porém, o Supremo Tribunal Federal decidiu recentemente que a Carta da República não assegura o chamado direito ao esquecimento, acrescentando que direitos como os ligados à manifestação do pensamento (art. 5.°, IV) e o acesso à informação sobrepõem-se àquele e, portanto, devem ser prestigiados. De fato, se entender o Congresso Nacional de instituir no ordenamento jurídico referido direito, que o faça pela via legislativa e não por meio do Judiciário.

Jurisprudência

"É de ser mantida a r. sentença por haver ocorrido na hipótese violação a princípios constitucionais fundamentais bem como ao Código de Processo Civil. I – A despeito do conteúdo do regulamento de admissão do Colégio Militar, item 06, m, assegura a Constituição Federal a todos o acesso à informação e resguardado o sigilo da fonte, quando necessário ao exercício profissional (art. 5.°, XIV). II – O item XXXIII do mesmo artigo garante a todos o direito de receber dos órgãos públicos informações de interesse coletivo ou geral, que serão prestadas no prazo da lei com ressalvas àquelas cujo sigilo seja imprescindível à segurança da sociedade e do Estado. (...)" (TRF2 – 2.ª Turma, AMS 92.02.15823/RJ, rel. Juiz Alberto Nogueira, DJ 2, 24.03.1994, p. 11.808).

Deve responder por dano moral órgão de imprensa que publicou notícia verdadeira, porém de forma insidiosa e abusiva ao dar-lhe contornos de escândalo (TJRJ, RT, 743/381).

XV – é livre a locomoção no território nacional em tempo de paz, podendo qualquer pessoa, nos termos da lei, nele entrar, permanecer ou dele sair com seus bens;

Doutrina

Liberdade de locomoção. É o direito que tem qualquer pessoa, nacional ou estrangeira, de, em tempo de paz, ingressar no território nacional e nele permanecer e circular ou dele sair com os seus bens. A lei estabelecerá, principalmente em relação aos estrangeiros, requisitos para o exercício do direito de locomoção, desde que o faça em razão de um interesse público relevante e, na vigência de estado de sítio, poderá obrigar alguém a permanecer em localidade determinada (CF, art. 139, I).

Jurisprudência

"1. A questão jurídica debatida neste *habeas corpus* consiste na possibilidade (ou não) da imposição de condições ao paciente com a revogação da decisão que decretou sua prisão preventiva. 2. Houve a observância dos princípios e regras constitucionais aplicáveis à matéria na decisão que condicionou a revogação do decreto prisional ao cumprimento de certas condições judiciais. 3. Não há direito absoluto à liberdade de ir e vir (CF, art. 5.°, XV) e, portanto, existem situações em que se faz necessária a ponderação dos interesses em conflito do caso concreto. 4. A medida adotada na decisão impugnada tem clara natureza acautelatória, inserindo-se no poder geral de cautela (CPC, art. 798; CPP, art. 3.°). 5. As condições impostas não maculam o princípio constitucional da não-culpabilidade, como também não o fazem as prisões cautelares ou processuais. 6. Cuida-se de medida adotada com base no poder geral de cautela, perfeitamente inserida no direito brasileiro, não havendo violação ao princípio da independência dos poderes (CF, art. 2.°), tampouco malferimento à regra de competência privativa da União para legislar sobre direito processual (CF, art. 22, I). Ordem denegada" (STF – 2.ª Turma, HC 94.147/RJ, rel. Min. Ellen Gracie, unânime, j. 27.05.2008).

"Não pode o Judiciário assenhorar-se das prerrogativas do Legislativo, criando novas formas inibidoras ao direito de ir e vir, sem a devida fundamentação e forma prescrita em lei" (STJ – 6.ª Turma, RHC 1.944/SP, rel. Min. Pedro Acioli, DJ 1, 24.08.1992, p. 13.001).

XVI – todos podem reunir-se pacificamente, sem armas, em locais abertos ao público, independentemente de autorização, desde que não frustrem outra reunião anteriormente convocada para o mesmo local, sendo apenas exigido prévio aviso à autoridade competente;

Doutrina

Direito de reunião. É o encontro efêmero de pessoas, minimamente organizado, com o fim de trocar ideias, formar opinião e deliberar sobre determinado assunto de interesse comum do grupo. A reunião em local aberto ao público deve ser pacífica, desarmada, não frustrar outra reunião anteriormente marcada para o mesmo local e exige prévio aviso à autoridade policial competente quando se realizar em espaço público. A passeata é modalidade singular de reunião em marcha, enquanto as manifestações se realizam num lugar determinado. Não é fora de propósito, aliás, é desejável, que a autoridade, uma vez avisada, tome providências para garantir a segurança das pessoas em reunião ou em passeata e, principalmente, atue no sentido de garantir os direitos e liberdades das demais pessoas e da comunidade.

Restrições. O direito de reunião, ainda que exercido no seio das associações, poderá sofrer restrição na vigência do estado de defesa; e na vigência do estado de sítio poderá ocorrer sua suspensão temporária.

Jurisprudência

> "Mérito: 'Marcha da Maconha' – Manifestação legítima, por cidadãos da República, de duas liberdades individuais revestidas de caráter fundamental: o Direito de Reunião (liberdade-meio) e o Direito à Livre Expressão do Pensamento (liberdade-fim). A liberdade de reunião como pré-condição necessária à ativa participação dos cidadãos no processo político e no de tomada de decisões no âmbito do aparelho de Estado. Consequente legitimidade, sob perspectiva estritamente constitucional, de assembleias, reuniões, marchas, passeatas ou encontros coletivos realizados em espaços públicos (ou privados) com o objetivo de obter apoio para oferecimento de projetos de lei, de iniciativa popular, de criticar modelos normativos em vigor, de exercer o direito de petição e de promover atos de proselitismo em favor das posições sustentadas pelos manifestantes e participantes da reunião. Estrutura constitucional do direito fundamental de reunião pacífica e oponibilidade de seu exercício ao Poder Público e aos seus agentes. Vinculação de caráter instrumental entre a liberdade de

reunião e a liberdade de manifestação do pensamento" (STF – Pleno, ADPF 187/DF, rel. Min. Celso de Mello, j. 15.06.2011).

"Liberdade de reunião e manifestação pública. Limitações. Ofensa ao art. 5.°, XVI, da CF. A liberdade de reunião e de associação para fins lícitos constitui uma das mais importantes conquistas da civilização, enquanto fundamento das modernas democracias políticas. A restrição ao direito de reunião estabelecida pelo Decreto distrital 20.098/1999 a toda evidência mostra-se inadequada, desnecessária e desproporcional quando confrontada com a vontade da Constituição" (STF – Pleno, ADIN 1.969/DF, rel. Min. Ricardo Lewandowski, j. 28.06.2007).

"(...). 2. A utilização do § 3.° do art. 33 da Lei 11.343/2006 como fundamento para a proibição judicial de eventos públicos de defesa da legalização ou da descriminalização do uso de entorpecentes ofende o direito fundamental da reunião, expressamente outorgado pelo inciso XVI do art. 5.° da Carta Magna. Regular exercício das liberdades constitucionais de manifestação de pensamento e expressão, em sentido lato, além do direito de acesso à informação (incisos IV, IX e XIV do art. 5.° da Constituição Republicana, respectivamente)" (STF – Pleno, ADIN 4.274/DF, rel. Min. Ayres Britto, j. 23.11.2011).

XVII – é plena a liberdade de associação para fins lícitos, vedada a de caráter paramilitar;

Doutrina

Liberdade de associação. Significa que as pessoas têm o direito de criação, de participação, de desligamento ou de dissolução de associações, contanto que lícitos os seus fins e desde que não tenham caráter paramilitar, quer dizer, que não se organizem como as forças policiais ou militares do Estado. Nestas duas hipóteses, poderá ocorrer a dissolução judicial da associação.

Jurisprudência

"(...). 6. O direito à plena liberdade de associação (art. 5.º, XVII, da CF) está intrinsecamente ligado aos preceitos constitucionais de proteção da dignidade da pessoa, de livre iniciativa, da autonomia da vontade e da liberdade de expressão. 7. Uma associação que deva pedir licença para criticar situações de arbitrariedades terá sua atuação completamente esvaziada. 8. O juízo de tipicidade não se esgota na análise de adequação ao tipo penal, pois exige a averiguação do alcance proibitivo da norma, não considerada isoladamente. A Constituição Federal é peça fundamental à análise da adequação típica. 8. Ordem concedida" (STF – 2.ª Turma, HC 106.808/RN, rel. Min. Gilmar Mendes, j. 09.04.2013).

A exclusão de associado dos quadros associativos em razão de conduta contrária aos estatutos somente é legítima se observar as suas próprias disposições estatutárias e, principalmente, o devido processo legal, assegurado o exercício amplo do direito de defesa (STF, Informativo n.º 34).

XVIII – a criação de associações e, na forma da lei, a de cooperativas independem de autorização, sendo vedada a interferência estatal em seu funcionamento;

Doutrina

Criação de associações e de cooperativas. Não dependem de autorização governamental para a sua criação em decorrência do direito de associação assegurado pela Constituição.

Interferência estatal. É vedada a interferência estatal no funcionamento das associações e cooperativas, estando, estas, sujeitas à fiscalização por parte do Poder Público nos limites que a lei estabelecer.

Jurisprudência

A exigência de registro público de associações civis de qualquer natureza é reclamada, no sistema brasileiro, para a constituição regular da pessoa jurídica e não viola o princípio da liberdade de associação, desde que se trate efetivamente de simples registro, ato vinculado sujeito apenas à verificação de pressupostos legais (STF, DJ 2, 28.5.93, p. 10.381).

"(...). 6. Ademais, o outro fundamento autônomo adotado pela Corte de origem para não reconhecer a legitimidade ad causam da demandante, anotando que o estatuto da associação, ora recorrente, é desmesuradamente genérico (...) tem respaldo em precedente do STJ, assentando que as associações civis necessitam ter finalidades institucionais compatíveis com a defesa do interesse transindividual que pretendam tutelar em juízo. Embora essa finalidade possa ser razoavelmente genérica, 'não pode ser, entretanto, desarrazoada, sob pena de admitirmos a criação de uma associação civil para a defesa de qualquer interesse, o que desnaturaria a exigência de representatividade adequada do grupo lesado'. (AgRg no Resp 901.936/RJ, Rel. Ministro Luiz Fux, Primeira Turma, julgado em 16.10.2008, DJE 16.03.2009). Recurso especial não provido" (STJ – 4.ª Turma, REsp 1.213.614, rel. Min. Luis Felipe Salomão, j. 01.10.2015, DJE, 26.10.2015, vol. 69, p. 95).

"(...). 2. A embargante, apesar de cooperativa, desempenha atividade econômica, concorrendo com outras operadores de planos de assistência à saúde, buscando clientes, médicos e hospitais; sujeitando-se, portanto, às disposições da Lei 8.884/94. 3. Não houve violação ao artigo 5.º, XVIII, da CF: a criação de associações e, na forma da lei, a de cooperativas independem de autorização, sendo vedada a interferência estatal em seu funcionamento, pois a disposição que estabelecia a exclusividade repercutia externamente, afetando os consumidores, desta forma não se trata apenas de interesse dos cooperados, sendo possível então a atuação do Poder Público na defesa da ordem econômica" (TRF3 – 3.ª Turma, AC 1.548.747/SP, rel. Juiz Federal Convocado Roberto Jeuken, e-DJF3 Judicial 1, 18.03.2013).

XIX – as associações só poderão ser compulsoriamente dissolvidas ou ter suas atividades suspensas por decisão judicial, exigindo-se, no primeiro caso, o trânsito em julgado;

Doutrina

Dissolução compulsória e suspensão de atividades. Em ambas as hipóteses somente se dará por decisão judicial. No caso de suspensão de atividades, pode ocorrer inclusive por meio de decisão cautelar preparatória de ação de dissolução compulsória e, procedente esta, a associação somente será compulsoriamente dissolvida após o trânsito em julgado da decisão.

Pressuposto essencial para a dissolução. As associações somente poderão ser dissolvidas se visarem fins ilícitos, ou contrários, nocivos ou perigosos ao bem público, à segurança do Estado e da coletividade, à ordem pública ou social, à moral e aos bons costumes.

Jurisprudência

O direito de associação é garantido apenas para o exercício de atividades lícitas e não veda o exercício do poder de polícia (STF, RDA 51/270).

"(...). 2. Não bastasse, ainda que a prova documental demonstrasse com segurança que a impetrante presta serviços de vigilância, sem, contudo, cumprir os requisitos próprios, contidos na Lei n.º 7.102/83, não pode, à luz da Constituição Federal de 1988, a Administração determinar que uma empresa encerre atividades, pois, nos termos da norma contida no artigo 5.º, inciso XIX, as associações só poderão ser compulsoriamente dissolvidas ou ter suas atividades suspensas por decisão judicial, exigindo-se, no primeiro caso, o trânsito em julgado" (TRF3 – Turma Suplementar da 2.ª Seção, AMS 157.943/SP, rel. Juiz Federal Convocado Valdeci dos Santos, DJU, 09.04.2008, p. 1.291).

XX – ninguém poderá ser compelido a associar-se ou a permanecer associado.

Doutrina

Liberdade de adesão. Nenhuma pessoa pode ser obrigada a aderir a uma associação e nela permanecer como associada, sendo livre para associar-se bem como para desligar-se da entidade quando isso consultar ao seu interesse.

Jurisprudência

"I – Consoante compreensão jurisprudencial, embora detenha o ECAD legitimidade 'ex lege', para defender em juízo os direitos dos autores de obras musicais filiados às associações que o formam, necessita, para exercitar essa competência, fazer prova do vínculo associativo. II – Com o advento da Constituição Federal de 1988 definiu-se que ninguém poderá ser compelido a associar-se ou a permanecer associado (art. 5.º, XX). III – A legitimação a cobrança de direito autoral pressupõe voluntária filiação do autor a associação de classe desde o advento do preceito constitucional. De tal princípio decorre a necessidade do ECAD demonstrar que postula direito de associação que diz representar" (STJ – 3.ª Turma, REsp 82.831, rel. Min. Waldemar Zveiter, DJ, 03.11.1997, p. 56.276).

XXI – as entidades associativas, quando expressamente autorizadas, têm legitimidade para representar seus filiados judicial ou extrajudicialmente;

Doutrina

Legitimação para representar filiados. As associações, representando os seus associados, podem demandar em juízo na defesa de direitos destes e desde que expressamente autorizadas a fazê-lo, por meio de autorização constante de seus estatutos ou de decisão tomada em Assembleia Geral convocada para tal fim.

Jurisprudência

> "(...). 2. Dessarte, como sabido, a Carta Magna (art. 5.º, XXI) trouxe apreciável normativo de prestígio e estímulo às ações coletivas ao estabelecer que as entidades associativas detêm legitimidade para representar judicial e extrajudicialmente seus filiados, sendo que, no tocante à legitimação, '{...} um limite de atuação fica desde logo patenteado: o objeto material da demanda deve ficar circunscrito aos direitos e deveres desses filiados. Um outro limite é imposto pelo interesse de agir da instituição legitimada: sua atuação deve guardar relação com seus fins institucionais' (Zavascki, Teori Albino. Processo Coletivo: tutela de direitos coletivos e tutela coletiva de direitos. São Paulo: RT, 2014, p. 162)" (STJ – 4.ª Turma, REsp 1.213.614, rel. Min. Luis Felipe Salomão, j. 01.10.2015, DJE, 26.10.2015, vol. 69, p. 95).
>
> "Representação. Substituição. O art. 5.º, XXI, da Carta Federal não consiste em permissivo que autorize a substituição processual dos obreiros membros de uma associação profissional, por esta associação, em ação que objetive a satisfação de alegados direitos trabalhistas" (TST – 2.ª Turma, RR 81.083/RJ, rel. Min. Vantuil Abdala, DJ 1, 30.09.1994, p. 26.359).
>
> "I – O art. 5.º, XXI, da Constituição Federal, só permite a representação de filiados judicial ou extrajudicialmente, quando as entidades associativas estão expressamente autorizadas. II – Tal como postulada, a cautelar ajuizada tem caráter verdadeiramente satisfatório, desviada, assim, de sua finalidade que é, basicamente, assegurar a execução da sentença na ação prin-

cipal. III – Ora, no caso, além da discutível presença do pressuposto de *periculum in mora*, procura-se antecipar a prestação jurisdicional de direito material. IV – Processo extinto a teor do art. 267, VI, do CPC. Apelação provida em ônus de sucumbência" (TRF2 – 1.ª Turma, AC 93.02.08864/RJ, rel. Juiz Júlio Cézar Martins, DJ 2, 05.10.1993, p. 41.584).

"(...). 2. A Associação Paranaense de Defesa do Consumidor poderá ajuizar Ação Civil Pública, para assegurar interesse difuso ou coletivo, em nome de seus associados ou de quaisquer outras pessoas, conforme determinado em seu Estatuto. 3. Não se aplica, no caso em epígrafe, o entendimento de que o art. 5.º, XXI, da Constituição Federal, que dispõe que 'as entidades associativas, quando expressamente autorizadas, têm legitimidade para representar seus filiados judicial ou extrajudicialmente', delimita o alcance da sentença proferida em Ação Civil Pública aos filiados às entidades associativas" (TRF4, Turma Suplementar, AC 200570110000950, rel. Juiz Federal Luiz Carlos de Castro Lugon, DJ, 02.08.2006, p. 496).

XXII – é garantido o direito de propriedade;

Doutrina

Propriedade. O conceito constitucional de propriedade compreende qualquer direito que tenha expressão econômica ou patrimonial, independentemente de sua natureza de bem corpóreo, incorpóreo ou de direito real.

Garantia do direito de propriedade. O direito de propriedade é protegido pela Constituição como direito fundamental à própria liberdade humana. Porém, não se trata mais de direito individualista e sujeito à vontade de seu proprietário, pois este está obrigado a fazer uso da propriedade para atingir a sua função social.

Jurisprudência

"O postulado constitucional do 'due process of law', em sua destinação jurídica, também está vocacionado à proteção da propriedade. Ninguém será privado de seus bens sem o devido processo legal (CF, art. 5.°, LIV). A União Federal – mesmo tratando-se de execução e implementação do programa de reforma agrária – não está dispensada da obrigação de respeitar, no desempenho de sua atividade de expropriação, por interesse social, os princípios constitucionais que, em tema de propriedade, protegem as pessoas contra a eventual expansão arbitrária do poder estatal. A cláusula de garantia dominial que emerge do sistema consagrado pela Constituição da República tem por objetivo impedir o injusto sacrifício do direito de propriedade" (STF – Pleno, MS 23.949/DF, rel. Min. Celso de Mello, j. 01.02.2002).

"O direito privado de propriedade, seguindo-se a dogmática tradicional (Código Civil, arts. 524 e 527), à luz da Constituição Federal (art. 5.°, XXII, CF), dentro das modernas relações jurídicas, políticas, sociais e econômicas, com limitações de uso e gozo, deve ser reconhecido com sujeição a disciplina e exigência da sua função social (arts. 170, II e III, 182, 183, 185 e 186, CF). É a passagem do Estado – proprietário para o Estado – solidário, transportando-se do 'monossistema' para o 'polissistema' do uso do solo (arts. 5.°, XXIV, 22, II, 24, VI, 30, VIII, 182, §§ 3.° e 4.°, 184 e 185, CF)". (STJ – MS 1.856/DF, rel. Min. Milton Luiz Pereira, DJ 1, 23.08.1993).

"A propriedade é o fundamento do direito à indenização, conforme previsto no art. 5.°, incisos XXII, XXIII e XXIV da Constituição Federal: "é garantido o direito de propriedade; a propriedade atenderá sua função social; a lei estabelecerá o procedimento para desapropriação por necessidade ou utilidade pública, ou por interesse social, mediante justa e prévia indenização em dinheiro, ressalvados os casos previstos nesta Constituição (...)" (TRF2, AC 05127085219834025101, rel. Des. Fed. Poul Erik Dyrlund, decisão: 24.04.2007, publicação: 03.05.2007).

XXIII – a propriedade atenderá a sua função social;

Doutrina

Função social da propriedade. É assegurada a partir do conjunto de normas constitucionais que indica como a propriedade deve ser utilizada para atingir o maior proveito possível em favor de todos. Assim, a propriedade urbana cumpre a sua função social quando atende às exigências fundamentais de ordenação previstas no plano diretor da cidade, e a propriedade rural quando aproveita todos os seus recursos em favor do proprietário, de seus trabalhadores e da comunidade.

Jurisprudência

"(...). 2. A existência de condomínio sobre o imóvel rural não impede a desapropriação-sanção do art. 184 da Constituição do Brasil, cujo alvo é o imóvel rural que não esteja cumprindo sua função social. Precedente {MS n. 24.503, Relator o Ministro Marco Aurélio, DJ 05.09.2003}" (STF – Pleno, MS 24.488/DF, rel. Min. Eros Grau, ordem denegada em 19.05.2005).

A publicação de lei nova, alterando o gabarito para construção, colhe licenças já concedidas, mormente quando ainda não iniciadas. É que tais normas são de ordem pública, a todos obrigando, e o direito de construir é faculdade do proprietário que somente pode ser exercida por meio de autorização do órgão administrativo próprio (STF, RDA 190/181).

Não encontra guarida na Constituição, por ofensa ao art. 5.º, XXII e XXIII, construção irregular erguida em área próxima de bem tombado em razão de sua importância histórica e arquitetônica, justificando a ordem judicial de demolição, pois o interesse social na preservação deste bem se sobrepõe ao interesse privado do proprietário daquele (TRF – 4.ª Região, RTRF 12/222).

XXIV – a lei estabelecerá o procedimento para desapropriação por necessidade ou utilidade pública, ou por interesse social, mediante justa e prévia indenização em dinheiro, ressalvados os casos previstos nesta Constituição;

Doutrina

Desapropriação. É o procedimento por meio do qual o Estado interfere na propriedade privada adquirindo-a para si, com base na supremacia do interesse público e mediante prévia e justa indenização.

Condições para a desapropriação. O interesse público que autoriza a desapropriação revela-se apenas nas seguintes hipóteses: a) *necessidade pública*, quando a desapropriação do bem é necessária para atender a um interesse coletivo; b) *utilidade pública*, quando a desapropriação não é indispensável, contudo, mostra-se útil para o atendimento de interesse coletivo; c) *interesse social*, quando a desapropriação tiver por fim a melhoria das condições de vida das camadas mais pobres da sociedade.

Hipóteses legais de desapropriação. São taxativas e definidas em legislação própria. O Decreto-lei n.º 3.365/41, no seu artigo 5.º, prevê os casos de desapropriação por utilidade pública, fundindo nesse dispositivo tanto as hipóteses de necessidade quanto de utilidade pública. Os casos de desapropriação por interesse social estão previstos no artigo 2.º da Lei n.º 4.132, de 10.09.62.

Indenização. É a compensação recebida pelo desapropriado de modo a manter igual o valor de seu patrimônio. A indenização deve ser: a) *justa*, em valor equivalente ao do bem apropriado pelo Estado; b) *prévia*, devendo ser efetuada antes da transferência da propriedade; c) *em dinheiro*, quer dizer, em moeda corrente do país. Portanto, para ser justa a indenização deverá corresponder ao efetivo valor do bem objeto da desapropriação, acrescido de juros moratórios, juros compensatórios, correção monetária e despesas com honorários advocatícios e aquelas decorrentes direta e efetivamente da desapropriação.

Indenização em títulos da dívida pública. O dispositivo ressalva os casos em que a indenização não se fará em dinheiro e sim em títulos da dívida pública: a) na hipótese do artigo 182, § 4.º, III, de desapropriação, pelo Município, de solo urbano não edificado, subutilizado ou não utilizado; b) na hipótese do artigo 184, de desapropriação, pela União, para fins de reforma agrária, de imóvel rural que não esteja cumprindo a sua função social.

Desapropriação sem indenização. É a hipótese do art. 243 da Constituição, que autoriza a imediata expropriação, sem qualquer indenização ao proprietário, de glebas utilizadas para o cultivo ilegal de plantas psicotrópicas. Trata-se, pois, de confisco com o nítido caráter de punição e sem prejuízo das demais sanções, principalmente as de natureza penal.

Desapropriação de bens públicos. A União, cujos bens são sempre inexpropriáveis, poderá desapropriar bens dos Estados, Distrito Federal, Territórios e Municípios; os Estados e Territórios poderão desapropriar bens dos Municípios integrantes de seus respectivos territórios; os Municípios não poderão desapropriar bens da União, dos Estados ou Territórios. Sempre haverá necessidade de lei do ente expropriante autorizando a desapropriação.

Jurisprudência

> Súmulas do STF: 157. "É necessária prévia autorização do Presidente da República para desapropriação, pelos Estados, de empresa de energia elétrica". 164. "No processo de desapropriação, são devidos juros compensatórios desde a antecipada imissão de posse, ordenada pelo juiz, por motivo de urgência". 378. "Na indenização por desapropriação incluem-se honorários do advogado do expropriado". 476. "Desapropriadas as ações de uma sociedade, o Poder desapropriante, imitido na posse, pode exercer, desde logo, todos os direitos inerentes aos respectivos títulos". 561. "Em desapropriação, é devida a correção monetária até a data do efetivo pagamento da indenização, devendo proceder-se à atualização do cálculo, ainda que por mais de uma vez". 617. "A base de cálculo dos honorários de advoga-

do em desapropriação é a diferença entre a oferta e a indenização, corrigidas ambas monetariamente". 618. "Na desapropriação, direta ou indireta, a taxa dos juros compensatórios é de 12% (doze por cento) ao ano".

Súmulas do TFR: 62. "Compete à Justiça Federal processar e julgar ação de desapropriação promovida por concessionária de energia elétrica, se a União intervém como assistente". 118. "Na ação expropriatória, a revelia do expropriado não implica em aceitação do valor da oferta e, por isso, não autoriza a dispensa da avaliação".

Súmulas do STJ: 12. "Em desapropriação, são cumuláveis juros compensatórios e moratórios". 56. "Na desapropriação para instituir servidão administrativa são devidos os juros compensatórios pela limitação de uso da propriedade". 67. "Na desapropriação, cabe a atualização monetária, ainda que por mais de uma vez, independente do decurso de prazo superior a um ano entre o cálculo e o efetivo pagamento da indenização". 69. "Na desapropriação direta, os juros compensatórios são devidos desde a antecipada imissão na posse e, na desapropriação indireta, a partir da efetiva ocupação do imóvel". 70. "Os juros moratórios, na desapropriação direta ou indireta, contam-se desde o trânsito em julgado da sentença". 102. "A incidência dos juros moratórios sobre os compensatórios, nas ações expropriatórias, não constitui anatocismo vedado em lei". 113. "Os juros compensatórios, na desapropriação direta, incidem a partir da imissão na posse, calculados sobre o valor da indenização corrigido monetariamente". 114. "Os juros compensatórios, na desapropriação indireta, incidem a partir da ocupação, calculados sobre o valor da indenização, corrigido monetariamente". 131. "Nas ações de desapropriação incluem-se no cálculo da verba advocatícia as parcelas relativas aos juros compensatórios e moratórios, devidamente corrigidas". 141. "Os honorários de advogado em desapropriação direta são calculados sobre a diferença entre a indenização e a oferta, corrigidas monetariamente".

A União tem poder para desapropriar bens dos Estados, do Distrito Federal, dos Territórios e dos Municípios; e os Estados podem desapropriar bens dos Municípios, sempre com autorização legislativa (STF, RTJ 153/337).

O órgão expropriante pode desistir da desapropriação independentemente da vontade do expropriado, tendo este direito à reparação de danos desde a imissão na posse do bem por aquele até a reintegração deste (STF, RDA 187/238).

"O princípio constitucional da justa indenização em desapropriação (art. 5.º, XXIV da CF de 1988) ficou excepcionado pelo art. 33 do A.D.C.T., no ponto em que determinou, apenas, a atualização (correção monetária) do débito pendente de pagamento a 05.10.88, sem incluir, a partir dessa data, novos juros moratórios e compensatórios." (STF – 1.ª Turma, RE 148.263-0, rel. Min. Sydney Sanches, Informativo n.º 12).

"1 – Cuidando-se de desapropriação, em homenagem ao princípio constitucional do 'justo preço' (art. 5.º, XXIV, CF), impõe-se a correção monetária no caso adotando-se o IPC, uma vez que os valores da OTN e do BTN variavam na proporção do índice inflacionário do mês, a rigor, significando a aplicação do aludido 'índice de preço', sem aplicação a TR (ADIN 493-0/DF). Precedentes. Provido o recurso da expropriada e improvido o da expropriante" (STJ – 1.ª Turma, REsp 50.584/SP, rel. Min. Milton Luiz Pereira, DJ 1, 02.10.1995, p. 32.330).

XXV – no caso de iminente perigo público, a autoridade competente poderá usar de propriedade particular, assegurada ao proprietário indenização ulterior, se houver dano;

Doutrina

Requisição. É o ato administrativo por meio do qual o Estado utiliza-se da propriedade privada para fazer face a iminente perigo público, sendo assegurado ao proprietário o direito de indenização posterior no caso de dano. Pode incidir sobre bens móveis, imóveis e serviços.

Iminente perigo público. É aquele que coloca em risco a paz, a tranquilidade ou a segurança da coletividade. Assim, são situações de perigo público não somente as guerras, as revoluções, as comoções intestinas, mas também as epidemias, as inundações, os incêndios, os furacões, as secas, o desabastecimento por problemas nos sistemas de distribuição ou por sonegação de produtos etc.

Jurisprudência

> Após a Constituição de 1946, é inconstitucional qualquer norma que autoriza a requisição incondicionada, uma vez que se exige sempre a iminência de perigo público para legitimar o uso coativo da propriedade particular. (STF, RDA, 54/339).
>
> "O instituto da requisição, meio de intervenção administrativa na propriedade particular, encontra fundamento no art. 5.º, inc. XXV, da Constituição Federal 'no caso de iminente perigo público, a autoridade competente poderá usar de propriedade particular, assegurada ao proprietário indenização ulterior, se houver dano'. Indeferimento da antecipação de tutela, tendo em vista o prejuízo que acarretaria a terceiros, ao escoamento da safra agrícola da região, ao transporte ferroviário de cargas em época de escoamento da safra, à prestação do serviço público, à cadeia econômica de produtores, cooperativas, consumidores e exportadores do Estado do Paraná" (TRF4, 3.ª Turma, Ag. 200704000099606, D.E. 30.09.2009).

XXVI – a pequena propriedade rural, assim definida em lei, desde que trabalhada pela família, não será objeto

de penhora para pagamento de débitos decorrentes de sua atividade produtiva, dispondo a lei sobre os meios de financiar o seu desenvolvimento;

Doutrina

Impenhorabilidade. É a garantia conferida à pequena propriedade rural, desde que cultivada pela família, de que não será objeto de apreensão para pagamento de dívida assumida para viabilizar a atividade produtiva.

Pequena propriedade rural. É o imóvel rural de área até quatro módulos fiscais (Lei n.º 8.629/1993, art. 4.º, II).

Jurisprudência

> "A falta de lei anterior ou posterior necessária à aplicabilidade de regra constitucional – sobretudo quando criadora de direito ou garantia fundamental –, pode ser suprida por analogia: donde, a validade da utilização, para viabilizar a aplicação do art. 5.º, XXVI, CF, do conceito de '*propriedade familiar*' do Estatuto da Terra." (STF – Pleno, RE 136.753-9, rel. Min. Sepúlveda Pertence, Informativo n.º 68).

XXVII – aos autores pertence o direito exclusivo de utilização, publicação ou reprodução de suas obras, transmissível aos herdeiros pelo tempo que a lei fixar;

Doutrina

Direitos do autor. O autor é titular de *direitos morais*, como os de reivindicação de autoria, de nominação da obra, de manutenção de sua integridade, ou de publicação, bem como de *direitos patrimoniais*, ou de exploração econômica de sua obra. Aqueles são inalienáveis, estes são alienáveis e transferíveis.

Vitaliciedade e hereditariedade. Os direitos patrimoniais do autor perduram por toda a vida, bem como deles gozarão vitaliciamente os seus filhos, pais ou o cônjuge, em face da sucessão *mortis causa*. Com relação aos demais sucessores do autor, o gozo dos direitos patrimoniais que lhes forem transmitidos perdurará pelo período de 70 (setenta) anos, a contar do primeiro dia de janeiro do ano subsequente ao do seu falecimento (Lei n.º 9.610/1998, art. 41).

Jurisprudência

> Súmula do STF: 386. "Pela execução de obra musical por artistas remunerados é devido direito autoral, não exigível quando a orquestra for de amadores".
>
> Súmula do STJ: 63. "São devidos direitos autorais pela retransmissão radiofônica de músicas em estabelecimentos comerciais".
>
> "A divulgação (publicação) em revista de cenas do último capítulo de novela, com transcrição integral e literal de significativa parte do respectivo *script*, realizada sem autorização do autor e cerca de uma semana antes do referido capítulo ser transmitido pela televisão, é procedimento que encerra ofensa aos direitos autorais, tanto de ordem patrimonial como moral, não estando albergado ou amparado pelo direito de citação, tampouco pelo de informação" (STJ – 4.ª Turma, REsp 23.746/SP, rel. Min. Sálvio de Figueiredo Teixeira, DJ 1, de 02.10.1995, p. 32.364).

XXVIII – são assegurados, nos termos da lei:

a) a proteção às participações individuais em obras coletivas e à reprodução da imagem e voz humanas, inclusive nas atividades desportivas;

b) o direito de fiscalização do aproveitamento econômico das obras que criarem ou de que participarem aos criadores, aos intérpretes e às respectivas representações sindicais e associativas;

Doutrina

Direito de proteção de participação individual em obra coletiva. O autor tem direito assegurado desde que a sua participação seja individualizada. O objetivo da norma é o de garantir proteção em qualquer obra coletiva, como filmes, novelas, gravações de sons e imagens, verbetes em enciclopédias etc.

Proteção da imagem e voz humanas, inclusive nas atividades desportivas. O direito aqui protegido é personalíssimo e diz respeito à imagem da pessoa ou à sua voz, que somente poderão ser objeto de uso para fins lícitos e mediante autorização, segundo as normas protetivas dos direitos do autor. O legislador constituinte houve por bem deixar consignado que a proteção é extensiva às atividades desportivas.

Direito de fiscalização do aproveitamento econômico das obras. Os criadores, os intérpretes ou as suas entidades de representação sindical ou associativa, desde que autorizadas, poderão exercer o direito de fiscalização do aproveitamento econômico de suas obras por parte de produtores, editores ou distribuidores das mesmas, ou de qualquer outro partícipe de qualquer etapa da produção ou do mercado.

Jurisprudência

> "Prescrição. Indenização. Proteção à própria imagem. Ação Pessoal. Prazo vintenário. Art. 5.°, inciso XXVIII, a, da Constituição da República e 177 do Código Civil. Prescrição afastada. Recurso provido para esse fim. O direito sobre a própria imagem é direito pessoal protegido pelo art. 5.°, a, da Constituição da República e prescreve em vinte anos de conformidade com o art. 177 do Código Civil" (TJSP – 4.ª Câmara Civil, Ag. 229.213/SP, rel. Des. Cunha Cintra, j. 16.06.1994, JTJ/SP – LEX 161, p. 219).

XXIX – a lei assegurará aos autores de inventos industriais privilégio temporário para sua utilização, bem como proteção às criações industriais, à propriedade das marcas, aos nomes de empresas e a outros signos

distintivos, tendo em vista o interesse social e o desenvolvimento tecnológico e econômico do País;

Doutrina

Privilégio do inventor. O inventor terá o privilégio de utilização e exploração de inventos industriais por prazo determinado, após o qual os mesmos cairão no domínio público. O privilégio é assegurado por meio de patente emitida pelo órgão estatal próprio, que no Brasil é o Instituto Nacional da Propriedade Industrial. A patente poderá ser objeto de cessão ou de licença e está sujeita à desapropriação, por necessidade ou utilidade pública, ou por interesse social.

Proteção às criações industriais. A lei protegerá ainda as criações industriais como os modelos de utilidade, os modelos industriais e os desenhos industriais.

Propriedade das marcas, nomes de empresas e signos distintivos. A proteção constitucional assegura a propriedade da marca a quem registrá-la segundo os requisitos da lei. Da mesma forma, o nome da empresa e seus signos distintivos constituem-se em objetos de propriedade e são suscetíveis de registro.

Jurisprudência

> Súmula do STJ: 143: "Prescreve em cinco anos a ação de perdas e danos pelo uso de marca comercial".
>
> "Recurso extraordinário. Nome comercial. – Se cabe à lei assegurar a proteção ao nome das empresas para se saber se a proteção por ela assegurada foi, ou não, violada, é mister que se examine previamente a legislação infraconstitucional para que se verifique se a proteção por lei conferida aos nomes das empresas foi, ou não, ofendida, o que implica dizer que alegada violação ao art. 5.°, XXIX, da Constituição Federal é reflexa ou indireta, não dando margem, assim, a recurso extraordinário. Recurso extraordinário não conhecido" (STF – 1.ª Turma, RE 144.893-8, rel. Min. Moreira Alves, DJ 1, 16.02.1996, p. 3.000).

XXX – é garantido o direito de herança;

Doutrina

Direito de herança. É o direito de transmissão aos herdeiros, por meio de sucessão legítima ou testamentária, dos bens, direitos e obrigações que compõem o patrimônio do *de cujus*.

Jurisprudência

Súmulas do STF: 149. "É imprescritível a ação de investigação de paternidade, mas não o é a de petição de herança". 377: "No regime de separação legal de bens, comunicam-se os adquiridos na constância do casamento". 380: "Comprovada a existência de sociedade de fato entre os concubinos, é cabível a sua dissolução judicial, com a partilha do patrimônio adquirido pelo esforço comum". 382: "A vida em comum sob o mesmo teto, *more uxorio*, não é indispensável à caracterização do concubinato".

"Direito Civil e Processual Civil – Previdenciário – Pensão por morte – Morte da segurada – Direito à percepção – Princípio de Saisine – Art. 1.572 do CC – Art. 5.º, XXX, CF/88. 1. O artigo 1.572 do Código Civil Brasileiro consagra o princípio de 'saisine', que se refere ao momento da abertura da sucessão e da consequente transferência de bens para os herdeiros, estando tal princípio implicitamente assegurado no título dos direitos e garantias fundamentais da Carta Política, quando reza que é garantido o direito de herança, no inciso XXX do artigo 5.º Dessa forma, na dogmática da CF têm-se na expressão 'direito de herança', tudo o que nela contenha" (TRF2, AC 00071576120024020000, rel. Des. Fed. Messod Azulay Neto, DJE, 07.02.2008).

XXXI – a sucessão de bens de estrangeiros situados no País será regulada pela lei brasileira em benefício do cônjuge ou dos filhos brasileiros, sempre que não lhes seja mais favorável a lei pessoal do *de cujus*;

Doutrina

Princípios da lei brasileira e da lei mais favorável. A sucessão de bens de estrangeiros situados no Brasil será regulada pela lei brasileira, sendo esta de aplicação, salvo se a lei pessoal do *de cujus* for mais favorável ao cônjuge brasileiro, ou filhos brasileiros, ou filhos de nacionalidade estrangeira, desde que residentes no país.

Jurisprudência

> "(...). 3. Não fere o art. 89, II, do Código de Processo Civil, que prevê a competência absoluta da Justiça brasileira para proceder ao inventário e à partilha de bens situados no Brasil, a decisão de Tribunal estrangeiro que dispõe sobre a partilha de bens móveis e imóveis em decorrência da dissolução da sociedade conjugal, aplicando a lei brasileira. Sentença estrangeira homologada" (STF – Pleno, SE 4.512/SI, rel. Min. Paulo Brossard, DJ 1, 02.12.1994, p. 33.198).

XXXII – o Estado promoverá, na forma da lei, a defesa do consumidor;

Doutrina

Direito do consumidor. É o conjunto de normas de proteção e defesa do consumidor, de ordem pública e interesse social, com o fim de equilibrar as relações de consumo que se estabelecem com os produtores.

Jurisprudência

> "O princípio da defesa do consumidor se aplica a todo o capítulo constitucional da atividade econômica. Afastam-se as normas especiais do Código Brasileiro da Aeronáutica e da Convenção de Varsóvia quando implicarem retrocesso social ou vilipêndio aos direitos assegurados pelo Código de Defesa do Consumidor" (STF – 1.ª Turma, RE 351.750, rel. para o acórdão Min. Carlos Britto, DJE, 25.09.2009).

"I. A Constituição da República, ao arrolar os direitos individuais e coletivos, proclama que o Estado promoverá, na forma da lei, a defesa do consumidor (art. 5.º, XXXII), qualificada, outrossim, como princípio geral da atividade econômica (art. 170, V). II. A Lei n. 8.078/90, que instituiu o Código de Defesa do Consumidor, assegura, dentre os direitos básicos do consumidor, a efetiva prevenção e reparação de danos patrimoniais e morais, individuais, coletivos e difusos (art. 6.º, VI)" (TRF3 – 6.ª Turma, AC 1.160.810/SP, rel. Des. Fed. Regina Costa, e-DJF3, Judicial 1, 11.10.2012).

"I. A Constituição Federal prescreve entre os Direitos e Garantias Fundamentais que 'o Estado promoverá, na forma da lei, a defesa do consumidor' (Art. 5.º, XXXII). II. A publicidade do produto deve conter informação precisa e adequada, de forma a não induzir o consumidor a erro ou criar uma expectativa de consumo seguida de uma frustração de investimento" (TRF5 – 4.ª Turma, AC 374.953, rel. Des. Fed. Margarida Cantarelli, DJ, 31.01.2006, p. 558).

XXXIII – todos têm direito a receber dos órgãos públicos informações de seu interesse particular, ou de interesse coletivo ou geral, que serão prestadas no prazo da lei, sob pena de responsabilidade, ressalvadas aquelas cujo sigilo seja imprescindível à segurança da sociedade e do Estado;

Doutrina

Direito de receber informações. É o direito de ser informado sobre os dados existentes em cadastros de órgãos públicos desde que relativos a seu interesse pessoal ou mesmo de interesse da coletividade.

Prazo para prestação e responsabilidade. As informações deverão ser prestadas, normalmente sob a forma de certidão, dentro do prazo fixado em lei, sob pena de responsabilidade do servidor que se omitir do dever legal de prestá-las.

Exceções. A norma excepciona os casos resguardados por sigilo decretado com base em razões relevantes para a segurança da sociedade ou do Estado.

Jurisprudência

> STF: Súmula Vinculante 14: "É direito do defensor, no interesse do representado, ter acesso amplo aos elementos de prova que, já documentados em procedimento investigatório realizado por órgão com competência de polícia judiciária, digam respeito ao exercício do direito de defesa".
>
> "Constitucional. Pedido de certidão. Art. 5.º, XXXIII e XXXIV, a, da Constituição Federal. I – Em face do art. 5.º, XXXIII e XXXIV, a, da Constituição Federal, as repartições públicas têm o dever de atender a pedido de certidão que lhes seja formulado, exceto quando as informações pretendidas estejam entre as em que o sigilo é imprescindível à segurança da sociedade e do Estado. III – Remessa oficial improvida" (TRF5 – 2.ª Turma, REO 94.05.43.608/PE, rel. Juiz Araken Mariz, DJ 2, 09.12.1994, p. 72.321).

XXXIV – são a todos assegurados, independentemente do pagamento de taxas:

a) o direito de petição aos poderes públicos em defesa de direitos ou contra ilegalidade ou abuso de poder;

b) a obtenção de certidões em repartições públicas, para defesa de direitos e esclarecimento de situações de interesse pessoal;

Doutrina

Direito de petição. É aquele exercido por qualquer pessoa perante a autoridade pública na defesa de direito ou no rogo de providência contra violação da lei ou abuso de poder. Independe do pagamento de taxa ou do cumprimento de requisitos, salvo requerimento escrito declinando os fins e razões do pedido, e pode ser exercido por pessoas físicas ou jurídicas.

Direito a certidão. É o direito subjetivo público de obter perante qualquer repartição pública documento que afirme a existência de um fato ou ateste um ato ou negócio jurídicos constantes de seus registros. A certidão tem finalidade probatória e deve ser oferecida dentro do prazo de quinze dias, contados do registro do pedido na repartição competente.

Jurisprudência

> O direito de petição consagrado no art. 5.°, XXXIV, *a*, da Constituição Federal, não pode ser invocado para autorizar a impetração de mandado de segurança, em nome próprio ou de terceiro, por quem não detém a condição de advogado (STF, DJ l, 19.08.1994, p. 20.895).
>
> O direito de petição consagrado no art. 5.°, XXXIV, *a*, da Constituição Federal, não se confunde com o direito de obter pronunciamento judicial sobre a pretensão deduzida numa lide, conquanto, neste caso, a postulação deva ser feita por meio de advogado (STF, RTJ 153/498).
>
> Denegada ilegalmente a certidão requerida, cabe mandado de segurança contra a autoridade denegante (STF, RT 294/454).
>
> "Tendo em conta que a CF assegura a obtenção de certidões em repartições públicas, para defesa de direitos e esclarecimento de situações de interesse pessoal (CF, art. 5.°, XXXIV, *b*), a Turma, confirmando decisão do Tribunal de Justiça do Rio de Janeiro, reconheceu a serventuários da justiça o direito de obter certidão do inteiro teor dos depoimentos por eles prestados em sindicância, que lhes fora negado administrativamente ao fundamento de que seria necessária a demonstração da finalidade específica de tal pedido" (STF – 1.ª Turma, RE 221.590/RJ, rel. Min. Sepúlveda Pertence, Informativo n.° 100).

O art. 5.º, XXXIV, *b*, da Constituição Federal, assegura a qualquer pessoa o direito de obter certidão perante os órgãos públicos e é dever da Administração expedi-la, quando requerida, indicando o ato ou fato objetivado do exato modo como existe e constante dos registros administrativos (TRF3, DJ 2, 31.10.1995, p. 74.958).

XXXV – a lei não excluirá da apreciação do Poder Judiciário lesão ou ameaça a direito;

Doutrina

Princípio da inafastabilidade do controle jurisdicional. É o que consagra a norma constitucional ao conferir o monopólio do controle jurisdicional ao Poder Judiciário, tanto nas hipóteses de efetiva lesão a direito quanto naquelas de ameaça, independentemente de exaurimento da via administrativa ou de qualquer outra. Consagra, assim, o direito subjetivo de ação, que é prerrogativa da parte de estar em juízo para apresentar a sua pretensão, quando autora, ou defesa, quando ré.

Princípio da indeclinabilidade da prestação jurisdicional. Trata-se de princípio fundamental da jurisdição e significa que o Poder Judiciário, desde que o direito de ação tenha sido exercido com a observância dos requisitos necessários, é obrigado a oferecer a prestação jurisdicional.

Princípio da inafastabilidade e juízo arbitral. A arbitragem não viola a regra constitucional porque não inviabiliza o recurso ao Poder Judiciário, inclusive para a própria homologação da decisão do árbitro.

Jurisprudência

STF: Súmulas Vinculantes: 21. "É inconstitucional a exigência de depósito ou arrolamento prévios de dinheiro ou bens para admissibilidade de recurso administrativo". 28. "É inconstitucional a exigência de depósito prévio como requisito de admissibilidade de ação judicial na qual se pretenda discutir a exigibilidade de crédito tributário".

"Exame e avaliação de candidato com base em critérios subjetivos, como, por exemplo, a verificação sigilosa sobre a conduta, pública e privada, do candidato, excluindo-o do concurso sem que sejam fornecidos os motivos. Ilegitimidade do ato, que atenta contra o princípio da inafastabilidade do conhecimento do Poder Judiciário de lesão ou ameaça a direito. É que, se a lesão é praticada com base em critérios subjetivos, ou em critérios não revelados, fica o Judiciário impossibilitado de prestar a tutela jurisdicional, porque não terá como verificar o acerto ou o desacerto de tais critérios. Por via oblíqua, estaria sendo afastada da apreciação do Judiciário lesão a direito" (STF – Pleno, RE 125.556/PR, rel. Min. Carlos Velloso, j. 27.03.1992, DJ 1, 15.05.1992, p. 6.786).

"A ordem jurídico-constitucional assegura aos cidadãos o acesso ao Judiciário em concepção maior. Engloba a entrega da prestação jurisdicional da forma mais completa e convincente possível. Omisso o provimento jurisdicional e, em que pese a interposição de embargos declaratórios, persistindo o vício na arte de proceder, forçoso é assentar a configuração da nulidade. Isso ocorre diante da recusa do órgão julgador em emitir entendimento explícito sobre a valia, ou não, de aresto indicado, como paradigma, para efeito de conhecimento do recurso de revista - artigo 896 da Consolidação das Leis do Trabalho" (STF – 2.ª Turma, RE 158.655-9/PA, rel. Min. Marco Aurélio, Informativo n.º 35).

"I – Em relação ao controle jurisdicional do processo administrativo, a atuação do Poder Judiciário circunscreve-se ao campo da regularidade do procedimento, bem como à legalidade do ato demissionário, sendo-lhe defesa qualquer incursão no mérito administrativo a fim de aferir o grau de conveniência e oportunidade" (STJ – 3.ª Seção, MS 9.384/DF, rel. Min. Gilson Dipp, DJ, 16.08.2004, p. 130).

XXXVI – a lei não prejudicará o direito adquirido, o ato jurídico perfeito e a coisa julgada;

Doutrina

Princípio da segurança jurídica. Entende-se como tal o "conjunto de condições que torna possível às pessoas o conhecimento antecipado e reflexivo das consequências diretas de seus atos e de seus fatos à luz da liberdade reconhecida" (cf. Jorge Reinaldo Vanossi, *El Estado de derecho em el constitucionalismo social*, *apud* José Afonso da Silva, Curso de Direito Constitucional Positivo, São Paulo: Malheiros, 35.ª ed., 2012, p. 433). Em outras palavras, é a garantia de que lei nova não surtirá nenhum efeito sobre o direito adquirido, entendido como aquele já integrado ao patrimônio da pessoa; sobre o ato jurídico perfeito, já consumado segundo a lei vigente ao tempo em que se efetuou; e sobre a coisa julgada, que é a eficácia que torna imutável e indiscutível a decisão judicial já transitada em julgado. A segurança jurídica oferece estabilidade aos direitos subjetivos e demais relações jurídicas como condição necessária para a tranquilidade das pessoas e para a paz social.

Princípio da irretroatividade das leis. Trata-se de princípio geral de Direito assentado na ideia de que as leis devem valer para o futuro. A Constituição não proíbe a retroatividade da lei, mas impõe limite à retroação, que respeitará sempre o direito adquirido, o ato jurídico perfeito e a coisa julgada.

Jurisprudência

> Súmula Vinculante do STF: 1. "Ofende a garantia constitucional do ato jurídico perfeito a decisão que, sem ponderar as circunstâncias do caso concreto, desconsidera a validez e a eficácia de acordo constante de termos de adesão instituído pela Lei Complementar 110/2001".
>
> "O cumprimento das decisões judiciais irrecorríveis impõe-se ao Poder Público como obrigação constitucional inderrogável. A exigência de respeito incondicional

às decisões judiciais transitadas em julgado traduz imposição constitucional justificada pelo princípio da separação de poderes e fundada nos postulados que informam, em nosso sistema jurídico, a própria concepção de Estado Democrático de Direito. O dever de cumprir as decisões emanadas do Poder Judiciário, notadamente nos casos em que a condenação judicial tem por destinatário o próprio Poder Público, muito mais do que simples incumbência de ordem processual, representa uma incontornável obrigação institucional a que não se pode subtrair o aparelho de Estado, sob pena de grave comprometimento dos princípios consagrados no texto da Constituição da República. A desobediência à ordem ou a decisão judicial pode gerar, em nosso sistema jurídico, gravíssimas consequências, quer do plano penal, quer no âmbito político-administrativo (possibilidade de 'impeachment'), quer, ainda, na esfera institucional (decretabilidade de intervenção federal nos Estados-membros ou em Municípios situados em Território Federal, ou de intervenção estadual nos Municípios)" (STF – Pleno, RE 929.670/DF, voto do Min. Celso de Mello, 04.10.2017, decisão original publicada em RTJ 167/6-7).

"Constitucional. Administrativo. Incorporação de Quintos. Pretensão de continuar percebendo a vantagem remuneratória no exercício de cargo de carreira diversa. Inviabilidade. 1. A garantia de preservação do direito adquirido, prevista no art. 5.º, XXXVI, da Constituição Federal, assegura ao seu titular também a faculdade de exercê-lo. Mas de exercê-lo sob a configuração com que o direito foi formado e adquirido e no regime jurídico no âmbito do qual se desenvolveu a relação jurídica correspondente, com seus sujeitos ativo e passivo, com as mútuas obrigações e prestações devidas. 2. As vantagens remuneratórias adquiridas no exercício de determinado cargo público não autorizam o seu titular, quando extinta a correspondente relação funcional, a transportá-las para o âmbito de outro cargo, pertencente a carreira e regime jurídico distintos, criando, assim, um direito de *tertium genus*, composto das vantagens de dois regimes diferentes. 3. Por outro lado, considerando a vedação constitucional de acumulação remunerada de cargos públicos, não será legítimo transferir, para um deles, vantagem somente devida pelo exercício do outro. A vedação de acumular certamente se estende tanto aos deveres do cargo (de prestar seus serviços) como aos direitos (de obter as vantagens remuneratórias). 4. Assim, não encontra amparo constitucional a pretensão de acumular, no cargo de magistrado ou em qualquer outro, a vantagem correspondente a quintos, a que o titular fazia jus quando no exercício de cargo diverso. 5. Recurso extraordinário a que se dá parcial provimento" (STF – Pleno, RE 587.371/DF (repercussão geral), rel. Min. Teori Zavascki, j. 14.11.2013).

"Agravo regimental em Recurso Extraordinário. Magistrados e incorporação de quintos oriundos da ocupação de cargo público anterior. Impossibilidade. O Plenário do Supremo Tribunal Federal, após reconhecida a repercussão geral da matéria no RE 587.371-RG, julgado sob a relatoria do Ministro Teori Zavascki, firmou o entendimento no sentido de que inexiste direito adquirido à manutenção dos recebimentos de quintos incorporados em determinado regime jurídico quando da migração para regime jurídico diverso. A formação de um regime híbrido, só com as vantagens legais dos cargos públicos ocupados, não encontra amparo constitucional, além de prejudicar a transparência no serviço público. Agravo regimental a que se nega provimento" (STF – 1.ª Turma, RE 434.451/DF AgRg, rel. Min. Roberto Barroso, j. 27.05.2014).

"(...). 3. A inércia da Corte de Contas, por sete anos, consolidou de forma positiva a expectativa da viúva, no tocante ao recebimento de verba de caráter alimentar. Este aspecto temporal diz intimamente com o princípio da segurança jurídica, projeção objetiva do princípio da dignidade da pessoa humana e elemento conceitual do Estado de Direito. 4. O prazo de cinco anos é de ser aplicado aos processos de contas que tenham por objeto o exame de legalidade dos atos concessivos de aposentadorias, reformas e pensões. Transcorrido *in albis* o interregno quinquenal, é de se convocar os particulares para participar do processo de seu interesse, a fim de desfrutar das garantias do contraditório e da ampla defesa (inciso LV do art. 5.º). 5. Segurança concedida" (STF – Pleno, MS 24.448/DF, rel. Min. Carlos Britto, j. 27.09.2007).

"(...). 5. O Supremo Tribunal Federal, guardião-mor da Constituição Republicana, pode e deve, em prol da segurança jurídica, atribuir eficácia prospectiva às suas decisões, com a delimitação precisa dos respectivos efeitos, toda vez que proceder a revisões de jurisprudência definidora de competência *ex ratione materiae*. O escopo é preservar os jurisdicionados de alterações jurisprudenciais que ocorram sem mudança formal do Magno Texto. 6. Aplicação do precedente consubstanciado no julgamento do Inquérito 687, Sessão Plenária de 25.08.99, ocasião em que foi cancelada a Súmula 394 do STF, por incompatível com a Constituição de 1988, ressalvadas as decisões proferidas na vigência do verbete. 7. Conflito de competência que se resolve, no caso, com o retorno dos autos ao Tribunal Superior do Trabalho" (STF – Pleno, CC 7.204/MG, rel. Min. Carlos Britto, decisão, 29.06.2005).

"Agravo Regimental em Agravo Regimental em Agravo Regimental em Agravo Regimental em Recurso Extraordinário. Estabilidade das Relações Jurídicas Constituídas. 1. Observância ao princípio da segurança jurídica. Estabilidade das situações criadas administrativamente. Princípio da confiança como elemento do princípio da segurança jurídica. 2. Concurso público. Princípio da consumação dos atos administrativos. A existência de controvérsia, à época das contratações, quanto à exigência de concurso público no âmbito das empresas públicas e sociedades de economia mista, questão dirimida somente após a concretização dos contratos, não tem o condão de afastar a legitimidade dos provimentos, realizados em conformidade com a legislação então vigente. 3. Precedentes do Pleno do Supremo Tribunal Federal. Agravos regimentais não providos" (STF – 1.ª Turma, RE 348.364/RJ AgRg-AgRg-AgRg-AgRg, rel. Min. Eros Grau, decisão, 14.12.2004).

"Não há direito adquirido do servidor público estatutário à inalterabilidade do regime jurídico pertinente à composição dos vencimentos, desde que a eventual modificação introduzida por ato legislativo superveniente preserve o montante global da remuneração e, em consequência, não provoque decesso de caráter pecuniário. Em tal situação, e por se achar assegurada a percepção do *quantum* nominal até então percebido pelo servidor público, não se revela oponível ao Estado, por incabível, a garantia constitucional da irredutibilidade de vencimentos" (STF, RE 238.122-0/SC AgRg, rel. Min. Celso de Mello, DJ 1, n.º 150-E, 04.08.2000, p. 7).

"O princípio da irretroatividade *somente* condiciona a atividade jurídica do Estado nas hipóteses expressamente previstas pela Constituição, em ordem a inibir a ação do Poder Público eventualmente configuradora de restrição gravosa (a) ao *status libertatis* da pessoa (CF, art. 5.º, XL), (b) ao *status subjectionis* do contribuinte em matéria tributária (CF, art. 150, III, *a*) e (c) à segurança jurídica no domínio das relações sociais (CF, art. 5.º, XXXVI). Na medida em que a retroprojeção normativa da lei *não* gere e nem produza os gravames referidos, nada impede que o Estado edite e prescreva atos normativos com efeito retroativo" (STF, ADI 605/DF, rel. Min. Celso de Mello, RTJ, 145/463).

XXXVII – não haverá juízo ou tribunal de exceção;

Doutrina

Princípio do juiz natural. Trata-se de garantia erigida em favor da pessoa de que somente será processada e julgada perante órgão próprio do Poder Judiciário, preexistente aos fatos, e não por juiz indicado para a causa ou tribunal de exceção alheio à estrutura judiciária instituída pela Constituição, donde promana o poder de julgar. O princípio não objeta a existência de foro privilegiado ou de juízos especializados.

Jurisprudência

> "*Habeas corpus*. Ato de desembargador. Vara em regime de exceção. 1 – Juízo de exceção não se confunde com vara ou comarca posta em regime de exceção pelo Tribunal de Justiça. Trata-se de figura prevista na organização judiciária e com o objetivo de agilizar a prestação jurisdicional, dado o volume de processos em tramitação na Vara, designando-se juiz para auxiliar o titular, mas com todas as garantias constitucionais, e igualmente competente. 2. Inocorrência de ilegalidade ou abuso de poder. 3. Ordem denegada" (STJ – 5.ª Turma, rel. Min. Jesus Costa Lima, j. 15.08.1990, DJ 1, 03.09.1990, p. 8.849).
>
> O princípio do juiz natural veda ao Estado a instituição de juízos *ad hoc, ex post facto* ou de tribunal de exceção, garantindo à pessoa o direito de ser processada e julgada perante autoridade judiciária competente para a causa, conforme previsão de lei anterior aos fatos (STF, RTJ 160/1056).
>
> É de ser indeferido o pedido de extradição feito pela República do Haiti, porquanto não sendo o Tribunal de Justiça Comum daquele país tribunal de exceção, para o caso concreto deve ser entendido como tal, pois normas especiais foram baixadas para subtrair o extraditando de seu juízo natural, no caso a Justiça Militar, e submetê-lo àquele outro Juízo. (STF, RDA, 169/156).

XXXVIII – é reconhecida a instituição do júri, com a organização que lhe der a lei, assegurados:

a) a plenitude de defesa;

b) o sigilo das votações;

c) a soberania dos veredictos;

d) a competência para o julgamento dos crimes dolosos contra a vida;

Doutrina

Instituição do júri. O Tribunal do Júri é um órgão colegiado constituído por um corpo de jurados, escolhidos entre cidadãos da comunidade, e por um juiz togado que o preside, tendo competência para o julgamento de crimes dolosos contra a vida. A sua organização é definida em lei, devendo esta assegurar: a) *a plenitude de defesa*, que se verifica por meio da obediência ao devido processo legal e do uso pleno de todos os meios legítimos de defesa; b) *o sigilo das votações*, garantindo aos membros do conselho de sentença liberdade para votar segundo a sua consciência; c) *a soberania dos veredictos*, significando que a decisão proferida é irreformável no mérito, podendo, no entanto, ser anulada por vício de forma, retornando os autos à origem para novo julgamento.

Competência. A competência do júri para o julgamento dos crimes dolosos contra a vida é excepcionada nas hipóteses restritas de privilégio de foro previstas na Constituição, caso em que a autoridade será processada e julgada perante o Tribunal competente.

Jurisprudência

> Súmula Vinculante do STF: 45. "A competência constitucional do Tribunal do Júri prevalece sobre o foro por prerrogativa de função estabelecido exclusivamente pela Constituição Estadual".
>
> Súmulas do STF: 156. "É absoluta a nulidade do julgamento, pelo júri, por falta de quesito obrigatório". 162. "É absoluta a nulidade do julgamento pelo júri, quando os quesitos da defesa não precedem aos das

circunstâncias agravantes". 206. "É nulo o julgamento ulterior pelo júri com a participação de jurado que funcionou em julgamento anterior do mesmo processo". 603. "A competência para o processo e julgamento de latrocínio é do juiz singular e não do tribunal do júri".

"(...). 4. A competência constitucional do Tribunal do Júri (art. 5.º, XXXVIII) não pode ser afastada por Lei estadual, nem usurpada por Vara criminal especializada, sendo vedada, ainda, a alteração da forma de sua composição, que deve ser definida em Lei nacional. Precedentes do Pleno deste Pretório Excelso (ADI 1218/RO, rel. Min. Maurício Corrêa, julg. 05/09/2002, Tribunal Pleno)" (STF – Pleno, ADI 4.414/AL, rel. Min. Luiz Fux, maioria, j. 31.05.2012).

"(...). Esta Corte já firmou o entendimento de que não fere a garantia da soberania dos veredictos do Tribunal do Júri (art. 5.º, XXXVIII, *a*, da CF) o cabimento de apelação contra suas decisões por se mostrarem manifestamente contrárias às provas dos autos" (STF – 1.ª Turma, RE 176.726/BA, rel. Min. Moreira Alves, DJ 1, de 26.05.1995, p. 15.165).

"I – Decisão de segundo grau que invalida a que fora proferida pelo Tribunal Popular não ofende, só por isso, o art. 5.º, XXXVII, c, da Carta da República. II – Anulada a decisão do júri, o processo volta à fase de pronúncia. Sobre ter-se o paciente sob custódia ou em liberdade o último ato judicial válido é aquele que determinara a prisão. Ato não motivado, tanto mais grave quando se tem em conta que o paciente foi condenado a um ano de prisão. Constrangimento ilegal configurado. Ordem parcialmente concedida para que o paciente aguarde em liberdade seu novo julgamento pelo tribunal do júri" (STF – 2.ª Turma, HC 73.085/SP, rel. Min. Francisco Rezek, DJ 1, 24.05.1995, p. 17.413).

XXXIX – não há crime sem lei anterior que o defina, nem pena sem prévia cominação legal;

Doutrina

Princípio fundamental. A norma consagra o princípio *nullum crimen, nulla poena sine praevia lege,* que é um dos pilares do Direito Penal contemporâneo.

Princípio da legalidade penal ou da reserva legal. É a garantia de que somente a lei, no sentido de norma primária formal e material, pode definir uma conduta como delituosa e estabelecer a pena aplicável.

Princípio da anterioridade da lei penal. A lei definidora do crime e da pena aplicável há de ser anterior à prática da conduta delituosa, pois o princípio veda a existência de lei penal *ex post facto*.

Jurisprudência

> "A tipicidade penal não pode ser percebida com o trivial exercício de adequação do fato concreto à norma abstrata. Além da correspondência formal, para a configuração da tipicidade, é necessária uma análise materialmente valorativa das circunstâncias do caso concreto, no sentido de se verificar a ocorrência de alguma lesão grave, contundente e penalmente relevante do bem jurídico tutelado" (STF – 1.ª Turma, HC 97.772, rel. Min. Cármen Lúcia, 03.11.2009).

> "Ofende o princípio da reserva legal – 'não há crime sem lei anterior que o defina, nem pena sem prévia cominação legal' (art. 5.º, XXXIX, da CF) a construção jurisprudencial castrense baseada na aplicação subsidiária da forma contida no § 2.º do art. 190 do CPM, concluindo que 'não obstante o dispositivo repressivo referido não expressar reprimenda para os desertores que retornem em lapso de tempo superior a dez dias, deve-se considerar que, para chegar ao somatório superior ao decênio, o militar faltoso teve que ultrapassar os dez dias de ausência previsto no tipo penal incursionado'" (STF – 2.ª Turma, HC 73.257/RJ, rel. Min. Maurício Corrêa, DJ 1, 03.05.1996, p. 13.902).

XL – a lei penal não retroagirá, salvo para beneficiar o réu;

Doutrina

Princípio da irretroatividade da lei penal. É assegurada a irretroatividade da lei penal como garantia de que a pessoa não venha a ser punida por conduta anterior à lei então considerada legal, ou porque a lei nova é mais severa.

Princípio da retroatividade da lei benigna. A norma constitucional ressalva, contudo, a retroação da lei benigna para beneficiar o réu nos casos de *abolitio criminis*, quando a conduta deixou de ser considerada criminosa, ou de *lex mitior*, quando a lei nova é mais favorável ao réu e terá aplicação ainda que os fatos já tenham sido decididos por sentença condenatória transitada em julgado, atingindo, na hipótese, até mesmo o prestígio da coisa julgada.

Jurisprudência

> "O princípio da retroatividade da *lex mitior*, que alberga o princípio da irretroatividade de lei mais grave, aplica-se ao processo de execução penal e, por consequência, ao livramento condicional, art. 5.°, XL, da Constituição Federal, e parágrafo único do art. 2.° do Código Penal (Lei 7.209/84)" (STF, HC 68.416/DF, Rel. Min. Paulo Brossard, RTJ 142-02/564).

> "A cláusula constitucional inscrita no art. 5.°, XL, da Carta Política – que consagra o princípio da irretroatividade da *lex gravior* – incide, no âmbito de sua aplicabilidade, unicamente, sobre as normas de direito penal material, que, no plano da tipificação, ou no da definição das penas aplicáveis, ou no da disciplinação do seu modo de execução, ou, ainda, no do reconhecimento das causas extintivas da punibilidade, agravarem a situação jurídico-penal do indiciado, do réu ou do condenado" (STF – 1.ª Turma, AgI 177.313-8, rel. Min. Celso de Mello, Informativo n.° 44).

XLI – a lei punirá qualquer discriminação atentatória dos direitos e liberdades fundamentais;

Doutrina

Tutela penal contra a discriminação. A Constituição Federal impõe ao legislador infraconstitucional a obrigação de elaborar normas destinadas a punir qualquer espécie de discriminação violadora dos direitos e das liberdades fundamentais da pessoa humana.

Jurisprudência

> "O dever constitucional do Estado de impedir (e, até mesmo, de punir) 'qualquer discriminação atentatória dos direitos e liberdades fundamentais' (CF, art. 5.º, XLI). (...). Ninguém, absolutamente ninguém, pode ser privado de direitos nem sofrer quaisquer restrições de ordem jurídica por motivo de sua orientação sexual. Os homossexuais, por tal razão, têm direito de receber a igual proteção tanto das leis quanto do sistema político-jurídico instituído pela Constituição da República, mostrando-se arbitrário e inaceitável qualquer estatuto que puna, que exclua, que discrimine, que fomente a intolerância, que estimule o desrespeito e que desiguale as pessoas em razão de sua condição sexual. (...). A função contramajoritária do Supremo Tribunal Federal e a proteção das minorias. – A proteção das minorias e dos grupos vulneráveis qualifica-se como fundamento imprescindível à plena legitimação material do Estado Democrático de Direito. – Incumbe, por isso mesmo, ao Supremo Tribunal Federal, em sua condição institucional de guarda da Constituição (o que lhe confere 'o monopólio da última palavra' em matéria de interpretação constitucional), desempenhar função contramajoritária, em ordem a dispensar efetiva proteção às minorias contra eventuais excessos (ou omissões) da maioria, eis que ninguém se sobrepõe, nem mesmo os grupos majoritários, à autoridade hierárquico-normativa e aos

princípios superiores consagrados na Lei Fundamental do Estado. Precedentes. Doutrina" (STF – 2.ª Turma, RE 477.554/MG AgRg, rel. Min. Celso de Mello, j. 16.08.2011).

XLII – a prática do racismo constitui crime inafiançável e imprescritível, sujeito à pena de reclusão, nos termos da lei;

Doutrina

Racismo. O racismo é a ideologia que procura justificar as condutas de discriminação racial, por natureza todas preconceituosas e inaceitáveis no estágio atual das civilizações humanas.

Natureza do crime de racismo. A prática do racismo constitui crime que não admite fiança e não prescreve, sendo punido com pena de reclusão, conforme a definição que lhe der a lei.

Jurisprudência

"1. Escrever, editar, divulgar e comerciar livros 'fazendo apologia de ideias preconceituosas e discriminatórias' contra a comunidade judaica (Lei 7716/89, artigo 20, na redação dada pela Lei 8081/90) constitui crime de racismo sujeito às cláusulas de inafiançabilidade e imprescritibilidade (CF, artigo 5.º, XLII). 2. Aplicação do princípio da prescritibilidade geral dos crimes: se os judeus não são uma raça, segue-se que contra eles não pode haver discriminação capaz de ensejar a exceção constitucional da imprescritibilidade. Inconsistência da premissa. 3. Raça humana. Subdivisão. Inexistência. Com a definição e o mapeamento do genoma humano, cientificamente não existem distinções entre os homens, seja pela segmentação da pele, formato dos olhos, altura, pelos ou por quaisquer outras características físicas, visto que todos se qualificam como espécie humana. Não há diferenças biológicas entre os seres humanos. Na essência são todos iguais. 4. Raça e racismo. A divisão dos seres humanos em raças resulta de um processo de conteúdo meramente político-social. Desse pressuposto origina-se o racismo que, por sua vez, gera a discriminação e o preconceito segregacionista. 5. (...). 6. Adesão do Brasil a tratados e acordos multilaterais, que energicamente repudiam quaisquer discriminações raciais, aí compreendidas as distinções entre os homens por restrições ou preferências oriundas de raça, cor, credo, descendência ou origem nacional ou étnica, inspiradas na pretensa superioridade de um povo sobre outro, de que são exemplos a xenofobia, 'negrofobia', 'islamofobia' e o antissemitismo. 7. A Constituição Federal de 1988 impôs aos agentes de delitos dessa natureza, pela gravidade e repulsividade da ofensa, a cláusula de imprescritibilidade, para que fique, *ad perpetuam rei memoriam*, verberado o repúdio e a abjeção da sociedade nacional à sua prática" (STF – Pleno, HC 82.424/RS, rel. Min. Moreira Alves, rel. p/ o acórdão Min. Maurício Corrêa, j. 17.09.2003).

XLIII – a lei considerará crimes inafiançáveis e insuscetíveis de graça ou anistia a prática da tortura, o tráfico ilícito de entorpecentes e drogas afins, o terrorismo e os definidos como crimes hediondos, por eles respondendo os mandantes, os executores e os que, podendo evitá-los, se omitirem;

Doutrina

Crimes inafiançáveis. São aqueles que não admitem fiança e o legislador constituinte, neste dispositivo, considera como tais os crimes de tortura, de tráfico ilícito de entorpecentes e drogas afins, de terrorismo e os crimes hediondos. Contudo, enquanto o crime de racismo (art. 5.°, XLII) é inafiançável e imprescritível, os demais aqui previstos podem ser atingidos pela prescrição.

Responsabilidade. A responsabilidade criminal alcançará o mandante, aquele que manda praticar o crime; o executor, o agente da ação que leva ao crime; e aqueles que se omitirem em evitar o crime, desde que pudessem fazê-lo sem risco para a sua própria integridade.

Proibição de graça ou anistia. O legislador infraconstitucional não poderá estender aos crimes referidos os benefícios da graça ou da anistia. Graça é o ato de clemência ou perdão pessoal concedida pelo Poder Público a pedido do interessado; já a anistia é o esquecimento da infração penal determinado por lei, e que normalmente atinge os chamados crimes políticos. A norma constitucional não veda o indulto, que é o perdão coletivo espontaneamente concedido. Tanto a graça quanto o indulto são concedidos pelo Presidente da República; a anistia é concedida pelo Congresso Nacional por meio de lei.

Jurisprudência

> "(...). 4. O fato em si da inafiançabilidade dos crimes hediondos e dos que lhe sejam equiparados não tem a antecipada força de impedir a concessão judicial da liberdade provisória, jungido que está o juiz à imprescindibilidade do princípio tácito ou implícito da individualização da prisão (não somente da pena). A inafiançabilidade da prisão, mesmo em flagrante (inciso XLIII do art. 5.º da CF), quer apenas significar que a lei infraconstitucional não pode prever como condição suficiente para a concessão da liberdade provisória o mero pagamento de uma fiança. A prisão em flagrante não pré-exclui o benefício da liberdade provisória, mas, tão-só, a fiança como ferramenta de sua obtenção. A inafiançabilidade de um crime não implica, necessariamente, vedação do benefício à liberdade provisória, mas apenas sua obtenção pelo simples dispêndio de recursos financeiros ou bens materiais. Tudo vai depender da concreta aferição judicial da periculosidade do agente, atento o juiz aos vetores do art. 312 do Código de Processo Penal" (STF – 2.ª Turma, HC 111.166/MT, rel. Min. Ayres Britto, j. 13.12.2011).
>
> "O crime de tráfico ilícito de entorpecentes e drogas afins tem tratamento diferenciado na própria Car-

ta Magna (art. 5.º, XLIII), demonstrando que a ele deve ser dado tratamento legal mais rígido" (STJ – 6.ª Turma, REsp 53.068/SP, rel. Min. Pedro Acioli, DJ 1, de 28.11.1994, p. 32.649).

XLIV – constitui crime inafiançável e imprescritível a ação de grupos armados, civis ou militares, contra a ordem constitucional e o Estado Democrático;

Doutrina

Grupos armados e natureza de seus crimes. Grupos armados, para a norma constitucional, são aqueles formados por civis ou militares que se valem de armas de qualquer espécie para atingir o fim político de atentar contra a ordem pública instituída pela Constituição e o próprio Estado Democrático. A natureza de tais crimes é inafiançável e imprescritível, quer dizer, não admitem fiança e não estão sujeitos à prescrição.

Jurisprudência

"Os atos delituosos de natureza terrorista, considerados os parâmetros consagrados na CF, não se subsumem à noção de criminalidade política, pois a Lei Fundamental proclamou o repúdio ao terrorismo como um dos princípios essenciais que devem reger o Estado brasileiro em suas relações internacionais (CF, art. 4.º, VIII), além de haver qualificado o terrorismo, para o efeito de repressão interna, como crime equiparável aos delitos hediondos" (STF – Pleno, EXT 855/DF, rel. Min. Celso de Mello, j. 26.08.2004).

XLV – nenhuma pena passará da pessoa do condenado, podendo a obrigação de reparar o dano e a decretação do perdimento de bens ser, nos termos da lei, estendidas aos sucessores e contra eles executadas, até o limite do valor do patrimônio transferido;

Doutrina

Princípio da personalização da pena. A sanção penal jamais passará da pessoa do condenado, sendo, pois, individual e intransferível e apenas ele estará sujeito ao seu cumprimento. A garantia constitucional compreende as penas privativa de liberdade, restritiva de direito e de multa, conquanto esta última seja também personalíssima, sendo de responsabilidade exclusiva do delinquente.

Responsabilidade dos sucessores. Contudo, a obrigação de indenizar caberá aos sucessores do condenado, nos termos da lei e até o limite do valor do patrimônio transferido por herança. A execução se fará com a decretação da pena de perdimento dos bens do condenado em favor da vítima ou de seus herdeiros e tem fundamento no princípio que proíbe o enriquecimento sem causa.

Jurisprudência

> "A intransmissibilidade da pena traduz postulado de ordem constitucional. A sanção penal não passará da pessoa do delinquente. Vulnera o princípio da incontagiabilidade da pena a decisão judicial que permite ao condenado fazer-se substituir, por terceiro absolutamente estranho ao ilícito penal, na prestação de serviços à comunidade" (STF – 1.ª Turma, HC 68.309/DF, rel. Min. Celso de Mello, DJ 1, 08. 03.1991, p. 2.202).
>
> "(...). 6. Não medra a alegação de inaplicabilidade da excludente de boa-fé, prevista no art. 91, II, do Código Penal, em razão do disposto no art. 243 da Constituição da República, uma vez que o próprio inciso XLV do art. 5.º da Constituição da República estabelece que nenhuma pena passará da pessoa do condenado, devendo a obrigação de reparar o dano e a decretação do perdimento de bens ser realizada nos termos da lei" (TRF3 – 5.ª Turma, ApReeNec 1.551.084/SP, rel. Des. Fed. André Nekatschalow, e-DJF3, Judicial 1, 20.06.2016).
>
> "1. O princípio da personalização e individuação da pena, inscrito no art. 5.º, inciso XLV, da Constitui-

ção Federal, ao asseverar que nenhuma pena passará da pessoa do condenado, instituiu sim garantia típica de ordem penal, pois, trata-se de norma voltada para restringir à pessoa do condenado a culpabilidade penal, fazendo recair somente sobre ela os efeitos penais da condenação, admitindo, no entanto, que sucessores, na medida do patrimônio transferido, respondam pela reparação do dano ou perdimento de bens" (TRF3 – Turma Suplementar da 2.ª Seção, AC 161.075/SP, rel. Juiz Federal Convocado Valdeci dos Santos, DJF3, 15.05.2008).

"(...). Entende-se que considerar a renda familiar mensal da apenada para fixar o valor do dia multa configura violação à regra insculpida no art. 5.º, XLV da Constituição Federal, segundo a qual nenhuma pena passará da pessoa do condenado. Não se tratando de reparação de danos ou de decretação de perdimento de bens, a pena de multa sequer poderá ser oposta aos sucessores, motivo pelo qual a renda mensal do marido da ré e de sua mãe não podem servir de parâmetro para a fixação do valor do dia multa. Por esse motivo, considerando que a apelante não possui renda própria, a pena de multa deve ser reduzida para seu menor patamar, em 1/30 do salário mínimo vigente à época do fato" (TRF2, ACr 00004513520094025103/RJ, rel. para acórdão Juiz Federal Rogério Tobias de Carvalho, DJE, 30.07.2014).

XLVI – a lei regulará a individualização da pena e adotará, entre outras, as seguintes:

a) privação ou restrição da liberdade;

b) perda de bens;

c) multa;

d) prestação social alternativa;

e) suspensão ou interdição de direitos;

Doutrina

Princípio da individualização da pena. Significa que a pena cominada na lei deve ser adequada ao caso concreto na justa proporção entre a conduta delitiva e a sanção. A individualização compreende a fixação em abstrato da pena por meio de lei, a fixação em concreto pelo juiz, ao estabelecer a pena na sentença condenatória, e, na fase de execução, pelos órgãos próprios dos estabelecimentos prisionais.

Cominação das penas. A lei cominará, segundo a gravidade do delito, dentre outras não proibidas pela Constituição, as penas: restritivas ou privativas da liberdade, de perda de bens, de multa, de prestação de serviços alternativos ou de suspensão ou interdição de direitos.

Jurisprudência

> "Nenhum condenado tem direito público subjetivo à estipulação da pena-base em seu grau mínimo. É lícito ao magistrado sentenciante, desde que o faça em ato decisório adequadamente motivado, proceder a uma especial exacerbação da pena-base. Impõe-se, para esse efeito, que a decisão judicial encontre suporte em elementos fáticos concretizadores das circunstâncias judiciais abstratamente referidas pelo art. 59 do CP, sob pena de o ato de condenação transformar-se numa inaceitável e arbitrária manifestação de vontade do magistrado aplicador da lei" (STF, HC 71.697-1, rel. Min. Celso de Mello, RTJ 135/686).

XLVII – não haverá penas:

a) de morte, salvo em caso de guerra declarada, nos termos do art. 84, XIX;

b) de caráter perpétuo;

c) de trabalhos forçados;

d) de banimento;

e) cruéis;

Doutrina

Penas proibidas. O legislador constituinte proíbe a cominação das seguintes penas: a) *de morte*, que, no entanto, poderá ser aplicada, nos termos da legislação penal militar, em caso de guerra declarada em face de agressão estrangeira; b) *de caráter perpétuo*, que dura a vida toda, devendo a pena ser, independentemente de sua natureza, temporária; c) *de trabalhos forçados*, pena de natureza aflitiva e infamante, cumprida em enxovias e galés, jamais aplicada no Brasil; e) *de banimento*, ou expulsão perpétua da pessoa de sua pátria; f) *cruéis*, que se caracterizam pela crueldade e pela desumanidade, como açoites, tortura, marca de ferro quente, pena de galés etc.

Jurisprudência

> "(...). 2. Encontram-se atendidos os requisitos formais e legais previstos na Lei n.º 6.815/1980 e no Tratado de Extradição Brasil-Estados Unidos, presentes os pressupostos materiais: a dupla tipicidade e punibilidade de crime comum praticado por estrangeiro. 3. Extradição deferida, devendo o Estado requerente assumir os compromissos de: i) não executar pena vedada pelo ordenamento brasileiro, pena de morte ou de prisão perpétua (art. 5.º, XLVII, a e b, da CF); ii) observar o tempo máximo de cumprimento de pena possível no Brasil, 30 (trinta) anos (art. 75, do CP); iii) detrair do cumprimento de pena eventualmente imposta o tempo de prisão para fins de extradição por força deste processo" (STF – 1.ª Turma, EXT 1.462/DF, rel. Min. Roberto Barroso, j. 28.03.2017).

> "A Constituição Federal de 1988 tem como um de seus princípios norteadores o da humanidade, sendo vedadas as penas de morte, salvo em caso de guerra declarada (nos termos do art. 84, XIX), de caráter perpétuo, de trabalhos forçados, de banimento e cruéis (CF, art. 5.º, XLVII). Prevê, ainda, ser assegurado aos presos o respeito à integridade física e moral (CF, art. 5.º, XLIX). É fato que a pena assume o caráter de prevenção e retribuição ao mal causado. Por outro lado, não se pode

olvidar seu necessário caráter ressocializador, devendo o Estado preocupar-se, portanto, em recuperar o apenado" (STF – 2.ª Turma, HC 107.701/RS, rel. Min. Gilmar Mendes, j. 13.09.2011).

A pena de inabilitação permanente, aplicada a diretor de instituição financeira, colide com a proibição de aplicação de penas de caráter perpétuo, vedação que merece interpretação lata para atingir também as penalidades de suspensão e interdição de direitos de que trata o art. 5.º, LXVI, *e*, da Constituição Federal (STJ, RSTJ, 28/279).

XLVIII – a pena será cumprida em estabelecimentos distintos, de acordo com a natureza do delito, a idade e o sexo do apenado;

Doutrina

Execução da pena. A execução da pena privativa de liberdade se fará pelo recolhimento do condenado a estabelecimento próprio para a natureza do delito que cometeu (presídio comum ou de segurança máxima), segundo a sua idade e o seu sexo (presídio masculino ou feminino).

Jurisprudência

"Não constitui ilegalidade a determinação de internação de menor infrator em instituição fechada, visando a proteger sua segurança e integridade física. A circunstância de a lei menorista distinguir procedimento de apuração de fatos antissociais por faixa etária não implica, por si só, a existência obrigatória de estabelecimentos distintos" (STJ, RHC 385-RJ, rel. Min. Cid Flaquer Scartezzini, RSTJ 13/131).

XLIX – é assegurado aos presos o respeito à integridade física e moral;

Doutrina

Integridade física. A norma assegura ao preso o respeito, por parte da autoridade, à sua incolumidade física, no sentido de que estão proibidos quaisquer tratamentos cruéis, desumanos ou degradantes ou agressão física injusta.

Integridade moral. Da mesma forma, é vedada qualquer violação à incolumidade moral do preso, compreendida como ofensa à sua honra, à sua dignidade, bem como a tortura por meio de pressão psicológica de qualquer natureza.

Jurisprudência

> "O ordenamento constitucional vigente assegura ao preso a integridade física (CF, art. 5.º, XLIX), sendo dever do Estado garantir a vida de seus detentos, mantendo, para isso, vigilância constante e eficiente. Assassinado o preso por colega de cela quando cumpria pena por homicídio qualificado, responde o Estado civilmente pelo evento danoso, independentemente da culpa do agente público" (STJ – 1.ª Turma, REsp 5.711/RJ, rel. Min. Garcia Vieira, DJ 1, 22.4.91, p. 4.771).

L – às presidiárias serão asseguradas condições para que possam permanecer com seus filhos durante o período de amamentação;

Doutrina

Proteção à infância. A norma visa, primordialmente, garantir às presidiárias condições de permanecer com seus filhos durante o período de amamentação, em face do reconhecimento da importância do aleitamento materno para a saúde do bebê, além das evidentes vantagens dos cuidados da mãe para com a criança.

Jurisprudência

> "Recurso ordinário em Habeas Corpus. Execução Penal. Direito à amamentação. Prisão domiciliar. Impossi-

bilidade. Manifesto constrangimento ilegal não evidenciado. 1. A Constituição Federal assegura às presidiárias condições para que possam permanecer com seus filhos durante o período de amamentação, consoante o disposto no inciso L do artigo 5.º 2. Apesar de a Lei de Execução Penal limitar ao condenado em regime aberto a possibilidade de concessão de prisão domiciliar, a jurisprudência desta Corte de Justiça, atenta a questões humanitárias, tem admitido a concessão da benesse, considerando as peculiaridades do caso concreto. 3. Não há constrangimento ilegal no indeferimento da prisão domiciliar à recorrente, visto que o estabelecimento prisional em que se encontra recolhida possui berçário, além do que a apenada foi condenada por praticar tráfico de drogas em sua residência – 'mesmo local em que, agora, pretende executar a pena' – inclusive com o auxílio de sua filha que, à época, possuía apenas 14 anos de idade. 4. O fato de o magistrado singular haver deferido, em 7.10.2013, a permanência dos filhos gêmeos da recorrente no estabelecimento prisional pelo período de 6 meses, somado à data de nascimento das crianças (há quase 1 ano), reforça a impossibilidade de concessão da prisão domiciliar. 5. Recurso em habeas corpus não provido" (STJ – 6.ª Turma, RHC 45.434, rel. Min. Rogério Schietti Cruz, DJE, 04.08.2014).

LI – nenhum brasileiro será extraditado, salvo o naturalizado, em caso de crime comum, praticado antes da naturalização, ou de comprovado envolvimento em tráfico ilícito de entorpecentes e drogas afins, na forma da lei;

Doutrina

Extradição. É a entrega, por parte de um Estado, de pessoa que se encontra em seu território para outro que a reclama, com o fim de submetê-la a processo criminal ou a cumprimento de pena. A extradição pode ser: *ativa,* aquela requerida por um Estado em face de outro que prende o extraditando e o entrega ao requerente; ou *passiva*, aquela em que o Estado requerido entrega ao requerente o extraditando.

Princípio da inextraditabilidade e suas exceções. É proibida a extradição passiva de brasileiro nato, que não será entregue a Estado estrangeiro em nenhuma hipótese, ou de brasileiro naturalizado, que também não está sujeito à extradição passiva, exceção feita nos seguintes casos: *a*) prática de crime comum antes da naturalização, hipótese em que, mesmo após a naturalização, poderá ser entregue a Estado estrangeiro; *b*) envolvimento comprovado no tráfico ilícito de entorpecentes e drogas afins, também por condutas anteriores à concessão de nacionalidade, pois, se posteriores, estará sujeito ao ordenamento jurídico pátrio como qualquer outro nacional.

Jurisprudência

> Súmulas do STF: 1. "É vedada a expulsão de estrangeiro casado com Brasileira, ou que tenha filho Brasileiro, dependente de economia paterna". 421. "Não impede a extradição a circunstância de ser o extraditando casado com brasileira ou ter filho brasileiro".
>
> "Ao princípio geral da inextraditabilidade do brasileiro, incluído o naturalizado, a Constituição admitiu, no art. 5.°, LI, duas exceções: a primeira, de eficácia plena e aplicabilidade imediata, se a naturalização é posterior ao crime comum pelo qual procurado; a segunda, no caso de naturalização anterior ao fato, se cuida de tráfico de entorpecentes: aí, porém, admitida, não como a de qualquer estrangeiro, mas sim, 'na forma da lei', e por 'comprovado envolvimento' no crime: a essas exigências de caráter excepcional não basta a concorrência dos requisitos formais de toda a extradição, quais sejam, a dúplice incriminação do fato imputado e o juízo estrangeiro sobre a seriedade da suspeita" (STF – Pleno, EXT 541/DF, rel. Min. Sepúlveda Pertence, DJ 1, 18.12.1992, p. 24.374).
>
> "O brasileiro nato, quaisquer que sejam as circuns-

tâncias e a natureza do delito, não pode ser extraditado, pelo Brasil, a pedido de Governo estrangeiro, pois a Constituição da República, em cláusula que não comporta exceção, impede, em caráter absoluto, a efetivação da entrega extradicional daquele que é titular, seja pelo critério do 'jus soli', seja pelo critério do 'jus sanguinis', de nacionalidade primária ou originária. Esse privilégio constitucional, que beneficia, sem exceção, o brasileiro nato (CF, art. 5.º, LI), não se descaracteriza pelo fato de o Estado estrangeiro, por lei própria, haver-lhe reconhecido a condição de titular de nacionalidade originária pertinente a esse mesmo Estado (CF, art. 12, II, 'a')" (STF – Pleno, HC 83.113/DF QO, rel. Min. Celso de Mello, j. 26.06.2003).

LII – não será concedida extradição de estrangeiro por crime político ou de opinião;

Doutrina

Princípio Geral e exceções. O princípio geral é o da extraditabilidade do estrangeiro, sendo que a extradição somente não será concedida nos casos de crime político, aquele praticado contra as instituições e Poderes do Estado, ou de opinião, que ocorre através da manifestação do pensamento, por meio de qualquer veículo ou forma, com o fim de atingir as instituições ou poderes estatais.

Jurisprudência

"O desejo de ser extraditado, ainda que manifestado, de modo inequívoco, pelo próprio súdito estrangeiro, não basta, só por si, para dispensar as formalidades inerentes ao processo extradicional, posto que este representa garantia indispensável instituída em favor do extraditando. Precedentes". (STF – Pleno, EXT 977, rel. Min. Celso de Mello, j. 25.05.2005).

"A essencialidade da cooperação internacional na repressão penal aos delitos comuns não exonera o Estado brasileiro – e, em particular, o Supremo Tribunal Federal – de velar pelo respeito aos direitos fundamentais do súdito estrangeiro que venha a sofrer, em nosso País, processo extradicional instaurado por iniciativa de qualquer Estado estrangeiro. O extraditando assume, no processo extradicional, a condição indisponível de sujeito de direitos, cuja intangibilidade há de ser preservada pelo Estado a que foi dirigido o pedido de extradição (o Brasil, no caso). O Supremo Tribunal Federal não deve autorizar a extradição, se se demonstrar que o ordenamento jurídico do Estado estrangeiro que a requer não se revela capaz de assegurar, aos réus, em juízo criminal, os direitos básicos que resultam do postulado do 'due process of law' (RTJ 134/56-58 – RTJ 177/485-488), notadamente as prerrogativas inerentes à garantia da ampla defesa, à garantia do contraditório, à igualdade entre as partes perante o juiz natural e à garantia de imparcialidade do magistrado processante. Demonstração, no caso, de que o regime político que informa as instituições do Estado requerente reveste-se de caráter democrático, assegurador das liberdades públicas fundamentais" (STF – Pleno, EXT 977, rel. Min. Celso de Mello, j. 25.05.2005).

"A inextraditabilidade de estrangeiros por delitos políticos ou de opinião reflete, em nosso sistema jurídico, uma tradição constitucional republicana. Dela emerge, em favor dos súditos estrangeiros, um direito público subjetivo, oponível ao próprio Estado e de cogência inquestionável. Há, no preceito normativo que consagra esse *favor constitutionis*, uma insuperável limitação jurídica ao poder de extraditar do Estado brasileiro" (STF, EXT n.° 524/DF, rel. Min. Celso de Mello, DJ 1, 08.03.1991, p. 2.200).

LIII – ninguém será processado nem sentenciado senão pela autoridade competente;

Doutrina

Princípio do juiz natural. Consagra a regra de que o juízo competente para o caso deve ser anteriormente definido, proibindo, assim, a indicação de juízos ou tribunais para casos determinados. Decorre dos princípios da legalidade e da isonomia e tem por objetivo garantir ao cidadão processo e julgamento por meio de um órgão independente e investido de todas as garantias constitucionais asseguradas à magistratura. O princípio não proíbe a existência de juízos especializados.

Jurisprudência

> "(...). O postulado do juiz natural representa garantia constitucional indisponível, assegurada a qualquer réu, em sede de persecução penal, mesmo quando instaurada perante a Justiça Militar da União. – Ninguém pode ser privado de sua liberdade senão mediante julgamento pela autoridade judiciária competente. Nenhuma pessoa, em consequência, poderá ser subtraída ao seu juiz natural, sob pena de invalidação do processo em que consumada a ofensa ao postulado da naturalidade do juízo. A Constituição do Brasil, ao proclamar o regime das liberdades públicas – que representa expressiva limitação aos poderes do Estado –, consagrou de modo explícito, o dogma fundamental do juiz natural. O art. 5.°, LIII, da Carta Política prescreve que 'ninguém será processado nem sentenciado senão pela autoridade competente'" (STF – 2.ª Turma HC 112.936/RJ, rel. Min. Celso de Mello, j. 05.02.2013).
>
> "(...). 10. O princípio do juiz natural não resta violado nas hipóteses em que Lei estadual atribui a Vara especializada competência territorial abrangente de todo o território da unidade federada, com fundamento no art. 125 da Constituição, porquanto o tema gravita em torno da organização judiciária, inexistindo afronta aos princípios da territorialidade e do Juiz natural" (STF – Pleno, ADIN 4.414/AL, rel. Min. Luiz Fux, j. 31.12.2012).
>
> "Não ofende o princípio do juiz natural (CF, art.5.°, LIII) a participação de juiz convocado no julgamento de

recurso por tribunal de segunda instância, ainda que na qualidade de relator. Validade, em consequência, da Lei Complementar 646/90 do Estado de São Paulo, que criou o quadro de juízes substitutos em segundo grau. Precedentes citados: HC 68905-SP (DJ, de 15/05/92); HC 69601-SP (RTJ 143/962); HC 70103-SP (RTJ 148/773). HC 74.109-SP, rel. Min. Celso de Mello, 13/08/96 (STF – Pleno, Informativo n.º 40).

LIV – ninguém será privado da liberdade ou de seus bens sem o devido processo legal;

Doutrina

Princípio do devido processo legal. Tem origem na cláusula 39 da Magna Carta de 1215 e visa a proteger o réu contra a atuação ilegal do Estado, que somente poderá privá-lo de sua liberdade ou de seus bens após o devido processo legal (*due process of law*). O Estado se valerá de meios processuais adequados e mediante garantia do contraditório e da ampla defesa (aspecto formal) e, quanto ao objeto do litígio, será decidido mediante a aplicação de normas razoáveis e justas (aspecto substancial).

Jurisprudência

"(...). Com o que o tema da significância penal confirma que o 'devido processo legal' a que se reporta a Constituição Federal no inciso LIII (*sic*) do art. 5.º é de ser interpretado como um devido processo legal substantivo ou material. Não meramente formal. 2. A insignificância penal expressa um necessário juízo de razoabilidade e proporcionalidade de condutas que, embora formalmente encaixadas no molde legal-punitivo, substancialmente escapam desse encaixe. E escapam desse molde simplesmente formal, como exigência mesma da própria justiça material enquanto valor ou bem coletivo que a nossa Constituição Federal prestigia desde o seu principiológico preâmbulo. Justiça como valor, a se concretizar mediante uma certa dosagem de razoabilidade e proporcionalidade na concretização dos valores da liberdade, igualdade, segurança, bem-estar, desenvolvimento etc. Com o que ela, justiça, somente se realiza na medida em que os outros valores positivos se realizem por um modo peculiarmente razoável e proporcional" (STF – 2.ª Turma, HC 107.082/RS, rel. Min. Ayres Britto, decisão unânime, 27.03.2012).

"A cláusula do devido processo legal - objeto de expressa programação pelo art. 5.º, LIV, da Constituição - deve ser entendida, na *abrangência de sua noção conceitual*, não só no aspecto meramente formal, que impõe restrições de caráter ritual à atuação do Poder Público, mas, sobretudo, em sua dimensão material, que atua como decisivo obstáculo à edição de atos legislativos de conteúdo arbitrário ou *irrazoável*. A essência do *substantive due process of law* reside na necessidade de proteger os direitos e as liberdades das pessoas contra *qualquer* modalidade de legislação que se revele opressiva ou, como no caso, destituída do necessário coeficiente de razoabilidade" (STF – Pleno, ADIN 1.063 MC, rel. Min. Celso de Mello, j. 18.05.1994).

"1. O indivíduo é sempre uma realidade única ou insimilar, irrepetível mesmo na sua condição de microcosmo ou de um universo à parte. Logo, todo instituto de direito penal que se lhe aplique – pena, prisão, progressão de regime penitenciário, liberdade provisória, conversão da pena privativa de liberdade em restritiva de direitos – há de exibir o timbre da personalização. 2. O instituto da prisão opera como excepcional afastamento da regra da liberdade de locomoção do indivíduo. Donde a necessidade do seu permanente controle por órgão do Poder Judiciário, quer para determiná-la, quer para autorizar a sua continuidade (quando resultante do flagrante delito). Vínculo funcional que se mantém até mesmo em período de 'Estado de Defesa', conforme os expressos dizeres do art. 136 da Constituição Federal" (STF – 2.ª Turma, HC 111.166/MT, rel. Min. Ayres Britto, j. 13.12.2011).

"O postulado constitucional do *due process of law*, em sua destinação jurídica, também está vocacionado à proteção da propriedade. Ninguém será privado de seus bens sem o devido processo legal (CF, art. 5.º, LIV)" (STF – Pleno, MS 22.164-0/SP, rel. Min. Celso de Mello, DJ 1, de 17.11.95, p. 39.206).

LV – aos litigantes, em processo judicial ou administrativo, e aos acusados em geral são assegurados o contraditório e a ampla defesa, com os meios e recursos a ela inerentes;

Doutrina

Princípio do contraditório. Decorre dele a condução dialética do processo (*par conditio*), que significa igualdade de oportunidade para que cada uma das partes ofereça as razões e as provas de seu direito.

Princípio da ampla defesa. Assegura a qualquer parte o uso de qualquer meio ou recurso legítimos para a plena defesa de seu direito.

Extensão. O contraditório e a ampla defesa são assegurados a quaisquer das partes tanto nos chamados procedimentos administrativos, de qualquer natureza, quanto nos processos judiciais, civis ou penais.

Juiz de Garantias. Nos termos do artigo 3-B do Código de Processo Penal, o juiz de garantias deve exercer o controle de legalidade da investigação criminal e zelar pela correta aplicação dos direitos individuais do réu. Esse sistema de persecução criminal lembra o do juízo de instrução do sistema penal italiano. No sistema brasileiro da Lei 13.964/2019, o arcabouço legal do instrumento nela encontra supedâneo. No plano constitucional, as normas que tratam do juízo competente (art. 5.º, LIII), do devido processo legal (art. 5.°, LIV) e a relativa ao contraditório (art. 5.°, LV), a meu ver, estabelecem o escorço essencial da garantia.

Jurisprudência

Súmulas Vinculantes do STF: 3. "Nos processos perante o Tribunal de Contas da União asseguram-se o contraditório e a ampla defesa quando da decisão puder resultar anulação ou revogação de ato administrativo que beneficie o interessado, excetuada a apreciação da legalidade do ato de concessão inicial da aposentadoria, reforma e pensão." 5. "A falta de defesa técnica por advogado no processo administrativo disciplinar não ofende a Constituição." 14. "É direito do defensor, no interesse do representado, ter acesso amplo aos elementos de prova que, já documentados em procedimento investigatório realizado por órgão com competência de polícia judiciária, digam respeito ao exercício do direito de defesa." 21. "É inconstitucional a exigência de depósito ou arrolamento prévios de dinheiro ou bens para admissibilidade de recurso administrativo." 28. "É inconstitucional a exigência de depósito prévio como requisito de admissibilidade de ação judicial na qual se pretenda discutir a exigibilidade de crédito tributário".

Súmulas do STF: 20. "É necessário processo administrativo com ampla defesa, para demissão de funcionário admitido por concurso". 523. "No processo penal, a falta de defesa constitui nulidade absoluta, mas a sua deficiência só o anulará se houver prova de prejuízo para o réu".

"A superveniência da nova ordem constitucional não desqualificou o interrogatório como ato pessoal do magistrado processante nem impôs ao Estado o dever de assegurar, quando da efetivação desse ato processual, a presença de defensor técnico. A ausência do advogado no interrogatório judicial do acusado não infirma a validade jurídica desse ato processual" (STF, HC 68.929/SP, rel. Min. Celso de Mello, DJ 1, 28.08.1992, p. 13.453).

"O direito de permanecer em silêncio insere-se no alcance concreto da cláusula constitucional do devido processo legal. E nesse direito ao silêncio inclui-se, até mesmo por implicitude, a prerrogativa processual de o acusado negar, ainda que falsamente, perante a autoridade policial ou judiciária, a prática da infração penal" (STF, HC 68.929/SP, rel. Min. Celso de Mello, DJ 1, 28.08.1992, p. 13.453).

"Viola os princípios do contraditório e da ampla defesa a não apresentação de contrarrazões ao apelo da acusação pelo advogado dativo, porque há risco de ser agravada a situação do réu. O mesmo não ocorre quando o advogado dativo ou constituído não arrazoa a apelação nem quando o advogado constituído não apresenta contrarrazões à apelação. Art. 5.°, LV, da Constituição" (STF, HC 71.234/RS, rel. Min. Paulo Brossard, DJ 1, 23.09.1994, p. 25.329).

"Ofende o princípio do devido processo legal (CF, art. 5.°, LV) o acórdão que, embora afastando a intempestividade da apresentação do rol de testemunhas pela ré nos autos de ação indenizatória de acidente de trânsito, entendera não haver prejuízo pela falta de oitiva daquelas testemunhas porquanto os seus depoimentos já teriam sido tomados no dia do acidente perante a autoridade policial. Considerando que na fase administrativa não se observa o princípio do contraditório, a Turma conheceu do recurso extraordinário e lhe deu provimento para, anulando a sentença e o acórdão recorridos, determinar a audição das testemunhas arroladas tempestivamente. Precedente citado: RE 158.215-RS (DJU de 7.6.96)". (STF, RE 198.016, rel. Min. Marco Aurélio, Informativo n.° 65).

"(...). 3. É vedado ao Poder Judiciário adentrar no mérito administrativo, sob pena de violação ao princípio da separação dos Poderes. A sua atuação é restrita aos aspectos de legalidade do ato. Assim, não é cabível o reexame do mérito das provas colhidas no corpo do procedimento administrativo, mas tão somente a análise formal de sua validade. 4. No decorrer do processo administrativo foram asseguradas à autora as garantias constitucionais do contraditório e da ampla defesa, haja vista que formulou sua defesa e teve oportunidade de produzir as provas e contraprovas que achasse conveniente. 5. O processo administrativo que ensejou a demissão da recorrente está em estreita consonância com os princípios previstos na Constituição Federal e na Lei n.º 9.784/99, que regula o processo administrativo no âmbito da Administração Pública Federal. 6. Agravo legal improvido" (TRF3 – Agravo Legal em AC 94.03.105114-0/SP, rel. Des. Fed. Johonsom di Salvo, j. 28.09.2010).

"(...). 3. Da mesma forma como ocorre no direito penal, no direito administrativo-disciplinar o acusado se defende dos fatos que lhe são imputados; e não da sua capitulação legal (STF, MS n.º 23.299-s/SP, rel. Min. Sepúlveda Pertence). 4. A falta de defesa técnica por advogado no processo administrativo disciplinar não ofende a Constituição – Súmula Vinculante n.º 5 do Supremo Tribunal Federal. 5. Não é dado ao Judiciário rediscutir o mérito do julgamento administrativo, mas tão-somente verificar a regularidade do processo. 6. Apelação parcialmente conhecida; na parte conhecida desprovida" (TRF3 – 2.ª Turma, AC 200061000056067, rel. Des. Fed. Nelton dos Santos, DJF3, 04.12.2008, p. 821).

LVI – são inadmissíveis, no processo, as provas obtidas por meios ilícitos;

Doutrina

Prova e processo. Prova é tudo aquilo que possa, validamente, demonstrar a existência ou inexistência de um fato. A norma constitucional aplica-se ao processo judicial de qualquer natureza ou ao processo administrativo, independentemente de sua finalidade.

Provas Ilícitas. São aquelas obtidas por meio de dolo, coação física ou moral ou fraude. Enfim, são nulas as provas obtidas por meio de ato contrário ao direito, como a tortura, a violação da integridade física ou moral da pessoa, ou mediante uso de expediente fraudulento de qualquer espécie. Em quaisquer dessas hipóteses, a prova é ilícita e não deve ser admitida.

Jurisprudência

> "A Constituição veda expressamente, no seu art. 5.º, LVI, o uso da prova obtida ilicitamente nos processos judiciais, no intuito precípuo de tutelar os direitos fundamentais dos atingidos pela persecução penal" (STF – 2.ª Turma, HC 96.056/PE, rel. Min. Gilmar Mendes, j. 08.06.2011).
>
> "Inadmissibilidade, como prova, de laudos de degravação de conversa telefônica e de registros contidos na memória de microcomputador, obtidos por meios ilícitos (art. 5.º, LVI, da Constituição Federal); no primeiro caso, por se tratar de gravação realizada por um dos interlocutores, sem conhecimento de outro, havendo a degravação sido feita com inobservância do princípio do contraditório, e utilizada com violação à privacidade alheia (art. 5.º, X, CF); e, no segundo caso, por estar-se diante de microcomputador que, além de ter sido apreendido com violação de domicílio, teve a memória nele contida sido degravada ao arrepio da garantia da inviolabilidade da intimidade das pessoas (art. 5.º, X e XI, CF)" (STF – Pleno, AP 307-3/DF, rel. Min. Ilmar Galvão, DJ 1, 13.10.1995, p. 34.247).
>
> "A cláusula constitucional do *due process of law* – que se destina a garantir a pessoa do acusado contra ações eventualmente abusivas do Poder Público – tem, no dogma da inadmissibilidade das provas ilícitas, uma de suas projeções concretizadoras mais expressivas, na medida em que o réu tem o impostergável direito de *não ser denunciado*, de *não ser julgado* e de *não ser condenado* com apoio em elementos instrutórios obtidos

ou produzidos de forma incompatível com os limites impostos, pelo ordenamento jurídico, ao poder persecutório e ao poder investigatório do Estado. A absoluta invalidade da prova ilícita infirma-lhe, de modo radical, a eficácia demonstrativa dos fatos e eventos cuja realidade material ela pretende evidenciar. Trata-se de consequência que deriva, necessariamente, da garantia constitucional que tutela a situação jurídica dos acusados em juízo penal e que exclui, *de modo peremptório*, a possibilidade de uso, em sede processual, da prova – *de qualquer prova* – cuja ilicitude venha a ser reconhecida pelo Poder Judiciário. A prova ilícita é prova inidônea. Mais do que isso, prova ilícita é prova imprestável. Não se reveste, por essa explícita razão, de qualquer aptidão jurídico-material. Prova ilícita, sendo providência instrutória eivada de inconstitucionalidade, apresenta-se destituída de qualquer grau, *por mínimo que seja*, de eficácia jurídica". (excerto do voto do Min. Celso de Mello, STF – Pleno, AP 307-3/DF).

LVII – ninguém será considerado culpado até o trânsito em julgado de sentença penal condenatória;

Doutrina

Princípio da presunção de inocência. A norma constitucional presume inocente a pessoa, cabendo ao Estado, que detém o *jus puniendi*, provar a sua culpabilidade e demonstrar a violação da lei penal.

Presunção de inocência e prisão provisória. A presunção de inocência é *juris tantum* e não inquina de inconstitucionalidade as prisões preventivas, temporárias, em flagrante, ou as decorrentes de sentença de pronúncia ou condenatórias pendentes de recurso, pois, em sendo provisórias e destinadas a proteger um interesse público ou a ordem pública, não violam o referido princípio constitucional.

Execução antecipada da pena. A jurisprudência anterior do Supremo Tribunal Federal não admitia a execução antecipada da pena, quer dizer, a execução da sentença condenatória, após confirmada a condenação pelo tribunal de segundo grau, por entender que isso representava restrição ao direito de defesa. Contudo, a partir do julgamento do HC 126.292/SP, o Pretório Excelso passou a admitir a execução provisória de sentença penal condenatória confirmada por tribunal de apelação, asseverando que, mesmo sujeita a recurso especial ou extraordinário, não resta comprometido o princípio da presunção de inocência.

"PENA – EXECUÇÃO PROVISÓRIA – IMPOSSIBILIDADE – PRINCÍPIO DA NÃO CULPABILIDADE. Surge constitucional o artigo 283 do Código de Processo Penal, a condicionar o início do cumprimento da pena ao trânsito em julgado da sentença penal condenatória, considerado o alcance da garantia versada no artigo 5º, inciso LVII, da Constituição Federal, no que direciona a apurar para, selada a culpa em virtude de título precluso na via da recorribilidade, prender, em execução da sanção, a qual não admite forma provisória. (STF - Pleno, ADC 43, rel. Min. Marco Aurélio, j. 07.11.2019)."
"Agravo regimental em Habeas Corpus. 2. Direito processual penal. Execução provisória da pena. 3. Jurisprudência do Supremo Tribunal Federal. O STF, na sessão de 7.11.2019, no julgamento do mérito das ADCs 43, 44 e 54, Rel. Min. Marco Aurélio, decidiu pela constitucionalidade do art. 283 do Código de Processo Penal, no ponto em que impõe o trânsito em julgado da condenação para o início do cumprimento da pena. 4. Agravo regimental a que se nega provimento. (STF - 2.ª Turma, HC 160.296 AgR, rel. Min. Gilmar Mendes, j. 20.04.2020.

Jurisprudência

> "(...). 2. Em matéria penal, a densificação do valor constitucional do justo real é o direito à presunção de não culpabilidade (inciso LVII do art. 5.º da CF). É dizer: que dispensa qualquer demonstração ou elemento de prova é a não-culpabilidade (que se presume). O seu oposto (a culpabilidade) é que demanda prova, e prova inequívoca de protagonização do fato criminoso"

(STF – 1.ª Turma, HC 92.435/SP, rel. Min. Carlos Britto, j. 25.03.2008).

"O princípio constitucional da não culpabilidade, que sempre existiu, de modo imanente, em nosso ordenamento positivo, impede que se atribuam à acusação penal consequências jurídicas apenas compatíveis com decretos judiciais de condenação irrecorrível. Trata-se de princípio tutelar da liberdade individual, cujo domínio mais expressivo de incidência é o da disciplina jurídica da prova. A presunção de não culpabilidade, que decorre da norma inscrita no art. 5.º LVII, da Constituição, é meramente relativa (*juris tantum*). Esse princípio, que repudia presunções contrárias ao imputado, tornou mais intenso, para o órgão acusador, o ônus substancial da prova. A regra da não culpabilidade – não obstante o seu relevo – não afetou nem suprimiu a decretabilidade das diversas espécies que assume a prisão cautelar em nosso direito positivo. O instituto da tutela cautelar penal, que não veicula qualquer ideia de sanção, revela-se compatível com o princípio da não culpabilidade" (STF – 1.ª Turma, HC 67.707-0/RS, rel. Min. Celso de Mello, DJ 1, 14.8.92, p. 12.225).

"A prisão para apelar só se legitima quando se evidencia a sua necessidade cautelar, não cabendo inferi-la exclusivamente da gravidade em abstrato do delito imputado; é possível, contudo, extrair do contexto do fato concreto – que revela a existência de complexa organização criminosa de dimensões internacionais – base empírica para a afirmação do risco de fuga dos condenados, fundamento idôneo para a cautelar da prisão provisória imposta." (STF – 1.ª Turma, HC n.º 69.714/SP, rel. Min. Sepúlveda Pertence, DJ, 10.09.1993, p. 18.376).

"1. No julgamento do HC 84.078, de relatoria do ministro Eros Grau, o Plenário desta Colenda Corte assentou, por maioria de votos, a inconstitucionalidade da execução provisória da pena. Isso por entender que o exaurimento das instâncias ordinárias não afasta, automaticamente, o direito à presunção de não culpabilidade. Direito individual que tem sua força quebrantada em uma única passagem da Constituição. Leia-se: 'ninguém será preso senão em flagrante delito ou por ordem escrita e fundamentada da autoridade judiciária competente, salvo nos casos de transgressão militar ou crime propriamente militar, definidos em lei' (inciso LXI do art. 5.º)" (STF – 1.ª Turma, HC 97.523/SP, rel. Min. Carlos Britto, decisão, 30.06.2009).

"(...). A Lei de Execução Penal condicionou a execução da pena privativa de liberdade ao trânsito em julgado da sentença condenatória. A Constituição do Brasil de 1988 definiu, em seu art. 5.º, inciso LVII, que 'ninguém será considerado culpado até o trânsito em julgado de sentença penal condenatória'. 2. Daí a conclusão de que os preceitos veiculados pela Lei n. 7.210/84, além de adequados à ordem constitucional vigente, sobrepõem-se, temporal e materialmente, ao disposto no art. 637 do CPP. 3. Disso resulta que a prisão antes do trânsito em julgado da condenação somente pode ser decretada a título cautelar. 4. A ampla defesa, não se pode visualizar de modo restrito. Engloba todas as fases processuais, inclusive as recursais de natureza extraordinária. Por isso a execução da sentença após o julgamento do recurso de apelação significa, também, restrição do direto de defesa, caracterizando desequilíbrio entre a pretensão estatal de aplicar a pena e o direito, do acusado, de elidir essa pretensão. (...). 6. Nas democracias mesmo os criminosos são sujeitos de direitos. Não perdem essa qualidade, para se transformarem em objetos processuais. São pessoas, inseridas entre aquelas beneficiadas pela afirmação constitucional da sua dignidade. É inadmissível a sua exclusão social, sem que sejam consideradas, em quaisquer circunstâncias, as singularidades de cada infração penal, o que somente se pode apurar plenamente quando transitada em julgado a condenação de cada qual. Ordem concedida" (STF – 2.ª Turma, HC 91.232/PE, rel. Min. Eros Grau, j. 06.11.2007).

"Constitucional. *Habeas Corpus*. Princípio Constitucional da Presunção de Inocência (CF, art. 5.º, LVII). Sentença penal condenatória confirmada por Tribunal de Segundo Grau de jurisdição. Execução provisória. Possibilidade. 1. A execução provisória de acórdão penal condenatório proferido em grau de apelação, ainda que sujeito a recurso especial ou extraordinário, não compromete o princípio constitucional da presunção de inocência afirmado pelo artigo 5.º, inciso LVII, da Constituição Federal. 2. *Habeas corpus* denegado" (STF – Pleno, HC 126.292/SP, rel. Min. Teori Zavascki, j. 17.02.2016 – *nota: Embargos de declaração rejeitados em sessão virtual do Plenário em 02.09.2016)*.

"Medida Cautelar na Ação Declaratória de Constitucionalidade. Art. 283 do Código de Processo Penal. Execução da pena privativa de liberdade após o esgotamento do pronunciamento judicial em segundo grau. Compatibilidade com o princípio constitucional da presunção de inocência. Alteração de entendimento do Supremo Tribunal Federal no julgamento do HC 126.292. Efeito meramente devolutivo dos recursos extraordinários e especial. Regra especial associada à disposição geral do art. 283 do CPP, que condiciona a eficácia dos provimentos jurisdicionais condenatórios ao trânsito em julgado. Irretroatividade da lei penal mais gravosa. Inaplicabilidade aos precedentes judiciais. Constitucionalidade do art. 283 do Código de Processo Penal. Medida cautelar indeferida. 1. No julgamento do *Habeas Corpus* 126.292/SP, a composição plenária do Supremo Tribunal Federal retomou orientação antes predominante na Corte e assentou tese segundo a qual '*A execução provisória de acórdão penal condenatório proferido em grau de apelação, ainda que sujeito a recurso especial ou extraordinário, não compromete o princípio constitucional da presunção de inocência afirmado pelo artigo 5.º, inciso LVII da Constituição Federal*'. 2. No âmbito criminal, a possibilidade de atribuição de efeito suspensivo aos recursos extraordinário e especial detém caráter excepcional (art. 995 e art. 1.029, § 5.°, ambos do CPC c/c art. 3.° e 637 do CPP), normativa compatível com a regra do art. 5.°, LVII, da Constituição da República. Efetivamente, o acesso individual às instâncias extraordinárias visa a propiciar a esta Suprema Corte e ao Superior Tribunal de Justiça exercer seus papéis de estabilizadores, uniformizadores e pacificadores da interpretação das normas constitucionais e do direito infraconstitucional. 3. Inexiste antinomia entre a especial regra que confere eficácia imediata aos acórdãos somente atacáveis pela via dos recursos excepcionais e a disposição geral que exige o trânsito em julgado como pressuposto para a produção de efeitos da prisão decorrente de sentença condenatória a que alude o art. 283 do CPP. 4. O retorno à compreensão emanada anteriormente pelo Supremo Tribunal Federal, no sentido de conferir efeito paralisante a absolutamente todas decisões colegiadas prolatadas em segundo grau de jurisdição, investindo os Tribunais Superiores em terceiro e quarto graus, revela-se inapropriado com as competências atribuídas constitucionalmente às Cortes de cúpula. 5. A irretroatividade figura como matéria atrelada à aplicação da **Lei penal** no tempo, ato normativo idôneo a inovar a ordem jurídica, descabendo atribuir ultratividade a compreensões jurisprudenciais cujo objeto não tenha reflexo na compreensão da ilicitude das condutas. Na espécie, o debate cinge-se ao plano processual, sem reflexo, direto, na existência ou intensidade do direito de punir, mas, tão somente, no momento de punir. 6. Declaração de constitucionalidade do art. 283 do Código de Processo Penal, com interpretação conforme à Constituição, assentando que é coerente com a Constituição o principiar de execução criminal quando houver condenação assentada em segundo grau de jurisdição, salvo atribuição expressa de efeito suspensivo ao recurso cabível. 7. Medida cautelar indeferida" (STF – Pleno, ADC 43 MC/DF, rel. para o acórdão, Min. Edson Fachin, j. 05.10.2016 – *nota: ADC 44 MC/DF, mesmo texto decisório*).

"Constitucional. Recurso extraordinário. Princípio constitucional da presunção de inocência (CF, art. 5.º, LVII). Acórdão penal condenatório. Execução provisória. Possibilidade. Repercussão geral reconhecida. Jurisprudência reafirmada. 1. Em regime de repercussão geral, fica reafirmada a jurisprudência do Supremo Tribunal Federal no sentido de que a execução provisória de acórdão penal condenatório proferido em grau recursal, ainda que sujeito a recurso especial ou extraordinário, não compromete o princípio constitucional da presunção de inocência afirmado pelo artigo 5.º, inciso LVII, da Constituição Federal. 2. Recurso extraordinário a que se nega provimento, com o reconhecimento da repercussão geral do tema e a reafirmação da jurisprudência sobre a matéria" (STF – Pleno (meio eletrônico), ARE 964.246, rel. Min. Teori Zavascki, DJE-251, 25.11.2016).

"(...). 5. O Plenário do Supremo Tribunal Federal, no julgamento do Habeas Corpus 126.292/SP, entendeu que a possibilidade de início da execução da pena condenatória após a confirmação da sentença em segundo grau não ofende o princípio constitucional da presunção da inocência. Para o relator do caso, Ministro Teori Zavascki, a manutenção da sentença penal pela segunda instância encerra a análise de fatos e provas que assentaram a culpa do condenado, o que autoriza o início da execução da pena" (STJ – 5.ª Turma, HC 348.224, rel. Min. Ribeiro Dantas, DJE, 03.05.2016).

LVIII – o civilmente identificado não será submetido a identificação criminal, salvo nas hipóteses previstas em lei;

Doutrina

Identificação Civil. É o ato de identificar a pessoa, atribuindo-lhe individualidade, que será atestada por meio de um documento, normalmente a carteira de identidade, ou qualquer outro, como a carteira de trabalho ou aquela emitida por entes de fiscalização do exercício de profissão.

Identificação Criminal. É o ato de identificar o indiciado pelo processo datiloscópico, quando possível, com o objetivo de certificar-se quanto à sua identidade.

Garantia constitucional. A norma garante ao portador de identidade civil o direito de não ser submetido à identificação criminal, proibindo a autoridade administrativa de ordená-la, salvo quando necessária para o bom andamento do inquérito visando a apuração de infração penal, ou outra hipótese prevista em lei. A violação da garantia por parte de autoridade constitui-se em abuso de poder.

Jurisprudência

> "Recurso de *habeas corpus*. I – Trancamento do inquérito policial. Inviabilidade. Fato tipificável como ilícito penal. II – Identificação criminal que não se justifica, no caso, após o advento da Constituição de 1988. Precedentes de ambas as Turmas do Supremo Tribunal Federal. III – Recurso provido para determinar o cancelamento da identificação criminal do recorrente" (STF – 2.ª Turma, RHC 66.471/SP, rel. Min. Célio Borja, j. 28.02.1989, DJ 1, 31.03.1989, p. 4.329).
>
> "A Constituição de 1988, no seu art. 5.º, LVIII, veda a identificação criminal do civilmente identificado, salvo nas hipóteses previstas em lei, assim entendida, também, a fotográfica, à ausência de comando legal que a autorize" (STJ, REsp 16.994/DF, rel. Min. Cid Flaquer Scartezzini, RSTJ 39/533).

LIX – será admitida ação privada nos crimes de ação pública, se esta não for intentada no prazo legal;

Doutrina

Inércia do titular da ação penal. Como regra geral, a ação penal é pública, incondicionada e de competência privativa do Ministério Público, sendo admitida a ação penal privada apenas nos casos previstos em lei. Contudo, admite a norma constitucional a ação penal privada subsidiária no caso de inércia do titular da ação pública em intentá-la dentro do prazo legal.

Jurisprudência

> "A admissibilidade da ação penal privada subsidiária da ação pública pressupõe, nos termos do art. 5.º, LIX, da CF ('será admitida ação nos crimes de ação pública, se esta não for intentada no prazo legal;'), a inércia do Ministério Público em adotar, no prazo legal (CPP, art. 46), uma das seguintes providências: oferecer a denúncia, requerer o arquivamento do inquérito policial ou requisitar novas diligências" (STF, HC 74.276-RS, rel. Min. Celso de Mello, 03.09.1996, Informativo n. 43).

LX – a lei só poderá restringir a publicidade dos atos processuais quando a defesa da intimidade ou o interesse social o exigirem;

Doutrina

Princípio da publicidade. A publicidade dos atos judiciais é o princípio geral inscrito na Constituição, sendo públicos, como regra geral, os atos ou processos civis e criminais.

Exceção ao princípio. A restrição somente será legítima quando o segredo de justiça se impuser para a defesa da intimidade ou em razão de interesse social. Na primeira hipótese, restringe-se a publicidade com o objetivo de proteger a esfera da vida privada da pessoa; na segunda, restringe-se a publicidade para a defesa de interesse da sociedade, como a defesa da moralidade pública ou outro valor social relevante.

Jurisprudência

"Petição. Agravo Regimental. Levantamento dos sigilos dos áudios e termos de delação de acordo de colaboração premiada. Possibilidade. Art. 7.º, § 2.º, da Lei 12.850/13. 1. A Constituição proíbe restringir a publicidade dos atos processuais, salvo quando a defesa da intimidade ou o interesse social o exigirem (art. 5.º, LX), e estabelece, com as mesmas ressalvas, que a publicidade dos julgamentos do Poder Judiciário é pressuposto inafastável de sua validade (art. 93, IX). 2. A Lei 12.850/2013, quando trata da colaboração premiada em investigações criminais, impõe regime de sigilo ao acordo e aos procedimentos correspondentes (art. 7.º), sigilo que, em princípio, perdura até a decisão de recebimento da denúncia, se for o caso (art. 7.º, § 3.º). Essa restrição, todavia, tem como finalidades precípuas (a) proteger a pessoa do colaborador e de seus próximos (art. 5.º, II) e (b) garantir o êxito das investigações (art. 7.º, § 2.º). No caso, todavia, a manifestação do órgão acusador revela não mais subsistirem razões a impor o regime restritivo de publicidade. 3. A manutenção da revogação do sigilo dos termos de depoimento e da íntegra dos áudios não gera, no caso, prejuízos aos agravantes. 4. Agravo regimental a que se nega provimento" (STF – 2.ª Turma, PET 6.138/DF AgRg, rel. Min. Edson Fachin, j. 21.02.2017).

"Não estando em jogo a intimidade de nenhuma das partes e inexistindo interesse público a proteger, impõe-se a publicidade dos atos processuais (art. 5.º, LX, CF). Não havendo justificativa para o sigilo, anula-se o processo que correu em segredo de justiça (art. 93, IX, CF)" (TRF2, 3.ª Turma, AC 91.02.07510-5/RJ, rel. Juiz Ney Valadares, DJ 2, 26.03.1992).

LXI – ninguém será preso senão em flagrante delito ou por ordem escrita e fundamentada de autoridade judiciária competente, salvo nos casos de transgressão militar ou crime propriamente militar, definidos em lei;

Doutrina

Princípio da segurança pessoal. É entendido como o conjunto de garantias deferido à pessoa com o fim de garantir a sua liberdade e protegê-la contra prisões ilegais por ato arbitrário de autoridade.

Hipóteses de prisão legal. Contudo, para a defesa da sociedade, a norma constitucional admite a prisão nos seguintes casos: a) *flagrante delito* – em que se colhe o autor cometendo a infração penal e recolhem-se as provas da materialidade e da autoria; b) *ordem de autoridade judiciária* – necessariamente a ordem deve emanar de autoridade judicial competente – e não administrativa – e estar reduzida em termo escrito onde estejam explicitados os motivos da prisão e a sua base legal; c) *ordem de autoridade militar* – necessariamente a ordem deve emanar de autoridade militar competente e a prisão ser prevista em lei para os casos de transgressão militar – violação de regimentos e normas disciplinares – ou crimes militares, aquelas condutas definidas como tais pelo Código Penal Militar ou legislação extravagante de natureza militar.

Jurisprudência

> Súmula do STF: 145. "Não há crime, quando a preparação do flagrante pela polícia torna impossível a sua consumação".
>
> O artigo 81 da Lei n.° 6.815/80 foi derrogado pelo art. 5.°, LXI, da Constituição Federal, sendo incompetente o Ministro da Justiça para decretar a prisão de extraditando que, se for o caso, poderá ser decretada pelo ministro relator sorteado, ficando, assim, prevento para conduzir o processo de extradição (STF, RT 638/335).
>
> "O preceito constitucional da presunção de inocência não impede a prisão provisória processual, como providência ou medida cautelar, já que expressamente prevista e permitida pela Constituição (art. 5.°, inciso LXI)" (STJ – 5.ª Turma, HC 2.495/GO, rel. Min. Assis Toledo, Ementário do STJ, 10/703).

LXII – a prisão de qualquer pessoa e o local onde se encontre serão comunicados imediatamente ao juiz competente e à família do preso ou à pessoa por ele indicada;

Doutrina

Comunicação e abuso de autoridade. A autoridade que efetuar a prisão deve, imediatamente, dela dar notícia ao juiz competente para o processo, para que este exerça o controle jurisdicional de legalidade. Da mesma forma, deverá a autoridade dar ciência da prisão à família do preso ou a outra pessoa qualquer por ele indicada. Omitir-se a autoridade no dever de fazer as referidas comunicações, ou fazê-las tardiamente, constitui abuso de autoridade.

Jurisprudência

> A violação da norma contida no art. 5.º, LXII, da Constituição Federal, implica em responsabilidade da autoridade omissa; porém, em nada compromete a materialidade delitiva e a autoria e muito menos autoriza o trancamento da ação penal (STF, RTJ, 138/1-147).
>
> O objetivo da norma constitucional é o de proteger o *status libertatis* do preso ao determinar a comunicação da prisão ao juiz competente e à pessoa de sua confiança. Àquele, a notícia é necessária e deve ser dada imediatamente. Contudo, pode ocorrer que o preso prefira que a sua família não seja comunicada e, como se trata de direito subjetivo público seu, pessoa estranha por ele indicada, como o seu defensor, poderá suprir a vontade do legislador constituinte desde que seja eficaz a sua intervenção (STJ, RSTJ 27/124).

LXIII – o preso será informado de seus direitos, entre os quais o de permanecer calado, sendo-lhe assegurada a assistência da família e de advogado;

Doutrina

Direito ao silêncio. Trata-se de direito subjetivo público o de permanecer calado, pois ninguém é obrigado a depor contra si mesmo.

Assistência familiar e de advogado. O preso deve ser informado que lhe é assegurado o direito de assistência da família e de advogado.

Jurisprudência

> "O comportamento do réu durante o processo na tentativa de defender-se não pode ser levado em consideração para o efeito de aumento da pena, sendo certo, também, que o réu não está obrigado a dizer a verdade (art. 5.º, LXIII, da Constituição) e que as testemunhas, se mentirosas, devem elas, sem reflexo na fixação da pena do réu em favor de quem depuseram, ser punidas, se for o caso, pelo crime de falso testemunho" (STF – 1ª Turma, HC nº. 72.815/MS, rel. Min. Moreira Alves, DJ 1, de 06.10.1995, p. 33.132).

> "A parte final do artigo 186 do Código de Processo Penal, no sentido de o silêncio do acusado poder se mostrar contrário aos respectivos interesses, não foi recepcionada pela Carta de 1988, que, mediante o preceito do inciso LXIII do artigo 5.º, dispõe sobre o direito de os acusados, em geral, permanecerem calados. Mostra-se discrepante da ordem jurídica constitucional, revelando apego demasiado à forma, decisão que implique a declaração de nulidade do julgamento procedido pelo Tribunal do Júri, à mercê de remissão, pelo Acusado, do depoimento prestado no primeiro Júri, declarando nada mais ter a acrescentar. Dispensável é a feitura, em si, das perguntas, sendo suficiente a leitura do depoimento outrora colhido" (STF, RE 199.570, rel. Min. Marco Aurélio, Informativo n.º 103).

LXIV- o preso tem direito à identificação dos responsáveis por sua prisão ou interrogatório policial;

Doutrina

Direito à identificação dos responsáveis pela prisão. Se a prisão se deu em flagrante, responsável é qualquer do povo que a efetuou ou a autoridade civil ou militar, devendo todos serem identificados no auto de prisão em flagrante. Se a prisão se deu em razão de ordem emanada da autoridade judiciária competente, o próprio mandado identificará a referida autoridade.

Direito à identificação dos responsáveis pelo interrogatório policial. Trata-se, mais propriamente, de quaisquer declarações prestadas perante a autoridade administrativa, que, via de regra, é um delegado de polícia, e que se identificará, necessariamente, tanto no auto de prisão em flagrante quanto em quaisquer outros termos.

Jurisprudência

> "(...). 3. Após a petição oferecida pelos impetrantes em aditamento à inicial, restou esvaziada a questão relativa à identificação da autoridade coatora, que, sem dúvida alguma, se mostrou como sendo o Meritíssimo Juiz Federal da 6.ª Vara Criminal da Subseção Judiciária de São Paulo – SP. É, pois, caso desta Egrégia Turma conhecer a presente impetração, haja vista que há identificação da impetrada (Juiz Federal da 6.ª Vara Criminal da Subseção Judiciária de São Paulo – SP), bem como, há suficiente exposição daquilo que os impetrantes entendem caracterizar constrangimento ilegal (negativa de fornecimento de informações sobre procedimento criminal em curso perante o juízo, desrespeito às decisões judiciais que determinaram o sigilo sobre os dados contidos nos discos rígidos de computador apreendidos no contexto da denominada 'Operação Chacal' da Polícia Federal, além do temor de que os pacientes sejam novamente conduzidos ao cárcere, vítimas de prejulgamento pela autoridade impetrada)" (TRF3, 5.ª Turma, HC 32.074/SP, rel. Des. Fed. Ramza Tartuce, e-DJF3, Judicial 2, 11.12.2008, p. 296).

LXV – a prisão ilegal será imediatamente relaxada pela autoridade judiciária;

Doutrina

Prisão ilegal e relaxamento. Prisão ilegal é aquela feita com violação da lei ou sem base em alguma norma legal que a autorize. Em todos os casos, impõe-se o seu relaxamento por parte da autoridade judiciária no exercício da função jurisdicional de controle de legalidade. O relaxamento da prisão ilegal assemelha-se ao *habeas corpus ex officio*, porque a ordem é concedida de ofício pela autoridade judiciária competente para o processo.

Jurisprudência

> "Caracterizado o excesso de prazo na custódia cautelar do paciente, mesmo em face da duplicação, instituída pelo art. 10 da Lei 8.072/90, dos prazos processuais previstos no art. 35 da Lei 6.368/76, é de deferir-se o *habeas corpus* para que seja relaxada a prisão, já que a vedação de liberdade provisória para os crimes hediondos não pode restringir o alcance do art. 5.º, LXV, da Carta da República, que garante o relaxamento da prisão eivada de ilegalidade" (STF – 1.ª Turma, HC 70.856/DF, rel. Min. Ilmar Galvão, DJ 1, de 29.09.1995, p. 31.902).

LXVI – ninguém será levado à prisão ou nela mantido quando a lei admitir a liberdade provisória, com ou sem fiança;

Doutrina

Direito à segurança e liberdade provisória. A regra geral é a da preservação do *status libertatis*, por isso a norma constitucional traz a proibição da prisão nos casos em que a lei admitir a liberdade provisória, com ou sem o pagamento de fiança.

Jurisprudência

"O direito de prestar fiança, se for o caso, está garantido constitucional (art. 5.º, LXVI) e legalmente (CPP, arts. 323 e 324, *a contrariu sensu*). É direito fundamental do cidadão. Assim, cabia ao juiz, no momento do pedido, dizer se o requerente fazia jus ou não à fiança, jamais indeferi-la sob a argumentação de que o término da instrução se avizinhava. Ou se tem ou não se tem direito de prestar fiança. Por outro lado, o ato do Tribunal, dizendo que havia motivos para a decretação da prisão preventiva, não tem o condão de coonestar a falha do juiz singular" (STJ – 6.ª Turma, RHC 4.233/RJ, rel. Min. Adhemar Maciel, DJ 1, 19.06.1995, p. 18.750).

LXVII – não haverá prisão civil por dívida, salvo a do responsável pelo inadimplemento voluntário e inescusável de obrigação alimentícia e a do depositário infiel;

Doutrina

Proibição de prisão civil por dívida. A Constituição proíbe a prisão civil por dívida – e esta é a regra geral – para garantia da liberdade da pessoa. A prisão civil é aquela aplicada para coibir ilicitude de índole civil e não conduta definida em lei como crime ou contravenção penal.

Exceção. Contudo, a norma constitucional, excepcionalmente, autoriza a prisão civil na hipótese de *devedor de obrigação alimentícia*, desde que o inadimplemento seja voluntário (decidiu, de forma consciente, não pagar) e inescusável (o fez sem nenhuma escusa razoável), não cabendo, pois, nos casos de inadimplemento involuntário e escusável.

Situação do depositário infiel. A jurisprudência recente do Supremo Tribunal Federal assentou que é inadmissível a prisão civil do depositário infiel, restando insubsistente a previsão da parte final do inciso em comento, bem como da legislação infraconstitucional pertinente.

Jurisprudência

Súmula Vinculante do STF: 25. "É ilícita a prisão civil de depositário infiel, qualquer que seja a modalidade do depósito".

"1. O Plenário do Supremo Tribunal Federal firmou a orientação de que só é possível a prisão civil do 'responsável pelo inadimplemento voluntário e inescusável de obrigação alimentícia' (inciso LXVII do art. 5.º da CF/88). Precedentes: HCs 87.585 e 92.566, da relatoria do ministro Marco Aurélio. 2. A norma que se extrai do inciso LXVII do artigo 5.º da Constituição Federal é de eficácia restringível. Pelo que as duas exceções nela contidas podem ser aportadas por lei, quebrantando, assim, a força protetora da proibição, como regra geral, da prisão civil por dívida. 3. O Pacto de San José da Costa Rica (ratificado pelo Brasil – Decreto 678 de 6 de novembro de 1992), para valer como norma jurídica interna do Brasil, há de ter como fundamento de validade o § 2.º do artigo 5.º da Magna Carta. A se contrapor, então, a qualquer norma ordinária originariamente brasileira que preveja a prisão civil por dívida. Noutros termos: o Pacto de San José da Costa Rica, passando a ter como fundamento de validade o § 2.º do art. 5.º da CF/88, prevalece como norma supralegal em nossa ordem jurídica interna e, assim, proíbe a prisão civil por dívida. Não é norma constitucional – à falta do rito exigido pelo § 3.º do art. 5.º –, mas a sua hierarquia intermediária de norma supralegal autoriza afastar regra ordinária brasileira que possibilite a prisão civil por dívida. 4. No caso, o paciente corre o risco de ver contra si expedido mandado prisional por se encontrar na situação de infiel depositário judicial. 5. Ordem concedida." (STF – 1.ª Turma, HC 94.013/SP, rel. Min. Carlos Britto, j. 10.02.2009).

"Ante o ordenamento jurídico pátrio, a prisão civil somente subsiste no caso de descumprimento inescusável de obrigação alimentícia, e não no de depositário considerada a cédula rural pignoratícia" (STF – Pleno, HC 92.566/SP, rel. Min. Marco Aurélio, j. 03.12.2008).

"Desde a adesão do Brasil, sem qualquer reserva, ao Pacto Internacional dos Direitos Civis e Políticos (art. 11) e à Convenção Americana sobre Direitos Humanos – Pacto de San José da Costa Rica (art. 7.°, 7), ambos no ano de 1992, não há mais base legal para prisão civil do depositário infiel, pois o caráter especial desses diplomas internacionais sobre direitos humanos lhes reserva lugar específico no ordenamento jurídico, estando abaixo da Constituição, porém acima da legislação interna. O status normativo supralegal dos tratados internacionais de direitos humanos subscritos pelo Brasil torna inaplicável a legislação infraconstitucional com eles conflitante, seja ela anterior ou posterior ao ato de adesão. Assim ocorreu com o art. 1.287 do Código Civil de 1916 e com o Decreto-Lei n.° 911/69, assim como em relação ao art. 652 do Novo Código Civil (Lei n.° 10.406/2002)" (STF – Pleno, RE 349.703, rel. Min. Carlos Britto, j. 03.12.2008).

"Prisão Civil. Depósito. Depositário infiel. Alienação fiduciária. Decretação da medida coercitiva. Inadmissibilidade absoluta. Insubsistência da previsão constitucional e das normas subalternas. Interpretação do art. 5.°, inc. LXVII e §§ 1.°, 2.° e 3.°, da CF, à luz do art. 7.°, § 7, da Convenção Americana de Direitos Humanos (Pacto de San José da Costa Rica). Recurso improvido. Julgamento conjunto do RE n.° 349.703 e dos HCs n.° 87.585 e n.° 92.566. É ilícita a prisão civil de depositário infiel, qualquer que seja a modalidade do depósito" (STF – Pleno, RE 466.343/SP, rel. Min. Cezar Peluso, j. 03.12.2008).

LXVIII – conceder-se-á *habeas corpus* sempre que alguém sofrer ou se achar ameaçado de sofrer violência ou coação em sua liberdade de locomoção, por ilegalidade ou abuso de poder;

Doutrina

Conceito e natureza jurídica. O *habeas corpus* é ação destinada a proteger a pessoa no seu direito de locomoção violado ou ameaçado por violência ou coação em face de ilegalidade ou abuso de poder. Tem natureza jurídica de ação constitucional de índole penal e, como pode ser ajuizada por qualquer pessoa, apresenta todas as características de ação penal popular.

Ilegalidade e abuso de poder. A ilegalidade compreende a violação da lei e também a incompetência para a prática do ato quando se tratar de autoridade pública. O abuso de poder pressupõe a competência para a prática do ato da autoridade que, porém, ao praticá-lo, age com excesso de poder ou com desvio de finalidade.

Modalidades. O *habeas corpus* pode ser: a) *preventivo*: aquele destinado a prevenir a ameaça de violência ou coação ao direito de locomoção. Assim, será concedido ao paciente um salvo-conduto para permitir-lhe livre circulação; b) *repressivo*: também chamado de suspensivo ou liberatório, é aquele destinado a fazer cessar a violência ou coação ao direito de locomoção.

Legitimação ativa. O *habeas corpus* pode ser ajuizado para a defesa de direito próprio ou de terceiro, por qualquer pessoa, nacional ou estrangeira, capaz ou incapaz, com ou sem capacidade de estar em juízo ou postulatória. Da mesma forma poderá fazê-lo o Ministério Público e também a pessoa jurídica em favor de pessoa natural.

Sujeição passiva. Estão sujeitos a responder em sede de *habeas corpus* tanto a autoridade pública, nas hipóteses de ilegalidade ou abuso de poder, quanto o particular nos casos de ilegalidade.

Representação. Independe de representação judicial por advogado, podendo qualquer pessoa subscrever o pedido e apresentá-lo perante o juízo competente, mesmo que destituída de capacidade postulatória.

Concessão de liminar. É possível, tanto para prevenir quanto para reprimir a ameaça ou a violação do direito de locomoção, desde que presentes os requisitos do *periculum in mora* (possibilidade de lesão irreparável em face da demora) e do *fumus boni iuris* (relevância dos fundamentos a demonstrar a ocorrência de ilegalidade ou abuso de poder).

Exclusão do habeas corpus. Não cabe a ação no caso de transgressão disciplinar militar (CF, art. 142, § 2.º), desde que a mesma tenha tido regular apuração e correta aplicação da pena. Caso contrário, caberá o *habeas corpus* para o controle jurisdicional de legalidade e legitimidade quanto aos pressupostos da hierarquia, do poder disciplinar, da ligação do ato ou conduta à função e cabimento da pena como sanção disciplinar.

Jurisprudência

> Súmulas do STF: 691. "Não compete ao Supremo Tribunal Federal conhecer de *habeas corpus* impetrado contra decisão do Relator que, em *habeas corpus* requerido a tribunal superior, indefere a liminar". 692. "Não se conhece de *habeas corpus* contra omissão de relator de extradição, se fundado em fato ou direito estrangeiro cuja prova não constava dos autos, nem foi ele provocado a respeito". 693. "Não cabe *habeas corpus* contra decisão condenatória a pena de multa, ou relativo a processo em curso por infração penal a que a pena pecuniária seja a única cominada". 694. "Não cabe *habeas corpus* contra a imposição da pena de exclusão de militar ou de perda de patente ou de função pública". 695. "Não cabe *habeas corpus* quando já extinta a pena privativa de liberdade".
>
> "1. A utilização do *habeas corpus* em substituição ao recurso extraordinário, sem qualquer excepcionalidade que permita a preterição do meio de impugnação previsto pela Lei, configura banalização da garantia constitucional, motivo pelo qual deve ser combatida" (STF – 1.ª Turma, HC 104.075/SE, rel. Min. Marco Aurélio, j. 24.05.2011).
>
> "A via sumaríssima do remédio jurídico-constitucional do *habeas corpus* não se revela processualmente idônea à análise e ao exame dos elementos probatórios produzidos regularmente no processo penal de conhe-

cimento". (STF – 1.ª Turma, HC 69.632/RJ, rel. Min. Celso de Mello, RTJ 153/837).

"1. O *habeas corpus* é instituto processual de índole constitucional, destinado a tutelar a liberdade pessoal de locomoção, em face de constrangimento ilegal (art. 5.º, inc. LXVIII, da Constituição Federal e art. 647 do Código de Processo Penal). 2. Não se presta à impugnação de interdição de direito, consistente em suspensão de habilitação para dirigir veículos automotores, nem de sanção pecuniária (multa)" (STF – 1.ª Turma, HC 73.655-6, rel. Min. Sydney Sanches, Informativo n.º 44).

"Desde a reforma constitucional de 1925/1926, o *habeas corpus* voltou ao seu leito histórico: proteger o 'indivíduo que sofrer ou se achar ameaçado de sofrer violência ou coação em sua liberdade de locomoção, por ilegalidade ou abuso de poder'. *Writ* denegado" (STJ – 6.ª Turma, HC 3.000/MG, rel. Min. Adhemar Maciel, DJ 1, 20.03.1995, p. 6.144).

"1. Não se admite, na via acanhada do *habeas corpus*, a análise aprofundada de fatos e provas, a fim de se verificar a inocência do Paciente. 2. Não é inepta a denúncia que bem individualiza a conduta do réu, expondo de forma pormenorizada o fato criminoso, preenchendo, assim, os requisitos do art. 41 do Código de Processo Penal. Basta que, da leitura da peça acusatória, possam se vislumbrar todos os elementos indispensáveis à existência de crime em tese, com autoria definida, de modo a permitir o pleno exercício do contraditório e da ampla defesa do Paciente. 3. A denúncia é uma proposta da demonstração da prática de um fato típico e antijurídico imputada a determinada pessoa, sujeita à efetiva comprovação e à contradita, e apenas deve ser repelida quando não houver indícios da existência de crime ou, de início, seja possível reconhecer, indubitavelmente, a inocência do acusado ou, ainda, quando não houver, pelo menos, indícios de sua participação. Precedentes. 4. É lícita a escuta telefônica autorizada pelo Juiz responsável pelo início das investigações, que, posteriormente, ensejaram a quebra do sigilo telefônico do Paciente pela autoridade ora impetrada. 5. Estando a decisão que recebeu a denúncia devidamente fundamentada, nos termos legalmente previstos e em consonância com o entendimento deste Supremo Tribunal sobre a matéria, deve a ação penal ter seu curso normal. 6. *Habeas corpus* denegado" (STF – 1.ª Turma, HC 90.201/RO, rel. Min. Cármen Lúcia, unânime, j. 26.06.2007).

"'Habeas-Corpus'. Crime de corrupção ativa. Alegação de nulidade da prisão preventiva, porque: 1.º) fundada na ocultação do paciente para não ser citado (CPP, art. 312), eis que para a ocultação existem as sanções processuais da citação editalícia (CPP, art. 362) e de declaração de revelia (CPP, 366); 2.º) a ocultação foi legítima, eis que existia outra ordem de prisão contra o paciente, anulada em 'Habeas-Corpus'. 1. Ninguém é obrigado a cumprir ordem ilegal, ou a ela se submeter, ainda que emanada de autoridade judicial. Mais: é dever de cidadania opor-se à ordem ilegal; caso contrário, nega-se o Estado de Direito. Precedentes. 2. Ainda que o paciente tenha se ocultado para não se submeter a ordem de prisão ilegal, este fato não foi o único fundamento suficiente do segundo decreto de prisão, baixado por outra autoridade judiciária em outro processo; a nova ordem de prisão atende às previsões dos arts. 312, 313, I, e 315 do CPP. 3. 'Habeas-corpus' originário, substitutivo de recurso ordinário em 'habeas-corpus', conhecido, mas indeferido" (STF – 2.ª Turma, HC 73.454/RJ, rel. Min. Maurício Corrêa, j. 22.04.1995).

"Esta Corte e o Supremo Tribunal Federal pacificaram orientação no sentido de que não cabe habeas corpus substitutivo do recurso legalmente previsto para a hipótese, impondo-se o não conhecimento da impetração, salvo quando constatada a existência de flagrante ilegalidade no ato judicial impugnado" (STJ – 5.ª Turma, HC 348.224, rel. Min. Ribeiro Dantas, DJE, 03.05.2016).

LXIX – conceder-se-á mandado de segurança para proteger direito líquido e certo, não amparado por *habeas corpus* ou *habeas data*, quando o responsável pela ilegalidade ou abuso de poder for autoridade pública ou agente de pessoa jurídica no exercício de atribuições do poder público;

Doutrina

Conceito e natureza jurídica. Mandado de segurança é ação destinada a proteger direito líquido e certo não amparado por *habeas corpus* ou *habeas data*, sempre que a ameaça de lesão provenha de autoridade pública ou agente de pessoa jurídica no exercício de atribuições do Poder Público, por atos ou omissões ilegais ou abusivos. Tem natureza jurídica de ação constitucional de índole civil e seu campo de atuação se estabelece por exclusão das hipóteses amparadas por *habeas corpus* e *habeas data*.

Direito líquido e certo. É aquele previsto em lei ou resultante de fato certo e inequívoco provado prontamente por meio de documento hábil, sem necessidade de dilação probatória.

Modalidades. O mandado de segurança pode ser: a) *preventivo* – destinado a prevenir violação de direito líquido e certo, devendo a parte impetrante provar que é procedente o seu justo receio; b) *repressivo* – destinado a corrigir violação perpetrada contra direito líquido e certo da parte impetrante.

Legitimação ativa. O mandado de segurança será ajuizado pelo titular do direito líquido e certo (impetrante), pessoa física ou jurídica, universalidades patrimoniais, entidades públicas ou privadas e entes despersonalizados, porém dotados de capacidade processual, como as Mesas das Casas Legislativas, na defesa de suas prerrogativas, e também pelo Ministério Público.

Sujeição passiva. O impetrado, ou autoridade coatora, é aquele que praticou o ato impugnado, ordenou a sua prática ou omissão, ou, ainda, aquele que tenha competência para corrigir a ilegalidade praticada. Sujeitam-se a mandado de segurança: a) *autoridade pública* – todo aquele que exerce cargo, emprego ou função pública em quaisquer dos Poderes do Estado ou em entidades autárquicas ou fundacionais; b) *agente de pessoa jurídica* – todo representante, preposto ou empregado de pessoa jurídica no exercício de atribuições do Poder Público na condição de autorizatários, permissionários ou concessionários de serviços públicos ou no exercício de qualquer função delegada.

Função do Ministério Público. Além de poder ajuizar mandado de segurança, é parte interveniente necessária na condição de fiscal da lei, devendo velar pela sua correta aplicação.

Prazo para impetração. É de cento e vinte dias, contados da data em que o interessado tomar conhecimento oficial do ato coator. Trata-se de prazo decadencial, insuscetível de suspensão ou interrupção, extinguindo com o seu decurso a possibilidade da impetração, podendo, no entanto, o direito ser defendido por outro meio hábil.

Concessão de liminar. É possível, contanto que presentes os requisitos do *periculum in mora* (possibilidade de lesão irreparável em face da demora) e do *fumus boni iuris* (relevância dos fundamentos a demonstrar a ocorrência de ilegalidade ou abuso de poder).

Mandado de segurança em matéria criminal. É cabível a impetração sempre que a parte impetrante demonstrar a ilegalidade ou o abuso de poder com que se houve a autoridade coatora (judiciária ou policial).

Jurisprudência

> Súmulas do STF: 101. “O mandado de segurança não substitui a ação popular”. 248. “É competente, originariamente, o Supremo Tribunal Federal, para mandado de segurança contra ato do Tribunal de Contas da União”. 266. “Não cabe mandado de segurança contra lei em tese”. 267. “Não cabe mandado de segurança contra ato judicial passível de recurso ou correição”. 268. “Não cabe mandado de segurança contra decisão judicial com trânsito em julgado”. 269. “O mandado de segurança não é substitutivo de ação de cobrança”. 271. “Concessão de mandado de segurança não produz efeitos patrimoniais em relação a período pretérito, os

quais devem ser reclamados administrativamente ou pela via judicial própria". 294. "São inadmissíveis embargos infringentes contra decisão do Supremo Tribunal Federal em mandado de segurança". 304. "Decisão denegatória de mandado de segurança, não fazendo coisa julgada contra o impetrante, não impede o uso da ação própria". 319. "O prazo do recurso ordinário para o Supremo Tribunal Federal, em *habeas corpus* ou mandado de segurança, é de cinco dias". 330. "O Supremo Tribunal Federal não é competente para conhecer de mandado de segurança contra atos dos Tribunais de Justiça dos Estados". 392. "O prazo para recorrer de acórdão concessivo de segurança conta-se da publicação oficial de suas conclusões, e não da anterior ciência à autoridade para cumprimento da decisão". 405. "Denegado o mandado de segurança pela sentença, ou no julgamento do agravo, dela interposto, fica sem efeito a liminar concedida, retroagindo os efeitos da decisão contrária". 429. "A existência de recurso administrativo com efeito suspensivo não impede o uso do mandado de segurança contra omissão da autoridade". 430. "Pedido de reconsideração na via administrativa não interrompe o prazo para o mandado de segurança". 433. "É competente o Tribunal Regional do Trabalho para julgar mandado de segurança contra ato de seu presidente em execução de sentença trabalhista". 474. "Não há direito líquido e certo, amparado pelo mandado de segurança, quando se escuda em lei cujos efeitos foram anulados por outra, declarada constitucional pelo Supremo Tribunal Federal". 510. "Praticado o ato por autoridade, no exercício de competência delegada, contra ela cabe o mandado de segurança ou a medida judicial". 511. "Compete à Justiça Federal, em ambas as instâncias, processar e julgar as causas entre autarquias federais e entidades públicas locais, inclusive mandados de segurança, ressalvada a ação fiscal, nos termos da Constituição Federal de 1967, art. 119, § 3.º". 512. "Não cabe condenação em honorários de advogado na ação de mandado de segurança". 597. "Não cabem embargos infringentes de acórdão que, em mandado de segurança decidiu, por maioria de votos, a apelação". 624. "Não compete ao Supremo Tribunal Federal conhecer originariamente de mandado de segurança contra atos de outros tribunais". 625. "Controvérsia sobre matéria de direito não impede concessão de mandado de segurança". 626. "A suspensão da liminar em mandado de segurança, salvo determinação em contrário da decisão que a deferir, vigorará até o trânsito em julgado da decisão definitiva de concessão da segurança ou, havendo recurso, até a sua manutenção pelo Supremo Tribunal Federal, desde que o objeto da liminar deferida coincida, total ou parcialmente, com o da impetração". 627. "No mandado de segurança contra a nomeação de magistrado da competência do Presidente da República, este é considerado autoridade coatora, ainda que o fundamento da impetração seja nulidade ocorrida em fase anterior do procedimento". 628. "Integrante de lista de candidatos a determinada vaga da composição de tribunal é parte legítima para impugnar a validade da nomeação de concorrente". 629. "A impetração de mandado de segurança coletivo por entidade de classe em favor dos associados independe da autorização destes". 630. "A entidade de classe tem legitimação para o mandado de segurança ainda quando a pretensão veiculada interesse apenas a uma parte da respectiva categoria". 631. "Extingue-se o processo de mandado de segurança se o impetrante não promove, no prazo assinado, a citação do litisconsorte passivo necessário". 632. "É constitucional lei que fixa o prazo de decadência para a impetração de mandado de segurança". 701. "No mandado de segurança impetrado pelo Ministério Público contra decisão proferida em processo penal, é obrigatória a citação do réu como litisconsorte passivo".

Súmulas do STJ: 105. "Na ação de mandado de segurança não se admite condenação em honorários advocatícios". 169. "São inadmissíveis embargos infringentes no processo de mandado de segurança".

"I. Direito líquido e certo, que autoriza o ajuizamento do mandado de segurança, diz respeito aos fatos. Se estes estão comprovados, de plano, é possível o aforamento do *writ*. Segue-se, então, a fase de acertamento da relação fático-jurídica, na qual o juiz faz incidir a norma objetiva sobre os fatos. Se, dessa incidência, entender o juiz nascido o direito subjetivo, deferirá a segurança. II. O Relator poderá indeferir a inicial se os fatos que embasam o direito invocado são controvertidos, mas o acertamento da relação fático-jurídica é da Corte" (STF – Pleno, ROMS-Ag 21.188/DF, rel. Min. Carlos Velloso, RTJ 134-02/681).

"Há que se distinguir a complexidade dos fatos e do tema de direito daquelas situações que não prescindem da abertura de fase de instrução. Se o caso está compreendido no campo da referida dificuldade, nem por isso o mandado de segurança exsurge como via imprópria, impondo-se o julgamento de mérito. Somente em defrontando-se o órgão julgador com quadro a exigir elucidação de fatos, cabe dizer da impertinência da medida, sinalizando no sentido do ingresso em juízo mediante ação ordinária." (STF – 2.ª Turma, ROMS 21.514-3/DF, rel. Min. Marco Aurélio, DJ 1, 18.06.1993, p. 12.111 e RJT 150/104).

O mandado de segurança é ação civil, mesmo quando ajuizado contra ato praticado por juiz criminal em processo penal. Assim, o recurso extraordinário cabível contra a decisão que o julga deve ser interposto dentro do prazo previsto no CPC (STF, RTJ 83/255).

O prazo de caducidade não ocorre se o *mandamus* foi protocolado a tempo, ainda que perante Juízo incompetente (STF, RTJ 60/865).

"1. É firme a jurisprudência do Supremo Tribunal Federal, no sentido de não admitir que o Juiz, ou Tribunal, entendendo incorreta a indicação da autoridade coatora, pelo impetrante, corrija o equívoco deste, 'ex officio', indicando, ele próprio, a autoridade apontável como coatora. Menos ainda quando o impetrante insiste na legitimidade da autoridade que indicou, como ocorre na hipótese, inclusive, agora, mediante este Recurso. 2. O que há de fazer, nesse caso, o Juiz ou Tribunal, segundo entendimento do STF, é extinguir o processo, sem exame do mérito, por falta de uma das condições da ação, exatamente a legitimidade 'ad causam'" (STF, ROMS 22.496-1, rel. Min. Sydney Sanches, Informativo n.º 68).

"Presunção '*juris tantum*' de veracidade das informações oficiais prestadas pela autoridade apontada como coatora e das declarações emanadas de agentes públicos. As informações que a autoridade apontada como coatora prestar em mandado de segurança, bem assim as declarações oficiais que agentes públicos formularem no exercício de seu ofício, revestem-se de presunção relativa ('*juris tantum*') de veracidade, devendo prevalecer até que sobrevenha prova juridicamente idônea, em sentido contrário, que as desautorize. Doutrina. Precedentes. Declaração subscrita por agente público atestando a ciência inequívoca, pelo impetrante, do início dos trabalhos de vistoria. Presunção de veracidade não elidida no caso em exame" (STF – Pleno, MS 24.307/DF, rel. Min. Celso de Mello, j. 21.11.2002).

"O mandado de segurança é meio processual adequado, consoante definição constitucional, para proteger direito líquido e certo, sempre que ilegalmente ou com abuso de poder, alguém sofrer violação por parte de autoridade pública. Ao utilizar-se do *mandamus*, o autor há de demonstrar, mediante prova pré-constituída, com precisão e clareza, qual o direito líquido e certo próprio que pretende defender, posto que, em ação dessa natureza, o que se pede não é a declaração de nulidade do ato impugnado, mas uma determinação à autoridade impetrada para que cesse a ofensa ao direito subjetivo do impetrante" (TRF2, AMS 59.333, rel. Juiz Federal Fernando Mattos, E-DJF2R, 28.04.2011, p. 253/254).

LXX – o mandado de segurança coletivo pode ser impetrado por:

a) partido político com representação no Congresso Nacional;

b) organização sindical, entidade de classe ou associação legalmente constituída e em funcionamento há pelo menos um ano, em defesa dos interesses de seus membros ou associados;

Doutrina

Conceito. Mandado de segurança coletivo é ação destinada a proteger os direitos difusos e os coletivos líquidos e certos de uma comunidade violados por atos ou omissões ilegais ou abuso de poder praticados por autoridade ou agente de pessoa jurídica no exercício de atribuições do Poder Público.

Legitimação ativa. A norma encerra hipótese de substituição processual, agindo em nome próprio na defesa de direitos de terceiros as seguintes entidades: a) *partido político com representação no Congresso Nacional* – desde que conte com pelo menos um parlamentar, no efetivo exercício do mandato, com assento no Senado Federal ou na Câmara dos Deputados; b) *organização sindical* – de empregados ou patronal, na defesa de seus respectivos direitos coletivos da categoria; c) *entidade de classe* – no sentido de associação profissional, como a Ordem dos Advogados do Brasil; d) *associação* – ente que reúne pessoas ligadas por um interesse comum. Nas hipóteses das alíneas *b* a *d*, referidos entes deverão preencher os requisitos de constituição legal, funcionamento efetivo há pelo menos um ano, além de atuarem exclusivamente na defesa dos interesses de seus membros ou associados.

Sujeição passiva. O impetrado aqui, tanto quanto no mandado de segurança individual, é a autoridade pública ou agente de pessoa jurídica no exercício de atribuições do Poder Público.

Jurisprudência

"O inciso LXX do art. 5.º da Constituição Federal encerra o instituto da substituição processual, distanciando-se da hipótese do inciso XXI, no que surge no âmbito da representação. As entidades e pessoas jurídicas nele mencionadas atuam, em nome próprio, na defesa de interesses que se irradiam, encontrando-se no patrimônio de pessoas diversas. Descabe a exigência de demonstração do credenciamento" (STF – 2.ª Turma, ROMS 21.514-3/DF, rel. Min. Marco Aurélio, DJ 1, 18.06.1993, p. 12.111 e RJT 150/104).

"I. A legitimação das organizações sindicais, entidades de classe ou associações, para a segurança coletiva, é extraordinária, ocorrendo, em tal caso, substituição processual. CF, art. 5.º, LXX. II. Não se exige, tratando-se de segurança coletiva, a autorização expressa aludida no inciso XX do art. 5.º da Constituição, que contempla hipótese de representação. III. Objeto do mandado de segurança coletivo será um direito dos associados, independentemente de guardar vínculo com os fins próprios da entidade impetrante do *writ*, exigindo-se, entretanto, que o direito esteja compreendido na titularidade dos associados e que exista ele em razão das atividades exercidas pelos associados, mas não se exigindo que o direito seja peculiar, próprio, da classe" (STF – Pleno, RE 193.382-8, rel. Min. Carlos Velloso, Informativo n.º 45).

"O interesse material para cuja defesa o art. 5.º, LXX, *b*, da CF autoriza a impetração de mandado de segurança coletivo por organização sindical deve estar relacionado com as atividades identificadoras da categoria, mas não precisa ser peculiar a essas atividades" (STF – 2.ª Turma, RE 181.483/SP, rel. Min. Carlos Velloso, Informativo n.º 38).

"A associação regularmente constituída e em funcionamento, pode postular em favor de seus membros ou associados, não carecendo de autorização especial em assembleia geral, bastando a constante do estatuto. Mas, como é próprio de toda substituição processual, a legitimação para agir está condicionada à defesa dos direitos ou interesses jurídicos da categoria que representa" (STF – 1.ª Turma, RE 141.733/SP, rel. Min. Ilmar Galvão, DJ 1, 01.09.1995, p. 27.384).

LXXI – conceder-se-á mandado de injunção sempre que a falta de norma regulamentadora torne inviável o exercício dos direitos e liberdades constitucionais e das prerrogativas inerentes à nacionalidade, à soberania e à cidadania;

Doutrina

Conceito. Mandado de injunção é ação constitucional que tem por fim assegurar efetividade aos direitos e liberdades constitucionais, bem como às prerrogativas próprias da nacionalidade, soberania e cidadania, cujo exercício é obstado pela omissão estatal em providenciar a medida legal ou regulamentar capaz de viabilizar o gozo de tais direitos.

Pressupostos. A ação exige os pressupostos da falta de norma regulamentadora de direito ou prerrogativa inerente à nacionalidade, à soberania e à cidadania e de ser o interessado titular do direito pleiteado.

Jurisprudência

Em face do disposto no art. 5.º, § 1.º, da Constituição Federal, que assegura aplicação imediata para as normas definidoras dos direitos e garantias fundamentais, a norma instituidora do mandado de injunção é autoaplicável, independendo de lei para a sua regulamentação (STF – Pleno, MI 107, rel. Min. Moreira Alves, j. 21.11.1990).

"O novo *writ* constitucional, consagrado pelo art. 5.º, LXXI, da Carta Federal, não se destina a constituir direito novo nem a ensejar ao Poder Judiciário o anômalo desempenho de funções normativas que lhe são institucionalmente estranhas. O mandado de injunção não é o sucedâneo constitucional das funções político-jurídicas atribuídas aos órgãos estatais inadimplentes. A própria excepcionalidade desse novo instrumento jurídico *impõe* ao Judiciário o dever de estrita observância do princípio constitucional da divisão funcional do poder. Reconhecido o estado de mora inconstitucional do Congresso Nacional – único destinatário do comando para satisfazer, no caso, a prestação legislativa reclamada – e considerando que, embora previamente cientificado no Mandado de Injunção 283, Rel. Min. Sepúlveda Pertence, absteve-se de adimplir a obrigação que lhe foi constitucionalmente imposta, torna-se prescindível nova comunicação à instituição parlamentar, assegurando-se aos impetrantes, 'desde logo', a possibilidade de ajuizarem, 'imediatamente', nos termos do direito comum ou ordinário, a ação de reparação de natureza econômica instituída em seu favor pelo preceito transitório" (STF – Pleno, MI 284/DF, rel. Min. Celso de Mello, j. 22.11.1991, RTJ 139-03/712).

LXXII – conceder-se-á *habeas data*:

a) para assegurar o conhecimento de informações relativas à pessoa do impetrante, constantes de registros ou bancos de dados de entidades governamentais ou de caráter público;

b) para a retificação de dados, quando não se prefira fazê-lo por processo sigiloso, judicial ou administrativo;

Doutrina

Conceito. *Habeas data* é ação destinada a garantir o direito de acesso e conhecimento de informações relativas à pessoa do interessado constantes de registros feitos por qualquer meio em instituições públicas ou privadas de caráter público com a finalidade de retificá-las, quando for o caso, ou suprimi-las quando improcedentes. Trata-se de ação civil de índole constitucional.

Legitimação. A ação poderá ser ajuizada por pessoa física, nacional ou estrangeira, e também por pessoa jurídica, contanto que as informações pleiteadas tenham caráter pessoal, de titularidade do pleiteante.

Jurisprudência

> Súmula do STJ: 2. "Não cabe *habeas data* (CF, art. 5.º, LXII, letra 'a') se não houve recusa de informações por parte da autoridade administrativa".
>
> "O *habeas data* configura remédio jurídico-processual, de natureza constitucional, que se destina a garantir, em favor da pessoa interessada, o exercício de pretensão jurídica discernível em seu tríplice aspecto: (a) direito de acesso aos registros; (b) direito de retificação dos registros; e (c) direito de complementação dos registros. Trata-se de relevante instrumento de ativação da jurisdição constitucional das liberdades, a qual representa, no plano institucional, a mais expressiva reação jurídica do Estado às situações que lesem, efetiva ou potencialmente, os direitos fundamentais da pessoa, quaisquer que sejam as dimensões em que estes se projetem. O acesso ao *habeas data* pressupõe, dentre outras condições de admissibilidade, a existência do interesse de agir. Ausente o interesse legitimador da ação, torna-se inviável o exercício desse remédio constitucional. A prova do anterior indeferimento do pedido de informação de dados pessoais, ou da omissão em atendê-lo, constitui requisito indispensável para que se concretize o interesse de agir no *habeas data*. Sem que se configure situação prévia de pretensão resistida, há carência da ação constitucional do *habeas data*" (STF – Pleno, RHD 22, rel. Min. Celso de Mello, RDA 204/214).
>
> "Habeas data. Não cabimento. 'Não cabe *habeas data*

(CF, art. 5.º, LXXII, letra a) se não houver a recusa de informação por parte da autoridade administrativa'. Entendimento da Súmula 2 deste colendo Tribunal" (STJ – 1.ª Seção, HD 18/DF, rel. Min. Garcia Vieira, DJ 1, 24.08.1992).

"*Habeas data*. Interesse de agir. CF, art. 5.º, LXXII, a. A Constituição garante o direito a informações e, para assegurar seu exercício, instituiu o *habeas data* que é uma ação tendente a obter conhecimento dos dados relativos à pessoa do impetrante, constantes de arquivos oficiais, ou a retificar os existentes. Para que se justifique a intervenção do Judiciário, necessário tenha havido, por parte da Administração, recusa em fornecer as informações, se o acesso a essas é o que se requer. Falta de interesse de agir e inexistência da própria lide" (TFR – Pleno, HD 2/DF, rel. Min. Eduardo Ribeiro, j. 02.02.1989, DJ 1, 08.05.1989).

"Quando o fornecimento das informações desejadas pelo impetrante depende de autoridades administrativas federais, não subordinadas à jurisdição originária dos tribunais da União, a competência para processar e julgar o *habeas data* é dos juízes federais" (TRF3, HD 3, rel. Juiz Pedro Rota, 22.02.1990).

LXXIII – qualquer cidadão é parte legítima para propor ação popular que vise a anular ato lesivo ao patrimônio público ou de entidade de que o Estado participe, à moralidade administrativa, ao meio ambiente e ao patrimônio histórico e cultural, ficando o autor, salvo comprovada má-fé, isento de custas judiciais e do ônus da sucumbência;

Doutrina

Conceito. Trata-se de ação de índole constitucional conferida ao cidadão para a defesa judicial do interesse coletivo consistente na proteção do patrimônio público ou de entidade com participação estatal e também da moralidade administrativa, do meio ambiente e do patrimônio histórico e cultural, com a finalidade de anular qualquer ato lesivo a tais bens.

Pressupostos. O ajuizamento da ação pressupõe: a) *qualidade de cidadão* – fazendo-se a prova por meio do título eleitoral ou de documento que ao mesmo corresponda; b) *lesividade do ato* – por ilegalidade ou por imoralidade.

Legitimação ativa. A ação popular pode ser ajuizada somente por cidadão nacional originário, naturalizado ou português equiparado, no exercício pleno de seus direitos políticos e com capacidade para estar em juízo. É vedada, pois, aos nacionais com direitos políticos perdidos ou suspensos, aos estrangeiros, às pessoas jurídicas e ao Ministério Público, que atuará apenas como substituto processual no caso de desistência do autor em ação anteriormente proposta.

Sujeição passiva. A ação será proposta contra a entidade lesada, pública ou de que o Estado participe, contra as autoridades, servidores que houverem autorizado, aprovado, ratificado ou praticado o ato impugnado, e contra os beneficiários diretos do mesmo, salvo se estes forem indeterminados ou desconhecidos.

Gratuidade. Salvo no caso de comprovada má-fé, o autor da ação popular, no caso de improcedência desta, estará isento de custas judiciais (todas as despesas do processo) e do ônus da sucumbência (honorários advocatícios). Comprovada a má-fé, responderá tanto pelas custas judiciais quanto pelo ônus da sucumbência.

Jurisprudência

> Súmula do STF: 365. "Pessoa jurídica não tem legitimidade para propor ação popular".
>
> "Na maioria das vezes, a lesividade ao erário público decorre da própria ilegalidade do ato praticado. Assim o é quando se dá a contratação, por Município, de serviços que poderiam ser prestados por servidores, sem a feitura de licitação e sem que o ato administrativo tenha sido

precedido de necessária justificativa" (STF – 2.ª Turma, RE 160.381/SP, rel. Min. Marco Aurélio, RTJ 153/1022).

"A ação direta de inconstitucionalidade não constitui sucedâneo da ação popular constitucional, destinada, esta sim, a preservar, em função de seu amplo espectro de atuação jurídico-processual, a intangibilidade do patrimônio público e a integridade do princípio da moralidade administrativa (CF, art. 5.º, LXXIII)" (STF, ADIN 842-1/DF, rel. Min. Celso de Mello, DJ 2, 14.05.1993, p. 9.002).

"Nada obstante consigne o inciso LXXIII do art. 5.º da Constituição da República que 'qualquer cidadão é parte legítima para propor ação popular que vise a anular ato lesivo ao patrimônio público...', tal não quer significar que não possa o Ministério Público, por meio de ação civil pública, buscar o mesmo objetivo, sem provocação de populares ou de outros servidores públicos" (TJSP, JTJ/SP-LEX, 173/247).

LXXIV – o Estado prestará assistência jurídica integral e gratuita aos que comprovarem insuficiência de recursos;

Doutrina

Referência legislativa: A Lei n.º 1.060, de 5 de fevereiro de 1950, dispõe sobre a assistência judiciária e a Lei Complementar n.º 80, de 12 de janeiro de 1994, organiza a Defensoria Pública da União e dispõe sobre normas para a organização das defensorias estaduais.

Assistência jurídica integral. É o direito assegurado ao hipossuficiente de pleitear do Estado que lhe preste, através da defensoria pública, os meios necessários para a sua plena defesa em juízo.

Assistência judiciária gratuita. É prestada mediante simples declaração do jurisdicionado de que não dispõe de recursos para o pagamento das despesas do processo.

Carência de recursos. O conceito de miserabilidade abrange tanto o desprovido de recursos quanto a pessoa de condição modesta, ou até de classe média, que não possa dispender em gastos com ação judicial recursos indispensáveis à manutenção própria ou da família.

Jurisprudência

"Constitucional. Acesso à Justiça. Assistência Judiciária. Lei 1.060, de 1950. C.F., art. 5.°, LXXIV. I. – A garantia do art. 5.°, LXXIV – assistência jurídica integral e gratuita aos que comprovarem insuficiência de recursos – não revogou a de assistência judiciária gratuita da Lei 1.060, de 1950, aos necessitados, certo que, para obtenção desta, basta a declaração, feita pelo próprio interessado, de que a sua situação econômica não permite vir a Juízo sem prejuízo da sua manutenção ou de sua família. Essa norma infraconstitucional põe-se, ademais, dentro do espírito da Constituição, que deseja que seja facilitado o acesso de todos à Justiça (C.F., art. 5.°, XXXV). II – R.E. não conhecido" (STF – 2.ª Turma, RE 205.746/RS, rel. Min. Carlos Velloso, unânime, j. 26.11.1996).

"(...). 3. Os beneficiários da Justiça gratuita devem ser condenados aos ônus da sucumbência, com a ressalva de que essa condição se faz nos termos do artigo 12 da Lei 1.060/50 que, como decidido por esta Corte no RE 184.841, foi recebido pela atual Constituição por não ser incompatível com o artigo 5.°, LXXIV, da Constituição. Precedentes. 4. Agravo regimental a que se nega provimento" (STF – 2.ª Turma, RE 495.498/RN AgRg, rel. Min. Eros Grau, unânime, j. 26.06.2007).

"O beneficiário da Justiça gratuita que sucumbe é condenado ao pagamento das custas, que, entretanto, só lhe serão exigidas, se, até cinco anos contados da decisão final, puder satisfazê-las sem prejuízo do sustento próprio ou da família: incidência do art. 12 da Lei 1.060/50, que não é incompatível com o art. 5.°, LXXIV, da Constituição" (STF – 1ª Turma, RE 184.841/DF, rel. Min. Sepúlveda Pertence, DJ 1, 08.09.1995, p. 28.400).

"Esta Corte sufragou o entendimento de que o beneficiário da justiça gratuita não faz jus a isenção do pagamento das custas processuais, mas tão somente a suspensão da exigibilidade destas, pelo período de 5 anos, a contar da sentença final, quando então, em não havendo condições financeiras de o recorrente quitar o débito, restará prescrita a obrigação. 2. O momento da verificação da miserabilidade do condenado, para fins de suspensão da exigibilidade do pagamento, é a fase de execução, visto que é possível que ocorra alteração na situação financeira do apenado entre a data da condenação e a execução da sentença condenatória. 3. Agravo regimental improvido" (STJ – 6.ª Turma, REsp-AgRg 1.637.275, rel. Min. Maria Thereza de Assis Moura, unânime, DJE, 16.12.2016).

"É admissível possa a pessoa jurídica pedir e obter assistência judiciária. A lei não distingue entre os necessitados (Lei n.º 1.060/50, art. 2.º e parágrafo único)" (STJ – 3.ª Turma, REsp 70.469/RJ, rel. Min. Nilson Naves, DJ 1, 16.06.1997, p. 27.362).

LXXV – o Estado indenizará o condenado por erro judiciário, assim como o que ficar preso além do tempo fixado na sentença;

Doutrina

Erro judiciário. É o falso juízo do julgador, na aplicação da norma ou na livre apreciação das provas, que conduz a uma sentença condenatória que mais tarde se constata injusta porque fundada em fato errôneo ou inexistente.

Responsabilidade do Estado. O Estado responderá em duas hipóteses: a) *condenado por erro judiciário* – aquele que sofreu condenação imposta por sentença judicial; b) *condenado que ficar preso além do tempo fixado na sentença* – aquele que permaneceu sob o jugo estatal, em sede de execução penal, por tempo maior que o fixado pelo juiz como pena privativa da liberdade.

Indenização. É indenizável tanto o dano material quanto o dano moral.

Jurisprudência

"Uma vez constatado o excesso de prazo, cumpre ao Judiciário, atento à ordem jurídica, afastar a custódia preventiva, sob pena de abrir ensejo ao acusado a que venha responsabilizar o Estado – inciso LXXV do art. 5.º da Constituição Federal" (STF – 2.ª Turma, RHC n.º 71.354/PI, rel. Min. Marco Aurélio, DJ 1, 27.10.1994, p. 29.165).

"Direito constitucional e administrativo. Responsabilidade objetiva. Prisão ilegal. Danos morais. 1. O Estado está obrigado a indenizar o particular quando, por atuação de seus agentes, pratica contra o mesmo prisão ilegal. 2. Em caso de prisão indevida, o fundamento indenizatório da responsabilidade do Estado deve ser enfocado sobre o prisma de que a entidade estatal assume o dever de respeitar, integralmente, os direitos subjetivos constitucionais assegurados ao cidadão, especialmente o de ir e vir. 3. O Estado, ao prender indevidamente o indivíduo, atenta contra os direitos humanos e provoca dano moral ao paciente, com reflexos em suas atividades profissionais e sociais. 4. A indenização por danos morais é uma recompensa pelo sofrimento vivenciado pelo cidadão, ao ver, publicamente, a sua honra atingida e o seu direito de locomoção sacrificado. 5. A responsabilidade pública por prisão indevida, no direito brasileiro, está fundamentada na expressão contida no art. 5.º, LXXXV, da CF. 6. Recurso especial provido" (STJ – 1.ª Turma, REsp 220.982/RS, rel. Min. José Delgado, j. 22.02.2000, DJ1, 03.04.2000, p. 116).

São cumuláveis as indenizações por danos materiais e morais (TJSP, JTJ-LEX, 137/238).

LXXVI – são gratuitos para os reconhecidamente pobres, na forma da lei:

a) o registro civil de nascimento;

b) a certidão de óbito;

Doutrina

Gratuidade registral. Dois registros fundamentais têm gratuidade assegurada para os hipossuficientes: o de nascimento, por meio do qual se registra a existência da pessoa, e a certidão de óbito, que atesta a extinção da pessoa.

Jurisprudência

> "(...). A atividade desenvolvida pelos titulares das serventias de notas e registros, embora seja análoga à atividade empresarial, sujeita-se a um regime de direito público. Não ofende o princípio da proporcionalidade lei que isenta os 'reconhecidamente pobres' do pagamento dos emolumentos devidos pela expedição de registro civil de nascimento e de óbito, bem como a primeira certidão respectiva" (STF, ADIN 1.800/DF, rel. para o acórdão Min. Ricardo Lewandowski, j. 11.06.2007, DJ, 28.09.2007).

LXXVII – são gratuitas as ações de *habeas corpus* e *habeas data*, e, na forma da lei, os atos necessários ao exercício da cidadania;

Doutrina

Gratuidade de ações. O objetivo é o de facilitar a impetração do *habeas corpus*, porque se trata de meio para assegurar a liberdade pessoal, e do *habeas data*, por se tratar de meio judicial para assegurar o conhecimento de informações relativas à pessoa ou a retificação das mesmas.

Atos necessários ao exercício da cidadania. São aqueles decorrentes do *ius civitatis*, da qualidade de cidadão, como o direito de sufrágio.

Jurisprudência

"(...). A ação de *habeas corpus* é gratuita (inciso LXXVII do art. 5.° da Constituição Federal), pelo que descabe condenação ao pagamento de custas processuais. Recurso ordinário a que se dá provimento parcial para excluir da condenação o pagamento de custas processuais" (TST, RHC 85.692/RJ, rel. Min. Vantuil Abdala).

LXXVIII – a todos, no âmbito judicial e administrativo, são assegurados a razoável duração do processo e os meios que garantam a celeridade de sua tramitação;

Doutrina

Princípios da celeridade processual e da razoável duração do processo. Foram acrescentados ao artigo 5.°, inciso LXXVIII, por meio da Emenda Constitucional n.° 45, de 8 de dezembro de 2004. Celeridade é a qualidade de ser célere, ligeiro, rápido na condução dos atos processuais tendentes a produzir uma decisão de mérito. Duração razoável refere-se ao tempo do processo, desejando o legislador constituinte que seja a demora aceitável para o caso concreto. Na verdade, tais princípios já se extraíam notadamente do princípio do devido processo legal; todavia, há de se reconhecer que o referido inciso aclarou a intenção do legislador e, no caudal dessa observação, iniciativas como a dos juizados de pequenas causas e da introdução do processo eletrônico contribuem de forma efetiva para a busca dos desígnios previstos na norma constitucional.

Jurisprudência

"O direito ao julgamento, sem dilações indevidas, qualifica-se como prerrogativa fundamental que decorre da garantia constitucional do '*due process of law*'. O réu – especialmente aquele que se acha sujeito a medidas cautelares de privação da sua liberdade – tem o direito público subjetivo de ser julgado, pelo Poder Público, dentro de prazo razoável, sem demora excessiva nem dilações indevidas" (STF – 2.ª Turma, HC 837.735/SP, rel. Min. Celso de Mello, DJ 1, 06.11.2006, p. 49).

LXXIX – é assegurado, nos termos da lei, o direito à proteção dos dados pessoais, inclusive nos meios digitais.

Doutrina

Proteção de dados. Dar-se-á da forma da lei e destina-se a proteger o conjunto de informações acumuladas pela pessoa no decorrer de suas atividades de natureza social ou econômica.

§ 1.º As normas definidoras dos direitos e garantias fundamentais têm aplicação imediata.

Doutrina

Direitos e garantias fundamentais. Direitos fundamentais são aqueles instituídos pela norma constitucional e conferidos à pessoa humana. O termo "garantias fundamentais" compreende o conjunto de disposições que assegura o exercício do direito, como *garante* para a sua fruição. Contudo, os limites que separam tais conceitos são muito tênues e não raro se confundem direitos e garantias.

Aplicabilidade. A aplicabilidade imediata restringe-se às normas definidoras dos direitos e garantias fundamentais constantes do Título II da Constituição Federal. A disposição contida na norma acima constitui garantia de eficácia e aplicabilidade dos direitos, garantias, liberdades e prerrogativas inscritas no referido título, mas, na verdade, o seu caráter é mais político do que prático, pois, se a norma for autoexecutável, o direito ou garantia nela previstos poderão ser exigidos de imediato; porém, se se tratar de norma não-autoexecutável, a fruição do direito ou garantia previstos dependerão de legislação infraconstitucional ou, se for o caso, do uso do mandado de injunção para viabilizá-la.

Jurisprudência

"Interpretação. Carga construtiva. Extensão. Se é certo que toda interpretação traz em si carga construtiva, não menos correta exsurge a vinculação à ordem jurídico-constitucional. O fenômeno ocorre a partir das normas em vigor, variando de acordo com a formação profissional e humanística do interprete. No exercício gratificante da arte de interpretar, descabe 'inserir na regra de direito o próprio juízo – por mais sensato que seja – sobre a finalidade que conviria fosse por ela perseguida' – Celso Antônio Bandeira de Mello – em parecer inédito. Sendo o Direito uma ciência, o meio justifica o fim, mas não este àquele" (STF – 2.ª Turma, RE 145.841/MG, rel. Min. Marco Aurélio, DJ 1, 17.03.1995, p. 5.793).

O pagamento da gratificação natalina com base na remuneração integral do servidor constitui direito incorporado ao seu patrimônio, de aplicação imediata e independentemente de lei regulamentadora, a teor do disposto nos arts. 5.º, § 1.º; 7.º, VIII; e 39, § 2.º, da Constituição Federal, não havendo motivo para se aguardar regulamentação por lei ordinária ou complementar (TJSP, JTJ/SP-LEX 142/67).

§ 2.º Os direitos e garantias expressos nesta Constituição não excluem outros decorrentes do regime e dos princípios por ela adotados, ou dos tratados internacionais em que a República Federativa do Brasil seja parte.

Doutrina

Direitos e garantias decorrentes. São aqueles que, posto não enunciados na Constituição, decorrem do regime e dos princípios nela adotados, ou dos tratados internacionais firmados pelo Estado brasileiro. Isso significa que os direitos e garantias expressos não são exaurientes e sim exemplificativos e, por isso mesmo, não excluem outros não mencionados.

Jurisprudência

"A normatividade emergente dos tratados internacionais, dentro do sistema jurídico brasileiro, permite situar esses atos de direito internacional público, no que concerne à hierarquia das fontes, no mesmo grau de eficácia em que posicionam as leis internas no Brasil. A eventual precedência dos atos internacionais sobre as normas infraconstitucionais de direito interno brasileiro somente ocorrerá – presente o contexto de eventual situação de antinomia com o ordenamento doméstico –, não em virtude de uma inexistente primazia hierárquica, mas, sempre, em face da aplicação do critério cronológico (lex posterior derrogat priori) ou, quando cabível, do critério da especialidade" (STF, EXT 662-2, rel. Min. Celso de Mello, Informativo n.º 73).

"I – Os direitos e garantias expressamente previstos na Constituição Federal não excluem outros tantos decorrentes do regime e dos princípios nela adotados (art. 5.º, § 2.º). II – A vedação às penas de caráter perpétuo não pode ser interpretada restritivamente, estendendo-se às penalidades de suspensão e interdição de direitos capitulados no inciso LXVI, letra e, do mesmo artigo. III – Segurança conhecida" (STJ – 1.ª Seção, MS 1.119/DF, rel. Min. Peçanha Martins, j.18.12.1991, RSTJ, 28/279).

§ 3.º Os tratados e convenções internacionais sobre direitos humanos que forem aprovados, em cada Casa do Congresso Nacional, em dois turnos, por três quintos dos votos dos respectivos membros, serão equivalentes às emendas constitucionais.

Doutrina

Gênese da norma constitucional. Este § 3.º foi acrescentado ao texto da Constituição Federal por meio da Emenda Constitucional n.º 45, de 8 de dezembro de 2004.

Finalidade da norma constitucional. A norma tem por finalidade dispor que serão equivalentes às emendas constitucionais – tanto em efeitos quanto em aplicação – os tratados e convenções internacionais sobre direitos humanos aprovados no âmbito de cada uma das Casas do Parlamento, em dois turnos, por três quintos dos votos dos respectivos membros, ou seja, pelo rito de aprovação das emendas constitucionais. Somente assim poderão tais tratados ou convenções internacionais – que dispõem sobre direitos humanos – ser tidos como equivalentes às emendas constitucionais. Todos os demais instrumentos serão incorporados ao direito interno com força de norma ordinária.

Jurisprudência

> "(...). O exercício do *'treaty-making-power'*, pelo Estado brasileiro, está sujeito à observância das limitações jurídicas emergentes do texto constitucional. Os tratados celebrados pelo Brasil estão subordinados à autoridade normativa da CR. Nenhum valor jurídico terá o tratado internacional, que, incorporado ao sistema de direito positivo interno, transgredir, formal ou materialmente, o texto da Carta Política. Precedentes" (STF – Pleno, MI 772-AgR, rel. Min. Celso de Mello, j. 24.10.2007, DJE, 20.03.2009).
>
> "1. Agravo que pretende exame do recurso extraordinário no qual se busca viabilizar a interposição de recurso inominado, com efeito de apelação, de decisão condenatória proferida por Tribunal Regional Federal, em sede de competência criminal originária. 2. A Emenda Constitucional 45/04 atribuiu aos tratados e convenções internacionais sobre direitos humanos, desde que aprovados na forma prevista no § 3.° do art. 5.° da Constituição Federal, hierarquia constitucional. 3. Contudo, não obstante o fato de que o princípio do duplo grau de jurisdição previsto na Convenção Americana de Direitos Humanos tenha sido internalizado no direito doméstico brasileiro, isto não significa que esse princípio revista-se de natureza absoluta. 4. A própria Constituição Federal estabelece exceções ao princípio do duplo grau de jurisdição. Não procede, assim, a tese

de que a Emenda Constitucional 45/04 introduziu na Constituição uma nova modalidade de recurso inominado, de modo a conferir eficácia ao duplo grau de jurisdição. 5. Alegação de violação ao princípio da igualdade que se repele porque o agravante, na condição de magistrado, possui foro por prerrogativa de função e, por conseguinte, não pode ser equiparado aos demais cidadãos. O agravante foi julgado por 14 Desembargadores Federais que integram a Corte Especial do Tribunal Regional Federal e fez uso de rito processual que oferece possibilidade de defesa preliminar ao recebimento da denúncia, o que não ocorre, de regra, no rito comum ordinário a que são submetidas as demais pessoas. 6. Agravo regimental improvido" (STF – 2.ª Turma, AgI-AgRg 601.832/SP, rel. Min. Joaquim Barbosa, j. 17.03.2009).

"1. O Supremo Tribunal Federal fixou o entendimento de que os tratados e convenções internacionais sobre direitos humanos, aos quais o Brasil aderiu, têm status de norma supralegal, razão pela qual pacificou o entendimento quanto à impossibilidade de prisão civil de depositário judicial infiel. 2. Fixou-se tal entendimento de forma coercitiva com a edição do Enunciado n.º 25 da Súmula Vinculante do Pretório Excelso, verbos: 'É ilícita a prisão civil de depositário infiel, qualquer que seja a modalidade do depósito'. 3. Habeas Corpus concedido" (STJ – 4.ª Turma, HC 157.662, rel. Min. Honildo Amaral de Mello Castro (Desembargador Convocado do TJ/AP)).

§ 4.º O Brasil se submete à jurisdição de Tribunal Penal Internacional a cuja criação tenha manifestado adesão.

Gênese da norma constitucional. Este § 4.º foi acrescentado ao texto da Constituição Federal por meio da Emenda Constitucional nº 45, de 8 de dezembro de 2004.

O Tribunal Penal Internacional. Foi criado pelo Tratado de Roma e instalado em 11 de março de 2003, com sede na cidade de Haia (Holanda), com jurisdição para processar e julgar crimes cometidos no espaço da soberania de seus membros. A competência do Tribunal compreende os crimes de genocídio, crimes contra a humanidade, crimes de guerra e crimes de agressão, conforme previstos no Estatuto de Roma.

Jurisprudência

> "4. A presunção de inocência, princípio cardeal no processo criminal, é tanto uma regra de prova como um escudo contra a punição prematura. Como regra de prova, a formulação mais precisa é o standard anglo-saxônico no sentido de que a responsabilidade criminal deve ser provada acima de qualquer dúvida razoável (*proof beyond a reasonable doubt*) e que foi consagrado no art. 66, item 3, do Estatuto de Roma do Tribunal Penal Internacional. 5. Ação penal julgada improcedente" (STF – 1.ª Turma, AP 580/SP, rel. Min. Rosa Weber, j. 13.12.2016).

> "4. Ao estabelecer pontualmente as hipóteses de imprescritibilidade, o legislador constitucional consagrou o princípio maior da segurança jurídica. Em outras palavras, em nosso sistema, ressalvadas disposições expressas em sentido contrário, as pretensões devem ser exercidas dentro de determinado prazo legal. Inteligência do artigo 5.º, incisos XLIII, XLII e XLIV da Constituição Federal. 5. Apenas o Estatuto de Roma, relativo ao Tribunal Penal Internacional – ratificado em 2002 e introduzido no ordenamento jurídico pátrio pelo Decreto n.º 4.388, de 25 de setembro de 2002 – tratou da imprescritibilidade dos crimes nele previstos. No entanto, os eventos ocorridos durante o regime militar não são atingidos pelos ditames do Estatuto de Roma; seja por ser assente, na doutrina, que, via de regra, os tratados internacionais somente criam efeitos 'ex nunc'; seja porque à luz da decisão da Suprema Corte brasileira, no julgamento do RE 466.343, tais diplomas não têm o condão de derrogar normas constitucionais" (TRF3, 6.ª Turma, AC 1.459.203/SP, rel. Des. Fed. Mairan Maia, e-DJF3, Judicial 1, 30.05.2014).

CAPÍTULO II
DOS DIREITOS SOCIAIS

Art. 6.º São direitos sociais a educação, a saúde, a alimentação, o trabalho, a moradia, o transporte, o lazer, a segurança, a previdência social, a proteção à maternidade e à infância, a assistência aos desamparados, na forma desta Constituição.

Parágrafo único. Todo brasileiro em situação de vulnerabilidade social terá direito a uma renda básica familiar, garantida pelo poder público em programa permanente de transferência de renda, cujas normas e requisitos de acesso serão determinados em lei, observada a legislação fiscal e orçamentária.

Doutrina

Direitos sociais e conteúdo. Os direitos sociais são direitos subjetivos públicos por meio dos quais o Estado oferece proteção aos cidadãos com a finalidade de realizar objetiva e concretamente o princípio da igualdade. Destinados a todos, ainda que direcionados mais à proteção dos hipossuficientes, estão exemplificados na regra constitucional como sendo: a) *direito à educação* – é o de acesso à escola, que deve ser garantido pelo Estado; b) *direito à saúde* – é o de ter assegurada a proteção da saúde no sistema público de prestação do serviço; c) *direito à alimentação* – é o de ter assegurado o acesso aos alimentos em rações suficientes para garantir o sustento e a nutrição da pessoa; d) *direito ao trabalho* – é o de buscar ocupação lícita que garanta à pessoa os meios para a sua sobrevivência; e) *direito à moradia* – é o de buscar lugar próprio para a morada, onde possa encontrar proteção para si e sua família e desenvolver as atividades típicas da esfera do lar; f) *direito ao transporte* – é o de ter assegurado acesso aos meios de transporte, notadamente urbanos, conquanto necessários aos deslocamentos da residência para o trabalho, para o lazer etc.; g) *direito ao lazer* – é o de descanso para a recuperação física e mental através da prática de atividades prazerosas; h) *direito à segurança* – é o de ter protegidos os bens da vida, da liberdade etc., contra ameaça injusta de quem quer que seja e do próprio Estado; i) *direito à previdência social* – é o de acesso a sistema previdenciário que assegure os meios de proteção contra eventos como doença, invalidez ou velhice, garantindo-se à pessoa as condições mínimas de vida no caso de uma daquelas ocorrências; j) *direito à proteção da maternidade e da infância* – é o de ter assegurado acesso aos programas de assistência social de proteção à gestante e à criança que devem ser instituídos pelo Estado; k) *direito de assistência aos desamparados* – é o de ter assegurado pelo Estado o amparo àqueles desprovidos de recursos mínimos que lhes garanta a sobrevivência.

Programa de renda básica familiar. Trata-se de programa permanente de transferência de recursos públicos para assegurar condições mínimas de sobrevivência para famílias em situação de vulnerabilidade social.

Jurisprudência

> Súmula Vinculante do STF: 12. "A cobrança de taxa de matrícula nas universidades públicas viola o disposto no art. 206, IV, da Constituição Federal."
>
> "(...). É possível ao Poder Judiciário determinar a implementação pelo Estado, quando inadimplente, de políticas públicas constitucionalmente previstas, sem

que haja ingerência em questão que envolve o poder discricionário do Poder Executivo" (STF – 2.ª Turma, RE 559.646 AgRg, rel. Min. Ellen Gracie, DJE, 24.06.2011).

"A saúde é direito de todos e dever do Estado. Como tal, é bem social e individual indisponível e está, desse modo, inserido no ordenamento jurídico brasileiro. O direito à saúde como dever constitucional está --garantido por ações e serviços que proporcionem assistência, bem como, preventivamente, por políticas sociais e econômicas que afastem o risco da doença." (TRF4, AC 89.04.01659-2/RS, rel. Juiz Cal Garcia, DJ 2, 29.11.1989, p. 15.354).

Art. 7.º São direitos dos trabalhadores urbanos e rurais, além de outros que visem à melhoria de sua condição social:

Doutrina

Direitos dos trabalhadores. São direitos subjetivos conferidos aos trabalhadores urbanos e rurais com o objetivo de assegurar-lhes meios de melhora nas suas condições de vida. Como os direitos conferidos são iguais, é pouco relevante a diferença entre trabalhador urbano ou rural. Ademais, a lista constante da norma constitucional é meramente exemplificativa, portanto, não exclui outros direitos, ainda que não enunciados.

I – relação de emprego protegida contra despedida arbitrária ou sem justa causa, nos termos de lei complementar, que preverá indenização compensatória, dentre outros direitos;

Doutrina

Garantia de emprego. É o direito do trabalhador de manter a relação de emprego contra: a) *despedida arbitrária* – aquela de mero capricho, ou ilícita, porque não se funda em razão disciplinar, técnica, econômica ou financeira; b) *despedida sem justa causa* – aquela que não se subsume a uma das hipóteses de justa causa prevista em lei.

Indenização compensatória. No caso de violação da garantia de emprego, nasce para o trabalhador o direito à indenização compensatória que, enquanto não aprovada a lei complementar, se dará na forma do artigo 10 do ADCT.

Jurisprudência

> Súmulas do STF: 197. "O empregado com representação sindical só pode ser despedido mediante inquérito em que se apure falta grave." 200. "Não é inconstitucional a Lei 1.530, de 26.12.1951, que manda incluir na indenização por despedida injusta parcela correspondente a férias proporcionais."
>
> Enunciado do TST: 306. "É devido o pagamento da indenização adicional na hipótese de dispensa injusta do empregado, ocorrida no trintídio que antecede a data-base. A legislação posterior não revogou os arts. 9.º da Lei n.º 6.708/79 e 9.º da Lei n.º 7.238/84."
>
> A propósito da Convenção 158 da OIT, não incorporada ao direito brasileiro, o STF decidiu que "(...) os tratados e convenções internacionais, ainda que guardando relação de paridade normativa com o ordenamento infraconstitucional, não podem disciplinar matéria sujeita à reserva constitucional de lei complementar" (STF – Pleno, ADIN 1.480/DF, rel. Min. Celso de Mello, j. 25.09.1996, Informativos n.º 135 e 158).
>
> "O instituto da garantia no emprego contra despedida arbitrária ou sem justa causa está previsto em norma constitucional não autoaplicável, dependente, para sua eficácia na ordem jurídica, de lei complementar regulamentadora. Recurso conhecido e provido" (TST – 4.ª Turma, RR 46.596/PA, rel. Min. Almir Pazzianotto Pinto, DJ 1, 18.12.1992, p. 24.653).

II – seguro-desemprego, em caso de desemprego involuntário;

Doutrina

Conceito. O seguro-desemprego é a prestação em dinheiro paga pelo Estado ao trabalhador que se encontrar em situação de desemprego involuntário, entendido este como decorrente de situação para a qual o obreiro não concorreu de qualquer forma.

Jurisprudência

"O seguro-desemprego é um benefício previdenciário de caráter transitório, destinado a proporcionar assistência financeira ao trabalhador que foi desligado do emprego sem justa causa" (TRF5, AMS 73.341/CE, rel. Des. Fed. Élio Wanderley de Siqueira Filho, DJU, 21.08.2006, p. 675).

III – fundo de garantia do tempo de serviço;

Doutrina

Conceito. O fundo de garantia do tempo de serviço é constituído por depósitos efetuados pelo empregador em conta vinculada do empregado e constitui patrimônio deste, formado em decorrência do tempo de serviço, e que poderá ser levantado quando de sua aposentadoria ou em face de outros eventos previstos em lei.

Jurisprudência

> Súmula do STF: 593. "Incide o percentual do Fundo de Garantia do Tempo de Serviço (FGTS) sobre a parcela da remuneração correspondente a horas extraordinárias de trabalho".
>
> Enunciado do TST: 63. "A contribuição para o Fundo de Garantia do Tempo de Serviço incide sobre a remu-

neração mensal devida ao empregado, inclusive horas extras e adicionais eventuais."

"Fundo de Garantia do Tempo de Serviço – FGTS. Correção monetária dos saldos das contas a ele vinculadas. Planos 'Bresser' (Junho/87), 'Verão' (Janeiro/89) e 'Collor I' (Abril/maio/90). – Não revestindo tais contas caráter contratual, mas estatutário, não há falar em direito adquirido dos seus titulares à atualização monetária dos respectivos saldos, em face de novos índices fixados por lei, ainda que no curso do prazo aquisitivo do direito à correção, posto inexistir direito adquirido a regime jurídico, segundo jurisprudência assente do STF. (...). – O Fundo de Garantia do Tempo de Serviço – FGTS, ao contrário do que sucede com as cadernetas de poupança, não tem natureza contratual, mas, sim, estatutária, por decorrer da Lei e por ela ser disciplinado. – Assim é de aplicar-se a ele a firme jurisprudência desta Corte no sentido de que não há direito adquirido a regime jurídico" (STF – Pleno, RE 226.855/RS, rel. Min. Moreira Alves, DJ, 13.10.2000).

"Não se revela lícito, ao Poder Judiciário, atuar na anômala condição de legislador positivo, para, em assim agindo, proceder à substituição de um fator de indexação, definido em lei, por outro, resultante de determinação judicial. Se tal fosse possível, o Poder Judiciário – que não dispõe de função legislativa – passaria a desempenhar atribuição que lhe é institucionalmente estranha (a de legislador positivo), usurpando, desse modo, no contexto de um sistema de poderes essencialmente limitados, competência que não lhe assiste, com evidente transgressão ao princípio constitucional da separação de poderes" (STF – 2.ª Turma, RE 200.844 AgRg, rel. Min. Celso de Mello, DJ, 16.08.2002).

"1. Agravo regimental em recurso extraordinário. 2. Substituição pelo Poder Judiciário de índice de correção monetária. Art. 38 da Lei n.º 8.880, de 27 de maio de 1994. Impossibilidade. Controvérsia infraconstitucional. Precedentes. 3. Agravo regimental a que se nega provimento (STF – 2.ª Turma, RE 442634 AgRg, Rel. Min. Gilmar Mendes, DJ 30/11/2007).

"(...). 5. O FGTS não tem natureza contratual, na medida em que decorre de lei todo o seu disciplinamento. Precedentes RE 248.188, Relator Ministro Ilmar Galvão, Tribunal Pleno, DJ 1/6/2001; e RE 226.855/RS, Relator Ministro Moreira Alves, Tribunal Pleno, DJ, 13/10/2000. 6. É vedado ao Poder Judiciário substituir índice de correção monetária estabelecido em lei. Precedentes: RE 442.634 AgR, Relator Ministro Gilmar Mendes, Segunda Turma, DJ 30/11/2007; e RE 200.844 AgR, Relator: Ministro Celso de Mello, Segunda Turma, DJ 16/08/2002. 7. O FGTS é fundo de natureza financeira e que ostenta característica de multiplicidade, pois, além de servir de indenização aos trabalhadores, possui a finalidade de fomentar políticas públicas, conforme dispõe o art. 6.º da Lei 8.036/1990. *Tese para fins do art. 1.036 do CPC/2015*. 8. A remuneração das contas vinculadas ao FGTS tem disciplina própria, ditada por lei, que estabelece a TR como forma de atualização monetária, sendo vedado, portanto, ao Poder Judiciário substituir o mencionado índice. 9. Recurso especial não provido. Acórdão submetido à sistemática do artigo 1.036 do CPC/2015" (STJ – 1.ª Seção, REsp 1.614.874/SC, rel. Min. Benedito Gonçalves, DJE, 15.05.2018).

As contribuições para o FGTS não têm natureza jurídica de crédito tributário ou de contribuição a tributo equiparada, pois cuida-se de contribuição social com os mesmos privilégios das contribuições previdenciárias. Trata-se de direito do trabalhador e o Estado dá-lhe garantia desse pagamento nas hipóteses previstas em lei, devendo o empregador, na condição de sujeito passivo, fazer a contribuição. O Estado, quando atua para garantir o recolhimento do FGTS, age para fiscalizar e tutelar um direito constitucional do trabalhador e não para arrecadar receita pública de titularidade do Erário. (STF, LEX 120/25).

> As contribuições ao FGTS não se identificam com nenhum tipo de tributo descrito no CTN e, não bastasse isso, têm finalidade específica, pois destinadas a um fundo gerido pelo Estado, porém de propriedade privada. Outrossim, a cobrança dos créditos fundiários sujeita-se à prescrição trintenária (STJ, REsp 18.988/SP, DJ 1, 29.06.1992, p. 10.278).

IV – salário mínimo, fixado em lei, nacionalmente unificado, capaz de atender às suas necessidades vitais básicas e às de sua família com moradia, alimentação, educação, saúde, lazer, vestuário, higiene, transporte e previdência social, com reajustes periódicos que lhe preservem o poder aquisitivo, sendo vedada sua vinculação para qualquer fim;

Doutrina

Conceito. Salário mínimo é a menor remuneração paga ao trabalhador, fixada por lei em valor bastante para atender às suas necessidades vitais básicas bem como às de sua família, em retribuição contínua e habitual ao trabalho prestado.

Preservação do poder aquisitivo. O poder de compra do salário deve ser preservado mediante política de reajustes salariais periódicos.

Proibição de vinculação. A norma constitucional veda o uso do valor do salário mínimo como índice ou fator de correção de outros preços ou contratos da economia.

Jurisprudência

> Súmulas Vinculantes do STF: 4. "Salvo nos casos previstos na Constituição, o salário mínimo não pode ser usado como indexador de base de cálculo de vantagem de servidor público ou de empregado, nem ser substituído por decisão judicial". 6. "Não viola a Constituição o estabelecimento de remuneração inferior ao

salário mínimo para as praças prestadoras de serviço militar inicial". 15. "O cálculo de gratificações e outras vantagens do servidor público não incide sobre o abono utilizado para se atingir o salário mínimo".

Súmulas do STF: 204. "Tem direito o trabalhador substituto, ou de reserva, ao salário mínimo no dia em que fica à disposição do empregador sem ser aproveitado na função específica; se aproveitado, recebe o salário contratual." 205. "Tem direito a salário integral o menor não sujeito a aprendizagem metódica." 207. "As gratificações habituais, inclusive a de Natal, consideram-se tacitamente convencionadas, integrando o salário".

Enunciados do TST: 159. "I – Enquanto perdurar a substituição que não tenha caráter meramente eventual, inclusive nas férias, o empregado substituto fará jus ao salário contratual do substituído. (...)." 356. "O art. 2.°, § 4.°, da Lei n.° 5.584, de 26.06.1970, foi recepcionado pela Constituição da República de 1988, sendo lícita a fixação do valor da alçada com base no salário mínimo."

"A cláusula constitucional inscrita no art. 7.°, IV, da Carta Política – para além da proclamação da garantia social do salário mínimo – consubstancia verdadeira imposição legiferante, que, dirigida ao Poder Público, tem por finalidade vinculá-lo à efetivação de uma prestação positiva destinada (a) a satisfazer as necessidades essenciais do trabalhador e de sua família e (b) a preservar, mediante reajustes periódicos, o valor intrínseco dessa remuneração básica, conservando-lhe o poder aquisitivo. A insuficiência do valor correspondente ao salário mínimo, definido em importância que se revele incapaz de atender às necessidades vitais básicas do trabalhador e dos membros de sua família, configura um claro descumprimento, ainda que parcial, da Constituição da República, pois o legislador, em tal hipótese, longe de atuar como o sujeito concretizante do postulado constitucional que garante à classe trabalhadora um piso geral de remuneração (CF, art. 7.°, IV), estará realizando, de modo imperfeito, o programa social assumido pelo Estado na ordem jurídica. As situações configuradoras de omissão inconstitucional – ainda que se cuide de omissão parcial, derivada da insuficiente concretização, pelo Poder Público, do conteúdo material da norma impositiva fundada na Carta Política, de que é destinatário – refletem comportamento estatal que deve ser repelido, pois a inércia do Estado qualifica-se, perigosamente, como um dos processos informais de mudança da Constituição, expondo-se, por isso mesmo, à censura do Poder Judiciário. (...). Não assiste ao Supremo Tribunal Federal, contudo, em face dos próprios limites fixados pela Carta Política em tema de inconstitucionalidade por omissão (CF, art. 103, § 2.°), a prerrogativa de expedir provimentos normativos com o objetivo de suprir a inatividade do órgão legislativo inadimplente" (STF – Pleno, ADIN 1.458-7, rel. Min. Celso de Mello, Informativo n.° 45).

"A razão de ser da parte final do inciso IV, do artigo 7.°, da Carta Federal ('vedada a vinculação para qualquer fim') é evitar que interesses estranhos aos versados na norma constitucional venham a ter influência na fixação do valor mínimo a ser observado" (STF – Pleno, RE 197.072, rel. Min. Marco Aurélio, DJ, 09.03.2005).

V – piso salarial proporcional à extensão e à complexidade do trabalho;

Doutrina

Piso salarial. É a menor remuneração paga a uma categoria profissional, cujo valor é superior ao salário mínimo e fixada por meio de sentenças normativas ou convenções coletivas, levando-se em conta a natureza e a complexidade do serviço prestado.

Jurisprudência

"Acordo coletivo. Cláusula relativa a piso salarial. Não agride a literalidade do art. 7.°, XXX, da Constituição da República, cláusula estipulando piso salarial diferenciado para menor de idade. Aplicação do disposto pelos arts. 7.°, V, e 227, ambos da Lei Maior. Recurso ordinário conhecido e não provido" (TST – Seção Especializada em Dissídios Coletivos, RODC 126.813/SP, rel. Min. Almir Pazzianotto Pinto, DJ 1, 02.06.1995, p. 16.476).

VI - irredutibilidade do salário, salvo o disposto em convenção ou acordo coletivo;

Doutrina

Princípio da irredutibilidade do salário. Significa que o valor nominal do salário não pode ser reduzido ou as condições do contrato de trabalho não podem ser unilateralmente modificadas de modo a causar prejuízo direto ou indireto ao trabalhador.

Exceções. Contudo, o princípio da irredutibilidade pode ser afastado em face de motivo relevante, de ordem econômica ou social, e a redução do salário poderá ser acordada mediante convenção ou acordo coletivo.

Jurisprudência

Súmula do STF: 209. "O salário-produção, como outras modalidades de salário-prêmio, é devido, desde que verificada a condição a que estiver subordinado e não pode ser suprimido unilateralmente, pelo empregador, quando pago com habitualidade."

Enunciado do TST: 51. "I – As cláusulas regulamentares, que revoguem ou alterem vantagens conferidas anteriormente, só atingirão os trabalhadores admitidos após a revogação ou alteração do regulamento. (...)".

"Direito Constitucional. Processual Civil e Trabalhista. Recurso Extraordinário: pressupostos de admissibilidade. Alegação de ofensa ao princípio da irredutibilidade dos salários (art. 7.°, VI, da Constituição Federal). Agravo. 1. O T.S.T. concluiu, com base na interpretação da M.P. n.° 434/94, que o reajuste obtido pelo reclamante não era devido. E se não era devido, podia ser tornado sem efeito, sem afrontar, assim, o princípio constitucional da irredutibilidade dos salários (art. 7.°, VI, da C.F.). 2. Ora, para se concluir se houve, ou não, violação a tal princípio, seria preciso que esta Corte interpretasse a referida Medida Provisória n.° 434/94, para saber se esta concedera ou não, o reajuste concedido e depois anulado. 3. Mas, como salientado na decisão agravada, pacífica jurisprudência do Supremo Tribunal Federal não admite, em R.E., alegação de ofensa indireta à Constituição Federal, por má interpretação ou aplicação e mesmo inobservância de normas infraconstitucionais. 4. E o agravante não conseguiu abalar os fundamentos dessa decisão. 5. Agravo improvido" (STF – 1.ª Turma, AgI 289.471/SP AgRg, rel. Min. Sydney Sanches, 22.04.2002).

VII – garantia de salário, nunca inferior ao mínimo, para os que percebem remuneração variável;

Doutrina

Remuneração variável e salário mínimo. Remuneração variável é aquela paga aos trabalhadores comissionados e aos que produzem por peça, tarefa, ou outra modalidade qualquer em que a produção seja mensurada. A Constituição admite a existência de remuneração fixa, mista ou completamente variável, contanto que a paga corresponda pelo menos ao valor de salário mínimo.

Jurisprudência

> "Em se tratando de empregado que percebe salário constituído de parte fixa e parte variável (comissões), esta deve ser levada em conta na aplicação da lei do salário mínimo, cuja violação se caracterizará quando a percepção dos salários, em sua totalidade, for inferior ao limite mínimo estabelecido." (TST, RTST, 1955, p. 301).

VIII – décimo terceiro salário com base na remuneração integral ou no valor da aposentadoria;

Doutrina

Décimo terceiro salário. É a gratificação compulsória paga pelo empregador ao empregado, ou pelo ente previdenciário ao aposentado, de valor correspondente ao ganho mensal, no caso de trabalhador ativo, ou ao valor dos proventos da aposentadoria, no caso de inativos.

Jurisprudência

> Súmula do STF: 207. "As gratificações habituais, inclusive a de Natal, consideram-se tacitamente convencionadas, integrando o salário."
>
> Enunciados do TST: 45. "A remuneração do serviço suplementar, habitualmente prestado, integra o cálculo da gratificação natalina prevista na Lei n.º 4.090, de 13.07.1962." 50. "A gratificação natalina, instituída pela Lei n.º 4.090, de 13.07.1962, é devida pela empresa cessionária ao servidor público cedido enquanto durar a cessão". 148. "É computável a gratificação natalina para efeito do cálculo de indenização." 157. "A gratificação instituída pela Lei n.º 4.090, de 13.07.1962, é devida na resilição contratual de iniciativa do empregado".

IX - remuneração do trabalho noturno superior à do diurno;

Doutrina

Trabalho noturno e adicional. Trabalho noturno é aquele desenvolvido sem a luz do sol. Considera-se noturno o trabalho executado entre as 22 horas de um dia e às 5 horas do dia seguinte em atividade urbana e aquele executado entre as 21 horas de um dia e às 5 horas do dia seguinte em atividade rural. Pelo trabalho noturno, o trabalhador faz jus a um adicional incidente sobre o salário diurno da atividade à consideração de que as condições à noite são mais difíceis e a prestação se dá com maior desgaste físico e emocional.

Jurisprudência

> Súmulas do STF: 213. "É devido o adicional de serviço noturno, ainda que sujeito o empregado a regime de revezamento." 214. "A duração legal da hora de serviço noturno (52 minutos e 30 segundos) constitui vantagem suplementar que não dispensa o salário adicional." 313. "Provada a identidade entre o trabalho diurno e o noturno, é devido o adicional quanto a este, sem a limitação do art. 73, § 3.º, da CLT, independentemente da natureza da atividade do empregador". 402. "Vigia noturno tem direito a salário adicional".
>
> Enunciados do TST: 60. "I - O adicional noturno, pago com habitualidade, integra o salário do empregado para todos os efeitos. (...)." 265. "A transferência para o período diurno de trabalho implica a perda do direito ao adicional noturno."

X - proteção do salário na forma da lei, constituindo crime sua retenção dolosa;

Doutrina

Princípio da proteção do salário. Tem por objetivo proteger a integridade do salário enquanto forma de remuneração do trabalho e meio de sobrevivência do trabalhador. Expressa-se, na verdade, através de vários princípios, como o da *irredutibilidade*, não podendo ocorrer, salvo negociação coletiva, a sua redução; o da *inalterabilidade*, sendo vedadas as alterações das condições de trabalho contratadas, desde que prejudiciais ao trabalhador; o da *intangibilidade*, sendo proibidos descontos, salvo aqueles decorrentes de lei ou de contrato coletivo; o da *impenhorabilidade*, não podendo ser penhorado senão para o pagamento de pensão alimentícia; o da *periodicidade* do pagamento, significando que o salário deve ser pago periodicamente, tendo em vista que se destina à manutenção do trabalhador e de sua família; e o da *irrenunciabilidade*, pois o trabalhador não pode abrir mão do salário, que se constitui em crédito privilegiado na falência.

Descontos permitidos por lei. São admitidos os seguintes descontos: de adiantamento salarial, de contribuição previdenciária, de contribuição sindical, de imposto de renda, de pensão alimentícia, de prestação de imóvel adquirido perante o Sistema Financeiro da Habitação, de valor decorrente de condenação criminal pecuniária, de falta de aviso prévio no caso de pedido de demissão e decorrente de sentença normativa ou convenção coletiva do trabalho.

Retenção dolosa. É aquela feita com a deliberada intenção de prejudicar o trabalhador e que, desde que tipificada em lei, será considerada crime.

Jurisprudência

> Enunciados do TST: 155. "As horas em que o empregado falta ao serviço para comparecimento necessário, como parte, à Justiça do Trabalho não serão descontadas de seus salários." 342. "Descontos salariais efetuados pelo empregador, com a autorização prévia e por escrito do empregado, para ser integrado em planos de assistência odontológica, médico-hospitalar, de seguro, de previdência privada, ou de entidade cooperativa, cultural ou

recreativo-associativa dos seus trabalhadores, em seu benefício e de seus dependentes, não afrontam o disposto no art. 462 da CLT, salvo se ficar demonstrada a existência de coação ou de outro defeito que vicie o ato jurídico."

XI – participação nos lucros, ou resultados, desvinculada da remuneração, e, excepcionalmente, participação na gestão da empresa, conforme definido em lei;

Doutrina

Participação nos lucros ou resultados. É o direito reconhecido por lei de receber uma parcela do lucro, ou resultado positivo, obtido pelo empregador na exploração da atividade econômica, em dado percentual e desvinculado do salário contratual. A norma afasta a natureza salarial da referida parcela; portanto, trata-se de parcela autônoma, devida se e quando o empregador obtiver lucro com o seu negócio.

Participação na gestão da empresa. É o direito de participar da administração da empresa. É excepcional, sendo admitido apenas nas hipóteses previstas em lei.

Jurisprudência

> Súmula do STF: 209. "O salário-produção, como outras modalidades de salário-prêmio, é devido, desde que verificada a condição a que estiver subordinado, e não pode ser suprimido unilateralmente, pelo empregador, quando pago com habitualidade".
>
> "(...). O exercício do direito assegurado pelo art. 7.°, XI, da Constituição Federal, começa com a edição da lei prevista no dispositivo para regulamentá-lo, diante da imperativa necessidade de integração. Com isso, possível a cobrança das contribuições previdenciárias até a data em que entrou em vigor a regulamentação do dispositivo" (STF – 1.ª Turma, RE 398.284, rel. Min. Menezes Direito, DJE, 19.12.2008).

"(...). Nos termos do art. 7.º, XI, da Constituição Federal de 1988, que garante aos trabalhadores a participação nos lucros, tal verba é desvinculada da remuneração, não se refletindo no décimo terceiro salário, férias, FGTS e aviso prévio" (TST – 2.ª Turma, RR 134.608/BA, rel. Min. Hylo Gurgel, DJ 1, 13.10.1995, p. 34.483).

XII – salário-família pago em razão do dependente do trabalhador de baixa renda nos termos da lei;

Doutrina

Salário-família. É a retribuição devida ao empregado de baixa renda, proporcional ao número de filhos menores, com a finalidade de contribuir para a manutenção de sua família.

Jurisprudência

Enunciados do TST: 254. "O termo inicial do direito ao salário-família coincide com a prova da filiação. Se feita em juízo, corresponde à data de ajuizamento do pedido, salvo se comprovado que anteriormente o empregador se recusara a receber a respectiva certidão." 344. "O salário-família é devido aos trabalhadores rurais somente após a vigência da Lei 8.213, de 24.07.1991".

"O beneficiário aposentado, ainda que tenha trabalhado, quando na ativa, como empregado doméstico, tem direito ao recebimento do salário-família" (STJ – 6.ª Turma, REsp 263.810/RS, rel. Min. Fernando Gonçalves, DJU, 05.02.2001, p. 143).

XIII - duração do trabalho normal não superior a oito horas diárias e quarenta e quatro semanais, facultada a compensação de horários e a redução da jornada, mediante acordo ou convenção coletiva de trabalho;

Doutrina

Duração do trabalho. É a limitação da jornada normal ao máximo de oito horas diárias, que poderá ser acrescida de horas suplementares, no máximo de duas, mediante acordo ou negociação coletiva. Da mesma forma, poderá ocorrer redução de jornada e compensação de horários. O objetivo da limitação de jornada é o de garantir a indenidade física e mental do trabalhador.

Jurisprudência

> Súmulas do TFR: 222. "A prorrogação da jornada diária de trabalho não constitui alteração unilateral do contrato, desde que mantido o limite de horário semanal avençado." 226. "Na prorrogação da jornada de trabalho da mulher-bancária, até oito horas diárias, não excedentes de quarenta horas semanais (CLT, art.225), com observância do disposto no art. 59 e seu § 1.° da CLT, é inaplicável a regra do art. 374 desse diploma legal."
>
> Enunciados do TST: 65. "O direito à hora reduzida de 52 minutos e 30 segundos aplica-se ao vigia noturno." 85. "(...). III – O mero não atendimento das exigências legais para a compensação de jornada, inclusive quando encetada mediante acordo tácito, não implica a repetição do pagamento das horas excedentes à jornada normal diária, se não dilatada a jornada máxima semanal, sendo devido apenas o respectivo adicional. (...)." 90. "I – O tempo despendido pelo empregado, em condução fornecida pelo empregador, até o local do trabalho de difícil acesso, ou não servido por transporte regular público, e para seu retorno é computável na jornada de trabalho."
>
> "(...). Não afronta o art. 7.°, XIII, da Constituição da República, a decisão que excepciona os ocupantes de cargos de gestão do controle de jornada de trabalho" (STF – 2.ª Turma, RE 563.851 AgRg, rel. Min. Cezar Peluso, DJE, 28.03.2008).

XIV – jornada de seis horas para o trabalho realizado em turnos ininterruptos de revezamento, salvo negociação coletiva;

Doutrina

Jornada reduzida. A jornada será de seis horas, salvo se outra for estabelecida por negociação coletiva, no caso de trabalho realizado em turno corrido e em regime de revezamento, isto é, com mudança alternada de horário.

Jurisprudência

> Súmula do STF: 213. "É devido o adicional de serviço noturno, ainda que sujeito o empregado ao regime de revezamento."
>
> Enunciados do TST: 110. "No regime de revezamento, as horas trabalhadas em seguida ao repouso semanal de 24 horas, com prejuízo do intervalo mínimo de 11 horas consecutivas para descanso entre jornadas, devem ser remuneradas como extraordinárias, inclusive com o respectivo adicional." 360. "A interrupção do trabalho destinada a repouso e alimentação, dentro de cada turno, ou o intervalo para repouso semanal, não descaracteriza o turno de revezamento com jornada de 6 (seis) horas previsto no art. 7.º, inciso XIV, da CF/1988."
>
> "O fato de o empregador cumprir as normas da Consolidação das Leis do Trabalho sobre intervalo para descanso e refeição não afasta a incidência da garantia constitucional insculpida no inciso XIV do artigo 7.º da Constituição Federal: 'jornada de seis horas para o trabalho realizado em turnos ininterruptos de revezamento, salvo negociação coletiva'. O direito à jornada reduzida decorre de o prestador dos serviços ficar submetido ao revezamento e, portanto, ao trabalho em períodos diversos, respeitada a alternância semanal" (STF – 2.ª Turma, RE 208.965/SP, rel. Min. Marco Aurélio, Informativo n.º 118).

XV – repouso semanal remunerado, preferencialmente aos domingos;

Doutrina

Repouso semanal remunerado. É o instituto que tem por fim assegurar descanso semanal de pelo menos vinte e quatro horas consecutivas, devendo, preferencialmente, coincidir com o domingo, com a finalidade de garantir a recuperação física e emocional do trabalhador.

Jurisprudência

> Súmulas do STF: 201. "O vendedor pracista, remunerado mediante comissão, não tem direito ao repouso semanal remunerado." 461. "É duplo, e não triplo, o pagamento do salário nos dias destinados a descanso". 462. "No cálculo da indenização por despedida injusta inclui-se, quando devido, o repouso semanal remunerado". 464. "No cálculo da indenização por acidente do trabalho inclui-se, quando devido, o repouso semanal remunerado."
>
> Enunciados do TST: 146. "O trabalho prestado em domingos e feriados, não compensado, deve ser pago em dobro, sem prejuízo da remuneração relativa ao repouso semanal." 172. "Computam-se no cálculo do repouso remunerado as horas extras habitualmente prestadas." 225. "As gratificações por tempo de serviço e produtividade, pagas mensalmente, não repercutem no cálculo do repouso semanal remunerado."

XVI – remuneração do serviço extraordinário superior, no mínimo, em cinquenta por cento à do normal;

Doutrina

Serviço extraordinário. É aquele prestado para além da jornada normal de trabalho em face de prorrogação, quando admitida em lei. Assim sendo, independentemente dos motivos que levaram à prorrogação, o pagamento do serviço deve ser acrescido em cinquenta por cento do valor da remuneração do serviço normal.

Jurisprudência

> Súmula do STF: 593. "Incide o percentual do Fundo de Garantia do Tempo de Serviço (FGTS) sobre a parcela da remuneração correspondente a horas extraordinárias de trabalho."
>
> Enunciados do TST: 85. "(...) III – O mero não atendimento das exigências legais para a compensação de jornada, inclusive quando encetada mediante acordo tácito, não implica a repetição do pagamento das horas excedentes à jornada normal diária, se não dilatada a jornada máxima semanal, sendo devido apenas o respectivo adicional. (...). " 118. "Os intervalos concedidos pelo empregador na jornada de trabalho, não previstos em lei, representam tempo à disposição da empresa, remunerados como serviço extraordinário, se acrescidos ao final da jornada." 264. "A remuneração do serviço suplementar é composta do valor da hora normal, integrado por parcelas de natureza salarial e acrescido do adicional previsto em lei, contrato, acordo, convenção coletiva ou sentença normativa." 340. "O empregado, sujeito a controle de horário, remunerado à base de comissões, tem direito ao adicional de, no mínimo 50% (cinquenta por cento) pelo trabalho em horas extras, calculado sobre o valor-hora das comissões recebidas no mês, considerando-se como divisor o número de horas efetivamente trabalhadas."

XVII – gozo de férias anuais remuneradas com, pelo menos, um terço a mais do que o salário normal;

Doutrina

Férias anuais remuneradas. Trata-se de período obrigatório de descanso conferido ao trabalhador, após um ano de trabalho (período aquisitivo), durante o qual perceberá a remuneração mensal normal acrescida de mais um terço.

Jurisprudência

> Súmulas do STF: 198. "As ausências motivadas por acidente do trabalho não são descontáveis do período aquisitivo das férias." 199. "O salário das férias do empregado horista corresponde à média do período aquisitivo, não podendo ser inferior ao mínimo".
>
> Enunciados do TST: 7. "A indenização pelo não-deferimento das férias no tempo oportuno será calculada com base na remuneração devida ao empregado à época da reclamação ou, se for o caso, na da extinção do contrato." 46. "As faltas ou ausências decorrentes de acidente do trabalho não são consideradas para os efeitos da duração de férias e cálculo da gratificação natalina". 81. "Os dias de férias gozados após o período legal de concessão deverão ser remunerados em dobro." 328. "O pagamento das férias, integrais ou proporcionais, gozadas ou não, na vigência da CF/1988, sujeita-se ao acréscimo do terço previsto no respectivo art. 7.°, inciso XVII."
>
> "(...). Havendo o direito a férias de sessenta dias, a percentagem prevista no artigo 7.°, inciso XVII, da Constituição Federal, deve incidir sobre a totalidade da remuneração, não cabendo restringi-la ao período de trinta dias. Precedente: Ação Originária 517-3/RS" (STF – Pleno, AO 525-6/RS, rel. Min. Marco Aurélio, DJ 1, 06.04.2001, p. 66).

XVIII - licença à gestante, sem prejuízo do emprego e do salário, com a duração de cento e vinte dias;

Doutrina

Licença-maternidade. É o direito conferido à gestante de se afastar do trabalho, mantidas a relação de emprego e a remuneração percebida, pelo prazo de cento e vinte dias, para a realização do parto, recuperação física e mental da parturiente e, principalmente, para permitir a assistência à criança em seus primeiros meses de vida.

Jurisprudência

> Enunciado do TST: 244. "I – O desconhecimento do estado gravídico pelo empregador não afasta o direito ao pagamento da indenização decorrente da estabilidade (art. 10, II, "b" do ADCT). II – A garantia de emprego à gestante só autoriza a reintegração se esta se der durante o período de estabilidade. Do contrário, a garantia restringe-se aos salários e demais direitos correspondentes ao período de estabilidade. III – A empregada gestante tem direito à estabilidade provisória prevista no art. 10, inciso II, alínea "b", do Ato das Disposições Constitucionais Transitórias, mesmo na hipótese de admissão mediante contrato por tempo determinado."
>
> "I – À duração por prazo certo do contrato sobrevém gravidez que a Constituição protege com licença por 120 dias – C.F., art. 7.°, VIII – que não protege a mulher trabalhadora, mas ao nascituro e ao infante. Por isso, a temporariedade do contrato não prejudica a percepção da licença à gestante, se os últimos 120 dias da gestação têm início ainda na vigência do contrato. II – RE conhecido e não provido" (STF – 2.ª Turma, RE 287.905/SC, rel. Min. Carlos Velloso, *Informativo* 394, p. 5).

XIX – licença-paternidade, nos termos fixados em lei;

Doutrina

Licença-paternidade. É aquela concedida ao pai do recém-nascido com a finalidade de permitir que o assista nos primeiros dias de sua vida, bem como ofereça à esposa ou companheira o apoio de sua presença. A duração da licença é de cinco dias, porém, a Lei n.º 11.770, de 09.09.2008, com a alteração da Lei n.º 13.257, de 08.03.2016, faculta a prorrogação da licença por até quinze dias, mediante concessão de benefício fiscal.

Jurisprudência

> "O salário paternidade refere-se ao valor recebido pelo empregado durante os cinco dias de afastamento em razão do nascimento de filho (art. 7.º, XIX, da CF/88, c/c o art. 473, III, da CLT e o art. 10, § 1.º, do ADCT). Ao contrário do que ocorre com o salário maternidade, o salário paternidade constitui ônus da empresa, ou seja, não se trata de benefício previdenciário" (STJ – 1.ª Seção, REsp 1.230.957/DF, rel. Min. Mauro Campbell Marques, DJE, 18.03.2014).

XX – proteção do mercado de trabalho da mulher, mediante incentivos específicos, nos termos da lei;

Doutrina

Proteção do trabalho da mulher. Significa que a lei deverá estabelecer incentivos destinados a garantir mercado de trabalho à mulher para protegê-la contra a discriminação, principalmente a que decorre do sexo.

Jurisprudência

> "A Constituição Federal, em seus termos, assegura a igualdade entre homens e mulheres em direitos e obrigações (art. 5.º, I). O art. 7.º, XX, da CF/88 assegura proteção do mercado de trabalho da mulher, mediante incentivos específicos, nos termos da lei" (STJ – 1.ª Seção, REsp 1.230.957/DF, rel. Min. Mauro Campbell Marques, DJE, 18.03.2014).

XXI – aviso prévio proporcional ao tempo de serviço, sendo no mínimo de trinta dias, nos termos da lei;

Doutrina

Aviso prévio. É a notícia que a parte interessada na rescisão do contrato de trabalho dá à outra, manifestando essa sua intenção. O aviso prévio deve ser proporcional ao tempo de serviço, porém, com duração mínima de trinta dias.

Jurisprudência

> Enunciados do TST: 44. "A cessação da atividade da empresa, com o pagamento da indenização, simples ou em dobro, não exclui, por si só, o direito do empregado ao aviso prévio." 73. "A ocorrência de justa causa, salvo a de abandono de emprego, no decurso do prazo do aviso prévio dado pelo empregador, retira do empregado qualquer direito às verbas rescisórias de natureza indenizatória." 163. "Cabe aviso prévio nas rescisões antecipadas dos contratos de experiência, na forma do art. 481 da CLT." 230. "É ilegal substituir o período que se reduz da jornada de trabalho, no aviso prévio, pelo pagamento das horas correspondentes." 276. "O direito ao aviso prévio é irrenunciável pelo empregado. O pedido de dispensa de cumprimento não exime o empregador de pagar o respectivo valor, salvo comprovação de haver o prestador dos serviços obtido novo emprego." 348. "É inválida a concessão do aviso prévio na fluência da garantia de emprego, ante a incompatibilidade dos dois institutos."

XXII – redução dos riscos inerentes ao trabalho, por meio de normas de saúde, higiene e segurança;

Doutrina

Segurança e medicina do trabalho. A segurança do trabalho compreende um conjunto de providências destinado a proteger a integridade física do trabalhador, diminuindo a exposição aos riscos inerentes à sua atividade. A medicina do trabalho compreende um conjunto de medidas destinado a proteger o trabalhador das moléstias profissionais por meio da adoção de normas de saúde, higiene e segurança.

Jurisprudência

Súmula do STF: 736. "Compete à Justiça do Trabalho julgar as ações que tenham como causa de pedir o descumprimento de normas trabalhistas relativas à segurança, higiene e saúde dos trabalhadores".

Enunciado do TST: 289. "O simples fornecimento do aparelho de proteção pelo empregador não o exime do pagamento do adicional de insalubridade. Cabe-lhe tomar as medidas que conduzam à diminuição ou eliminação da nocividade, entre as quais as relativas ao uso efetivo do equipamento pelo empregado".

"Age com absoluto cumprimento ao princípio da legalidade o agente público que autua empresa que desobedece aos comandos legais que exigem a aquisição e o uso de equipamentos necessários à redução dos riscos inerentes ao trabalho (art. 7.°, XXII, CF)." (TRF5, AC 95.05.81.508/CE, rel. Juiz José Delgado, DJ 2, 11.08.1995, p. 50.495).

XXIII – adicional de remuneração para atividades penosas, insalubres ou perigosas, na forma da lei;

Doutrina

Adicional de remuneração. É um valor que se acresce ao salário do trabalhador em razão do exercício de atividade em condições de maior desgaste. A norma refere-se a adicional para as seguintes atividades: a) *penosas*, aquelas extremamente árduas e desgastantes; b) *insalubres*, aquelas especialmente prejudiciais à saúde; e c) *perigosas*, aquelas que representam risco constante para a vida e a integridade física do trabalhador.

Jurisprudência

Súmulas do STF: 212. "Tem direito ao adicional de serviço perigoso o empregado de posto de revenda de combustível líquido." 307. "É devido o adicional de serviço insalubre, calculado à base do salário mínimo da região, ainda que a remuneração contratual seja superior ao salário mínimo acrescido da taxa de insalubridade." 402. "Vigia noturno tem direito a salário adicional."

Enunciados do TST: 39. "Os empregados que operam em bomba de gasolina têm direito ao adicional de periculosidade (Lei n.º 2.573, de 15.08.1955)." 47. "O trabalho executado em condições insalubres, em caráter intermitente, não afasta, só por essa circunstância, o direito à percepção do respectivo adicional." 80. "A eliminação da insalubridade mediante fornecimento de aparelhos protetores aprovados pelo órgão competente do Poder Executivo exclui a percepção do respectivo adicional." 139. "Enquanto percebido, o adicional de insalubridade integra a remuneração para todos os efeitos legais." 191. "I – O adicional de periculosidade incide apenas sobre o salário básico e não sobre este acrescido de outros adicionais. (...)." 228. "A partir de 9 de maio de 2008, data da publicação da Súmula Vinculante nº 4 do Supremo Tribunal Federal, o adicional de insalubridade será calculado sobre o salário básico, salvo critério mais vantajoso fixado em instrumento coletivo." 248. "A reclassificação ou descaracterização da insalubridade, por ato de autoridade competente, repercute na satisfação do respectivo adicional, sem ofensa a direito adquirido ou ao princípio da irredutibilidade salarial." 289. "O simples fornecimento do aparelho de proteção pelo empregador não o exime do pagamento do adicional de insalubridade. Cabe-lhe tomar as medidas que conduzam à diminuição ou eliminação da nocividade, entre as quais as relativas ao uso efetivo do equipamento pelo empregado." 361. "O trabalho exercido em condições perigosas, embora de forma intermitente, dá direito ao empregado a receber o adicional de periculosidade de forma integral, porque a Lei n.º 7.369, de 20.09.1985, não estabeleceu nenhuma proporcionalidade em relação ao seu pagamento."

XXIV – aposentadoria;

Doutrina

Aposentadoria. É o direito ao ócio remunerado conferido àquele que reunir os requisitos legais necessários. É direito de índole previdenciária, exercitável normalmente após o cumprimento de prazo de carência e de idade mínima, e outorga ao seu titular a percepção de um provento mensal em caráter vitalício.

Jurisprudência

Súmulas do STF: 217. "Tem direito de retornar ao emprego, ou ser indenizado em caso de recusa do empregador, o aposentado que recupera a capacidade de trabalho dentro de cinco anos a contar da aposentadoria, que se torna definitiva após esse prazo." 219. "Para a indenização devida a empregado que tinha direito a ser readmitido, e não foi, levam-se em conta as vantagens advindas à sua categoria no período do afastamento." 220. "A indenização devida a empregado estável, que não é readmitido, ao cessar sua aposentadoria, deve ser paga em dobro." 243. "Em caso de dupla aposentadoria, os proventos a cargo do IAPFESP não são equiparáveis aos pagos pelo Tesouro Nacional, mas calculados à base da média salarial nos últimos doze meses de serviço". 726. "Para efeito de aposentadoria especial de professores, não se computa o tempo de serviço prestado fora da sala de aula".

Enunciados do TST: 97. "Instituída complementação de aposentadoria por ato da empresa, expressamente dependente de sua regulamentação, as condições desta devem ser observadas como parte integrante da norma." 160. "Cancelada a aposentadoria por invalidez, mesmo após cinco anos, o trabalhador terá direito de retornar ao emprego, facultado, porém, ao empregador, indenizá-lo na forma da lei." 288. "I – A complementação dos proventos de aposentadoria, instituída, regulamentada e paga diretamente pelo empregador, sem vínculo com as entidades de previdência privada fechada, é regida pelas normas em vigor na data da admissão do empregado, ressalvadas as alterações mais benéficas (art. 468 da CLT). (...)".

XXV - assistência gratuita aos filhos e dependentes desde o nascimento até 5 (cinco) anos de idade em creches e pré-escolas;

Doutrina

Assistência gratuita em creches e pré-escolas. A assistência independe de qualquer prestação por parte do trabalhador. Trata-se de dever do Estado prestá-la, gratuitamente, por meio de uma rede de creches e pré-escolas, com o objetivo de melhorar as condições de vida das crianças oriundas das classes sociais menos favorecidas.

Jurisprudência

"I. Os valores pagos a título de auxílio-creche não podem integrar o salário-contribuição. II. O auxílio-creche tem caráter de reembolso das despesas decorrentes da internação em creches, ou do pagamento das babás. Constituindo-se um reembolso, não há incorporação ao patrimônio do empregado, nem se configura a habitualidade necessária para que seja entendido como parcela da remuneração, de modo a justificar a incidência da contribuição previdenciária prevista no inciso I do artigo 28 da Lei 8.212/91. III. O reembolso decorre exatamente da exigência assistencial do inciso XXV do artigo

7.° da Constituição Federal, no sentido da assistência gratuita aos filhos e dependentes, e legal (art. 389 da CLT), de que os estabelecimentos com número superior a trinta empregados do sexo feminino mantenham creches a fim de prestar o necessário atendimento aos filhos das empregadas. Em substituição a essa exigência, o Ministério do Trabalho, através da Portaria n.° 3.296, de 03 de setembro de 1986, autorizou o sistema reembolso-creche, condicionando tão somente que o referido sistema venha estipulado em acordo ou em convenção coletiva. IV. Apelação e remessa necessária improvidas" (TRF3, ApReeNec 329.828/SP, rel. Juiz Federal Convocado Leonel Ferreira, e-DJF3 Judicial 1, 26.08.2011, p. 329).

XXVI – reconhecimento das convenções e acordos coletivos de trabalho;

Doutrina

Convenção coletiva. É o acordo que estabelece normas para regular as relações de trabalho e outros interesses econômicos e sociais negociados entre um ou mais sindicatos de categorias econômicas e profissionais.

Acordo coletivo. É aquele firmado pelo sindicato da categoria profissional com uma ou mais empresas, para reger as relações destas com seus empregados.

Jurisprudência

Enunciado do TST: 51. "I – As cláusulas regulamentares, que revoguem ou alterem vantagens deferidas anteriormente, só atingirão os trabalhadores admitidos após a revogação ou alteração do regulamento. (...)."

"Inconstitucionalidade do inciso XVI do art. 41 da Constituição baiana. Não é possível, no âmbito da legislação estadual, assegurar aos funcionários públicos 'reconhecimento das convenções e acordos coletivos do trabalho', por se tratar de direito reservado aos trabalhadores privados que a Constituição Federal não quis, de expresso, incluir no rol dos direitos dos trabalhadores constantes de seu art. 7.°, aplicáveis aos funcionários públicos civis da União, Estados, Distrito Federal e Municípios, nos termos do § 2.° do art. 39 da Lei Maior. Constituição Federal, arts. 37; 61, parágrafo único, incisos I e II" (STF – Pleno, ADIN 112-4/BA, rel. Min. Néri da Silveira, DJ 1, 09.02.1996, p. 2.102).

XXVII – proteção em face da automação, na forma da lei;

Doutrina

Proteção em face da automação. Automação é o processo de substituição do trabalho humano por máquinas e equipamentos industriais. A norma constitucional não deseja, evidentemente, obstar tal processo e sim determinar ao legislador ordinário que, em face de sua irreversibilidade, institua mecanismos de proteção ao trabalhador.

Jurisprudência

Enunciado do TST: 346. "Os digitadores, por aplicação analógica do art. 72 da CLT, equiparam-se aos trabalhadores nos serviços de mecanografia (datilografia, escrituração ou cálculo), razão pela qual têm direito a intervalos de descanso de 10 (dez) minutos a cada 90 (noventa) de trabalho consecutivo."

O trabalho de digitação enquadra-se no conceito de mecanografia e é mais penoso que o dos datilógrafos, sendo, pois, razoável a aplicação, por analogia (CLT, art. 8.°), da norma contida no art. 72 do estatuto laboral (TRT2, DOE, 3.11.87, p. 57).

XXVIII – seguro contra acidentes de trabalho, a cargo do empregador, sem excluir a indenização a que este está obrigado, quando incorrer em dolo ou culpa;

Doutrina

Seguro contra acidentes de trabalho. É de contratação obrigatória pelo empregador, que deverá arcar com os custos do prêmio e demais despesas.

Indenização. A contratação de seguro não exclui o empregador do dever de indenizar nos casos em que incorrer em dolo ou culpa.

Jurisprudência

Súmulas do STF: 229. "A indenização acidentária não exclui a do direito comum, em caso de dolo ou culpa grave do empregador." 337. "A controvérsia entre o empregador e o segurador não suspende o pagamento devido ao empregado por acidente do trabalho". 464. "No cálculo da indenização por acidente do trabalho inclui-se, quando devido, o repouso semanal remunerado". 501. "Compete à Justiça Ordinária Estadual o processo e o julgamento, em ambas as instâncias, das causas de acidente do trabalho, ainda que promovidas contra a União, suas autarquias, empresas públicas ou sociedades de economia mista". 529. "Subsiste a responsabilidade do empregador pela indenização decorrente de acidente do trabalho, quando o segurador, por haver entrado em liquidação, ou por outro motivo, não se encontrar em condições financeiras, de efetuar, na forma da lei, o pagamento que o seguro obrigatório visa garantir."

"Recurso extraordinário. Ação acidentária. Alegada contrariedade aos arts. 5.°, II, e 7.°, XXVIII, da Constituição Federal. O acórdão recorrido, para concluir que o acidentado não fazia jus ao tratamento de recuperação e readaptação, interpretou normas da legislação previdenciária, não enfrentando o tema diante do dispositivo da Constituição, até mesmo por absoluta ausência de formal provocação, na via dos embargos declaratórios. Agravo regimental improvido" (STF – 1.ª Turma, AgI 145.836/SP AgRg, rel. Min. Ilmar Galvão, DJ1, 07.05.1993, p. 8.334).

XXIX – ação, quanto aos créditos resultantes das relações de trabalho, com prazo prescricional de cinco anos para os trabalhadores urbanos e rurais, até o limite de dois anos após a extinção do contrato de trabalho;

Doutrina

Prescrição e créditos trabalhistas. Prescrição é a perda do direito de ação pelo seu não uso dentro do prazo legal. No caso de créditos decorrentes das relações de trabalho, o prazo prescricional é de cinco anos, para trabalhadores urbanos ou rurais, contados do momento em que o crédito poderia ser exigido por meio de ação judicial, ou dentro do prazo de dois anos da extinção do contrato de trabalho.

Jurisprudência

Súmulas do STF: 230. "A prescrição da ação de acidente do trabalho conta-se do exame pericial que comprovar a enfermidade ou verificar a natureza da incapacidade." 327. "O direito trabalhista admite a prescrição intercorrente." 349. "A prescrição atinge somente as prestações de mais de dois anos, reclamadas com fundamento em decisão normativa da Justiça do Trabalho, ou em convenção coletiva de trabalho, quando não estiver em causa a própria validade de tais atos".

Enunciados do TST: 114. "É inaplicável na Justiça do Trabalho a prescrição intercorrente." 153. "Não se conhece de prescrição não arguida na instância ordinária." 268. "A ação trabalhista, ainda que arquivada, interrompe a prescrição somente em relação aos pedidos idênticos." 294. "Tratando-se de ação que envolva pedido de prestações sucessivas decorrente de alteração do pactuado, a prescrição é total, exceto quando o direito à parcela esteja também assegurado por preceito de lei." 308. "(...). II – A norma constitucional que ampliou a prescrição da ação trabalhista para cinco anos é de aplicação imediata e não atinge pretensões já alcançadas pela prescrição bienal quando da promulgação da CF/1988."

XXX – proibição de diferença de salários, de exercício de funções e de critério de admissão por motivo de sexo, idade, cor ou estado civil;

Doutrina

Proibição de discriminação por motivo de sexo, idade, cor ou estado civil. Trata-se de aplicação do princípio da igualdade, vedando a norma constitucional a adoção de qualquer medida que redunde em diferença de salários, de exercício de funções ou de critério de admissão.

Jurisprudência

Súmulas do STF: 202. "Na equiparação de salário, em caso de trabalho igual, toma-se em conta o tempo de serviço na função, e não no emprego". 683. "O limite de idade para a inscrição em concurso público só se legitima em face do art. 7.º, XXX, da Constituição, quando possa ser justificado pela natureza das atribuições do cargo a ser preenchido".

"A Constituição Federal, em face do princípio da igualdade, aplicável ao sistema de pessoal civil, veda diferença de critérios de admissão em razão de idade, ressalvadas as hipóteses expressamente previstas na lei e aquelas em que a referida limitação constitua requisito necessário em face da natureza e das atribuições do cargo a preencher." (STF – 1.ª Turma, RE 140.945/RJ, rel. Min. Ilmar Galvão, DJ 1, 22.09.1995, p. 30.600).

"I. Pode a lei, desde que o faça de modo razoável, estabelecer limites mínimo e máximo de idade para ingresso em funções, emprego e cargos públicos. Interpretação harmônica dos artigos 7.º, XXX, 39, § 2.º, 37, I, da Constituição Federal. II. O limite de idade, no caso, para inscrição em concurso público e ingresso na carreira de Auditor Fiscal do Tesouro Nacional, não se assenta em exigência etária ditada pela natureza das funções do cargo, dado que o edital excetua da discriminação os ocupantes de cargo ou emprego da Administração Federal Direta e Autarquias. A limitação, portanto, é ofensiva à Constituição, art. 7.º, XXX, 'ex vi' do art. 39, § 2.º" (STF – 2.ª Turma, RE 156.972/PA, rel. Min. Carlos Velloso, Informativo n.º 55).

XXXI – proibição de qualquer discriminação no tocante a salário e critérios de admissão do trabalhador portador de deficiência física;

Doutrina

Proibição de discriminação do trabalhador com deficiência. A norma veda a discriminação do trabalhador com deficiência física ou mental quanto a salário e critérios de admissão. Contudo, não há que falar em discriminação quando a atividade se mostra incompatível com a capacidade física ou mental da pessoa com deficiência.

Jurisprudência

"IV. No tocante à exigência do teste de HIV, mister se faz ressaltar que o cerne da questão posta nos autos reside na observância a preceito constitucional, mais precisamente, ao disposto no artigo 5.º da Carta Magna vigente. V. Por sua vez, o artigo 7.º da Constituição Federal, o qual, dentre outros direitos dos trabalhadores que visem à melhoria de sua condição social, proíbe diferença de salários, de exercício de funções e de critério de admissão por motivo de sexo, idade, cor ou estado civil (XXX), bem como qualquer discriminação no tocante a salário e critérios de admissão do trabalhador portador de deficiência (XXXI). VI. A Convenção n.º 111 da OIT, ao seu turno, em seu artigo 1.º, conceitua a discriminação nas relações trabalhistas nos seguintes termos: 'Discriminação é a distinção, exclusão ou preferência fundada em raça, cor, sexo, religião, opinião política, ascendência nacional, origem social ou outra distinção, exclusão ou preferência especificada pelo Estado-Membro interessado, qualquer que seja sua origem jurídica ou prática e que tenha por fim anular ou alterar a igualdade de oportunidades ou de tratamento no emprego ou profissão'" (TRF5, ApReeNec 11.716/05, rel. Des. Fed. Nilcéa Maria Barbosa Maggi, DJE, 24.03.2011, p. 664).

XXXII – proibição de distinção entre trabalho manual, técnico e intelectual ou entre os profissionais respectivos;

Doutrina

Distinção pela natureza do trabalho. Esta discriminação é vedada porque fere o princípio da igualdade. Consequência relevante da norma é a proibição da existência de legislação específica para trabalho manual, técnico ou intelectual, sem prejuízo, por evidente, da existência de regulamentação própria de cada profissão.

Jurisprudência

"Pode o empregador – no caso ente autárquico – estabelecer, por norma regulamentar de caráter geral, diferentes efeitos para o tempo de serviço de seu pessoal, em relação a cada categoria funcional, a que têm livre acesso todos os integrantes do quadro, desde que satisfaçam os requisitos exigidos para cada uma delas. O que viola o princípio da isonomia é tratar iguais como desiguais e, consequentemente, desiguais como iguais" (TST – 3.ª Turma, RR 30.120/RS, rel. Min. Manoel Mendes de Freitas, DJ 1, 13.11.1992, p. 20.995).

XXXIII – proibição de trabalho noturno, perigoso ou insalubre a menores de dezoito e de qualquer trabalho a menores de dezesseis anos, salvo na condição de aprendiz, a partir de quatorze anos;

Doutrina

Proibição de trabalho do menor. A norma constitucional tem por objetivo a proteção da integridade física e mental do menor e o faz estabelecendo o seguinte: a) *proibição de trabalho em razão da idade* – é proibido qualquer trabalho ao menor de quatorze anos; b) *exceção ao aprendiz* – ressalva o trabalho na condição de aprendiz, que é o menor de quatorze a dezoito anos, que se inicia no aprendizado de uma profissão; c) *proibição de trabalho em condições adversas* – é proibido ao menor de dezoito anos o trabalho noturno, perigoso ou insalubre.

Jurisprudência

Súmula do STF: 205. "Tem direito a salário integral o menor não sujeito a aprendizagem metódica".

"I – Demonstrada a prestação de serviço como trabalhador rural, é de se considerar o período para aposentadoria por tempo de serviço. II – O fato de o apelado ter trabalhado quando ainda menor de dezoito anos não obsta a contagem de tempo, pois tanto a Consolidação das Leis do Trabalho reconhece tal possibilidade (art. 402) quanto a Constituição Federal (art. 7.º, XXXIII)" (TRF3 – 1.ª Turma, AC 90.03.003176/SP, rel. Juiz Silveira Bueno, DOE, 23.09.1991, p. 101).

XXXIV – igualdade de direitos entre o trabalhador com vínculo empregatício permanente e o trabalhador avulso.

Doutrina

Igualdade de direitos entre empregados e avulsos. A norma estabelece igualdade de direitos entre o empregado, aquele que exerce a atividade contínua, mediante subordinação ao empregador, e o trabalhador avulso, ou eventual, aquele que presta serviços descontínuos, sem vínculo de emprego e mediante intermediação do sindicato próprio. Releva observar que a extensão de direitos é plena, mas na medida da compatibilidade de direitos de uma e outra categoria de trabalhadores.

Jurisprudência

> Súmula do STF: 195. "Contrato de trabalho para obra certa, ou de prazo determinado, transforma-se em contrato de prazo indeterminado, quando prorrogado por mais de quatro anos".

Parágrafo único. São assegurados à categoria dos trabalhadores domésticos os direitos previstos nos incisos IV, VI, VII VIII, X, XIII, XV, XVI, XVII, XVIII, XIX, XXI, XXII, XXIV, XXVI, XXX, XXXI e XXXIII e, atendidas as condições estabelecidas em lei e observada a simplificação do cumprimento das obrigações tributárias, principais e acessórias, decorrentes da relação de trabalho e suas peculiaridades, os previstos nos incisos I, II, III, IX, XII, XXV e XXVIII, bem como a sua integração à previdência social.

Doutrina

Trabalhadores domésticos e direitos. Trabalhadores domésticos são aqueles que prestam serviços contínuos, mediante subordinação e recebimento de salário, no âmbito do lar, em atividades típicas deste, portanto sem finalidade lucrativa. A norma constitucional estendeu-lhe direitos comuns a outros trabalhadores, como o salário mínimo, proteção contra a irredutibilidade salarial, décimo terceiro salário, repouso semanal remunerado, gozo de férias anuais remuneradas, acrescidas do terço constitucional, licença à gestante, licença-paternidade, aviso prévio proporcional ao tempo de serviço, direito ao FGTS e integração à previdência social.

Jurisprudência

> "A Constituição Federal preceitua que são direitos dos trabalhadores urbanos e rurais, além de outros que visem à melhoria de sua condição social, salário mínimo, fixado em lei, nacionalmente unificado, capaz de atender às suas necessidades vitais básicas e as de sua família, com moradia, alimentação, educação, saúde, lazer, vestuário, higiene, transporte e previdência social, com reajustes periódicos que lhe preserve o poder aquisitivo, sendo vedada a sua vinculação para qualquer fim" (STF – 2.ª Turma, AgI 178.786-5/RS AgRg, rel. Min. Maurício Corrêa, DJ 1, 01.07.1996, p. 23.877).

Art. 8.º É livre a associação profissional ou sindical, observado o seguinte:

Doutrina

Liberdade de associação profissional ou sindical. A norma consagra o princípio da liberdade associativa. Associação profissional é aquela constituída para a defesa de interesses profissionais dos exercentes de uma profissão. Sindicato é a associação que tem por fim a defesa dos interesses de uma categoria profissional (sindicato de trabalhadores) ou econômica (sindicato de empresas). Trata-se de pessoa jurídica de direito privado, ainda quando exerça atribuição de interesse público.

Jurisprudência

"1. Associação profissional detém legitimidade 'ad causam' para impetrar mandado de injunção tendente a colmatação de lacuna da disciplina legislativa alegadamente necessária ao exercício da liberdade de converter-se em sindicato (CF, art. 8.º). 2. Não há interesse processual necessário à impetração de mandado de injunção, se o exercício do direito, da liberdade ou da prerrogativa constitucional da requerente não está inviabilizado pela falta de norma infraconstitucional, dada a recepção de direito ordinário anterior" (STF – Pleno, MI 144/SP, rel. Min. Sepúlveda Pertence, j. 03.08.1992).

"A Constituição Federal, ao pronunciar a liberdade e autonomia sindicais, desatrelou o sindicato do Estado e reconheceu expressamente que podem e devem os trabalhadores decidir sobre a necessidade, oportunidade e conveniência de disporem de direitos até então indisponíveis. A assistência sindical garante a liberdade na manifestação de vontade, sendo válido acordo que flexibilize direitos, quando por trás da pactuação se pretende atender ao interesse coletivo e manter postos de trabalho" (TRT2 – 10.ª Turma, RO 02960479526/SP, rel. Juíza Maria Inês Santos Alves da Cunha, j. 31.03.1998).

Súmula do TFR: 156. "Sindicatos representativos de atividades econômicas ou profissionais idênticas, ou categoria econômica específica, podem organizar-se em federação".

I – a lei não poderá exigir autorização do Estado para a fundação de sindicato, ressalvado o registro no órgão competente, vedadas ao Poder Público a interferência e a intervenção na organização sindical;

Doutrina

Princípio da liberdade sindical. A norma assegura a livre criação de sindicato, que não depende de autorização do Estado para tal, salvo o registro no órgão competente. De outro lado, garante a autonomia de funcionamento do sindicato ao vedar a ingerência estatal na sua organização.

Jurisprudência

> A liberdade sindical é assegurada pelo art. 8.°, I, da Constituição, ao estabelecer que a criação de sindicato inexige autorização do Estado. Portanto, não viola a norma a exigência de simples registro reclamado pelo sistema normativo pátrio para a constituição válida de qualquer pessoa jurídica de direito privado (STF, RTJ 147/868).
>
> "A função de salvaguarda da unicidade sindical induz a sediar, 'si et in quantum', a competência para o registro das entidades sindicais no Ministério do Trabalho, detentor do acervo das informações imprescindíveis ao seu desempenho" (STF – Pleno, MI 144/SP, rel. Min. Sepúlveda Pertence, j. 03.08.1992).

II – é vedada a criação de mais de uma organização sindical, em qualquer grau, representativa de categoria profissional ou econômica, na mesma base territorial, que será definida pelos trabalhadores ou empregadores interessados, não podendo ser inferior à área de um Município;

Doutrina

Princípio da unicidade sindical. Significa que não poderá existir, na mesma base territorial, mais de um sindicato do mesmo grau representante de categoria profissional ou econômica.

Jurisprudência

"A existência, na mesma base territorial, de entidades sindicais que representam extratos diversos da vasta categoria dos servidores públicos – funcionários públicos pertencentes à Administração direta, de um lado, e empregados públicos vinculados a entidades paraestatais, de outro, e regime jurídico próprio – não ofende o princípio da unicidade sindical" (STF – 1.ª Turma, RE 159.228/DF, rel. Min. Celso de Mello, DJ 1, 27.10.1994, p. 29.168).

III – ao sindicato cabe a defesa dos direitos e interesses coletivos ou individuais da categoria, inclusive em questões judiciais ou administrativas;

Doutrina

Funções do sindicato. Entre as suas funções, radica-se a de defesa dos direitos e interesses coletivos ou individuais da categoria que representa, tanto no plano administrativo quanto no judicial. Contudo, não se trata de substituição processual irrestrita, devendo esta ocorrer nas hipóteses autorizadas por lei.

Jurisprudência

> Sindicato não tem legitimidade ativa para, em nome de seus associados, buscar a extensão de reajuste salarial concedido a outra categoria porque não se trata de direito pertinente à mesma e nem próprio de coletividade (TRF4, RT, 740/440).

IV – a assembleia geral fixará a contribuição que, em se tratando de categoria profissional, será descontada em folha, para custeio do sistema confederativo da representação sindical respectiva, independentemente da contribuição prevista em lei;

Doutrina

Contribuição para custeio do sistema confederativo. É aquela fixada pela assembleia geral que, em se tratando de categoria profissional, será descontada em folha e destinada a financiar as atividades do sistema confederativo da representação sindical respectiva.

Contribuição sindical. É a contribuição compulsória instituída por lei e devida pelos integrantes de categoria econômica ou profissional e destinada ao custeio das atividades dos sindicatos.

Jurisprudência

> Súmula Vinculante do STF: 40. "A contribuição confederativa de que trata o art. 8.º, IV, da Constituição Federal, só é exigível dos filiados ao sindicato respectivo".
>
> Súmulas do TFR: 87. "Compete à Justiça Comum Estadual o processo e julgamento da ação de cobrança de contribuições sindicais." 114. "Compete à Justiça Comum Estadual processar e julgar as causas entre os sindicatos e seus associados."
>
> Distinguem-se as chamadas contribuições confederativa e sindical. Esta é compulsória, instituída por lei no interesse das categorias profissionais (CF, art. 149), e tem natureza tributária; enquanto aquela é instituída pela assembleia geral (CF, art. 8.º, IV) e é compulsória apenas para os filiados do sindicato, não atingindo os não-filiados (STF, RT, 736/142).
>
> "A contribuição assistencial tem natureza convencional, porquanto resulta de deliberação em assembleia geral e de convenção coletiva, por isso mesmo não obrigando aos empregados que não sejam filiados ao sindicato que a pretende." (STJ – 1.ª Turma, REsp 53.604/SP, rel. Min. César Asfor Rocha, DJ 1, 28.11.1994, p. 32.582).

V – ninguém será obrigado a filiar-se ou a manter-se filiado a sindicato;

Doutrina

Liberdade de filiação. A filiação ou desfiliação a sindicato de categoria profissional ou econômica é livre e independe de qualquer tipo de autorização ou cumprimento de requisito, salvo o de pertencer à categoria daqueles que podem ingressar nos seus quadros.

Jurisprudência

> "Ninguém será obrigado a filiar-se ou manter-se filiado a sindicato (CF, art. 8.º, V). O sindicato não pode compelir os não filiados para obrigá-los a pagar-lhe contribuição assistencial nem obrigar aos filiados a permanecerem no sindicato" (STJ – 1.ª Turma, REsp 56.310/SP, rel. Min. Garcia Vieira, DJ 1, 20.02.1995, p. 3.161).

VI – é obrigatória a participação dos sindicatos nas negociações coletivas de trabalho;

Doutrina

Participação dos sindicatos nas negociações coletivas. A negociação coletiva é o meio destinado a solucionar os conflitos de interesses entre patrões e empregados, de forma a conduzi-los à autocomposição capaz de gerar um acordo ou uma convenção coletiva. A norma obriga a participação dos sindicatos em todas as fases da negociação coletiva.

Jurisprudência

> "(...). Obrigatória a participação dos sindicatos nas negociações coletivas, com prerrogativa de celebrar convenção ou acordo coletivo, inclusive, contendo de redutibilidade salarial, como se infere do disposto nos arts. 7.º, VI, e art. 8.º, VI, da Constituição da República" (TST – 1.ª Turma, RR 87.106/MG, rel. Min. Indalécio Gomes Neto, DJ 1, 22.04.1994, p. 9.055).

VII – o aposentado filiado tem direito a votar e ser votado nas organizações sindicais;

Doutrina

Sufrágio nas organizações sindicais. Sufrágio é o direito de votar e ser votado. Nas organizações sindicais, todos os filiados que cumprirem os requisitos previstos na lei têm direito ao sufrágio e o que pretende a norma é evitar a discriminação do aposentado.

Jurisprudência

> "Sindicato representa categoria profissional. 'Protocolo de Intenções' ou de acordo que celebra não abrange inativo ou pensionista, a menos que se trate de filiado (CF, art. 8.º, II e VII c/c o art. 513, *a*, da CLT" (STJ – 5.ª Turma, REsp 31.931/SP, rel. Min. Jesus Costa Lima, DJ 1, 14.03.1994, p. 4.529).

VIII – é vedada a dispensa do empregado sindicalizado a partir do registro da candidatura a cargo de direção ou representação sindical e, se eleito, ainda que suplente, até um ano após o final do mandato, salvo se cometer falta grave nos termos da lei;

Doutrina

Estabilidade Especial. É a garantia provisória de emprego conferida ao empregado sindicalizado eleito para o exercício efetivo ou a suplência de cargo diretivo ou de representação do sindicato. A dispensa, salvo se cometer falta grave, é vedada desde o registro da candidatura até um ano após o final do mandato.

Jurisprudência

> Súmulas do STF: 197. "O empregado com representação sindical só pode ser despedido mediante inquérito em que se apure falta grave." 403. "É de decadência

o prazo de trinta dias para instauração do inquérito judicial, a contar da suspensão, por falta grave, de empregado estável."

Enunciado do TST: 339. "I – O suplente da CIPA goza da garantia de emprego prevista no art. 10, inciso II, alínea 'a', do ADCT a partir da promulgação da Constituição Federal de 1988. (...)."

"1. A jurisprudência do Supremo Tribunal Federal é firme no sentido de que a norma constitucional prevista no art. 8.º, VIII, dispõe de forma ampla acerca da estabilidade provisória, referindo-se genericamente ao empregado sindicalizado, candidato a cargo de direção ou representação de entidade sindical ou de associação profissional. 2. Inaplicável o art. 85, § 11, do CPC/2015, uma vez que não houve fixação de honorários advocatícios. 3. Agravo interno a que se nega provimento" (STF – 1.ª Turma, ARE 646.861/PB AgRg, rel. Min. Roberto Barroso, Sessão Virtual de 10 a 16.03.2017).

Parágrafo único. As disposições deste artigo aplicam-se à organização de sindicatos rurais e de colônias de pescadores, atendidas as condições que a lei estabelecer.

Doutrina

Extensão de direitos. À organização de sindicatos rurais e de colônias de pescadores aplicam-se as normas deste artigo, na forma e segundo as condições previstas em lei. Trata-se de aplicação do princípio da isonomia.

Jurisprudência

"(...). Sindicato Rural. Contribuição confederativa. Fixação. Necessidade da existência de norma regulamentadora. Parágrafo único do art. 8.º da Constituição Federal" (TJSP – 9.ª Câmara Civil, AC 211.129-2, rel. Des. Debatin Cardoso, JTJ/SP-LEX-147, p. 45).

Art. 9.º É assegurado o direito de greve, competindo aos trabalhadores decidir sobre a oportunidade de exercê-lo e sobre os interesses que devam por meio dele defender.

Doutrina

Direito de greve. Greve é a interrupção combinada e temporária da prestação de serviços pelos trabalhadores com o fim de obter um direito ou defender um interesse. O direito de greve é uma garantia constitucional, devendo os trabalhadores decidirem sobre o momento mais oportuno de seu exercício – paralisando as atividades e até que ponto mantendo a paralisação – e quais os interesses – condições de trabalho, cumprimento de contrato etc. – merecerão defesa. É intuitivo que deverá ser exercido de forma legítima e encontra limites no cotejo com outros direitos e limites impostos pela Constituição. Por último, o artigo 17 da Lei n.º 7.783/89, veda o *lockout*, a paralisação das atividades pelo empregador com o objetivo de frustrar a negociação ou dificultar o atendimento das reivindicações dos empregados.

Jurisprudência

Súmula do STF: 316. "A simples adesão a greve não constitui falta grave."

Enunciado do TST: 189. "A Justiça do Trabalho é competente para declarar a abusividade, ou não, da greve".

"O reconhecimento judicial da abusividade do direito de greve e a interpretação do alcance da Lei n. 7.783/89 qualificam-se como matérias revestidas de caráter simplesmente ordinário, podendo traduzir, quando muito, situação configuradora de ofensa meramente reflexa ao texto da Constituição, o que basta, por si só, para inviabilizar o reconhecimento do recurso extraordinário. Precedentes" (STF – 2.ª Turma, AgI 282.682, rel. Min. Celso de Mello, DJ 1, 21.06.2002).

"A tentativa de autocomposição, expressamente prevista no art. 114, §§ 1.º e 2.º, da Constituição Fede-

> ral, como pressuposto específico para o ajuizamento de dissídio coletivo, é também consagrada no art. 3.º da Lei n.º 7.783/89 como antecedente necessário à paralisação do processo produtivo que, enquanto instrumento extremo de pressão, da etapa negocial não pode prescindir, sob pena de caracterizar-se abusivo" (TST – Pleno, RODC 180.752-95, rel. Min. Armando de Brito, j. 23.10.1995).

§ 1.º A lei definirá os serviços ou atividades essenciais e disporá sobre o atendimento das necessidades inadiáveis da comunidade.

Doutrina

Serviços ou atividades essenciais. São aqueles necessários e indispensáveis à vida em coletividade. Na verdade, aqueles definidos como tais pela norma legal, por exemplo: tratamento e abastecimento de água, produção e distribuição de energia elétrica, gás e combustíveis, assistência médica e hospitalar, transporte coletivo etc.

Necessidades inadiáveis da comunidade. São aquelas cujo atendimento deve ocorrer de pronto, sob pena de se colocar em risco de perigo iminente a sobrevivência, a saúde ou a segurança da população.

Jurisprudência

> O direito de greve está assegurado na Constituição Federal inclusive nos serviços ou atividades essenciais. Contudo, quanto a estes, a Lei n.º 7.783/89 dispõe que os sindicatos, os empregadores e os trabalhadores são obrigados, de comum acordo, a garantir, durante a greve, a prestação dos mesmos. Se a categoria profissional não cumpriu a lei, o movimento grevista é ilegal (TST, ROIG n.º 105.335/RS, DJ 1, 07.04.1995).

§ 2.º Os abusos cometidos sujeitam os responsáveis às penas da lei.

Doutrina

Abuso do direito de greve. É todo e qualquer ato que implique violação da lei de greve, injusta continuação do movimento após a celebração de acordo, convenção coletiva ou sentença normativa, ou, ainda, ofensa a direito de outrem.

Jurisprudência

> Súmula do TFR: 115. "Compete à Justiça Federal processar e julgar os crimes contra a organização do trabalho, quando tenham por objeto a organização geral do trabalho ou direitos dos trabalhadores considerados coletivamente".

Art. 10. É assegurada a participação dos trabalhadores e empregadores nos colegiados dos órgãos públicos em que seus interesses profissionais ou previdenciários sejam objeto de discussão e deliberação.

Doutrina

Participação de trabalhadores e empregadores em órgãos colegiados. É direito de participação, coletivo e social, que assegura assento aos trabalhadores e empregadores nos órgãos colegiados da Administração Pública destinados a discutir e deliberar sobre questões de natureza laboral ou previdenciária. São exemplos: o Conselho Curador do FGTS, os Conselhos e Juntas de Recursos da Previdência Social, o Conselho Federal de Mão-de-Obra etc.

Jurisprudência

"O art. 10 da Constituição Federal se insere na classe das normas constitucionais que gozam de eficácia limitada e dependem de integração legislativa ordinária. Inexiste, pois, amparo legal capaz de reverter em malferimento a direito líquido e certo da impetrante-recorrente, a ausência de determinação dos Senhores Secretário de Segurança Pública e Diretor-Geral da Polícia Civil, ambos do Estado de Goiás, para que um representante da União Goiana dos Policiais Civis – UGOPOCI fizesse parte do Conselho Superior da Polícia Civil local" (STJ – 2.ª Turma, ROMS 9.495, rel. Min. Paulo Medina, DJ, 13.05.2002, p. 177).

Art. 11. Nas empresas de mais de duzentos empregados, é assegurada a eleição de um representante destes com a finalidade exclusiva de promover-lhes o entendimento direto com os empregadores.

Doutrina

Representação de trabalhadores perante a empresa. Trata-se de outro aspecto do direito de representação e consiste na eleição, pelos trabalhadores de empresas com mais de duzentos empregados, de representante para promover as gestões necessárias ao bom entendimento entre estes e seus empregadores. A representação se dará por qualquer meio, inclusive através do preenchimento de cargo na diretoria da empresa.

Jurisprudência

> "Manda-se observar os precedentes normativos de números 140, 136, 22 e 138, este adaptado à redação do art. 11 da Carta Magna. Cláusulas: pagamento em dobro nos domingos e feriados não compensados; creche; eleição de representante dos trabalhadores junto à direção da empresa" (TST, RODC 1.077/SP, rel. Min. Orlando Teixeira da Costa, decisão de 07.08.1990, DJ 1, 12.10.1990, p. 11.114).

CAPÍTULO III
DA NACIONALIDADE

Art. 12. São brasileiros:

I – natos:

a) os nascidos na República Federativa do Brasil, ainda que de pais estrangeiros, desde que estes não estejam a serviço de seu país;

b) os nascidos no estrangeiro, de pai brasileiro ou mãe brasileira, desde que qualquer deles esteja a serviço da República Federativa do Brasil;

c) os nascidos no estrangeiro de pai brasileiro ou de mãe brasileira, desde que sejam registrados em repartição brasileira competente ou venham a residir na República Federativa do Brasil e optem, em qualquer tempo, depois de atingida a maioridade, pela nacionalidade brasileira;

Doutrina

Nacionalidade. É o vínculo de natureza legal e política que se estabelece entre a pessoa e o Estado. Aquela subordina-se ao estatuto normativo estabelecido por este ao organizar, do ponto de vista jurídico, a Nação. Não se confunde com o conceito de cidadania, pois esta confere ao nacional o gozo de direitos políticos, desde que satisfeitos os requisitos legais para a sua fruição.

Nacionalidade brasileira. É conferida pela Constituição Federal à pessoa que se encontre numa das situações previstas pela norma constitucional. Assim, a nacionalidade brasileira será primária ou secundária, segundo a ocorrência de eventos como o nascimento, a ligação de sangue ou a manifestação da vontade de adquiri-la.

Brasileiros natos. São aqueles cuja nacionalidade decorre do evento nascimento, sendo-lhes atribuída em caráter primário ou originário, segundo o critério do local de nascimento ou da consanguinidade.

***Princípio do* jus solis**. A nacionalidade brasileira é conferida a todo aquele que nasce em território brasileiro (brasileiro nato), no sentido jurídico da expressão, ainda que filho de pai e mãe estrangeiros, salvo se estes – pai ou mãe – estiverem em território nacional a serviço de seu país.

Aplicação do princípio do* jus sanguinis *combinado com Serviço Público. A nacionalidade brasileira é conferida a todo aquele nascido em território estrangeiro, desde que filho de pai brasileiro ou de mãe brasileira, ou ambos brasileiros, no desempenho – qualquer deles – de missão a serviço do Brasil, quer dizer, no cumprimento de atividade ligado ao Serviço Público da União, de Estado Federado, do Distrito Federal, de Território, de Município, ou de entidade da administração indireta.

Princípio do* jus sanguinis *combinado com fixação de residência e opção. A nacionalidade brasileira é conferida a todo aquele nascido em território estrangeiro, filho de pai brasileiro ou de mãe brasileira, ou ambos brasileiros, desde que venha a fixar residência no território brasileiro e manifeste, a qualquer tempo, opção pelo *status* de nacional, hipótese conhecida por nacionalidade potestativa.

Jurisprudência

"A questão da nacionalidade brasileira – hipóteses de outorga e perda desse vínculo político-jurídico em face do Estado Brasileiro – rol taxativo – matéria de ordem estritamente constitucional. Doutrina. As hipóteses de outorga da nacionalidade brasileira, quer se trate de nacionalidade primária ou originária (da qual emana a condição de brasileiro nato), quer se trate de nacionalidade secundária ou derivada (da qual resulta o *status* de brasileiro naturalizado), decorrem, exclusivamente em função de sua natureza mesma, do texto constitucional, pois a questão da nacionalidade traduz matéria que se sujeita, unicamente, quanto à sua definição, ao poder soberano do Estado brasileiro. Doutrina." (STF – Pleno, HC 83.113-QO/DF, rel. Min. Celso de Mello, j. 26.06.2003, DJ 1, 29.08.2003, p. 20).

"Não se revela possível, em nosso sistema jurídico-constitucional, a aquisição da nacionalidade brasileira *jure matrimonnii*, vale dizer, com efeito direto e imediato resultante do casamento civil" (STF – Pleno, EXT 1.121/DF, rel. Min. Celso de Mello, DJE, 25.06.2010).

"Constitucional. Nacionalidade: opção. C.F., art. 12, I, c, com a Emenda Constitucional de Revisão n.º 3, de 1994. I. São brasileiros natos os nascidos no estrangeiro, de pai brasileiro ou de mãe brasileira, desde que venham a residir no Brasil e optem, em qualquer tempo, pela nacionalidade brasileira. II. A opção pode ser feita a qualquer tempo, desde que venha o filho de pai brasileiro ou de mãe brasileira, nascido no estrangeiro, a residir no Brasil. Essa opção somente pode ser manifestada depois de alcançada a maioridade. É que a opção, por decorrer da vontade, tem caráter personalíssimo. Exige-se, então, que o optante tenha capacidade plena para manifestar a sua vontade, capacidade que se adquire com a maioridade. III. Vindo o nascido no estrangeiro, de pai brasileiro ou de mãe brasileira, a residir no Brasil, ainda menor, passa a ser considerado brasileiro nato, sujeita essa nacionalidade a manifestação da vontade do interessado, mediante a opção, depois de atingida a maioridade. Atingida a maioridade, enquanto não manifestada a opção, esta passa a constituir-se em condição suspensiva da nacionalidade brasileira. IV. Precedente do STF: AC 70-QO/RS, Ministro Sepúlveda Pertence, Plenário, 25.9.03, 'DJ' de 12.3.04. V. RE conhecido e não provido" (STF – 2.ª Turma, RE 418.096/RS, rel. Min. Carlos Velloso, j. 22.03.2005).

"1. São brasileiros natos os nascidos no estrangeiro de pai brasileiro ou de mãe brasileira, desde que sejam registrados em repartição brasileira competente ou venham a residir na República Federativa do Brasil e optem, em qualquer tempo, depois de atingida a maioridade, pela nacionalidade brasileira (artigo 12, inciso I, alínea 'c', da Constituição Federal). 2. Ausência de comprovação do preenchimento do requisito de residência no país: o documento apresentado está em nome de terceiro e a certidão de cumprimento do mandado de constatação conclui que a requerente não tem endereço permanente no Brasil. 4. Apelação improcedente" (TRF3 – 4.ª Turma, AC 2.158.206/SP, rel. Des. Fed. Mônica Nobre, e-DJF3, Judicial 1, 08.11.2017).

"1. São brasileiros natos os nascidos no estrangeiro de pai brasileiro ou de mãe brasileira que venham residir no Brasil e que optem a qualquer tempo pela nacionalidade brasileira. 2. Necessária, além da opção, prova cabal de que o interessado seja filho de pai ou mãe brasileira e que esteja residindo no Brasil, (art. 12, I, c, da Constituição). 3. No caso, a autora não se desincumbiu de comprovar efetiva residência no País. 4. Apelação não provida" (TRF3 – 3.ª Turma, AC 1.589.674/SP, rel. Des. Fed. Nery Junior, e-DJF3, Judicial 1, 12.03.2015).

II – naturalizados:

a) os que, na forma da lei, adquiram a nacionalidade

brasileira, exigidas aos originários de países de língua portuguesa apenas residência por um ano ininterrupto e idoneidade moral;

b) os estrangeiros de qualquer nacionalidade residentes na República Federativa do Brasil há mais de quinze anos ininterruptos e sem condenação penal, desde que requeiram a nacionalidade brasileira.

Doutrina

Brasileiros naturalizados. São aqueles cuja nacionalidade decorre de um ato de vontade consistente no desejo expresso de adquirir a nacionalidade brasileira. Trata-se de forma secundária de aquisição de nacionalidade, pois não decorre do evento nascimento, podendo ser negado o pedido, por se tratar de ato típico de soberania.

Naturalização ordinária. É a que se confere ao estrangeiro que preenche os requisitos previstos em lei. São duas as situações: *a)* os estrangeiros *não originários* de países de língua portuguesa devem atender às condições previstas em lei, tais como capacidade civil, segundo a lei brasileira; ser registrado como permanente no Brasil; residência contínua no território nacional pelo prazo mínimo de quatro anos, imediatamente anteriores ao pedido; ler e escrever a língua portuguesa; exercício de profissão ou posse de bens suficientes à manutenção própria e da família; bom procedimento; inexistência de denúncia, pronúncia ou condenação no Brasil ou no exterior por crime doloso a que seja cominada pena mínima de prisão, abstratamente considerada, superior a um ano; *b)* estrangeiros *originários* de países de língua portuguesa (Portugal, Angola, Moçambique, Guiné-Bissau, Cabo Verde, São Tomé e Príncipe e Timor Leste) devem atender a duas exigências: residência por um ano ininterrupto no território brasileiro e ter idoneidade moral.

Naturalização extraordinária. É a que se confere ao estrangeiro de qualquer nacionalidade, residente em território brasileiro há mais de quinze anos ininterruptos e sem condenação penal, desde que requeira a nacionalidade brasileira. Portanto, três são os requisitos: *a)* tempo de residência no país, que foi reduzido de trinta (redação original) para quinze anos (redação da ECR 3/94); *b)* ausência de condenação penal; *c)* requerimento do interessado pedindo a outorga da nacionalidade brasileira.

Jurisprudência

> "Não há inconstitucionalidade no preceito que atribui exclusivamente ao Poder Executivo a faculdade de conceder a naturalização." (STF, RDA, 120/313).
>
> "A entrega do certificado de naturalização ao estrangeiro, que pretende naturalizar-se brasileiro, constitui o momento de efetiva aquisição da nacionalidade brasileira. Este certificado deve ser entregue pelo magistrado competente. Enquanto não ocorrer tal entrega, o estrangeiro ainda não é brasileiro, podendo, inclusive, ser excluído do território nacional" (STF – Pleno, HC 62.795/SP, rel. Min. Rafael Mayer, DJU, 22.03.1985, p. 3.623).
>
> "A ausência temporária não significa que a residência não foi contínua, pois há de distinguir entre residência contínua e permanência contínua" (STF – Pleno, AG 32.074/DF, rel. Min. Hermes Lima, j. 05.02.1965, DJ 1, 06.05.1965, p. 933).

§ 1.° Aos portugueses com residência permanente no País, se houver reciprocidade em favor dos brasileiros, serão atribuídos os direitos inerentes ao brasileiro, salvo os casos previstos nesta Constituição.

Doutrina

Cláusula de reciprocidade. É aquela firmada por meio de convenção ou tratado e destinada a estabelecer regras de tratamento comum aos súditos das partes signatárias.

Equiparação com brasileiro naturalizado. A norma constitucional atribui aos portugueses com residência permanente no país os direitos inerentes ao brasileiro, desde que haja reciprocidade em favor de brasileiros em território português. A ressalva excepciona os casos de investidura e exercício de cargos ou funções reservados aos brasileiros natos. Acrescente-se, ainda, que no caso de equiparação não há atribuição de nacionalidade, mantendo os interessados a de origem, daí se falar em *quase nacionalidade*.

Jurisprudência

> "A norma inscrita no art. 12, § 1.º, da Constituição Federal – que contempla, em seu texto, hipótese excepcional de *quase nacionalidade* – não opera de modo imediato, seja quanto ao seu conteúdo eficacial, seja no que se refere a todas as consequências jurídicas que dela derivam, pois, para incidir, além de supor o pronunciamento aquiescente do Estado brasileiro, fundado em sua própria soberania, depende, ainda, de requerimento do súdito português interessado, a quem se impõe, para tal efeito, a obrigação de preencher os requisitos estipulados pela Convenção sobre a Igualdade de Direitos e Deveres entre brasileiros e portugueses" (STF – 1.ª Turma, EXT 890, rel. Min. Celso de Mello, j. 05.08.2004, DJE, 28.10.2004).
>
> "1. O art. 12, parágrafo 1.º da Constituição Federal, regula os casos nos quais o indivíduo não tem a condição de nacional, mas adquire a possibilidade de gozar dos direitos gozados pelos nacionais, seria uma nacionalidade secundária, já que não confere os mesmos direitos reservados aos brasileiros natos. Essa quase-nacionalidade é direcionada aos portugueses, em caso de reciprocidade em favor de brasileiros, condição que deve ser somada à residência permanente do português no território brasileiro. 2. O pleito de reconhecimento da igualdade de direitos e deveres entre brasileiros e portugueses, nos termos do Decreto 70.391/72, deve ser direcionado ao Ministério da Justiça, e, uma vez deferi-

do, coloca os portugueses em condições de equivalência com os brasileiros, inclusive no tocante ao exercício de atividade remunerada. 3. Uma vez não comprovado o reconhecimento da igualdade assegurada pelo Decreto 70.391/71, junto ao Ministério da Justiça, não há que se falar em constrangimento a liberdade de ir e vir. 4. Apelação Criminal a que se nega provimento" (TRF5 – 2.ª Turma, ACr 4.434, rel. Des. Fed. Manoel Erhardt, DJ, 10.01.2008, p. 1.035).

§ 2.º A lei não poderá estabelecer distinção entre brasileiros natos e naturalizados, salvo nos casos previstos nesta Constituição.

Doutrina

Princípio da não distinção. Significa que é vedado à lei estabelecer diferenças entre brasileiros natos ou naturalizados, sendo admitidas apenas aquelas previstas na própria Constituição.

Jurisprudência

"1. Trata-se de remessa necessária proferida em mandado de segurança, objetivando a concessão da ordem para que seja determinado à Autoridade Impetrada que promova o registro profissional da impetrante no Ministério do Trabalho. 2. A Constituição Federal estabelece o livre exercício de qualquer trabalho, ofício ou profissão, atendidas as qualificações profissionais estabelecidas em lei ordinária. *In casu*, a exigência de nacionalidade brasileira estabelecida pelo artigo 4.º do Decreto n.º 83.284/79, para fins de conferir-se aos jornalistas estrangeiros o registro no órgão regional do Ministério do Trabalho, tem que ser interpretada em conformidade com a Constituição Federal que, por sua vez, apregoa o livre exercício de qualquer trabalho, ofício ou profissão. 3. A exigência de nacionalidade brasileira para fins de conferir-se aos jornalistas estrangeiros o registro regional do Ministério do Trabalho ofende o princípio da isonomia segundo o qual a lei não poderá estabelecer distinção entre brasileiros natos e naturalizados, (art. 12, § 2.º, CF/88). 4. Remessa necessária conhecida e improvida" (TRF2, REO 00115760620094025101, rel. Des. Fed. Guilherme Calmon Nogueira da Gama, DJ, 07.12.2012).

§ 3.º São privativos de brasileiro nato os cargos:

I – de Presidente e Vice-Presidente da República;

II – de Presidente da Câmara dos Deputados;

III – de Presidente do Senado Federal;

IV – de Ministro do Supremo Tribunal Federal;

V – da carreira diplomática;

VI – de oficial das Forças Armadas;

VII – de Ministro de Estado da Defesa.

Doutrina

Cargos privativos de brasileiro nato. A reserva de cargos de investidura e exercício privativos de brasileiro nato obedece a dois critérios: *a)* o da linha sucessória, mais própria daqueles cargos cujo provimento se dá por meio de eleições; *b)* e o da segurança nacional, mais própria dos cargos da carreira diplomática, do Ministro da Defesa e de oficiais das Forças Armadas. Contudo, a característica comum a todos é que estão ligados ao exercício de uma função de Estado, exercendo os seus ocupantes atividades próprias da soberania nacional.

Jurisprudência

"(...). Por fim, quanto à alegação do recorrente de que a Constituição Federal vedaria apenas o exercício de função pública e não de cargo público, verifica-se que, no julgamento da ADPF 388, decidi da seguinte forma: 'Na dicção da própria Constituição Federal, Ministro de Estado é um cargo público – "art. 12, § 3.° São privativos de brasileiro nato os cargos: VII – de Ministro de Estado da Defesa; art. 56. Não perderá o mandato o Deputado ou Senador: I – investido no cargo de Ministro de Estado"'" (STF – AC 4.154/DF, rel. Min. Gilmar Mendes (decisão monocrática), DJE 122, 14.06.2016).

§ 4.° Será declarada a perda da nacionalidade do brasileiro que:

I – tiver cancelada sua naturalização, por sentença judicial, em virtude de atividade nociva ao interesse nacional;

II – adquirir outra nacionalidade, salvo nos casos:

a) de reconhecimento de nacionalidade originária pela lei estrangeira;

b) de imposição de naturalização, pela norma estrangeira, ao brasileiro residente em Estado estrangeiro, como condição para permanência em seu território ou para o exercício de direitos civis.

Doutrina

Perda da nacionalidade brasileira. É a privação do *status* de nacional do Estado brasileiro. Somente poderá ocorrer nas hipóteses previstas na Constituição Federal, que são taxativas.

Reaquisição da nacionalidade brasileira. É o restabelecimento do vínculo com o Estado brasileiro. Poderá ocorrer nas seguintes hipóteses: *a)* no caso de naturalização cancelada, somente por meio de ação rescisória visando a desfazer o cancelamento; *b)* no caso de naturalização voluntária, por meio de decreto presidencial, desde que volte a ter domicílio no território nacional.

Cancelamento judicial de naturalização. Ocorre por meio de ação de cancelamento de naturalização fundada no fato de que o naturalizado exerce ou exerceu atividade nociva ao interesse nacional. A sentença judicial, uma vez transitada em julgado, desconstitui a naturalização concedida anteriormente de forma válida e eficaz, sem prejuízo da aplicação de outras sanções penais pertinentes ao caso.

Aquisição voluntária de outra nacionalidade. Ocorre quando o brasileiro adquire, de forma livre, consciente e voluntária, outra nacionalidade, implicando em renúncia da anteriormente adquirida de forma originária.

Exceções. Contudo, esta disposição comporta as exceções constantes das alíneas *a* e *b*, abaixo, que configuram casos de admissão de dupla nacionalidade.

Nacionalidade originária reconhecida por lei estrangeira. Nesta hipótese, outro Estado confere, com base no critério do *jus sanguinis*, a condição de nacional ao brasileiro, passando este a ter dupla nacionalidade.

Imposição de naturalização. Ocorre quando o Estado impõe a naturalização a estrangeiro residente no seu território como condição de permanência ou para o exercício de direitos civis. Reconhece-se que não perderá a nacionalidade brasileira o brasileiro atingido por norma estrangeira impositiva de naturalização porque o ato não decorre de conduta voluntária sua, já que ao mesmo se submete por razões pessoais e profissionais; contudo, nunca desejou abrir mão de sua nacionalidade originária.

Jurisprudência

> "A perda da nacionalidade brasileira (...) somente pode ocorrer nas hipóteses taxativamente definidas na Constituição da República, não se revelando lícito, ao Estado brasileiro, seja mediante simples regramento legislativo, seja mediante tratados ou convenções internacionais, inovar nesse tema, quer para ampliar, quer para restringir, quer, ainda, para modificar os casos autorizadores da privação – sempre excepcional – da condição político-jurídica de nacional do Brasil" (STF – Pleno, HC 83.113 QO, rel. Min. Celso de Mello, decisão de 26.06.2003).

Art. 13. A língua portuguesa é o idioma oficial da República Federativa do Brasil.

§ 1.º São símbolos da República Federativa do Brasil a bandeira, o hino, as armas e o selo nacionais.

§ 2.º Os Estados, o Distrito Federal e os Municípios poderão ter símbolos próprios.

Doutrina

Idioma oficial do Brasil. A língua portuguesa foi amalgamada a partir do latim vulgar, falado pelos legionários romanos, do latim erudito, falado pelos romanos mais educados, e dos dialetos então falados na Lusitânia. Ao erigir a língua portuguesa como idioma oficial, a norma constitucional expressa o desejo do constituinte de abrigar a sua convivência com as línguas indígenas aqui faladas desde tempos imemoriais.

Língua e nacionalidade. "A língua é a mais viva expressão de nacionalidade. Saber escrever a própria língua faz parte dos deveres cívicos" (Napoleão Mendes de Almeida, Gramática Metódica da Língua Portuguesa: São Paulo: Editora Saraiva, 27.ª ed., 1978).

Símbolos nacionais do Brasil. Símbolo é a forma concreta de representação de uma ideia. No caso, os símbolos nacionais do Brasil, a bandeira, o hino, o brasão de armas e o selo, evocam a ideia de nação e de pátria e desempenham importante fator de união da nacionalidade e do despertar do patriotismo.

Símbolos locais. São aqueles instituídos por leis locais e para uso local, ao contrário dos símbolos nacionais, que são de uso geral e obrigatório em todo o território nacional. A norma constitucional faculta a criação de símbolos próprios por parte dos Estados, do Distrito Federal e dos Municípios.

Jurisprudência

> "A petição com que impetrado o *habeas corpus* deve ser redigida em português, sob pena de não-conhecimento do *writ* constitucional (CPC, art. 156, c/c o CPP,

art. 3.º), eis que o conteúdo dessa peça processual deve ser acessível a todos, sendo irrelevante, para esse efeito, que o juiz da causa conheça, eventualmente, o idioma estrangeiro utilizado pelo impetrante. A imprescindibilidade do uso do idioma nacional nos atos processuais, além de corresponder a uma exigência que decorre de razões vinculadas à própria soberania nacional, constitui projeção concretizadora da norma inscrita no art. 13, *caput*, da Carta Federal, que proclama ser a língua portuguesa o 'idioma oficial da República Federativa do Brasil'." (STF, HC 72.391/DF, rel. Min. Celso de Mello, DJ 1, 17.3.95, p. 5.791).

"*Habeas Corpus*. Processo Penal. Linguagem da inicial. Expressões de baixo calão. Caso de não conhecimento. Falta de fundamentação. Inexistência. Suspeição do STJ. Pretensão juridicamente impossível. 1. A linguagem da inicial. A ação de Habeas Corpus pode ser ajuizada por qualquer pessoa, independentemente de sua qualificação profissional (CF, art. 5.º, LXVIII e LXXIII c/c CPP, art. 654). Não é exigível linguagem técnico-jurídica. Entretanto, o Habeas não pode servir de instrumento para ataques às instituições. Nem para assaques de ofensas a seus membros. O emprego de expressões de baixo calão, num linguajar chulo e deselegante, não pode ser tolerado. 2. A fundamentação. A decisão está devidamente fundamentada. O Relator fez um sumário da situação do paciente. Abordou a alegação feita no Habeas. Declarou as razões por que entendeu faltarem condições de admissibilidade. 3. A suspeição do STJ. A pretensão é juridicamente impossível. 4. Habeas Indeferido" (STF, HC 80.744/MG, rel. Min. Nelson Jobim, j. 11.12.2002).

"(...). 2. O Hino Nacional é um dos símbolos da República Federativa do Brasil (art. 13, parágrafo 1.º, da Carta Republicana de 1988) e expressão da soberania nacional, tendo a sua forma de execução regulada pela Lei n.º 5.700/72, que no art. 2.º prescreve: 'Consideram-

-se padrões dos símbolos nacionais os modelos compostos de conformidade com as especificações e regras básicas estabelecidas na presente Lei'" (TRF5 – 3.ª Turma, AC 448.066, rel. Des. Fed. Geraldo Apoliano, DJE, 15.12.2009, p. 161).

"(...). 3. O § 1.º do art. 13 da CF dispõe que 'são símbolos da República Federativa do Brasil a bandeira, o hino, as armas e o selo nacionais'. O uso das Armas e dos símbolos da República está disciplinado no artigo 26 da Lei n.º 5.700/71, no qual estão dispostos os órgãos que estão obrigados à utilização desses símbolos. Da leitura desse dispositivo resta claro que não há espaço para a inserção de pessoas jurídicas de direito privado no rol de entidades autorizadas ao uso dos signos citados, sobretudo cooperativas de turismo, como no presente caso" (TRF2, HC 00073899720074020000, rel. Des. Fed. Guilherme Calmon Nogueira da Gama, DJE, 08.10.2007).

CAPÍTULO IV
DOS DIREITOS POLÍTICOS

Art. 14. A soberania popular será exercida pelo sufrágio universal e pelo voto direto e secreto, com valor igual para todos, e, nos termos da lei, mediante:

I – plebiscito;

II – referendo;

III – iniciativa popular.

Doutrina

Direitos políticos. São aqueles que conferem ao cidadão as prerrogativas inerentes ao direito de votar (capacidade eleitoral ativa) e ser votado (capacidade eleitoral passiva), participando, assim, da vida política do país. São direitos subjetivos decorrentes do princípio democrático, consagrado no artigo 1.º, parágrafo único, da Constituição Federal de 1988.

Cidadania. É o atributo próprio da pessoa que pode exercer os direitos políticos decorrentes de sua condição de cidadão.

Soberania popular. É consagrada por meio do princípio democrático, no sentido de que todo o poder emana do povo, que o exerce através de representantes eleitos ou diretamente pelo sufrágio universal através do voto, ou mediante plebiscito, referendo, ou outro instrumento de participação direta.

Sufrágio universal. É o que confere direito de voto a todo eleitor, independentemente de sua condição pessoal, de patrimônio, de educação, de origem ou classe social, admitindo-se apenas as restrições fixadas pela própria Constituição, como idade mínima e obrigatoriedade do alistamento eleitoral.

Voto direto e secreto. Voto é o meio pelo qual se cumpre a função social e o dever jurídico de votar. No sistema brasileiro, o voto é direto – o eleitor escolhe diretamente o seu representante – e secreto, pois o eleitor tem assegurado o direito de votar em sigilo.

Voto de igual valor para todos. A Constituição consagra a regra de que cada eleitor deve ter direito a um voto (*one man, one vote*), como decorrência do princípio da igualdade, afastando, assim, qualquer possibilidade de adoção de sistema de voto ponderado, que admite peso diferente para o eleitor segundo regras que a lei estabelecer.

Plebiscito. É um instrumento de consulta prévia para que os cidadãos decidam sobre determinada matéria a ser posteriormente apreciada pelo Poder Legislativo.

Referendo. É um instrumento de consulta aos cidadãos, posterior à decisão legislativa, com a finalidade de ratificá-la, conferindo-lhe eficácia, ou rejeitá-la, hipótese em que nenhum efeito dela decorrerá.

Iniciativa popular. É meio através do qual os cidadãos podem participar do processo legislativo tomando a iniciativa de leis complementares e ordinárias mediante a apresentação de projetos à Câmara dos Deputados.

Outros instrumentos de exercício de direitos políticos foram acrescentados nas normas constitucionais tratadas por meio da EC 111, dispondo sobre realizações de consultas populares; institutos da fidelidade partidária etc. Dispõe, ainda, sobre data de posse de governantes, distribuição de recursos de fundos partidários e funcionamento de partidos políticos.

Jurisprudência

"1. Cabimento de ação direta de inconstitucionalidade para questionar norma constante de Emenda Constitucional. Precedentes. 2. Norma que determina a retroação dos efeitos das regras constitucionais de composição das Câmaras Municipais em pleito ocorrido e encerrado afronta a garantia do pleno exercício da cidadania popular (arts. 1.°, parágrafo único e 14 da Constituição) e o princípio da segurança jurídica. 3. Os eleitos pelos cidadãos foram diplomados pela justiça eleitoral até 18.12.2009 e tomaram posse em 2009. Posse de suplentes para legislatura em curso, em relação a eleição finda e acabada, descumpre o princípio da soberania popular. 4. Impossibilidade de compatibilizar a posse do suplente não eleito pelo sufrágio secreto e universal: ato que caracteriza verdadeira nomeação e não eleição. O voto é instrumento da democracia construída pelo cidadão: impossibilidade de afronta a essa expressão da liberdade de manifestação. 5. A aplicação da regra questionada importaria vereadores com mandatos diferentes, o que afrontaria o processo político juridicamente perfeito. 6. Medida cautelar concedida referendada" (STF – Pleno, ADIN 4.307/DF MC-REF, rel. Min. Cármen Lúcia, j. 11.11.2009).

"I – "'A soberania popular será exercida pelo sufrágio universal e pelo voto direto e secreto, com valor igual para todos, e, nos termos da lei' (CF, art. 14). II – Ademais, restringindo-se a pretensão mandamental postulada nestes autos ao direito de voto em comento, a qual já se concretizou, por força da ordem judicial liminarmente deferida nestes autos, resta caracterizada, na espécie, uma situação de fato já consolidada, cujo desfazimento já não mais se recomenda, na linha do entendimento jurisprudencial consagrado em nossos tribunais, em casos que tais. III – Apelação e remessa oficial desprovidas" (TRF1, AC 000788174200740013700, rel. Des. Fed. Souza Prudente, e-DJF1, 26.01.2009, p. 189).

§ 1.º O alistamento eleitoral e o voto são:

I – obrigatórios para os maiores de dezoito anos;

II – facultativos para:

a) os analfabetos;

b) os maiores de setenta anos;

c) os maiores de dezesseis e menores de dezoito anos.

Doutrina

Alistamento eleitoral. É o ato obrigatório de controle do preenchimento dos requisitos legais necessários à condição de eleitor. Uma vez preenchidas todas as condições, é expedido em favor do interessado o título eleitoral, que se constitui em prova da condição de cidadão e o credencia a votar e ser votado.

Obrigatoriedade do alistamento e do voto. Para os maiores de dezoito anos, tanto o alistamento eleitoral quanto o voto são deveres legais, impondo a lei sanções a quem deixar de fazê-lo injustificadamente.

Alistamento e voto facultativos. A norma afirma constituir-se em faculdade da pessoa o alistamento e o voto se: *a)* analfabeta, porque, pelo fato de não saber ler nem escrever, não estaria, em princípio, habilitada a fazer uma escolha segura e consciente; *b)* maior de setenta anos, à consideração de que nesta idade as condições de saúde aconselham maior recolhimento; *c)* maior de dezesseis anos e menor de dezoito anos, em face da pouca maturidade do adolescente nesta faixa etária.

Jurisprudência

> "1. O artigo 7.º, 1.º, V, do Código Eleitoral, pune a conduta do eleitor de não votar, não justificar a ausência e não quitar a multa eleitoral, com a proibição de emissão de passaporte, assim o fazendo em razão da obrigatoriedade do voto para maiores de dezoito anos, nos termos do artigo 14, § 1.º, I, CF, e do artigo 6.º, Código Eleitoral. 2. Os sujeitos ao voto facultativo, como

os maiores de 70 anos (artigo 14, § 1.º, II, b, CF), não sendo obrigados a votar, estão dispensados de justificar eventual ausência na última eleição, sendo bastante, por consequência, a prova da condição para efeito de emissão de passaporte. Já os que têm direitos políticos suspensos (artigo 15, CF), não podem exercer direito de voto e de ser votado, como depreende dos artigos 1.º e 5.º, III, do Código Eleitoral, este último ao impedir o alistamento eleitoral de quem tem direitos políticos 'privados', disto resultando a proibição de votar e ser votado" (TRF3 – 3.ª Turma, AgI 579.403/SP, rel. Des. Fed. Carlos Muta, e-DJF3, Judicial 1, 29.07.2016).

§ 2.º Não podem alistar-se como eleitores os estrangeiros e, durante o período do serviço militar obrigatório, os conscritos.

Doutrina

Proibição de alistamento. A norma proíbe o alistamento e, via de consequência, o voto dos: *a)* estrangeiros, pelo simples fato de, não sendo nacionais, não terem ligação política com o Estado brasileiro, à exceção dos portugueses, nos casos de reciprocidade em favor dos brasileiros; *b)* conscritos, aqueles recrutados e convocados para a prestação do serviço militar obrigatório, perdendo esta condição com o ingresso nos quadros permanentes das Forças Armadas ou das Polícias Militares.

Jurisprudência

"1. A atual ordem constitucional, ao ampliar o direito à participação política dos cidadãos, restringindo o alistamento somente aos estrangeiros e aos conscritos, enquanto no serviço militar obrigatório, e o exercício do voto àqueles que tenham suspensos seus direitos políticos, assegurou-os, em caráter facultativo, a todos os indígenas, independentemente da categorização estabelecida na legislação infraconstitucional anterior, observadas as exigências de natureza constitucional e eleitoral pertinentes à matéria, como a nacionalidade brasileira e a idade mínima" (TSE – Processo Administrativo 180.681/PR, rel. Min. Fátima Nancy Andrighi, DJE, tomo 46, 08.03.2012, p. 62).

§ 3.º São condições de elegibilidade, na forma da lei:

I – a nacionalidade brasileira;

II – o pleno exercício dos direitos políticos;

III – o alistamento eleitoral;

IV – o domicílio eleitoral na circunscrição;

V – a filiação partidária;

VI – a idade mínima de:

a) trinta e cinco anos para Presidente e Vice-Presidente da República e Senador;

b) trinta anos para Governador e Vice-Governador de Estado e do Distrito Federal;

c) vinte e um anos para Deputado Federal, Deputado Estadual ou Distrital, Prefeito, Vice-Prefeito e juiz de paz;

d) dezoito anos para Vereador.

Doutrina

Elegibilidade. É a condição do eleitor que reúne todos os requisitos necessários para disputar um cargo eletivo. É a chamada capacidade eleitoral passiva, ou capacidade de ser eleito, que o eleitor vai agregando a essa sua condição jurídica e que o credencia a concorrer para determinado cargo.

Condições de elegibilidade. São os requisitos que devem ser preenchidos para caracterizar a elegibilidade. A norma constitucional estabelece os seguintes: a) *nacionalidade brasileira*, necessária para o exercício de quaisquer direitos políticos, sendo que os cargos de Presidente e de Vice-Presidente da República são privativos de brasileiro nato e, quanto aos demais, poderão ser preenchidos também por brasileiros naturalizados ou portugueses, desde que, neste caso, seja assegurada a reciprocidade em favor de brasileiros; b) *pleno exercício dos direitos políticos*, que é o direito de votar e ser votado e, se teve suspenso ou perdeu tais direitos, a pessoa não obedece a este requisito, sendo inelegível; c) *alistamento eleitoral*, é a inscrição perante o juízo eleitoral de seu domicílio, que se prova por meio de título de eleitor ou certidão firmada pela autoridade competente; d) *domicílio eleitoral na circunscrição*, no sentido de que o postulante a cargo eletivo deve candidatar-se na sua circunscrição eleitoral, onde normalmente tem residência pelo prazo mínimo estabelecido na lei eleitoral; e) *filiação partidária*, devendo o interessado ser filiado a partido político, pois o sistema brasileiro não admite a figura do candidato independente. O objetivo é fortalecer o partido político como corporação e garantir fidelidade aos seus princípios; f) *idade mínima*, escalonada segundo a natureza e a responsabilidade do cargo, pois é razoável admitir que a experiência de vida e a maturidade sejam assimiladas com o passar dos anos. Assim, é de dezoito anos a idade mínima para o cargo de Vereador; de vinte e um anos para os cargos de Deputado Federal, Estadual ou Distrital, Prefeito, Vice-Prefeito e juiz de paz; de trinta anos para Governador e Vice-Governador de Estado e do Distrito Federal; e de trinta e cinco anos para Presidente e Vice-Presidente da República e Senador. Releva anotar que não há teto de idade estabelecido para a investidura e exercício de cargo eletivo, ao contrário do que ocorre com os cargos de carreira da administração.

Jurisprudência

> "(...). Pressupostos de elegibilidade: O domicílio eleitoral na circunscrição e a filiação partidária, constituindo condições de elegibilidade (CF, art. 14, § 3.º), revelam-se passíveis de válida disciplinação mediante simples lei ordinária" (STF – Pleno, ADIN 1.638/DF, rel. Min. Celso de Mello, DJ 1, 27.04.2001, p. 57).
>
> "Eleições 2018. Candidato a Presidente da República. Candidatura avulsa. Fundamentos não infirmados.

Precedentes. 1. A ausência de ataque específico aos fundamentos adotados na decisão agravada, mediante a reiteração das razões expostas na exordial, inviabiliza o provimento recursal, nos termos do verbete sumular 26 do TSE. 2. O agravante pretende que seja deferido seu pedido de candidatura avulsa com base em interpretação sistêmica das normas infraconstitucionais e constitucional. 3. O TSE possui jurisprudência pacífica no sentido da impossibilidade de candidatura avulsa, a teor do disposto no art. 14, § 3.º, V, da Constituição Federal. 4. O art. 23 da Convenção Americana de Direitos Humanos (Pacto de San José da Costa Rica), dispositivo indicado nas razões recursais, não pode ser invocado para afastar condição de elegibilidade prevista no texto originário da Constituição da República (filiação partidária), cuja disciplina infraconstitucional afigura-se razoável e proporcional. Agravo regimental a que se nega provimento" (TSE, PET 060088614 AgRg, rel. Min. Admar Gonzaga, PSESS, j. 26.09.2018).

§ 4.º São inelegíveis os inalistáveis e os analfabetos.

Doutrina

Inelegibilidade. É a situação daquele que não reúne condição de ser votado, a chamada capacidade eleitoral passiva. Pode ser absoluta, quando o impedimento atinge todo e qualquer cargo, e relativa, que se caracteriza apenas por restrições de elegibilidade para certos cargos em decorrência de uma circunstância prevista em lei. Assim, não são elegíveis os inalistáveis, porque proibidos de inscrever-se como eleitores, como os estrangeiros e os conscritos, e os analfabetos, que podem votar, mas não podem disputar cargo eletivo.

Jurisprudência

"(...). 14. O recorrido, de cor negra, completou o primeiro ano do ensino fundamental e, ademais, conforme bem assentado pelo e. Ministro Henrique Neves, é incontroverso que assinou Requerimento de Registro de Candidatura (fl. 2), Declaração de Entrega de Certidões (fl. 3), Declaração de Bens (fl. 4), procuração e, por fim, ata da audiência designada para aferir sua escolaridade, constando do acórdão regional essas premissas fáticas. 15. No que concerne especificamente ao instrumento procuratório, haveria incongruência em admitir-se a assinatura aposta pelo candidato – para prática dos atos previstos no art. 105 do CPC de 2015 – e, ao mesmo tempo, assentar-se que ele não consegue expressar sua vontade. 16. Conclusão em sentido diverso demandaria, na hipótese, reexame de fatos e provas, providência inviável em sede extraordinária, a teor da Súmula 24 do TSE. Conclusão. 17. Recurso especial a que se nega provimento, mantendo-se deferido o registro de candidatura de Francisco José de Araújo ao cargo de vereador de São Gonçalo do Piauí/PI nas eleições de 2016" (TSE, REe 8.941/PI, rel. p/ acórdão Min. Herman Benjamin, publicado em sessão de 27.09.2016).

§ 5.º O Presidente da República, os Governadores de Estado e do Distrito Federal, os Prefeitos e quem os houver sucedido ou substituído no curso dos mandatos poderão ser reeleitos para um único período subsequente.

Doutrina

Reeleição. A redação original do dispositivo consagrava o princípio da irreelegibilidade, que veda a reeleição para cargos do Executivo. Contudo, o dispositivo foi objeto de emenda que passou a admitir a reeleição, ou nova eleição, por único período subsequente, para o mesmo cargo, no caso de Presidente da República, Governador de Estado ou do Distrito Federal e Prefeito. Apesar de a inovação ser radical, pois abandona a tradição constitucional brasileira que se firmou nas Constituições de 1891, 1934, 1946, 1967 e 1969, não se trata de instituto antidemocrático, conquanto a decisão de conceder ou não ao pleiteante novo mandato repousa no exercício da soberania popular.

Jurisprudência

"O instituto da reeleição tem fundamento não somente no postulado da continuidade administrativa, mas também no princípio republicano, que impede a perpetuação de uma mesma pessoa na condução do Executivo, razão pela qual a reeleição é permitida por apenas uma única vez. Portanto, ambos os princípios – continuidade administrativa e republicanismo – condicionam a interpretação e a aplicação teleológica do art. 14, § 5.°, da Constituição. A reeleição, como condição de elegibilidade, somente estará presente nas hipóteses em que esses princípios forem igualmente contemplados e concretizados. Não se verificando as hipóteses de incidência desses princípios, fica proibida a reeleição" (TSE, REe 10.975/MG, rel. designado Min. Gilmar Mendes, PSESS, 14.12.2016).

"Constitucional. Eleitoral. Vice-Governador eleito duas vezes consecutivas: exercício do cargo de Governador por sucessão do titular: reeleição: possibilidade. CF, art. 14, § 5.° I- Vice-Governador eleito duas vezes para o cargo de vice-governador. No segundo mandato de vice, sucedeu o titular. Certo que, no seu primeiro mandato de vice, teria substituído o governador. Possibilidade de reeleger-se ao cargo do governador, porque o exercício da titularidade do cargo dá-se mediante eleição ou por sucessão. Somente quando sucedeu o titular é que passou a exercer o seu primeiro mandato como titular do cargo. II. Inteligência do disposto no § 5.° do art. 14 da Constituição Federal. III. RE conhecidos e improvidos" (STF – 2.ª Turma, RE 366.488, rel. Min. Carlos Velloso, 04.10.2005.

§ 6.° Para concorrerem a outros cargos, o Presidente da República, os Governadores de Estado e do Distrito

Federal e os Prefeitos devem renunciar aos respectivos mandatos até seis meses antes do pleito.

Doutrina

Desincompatibilização. É o ato por meio do qual o interessado em disputar um pleito livra-se de alguma hipótese de inelegibilidade. O que a norma dispõe é que para concorrerem a *outros cargos*, o Presidente da República, o Governador de Estado e do Distrito Federal e o Prefeito deverão renunciar ao mandato dentro do prazo de seis meses da data das eleições, desincompatibilizando-se. Quando se concorre ao mesmo cargo não é o caso de desincompatibilização, pois a reeleição funda-se no princípio da continuidade administrativa e não faz sentido exigir a renúncia em seu prejuízo. Quanto a eventuais abusos, decorrentes do uso da máquina administrativa, a correção se dá através dos mecanismos normais de apuração de responsabilidade.

Jurisprudência

> "O § 6.º do mesmo artigo dispõe que, 'para concorrerem a outros cargos, o Presidente da República, os Governadores de Estado e do Distrito Federal e os Prefeitos devem renunciar aos respectivos mandatos até seis meses antes do pleito'. Portanto, a Constituição Federal de 1988, ao permitir a reeleição do chefe do Executivo, manteve, sem nenhuma alteração redacional, a disposição de que, para concorrer a outro cargo, ele deve renunciar pelo menos seis meses antes do pleito, o que revela a preocupação em evitar possível utilização da máquina administrativa em benefício de sua nova disputa eleitoral – proteção à igualdade de chances" (TSE, REe 10.975/MG, rel. designado Min. Gilmar Mendes, PSESS, 14.12.2016).

§ 7.º São inelegíveis, no território de jurisdição do titular, o cônjuge e os parentes consanguíneos ou afins, até o segundo grau ou por adoção, do Presidente da Repúbli-

ca, de Governador de Estado ou Território, do Distrito Federal, de Prefeito ou de quem os haja substituído dentro dos seis meses anteriores ao pleito, salvo se já titular de mandato eletivo e candidato à reeleição.

Doutrina

Inelegibilidade em razão de parentesco. É aquela que decorre da consanguinidade ou da afinidade e atinge o cônjuge e os parentes até segundo grau ou por adoção do titular de cargo eletivo, ou de quem o substituiu, no território de sua circunscrição (e não jurisdição, como usa a norma, pois esta é própria de juízes e tribunais).

Exceção para os titulares de mandato eletivo. Não se aplica esta regra de inelegibilidade se o cônjuge, parente ou afim já for titular de mandato eletivo e pleiteie a reeleição, quer dizer, dispute o mesmo cargo, ainda que dentro da mesma circunscrição territorial do titular.

Jurisprudência

> "É legítima a hermenêutica constitucional que considerou inelegível a esposa casada apenas religiosamente com o titular do cargo, por entender que quem analisa detidamente os princípios que norteiam a Constituição na parte atinente às inelegibilidades, há de convir que sua intenção, no particular, é evitar, entre outras coisas, a perpetuidade de grupos familiares, ou oligarquias, à frente dos executivos" (STF – Pleno, RE 98.935-8/PI, rel. Min. Cordeiro Guerra, DJU, 26.11.1982, p. 12.125).
>
> "O art. 14, § 7.°, da Constituição Federal de 1988, segundo o qual 'são inelegíveis, no território de jurisdição do titular, o cônjuge e os parentes consanguíneos ou afins, até o segundo grau ou por adoção, do Presidente da República, de Governador de Estado ou Território, do Distrito Federal, de Prefeito ou de quem os haja substituído dentro dos seis meses anteriores ao pleito', res-

> guarda não somente o princípio republicano, ao evitar que grupos familiares se apoderem do poder local, mas também o princípio da igualdade de chances – enquanto decorrência da normalidade e legitimidade do pleito – , pois impede a interferência da campanha do parente, candidato ao Executivo, na disputa pela vereança, 'salvo se já titular de mandato eletivo e candidato à reeleição'" (TSE, REe 10.975/MG, rel. designado Min. Gilmar Mendes, PSESS, 14.12.2016).

Ocorrendo a desincompatibilização definitiva do titular dentro dos seis meses anteriores ao pleito, a jurisprudência tranquila desta Corte é no sentido de admitir a elegibilidade do cônjuge e parentes até segundo grau dos Chefes de Executivo para cargo eletivo diverso, no mesmo território, e não detentores de mandato eletivo (TSE, DJU, 17.3.92).

§ 8.º O militar alistável é elegível, atendidas as seguintes condições:

I – se contar menos de dez anos de serviço, deverá afastar-se da atividade;

II – se contar mais de dez anos de serviço, será agregado pela autoridade superior e, se eleito, passará automaticamente, no ato da diplomação, para a inatividade.

Doutrina

Elegibilidade do militar. O militar que preencher os requisitos para o alistamento eleitoral é obrigado a fazê-lo e, via de consequência, será titular da capacidade eleitoral passiva, podendo ser eleito para o exercício de mandato eletivo. A regra que proíbe a filiação de militar, enquanto em serviço ativo, a partido político (CF, art. 142, § 3.º, V), não obsta o exercício do direito de ser votado, pois o registro da candidatura supre a necessidade de filiação.

Condições. A norma constitucional impõe duas condições: *a)* o militar será afastado da atividade, se contar menos de dez anos de serviço; *b)* o militar com mais de dez anos de serviço será agregado pela autoridade superior, quer dizer, será afastado temporariamente do serviço ativo. Se eleito, passará automaticamente, desde a diplomação, para a inatividade; caso não se eleja reverterá de imediato para a ativa.

Jurisprudência

> "A Constituição em vigor, diferentemente da Carta de 69 (art. 150, § 1.º, *b*), suprimiu a cláusula 'para tratar de interesse particular', permitindo ao servidor militar, tal como ao servidor civil, afastar-se, com remuneração, para candidatar-se a cargo eletivo público. Aberta ficou à legislação infraconstitucional a via de tratamento paritário entre o servidor civil e o militar (LC 64/90, art. 1.º, II, *i*). No caso, o que é válido para um é válido para o outro: legítima representatividade de segmentos sociais, cujos integrantes não têm como disputar cargos eletivos públicos sem receber seus estipêndios" (STJ – 3.ª Seção, MS 3.671/DF, rel. Min. Adhemar Maciel, DJ 1, 27.11.1995, p. 40.842).

§ 9.º Lei complementar estabelecerá outros casos de inelegibilidade e os prazos de sua cessação, a fim de proteger a probidade administrativa, a moralidade para o exercício do mandato, considerada a vida pregressa do candidato, e a normalidade e legitimidade das eleições contra a influência do poder econômico ou o abuso do exercício de função, cargo ou emprego na administração direta ou indireta.

Doutrina

Inelegibilidade e lei complementar. O legislador constituinte reservou à lei complementar a definição de outros casos de inelegibilidade e os prazos de sua cessação com a finalidade de proteger:

a) a *probidade administrativa*, no sentido de honradez na condução dos negócios públicos; b) *a moralidade para o exercício do mandato*, no sentido de condução ética do titular do mandato, considerando-se, para tanto, a vida pregressa do candidato; c) *a normalidade e legitimidade das eleições*, no sentido de andamento normal do processo eleitoral para garantia de sua legitimidade contra a influência e o abuso do poder econômico, que devem ser combatidos, bem como o abuso do exercício de função, cargo ou emprego na administração direta ou indireta, vale dizer, abuso de poder ou desvio de finalidade perpetrados por seus titulares, que devem zelar pelo interesse coletivo e não empreender por meio deles a realização de seus interesses ou caprichos pessoais.

Jurisprudência

"O recurso extraordinário trata da aplicação, às eleições de 2010, da Lei Complementar 135/2010, que alterou a Lei Complementar 64/1990 e nela incluiu novas causas de inelegibilidade. Alega-se ofensa ao princípio da anterioridade ou da anuidade eleitoral, disposto no art. 16 de Constituição Federal. O recurso extraordinário objetiva, ainda, a declaração de inconstitucionalidade da alínea k do § 1.° do art. 1.° da LC 64/1990, incluída pela LC 135/2010, para que seja deferido o registro de candidatura do recorrente. Alega-se ofensa ao princípio da irretroatividade das leis, da segurança jurídica e da presunção de inocência, bem como contrariedade ao art. 14, § 9.° da Constituição, em razão do alegado desrespeito aos pressupostos que autorizariam a criação de novas hipóteses de inelegibilidade. Verificando o empate no julgamento do recurso, a Corte decidiu aplicar, por analogia, o art. 205, parágrafo único, inciso II, do Regimento Interno do Supremo Tribunal Federal, para manter a decisão impugnada, proferida pelo Tribunal Superior Eleitoral. Recurso desprovido. Decisão por maioria" (STF – Pleno, RE 631.102/PA, rel. Min. Joaquim Barbosa, j. 27.10.2010).

"O acórdão recorrido, ao atribuir efeito elisivo da inelegibilidade à ação anulatória da decisão que rejeitou as contas do candidato, ex-prefeito, assentou sua interpretação em lei complementar, sem conotação de ordem constitucional que propiciasse o extraordinário. O art. 14, § 9.º, da Constituição Federal, na redação que resultou da Emenda Revisional n. 4, não cria hipótese de inelegibilidade por falta de probidade e moralidade administrativa constatada pelo exame da vida pregressa do candidato, mas determina que lei complementar o faça, integrando o regime de inelegibilidades da ordem constitucional. O acórdão recorrido, longe de contrariar regra de hermenêutica, limitou-se a revelar e definir o exato sentido da norma constitucional. Agravo improvido." (STF – 1.ª Turma, AgI 165.332, rel. Min. Ilmar Galvão, Ementário, v. 1796/11).

A causa de inelegibilidade abuso do exercício de função, cargo ou emprego na administração direita ou indireta, para caracterizar-se, deve conter a nota de improbidade de que trata o § 4.º do artigo 37 da Constituição Federal. Somente assim é possível cogitar-se da suspensão dos direitos políticos, da forma como prevista na alínea *g*, do inciso I, do artigo 1.º da Lei Complementar n.º 64/90. (STF – Pleno, RE 129.392/DF, rel. Min. Sepúlveda Pertence, DJ 1, 16.04.1993).

§ 10. O mandato eletivo poderá ser impugnado ante a Justiça Eleitoral no prazo de quinze dias contados da diplomação, instruída a ação com provas de abuso do poder econômico, corrupção ou fraude.

Doutrina

Impugnação de mandato eletivo. A ação de impugnação será ajuizada perante o órgão competente da Justiça Eleitoral, dentro do prazo de quinze dias (decadencial), contados da diplomação, devendo a petição inicial ser instruída com as seguintes provas: a) *de abuso do poder econômico*, que se caracteriza em razão do uso de recursos materiais ou financeiros para além dos limites permitidos por lei; b) *de corrupção eleitoral*, mediante a prática de atos de corrupção ativa através de qualquer meio ou expediente; c) *de fraude eleitoral*, mediante o emprego de qualquer meio fraudulento visando alterar o resultado das eleições.

Jurisprudência

"(...). O art. 14, § 10, da CF/1988 estabelece que 'o mandato eletivo poderá ser impugnado ante a Justiça Eleitoral no prazo de quinze dias contados da diplomação, instruída a ação com provas de abuso do poder econômico, corrupção ou fraude', sendo o procedimento da ação de impugnação de mandato eletivo o previsto na LC n.º 64/1990, nos termos da pacífica jurisprudência do TSE" (TSE, Ação de Impugnação de Mandato Eletivo 761/DF AgRg, rel. designado Min. Gilmar Mendes, DJE, 04.12.2015, p. 136/137).

§ 11. A ação de impugnação de mandato tramitará em segredo de justiça, respondendo o autor, na forma da lei, se temerária ou de manifesta má-fé.

Doutrina

Tramitação em segredo de justiça. A ação de impugnação de mandato eletivo deverá tramitar em segredo de justiça, porque há interesse social relevante na preservação da honorabilidade do eleito, na hipótese de não ser culpado, para que possa cumprir plena e integralmente o seu mandato. Afinal, a lide poderá ser temerária, destituída de fundamento, ou de manifesta má-fé, quer dizer, ajuizada com o claro propósito de iludir alguém e prejudicar o eleito.

Jurisprudência

"(...). 4. Financiamento de campanha com dinheiro oriundo de corrupção/propina da Petrobras. Há suporte probatório que justifica a instrução processual da ação de impugnação de mandato eletivo quanto ao suposto abuso do poder econômico decorrente do financiamento de campanha com dinheiro oriundo de corrupção/ propina. 4.1. Não se cuida de transportar para o Tribunal Superior Eleitoral análise de todos os fatos apurados na operação Lava Jato, pois falece a este Tribunal a competência originária para processar e julgar ação penal, mesmo envolvendo crimes eleitorais, mas busca-se tão somente verificar se, de fato, recursos provenientes de corrupção na Petrobras foram ou não repassados para a campanha presidencial, mormente quando se verifica que diversos depoimentos colhidos na seara criminal revelam que parte do dinheiro era utilizada em campanha eleitoral (Paulo Roberto Costa, Ricardo Pessoa e Alberto Youssef, entre outros)" (TSE, Ação de Impugnação de Mandato Eletivo 761/DF AgRg, rel. designado Min. Gilmar Mendes, DJE, 04.12.2015, p. 136/137).

§ 12. Serão realizadas concomitantemente às eleições municipais as consultas populares sobre questões locais aprovadas pelas Câmaras Municipais e encaminhadas à Justiça Eleitoral até 90 (noventa) dias antes da data das eleições, observados os limites operacionais relativos ao número de quesitos.

§ 13. As manifestações favoráveis e contrárias às questões submetidas às consultas populares nos termos do § 12 ocorrerão durante as campanhas eleitorais, sem a utilização de propaganda gratuita no rádio e na televisão.

Art. 15. É vedada a cassação de direitos políticos, cuja perda ou suspensão só se dará nos casos de:

I - cancelamento de naturalização por sentença transitada em julgado;

II - incapacidade civil absoluta;

III - condenação criminal transitada em julgado, enquanto durarem os seus efeitos;

IV - recusa de cumprir obrigação a todos imposta ou prestação alternativa, nos termos do art. 5.º, VIII;

V - improbidade administrativa, nos termos do art. 37, § 4.º

Doutrina

Privação de direitos políticos. É a retirada dos direitos políticos do cidadão e somente poderá ocorrer nas restritas hipóteses previstas na Constituição Federal, que proíbe categoricamente a cassação, reafirmando o princípio do gozo pleno dos direitos políticos positivos. A Carta admite, porém, por exceção, a perda ou suspensão nos casos que enumera. Na *perda dos direitos políticos* ocorre o desfazimento do *status* de cidadão da pessoa, com a revogação daqueles em caráter definitivo. Na *suspensão*, a pessoa é privada temporariamente de seus direitos políticos, recobrando-os quando cessada a razão que lhe deu causa.

Perda motivada por cancelamento de naturalização. A hipótese pressupõe sentença judicial transitada em julgado, em virtude de atividade nociva ao interesse nacional.

Suspensão motivada por incapacidade civil absoluta. A incapacidade será decretada mediante ação de interdição do incapaz e, enquanto durar a incapacidade para os atos da vida civil, estarão suspensos os seus direitos políticos.

Suspensão motivada por condenação criminal. A sentença penal condenatória transitada em julgado opera o efeito de suspender automaticamente os direitos políticos do condenado até a extinção da punibilidade.

Perda motivada por escusa de consciência. Funda-se na recusa de cumprir obrigação legal a todos imposta e recusar-se a cumprir prestação alternativa alegando objeção fundada em crença religiosa ou de convicção filosófica ou política.

Suspensão motivada por ato de improbidade administrativa. A hipótese funda-se na preocupação com a moralidade na condução dos negócios públicos, em que a improbidade viola interesses de toda coletividade.

Jurisprudência

> "Eleitoral. Recurso contra expedição de diploma. Condenação criminal transitada em julgado após a posse do candidato eleito (CF, art. 15, III). Perda dos direitos políticos: consequência da existência da coisa julgada. A Câmara de Vereadores não tem competência para iniciar e decidir sobre a perda de mandato de prefeito eleito. Basta uma comunicação à Câmara de Vereadores, extraída nos autos do processo criminal. Recebida a comunicação, o Presidente da Câmara de Vereadores, de imediato, declarará a extinção do mandato do Prefeito, assumindo o cargo o Vice-Prefeito, salvo se, por outro motivo, não possa exercer a função. Não cabe ao Presidente da Câmara de Vereadores outra conduta senão a declaração da extinção do mandato. Recurso extraordinário conhecido em parte e nesse ponto provido" (STF – Pleno, RE 225.019/GO, rel. Min. Nelson Jobim, j. 08.09.1999).
>
> "Questão de Ordem na ação penal. Constitucional. Perda de mandato parlamentar. Suspensão e perda dos direitos políticos. 1. A perda do mandato parlamentar, no caso em pauta, deriva do preceito constitucional que impõe a suspensão ou a cassação dos direitos políticos. 2. Questão de ordem resolvida no sentido de que, determinada a suspensão dos direitos políticos, a suspensão ou a perda do cargo são medidas decorrentes do julgado e imediatamente exequíveis após o trânsito em julgado da condenação criminal, sendo desimportante para a conclusão o exercício ou não de cargo eletivo no momento do julgamento" (STF – Pleno, AP 396/RO QO, rel. Min. Cármen Lúcia, j. 26.06.2013).

Art. 16. A lei que alterar o processo eleitoral entrará em vigor na data de sua publicação, não se aplicando à eleição que ocorra até um ano da data de sua vigência.

Doutrina

Princípio da anterioridade da lei eleitoral. Consagra o preceito relativo à aplicabilidade das normas de regência do processo eleitoral dispondo que somente terão aplicação após um ano de vigência. O objetivo é o de garantir a moralidade do processo eleitoral.

Processo eleitoral. É o conjunto de providências destinado a garantir a realização das eleições. Compreende todos os atos, desde a escolha de candidaturas pelos partidos políticos, seu registro eleitoral, a realização do pleito na data marcada, sua apuração, proclamação dos resultados e diplomação dos eleitos. Todo o processo é de competência da Justiça Eleitoral por meio de seus órgãos.

Jurisprudência

> "A norma inscrita no art. 16 da Carta Federal, consubstanciadora do princípio da anterioridade da lei eleitoral, foi enunciada pelo constituinte com o declarado propósito de impedir a deformação do processo eleitoral mediante alterações casuisticamente nele introduzidas, aptas a romperem a igualdade de participação dos que nele atuem como protagonistas principais: as agremiações políticas e os próprios candidatos." (STF – Pleno, ADI 353/DF, rel. Min. Celso de Mello, Ementário, v. 1691-01, p. 5).

> "(...). I – Inocorrência de rompimento da igualdade de participação dos partidos políticos e dos respectivos candidatos no processo eleitoral. II – Legislação que não introduz deformação de modo a afetar a normalidade das eleições. III – Dispositivos que não constituem fator de perturbação do pleito. IV – Inexistência de alteração motivada por propósito casuístico. V – Inaplica-

bilidade do postulado da anterioridade da lei eleitoral. VI – Direito à informação livre e plural como valor indissociável da ideia de democracia. VII – Ação direta julgada parcialmente procedente para declarar a inconstitucionalidade do art. 35-A da Lei introduzido pela Lei 11.300/2006 na Lei 9.504/1997" (STF – Pleno, ADIN 3741, rel. Min. Ricardo Lewandowski, j. 06.08.2006).

"(...). 4. Enquanto o art. 150, III, b, da CF encerra garantia individual do contribuinte (ADI 939, rel. Min. Sydney Sanches, DJ 18.03.94), o art. 16 representa garantia individual do cidadão-eleitor, detentor originário do poder exercido pelos representantes eleitos e 'a quem assiste o direito de receber, do Estado, o necessário grau de segurança e de certeza jurídicas contra alterações abruptas das regras inerentes à disputa eleitoral' (ADI 3.345, rel. Min. Celso de Mello). 5. Além de o referido princípio conter, em si mesmo, elementos que o caracterizam como uma garantia fundamental oponível até mesmo à atividade do legislador constituinte derivado, nos termos dos arts. 5.°, § 2.°, e 60, § 4.°, IV, a burla ao que contido no art. 16 ainda afronta os direitos individuais da segurança jurídica (CF, art. 5.°, *caput*) e do devido processo legal (CF, art. 5.°, LIV). 6. A modificação no texto do art. 16 pela EC 4/93, em nada alterou seu conteúdo principiológico fundamental. Tratou-se de mero aperfeiçoamento técnico levado a efeito para facilitar a regulamentação do processo eleitoral. 7. Pedido que se julga procedente para dar interpretação conforme no sentido de que a inovação trazida no art. 1.° da EC 52/06 somente seja aplicada após decorrido um ano da data de sua vigência" (STF – Pleno, ADIN 3.685/DF, rel. Min. Ellen Gracie, j. 15.09.2009).

CAPÍTULO V
DOS PARTIDOS POLÍTICOS

Art. 17. É livre a criação, fusão, incorporação e extinção de partidos políticos, resguardados a soberania nacional, o regime democrático, o pluripartidarismo, os direitos fundamentais da pessoa humana e observados os seguintes preceitos:

I – caráter nacional;

II – proibição de recebimento de recursos financeiros de entidade ou governo estrangeiros ou de subordinação a estes;

III – prestação de contas à Justiça Eleitoral;

IV – funcionamento parlamentar de acordo com a lei.

§ 1.º É assegurada aos partidos políticos autonomia para definir sua estrutura interna e estabelecer regras sobre escolha, formação e duração de seus órgãos permanentes e provisórios e sobre sua organização e funcionamento e para adotar os critérios de escolha e o regime de suas coligações nas eleições majoritárias, vedada a sua celebração nas eleições proporcionais, sem obrigatoriedade de vinculação entre as candidaturas em âmbito nacional, estadual, distrital ou municipal, devendo seus estatutos estabelecer normas de disciplina e fidelidade partidária.

§ 2.º Os partidos políticos, após adquirirem personalidade jurídica, na forma da lei civil, registrarão seus estatutos no Tribunal Superior Eleitoral.

§ 3.º Somente terão direito a recursos do fundo partidário e acesso gratuito ao rádio e à televisão, na forma da lei, os partidos políticos que alternativamente:

I – obtiverem, nas eleições para a Câmara dos Deputados, no mínimo, 3% (três por cento) dos votos válidos, distribuídos em pelo menos um terço das unidades da Federação, com um mínimo de 2% (dois por cento) dos votos válidos em cada uma delas; ou

II – tiverem elegido pelo menos quinze Deputados Federais distribuídos em pelo menos um terço das unidades da Federação.

§ 4.º É vedada a utilização pelos partidos políticos de organização paramilitar.

§ 5.º Ao eleito por partido que não preencher os requisitos previstos no § 3.º deste artigo é assegurado o mandato e facultada a filiação, sem perda do mandato, a outro partido que os tenha atingido, não sendo essa filiação considerada para fins de distribuição dos recursos do fundo partidário e de acesso gratuito ao tempo de rádio e de televisão.

Doutrina

Partidos políticos. São associações de pessoas com alguma identidade de ideias políticas, destinadas a viabilizar o acesso ao poder e o seu exercício como meio de realização de um programa de governo.

Princípio da liberdade partidária. É livre a criação, fusão, incorporação e extinção de partido político, não podendo a lei estabelecer restrições de nenhuma forma, pois a Constituição dispõe sobre os princípios de observância obrigatória.

Princípios de observância obrigatória. São aqueles resguardados pela norma constitucional com o objetivo de preservar a democracia, quais sejam, o da soberania nacional, no sentido de não vinculação com Estado estrangeiro; o regime democrático, preservando os mecanismos de participação e representação; o pluripartidarismo, garantindo espaço para a organização política de todos os segmentos sociais; e os direitos fundamentais da pessoa humana, no sentido de defesa de tais direitos.

Requisitos de observância necessária. Além dos princípios acima, os partidos políticos deverão cumprir os seguintes requisitos: a) *caráter nacional*, devendo os seu ideário cobrir amplo espectro do pensamento brasileiro, sendo vedados os partidos locais ou regionais; b) *proibição de financiamento externo*, os partidos estão proibidos de receber recursos financeiros de entidade ou governos estrangeiros ou de entes subordinados a estes; c) *prestação de contas à Justiça Eleitoral*, como mecanismo de sua fiscalização financeira com o objetivo de garantir a legitimidade das fontes de financiamento de suas atividades e evitar o abuso do poder econômico praticado por meio deles; d) *funcionamento parlamentar de acordo com a lei*, o que significa atividade dos partidos nas diversas casas legislativas segundo os limites, direitos e deveres que a lei estabelecer.

Princípio da autonomia partidária. Os partidos políticos têm ampla liberdade para definir a sua estrutura e o funcionamento de seus órgãos, não podendo a lei impor nenhum limite. Cabe ao estatuto dispor sobre a organização do partido político.

Fidelidade e disciplina partidárias. Fidelidade é o dever de cumprir e fazer cumprir as diretrizes estabelecidas pelos órgãos do partido. Disciplina é a obediência ao programa e à orientação do partido. As normas de fidelidade e disciplina partidárias são previstas nos estatutos e poderão estabelecer punições para os atos de infidelidade e indisciplina praticados por seus membros.

Personalidade jurídica dos partidos. Os partidos são associações civis e têm existência legal com a inscrição de seus estatutos perante o Cartório de Registro de Títulos e Documentos. Assim sendo, não há dúvida de que se tratam de pessoas jurídicas de direito privado. Por outro lado, a exigência de registro do estatuto perante o Tribunal Superior Eleitoral, tem apenas o sentido de providência de controle eminentemente administrativo para conhecimento deste.

Fundo partidário. É um fundo, formado por recursos públicos, destinado a financiar as atividades dos partidos políticos. A participação de cada partido se dará na forma prevista nas normas de instituição do fundo.

Acesso gratuito ao rádio e à televisão. É o instituto que assegura aos partidos políticos acesso franqueado aos referidos meios de comunicação para o fim de divulgar as ideias constantes de seus programas políticos.

Proibição de uso de organização paramilitar. Nenhum partido poderá utilizar-se de organização de caráter paramilitar – aquela formada por particulares armados e adestrados e que não pertencem ao exército ou à polícia militar – para a segurança de suas atividades ou consecução de seus fins.

Jurisprudência

> "(...). 6. O dever de fundamentação das decisões judiciais, inserto no art. 93 IX, da Constituição, impõe que o Supremo Tribunal Federal enfrente novamente a questão de fundo anteriormente equacionada sempre que o legislador lançar mão de novos fundamentos. 7. O Congresso Nacional, no caso *sub examine*, ao editar a Lei n.º 12.875/2013, não apresentou, em suas justificações, qualquer argumentação idônea a superar os fundamentos assentados pelo Supremo Tribunal Federal, no julgamento das ADINs n.º 4430 e n.º 4795, rel. Min. Dias Toffoli, em que restou consignado que o art. 17 da Constituição de 1988 – que consagra o direito político fundamental da liberdade de criação de partidos – tutela, de igual modo, as agremiações que tenham representação

no Congresso Nacional, sendo irrelevante perquirir se esta representatividade resulta, ou não, da criação de nova legenda no curso da legislatura. 8. A criação de novos partidos, como hipótese caracterizadora de justa causa para as migrações partidárias, somada ao direito constitucional de livre criação de novas legendas, impõe a conclusão inescapável de que é defeso privar as prerrogativas inerentes à representatividade política do parlamentar trânsfuga. 9. No caso sub examine, a justificação do projeto de lei limitou-se a afirmar, em termos genéricos, que a regulamentação da matéria, excluindo dos partidos criados o direito de antena e o fundo partidário, fortaleceria as agremiações partidárias, sem enfrentar os densos fundamentos aduzidos pelo voto do relator e corroborado pelo Plenário. 10. A postura particularista do Supremo Tribunal Federal, no exercício da *judicial review*, é medida que se impõe nas hipóteses de salvaguarda das condições de funcionamento das instituições democráticas, de sorte (i) a corrigir as patologias que desvirtuem o sistema representativo, máxime quando obstruam as vias de expressão e os canais de participação política, e (ii) a proteger os interesses e direitos dos grupos políticos minoritários, cujas demandas dificilmente encontram eco nas deliberações majoritárias. 11. *In casu*, é inobjetável que, com as restrições previstas na Lei n.º 12.875/2013, há uma tentativa obtusa de inviabilizar o funcionamento e o desenvolvimento das novas agremiações, sob o rótulo falacioso de fortalecer os partidos políticos. Uma coisa é criar mecanismos mais rigorosos de criação, fusão e incorporação dos partidos, o que, a meu juízo, encontra assento constitucional. Algo bastante distinto é, uma vez criadas as legendas, formular mecanismos normativos que dificultem seu funcionamento, o que não encontra guarida na Lei Maior. Justamente por isso, torna-se legítima a atuação do Supremo Tribunal Federal, no intuito de impedir a obstrução dos canais de participação política e, por via de consequência, fiscalizar os pressupostos ao adequado funcionamento da democracia. 12. Ação direta de inconstitucionalidade julgada procedente para declarar a inconstitucionalidade dos arts. 1.º e 2.º, da Lei n.º 12.875/2013" (STF – Pleno, ADIN 5.105/DF, rel. Min. Luiz Fux, j. 01.10.2015).

"Ação direta de inconstitucionalidade. Lei n.º 9.504/97. Criação de partido político. Prazo mínimo de um ano de existência para que partidos possam concorrer em eleições. Constitucionalidade. Filiação partidária anterior como requisito de elegibilidade. Improcedência. 1. A definição de limitações ao exercício das funções eleitorais pelos partidos políticos é decreto de ordem excepcional, ressalva feita àquelas condicionantes oriundas da Constituição Federal, a exemplo do art. 17 do Texto Magno. No caso do art. 4.º da Lei n.º 9.504/97, embora se estabeleça limitação consistente na exigência do prazo mínimo de um ano de existência para que partidos políticos possam concorrer em eleições, há excepcionalidade que justifica a limitação da ampla liberdade de atuação dos partidos políticos na seara eleitoral. A previsão atacada encontra ligação estreita com a exigência constitucional da prévia filiação partidária, requisito de elegibilidade inscrito no art. 14, § 3.º, V, da Constituição Federal. 2. A noção de elegibilidade (condição para o exercício regular do direito de candidatura) abarca o mandamento de que a satisfação dos seus requisitos, dentre os quais a filiação partidária, deve ser atestada de maneira prévia ao pleito eleitoral. O prazo estabelecido na legislação, muito embora não constitucionalizado, é fixado por delegação constitucional ao legislador ordinário. Tal prazo deve ser razoável o suficiente para a preparação da eleição pela Justiça Eleitoral, albergando, ainda, tempo suficiente para a realização das convenções partidárias e da propaganda eleitoral. Foi adotado como parâmetro temporal, no caso, o interregno mínimo de um ano antes do pleito, em consonância com o marco da anualidade estabelecido no art. 16 da Constituição Federal. 3. Feriria a coerência e a logicidade do sistema a permissão de que a legenda recém-criada fosse partícipe do pleito eleitoral mesmo inexistindo ao tempo do necessário implemento da exigência da prévia filiação partidária (requisito de elegibilidade). A relação dialógica entre partido político e candidato é indissociável, em face da construção constitucional de nosso processo eleitoral. 4. Ação julgada improcedente" (STF – Pleno, ADIN 1.817/DF, rel. Min. Dias Toffoli, j. 28.05.2014).

"1. A Constituição da República assegura a livre criação, fusão e incorporação de partidos políticos. Liberdade não é absoluta, condicionando-se aos princípios do sistema democrático-representativo e do pluripartidarismo. 2. São constitucionais as normas que fortalecem o controle quantitativo e qualitativo dos partidos, sem afronta ao princípio da igualdade ou qualquer ingerência em seu funcionamento interno. 3. O requisito constitucional do caráter nacional dos partidos políticos objetiva impedidor a proliferação de agremiações sem expressão política, que podem atuar como 'legendas de aluguel', fraudando a representação, base do regime democrático. Medida cautelar indeferida" (STF – Pleno, ADIN 5.311/DF MC, rel. Min. Cármen Lúcia, j. 30.09.2015).

§ 6º Os Deputados Federais, os Deputados Estaduais, os Deputados Distritais e os Vereadores que se desligarem do partido pelo qual tenham sido eleitos perderão o mandato, salvo nos casos de anuência do partido ou de outras hipóteses de justa causa estabelecidas em lei, não computada, em qualquer caso, a migração de partido para fins de distribuição de recursos do fundo partidário ou de outros fundos públicos e de acesso gratuito ao rádio e à televisão.

§ 7º Os partidos políticos devem aplicar no mínimo 5% (cinco por cento) dos recursos do fundo partidário na

criação e na manutenção de programas de promoção e difusão da participação política das mulheres, de acordo com os interesses intrapartidários.

§ 8º O montante do Fundo Especial de Financiamento de Campanha e da parcela do fundo partidário destinada a campanhas eleitorais, bem como o tempo de propaganda gratuita no rádio e na televisão a ser distribuído pelos partidos às respectivas candidatas, deverão ser de no mínimo 30% (trinta por cento), proporcional ao número de candidatas, e a distribuição deverá ser realizada conforme critérios definidos pelos respectivos órgãos de direção e pelas normas estatutárias, considerados a autonomia e o interesse partidário.

TÍTULO III
DA ORGANIZAÇÃO DO ESTADO

CAPÍTULO I
DA ORGANIZAÇÃO POLÍTICO-ADMINISTRATIVA

Art. 18. A organização político-administrativa da República Federativa do Brasil compreende a União, os Estados, o Distrito Federal e os Municípios, todos autônomos, nos termos desta Constituição.

§ 1.º Brasília é a Capital Federal.

§ 2.º Os Territórios Federais integram a União, e sua criação, transformação em Estado ou reintegração ao Estado de origem serão reguladas em lei complementar.

§ 3.º Os Estados podem incorporar-se entre si, subdividir-se ou desmembrar-se para se anexarem a outros, ou formarem novos Estados ou Territórios Federais, mediante aprovação da população diretamente interessada, através de plebiscito, e do Congresso Nacional, por lei complementar.

§ 4.º A criação, a incorporação, a fusão e o desmembramento de Municípios, far-se-ão por lei estadual, dentro do período determinado por lei complementar federal, e dependerão de consulta prévia, mediante plebiscito, às populações dos Municípios envolvidos, após divulgação dos Estudos de Viabilidade Municipal, apresentados e publicados na forma da lei.

Doutrina

Estado Federal. Desde a proclamação da República, o Brasil adotou a forma de Estado Federal constituído pela união de entes federativos, a quem são conferidas competências para sua organização e governo.

Soberania e autonomia. A soberania radica-se no Estado Federal, que estabelece de forma independente a ordem jurídica e a impõe a todos que se encontram no seu território ou àqueles que lhe devam obediência. A autonomia implica no cometimento aos entes federativos de um conjunto de atribuições próprias, que caracterizam as competências, além de reconhecer-lhes capacidade de autogoverno.

Organização político-administrativa. O Estado Federal brasileiro compõe-se da União, dos Estados, do Distrito Federal e dos Municípios, todos entes federativos a quem a Constituição reconhece autonomia política, administrativa e financeira nos estritos termos e limites com que fez a divisão do poder.

Capital Federal. Brasília é a capital do Brasil, seu centro administrativo e político e também cidade-sede dos Poderes da República, donde emanam as decisões no plano federal que atingem todo o país. Foi inaugurada no dia 21 de abril de 1960, seu plano-piloto é de autoria do urbanista Lúcio Costa e o projeto arquitetônico de autoria do arquiteto Oscar Niemeyer. Brasília é, na verdade, uma escola de arquitetura concebida a céu aberto.

Territórios Federais. São autarquias territoriais da União instituídas com o objetivo de atender principalmente a imperativos de segurança nacional ou para funcionar como meio de ocupação populacional e desenvolvimento de regiões fronteiriças remotas do país.

Formação de Estados ou territórios. A norma admite a incorporação de Estados entre si, na verdade fusão de Estados, subdivisão ou desmembramento para fins de anexação a Estado existente ou formação de novo Estado ou Território Federal. Em qualquer hipótese, a alteração territorial pretendida deverá ser aprovada pela população diretamente interessada, que se manifestará por meio de plebiscito, e pelo Congresso Nacional, através de lei complementar, após oitiva das respectivas Assembleias Legislativas.

Formação de Municípios. A criação de novos Municípios se dará por incorporação de um em outro, desaparecendo a personalidade jurídica do incorporado; por meio de fusão entre dois ou mais Municípios, que se fundem para criar um novo Município; ou por meio de desmembramento, mantendo a parte original a sua personalidade jurídica, sendo que a parte desmembrada passa a constituir-se em novo Município.

Requisitos necessários. A criação, por qualquer meio, será feita mediante lei estadual, dentro do período determinado por lei complementar federal e dependerá de plebiscito junto às populações dos Municípios envolvidos, isso após a divulgação de estudos levados a efeito para demonstrar a viabilidade da incorporação, fusão ou desmembramento dos Municípios interessados.

Jurisprudência

> "1. Após a alteração promovida pela EC 15/96, a Constituição explicitou o alcance do âmbito de consul-

ta para o caso de reformulação territorial de municípios e, portanto, o significado da expressão 'populações diretamente interessadas', contida na redação originária do § 4.º do art. 18 da Constituição, no sentido de ser necessária a consulta a toda a população afetada pela modificação territorial, o que, no caso de desmembramento, deve envolver tanto a população do território a ser desmembrado, quanto a do território remanescente. Esse sempre foi o real sentido da exigência constitucional – a nova redação conferida pela emenda, do mesmo modo que o art. 7.º da Lei 9.709/98, apenas tornou explícito um conteúdo já presente na norma originária. 2. A utilização de termos distintos para as hipóteses de desmembramento de estados-membros e de municípios não pode resultar na conclusão de que cada um teria um significado diverso, sob pena de se admitir maior facilidade para o desmembramento de um estado do que para desmembramento de um município. Esse problema hermenêutico deve ser evitado por intermédio de interpretação que dê a mesma solução para ambos os casos, sob pena de, caso contrário, se ferir, inclusive, a isonomia entre os entes da federação. O presente caso exige, para além de uma interpretação gramatical, uma interpretação sistemática da Constituição, tal que se leve em conta a sua integralidade e a sua harmonia, sempre em busca da máxima unidade constitucional, de modo que a interpretação das normas constitucionais seja realizada de maneira a evitar contradições entre elas. Esse objetivo será alcançado mediante interpretação que extraia do termo 'população diretamente interessada' o significado de que, para a hipótese de desmembramento, deve ser consultada, mediante plebiscito, toda a população do estado-membro ou do município e não apenas a população da área a ser desmembrada. 3. A realização de plebiscito abrangendo toda a população do ente a ser desmembrado não fere os princípios da soberania popular e da cidadania. O que parece afrontá-los é a própria vedação à realização do plebiscito na área como um todo. Negar à população do território remanescente o direito de participar da decisão de desmembramento de seu estado restringe esse direito a apenas alguns cidadãos, em detrimento do princípio da isonomia, pilar de um Estado Democrático de Direito. 4. Sendo o desmembramento uma divisão territorial, uma separação, com o desfalque de parte do território e de parte da sua população, não há como excluir da consulta plebiscitária os interesses da população da área remanescente, população essa que também será inevitavelmente afetada. O desmembramento dos entes federativos, além de reduzir seu espação territorial e sua população, pode resultar, ainda, na cisão da unidade sociocultural, econômica e financeira do Estado, razão pela qual a vontade da população do território remanescente não deve ser desconsiderada, nem deve ser essa população rotulada como indiretamente interessada. Indiretamente interessada – e, por isso, consultada apenas indiretamente, via de seus representantes eleitos no Congresso Nacional – é a população dos demais estados da Federação, uma vez que a redefinição territorial de determinado estado-membro interessa não apenas ao respectivo ente federativo, mas a todo o Estado Federal. 5. O art. 7.° da Lei n.° 9.709, de 18 de novembro de 1998, conferiu adequada interpretação ao art. 18, § 3.°, da Constituição, sendo, portanto, plenamente compatível com os postulados da Carta Republicana. A previsão normativa concorre para concretizar, com plenitude, o princípio da soberania popular, da cidadania e da autonomia dos estados-membros. Dessa forma, contribui para que o povo exerça suas prerrogativas de cidadania e de autogoverno de maneira bem mais enfática. 6. Ação direta julgada improcedente" (STF – Pleno, ADI 2.650/DF, rel. Min. Dias Toffoli, unânime, j. 24.08.2011).

"1. Em respeito à situação fática consolidada, na ADI 3.689/PA (Rel. Min. Eros Grau), esta Corte reconheceu a inconstitucionalidade, mas não pronunciou a nulidade da Lei n.º 6.066/97 do Estado do Pará, que desmembrou área do Município de Água Azul do Norte e a incorporou ao Município de Ourilândia do Norte. A vigência da lei foi preservada por 24 meses, até que o legislador estadual reapreciasse o tema, à luz dos parâmetros a serem fixados na lei complementar federal prevista no art. 18, § 4.º, da Constituição. 2. Não viola a autoridade desse acórdão a decisão que, invocando o precedente deste Tribunal e a EC n.º 57/2008 – que convalidou certos 'atos de criação, fusão, incorporação e desmembramento de Municípios' – declara a perda de objeto de demanda indenizatória, movida pelo Município de Água Azul do Norte, com fundamento na ilicitude do referido desmembramento. 3. Agravo regimental a que se nega provimento" (STF – 1.ª Turma, Recl. 12.873/PA AgRg, rel. Min. Roberto Barroso, j. 02.02.2016).

"I. Ação direta da inconstitucionalidade: cabimento contra lei de criação, incorporação, fusão e desmembramento: jurisprudência do STF: precedentes. II. Município: desmembramento. A subtração de parte do território de um município substantiva desmembramento, seja quando a porção desmembrada passe a constituir o âmbito espacial de uma nova entidade municipal, seja quando for ela somada ao território de município preexistente. III. Município: desmembramento: EC 15/96: inconstitucionalidade da criação, incorporação, fusão e o desmembramento de municípios desde a promulgação da EC 15/96 e até que lei complementar venha a implementar sua eficácia plena, o que, entretanto, não ilide a imediata revogação do sistema anterior (precedente: ADINMC 2381, 20.06.01, Pertence, DJ 24.5.2002). IV. Município: desmembramento: exigibilidade de plebiscito. Seja qual for a modalidade de desmembramento proposta, a validade da lei que o efetive estará subordinada, por força da Constituição, ao plebiscito, vale dizer, à consulta prévia das 'populações diretamente interessadas' – conforme a dicção original do art. 18, § 4.º – ou 'às populações dos Municípios envolvidos' – segundo o teor vigente do dispositivo" (STF – Pleno, ADIN 2.967/BA, rel. Min. Sepúlveda Pertence, j. 22.11.2004, unânime).

"Ação Direta de Inconstitucionalidade. 2. Lei 2.264/2010, do Estado de Rondônia, que dispõe sobre a criação do Município de Extrema de Rondônia, a partir de desmembramento de área territorial do Município de Porto Velho, fixa os seus limites, bem como informa os Distritos que integrarão a municipalidade criada. 3. Autorização, pelo Tribunal Superior Eleitoral, apenas para realização de consulta plebiscitária. 4. Violação ao art. 18, § 4.º, da Constituição Federal. Inexistência de Lei Complementar Federal. Impossibilidade de criação, fusão, incorporação ou desmembramento de novos municípios antes do advento dessa legislação. Precedentes. 5. A Emenda Constitucional n.º 57/2008 não socorre a lei impugnada, editada no ano de 2010. 6. Medida cautelar confirmada. 7. Ação Direito de Inconstitucionalidade julgada procedente" (STF – Pleno, ADIN 4.992/RO, rel. Min. Gilmar Mendes, j. 11.09.2014).

"Município: criação. Plebiscito: competência da Justiça Eleitoral sob a Constituição de 1988 – não obstante o retorno à órbita da ordem estadual da fixação de requisitos substanciais à criação de municípios e do processo da decisão política de criá-los, confiada à Assembleia Legislativa –, é corrente o entendimento de que foi recebido o direito anterior, no ponto em que outorgou à Justiça Eleitoral competência para administrar a consulta plebiscitária, apurar e proclamar o seu resultado positivo ou negativo (*v.g.*, ADIN 542, 27/06/91, Néri da Silveira): proclamado pelo TRE o resultado negativo da consulta, a decisão – preclusa no âmbito da Justiça Eleitoral – tem eficácia definitiva e vinculante da Assembleia Legislativa, impedindo a criação do município projetado, sob pena de inconstitucionalidade por usurpação da competência judiciária" (STF – Pleno, ADIN 733/MG, rel. Min. Sepúlveda Pertence, j. 17.06.1992, DJU, 16.06.1995).

Art. 19. É vedado à União, aos Estados, ao Distrito Federal e aos Municípios:

I – estabelecer cultos religiosos ou igrejas, subvencioná-los, embaraçar-lhes o funcionamento ou manter com eles ou seus representantes relações de dependência ou aliança, ressalvada, na forma da lei, a colaboração de interesse público;

II – recusar fé aos documentos públicos;

III – criar distinções entre brasileiros ou preferências entre si.

Doutrina

Vedações constitucionais. São proibições estabelecidas pelo legislador constituinte aos entes que compõem o Estado Federal, com o objetivo de garantir o chamado equilíbrio federativo.

Estado laico. A separação entre Igreja e Estado no Brasil se deu por meio do Decreto n.° 510, de 22 de junho de 1890. A norma constitucional proíbe aos entes federativos a criação de cultos religiosos ou igrejas, bem como a sua subvenção, não podendo, ainda, criar embaraços ao funcionamento dos existentes, ou manter relações, quer de dependência ou de aliança, com quaisquer membros de suas hierarquias,.

Colaboração de interesse público. Contudo, a norma ressalva que será legítima a cooperação entre Igreja e Estado nos assuntos de interesse público definidos em lei, como a educação, a saúde, a assistência social etc.

Documento público. É todo aquele originário de repartição pública e destinado a fazer prova de ato de sua competência. Desde que reverente aos requisitos formais e firmado por autoridade competente, goza da presunção *juris tantum* de legitimidade e não pode ser recusado por qualquer outra autoridade, ensejando a recusa mandado de segurança.

Distinções entre brasileiros. Como decorrência do princípio da igualdade, é vedado à União, aos Estados, ao Distrito Federal e aos Municípios criarem distinções entre brasileiros em razão de seu lugar de origem (naturalidade), beneficiando os filhos da terra em detrimento de brasileiros de outras plagas. Em princípio, o dispositivo trata apenas de pessoas físicas, não se aplicando às pessoas jurídicas.

Preferências entre si. Os entes federativos estão proibidos de estabelecer preferências entre si que favoreçam, por vias transversas, a si próprios ou a certos brasileiros em detrimento de outros.

Jurisprudência

> "ESTADO – LAICIDADE. O Brasil é uma república laica, surgindo absolutamente neutro quanto às religiões. Considerações" (STF – ADPF 54/DF, Pleno, rel. Min. Marco Aurélio, j. 12.04.2012).
>
> "Se, de um lado, a Constituição, ao consagrar a laicidade, impede que o Estado intervenha em assuntos religiosos, seja como árbitro, seja como censor, seja como defensor, de outro, a garantia do Estado laico obsta que dogmas de fé determinem o conteúdo de atos estatais. Vale dizer: concepções morais religiosas, quer unânimes, quer majoritárias, quer minoritárias, não podem guiar as decisões estatais, devendo ficar circunscritas à esfera privada. A crença religiosa e espiritual – ou a ausência dela, o ateísmo – serve precipuamente para ditar a conduta e a vida privada do indivíduo que a possui ou não a possui. Paixões religiosas de toda ordem hão de ser colocadas à parte na condução do Estado. Não podem a fé e as orientações morais dela decorrentes ser impostas a quem quer que seja e por quem quer que seja. Caso contrário, de uma democracia laica com liberdade religiosa não se tratará, ante a ausência de respeito àqueles que não professem o credo inspirador da decisão oficial ou àqueles que um dia desejem rever a posição até então assumida" (STF – ADPF 54/DF, trecho do voto do rel. Min. Marco Aurélio).

CAPÍTULO II
DA UNIÃO

Art. 20. São bens da União:

Doutrina

Bens da União. São todos aqueles de seu domínio como objeto de direito pessoal ou real, independentemente de sua destinação. São, como todos os bens públicos, inalienáveis, impenhoráveis e imprescritíveis.

Jurisprudência

> Súmula 340 do STF: "Desde a vigência do Código Civil, os bens dominicais, como os demais bens públicos, não podem ser adquiridos por usucapião."

I – os que atualmente lhe pertencem e os que lhe vierem a ser atribuídos;

Doutrina

Patrimônio da União. Integram o patrimônio da União os bens que já são de sua propriedade e aqueles que a este título lhes forem atribuídos. Isso significa que a enumeração deste artigo é apenas exemplificativa, não enumerando todos os bens pertencentes ao referido ente federativo.

Jurisprudência

> O proprietário lindeiro pode compelir o Poder Público a incorporar ao seu terreno, por investidura, área pública inaproveitável isoladamente, desde que pague o justo valor. Da mesma forma, pode a Administração desapropriar o imóvel confinante cujo proprietário se recusa a investir, para, após a incorporação, vender o todo para terceiro. (STF, RTJ, 100/694).

II – as terras devolutas indispensáveis à defesa das fronteiras, das fortificações e construções militares, das vias federais de comunicação e à preservação ambiental, definidas em lei;

Doutrina

Terras devolutas. São aquelas de domínio público em razão de ausência de trespasse, ou porque caíram em comisso, pena legal de perda, ou não passaram para particulares mediante título legítimo, ou porque não afetas a uma destinação pública. A Constituição de 1891 transferiu para os Estados-Membros (art. 64) as porções de terras devolutas situadas em seus territórios. O regime de tais terras é especial, sendo a sua utilização e apropriação regulada pelo direito público e não pelo direito civil.

Defesa das fronteiras. As terras devolutas indispensáveis à defesa das fronteiras, das fortificações e construções militares, das vias federais de comunicação e as destinadas à preservação ambiental retornam sempre à condição de bens dominicais da União por decisão unilateral desta e independentemente de indenização, salvo quanto às benfeitorias.

Jurisprudência

Súmula 477 do STF: "As concessões de terras devolutas situadas na faixa de fronteira, feita pelos Estados, autorizam apenas o uso, permanecendo o domínio com a União, ainda que se mantenha inerte ou tolerante, em relação aos possuidores."

"Terras devolutas de fronteiras – Nulidade da venda pelo Estado-membro. Usucapião de Decreto-Lei 9.760/46 – Inaplicabilidade da Lei 2.437/55. As terras situadas nas faixas ao longo das fronteiras nacionais, na largura prevista na Lei 601/1850 e Decreto 1318/1854, em princípio, são do domínio da União, não sendo válidas as vendas delas feitas por Estados-membros, aos particulares, ressalvadas as exceções do art. 5.°, do Decreto Lei n.° 9.760/1946)" (STF – Pleno, ACO 132/MT, rel. Min. Aliomar Baleeiro, DJ, 09.11.1973, p. 8.483).

As terras devolutas sempre estiveram submetidas a regime especial de direito público, não se regulando sua utilização e apropriação pelo direito civil. (TJSP, RDA, 57/316).

Terras devolutas são aquelas que jamais estiveram no domínio particular, seja a que título for, e não por inexistência da aquisição da gleba no Registro de Imóveis. (TJSP, RF, 235/132).

III – os lagos, rios e quaisquer correntes de água em terrenos de seu domínio, ou que banhem mais de um Estado, sirvam de limites com outros países, ou se estendam a território estrangeiro ou dele provenham, bem como os terrenos marginais e as praias fluviais;

Doutrina

Lagos, rios e correntes d'água. Integram o patrimônio da União, como bens de uso comum do povo, os lagos, rios e correntes d'água situados em terras de seu domínio, ou os que banhem mais de um Estado (interestaduais), delimitem o território nacional com países estrangeiros, ou se estendam a estes ou destes provenham.

Margens e praias. As margens dos rios constituem os chamados terrenos marginais. As praias fluviais são formadas nas margens dos leitos dos rios em declives suaves cobertos de areia. São bens da União e de uso comum do povo.

Jurisprudência

> Súmula 479 do STF: "As margens dos rios navegáveis são de domínio público, insuscetíveis de expropriação e, por isso mesmo, excluídas de indenização."
>
> Rios públicos são aqueles navegáveis em algum trecho de sua extensão. E, sendo assim, as suas margens são de domínio público, não sujeitas à desapropriação e, portanto, excluídas de indenização. (STF, RTJ, 67/870).

IV – as ilhas fluviais e lacustres nas zonas limítrofes com outros países; as praias marítimas; as ilhas oceânicas e as costeiras, excluídas, destas, as que contenham a sede de Municípios, exceto aquelas áreas afetadas ao serviço público e a unidade ambiental federal, e as referidas no art. 26, II;

Doutrina

Ilhas fluviais e lacustres. São de propriedade da União as ilhas em rios e lagos desde que localizadas nas zonas limítrofes com outros países num raio de cento e cinquenta quilômetros. As demais pertencem ao Estado Federado de sua situação.

Ilhas oceânicas e costeiras. Oceânicas são as ilhas localizadas mar adentro, enquanto costeiras são as ilhas situadas na costa, muito próximas do litoral. Todas as ilhas marítimas são patrimônio da União, salvo se cometidas por algum título a Estado Federado ou a particular.

Praias marítimas. Compreendem extensões da orla diuturnamente banhada pelas ondas no fenômeno das marés, salvo nos eventos de tempestades. Integram o patrimônio da União na condição de bens de uso comum do povo.

Jurisprudência

> "3. Incertezas acerca da dominialidade das terras devolutas, nas ilhas costeiras, até o advento da Constituição Federal de 1988, que, no art. 20, IV, inclui expressamente as ilhas da espécie entre os bens da União. 4. A ressalva contida no mencionado dispositivo, quanto às áreas, nelas situadas, que estiverem no domínio dos Estados, tem sentido explicitativo quanto à possibilidade de parcelas de tais ilhas terem sido, no passado, e virem a ser, no futuro, transferidas para os Estados, pelos meios regulares de direito. 5. Dessas áreas e que cuida o art. 26, II, da Carta de 1988, ao referir às áreas, nas ilhas costeiras, que estiverem no domínio dos Estados". (STF – Pleno, ACO 317, rel. Min. Ilmar Galvão, DJ, 17.09.1992).

> "No regime da Constituição de 1967, não se incluíam, dentre os bens do domínio da União, os situados em ilha marítima. A Carta de 1988, ao incluí-los, fez a ressalva para manter no domínio dos Estados, Município e particulares os que a estes já pertencessem (arts. 20, IV, e 26, II)." (TRF3, AC 235.767, rel. Juiz Célio Benevides, DJ 2, 08.11.1995, p. 76.503).

V – os recursos naturais da plataforma continental e da zona econômica exclusiva;

Doutrina

Plataforma continental. É a faixa de terra que avança mar adentro, compreendendo o leito e o subsolo das áreas submarinas, numa extensão de até duzentas milhas marítimas para além do mar territorial. A soberania nacional aqui é exercida apenas quanto à exploração e ao aproveitamento de seus recursos naturais.

Zona econômica exclusiva. É aquela onde o Estado exerce exclusiva e soberanamente a exploração econômica dos recursos naturais, renováveis ou não, nela encontrados. São as águas marinhas que se estendem das doze às duzentas milhas marítimas, contadas a partir das linhas de base que servem para medir a largura do mar territorial.

Jurisprudência

> "Pode haver uma plataforma continental sem zona econômica exclusiva; entretanto não poderia haver zona econômica exclusiva sem plataforma continental correspondente" (Corte Internacional de Justiça, excerto encontrado em *Le pleteau continental dans la Convention de 1982 sur le Droit de la Mer*, Vicente Marotta Rangel, *apud* Manoel G. F. Filho, Comentários, vol. 1, p. 152).

VI – o mar territorial;

Doutrina

Mar territorial. Compreende a parte das águas marítimas sujeita à soberania nacional. No caso brasileiro, o mar territorial é de doze milhas marítimas de extensão, contadas a partir da linha do baixa-mar do litoral continental e insular do país, aí compreendido o subsolo e o espaço aéreo correspondente. O mar territorial brasileiro é protegido por uma zona contígua que se estende das doze até vinte e quatro milhas marítimas, faixa onde poderão ser adotadas medidas capazes de prevenir ou evitar a prática de infração às leis e aos regulamentos aduaneiro, fiscal, imigratório ou sanitário.

Jurisprudência

> "1. Não há notícia de que o Juízo Estadual tenha conhecimento de que havia ação penal em trâmite também na Justiça Federal, pelos mesmos fatos, haja vista

a constatação de que o delito foi perpetrado em mar territorial, portanto em bem da União. Dessa forma, não é possível vislumbrar se o Juízo Estadual, ao tomar conhecimento do contexto acima delineado, teria declinado de sua competência ou reivindicado sua atuação. Portanto, não havendo manifestação de um dos Juízos envolvidos, não há se falar em conflito. Não conheço do conflito" (STJ – 3.ª Seção, CComp 122.770, rel. Des. Walter de Almeida Guilherme (TJ/SP), DJE, 24.11.2014).

VII – os terrenos de marinha e seus acrescidos;

Doutrina

Terrenos de marinha e acrescidos. São aqueles banhados pelas águas do mar, de rios ou de lagos, sob a influência das marés, que vão até a distância de trinta e três metros para a parte da terra, contados da linha do preamar médio. O fato de tais terrenos e seus acrescidos se constituírem em bens da União em nada objeta a competência do Município para a regulação do solo urbano.

Jurisprudência

A simples alegação de existência de interesse federal na causa, por envolver terreno de marinha, não desloca, de pronto, a competência para a Justiça Federal. Primeiramente, o Juízo Estadual deve determinar a citação da entidade federal para que se manifeste e, em fazendo, aí sim os autos deverão ser remetidos ao Juízo Federal, competente para reconhecer, ou não, a legitimidade da União ou autarquia federal na demanda. (STF, Ementário, v. 1390/03, p. 491).

VIII – os potenciais de energia hidráulica;

Doutrina

Potenciais de energia hidráulica. São as quedas d'água e outros acidentes naturais em rios ou lagos capazes de gerar energia elétrica a partir de seu aproveitamento industrial. Referidos potenciais são bens imóveis e coisas distintas e não integrantes das terras em que se encontram, sendo, pois, de propriedade da União.

Jurisprudência

> "(...). Considerando que os recorridos não detinham concessão para explorar a jazida existente no imóvel objeto desta ação, a determinação do Tribunal de realização de nova perícia, para fins de incorporação do valor econômico da extração da areia nos cálculos da indenização, possibilita o enriquecimento ilícito dos expropriados em detrimento das empresas expropriantes – concessionárias de uso de bem público para a produção de energia elétrica" (STJ – 1.ª Turma, REsp 1.308.449, rel. Min. Gurgel de Faria, DJE, 13.11.2017).

IX – os recursos minerais, inclusive os do subsolo;

Doutrina

Recursos minerais. Compreende todas as jazidas, ou massa de substâncias minerais ou fósseis encontradas no interior ou na superfície da terra e que tenham valor econômico. São bens imóveis, distintos e não integrantes do solo para efeito de exploração e aproveitamento, e se constituem em patrimônio da União, que os explorará diretamente ou mediante concessão.

Jurisprudência

> "(...). 5. Nos termos do art. 20, IX, da Constituição Federal, são bens da União os recursos minerais, inclusive os do subsolo, condicionada a pesquisa e lavra de tais recursos à autorização ou concessão do Poder Público, observados os requisitos previstos em lei" (STJ – 1.ª Turma, REsp 1.308.449, rel. Min. Gurgel de Faria, DJE, 13.11.2017).

> "Os recursos minerais, inclusive os do subsolo, são, de acordo com os arts. 20, IX, e 176 da Constituição Federal, bens da União. Ao proprietário do solo é assegurada participação nos resultados da lavra – Constituição Federal, art. 176, § 2.º" (TRF1, AC 95.01.17026-8/GO, rel. Juiz Tourinho Neto, DJ 2, 29. 9. 95, p. 66.053).

X – as cavidades naturais subterrâneas e os sítios arqueológicos e pré-históricos;

Doutrina

Cavidades naturais e sítios arqueológicos. As cavidades naturais subterrâneas são as cavernas e grutas objeto de estudo da espeleologia, parte da geologia que estuda as cavidades naturais da terra. Os sítios arqueológicos têm enorme importância para o estudo dos povos antigos e pré-históricos que eventualmente tenham habitado o território nacional. Por essas razões, a Constituição os erigiu como bens integrantes do patrimônio da União.

Jurisprudência

> É legítimo o ato da Municipalidade que suspendeu, até que seja ultimado parecer pelo órgão competente, a exploração de jazida mineral que colocava em risco a integridade de formação espeleológica. (TJMG, RT, 657/149).

XI – as terras tradicionalmente ocupadas pelos índios.

Doutrina

Terras dos índios. São aquelas por eles ocupadas há muito tempo, ou desde tempos imemoriais, necessárias à garantia de sua sobrevivência e da preservação de suas comunidades, hábitos e cultura. São terras insuscetíveis de alienação porque indisponíveis e os direitos sobre as mesmas são imprescritíveis.

Jurisprudência

Súmula 480 do STF: "Pertencem ao domínio e administração da União, nos termos dos arts. 4.°, IV, e 186, da Constituição Federal de 1967, as terras ocupadas por silvícolas."

A aplicação da norma pressupõe que as terras sejam efetivamente ocupadas pelos silvícolas, pois, do contrário, admitir-se-ia violação do direito à propriedade privada também assegurado pela Constituição. Portanto, no caso de possuidor com título recebido do Estado, este não pode ser privado do fruto de seu trabalho sem indenização. (STF, *RTJ*, 99/68).

§ 1.° É assegurada, nos termos da lei, à União, aos Estados, ao Distrito Federal e aos Municípios a participação no resultado da exploração de petróleo ou gás natural, de recursos hídricos para fins de geração de energia elétrica e de outros recursos minerais no respectivo território, plataforma continental, mar territorial ou zona econômica exclusiva, ou compensação financeira por essa exploração.

Doutrina

Participação no produto da exploração de recursos energéticos ou compensação financeira. A norma assegura aos entes nela referidos participação no resultado ou compensação pela exploração de recursos energéticos ou minerais situados nos seus respectivos territórios. Participação no resultado significa receber parte dos ganhos líquidos da atividade; já compensação financeira significa reparação pela exploração daqueles recursos e é devida independentemente do resultado – positivo ou negativo – da atividade. A Lei 7.990/89 optou pela compensação, radicando, assim, os riscos da exploração exclusivamente nos concessionários de quaisquer dos recursos listados no dispositivo.

Jurisprudência

"(...). Compensação Financeira – Exploração de Petróleo, Gás Natural, Recursos Hídricos e Minerais – Natureza. O que previsto no artigo 20, § 1.°, da Constituição Federal não consubstancia tributo, estando alcançado pelo gênero indenização" (STF – 1.ª Turma, RE 381.830/DF, rel. Min. Marco Aurélio, j. 23.08.2011).

§ 2.° A faixa de até cento e cinquenta quilômetros de largura, ao longo das fronteiras terrestres, designada como faixa de fronteira, é considerada fundamental para defesa do território nacional, e sua ocupação e utilização serão reguladas em lei.

Doutrina

Faixa de fronteira. É a porção contínua de terra que faz divisa do território nacional com os países limítrofes. É tradicional defini-la com a largura de até cento e cinquenta quilômetros ao longo das divisas terrestres do território e a sua função principal é a de atender aos imperativos da segurança nacional.

Jurisprudência

"Agravo regimental. – Não tem razão o agravante. Com efeito, ainda quando se pretendesse que 'zona de fronteira' tem que ter necessariamente o mesmo sentido de 'faixa de fronteira' que o artigo 20, § 2.°, da Constituição considera fundamental para a defesa do território nacional, devendo sua ocupação e utilização ser reguladas em lei, é evidente que a lei poderá dar tratamento diferenciado a áreas situadas nesta 'faixa de fronteira' em razão até da avaliação da necessidade de povoamento, para fins de defesa nacional, em umas e não em outras a justificar, ou não, a concessão de benefícios para a sua ocupação e utilização essas que, por isso mesmo, foram deixadas para ser reguladas por lei. Agravo a que se nega provimento" (STF – 1.ª Turma, AgI 400.975/RS AgRg, rel. Min. Moreira Alves, j. 25.03.2003).

"As terras devolutas, indispensáveis à defesa das fronteiras e do território brasileiro, situadas numa faixa de até 150 km de largura ao longo das fronteiras terrestres, são bens pertencentes à União (CF/88, art. 20, II, § 2.º). O Decreto-Lei 2.375/87. A seu turno, não afastou o domínio da União sobre as terras devolutas sitas na chamada faixa de fronteiras. No parágrafo único do seu art. 1.º, inciso I, expressamente as exclui da transferência feita aos Estados e Territórios das terras devolutas da União" (TRF1, AC 89.01.22.226-4/AC, rel. Juiz Nelson Gomes da Silva, DJ 2, 22.10.1990, p. 24.773).

Art. 21. Compete à União:

Doutrina

Repartição de competências. A repartição de competências entre os entes federativos é pressuposto essencial da autonomia destes e característica básica do Estado Federal, onde as partes componentes dividem os poderes estatais.

Critério de repartição. A repartição das competências entre os entes federativos ocorre segundo o princípio da predominância do interesse, cabendo à União as matérias de interesse e ordem gerais, aos Estados Federados as matérias de cunho regional, e aos Municípios aquelas de interesse local. O Distrito Federal acumula competências ditadas por interesses locais e regionais.

Jurisprudência

Súmula do STF: 503 "A dúvida, suscitada por particular, sobre o direito de tributar manifestado por dois Estados, não configura litígio da competência originária do STF."

> "A competência atribuída a um órgão público é inderrogável, seja pela vontade da Administração, seja por acordo com terceiros, e assim é exatamente porque a competência é conferida em benefício do interesse público". (TRF1, AC 200883300003 3058, rel. Des. Fed. Selene Maria de Almeida, e-DJF1, 21.01.2011, p. 510).

I – manter relações com Estados estrangeiros e participar de organizações internacionais;

Doutrina

Relações diplomáticas. É o conjunto dos negócios estrangeiros do país, cujo exercício é conferido à União, aqui representando o Estado Federal. Compreende tanto a diplomacia bilateral, ou direito de legação ativa – ter representante diplomático acreditado – e passiva – acreditar representante diplomático estrangeiro –, quanto à diplomacia multilateral, ou direito de participação e atuação efetiva em organizações internacionais, como a ONU, a OEA, a UNESCO, a OIT, a OMC, o MERCOSUL etc.

Jurisprudência

> "(...). No direito brasileiro, dá a Constituição Federal competência privativa ao Presidente da República para celebrar tratados e convenções internacionais *ad referendum* do Congresso Nacional (...). Por outro lado, tem o Congresso Nacional competência exclusiva para resolver definitivamente sobre tratados e convenções celebrados com os Estados estrangeiros pelo Presidente da República (...). Assim, celebrado o tratado ou convenção por representante do Poder Executivo, aprovado pelo Congresso Nacional e promulgado pelo Presidente da República, com a publicação do texto em português no órgão de imprensa oficial, tem-se como integrada a norma da convenção internacional no direito interno." (RJTJRS, 4/192, *apud*, MELLO FILHO, Constituição Federal Anotada, Saraiva, São Paulo, 1984, p. 28).

"Segundo dispõem os arts. 21, I, e 84, VII e VIII, da Carta da República, cabe à União manter relações com estados estrangeiros e cumprir os tratados firmados, fixando-se a sua responsabilidade na *persecutio criminis* nas hipóteses de crimes praticados por brasileiros no exterior, na qual haja incidência da norma interna, no caso, o Direito Penal interno e não seja possível a extradição" (STJ – 3.ª Seção, CComp 154.656/MG, rel. Min. Ribeiro Dantas, DJE, 03.05.2018).

"Em nosso regime constitucional, a competência da União para 'manter relações com estados estrangeiros' (art. 21, I), é, em regra, exercida pelo Presidente da República (CF, art. 84, VII), 'auxiliado pelos Ministros de Estado' (CF, art. 76)" (STJ – Corte Especial, Recl. 2.645, rel. Min. Teori Albino Zavascki, DJE, 16.12.2009, p. 308).

II – declarar a guerra e celebrar a paz;

Doutrina

Declaração de guerra. É o ato formal que dá início ao estado de guerra. Pode ocorrer, no entanto, ato de guerra, como um ataque ou invasão do território, sem prévia declaração de guerra. É ato de soberania de competência exclusiva da União, na condição de Estado Federal, expressado por meio do Presidente da República, após autorização do Congresso Nacional, ou referendado por este, caso a agressão estrangeira ocorra no intervalo das sessões legislativas.

Celebração da paz. É o ato formal que põe fim ao conflito com a cessação das hostilidades. Trata-se de ato complexo que depende da conjugação de vontades do Presidente da República com autorização ou referendo do Congresso Nacional.

III – assegurar a defesa nacional;

Doutrina

Segurança nacional e defesa nacional. A primeira compreende o conjunto de ações destinado à proteção da nação contra toda espécie de ameaça, interna ou externa, enquanto a segunda é entendida como ação adequada a dar cabo a um tipo específico de ameaça. No texto, parece que o legislador constituinte quis dizer segurança nacional, porém, constrangido, evitou a expressão; contudo, utilizou-a, sem constrangimento, no artigo 173.

Jurisprudência

> O conceito de segurança nacional diz respeito a toda matéria relativa à defesa da integridade do território, independência, paz e sobrevivência do país, de suas instituições e valores materiais e morais, contra ameaça externa ou interna. Quer dizer, contra a guerra externa ou intestina, efetiva ou potencial. Portanto, segurança nacional é matéria de ordem pública e de Direito Público, que não pode ser confundida com assunto menor, de Direito Civil, envolvendo interesses apenas de particulares, como no caso, que trata de purgação de mora em locações comerciais (STF, RDA, 94/169).
>
> "(...). 3. As terras devolutas tidas por indispensáveis à defesa nacional, assim consideradas as situadas na faixa de fronteira, não podem ser transferidas pelos Estados-Membros a particulares sob pena de caracterizar venda a *non domino*, uma vez que se trata de terras dominicais da União, conforme entendimento manifestado pelo STF no julgamento do RE n. 52.331" (STJ – 2.ª Turma, REsp 680.860, rel. Min. João Otávio de Noronha, DJ, 12.02.2008, p. 1).

IV – permitir, nos casos previstos em lei complementar, que forças estrangeiras transitem pelo território nacional ou nele permaneçam temporariamente;

Doutrina

Forças estrangeiras: trânsito e permanência temporária no território nacional. Forças estrangeiras são todas e quaisquer forças armadas alienígenas, quer seja de outro estado nacional, de movimento armado, ou de organização internacional, como no caso das chamadas forças de paz. O trânsito é a passagem efêmera de forças militares estrangeiras pelo território nacional; enquanto a permanência temporária é o estacionamento de forças militares de outros países no território nacional com ânimo de ficar pelo tempo autorizado. Em ambos os casos, a permissão somente será concedida dentro das estritas hipóteses previstas em lei complementar, em caráter temporário, e sempre dependerá de autorização do Congresso Nacional e permissão do Presidente da República.

Jurisprudência

> "(...). 2. Hipótese em que pensão é requerida por civil que, durante a Segunda Guerra Mundial, prestou serviços à Força Aérea dos Estados Unidos da América, em base aérea localizada na Ilha de Fernando de Noronha. A Lei 5.315/67 não traz previsão legal para extensão do benefício que, como civis, tenham prestado serviços a forças estrangeiras, ainda que em bases localizadas em território brasileiro" (STJ – 5.ª Turma, REsp 431.114, rel. Min. Arnaldo Esteves Lima, DJ, 25.09.2006, p. 295).

V – decretar o estado de sítio, o estado de defesa e a intervenção federal;

Doutrina

Estado de sítio e estado de defesa. São mecanismos de defesa do Estado e das instituições democráticas que autorizam a restrição temporária de alguns direitos e garantias fundamentais. A diferença entre ambos reside no fato de o estado de sítio ser medida mais grave, normalmente adotada quando o estado de defesa se mostra ineficaz, ou no caso de declaração de estado de guerra ou resposta a agressão armada estrangeira.

Intervenção federal. É o poder conferido à União de suprimir temporária e excepcionalmente a autonomia de ente federativo com o objetivo de preservar a inteireza e o normal funcionamento do Estado Federal.

Jurisprudência

> A decretação inconstitucional do estado de sítio enseja ao Supremo Tribunal Federal a oportunidade de proteger a liberdade de locomoção e outros direitos individuais, ainda que o ato do Executivo tenha sido aprovado pelo Legislativo (STF, RF, 24/151).
>
> Não configura direito líquido e certo a ser protegido pela via do mandado de segurança a alegada abstenção do Presidente da República na decretação de intervenção federal, pois se trata de ato discricionário sujeito unicamente a seu juízo político (STF, RT, 681/241).

VI – autorizar e fiscalizar a produção e o comércio de material bélico;

Doutrina

Material bélico. Significa, na acepção lata, todo e qualquer tipo de equipamento, arma, ou munição, destinado ou não ao uso das Forças Armadas. Compete, exclusivamente, à União autorizar e fiscalizar tanto a produção, quer dizer a fabricação, quanto o comércio, a circulação, a compra e venda de qualquer material bélico.

Jurisprudência

> "A comercialização de materiais bélicos (armas, munições etc.) está sujeita ao controle federal, e os limites dentro dos quais se realizará essa atividade mercantil é objeto de disciplinamento em legislação

editada pela União, compreendendo-se, ainda, que a fiscalização desse comércio é de alçada de órgãos federais, mais precisamente, fica a cargo do Ministério do Exército. Os municípios, por mais nobres que sejam os objetivos, não dispõem de competência para expedir regulamento sobre a matéria (venda de armas e munições), quando muito exercerão um poder suplementar, conquanto que não conflitante com a legislação federal. A expressão material bélico, consignada na Constituição Federal (art. 21, VI) compreende todo e qualquer tipo de objeto ou instrumento (revólver, metralhadora, dinamite, granada) utilizado pelas Forças Armadas na manutenção da ordem interna" (STJ, ROMS 5.751/RJ, rel. Min. Demócrito Reinaldo, j. 21.08.95, RDA 203/225).

VII – emitir moeda;

Doutrina

Emissão de moeda. Trata-se de competência da União porque a moeda é uma das expressões de soberania do Estado. A emissão de moeda, através de cunhagem de moeda metálica ou emissão de papel-moeda, é exercida exclusivamente em nome da União Federal pelo Banco Central do Brasil, que o faz mediante contratação com a Casa da Moeda do Brasil, órgão que explora a referida atividade econômica.

Jurisprudência

"(...). A moeda: sempre foi fonte notável de informações históricas porque a sua confecção – iniciada com a cunhagem em cobre, prata e ouro – permitiu às pessoas de seu tempo e à posteridade o conhecimento de aspectos políticos, econômicos e culturais, assim como permitiu, em favor das gerações ulteriores, conhecer alguns procedimentos tecnológicos do passado; os lançamentos e inscrições postos na moeda refletem um povo, sua história, seus costumes. Assim, a moeda acaba por expressar fatos relevantes para esse povo, sem exclusividade" (TRF3 – 6.ª Turma, ApReeNec 1.891.300/SP, rel. Des. Fed. Johonsom di Salvo, e-DJF3, Judicial 1, 21.12.2017).

"1. A condenação do Banco Central ao pagamento de diferenças entre a correção monetária calculada pela variação do BTNF e a calculada com base no IPC reconhecer a plena vigência do art-6, par-1 e par-2 da Lei 8024, inexistindo qualquer contrariedade às normas constitucionais que tratam da competência da União para emitir moeda, fiscalizar as operações financeiras, especialmente as de crédito, câmbio, capitalização e legislar sobre sistema monetária, política de crédito e sistema de poupança, na forma de seu art-21, inc-7 e inc-8; do art. 22, inc-6, inc-7 e inc-9" (TRF4, 3.ª Turma, AC 9804053683 ED, rel. Juíza Maria de Fátima Freitas Labarrère, DJ, 07.04.1999, p. 665).

VIII – administrar as reservas cambiais do País e fiscalizar as operações de natureza financeira, especialmente as de crédito, câmbio e capitalização, bem como as de seguros e de previdência privada;

Doutrina

Administração das reservas cambiais. As reservas cambiais são os recursos financeiros resultantes principalmente do saldo positivo das transações econômicas com o exterior, de financiamentos ou de títulos resgatáveis em moeda estrangeira, normalmente o dólar norte-americano, administradas pela União com o fim de honrar os compromissos do país com o estrangeiro decorrentes da aquisição de bens, mercadorias ou serviços ou quitação de empréstimos.

Fiscalização de operações financeiras, de seguro e de previdência privada. Cabe à União fiscalizar as operações financeiras, aquelas que envolvam moeda, crédito, câmbio ou capitalização; as operações de seguro, contrato em que a parte contratante se obriga, mediante a cobrança de prêmio, a indenizar a parte contratada no caso de ocorrência de sinistro; e as operações de previdência privada, visando a proteção dos interesses dos contratantes de planos de previdência privada com as empresas operadoras desse setor da economia.

Jurisprudência

Súmulas do STF: 121. "É vedada a capitalização de juros, ainda que expressamente convencionada." 596. "As disposições do Decreto 22.626/33 não se aplicam às taxas de juros e aos outros encargos cobrados nas operações realizadas por instituições públicas ou privadas, que integram o sistema financeiro nacional.

"(...). 3. Com efeito, a norma prevista na Lei n.º 7.492/86, tem por escopo a proteção do Sistema Financeiro Nacional, enquanto a Lei n.º 8.137/90 está direcionada ao Sistema Tributário, tutelando bens jurídicos de naturezas distinta" (TRF3 – 1.ª Turma, rel. para acórdão Juiz Convocado Renato Toniasso, DJF3, 17.12.2015)

"(...). 2. A Constituição Federal de 1988, no seu artigo 22, inciso VII, reserva à União a competência para tratar das normas que regem a política cambial do país, cabendo a este ente federativo legislar sobre câmbio e comércio exterior, sendo certo que, estabelecidas as normas legais de regência da matéria, o órgão encarregado de gerir a política cambial é, nos termos da Lei n.º 4.595, de 31 de dezembro de 1964, o Banco Central do Brasil a quem cabe cumprir e fazer cumprir as disposições que lhe são atribuídas por lei e, privativamente, exercer a fiscalização das instituições financeiras e aplicar as penalidades previstas em lei (art. 10, IX). 3. No contexto de algum desequilíbrio grave, a administração das reservas cambiais do país deve ser feita a partir de uma política de centralização do câmbio, executada pelo Banco Central, com o objetivo de proteger os interesses públicos relevantes, ínsitos na acumulação de divisas necessárias para a garantia de cumprimento de compromissos em moeda estrangeira e para evitar o agravamento da situação de desequilíbrio no chamado balanço de pagamentos" (TRF3 – Turma Suplementar, AC 204.536/SP, rel. Juiz Convocado Valdeci dos Santos, DJF, 07.08.2008).

IX – elaborar e executar planos nacionais e regionais de ordenação do território e de desenvolvimento econômico e social;

Doutrina

Ordenação territorial. Compreende os estudos relativos à divisão territorial do país visando a resolver os litígios de limites ainda pendentes de solução e a promover eventual criação de novas unidades territoriais.

Planos de desenvolvimento. São o conjunto de metas definidas a partir da identificação de prioridades com o objetivo de implementar políticas de desenvolvimento. Tais planos são: a) *nacionais*, quando destinados a atingir objetivos globais de crescimento econômico e integração social; b) *regionais*, quando visem buscar o crescimento econômico e a integração social de alguma região do país em particular.

Jurisprudência

"A República Federativa do Brasil tem como um dos seus objetivos fundamentais 'garantir o desenvolvimento nacional' (art. 3.º, inciso II da CF/1988), razão pela qual compete à União através de seus Ministérios elaborar e executar planos nacionais e regionais de desenvolvimento econômico (art. 21, IX, c.c. art. 87, II, da CF/1988)" (STJ – 1.ª Seção, MS 11.862, rel. Min. Eliana Calmon, DJE, 25.05.2009).

X – manter o serviço postal e o correio aéreo nacional;

Doutrina

Serviço postal. Trata-se de monopólio da União exercido por meio da Empresa Brasileira de Correios e Telégrafos, consistente no recebimento, transporte e entrega de correspondência em todo o território nacional ou a remessa de correspondência agrupada para o exterior, bem como a fabricação e emissão de selos e de outras fórmulas de franqueamento postal. O Correio Aéreo Nacional surgiu em 1931 com o objetivo de fazer o transporte de correspondência e até de pessoas para regiões remotas do país, como a Amazônia e o Centro-Oeste, não servidas por empresas aéreas privadas.

Jurisprudência

> "A empresa pública, que exerce o monopólio postal, não é titular do poder de polícia, que lhe permita a busca e apreensão de objetos. O monopólio postal não impede a livre circulação de papéis e documentos de fins específicos, colocados em invólucros indevassáveis." (STF, RDA, 141/111).

XI – explorar, diretamente ou mediante autorização, concessão ou permissão, os serviços de telecomunicações, nos termos da lei, que disporá sobre a organização dos serviços, a criação de um órgão regulador e outros aspectos institucionais;

Doutrina

Serviços de telecomunicações. Compreendem os serviços de voz, de sons, de imagens, de dados e outros congêneres cuja prestação se dá através da utilização de sistemas de transmissão telefônicos, telegráficos, micro-ondas, satélites ou qualquer outro meio. São atividades exploradas diretamente pela União ou por particulares mediante autorização, concessão ou permissão, como ocorre atualmente. O órgão regulador de tais serviços é a ANATEL – Agência Nacional de Telecomunicações, responsável pela implementação da política nacional de telecomunicações e pela fiscalização dos serviços prestados pelas concessionárias.

Jurisprudência

> "Norma estadual que imponha obrigações e sanções para empresas, dentre as quais as prestadoras de serviços de telecomunicações, não previstas nos contratos previamente firmados com a União, a qual detém a competência privativa para legislar em tais casos, viola, à primeira vista, o Texto Constitucional, conforme pacífica jurisprudência deste Tribunal" (STF – Pleno, ADIN 4.533/MG MC, rel. Min. Ricardo Lewandowski, j. 25.08.2011).

XII – explorar, diretamente ou mediante autorização, concessão ou permissão:

Doutrina

Formas de prestação de serviços. A União poderá prestar serviços de duas formas: *a*) diretamente, por meio dos órgãos integrantes da Administração Federal; *b*) indiretamente, por meio de autorização ou permissão, que são atos administrativos unilaterais e precários, ou, ainda, mediante concessão, que se faz mediante contrato administrativo, com prazo determinado, precedido de licitação pública entre os interessados que cumpram os requisitos previstos em lei.

Jurisprudência

> "O exercício do poder normativo ou controlador ou de polícia ou de concedente de serviços públicos, pelos entes estatais, não transforma tais entes em partes nas relações de direito material estabelecidas pelos destinatários das normas por eles editadas, ou pelas entidades por eles fiscalizadas ou pelas empresas titulares

de concessões ou autorizações por eles expedidas" (STJ – 1.ª Seção, REsp 1.068.944/PB, rel. Min. Teori Albino Zavascki, j. 12.11.2008).

a) os serviços de radiodifusão sonora e de sons e imagens;

Doutrina

Radiodifusão sonora e de sons e imagens. Compreende os serviços de exploração de emissoras de rádio e de televisão. A chamada radiodifusão comunitária abrange tanto as emissoras de rádio com pequena área de cobertura quanto as emissoras de televisão, também com alcance limitado.

Jurisprudência

> "1. O art. 132, 'b', da Lei Orgânica do Distrito Federal, ao admitir a incidência do ICMS apenas sobre os serviços de comunicação, referidos no inciso XI do art. 21 da C.F., vedou sua incidência sobre os mencionados no inciso XII, 'a' do mesmo artigo, ou seja, sobre 'os serviços de radiodifusão sonora e de sons e imagens' (art. 21, XII, 'a', da C.F., com a redação dada pela E.C. n.º 8, de 15.08.1995). 2. Com isso, estabeleceu, no Distrito Federal, tratamento diferenciado dessa questão, em face do que ocorre nas demais unidades da Federação e do disposto no art. 155, inc. II, da C.F., pelos quais o ICMS pode incidir sobre todo e qualquer serviço de comunicação" (STF – Pleno, ADIN 1.467/DF MC, rel. Min. Sydney Sanches, j. 20.11.1996).

b) os serviços e instalações de energia elétrica e o aproveitamento energético dos cursos de água, em articulação com os Estados onde se situam os potenciais hidroenergéticos;

Doutrina

Serviços de energia elétrica. Da mesma forma, a União poderá explorar diretamente ou por delegação a particulares a produção, transmissão e distribuição de energia elétrica. Compete-lhe, ainda, com a participação dos Estados onde se situam os potenciais hidroenergéticos, promover o aproveitamento dos mesmos.

Jurisprudência

> Súmula do TFR: 62. "Compete à Justiça Federal processar e julgar ação de desapropriação promovida por concessionária de energia elétrica, se a União intervém como assistente."
>
> Tendo a Constituição Federal reservado à União a exploração de serviço de energia elétrica (art. 21, XII, *b*), é evidente que tal atividade tem caráter público, sendo regida pelo direito administrativo, ainda que explorada por concessionária, que é uma *longa manus* do Poder Público (TJSP, JTJ/SP-LEX, 148/36).

c) a navegação aérea, aeroespacial e a infraestrutura aeroportuária;

Doutrina

Aeronavegação. Compreende duas espécies: a) *navegação aérea,* feita por aviões, helicópteros, balões e dirigíveis dentro do espaço aéreo do planeta; b) *navegação aeroespacial,* feita por foguetes e naves espaciais em torno do planeta ou fora de sua órbita.

Infraestrutura aeroportuária. É o conjunto de equipamentos e logística que garante o regular funcionamento dos aeroportos.

Jurisprudência

> "(...). 2. A instalação e a utilização de aparelhagem em desacordo com as exigências legais, ou de forma

clandestina, sem a observância dos padrões técnicos estabelecidos em normas nacionais, por si só, inviabilizam o controle do espectro radioelétrico e podem causar sérias interferências prejudiciais em serviços de telecomunicações regularmente instalados (polícia, ambulâncias, bombeiros, navegação aérea, embarcações, bem como receptores domésticos – TVs e rádios – adjacentes à emissora), pelo aparecimento de frequências espúrias. Por conseguinte, além de presumida a ofensividade da conduta por lei, inquestionável a alta periculosidade social da ação" (STJ – 5.ª Turma, REsp 703.235 AgRg, rel. Min. Ribeiro Dantas, DJE, 23.06.2017).

d) os serviços de transporte ferroviário e aquaviário entre portos brasileiros e fronteiras nacionais, ou que transponham os limites de Estado ou Território;

Doutrina

Transporte ferroviário e aquaviário. Compete à União a exploração direta ou através de terceiros dos serviços de transporte em ferrovias ou em vias líquidas, tanto de caráter interestadual como de portos até as fronteiras, bem como o internacional.

Jurisprudência

Súmulas do STF: 161. "Em contrato de transporte, é inoperante a cláusula de não indenizar." 186. "Não infringe a lei a tolerância da quebra de 1% no transporte por estrada de ferro, prevista no regulamento de transportes." 187. "A responsabilidade contratual do transportador, pelo acidente com o passageiro, não é elidida por culpa de terceiro, contra o qual tem ação regressiva."

Decisão que considera válida cláusula contratual limitativa de responsabilidade em contrato de transporte marítimo dá à lei interpretação pelo menos razoável, pois, ao segurador, sub-rogado, não é concedido receber quantia superior àquela devida pelo transportador ao embarcador. (STF, RTJ, 104/357).

e) os serviços de transporte rodoviário interestadual e internacional de passageiros;

Doutrina

Transporte rodoviário. A competência da União restringe-se aos serviços de natureza interestadual e internacional de passageiros. Os serviços intermunicipais competem aos Estados e os locais de transporte coletivo são de competência dos Municípios.

Jurisprudência

As Súmulas 161, 186 e 187 do STF, citadas na alínea anterior, têm aplicação também neste dispositivo.

"É ilegal a cláusula de não indenizar, pois não se trata aí de interpretação de cláusula contratual, mas de sua validade, em face da lei, objetando o seu reconhecimento o enunciado da Súmula 161" (STF, RTJ, 61/550).

É presumida a culpa das empresas de serviço público por acidente com passageiro, afastada qualquer causa liberatória, especialmente culpa de terceiros, em face da Súmula 187 do STF (STF, RTJ, 62/91).

f) os portos marítimos, fluviais e lacustres;

Doutrina

Serviços portuários. A União poderá explorar diretamente ou delegar a terceiros a exploração dos serviços em portos marítimos, fluviais ou lacustres, principalmente em face do interesse na livre circulação de pessoas e de mercadorias.

Jurisprudência

"(...). 2.1. Em uma série de precedentes, esta Corte reconheceu que a exploração dos portos marítimos, fluviais e lacustres caracteriza-se como serviço público. 2.2. O controle acionário da Codesp pertence em sua quase totalidade à União (99,97%). Falta da indicação de que a atividade da pessoa jurídica satisfaça primordialmente interesse de acúmulo patrimonial público ou privado. 2.3. Não há indicação de risco de quebra do equilíbrio concorrencial ou de livre-iniciativa, eis que ausente comprovação de que a Codesp concorra com outras entidades no campo de sua atuação" (STF – Pleno, RE 253.472/SP, rel. Min. Marco Aurélio, j. 25.08.2010).

XIII – organizar e manter o Poder Judiciário, o Ministério Público do Distrito Federal e dos Territórios e a Defensoria Pública dos Territórios;

Doutrina

Poder Judiciário e funções essenciais à Justiça no Distrito Federal e Territórios. A competência para organizar e manter é da União. Com relação aos Territórios, meras autarquias territoriais desta, nenhuma observação há a fazer; porém, com relação ao Distrito Federal, isso significa restrição à sua autonomia e forma de atuação tutelar da União sobre os seus negócios.

Jurisprudência

Embora organizados e mantidos pela União, o Poder Judiciário, o Ministério Público e a Defensoria Pública do Distrito Federal são órgãos da estrutura orgânica dessa entidade política e não têm a natureza jurídica de órgãos federais, integrantes daquela (STJ, DJU 1, de 27.03.1995, p. 7.124).

XIV – organizar e manter a polícia civil, a polícia penal, a polícia militar e o corpo de bombeiros militar do Distrito Federal, bem como prestar assistência financeira ao Distrito Federal para a execução de serviços públicos, por meio de fundo próprio;

Doutrina

Polícias do Distrito Federal. Compete à União organizar e manter, no Distrito Federal, as polícias civil, cuja principal atribuição é a de funcionar como polícia judiciária; penal, com atribuição principal de exercer as atividades próprias de execução penal por meio de seus quadros de agentes penitenciários; e militar, cuja principal atribuição é a de funcionar como corporação policial militar, inclusive o corpo de bombeiros militar, com a atribuição principal de prevenção e extinção de incêndios e tarefas correlatas, como a inspeção de instalações e concessão de autorização de funcionamento.

Assistência financeira. A norma constitucional determina à União que institua fundo próprio, para prestar assistência financeira ao Distrito Federal, destinada à organização e prestação de serviços públicos. O art. 25 da EC 19/95 dispõe que, até a instituição do referido fundo, compete à União manter os atuais compromissos financeiros com a prestação de serviços públicos do Distrito Federal.

Jurisprudência

> Súmula Vinculante do STF: 39. "Compete privativamente à União legislar sobre vencimentos dos membros das polícias civil e militar e do corpo de bombeiros militar do Distrito Federal."
>
> Embora organizado e mantido pela União, o Sistema de Segurança Pública do Distrito Federal é composto de órgãos da estrutura orgânica dessa entidade política que não têm a natureza jurídica de órgãos federais, integrantes daquela (STJ, DJU 1, de 27.03.1995, p. 7.124).

XV – organizar e manter os serviços oficiais de estatística, geografia, geologia e cartografia de âmbito nacional;

Doutrina

Sistemas de informações estatísticas, geográficas, geológicas e cartográficas. Compete à União organizar e manter os seguintes sistemas de informações: a) *estatísticas*, visando a coleta dados quantitativos sobre a população e atividades econômicas e sociais; b) *geográficas*, visando obter dados relativos aos acidentes naturais, solos, climas e vegetações do país; c) *geológicas*, visando a obtenção de dados sobre a formação geológica de solos e subsolos; d) *cartográficas*, visando a coleta de dados e elaboração de mapas ou cartas geográficas ou geológicas. Referidas informações são obtidas, organizadas e estudadas pelos técnicos da Fundação IBGE, principal responsável pela coleta periódica de dados para viabilizar o conhecimento da realidade física, econômica e social do país e também por meio da realização dos censos decenais.

Jurisprudência

> Súmula do TFR: 72. "Compete à Justiça do Trabalho processar e julgar os litígios decorrentes das relações de trabalho entre as fundações instituídas por lei federal e seus empregados."
>
> É competente a Justiça de Trabalho para processar e julgar as causas decorrentes da relação de emprego entre o IBGE, fundação de direito privado, e os seus empregados (STF, RTJ, 79/119).

XVI – exercer a classificação, para efeito indicativo, de diversões públicas e de programas de rádio e televisão;

Doutrina

Classificação indicativa. A norma constitucional autoriza a União a estabelecer um sistema de classificação de diversões públicas de qualquer natureza e de programas de rádio e televisão. Referida classificação terá efeito apenas indicativo e será feita a partir de critérios objetivos e admitidos pela Constituição Federal, como os de definição de natureza da película ou do espetáculo, horário adequado para exibição, faixa etária mínima recomendada etc. De nenhuma forma essa atividade poderá constituir-se em embaraço a qualquer atividade artística, sendo vedada a censura de qualquer natureza.

Jurisprudência

> A lei ordinária pode estabelecer regulamentação de diversões e espetáculos mediante classificação por faixa etária a que não se recomenda e indicação de locais e horários inadequados para apresentação (TFR, RJ, 139/119).

XVII – conceder anistia;

Doutrina

Anistia. É o ato de soberania do Estado, fundado em relevante razão social, que deixa de considerar delituosas certas condutas, praticadas até determinado tempo, excluindo o crime e fazendo desaparecer todos os efeitos da condenação. Corresponde à *amnestía* dos gregos, ou a *lex oblivionis* dos romanos, com o sentido de esquecimento do passado. Atinge fatos e faz desaparecer tanto aqueles capitulados como crimes comuns quanto os considerados crimes políticos, beneficiando indiscriminadamente todas as pessoas que os cometeram. Aliás, a anistia é mais usada para alcançar crimes de natureza política, com o objetivo de atingir a reconciliação e a pacificação da sociedade.

Jurisprudência

> A anistia tem efeitos amplos, mas restringe o direito à percepção de vencimentos atrasados, sendo indevidos aqueles anteriores à lei de concessão do benefício. (TFR, RDA, 38/143).

XVIII – planejar e promover a defesa permanente contra as calamidades públicas, especialmente as secas e as inundações;

Doutrina

Calamidade pública. É a situação de emergência criada normalmente por fenômenos naturais, como inundação, maremoto, terremoto, vendaval, peste, fome, incêndio, seca etc., que atinge a comunidade dificultando o atendimento de suas necessidades básicas ou até ameaçando a sua existência.

Defesa permanente. A norma constitucional confere à União competência para planejar e promover a defesa permanente contra as calamidades, isto é, cabe-lhe organizar um conjunto de medidas de proteção da comunidade contra qualquer evento calamitoso em caráter duradouro.

Jurisprudência

> "(...). 4. A sindicabilidade judicial sobre atos do Poder Executivo deve limitar-se, inicialmente, à verificação do cumprimento dos princípios da legalidade, legitimidade, devido processo legal, moralidade, proporcionalidade e razoabilidade. Em regra, é inviável que o Poder Judiciário aprecie o mérito de políticas governamentais. Nesse sentido AgRg no REsp 1.479.614/PR, Rel. Ministro Mauro Campbell Marques, Segunda Turma, julgado em 03/03/2015, DJE 10/03/2015. 5. Conquanto se cuide de urgente necessidade de efetivação de políticas de contenção e prevenção de calamidades públicas, é razoável que se espere dos Entes Políticos responsáveis a continuidade da implementação das medidas cabíveis sem a necessidade de intervenção do Poder Judiciário. Recurso especial improvido" (STJ – 2.ª Turma, REsp 1.518.223/RJ, rel. Min. Humberto Martins, DJE, 19.06.2015).

XIX – instituir sistema nacional de gerenciamento de recursos hídricos e definir critérios de outorga de direitos de seu uso;

Doutrina

Recursos hídricos. São aqueles constituídos pelas águas dos rios, lagos, lençóis, baías, angras, igapós, igarapés etc., e que formam toda a rede hídrica do país. O sistema nacional de gerenciamento de tais recursos tem por objetivo estabelecer formas de sua preservação e fixar critérios de concessão de direitos de uso que garanta o aproveitamento em benefício de todos.

Jurisprudência

> "(...). V. O direito a um meio ambiente equilibrado está previsto na Constituição Federal, em seu art. 225. Assim, as Áreas de Preservação Permanente – APP são áreas protegidas, encontrando-se ou não cobertas por vegetação nativa, com a função ambiental de preservar os recursos hídricos, a paisagem, a estabilidade geológica e a biodiversidade, facilitar o fluxo gênico de fauna e flora, proteger o solo e assegurar o bem estar das populações humanas. VI. Indiscutível, na questão, o dever do proprietário de proteger sua área de domínio de qualquer ação de degradação ambiental, respondendo por toda ação e omissão que ponha em risco a preservação do meio ambiente" (TRF5, 2.ª Turma, AC 577.704, rel. Des. Fed. Leonardo Carvalho, DJE, 28.07.2017, p. 73).

XX – instituir diretrizes para o desenvolvimento urbano, inclusive habitação, saneamento básico e transportes urbanos;

Doutrina

Diretrizes para o desenvolvimento urbano. A competência da União restringe-se à instituição de diretrizes, isto é, de um conjunto de normas gerais dispondo sobre desenvolvimento urbano, aí inclusas regras sobre habitação, saneamento básico, transporte coletivo etc.

Jurisprudência

> Súmula do STF: 23. "Verificados os pressupostos legais para o licenciamento da obra, não o impede a declaração de utilidade pública para desapropriação do imóvel, mas o valor da obra não se incluirá na indenização, quando a desapropriação for efetivada."
>
> O poder de expropriar somente coincide com o de licenciar a obra de construção quando aquele é exercido pela Municipalidade. Porém, esta não pode ficar em condição menos favorável que a União e o Estado quando não for o ente expropriante e, portanto, ao autorizar a construção; no poder que lhe cabe como superintendente das edificações no Município, há de se lhe garantir o direito de ressalvar que não responde pelo valor da construção edificada em terreno objeto de desapropriação (STF, RDA, 72/182).

XXI – estabelecer princípios e diretrizes para o sistema nacional de viação;

Doutrina

Sistema nacional de viação. A norma constitucional dispõe que a competência da União é para estabelecer princípios, ou seja, as bases fundamentais informadoras dos sistemas, e as diretrizes, isto é, o conjunto de normas gerais relativas ao sistema nacional de viação. Referido sistema é constituído pelos seguintes sistemas setoriais: o nacional rodoviário, o nacional ferroviário, o nacional portuário, o nacional hidroviário e o nacional aeroviário, nos termos da Lei n.º 5.917/73.

Jurisprudência

Súmulas do STF: 186. "Não infringe a lei a tolerância da quebra de 1% no transporte por estrada de ferro, prevista no regulamento de transportes." 550. "A isenção concedida pelo art. 2.° da Lei n.° 1.815 de 1953, às empresas de navegação aérea não compreende a taxa de melhoramentos de portos, instituída pela Lei n.° 3.421 de 1958."

XXII – executar os serviços de polícia marítima, aeroportuária e de fronteiras;

Doutrina

Polícia marítima, aeroportuária e de fronteiras. Esta competência da União é exercida por meio do Departamento de Polícia Federal em razão da norma do artigo 144, § 1.°, III, da Constituição Federal. Portanto, cabe ao referido órgão exercer as funções de prevenção e repressão ao crime em águas territoriais, aeroportos e nas regiões fronteiriças do país.

Jurisprudência

O ato de polícia é espécie do gênero ato administrativo, dotado de autoexecutoriedade que autoriza a sua execução direta e imediata pela Administração, sem necessidade de recorrer a outro Poder do Estado (TJSP, RDA, 93/188).

XXIII – explorar os serviços e instalações nucleares de qualquer natureza e exercer monopólio estatal sobre a pesquisa, a lavra, o enriquecimento e reprocessamento, a industrialização e o comércio de minérios nucleares e seus derivados, atendidos os seguintes princípios e condições:

a) toda atividade nuclear em território nacional somente será admitida para fins pacíficos e mediante aprovação do Congresso Nacional;

b) sob regime de permissão, são autorizadas a comercialização e a utilização de radioisótopos para a pesquisa e uso agrícolas e industriais;

c) sob regime de permissão, são autorizadas a produção, comercialização e utilização de radioisótopos para pesquisa e uso médicos;

d) a responsabilidade civil por danos nucleares independe da existência de culpa;

Doutrina

Exploração de serviços e instalações nucleares. A norma constitucional comete à União a exploração dos serviços e das instalações nucleares, como as usinas atômicas, por questões de segurança nacional que aconselha a centralização com o objetivo de diminuir os riscos inerentes à atividade.

Monopólio estatal sobre minerais nucleares. A União exerce ainda o monopólio estatal sobre a pesquisa, a lavra, o enriquecimento e reprocessamento, a industrialização e o comércio de minérios nucleares e seus derivados, centralizando todas essas atividades em suas mãos.

Princípios e condições norteadores das atividades nucleares. As atividades nucleares no país regem-se da seguinte forma: a) *fins pacíficos da exploração*, o que significa que está proibida toda e qualquer atividade nuclear para fins militares, devendo a mesma buscar finalidades pacíficas, como a produção de energia, a utilização na medicina, a pesquisa científica, a indústria etc.; b) *aprovação do Congresso Nacional*, significa que toda atividade nuclear da União deve ser previamente aprovada pelo Poder Legislativo; c) *concessão ou permissão para o uso de radioisótopos*, desde que utilizados para fins de pesquisa e usos medicinais, agrícolas, industriais e atividades análogas; d) *responsabilidade civil objetiva*, portanto, independente da existência de culpa quando decorrentes de danos nucleares, pouco importando a natureza e extensão dos mesmos.

Jurisprudência

> "1. Legitimidade passiva da CNEN à vista do disposto no artigo 2.º, inciso VI, da Lei 7.781/89, o qual preceitua competir-lhe receber e depositar rejeitos radioativos. 2. Improcedência da alegação de que a construção de depósito dessa natureza refere-se aos rejeitos radioativos oriundos da atividade de produção de energia nuclear, pois se o texto legal em referência nenhuma restrição fez, não cabe ao intérprete fazê-lo. 3. Legitimidade passiva da União à vista do disposto no artigo 21, inciso XXIII, da Carta Magna, o qual dispõe competir-lhe explorar instalações nucleares de qualquer natureza, nestas se incluindo os depósitos de rejeitos radioativos. 4. O fato de a CNEN ser uma autarquia federal não afasta a competência constitucionalmente cometida à União, uma vez que esta e aquela são solidariamente responsáveis pela construção do depósito radioativo em causa. 5. Agravo de instrumento parcialmente provido" (TRF1, 3.ª Turma Suplementar, AgI 001531897199964010000, rel. Juiz Convocado Leão Alves, DJ, 23.01.2002, p. 19).

XXIV – organizar, manter e executar a inspeção do trabalho;

Doutrina

Inspeção do trabalho. Compreende a existência de um aparato administrativo destinado a assegurar o cumprimento das normas legais relativas à duração e às condições de trabalho e à proteção dos trabalhadores no exercício da atividade produtiva. Cabe à União organizar e manter o sistema federal de inspeção do trabalho, a cargo do Ministério do Trabalho.

Jurisprudência

Súmula do STF: 439. "Estão sujeitos à fiscalização tributária ou previdenciária quaisquer livros comerciais, limitado o exame aos pontos objeto da investigação."

XXV – estabelecer as áreas e as condições para o exercício da atividade de garimpagem, em forma associativa;

Doutrina

Áreas e condições para a garimpagem. Cabe à União indicar as áreas e estabelecer as condições para o exercício da atividade garimpeira, devendo a mesma ser organizada em cooperativas de garimpeiros para assegurar melhores condições sociais para estes trabalhadores.

Jurisprudência

A ausência de interesse da União, nos procedimentos de avaliação de danos a possuidor da superfície de área objeto de lavra, decorre do fato de que os mesmos destinam-se à aferição de prejuízos que se situam no plano dos interesses privados daquele que explora a jazida e do proprietário do solo (STF, RTJ, 87/782).

XXVI – organizar e fiscalizar a proteção e o tratamento de dados pessoais, nos termos da lei.

Art. 22. Compete privativamente à União legislar sobre:

Doutrina

Competência legislativa da União. Competência legislativa é o poder atribuído pela Constituição a um ente político para legislar, criando a norma jurídica, sobre determinada matéria. Diz a norma constitucional que a competência da União é privativa para legislar sobre as matérias nela enumeradas, ou seja, sobre as que somente ela pode dispor, estabelecendo normas de caráter obrigatório para todos.

Jurisprudência

Súmula do STF: 419. "Os Municípios têm competência para regular o horário do comércio local, desde que não infrinjam leis estaduais ou federais válidas."

"Constitucional. Horário de bancos. Peculiar interesse do Município. Não é de reconhecer-se quando o interesse nacional sobrepuja o interesse local. Competência da União, e não do Município, para regular tanto o horário interno de trabalho, como o externo de atendimento ao público pelos Bancos." (STF – Pleno, RE 89.942, rel. Min. Décio Miranda, RTJ, 89/335).

I – direito civil, comercial, penal, processual, eleitoral, agrário, marítimo, aeronáutico, espacial e do trabalho;

Doutrina

Competência legislativa por matérias. A norma constitucional visa assegurar a unidade do direito em todo o território nacional ao conferir à União competência para legislar sobre as seguintes matérias: a) *direito civil*, conjunto de normas que regula os direitos e obrigações de ordem privada concernentes às pessoas, aos bens e às suas relações; b) *direito comercial*, conjunto de normas que trata das transações mercantis e dos direitos e obrigações de seus exercentes e auxiliares; c) *direito penal*, conjunto de normas que define os delitos penais e fixa as penas para o caso de transgressão; d) *direito processual*, conjunto de normas disciplinadoras do processo visando a solução das demandas submetidas à jurisdição estatal. Compreende dois ramos principais: o direito processual civil e o direito processual penal; e) *direito eleitoral*, conjunto de normas destinado a reger os pleitos eleitorais em todas as suas fases; f) *direito agrário*, conjunto de normas que tem fim dispor sobre as atividades ligadas à produção agrícola e à terra; g) *direito marítimo*, conjunto de normas que trata das relações decorrentes da navegação marítima; h) *direito aeronáutico*, conjunto de normas destinadas a regular as atividades e o tráfego aéreo; i) *direito espacial*, conjunto de normas voltadas para a regulação das atividades de navegação na estratosfera por meio de naves tripuladas ou satélites; e j) *direito do trabalho*, conjunto de normas que tem por fim disciplinar as relações decorrentes do trabalho subordinado.

Jurisprudência

> Lei Municipal que garante estabilidade no emprego para servidores da Prefeitura regidos pela Consolidação das Leis do Trabalho invade a competência privativa da União para legislar sobre direito do trabalho. (STF, RTJ, 148/508).

II – desapropriação;

Doutrina

Desapropriação. A União tem competência privativa para legislar sobre esta matéria em face de sua especial natureza, pois se trata de meio de intervenção no direito de propriedade, devendo, assim, incidir apenas nas restritas hipóteses previstas em lei e de maneira uniforme em todo o território nacional.

Jurisprudência

> Desde que conte com autorização legislativa, a União tem poder para desapropriar bens dos Estados, do Distrito Federal, dos Territórios e dos Municípios; e os Estados podem desapropriar bens dos Municípios. (STF, RTJ, 153/337).

III – requisições civis e militares, em caso de iminente perigo e em tempo de guerra;

Doutrina

Requisições civis e militares. Cabe à União legislar sobre requisições civis e militares em tempo de paz ou de guerra, estabelecendo as hipóteses de uso do instituto nos casos de iminente perigo público ou de guerra, podendo incidir sobre bens móveis, imóveis e serviços.

Jurisprudência

> É inconstitucional, após a Constituição de 1946, qualquer norma que autorize a requisição incondicionada, pois se exige sempre a iminência de perigo público para legitimar o uso coativo da propriedade particular. (STF, RDA, 54/339).

IV – águas, energia, informática, telecomunicações e radiodifusão;

Doutrina

Legislação sobre águas, energia, informática, telecomunicações e radiodifusão. Cabe à União legislar sobre tais matérias porque, em que pese a extensão e mesmo em face disso, há um liame comum que as une, qual seja o evidente interesse das mesmas para o desenvolvimento econômico e social do país e para a segurança nacional.

Jurisprudência

> "1. Viola a competência privativa constitucionalmente atribuída à União norma municipal cujo objeto seja a regulação de serviço público de energia praticado por concessionária local de energia elétrica, porquanto, nessa hipótese, configura-se frontal ofensa ao disposto nos artigos 21, XII, b e 22, IV, da Constituição Federal, que sobre a questão, dispõem: 'Art. 21. Compete à União: [...] XII – explorar, diretamente ou mediante autorização, concessão ou permissão: [...] b) os serviços e instalações de energia elétrica e o aproveitamento energético dos cursos de água, em articulação com os Estados onde se situam os potenciais hidroenergéticos;

[...] Art. 22. Compete privativamente à União legislar sobre: [...] IV – águas, energia, informática, telecomunicações e radiodifusão.' Ao que constato, o texto da norma municipal, ao restringir e condicionar a instalação dos aparelhos de medição de consumo a serem utilizados pela concessionária local de energia elétrica, inclusive sob pena de multa, viola, efetivamente, competência privativa atribuída constitucionalmente à União" (TRF1 – Corte Especial, Arguição de Inconstitucionalidade – remessa *ex officio*, 00092197319994013600, rel. Des. Fed. Kassio Nunes Marques, e-DJF1, 14.11.2016).

V – serviço postal;

Doutrina

Legislação sobre serviço postal. Cabe à União legislar sobre serviço postal porque se trata de serviço público relevante de caráter nacional e de monopólio seu, que explora através da Empresa Brasileira de Correios e Telégrafos.

Jurisprudência

"1. No julgamento da Arguição de Descumprimento de Preceito Fundamental 46, esta Corte decidiu que o serviço postal de entrega de cartas deve ser prestado, com exclusividade, pela Empresa Brasileira de Correios e Telégrafos – ECT, pois constitui monopólio estatal. Todavia, sublinhou que as encomendas e impressos não se enquadram no conceito de serviço postal. 2. Agravo Interno a que se nega provimento. Fixam-se honorários advocatícios adicionais equivalentes a 10% (dez por cento) do valor a esse título arbitrado nas instâncias ordinárias (Código de Processo Civil de 2015, art. 85, § 11)" (STF – 1.ª Turma, RE 882.938/PE AgRg, rel. Min. Alexandre de Moraes, Sessão Virtual de 02.02.2018 a 08.02.2018).

VI – sistema monetário e de medidas, títulos e garantias dos metais;

Doutrina

Sistema monetário. A competência da União para legislar sobre o sistema monetário funda-se na necessidade de manter moeda uniforme em todo o território nacional porque, como alhures dito, trata-se de uma das expressões de soberania do Estado. Portanto, deve a União criar a moeda, no caso brasileiro o real, suas divisões e as regras de circulação, poder liberatório e conversão.

Sistema de medidas. No caso brasileiro, o sistema de medidas é o métrico decimal. Da mesma forma, há um sistema de pesos. Em ambos os casos, cabe à União legislar sobre tais matérias, com a preocupação de facilitar as transações econômicas.

Títulos e garantias dos metais. Deve a União estabelecer os títulos dos metais, que são as relações admitidas entre o peso do metal nobre e o peso total de uma liga, bem como fixar as garantias, marcas ou sinais que atestam a boa origem dos metais que receberam a marca.

Jurisprudência

> Não legislou sobre sistema monetário, violando competência da União, Estado-Membro que instituiu unidade de valor fiscal reajustável segundo índices oficiais de atualização de créditos fiscais. (STF, RT, 513/267).
>
> "A competência para legislar sobre sistema monetário é privativa da União (art. 22, VI, da CF) e compreende tudo quanto se relaciona com a moeda nacional, inclusive a prerrogativa de fixar o índice que deverá servir de padrão de atualização de seu valor nominal. Por isso, aos Estados e Municípios é dado instituir unidades fiscais destinadas a corrigir a expressão monetária de seus créditos tributários, sendo-lhes defeso, porém, vincular sua variação a índice que não reflita a variação

inflacionária ou não instituído por lei federal" (STJ – 1.ª Turma, REsp 68.107/RS, rel. Min. Demócrito Reinaldo, DJ 1, 30.10.1995, p. 36.727).

VII – política de crédito, câmbio, seguros e transferência de valores;

Doutrina

Políticas creditícia, cambiária, de seguros e transferência de valores. A competência legislativa sobre tais matérias é da União, pois, na condição de formuladora e executora da política econômica e financeira do país, há de dispor sobre todos os instrumentos de regulação e execução de políticas setoriais. Assim, deve legislar sobre crédito para garantir boa oferta, ou para restringi-la quando necessário; dispor sobre câmbio, para estabelecer a relação de troca entre a moeda nacional e as moedas estrangeiras; dispor sobre transferências de valores, pois são operações ligadas ao câmbio; e, também, sobre seguros, estabelecendo o seu regime, formas de operação e meios de fiscalização do mercado segurador e das seguradoras.

Jurisprudência

Súmula Vinculante do STF: 32. "O ICMS não incide sobre a alienação de salvados de sinistro pelas seguradoras".

VIII – comércio exterior e interestadual;

Doutrina

Regulação do comércio exterior e interestadual. Cabe à União, devendo a locução *comércio exterior* ser entendida no seu sentido lato, para abranger todas as operações comerciais, industriais, ou de serviços; a regulação do comércio interestadual, que compreende todas as operações mercantis entre os Estados, tem por fim evitar o surgimento de contencioso entre os entes federados e evitar qualquer tipo de limitação interna ao livre tráfego de bens pelo território nacional.

Jurisprudência

Súmula do STF: 262. "Não cabe medida possessória liminar para liberação alfandegária de automóvel."

A frase "sendo vedada a saída do Estado de madeiras em toras", constante do artigo 346 da Constituição do Estado de Mato Grosso, viola a Carta Federal (art. 22, VIII e XI), pois é competência da União legislar sobre comércio interestadual e transporte. (STF, RTJ, 154/380-1).

IX – diretrizes da política nacional de transportes;

Doutrina

Política nacional de transportes. Cabe à União fixar as diretrizes gerais de uma política de caráter nacional visando disciplinar os transportes por qualquer meio. É competência destinada ao planejamento dos sistemas nacionais de transportes e a integração dos mesmos com o objetivo de servir aos interesses sociais, econômicos e de segurança do país.

Jurisprudência

Súmula do STF: 186. "Não infringe a lei a tolerância da quebra de 1% no transporte por estrada de ferro, prevista no regulamento de transportes."

"É da competência exclusiva da União legislar sobre 'trânsito e transporte' (art. 22, XI, da Constituição); para que a unidade federada possa legislar sobre tal matéria, é necessária expressa autorização em lei complementar federal (parágrafo único do mesmo artigo)" (STF – Pleno, ADIN 1.991 MC, rel. Min. Maurício Corrêa, DJ 1, 25.06.1999).

X – regime dos portos, navegação lacustre, fluvial, marítima, aérea e aeroespacial;

Doutrina

Regime jurídico dos portos e da navegação. É competência da União dispor sobre o regime jurídico, ou o conjunto de normas legais, que rege os portos e também a navegação nos meios aquático, aéreo e aeroespacial. O meio aquático compreende a navegação lacustre, em lagos, fluvial, em rios federais, e marítima; o meio aéreo compreende a navegação através de aeronaves na atmosfera; e o meio aeroespacial compreende a navegação nos espaços externos da atmosfera terrestre.

Jurisprudência

> Súmula do STF: 550. "A isenção concedida pelo art. 2.º da Lei n.º 1.815 de 1953, às empresas de navegação aérea não compreende a taxa de melhoramentos de portos, instituída pela Lei n.º 3.421 de 1958.

XI – trânsito e transporte;

Doutrina

Legislação de trânsito. É aquela destinada a disciplinar o tráfego de veículos por vias terrestres, estabelecendo suas condições de utilização, regras de direção, limites de velocidade, normas de habilitação para motoristas, infrações e penalidades e regras de fiscalização.

Legislação de transporte. É aquela destinada a disciplinar o tráfego de cargas e de passageiros no território nacional, por qualquer meio, dispondo sobre os requisitos para a prestação do serviço, normas de segurança e de fiscalização dos mesmos.

Jurisprudência

> Lei estadual que concede autorização para dirigir veículos automotores a menores de dezoito anos inva-

de a competência legislativa da União, inscrita no art. 22, XI, da Constituição, sendo, pois, inconstitucional. (STF, RTJ, 159/377).

XII – jazidas, minas, outros recursos minerais e metalurgia;

Doutrina

Legislação sobre recursos minerais e metalurgia. Cabe à União, em face de relevantes interesses nacionais, legislar sobre recursos minerais e metalurgia. Aqueles compreendem todos os minérios encontrados e passíveis de extração do solo ou subsolo; esta compreende os processos de transformação dos minérios em metais.

Jurisprudência

Não são passíveis de indenização as jazidas de argila não-manifestadas, ou que não constituam objeto de autorização ou concessão a favor do expropriado (STF, RDA, 104/223).

XIII – nacionalidade, cidadania e naturalização;

Doutrina

Estatuto jurídico da nacionalidade, da cidadania e da naturalização. Trata-se de matéria que o direito das gentes comete ao direito público interno de cada Estado em face do reconhecimento de sua soberania. Portanto, em face de sua natureza, dele deve cuidar a União. Os conceitos veiculados pela norma envolvem noções específicas, pois *nacionalidade* é o vínculo jurídico que se estabelece entre a pessoa e o Estado, cabendo a este dizer quem reconhece como membro da comunidade nacional; *cidadania* diz respeito aos direitos políticos dos nacionais que cumpram os requisitos legais para o seu gozo; e *naturalização* é o modo de aquisição da nacionalidade brasileira por parte da pessoa que reúna os requisitos legais e manifeste o desejo de adquiri-la.

Jurisprudência

> "(...). II. A existência de um direito ou liberdade constitucional, ou de prerrogativa inerente à nacionalidade, à soberania ou à cidadania, cujo exercício esteja inviabilizado pela ausência de norma infraconstitucional regulamentadora, constitui pressuposto do mandado de injunção" (STF – Pleno, MI 595/MA AgRg, rel. Min. Carlos Velloso, j. 17.03.1999).

XIV – populações indígenas;

Doutrina

Regime jurídico das populações indígenas. Cabe à União estabelecê-lo, com a finalidade de dispor sobre a tutela que deverá exercer para a proteção dos indígenas, as condições de integração e os direitos e deveres dela decorrentes.

Jurisprudência

> "Ação direta de inconstitucionalidade. 2. Art. 300 da Constituição do Estado do Pará e Lei Complementar 31, do mesmo Estado. 3. Populações indígenas. 4. Art. 22, XIV, da Constituição Federal. 5. Matéria reservada à competência privativa da União. 6. Arts. 129, V, e 231 da Constituição. 7. Defesa dos direitos e interesses das populações indígenas. Função atribuída ao Ministério Público Federal. 8. Art. 128, § 5.°, II, 'd', da Constituição. 9. Vedação de exercício de outra função pública por membro do Ministério Público. 10. Ação julgada procedente" (STF – Pleno, ADIN 1.499/PA, rel. Min. Gilmar Mendes, j. 17.09.2014).

XV – emigração e imigração, entrada, extradição e expulsão de estrangeiros;

Doutrina

Estatuto do estrangeiro. Cabe à União estabelecer o regime jurídico do estrangeiro para melhor preservar os direitos da pessoa humana, as relações diplomáticas com outros países e zelar pela segurança nacional, pois o Estado tem interesse em controlar a entrada, as atividades e interesses aqui desenvolvidos e a saída de estrangeiros de seu território. Daí a lei dispor sobre: a) *emigração*, ou a saída do país para radicar-se noutro com ânimo definitivo; b) *imigração*, ou a entrada no país com o ânimo definitivo de aqui se estabelecer; c) *entrada de estrangeiro*, ou ingresso do estrangeiro no país em caráter temporário para fins de negócios, estudo, ou simplesmente turismo; d) *extradição*, ou entrega de estrangeiro que tenha cometido crime comum no território do país solicitante para que neste seja julgado e, se condenado, cumpra a pena imposta; e) *expulsão*, ou o ato de expulsar, obrigar a sair do país, estrangeiro quando a sua permanência for considerada nociva, inoportuna ou inconveniente aos interesses nacionais.

Jurisprudência

> Súmulas do STF: 1. "É vedada a expulsão de estrangeiro casado com brasileira, ou que tenha filho brasileiro, dependente de economia paterna". 421. "Não impede a extradição a circunstância de ser o extraditando casado com brasileira ou ter filho brasileiro".

XVI – organização do sistema nacional de emprego e condições para o exercício de profissões;

Doutrina

Sistema nacional de emprego. Deve ser entendido como o conjunto de normas que tem por objetivo localizar a existência de postos de trabalho nos vários segmentos da economia e viabilizar o preenchimento dos mesmos mediante ampla divulgação junto aos trabalhadores.

Condições para o exercício de profissões. Cabe à União legislar sobre as condições necessárias para o exercício de profissões, dispondo, quando o caso, sobre qualificação técnica ou científica exigíveis, fruição de direitos e cumprimento de obrigações previstas em lei.

Jurisprudência

> As condições para o exercício de profissão devem limitar-se aos requisitos de ordem técnica, sendo possível a estipulação de outras segundo critérios racionais ditados por relevantes razões de interesse público. (STF, RT, 338/255).

XVII – organização judiciária, do Ministério Público do Distrito Federal e dos Territórios e da Defensoria Pública dos Territórios, bem como organização administrativa destes;

Doutrina

Judiciário, Ministério Público do Distrito Federal e Defensoria Pública dos Territórios. Cabe à União legislar sobre a organização de tais instituições, criando os órgãos integrantes de cada uma de suas estruturas, porque a Constituição cometeu-lhe a manutenção das mesmas. No que pertine aos Territórios, nada mais natural, conquanto estes são apenas autarquias territoriais da União e, com relação ao Distrito Federal, houve por bem o constituinte de atribuir à União determinados encargos relativos à sua manutenção.

Organização administrativa dos Territórios. A estrutura administrativa, compreendendo os órgãos e cargos da administração dos Territórios, é também de competência da União, que deve dispor sobre a matéria segundo a sua conveniência e o que ditar o interesse público.

Jurisprudência

"Conflito de Jurisdição. Competência. Reclamação trabalhista movida por empregado de Ofício extrajudicial, não oficializado, do Distrito Federal contra o respectivo titular. Lei n.º 6.750/1979 (Lei de Organização Judiciária do Distrito Federal e Territórios), arts. 81 e 82. A remuneração dos empregados das serventias não oficializadas do Distrito Federal deve ser paga pelos titulares, únicos responsáveis pelas obrigações trabalhistas. Os direitos dos empregados não remunerados pelos cofres públicos, vinculados ao titular da serventia, são os previstos na legislação do trabalho. A intervenção da Corregedoria-Geral da Justiça do Distrito Federal, nos referidos contratos de trabalho (Lei n.º 6.750/1979, art. 81, § 3.º), é meramente de natureza fiscalizadora e disciplinar. Constituição, arts. 114 e 236. Competência da Justiça do Trabalho e não da Justiça Comum do Distrito Federal. Conflito de Jurisdição conhecido, declarando-se, no caso, a competência do Tribunal Superior do Trabalho" (STF – Pleno, CJ 6.964/DF, rel. Min. Néri da Silveira, j. 19.06.1991).

XVIII – sistema estatístico, sistema cartográfico e de geologia nacionais;

Doutrina

Sistemas estatístico, cartográfico e geológico nacionais. Cabe à União legislar sobre tais sistemas destinados à coleta de dados e informações necessários a estudos econômicos e sociais, à elaboração de mapas e ao estudo da geologia brasileira.

Jurisprudência

Súmula do TFR: 72. "Compete à Justiça do Trabalho processar e julgar os litígios decorrentes das relações de trabalho entre as fundações instituídas por lei federal e seus empregados."

XIX – sistemas de poupança, captação e garantia da poupança popular;

Doutrina

Sistemas de poupança. Cabe à União instituir sistemas de poupança compreendendo os mecanismos de captação, ou busca de economias, administração das cadernetas de poupança, remuneração e garantia da poupança popular, esta por meio de aval do Governo Federal, que funciona como garante da solvabilidade do sistema.

Jurisprudência

"Competência normativa. Comercialização de títulos de capitalização. Disciplina. A teor do disposto no artigo 22 da Constituição Federal compete exclusivamente à União legislar sobre Direito Civil, Direito Comercial, política de crédito, câmbio, seguros e transferências de valores, sistema de poupança, captação e garantia da poupança popular" (STF – Pleno, ADIN 2.905, rel. Min. Eros Grau, j. 16.11.2016).

XX – sistemas de consórcios e sorteios;

Doutrina

Sistemas de consórcios e sorteios. Cabe à União legislar sobre a matéria. Consórcios são associações de pessoas organizadas em torno do objetivo comum de adquirir um bem mediante o pagamento de prestações mensais e oferecimento de lance nos sorteios periódicos realizados entre os participantes de um determinado grupo.

Jurisprudência

Súmula Vinculante 2 do STF: "É inconstitucional a lei ou ato normativo estadual ou distrital que disponha sobre sistemas de consórcios e sorteios, inclusive bingos e loterias."

"1. A necessidade de disciplina específica para o exercício da atividade de bingo, longe de representar contrariedade ao 'princípio da legalidade', ou a qualquer dos outros princípios referidos, é a afirmação destes princípios. 2. Aplicável à questão da competência para legislar sobre o assunto (liberação do jogo de bingo), o art. 22, XX, da Constituição, que prevê a competência legislativa privativa da União, conforme recente decisão proferida pelo Presidente da Egrégia Corte Suprema na Suspensão de Segurança (SS) n.º 2.262/PR" (TRF4, AgI 200304010277275, rel. Des. Fed. Valdemar Capeletti, DJ, 17.05.2004, p. 621).

XXI – normas gerais de organização, efetivos, material bélico, garantias, convocação, mobilização, inatividades e pensões das polícias militares e dos corpos de bombeiros militares;

Doutrina

Normas gerais de organização. São aquelas que tratam de princípios e regras estruturantes de um assunto, deixando para outro legislador o trato detalhado, o esmiuçamento da matéria. Compete à União editar as normas gerais de organização das polícias militares e dos corpos de bombeiros militares nos aspectos da organização, principalmente hierarquia e disciplina; efetivos, ou número de membros da corporação; material bélico, compreendendo todo e qualquer tipo de arma; garantias asseguradas ao funcionamento das corporações policiais militares; regras de convocação, no sentido de chamamento, e de mobilização, ou preparação e adoção de medidas para a ação militar, enquanto forças auxiliares e reserva do Exército e, também, normas relativas às aposentadorias e pensões das polícias militares e corpos de bombeiros militares.

Polícias militares e corpos de bombeiros militares. Polícias militares são as corporações de caráter militar, pertencentes aos

Estados-membros, ao Distrito Federal e aos Territórios, que têm por fim a manutenção da segurança e da ordem internas e se constituem em forças auxiliares e reservas do Exército brasileiro. Corpos de bombeiros militares são corporações militares especializadas no combate a incêndios, socorro às vítimas de calamidades ou outros eventos que periclitem a vida das pessoas.

Jurisprudência

Súmula do STF: 440. "Os benefícios da legislação federal de serviços de guerra não são exigíveis dos Estados, sem que a lei estadual assim disponha."

O regime jurídico das Polícias Militares é definido pela legislação federal, nos termos da Constituição da República, não podendo a lei estadual, de caráter supletivo, dispor de forma diferente daquela (STF, RDA, 144/67).

Ao tratar de normas gerais, por oposição se está tratando também de normas supletivas, de competência do Estado-membro, destinadas a preencher as lacunas no tocante às condições locais. Contudo, estas devem respeitar aquelas baixadas pela União. (STF, RDA, 169/64).

XXII – competência da polícia federal e das polícias rodoviária e ferroviária federais;

Doutrina

Competências das polícias federais. Cabe à União legislar sobre a organização, carreiras e competências de tais órgãos, observando o que a própria Constituição já dispõe sobre os mesmos, principalmente quanto às suas finalidades.

Jurisprudência

"O art. 144, *caput*, da Constituição dispõe que a segurança pública é dever do Estado e é desenvolvida através dos órgãos enumerados em seus incisos, ao passo que os parágrafos do dispositivo cuidam de especificar a competência de cada órgão, com o fito de impedir eventual conflito de atribuições" (TRF1, 5.ª Turma, AC 00005221820084013901/PA, rel. Juíza Convocada Maria Cecília de Marco Rocha, e-DJF1, 07.03.2016).

XXIII – seguridade social;

Doutrina

Seguridade Social. Compete à União legislar sobre seguridade social, compreendida como o conjunto de ações destinadas a assegurar os direitos relativos à saúde, à previdência e à assistência social.

Jurisprudência

"Considerando o § 13, artigo 40, da Constituição Federal, que assegurou aos servidores públicos municipais o direito de contribuir para a previdência própria de seus respectivos Municípios, exceto aqueles que ocupam, exclusivamente, cargo em comissão, cargo temporário e emprego público afetos, obrigatoriamente, ao Regime Geral de Previdência Social (RGPS), a teor da previsão dada pela Lei n.º 9.717/98, não há ofensa à Constituição, seja em relação aos princípios da autonomia dos entes federativos (CF, art. 149, parágrafo único – renumerado para § 1.º por força da Emenda Constitucional n.º 33/2001) ou da imunidade recíproca (CF, art. 150, VI, 'a'), ou mesmo, à inobservância do artigo 22, inciso XXIII da Carta Maior, que estabelece a competência privativa da União para legislar sobre a seguridade, em face da competência suplementar prevista no seu artigo 30, inciso II" (TRF3 – 11.ª Turma, AC 1.804.155/SP, rel. Des. Fed. José Lunardelli, e-DJF3, 04.02.2015).

XXIV – diretrizes e bases da educação nacional;

Doutrina

Diretrizes e bases da educação nacional. Cabe à União editar as normas fundamentais e os princípios norteadores da educação nacional, remanescendo aos Estados, ao Distrito Federal e aos Municípios competência para dispor sobre os pontos particulares de seu interesse segundo a realidade local.

Jurisprudência

> "1. Competência concorrente entre a União, que define as normas gerais e os entes estaduais e Distrito Federal, que fixam as especificidades, os modos e meios de cumprir o quanto estabelecido no art. 24, inc. IX, da Constituição da República, ou seja, para legislar sobre educação. 2. O art. 22, inc. XXIV, da Constituição da República enfatiza a competência privativa do legislador nacional para definir as diretrizes e bases da educação nacional, deixando as singularidades no âmbito de competência dos Estados e do Distrito Federal. 3. Ação direta de inconstitucionalidade julgada improcedente" (STF – Pleno, ADIN 3.669/DF, rel. Min. Cármen Lúcia, j. 18.06.2007).

XXV – registros públicos;

Doutrina

Registros públicos. Cabe à União legislar sobre registros públicos, que têm a finalidade de conferir aos atos jurídicos autenticidade, segurança e eficácia. Os registros públicos mencionados na Lei n.º 6.015/73, são os seguintes: *a*) registro civil de pessoas naturais; *b*) registro civil de pessoas jurídicas; *c*) registro de títulos e documentos; *d*) registro de imóveis. Contudo, outros podem ser citados, como o registro de comércio, o registro da propriedade intelectual, o registro de navios, o registro da propriedade industrial, o registro de marcas e patentes etc.

Jurisprudência

> "Registros Públicos. Não há confundir a competência, que pertence à União, para legislar sobre Registros Públicos, com a competência, que pertence aos Estados, de tributar os serviços que lhes incumbem. Recurso extraordinário conhecido e provido para cessar a segurança" (STF – Pleno, RE 64.021/RJ, rel. Min. Luiz Gallotti, j. 24.04.1969, última alteração: 21.01.2014).

XXVI – atividades nucleares de qualquer natureza;

Doutrina

Atividades nucleares. Cabe à União legislar sobre atividades nucleares, estabelecendo as normas para a exploração do átomo e da energia produzida a partir do uso dos métodos da fissão ou da fusão nucleares.

Jurisprudência

> "Energia nuclear. Competência legislativa da União. Art. 22, XXVI, da Constituição Federal. É inconstitucional norma estadual que dispõe sobre atividades relacionadas ao setor nuclear no âmbito regional, por violação da competência da União para legislar sobre atividades nucleares, na qual se inclui a competência para fiscalizar a execução dessas atividades e legislar sobre a referida fiscalização. Ação direta julgada procedente" (STF – Pleno, ADIN 1.575/SP, rel. Min. Joaquim Barbosa, j. 07.04.2010).

XXVII – normas gerais de licitação e contratação, em todas as modalidades, para as administrações públicas diretas, autárquicas e fundacionais da União, Estados, Distrito Federal e Municípios, obedecido o disposto no

art. 37, XXI, e para as empresas públicas e sociedades de economia mista, nos termos do art. 173, § 1.°, III;

Doutrina

Normas gerais de licitação e contratação. A norma constitucional é clara ao dispor que a competência da União restringe-se à edição de normas gerais sobre licitação – procedimento administrativo destinado a garantir a observância do princípio da isonomia e a selecionar a proposta mais vantajosa para a Administração – e contratação, ou celebração do contrato entre o órgão licitante e o vencedor da licitação. Referidas normas gerais aplicam-se às licitações e contratos da União, Estados, Distrito Federal e Municípios e seus respectivos entes autárquicos e paraestatais, podendo estes entes políticos legislarem sobre a matéria naquilo que diz respeito ao seu interesse e às especificidades de sua administração.

Jurisprudência

> A licitação visa a atrair grande número de licitantes e com isso facilitar ao órgão público a obtenção dos bens e serviços mais convenientes a seus interesses. Em face disso, exigências demasiadas e rigor descabido se afastam da boa exegese da lei e devem ser afastados. (TJRS, RDP, 14/240).

XXVIII – defesa territorial, defesa aeroespacial, defesa marítima, defesa civil e mobilização nacional;

Doutrina

Sistemas de defesa. São os mecanismos destinados a defender a integridade do território nacional e da nação contra as ameaças externas. A norma constitucional trata dos seguintes: a) *defesa territorial*, compreende as ações de defesa do território contra a ameaça ou a invasão por forças terrestres estrangeiras; b) *defesa aeroespacial*, compreende as ações de defesa do espaço aéreo contra ameaça ou invasão de força aérea estrangeira; c) *defesa marítima*, compreende as ações de defesa do mar territorial contra ameaça ou invasão de frota estrangeira; d) *defesa civil*, compreende as ações integradas do sistema nacional de defesa civil empreendidas pelos cidadãos em tempos de paz ou de guerra; e) *mobilização nacional*, compreende as ações destinadas a colocar em prontidão para a luta as forças militares da União, as polícias militares e os corpos de bombeiros militares dos Estados, bem como o esforço de guerra a ser empreendido por todos os segmentos da nação na defesa da pátria.

Jurisprudência

> "Se ao Município cabe o licenciamento de empreendimentos urbanísticos, em atenção ao inscrito no art. 30, VIII, da CF/88, à União compete editar normas jurídicas necessárias à intervenção do Estado na propriedade, especialmente quando pertinente a telecomunicações e radiodifusão (art. 22, IV, da CF/88) e à defesa territorial, defesa aeroespacial, defesa marítima, defesa civil e mobilização nacional (art. 22, XXVIII, da CF/88), porque ao ente público federal incumbe assegurar a defesa nacional (art. 21, III, da Carta Magna)" (TRF5, 1.ª Turma, AC 525.165/RN, rel. Des. Fed. Francisco Cavalcanti, DJE, 04.05.2012, p. 202).

XXIX – propaganda comercial;

Doutrina

Propaganda comercial. Cabe à União legislar sobre propaganda comercial, devendo a lei estabelecer mecanismos de defesa contra a propaganda de produtos e serviços nocivos à saúde e ao meio ambiente e também restrições adequadas à publicidade de tabaco, bebidas alcoólicas, agrotóxicos, medicamentos e terapias

Jurisprudência

> "Competência legislativa. Ação direta a inconstitu-

cionalidade. Serviço de telecomunicações. Propaganda. Competência privativa da União. 1. Lei do Estado do Paraná que impõe às operadoras de telefonia celular e aos fabricantes de aparelhos celulares e acessórios a obrigação de incluir em sua propaganda advertência de que o uso excessivo de aparelhos de telefonia celular pode gerar câncer. 2. Violação à competência privativa da União para legislar sobre telecomunicações e sobre propaganda comercial (art. 22, IV e XXIX, CF). Precedente da Corte. 3. Ação direta de inconstitucionalidade julgada procedente" (STF – Pleno, ADIN 4.761/PR, rel. Min. Roberto Barroso, j. 18.08.2016).

XXX – proteção e tratamento de dados pessoais.

Parágrafo único. Lei complementar poderá autorizar os Estados a legislar sobre questões específicas das matérias relacionadas neste artigo.

Doutrina

Delegação aos Estados-membros. A norma constitucional autoriza a União a delegar aos Estados-membros a faculdade de legislar sobre todas as matérias relacionadas neste artigo. Contudo, referida delegação restringe-se às chamadas questões específicas das matérias relacionadas no dispositivo, ou seja, poderá legislar apenas sobre os pontos especificados na lei complementar como sujeitos a regulamentação mais detalhada por parte do Estado, com a finalidade de atender a seu interesse predominante ou restrito.

Jurisprudência

Súmula do STF: 440. "Os benefícios da legislação federal de serviços de guerra não são exigíveis dos Estados sem que a lei estadual assim disponha."

Art. 23. É competência comum da União, dos Estados, do Distrito Federal e dos Municípios:

Doutrina

Competência administrativa comum dos entes federativos. É aquela exercida de forma comum por todos os entes federativos com a finalidade de desempenhar atribuições e prestar serviços públicos movidos pelo espírito da cooperação administrativa.

Jurisprudência

> "Direito Administrativo. Recurso Extraordinário. Poder de Polícia. Imposição de multa de trânsito. Guarda Municipal. Constitucionalidade. 1. Poder de polícia não se confunde com segurança pública. O exercício do primeiro não é prerrogativa exclusiva das entidades policiais, a quem a Constituição outorgou, com exclusividade, no art. 144, apenas as funções de promoção da segurança pública. 2. A fiscalização do trânsito, com aplicação das sanções administrativas legalmente previstas, embora possa se dar ostensivamente, constitui mero exercício de poder de polícia, não havendo, portanto, óbice ao seu exercício por entidades não policiais. 3. O Código de Trânsito Brasileiro, observando os parâmetros constitucionais, estabeleceu a competência comum dos entes da federação para o exercício da fiscalização de trânsito. 4. Dentro de sua esfera de atuação, delimitada pelo CTB, os Municípios podem determinar que o poder de polícia que lhe compete seja exercido pela guarda municipal. 5. O art. 144, § 8.º, da CF, não impede que a guarda municipal exerça funções adicionais à de proteção dos bens, serviços e instalações do Município. Até mesmo instituições policiais podem cumular funções típicas de segurança pública com exercício de poder de polícia. Entendimento que não foi alterado pelo advento da EC n.º 82/2014. 6. Desprovimento do recurso extraordinário e fixação, em repercussão geral, da

seguinte tese: é constitucional a atribuição às guardas municipais do exercício do poder de trânsito, inclusive para imposição de sanções administrativas legalmente previstas" (STF – Pleno, RE 658.570/MG, rel. Min. Marco Aurélio, j. 06.08.2015, Repercussão Geral reconhecida no RE 637.539).

I – zelar pela guarda da Constituição, das leis e das instituições democráticas e conservar o patrimônio público;

Doutrina

Guarda da Constituição, das leis e das instituições democráticas. Significa que os Poderes do Estado devem exercer todas as suas atribuições constitucionais com irrestrita reverência à Constituição, aplicar de forma proficiente as leis e zelar, com diligência extrema, pela preservação do Estado Democrático de Direito e das Instituições Democráticas.

Conservação do patrimônio público. Significa o resguardo do patrimônio público não apenas no sentido de protegê-lo contra a deterioração, mas, também, na acepção mais ampla de uso no cumprimento de sua destinação específica, qual seja, a prestação de serviços públicos.

Jurisprudência

"(...). Não se pode permitir que o vácuo legislativo referente à prática de atos de improbidade sem qualquer sanção, notadamente porque incumbe também às edilidades zelar pela guarda da Constituição, das leis e das instituições democráticas e conservar o patrimônio público (art. 23, I, CF/88" (TRF5, AC 470.786/PB, rel. Des. Fed. Maximiliano Cavalcanti, DJE, 23.04.2010, p. 241).

II – cuidar da saúde e assistência pública, da proteção e garantia das pessoas portadoras de deficiência;

Doutrina

Assistência pública. Compreende o conjunto de ações dos órgãos estatais visando a proteção da saúde e a prestação de assistência social aos necessitados. Com relação à saúde, os serviços serão prestados através do sistema único de saúde ou outros órgãos próprios ou conveniados; no tocante à assistência social, através de órgãos próprios ou através de entidades assistenciais ou filantrópicas.

Proteção e garantia às pessoas com deficiência. A ação estatal visa a oferecer condições mais adequadas de vida às pessoas com deficiência de qualquer natureza, com o objetivo de facilitar a sua integração social e profissional.

Jurisprudência

> "Recurso Extraordinário com Agravo (Lei 12.322/2010) – Embargos de declaração recebidos como Recurso de agravo – Responsabilidade solidária das pessoas políticas que integram o Estado Federal Brasileiro, no contexto do Sistema Único de Saúde (SUS) – Competência comum dos entes federados (União, Estados-Membros, Distrito Federal e Municípios) em tema de proteção e assistência à Saúde pública e/ou individual (CF, art. 23, II) – Determinação constitucional que, ao instituir o dever estatal de desenvolver ações e de prestar serviços de saúde, torna as pessoas políticas responsáveis solidárias pela concretização de tais obrigações jurídicas, o que lhes confere legitimação passiva 'ad causam' nas demandas motivadas por recusa de atendimento no âmbito do SUS – consequente possibilidade de ajuizamento de ação contra um, alguns ou todos os entes estatais – Precedentes – Recurso de agravo improvido" (STF – 2.ª Turma, ARE 825.641/RS ED, rel. Min. Celso de Mello, j. 16.09.2014).

III – proteger os documentos, as obras e outros bens de valor histórico, artístico e cultural, os monumentos, as paisagens naturais notáveis e os sítios arqueológicos;

Doutrina

Proteção de bens culturais e de paisagens naturais. É competência comum dos entes federativos a proteção dos bens culturais, entendidos como aqueles materiais ou não, que integram a formação histórica e a tradição cultural de um povo. São bens culturais os documentos escritos em papel, pergaminho, couro, argila, rocha etc., de valor para a compreensão da história e cultura de um povo; as obras de artes, como telas, esculturas; os monumentos históricos, como estátuas, arcos, obeliscos; as obras literárias, musicais e teatrais; os conjuntos arquitetônicos e urbanos; os sítios arqueológicos e os pré-históricos etc. As paisagens naturais notáveis são aquelas dotadas de singularidade em razão da beleza rara de seus elementos, merecendo, assim, a proteção estatal para a sua preservação.

Jurisprudência

> O tombamento se caracteriza como ato de império do Poder Público, não havendo falar em direito adquirido quando a constrição administrativa ocorreu de forma obediente à Constituição. (TJSP, RT, 705/94).

IV – impedir a evasão, a destruição e a descaracterização de obras de arte e de outros bens de valor histórico, artístico ou cultural;

Doutrina

Proteção contra a evasão, destruição ou descaracterização de bens culturais. É competência comum dos entes federativos legislar para impedir a evasão, ou desvio de bens do país, a destruição física ou a descaracterização, por adulteração ou outro meio, de bens do patrimônio cultural da nação.

Jurisprudência

> É responsabilidade dos entes públicos – de qualquer nível – a execução de medidas destinadas a impedir a evasão, a destruição e a descaracterização de obras

de arte e de outros bens de valor histórico, artístico e cultural. (TJMG, RT, 739/381).

V – proporcionar os meios de acesso à cultura, à educação, à ciência, à tecnologia, à pesquisa e à inovação;

Doutrina

Acesso à educação, à ciência e à cultura. Compete a todos os entes federativos, na forma prevista na Constituição, proporcionar a todos o acesso à educação, para o desenvolvimento pleno da pessoa; à ciência, para viabilizar a curiosidade, o conhecimento e o desenvolvimento científicos; e à cultura, para aprimorar a pessoa e permitir-lhe o desenvolvimento de todas as suas potencialidades.

VI – proteger o meio ambiente e combater a poluição em qualquer de suas formas;

Doutrina

Proteção ao meio ambiente. É competência comum de todos os entes federativos adotar as medidas necessárias para a proteção do meio ambiente, entendido como o conjunto de condições naturais que interfere em todas as formas de vida, inclusive seres humanos.

Combate à poluição. Da mesma forma, devem os entes federativos empreender o combate à poluição em todas as suas formas com o objetivo de proteger o meio ambiente da degradação causada por agentes nocivos à natureza e à pessoa humana.

Jurisprudência

"(...). 4. A competência para proteger o meio ambiente e combater a poluição, bem como para fomentar a produção agropecuária e organizar o abastecimento familiar é comum à União, aos Estados, ao Distrito Federal e aos Municípios, nos termos do artigo 23, incisos VI e VIII, da Constituição Federal, circunstância que evidencia que, à míngua de ofensa direta a bens, serviços ou interesse da União, deve a ação penal tramitar no âmbito da Justiça Estadual" (STJ – 3.ª Seção, CC 144.065/RS AgRg, rel. Min. Jorge Mussi, DJE, 30.03.2017).

VII – preservar as florestas, a fauna e a flora;

Doutrina

Preservação de florestas, da fauna e da flora. É competência comum dos entes federativos a preservação das florestas, como a Amazônica, a Mata Atlântica, a mata de araucárias, as matas de manguezais, bem como o Cerrado, como área de transição entre campos e florestas. Outrossim, devem zelar pela proteção da flora, sistema de plantas típicas de uma região, bem como da fauna, todos os animais típicos de uma região.

Jurisprudência

"(...). 2. É restrita a competência da Justiça Federal para processar e julgar delitos ambientais aos crimes cometidos em detrimento de bens, serviços ou interesses da União, suas autarquias ou empresas públicas, considerando-se que o art. 23, incisos VI e VII, da Constituição Federal fixa a competência comum da União, dos Estados, do Distrito Federal e dos Municípios para 'proteger o meio ambiente e combater a poluição em qualquer de suas formas' e 'preservar as florestas, a fauna e a flora'" (STJ – 5.ª Turma, RHC 26.483, rel. Min. Jorge Mussi, DJE, 29.08.2011).

VIII – fomentar a produção agropecuária e organizar o abastecimento alimentar;

Doutrina

Fomento da produção agropecuária. Trata-se do conjunto de medidas que visa ao incentivo e ao aumento da produção de alimentos de origem agrícola e pastoril.

Organização do abastecimento alimentar. Esta competência deve ser exercida visando a distribuição de alimentos das zonas produtoras para os grandes centros urbanos consumidores para garantir o abastecimento destes e a colocação das safras. Implica na organização de sistemas de transportes, de distribuição e de armazenagem.

Jurisprudência

> "(...). 4. A competência para proteger o meio ambiente e combater a poluição, bem como para fomentar a produção agropecuária e organizar o abastecimento familiar é comum à União, aos Estados, ao Distrito Federal e aos Municípios, nos termos do artigo 23, incisos VI e VIII, da Constituição Federal, circunstância que evidencia que, à mingua de ofensa direta a bens, serviços ou interesse da União, deve a ação penal tramitar no âmbito da Justiça Estadual" (STJ – 3.ª Seção, CC 144.065/RS AgRg, rel. Min. Jorge Mussi, DJE, 30.03.2017).

IX – promover programas de construção de moradias e a melhoria das condições habitacionais e de saneamento básico;

Doutrina

Habitação e saneamento básico. É da competência comum dos entes federativos a implementação de programas de construção de moradias e de políticas de melhoria das condições gerais de habitação, com a execução de projetos de pavimentação de ruas e avenidas, de instalação de rede de energia elétrica para iluminação pública e domiciliar, bem como de programa de saneamento básico, como de limpeza e canalização de rios e córregos e instalação de rede de distribuição de água potável.

Jurisprudência

"(...). II – De acordo com a Lei n. 11.977/2009, o Programa Minha Casa Minha Vida se constitui na principal política habitacional do país, que objetiva o desenvolvimento urbano e o acesso à moradia para famílias de baixa renda, a fim de reduzir o enorme *deficit* habitacional brasileiro e também os impactos ambientais e sociais decorrentes das ocupações irregulares e das habitações precárias. III – O interesse social desse Programa é inegável, principalmente na perspectiva da efetivação do direito fundamental à moradia digna, da inserção desse direito entre as necessidades básicas dos brasileiros e da competência da União, dos Estados, do Distrito Federal e dos Municípios para promover programas de construção de moradias e melhorias das condições habitacionais, nos termos dos arts. 1.°, III, 7.°, IV e 23, IX, todos da Constituição Federal" (STJ – 2.ª Turma, REsp 1.687.381, rel. Min. Francisco Falcão, DJE, 23.04.2028).

X – combater as causas da pobreza e os fatores de marginalização, promovendo a integração social dos setores desfavorecidos;

Doutrina

Combate à pobreza e à marginalização. A norma constitucional comete aos entes federativos competência comum para a implementação de políticas públicas visando a redução da pobreza, como carência de recursos materiais mínimos para uma vida digna, e da marginalização dela decorrente, devendo, ainda, envidar esforços para integrar à sociedade as pessoas menos favorecidas e oferecer-lhes condições elementares de dignidade.

Jurisprudência

"1. Hipótese em que o Estado publicou Decretos expropriatórios com a finalidade de conter o crescimento da Favela da Rocinha (Rio de Janeiro), reassentar moradores retirados de áreas de risco, permitir a construção de equipamentos de saúde e de atendimento às crianças e melhorar as condições sanitárias. 2. Não se trata de mera ordenação do solo urbano (competência do Município), mas de medidas inseridas na competência comum do Estado (art. 23, VI, IX e X, da CF). 3. Mesmo que suas ações e programas incidam – como ordinariamente incidem – na forma de ocupação do solo urbano, a União e os Estados são titulares de ampla competência para, sozinhos ou em cooperação com os Municípios, proteger o meio ambiente e combater a poluição, preservar as florestas, a flora e a fauna, promover a melhorias das condições habitacionais e de saneamento básico, e impulsionar a integração social de setores desfavorecidos. 4. Controvérsia quanto às finalidades do Decreto expropriatório não pode ser dirimida em Mandado de Segurança, pois isso demandaria, no presente caso, dilação probatória incompatível com o rito de *writ*. 5. Inexiste desvio de finalidade, pois não há evidência de que a provável desapropriação visa a atender outros interesses de que não aqueles apontados pelo Estado" (STJ – 2.ª Turma, ROMS 27.385/RJ, rel. Min. Herman Benjamin, DJE, 27.04.2011)".

XI – registrar, acompanhar e fiscalizar as concessões de direitos de pesquisa e exploração de recursos hídricos e minerais em seus territórios;

Doutrina

Exploração de recursos hídricos e minerais. É competência comum dos entes federativos o registro, o acompanhamento e a fiscalização das concessões de direitos de pesquisa e de exploração de recursos hídricos, como rios, lagos, lagoas, baías etc., e minerais, compostos químicos decorrentes de processos inorgânicos ocorrentes no solo ou no subsolo.

Jurisprudência

Súmula do STF: 157. "É necessária prévia autorização do Presidente da República para desapropriação, pelos Estados, de empresa de energia elétrica."

XII – estabelecer e implantar política de educação para a segurança do trânsito.

Doutrina

Segurança do trânsito. É competência comum dos entes federativos o estabelecimento e implantação de política de educação para a segurança do trânsito. Referida política compreende um conjunto de ações destinado a coibir abusos praticados no trânsito, a educar as pessoas sobre a condução correta de veículos e outras regras de civilidade.

Jurisprudência

Súmulas do STF: 187. "A responsabilidade contratual do transportador, pelo acidente com o passageiro, não é elidida por culpa de terceiro, contra o qual tem ação regressiva." 261. "Para a ação de indenização, em caso de avaria, é dispensável que a vistoria se faça judicialmente."

Súmula 145 do STJ: "No transporte desinteressado, de simples cortesia, o transportador só será civilmente responsável por danos causados ao transportado quando incorrer em dolo ou culpa grave."

Parágrafo único. Leis complementares fixarão normas para a cooperação entre a União e os Estados, o Distrito Federal e os Municípios, tendo em vista o equilíbrio do desenvolvimento e do bem-estar em âmbito nacional.

Doutrina

Cooperação entre os entes federativos. A norma constitucional comete ao legislador ordinário a tarefa de fixar as normas de cooperação entre a União, os Estados, o Distrito Federal e os Municípios, com o objetivo de buscar o equilíbrio do desenvolvimento e o bem-estar de todos, como corolário do federalismo cooperativo preconizado pela Constituição. Referida cooperação se opera por meio de convênios ou consórcios administrativos para a realização de obras ou serviços de interesse comum.

Jurisprudência

> Súmula 511 do STF: "Compete à Justiça Federal, em ambas as instâncias, processar e julgar as causas entre autarquias federais e entidades públicas locais, inclusive mandados de segurança, ressalvada a ação fiscal, nos termos da Constituição Federal de 1967, art. 119, § 3.º"

Art. 24. Compete à União, aos Estados e ao Distrito Federal legislar concorrentemente sobre:

Doutrina

Competência legislativa concorrente. É aquela conferida a mais de um ente federativo para legislar sobre determinada matéria. Compreende duas espécies: a) *competência cumulativa*, quando o ente legisla sem limites previamente estabelecidos para o exercício da competência; b) *competência não-cumulativa*, quando o ente de maior grau, no caso a União, está autorizado a legislar sobre princípios e normas gerais, reservando os entes de menor grau a legislação de caráter complementar da matéria.

Jurisprudência

> "O conceito de federalismo cooperativo provém dos Estados Unidos da América, cunhado como réplica ao conceito do federalismo dualista. Na lógica do federalismo de cooperação e coordenação, a definição do

ente competente, no caso de competências concorrentes, se sujeita à predominância do interesse". (TRF1, AC 200883300003058, rel. Des. Fed. Selene Maria de Almeida, e-DJF1, 21.01.2011, p. 510).

I – direito tributário, financeiro, penitenciário, econômico e urbanístico;

Doutrina

Competência legislativa concorrente por matérias. A norma constitucional assegura à União, aos Estados e ao Distrito Federal competência para legislar sobre as seguintes matérias: a) *direito tributário*, disciplina as relações jurídicas entre o Estado e o contribuinte decorrentes do poder de tributar daquele; b) *direito financeiro*, disciplina a atividade financeira do Estado, como receita, despesa, orçamento e dívida pública; c) *direito penitenciário*, disciplina a atividade do Estado na execução das penas impostas aos condenados, adaptando as normas gerais às condições próprias de cada ente federativo; d) *direito econômico*, disciplina a atuação do Estado nos diversos setores da economia; e) *direito urbanístico*, disciplina a atividade estatal na ordenação dos espaços urbanos.

Jurisprudência

"(...). A competência concorrente da União, dos Estados e do Distrito Federal para legislar em matéria ambiental não permite que Estados Federados estipulem normas ambientais que contrariem a norma federal. Assim, a União, no exercício dessa competência, editou a Lei n.º 12.651/2012 – Código Florestal – que estabelece normas gerais sobre a proteção da vegetação, áreas de Preservação Permanente e as áreas de Reserva Legal; a exploração florestal, o suprimento de matéria-prima florestar, o controle da origem dos produtos florestais e o controle e prevenção dos incêndios florestais, e prevê instrumentos econômicos e financeiros para o alcance de seus objetivos. Seus dispositivos, a partir de então, foram elevados à condição de princípios gerais obrigatórios, podendo os Estados legislar sobre florestas até onde não exista confronto com as regras genéricas" (TRF1, Suspensão de Liminar 004885986 em ação civil pública 16.583-03.2016/MT, rel. Des. Fed. Hilton Queiroz, j. 20.10.2017).

II – orçamento;

Doutrina

Orçamento público. É a lei que tem por objeto a previsão da receita e a fixação da despesa do Estado para exercício financeiro certo. Deve compreender, de um lado, todas as receitas passíveis de arrecadação no exercício, e, de outro, todas as despesas necessárias ao funcionamento das atividades estatais e mais os investimentos que serão feitos no mesmo período.

Jurisprudência

> Súmula do STF: 66. "É legítima a cobrança do tributo que houver sido aumentado após o orçamento, mas antes do início do respectivo exercício financeiro."

III – juntas comerciais;

Doutrina

Juntas Comerciais. São órgãos administrativos estaduais destinados a registrar todos os atos de comércio e atividades afins que necessitem de registro para garantia de sua autenticidade. O órgão central de controle do registro de comércio é o Departamento Nacional de Registro do Comércio, integrante da estrutura organizacional do Ministério da Indústria e do Comércio.

IV – custas dos serviços forenses;

Doutrina

Custas dos serviços forenses. Correspondem ao pagamento das custas e despesas do processo ou emolumentos por certidões e outros serviços. Tais custas têm natureza jurídica de taxa, pois são cobradas em razão da utilização efetiva de um serviço público prestado à parte e que, por isso mesmo, exige uma contraprestação em espécie.

Jurisprudência

Súmula do STF: 412. "No compromisso de compra e venda com cláusula de arrependimento, a devolução do sinal, por quem o deu, ou a sua restituição em dobro, por quem o recebeu, exclui indenização maior, a título de perdas e danos, salvo os juros moratórios e os encargos do processo."

Súmula do STJ: 153. "A desistência da execução fiscal, após o oferecimento dos embargos, não exime o exequente dos encargos da sucumbência."

V – produção e consumo;

Doutrina

Produção e consumo. É competência concorrente da União, dos Estados e do Distrito Federal legislar sobre produção – qualquer processo de criação de bens – e relações de consumo estabelecidas entre produtores e consumidores. À União cabe editar as normas gerais e aos outros entes federativos suplementar a legislação federal naquilo que diz respeito às especificidades locais.

Jurisprudência

Súmula do STF: 536. "São objetivamente imunes ao imposto sobre circulação de mercadorias os produtos industrializados, em geral, destinados à exportação, além de outros, com a mesma destinação, cuja isenção a lei determinar."

VI – florestas, caça, pesca, fauna, conservação da natureza, defesa do solo e dos recursos naturais, proteção do meio ambiente e controle da poluição;

Doutrina

Conservação da natureza. A expressão é gênero capaz de compreender toda a matéria relativa a florestas, caça, pesca, fauna, solo, recursos naturais, meio ambiente e controle de poluição. Cabe à União legislar sobre princípios e normas gerais, remanescendo aos Estados e ao Distrito Federal competência para suplementar cada uma das matérias citadas no inciso segundo as peculiaridades locais.

Jurisprudência

"(...). 3. Adiante, o art. 24, VI, prescreve que compete, concorrentemente, à União, aos Estados e ao Distrito Federal elaborar leis sobre 'florestas, caça, pesca, fauna, conservação da natureza, defesa do solo e dos recursos naturais, proteção do meio ambiente e controle da poluição', o que sem dúvida inclui a salvaguarda das águas na perspectiva da qualidade ambiental" (STJ – 2.ª Turma, REsp 1.296.193, rel. Min. Herman Benjamin, DJE, 07.11.2016).

VII – proteção ao patrimônio histórico, cultural, artístico, turístico e paisagístico;

Doutrina

Proteção aos bens do patrimônio cultural. Cabe à União, aos Estados e ao Distrito Federal legislar sobre a proteção dos bens culturais, entendidos como aqueles, materiais ou não, que integram a formação histórica e a tradição cultural de um povo. São bens culturais os integrantes do patrimônio histórico, artístico, os pontos turísticos, como os monumentos, e os bens paisagísticos, como as paisagens naturais notáveis, que devem ser protegidas e preservadas em razão da beleza rara de seus elementos.

Jurisprudência

> "(...). Naqueles casos em que a Constituição estabelece competência concorrente da União, Estados-membros e Distrito Federal (art. 24), entre os quais está a proteção ao patrimônio histórico, cultural, artístico, turístico e paisagísticos (inciso VII), cabe à União estabelecer normas gerais (§ 1.º) e ao Distrito Federal normas suplementares (§ 2.º), sendo certo que a superveniência de lei federal sobre normas gerais suspende a eficácia da lei estadual, no que lhe for contrário (§ 4.º), mas o contrário não é verdadeiro" (STJ – 2.ª Turma, REsp 840.918 ED, rel. Min. Herman Benjamin, DJE, 06.09.2016).

VIII – responsabilidade por dano ao meio ambiente, ao consumidor, a bens e direitos de valor artístico, estético, histórico, turístico e paisagístico;

Doutrina

Responsabilidade por danos. Cabe à União, na verdade, legislar sobre responsabilidade civil ou criminal por danos causados ao meio ambiente, ao consumidor e a bens culturais, remanescendo aos Estados e ao Distrito Federal espaço muito restrito de atuação legislativa nesta matéria.

Jurisprudência

> "1. De acordo com o entendimento deste Tribunal, a Lei de Crimes Ambientais deve ser interpretada à luz dos princípios do desenvolvimento sustentável e da prevenção, indicando o acerto da análise que a doutrina e a jurisprudência têm conferido à parte inicial do

art. 54 da Lei n. 9.605/1988, de que a mera possibilidade de causar dano à saúde humana é idônea a configurar o crime de poluição, evidenciada sua natureza formal ou, ainda, de perigo abstrato (ut, RHC 62.119/SP, Rel. Ministro GURGEL DE FARIA, Quinta Turma, DJE 05/02/2016)" (STJ – 5.ª Turma, AREsp 956.780 AgRg, rel. Min. Reynaldo Soares da Fonseca, DJE, 05.10.2016).

IX – educação, cultura, ensino, desporto, ciência, tecnologia, pesquisa, desenvolvimento e inovação;

Doutrina

Educação, cultura, ensino, desporto, ciência, tecnologia, pesquisa, desenvolvimento e inovação. Cabe à União editar os princípios e normas gerais sobre referidas matérias e aos Estados e ao Distrito Federal a incumbência de suplementar a legislação federal para atender às peculiaridades que lhes são próprias.

Jurisprudência

"1. O princípio federativo brasileiro reclama, na sua ótica contemporânea, o abandono de qualquer leitura excessivamente inflacionada das competências normativas da União (sejam privativas, sejam concorrentes), bem como a descoberta de novas searas normativas que possam ser trilhadas pelos Estados, Municípios e pelo Distrito Federal, tudo isso em conformidade com o pluralismo político, um dos fundamentos da República Federativa do Brasil (CRFB, art. 1.º, V). 2. A invasão da competência legislativa da União invocada no caso *sub judice* envolve, diretamente, a confrontação da lei atacada com a Constituição (CRFB, art. 24, IX e parágrafos) não havendo que se falar nessas hipóteses em ofensa reflexa à Lei Maior. Precedentes do STF: ADI n.º 2.903, rel. Min. Celso de Mello, DJE-177 de 19-09-2008; ADI n.º 4.423, rel. Min. Dias Toffoli, DJE-225 de 14-11-2014; ADI n.º 3.645, rel. Min. Ellen Gracie, DJ de 01-09-2006. 3. A *prospective overruling*, antídoto ao engessamento do pensamento jurídico, revela oportuno ao Supremo Tribunal Federal rever sua postura *prima facie* em casos de litígios constitucionais em matéria de competência legislativa, para que passe a prestigiar, como regra geral, as iniciativas regionais e locais, a menos que ofendam norma expressa e inequívoca da Constituição de 1988. 4. A competência legislativa do Estado-membro para dispor sobre educação e ensino (CRFB, art. 24, IX) autoriza a fixação por lei local, do número máximo de alunos em sala de aula, no afã de viabilizar o adequado aproveitamento dos estudantes. 5. O limite máximo de alunos em sala de aula não ostenta natureza de norma geral, uma vez que dependente das circunstâncias peculiares a cada ente da federação, tais como o número de escolas colocadas à disposição da comunidade, a oferta de vagas para o ensino, o quantitativo de crianças em idade escolar para o nível fundamental e médio, o número de professores em oferta na região, além de aspectos ligados ao desenvolvimento tecnológico nas áreas de educação e ensino. 6. Pedido de declaração de inconstitucionalidade julgado improcedente" (STF – Pleno, ADIN 4.060/SC, Rel. Min. Luiz Fux, j. 25.02.2015).

X – criação, funcionamento e processo do juizado de pequenas causas;

Doutrina

Juizados de pequenas causas. São órgãos judiciários destinados a agilizar a prestação jurisdicional em causas cíveis de menor complexidade ou de reduzida expressão econômica e em causas criminais envolvendo delitos de pequeno potencial ofensivo ou pequena lesão ao bem jurídico protegido pela norma penal. Cabe à União, primeiramente, legislar sobre a matéria em face do disposto no artigo 22, I, da Constituição, remanescendo aos Estados e ao Distrito Federal competência supletiva para editar normas que melhor atendam às suas condições.

Jurisprudência

"Constitucional. Processual Civil. Princípio da Reserva de Plenário. Art. 97 da CF/88. Súmula Vinculante 10. Juizados de Pequenas Causas e Especiais. Inaplicabilidade. 1. O art. 97 da Constituição, ao subordinar o reconhecimento da inconstitucionalidade de preceito normativo a decisão nesse sentido da 'maioria absoluta de seus membros ou dos membros dos respectivos órgãos especiais', está se dirigindo aos Tribunais indicados no art. 92 e aos respectivos órgãos especiais de que trata o art. 93, XI. A referência, portanto, não atinge juizados de pequenas causas (art. 24, X) e juizados especiais (art. 98, I), os quais, pela configuração atribuída pelo legislador, não funcionam, na esfera recursal, sob regime de plenário ou de órgão especial. 2. Agravo a que se nega provimento" (STF – 2.ª Turma, ARE 792.562/SP AgRg, rel. Min. Teori Zavascki, j. 18.03.2014).

XI – **procedimentos em matéria processual;**

Doutrina

Procedimentos em matéria processual. Processo é o conjunto ordenado de atos visando a prestação jurisdicional e procedimento é a maneira de realizar cada um dos atos processuais. Cabe à União legislar privativamente sobre processo e concorrentemente sobre procedimentos em matéria processual, quer cível ou penal, partilhando com os Estados e o Distrito Federal esta competência, para que estes entes federativos adaptem as normas procedimentais de caráter geral às suas realidades.

Jurisprudência

"1. A exigência de depósito recursal prévio aos recursos do Juizado Especial Cível, criada pelo art. 7.º da Lei Estadual (AL) n.º 6.816/07, constitui requisito de admissibilidade do recurso, tema próprio de Direito Processual Civil e não de 'procedimentos em matéria processual' (art. 24, inciso XI, CF). 2. Medida cautelar deferida para suspender a eficácia do art. 7.º, *caput* e respectivos parágrafos, da Lei n.º 6.816/07, do Estado de Alagoas" (STF – Pleno, ADIN 4.161, rel. Min. Menezes Direito, j. 29.10.2008).

XII – previdência social, proteção e defesa da saúde;

Doutrina

Previdência social e saúde. A Previdência Social tem a forma de regime geral, de índole contributiva e de filiação obrigatória, sendo organizada pela União. As ações para a proteção e defesa da saúde são comuns a todos os entes federativos. De qualquer forma, a Constituição abre espaço para a legislação concorrente da União, dos Estados e do Distrito Federal sobre tais matérias, dispondo a primeira sobre princípios e normas gerais e os outros legislando segundo o seu interesse.

Jurisprudência

Súmula do STF: 128. "É indevida a taxa de assistência médica e hospitalar das instituições de previdência social."

XIII – assistência jurídica e defensoria pública;

Doutrina

Legislação sobre assistência judiciária e defensoria pública. Cabe aos entes federativos citados no *caput* legislar sobre tais assuntos, cabendo à União legislar sobre normas gerais de assistência judiciária e organização da defensoria pública e aos Estados e Distrito Federal editar as regras segundo as suas peculiaridades locais.

Jurisprudência

Súmula do STF: 450. "São devidos honorários de advogado sempre que vencedor o beneficiário de justiça gratuita."

"Inexistindo, junto ao órgão judiciário, serviço oficial de assistência gratuita a réus pobres, em processo-crime, é cabível o pagamento, nesses casos, pela Fazenda Estadual, de verba honorária aos advogados nomeados pelo juiz, para tal fim" (STF – Pleno, RE 103.950, rel. Min. Sydney Sanches, RTJ, 115/878).

XIV – proteção e integração social das pessoas portadoras de deficiência;

Doutrina

Proteção e integração social das pessoas com deficiência. A competência é concorrente porque a proteção e a integração social das pessoas com deficiência de fato é tarefa de todos os entes federativos na busca da promoção e respeito à dignidade da pessoa humana.

Jurisprudência

"A Constituição Federal, ao instituir um sistema de condomínio legislativo nas matérias taxativamente indicadas no seu art. 24 – dentre as quais avulta, por sua importância, aquela concernente à proteção e à integração social das pessoas portadoras de deficiência (art. 24, XIV) –, deferiu ao Estado-membro, em 'inexistindo lei federal sobre normas gerais', a possibilidade de exercer a competência legislativa plena, desde que 'para atender a suas peculiaridades' (art. 24, § 3.º). A questão da lacuna normativa preenchível. Uma vez reconhecida a competência legislativa concorrente entre a União, os Estados-membros e o Distrito Federal em temas afetos às pessoas portadoras de deficiência, e enquanto não sobrevier a legislação de caráter nacional, é de admitir a existência de um espaço aberto à livre atuação normativa do Estado-membro, do que decorre a legitimidade do exercício, por essa unidade federada da faculdade jurídica que lhe outorga o art. 24, § 3.º, da Carta Política" (STF – Pleno, ADIN 903 MC, rel. Min. Celso de Mello, j. 14.10.1993).

XV – proteção à infância e à juventude;

Doutrina

Proteção à infância e à juventude. Referida proteção compreende um conjunto de ações de caráter assistencial e protetivo visando assegurar à criança e ao adolescente direitos fundamentais relativos à vida, à liberdade, à saúde, à educação e à proteção no seio de sua família. Assim sendo, intuitivo que tais ações sejam de competência de todos os entes federativos e sobre o assunto legislem, concorrentemente, a União, os Estados e o Distrito Federal.

Jurisprudência

Súmula do STJ: 108. "A aplicação de medidas socioeducativas ao adolescente, pela prática de ato infracional, é de competência exclusiva do juiz."

XVI – organização, garantias, direitos e deveres das polícias civis.

Doutrina

Organização das polícias civis. Às polícias civis incumbem as funções de polícia judiciária dos Estados e do Distrito Federal e a apuração das infrações penais, exceto as militares. As regras de organização, garantias, direitos e deveres são editadas, em caráter geral, pela União, a quem cabe ainda organizar e manter a polícia civil do Distrito Federal, cabendo ao Estados-membros organizaram as suas polícias civis, dentro dos limites previstos pela legislação federal.

Jurisprudência

> Súmula do STF: 297. "Oficiais e praças das milícias dos Estados, no exercício de função policial civil, não são considerados militares para efeitos penais, sendo competente a Justiça Comum para julgar os crimes cometidos por ou contra eles."

§ 1.º No âmbito da legislação concorrente, a competência da União limitar-se-á a estabelecer normas gerais.

Doutrina

Competência da União no âmbito da legislação concorrente. A norma constitucional limita a competência da União, no caso, ao estabelecimento de normas gerais, aquelas que têm natureza de princípios e genéricas o bastante para não atingir uma situação particular.

Jurisprudência

> "(...). III – No âmbito da legislação concorrente, a competência da União fica limitada ao estabelecimento de normas gerais (que devem fixar princípios da matéria relacionada no artigo 24 da Constituição Federal), não excluindo a competência suplementar dos Estados" (STJ – 1.ª Turma, ROMS 9.915, rel. Min. Francisco Falcão, DJ, 05.06.2000, p. 120).

§ 2.º A competência da União para legislar sobre normas gerais não exclui a competência suplementar dos Estados.

Doutrina

Competência suplementar. É atribuída aos Estados para legislarem sobre as matérias específicas e segundo as suas peculiaridades, complementando as normas gerais baixadas pela União.

Jurisprudência

> "1. A Constituição Federal atribui competência à União, aos Estados e ao Distrito Federal para legislar (art. 24) sobre produção e consumo (inciso V) e sobre responsabilidade por dano ao consumidor (inciso VIII), estabelecendo em seu parágrafo 2.° que 'a competência da União para legislar sobre normas gerais não exclui a competência suplementar dos Estados', observando mais no parágrafo 4.° que 'a superveniência de lei federal sobre normas gerais suspende a eficácia da lei estadual, no que lhe for contrário'" (STJ-Primeira Turma, ROMS 20.277MS, rel. Min. Denise Arruda, DJ, 18.10.2007, p. 262).

§ 3.° Inexistindo lei federal sobre normas gerais, os Estados exercerão a competência legislativa plena, para atender a suas peculiaridades.

Doutrina

Competência supletiva. Na ausência de lei federal dispondo sobre normas gerais, os Estados exercerão a competência legislativa plena sobre as matérias previstas neste artigo com o fim único de atender às suas peculiaridades.

Jurisprudência

> A competência legislativa de que trata o § 3.° do art. 24 da Constituição Federal é a que autoriza os Estados a suprirem lacunas normativas para atender a peculiaridades locais (STF, Ementário n.° 1.758-02, p. 435).

§ 4.º A superveniência de lei federal sobre normas gerais suspende a eficácia da lei estadual, no que lhe for contrário.

Doutrina

Superveniência de direito federal. A partir do momento em que vigente lei federal sobre normas gerais, ocorrerá a perda de eficácia dos dispositivos da lei estadual contrários àquela, isso em face do princípio da prevalência do direito federal sobre o direito local no tocante a princípios e diretrizes gerais.

Jurisprudência

> Recurso Extraordinário. Previdenciário. Pensão por Morte. Reexame de fatos e Provas. Impossibilidade. Termo Inicial da Concessão do Benefício. Lei Estadual n. 6.915/95. Data da Inscrição ou Habilitação. Superveniência de Lei Federal Dispondo sobre Normas Gerais. Art. 24, § 4.º, da Constituição do Brasil. 1. Reexame de fatos e provas. Incidência da Súmula n. 279 do STF. 2. A superveniência de lei federal dispondo normas gerais suspende a eficácia da lei estadual, no que lhe for contrário. No caso, o citado texto normativo estadual [Lei n. 6.915/95], por disciplinar de forma diversa e ser posterior à lei federal, nem chegou a ter eficácia, prevalecendo, pois, o art. 76, da Lei n. 8.213/91, que estabelece a data da inscrição ou habilitação como termo inicial da concessão do benefício em favor de dependentes posteriormente incluídos. Dou parcial provimento ao recurso extraordinário" (STF – 2.ª Turma, RE 595.586/BA, rel. Min. Eros Grau, j. 09.02.2010).

CAPÍTULO III
DOS ESTADOS FEDERADOS

Art. 25. Os Estados organizam-se e regem-se pelas Constituições e leis que adotarem, observados os princípios desta Constituição.

Doutrina

Estados Federados. São unidades autônomas integrantes da Federação com personalidade jurídica de direito público interno. São também chamados de Estados-membros, ou simplesmente Estados, e são criados por incorporação entre si, subdivisão ou desmembramento de seus territórios, mediante aprovação da população diretamente interessada, que se manifesta por meio de plebiscito, e de lei complementar emanada do Congresso Nacional.

Autonomia dos Estados Federados. É assegurada pela Constituição Federal, que lhes confere o direito de ter Constituições e leis próprias dispondo sobre a auto-organização, ou criação e organização dos Poderes estaduais, autolegislação, ou a capacidade de editar as suas próprias leis, autogoverno, ou a capacidade de governar-se a si próprio mediante a escolha pela população de representantes para o exercício dos cargos do Executivo e Legislativo e autoadministração, ou a capacidade de exercer plenamente as competências que lhes foram atribuídas.

Limitações à autonomia dos Estados Federados. Sendo o Poder Constituinte Decorrente – aquele que cria a Constituição do Estado Federado – apenas autônomo, o seu exercício é limitado pelos princípios e normas da Magna Carta, pois é próprio da autonomia atuar dentro de limites anteriormente fixados na Constituição Federal. As principais limitações referem-se à observância dos seguintes princípios constitucionais: da separação dos poderes; da forma republicana, sistema representativo e regime democrático; dos direitos da pessoa humana; da autonomia municipal; e da prestação de contas da administração pública direta e indireta.

Jurisprudência

> A Constituição atual veicula menor quantidade dos chamados princípios constitucionais sensíveis, sinalizando, com isso, a existência de maiores poderes jurídicos radicados nas coletividades autônomas locais. Porém, com relação aos princípios federais extensíveis e aos princípios constitucionais estabelecidos o mesmo não ocorre, pois, apesar de disseminados pelo texto constitucional, representam expressivo acervo de limitações à autonomia local. (STF, RTJ, 146/388).
>
> "O ADCT, em seu art. 11, impôs aos Estados-membros, no exercício de seu poder constituinte, a estrita observância dos princípios consagrados na Carta da República." (STF – Pleno, ADIN 290, rel. Min. Celso de Mello, RDA, 188/139).
>
> "1. Sendo peça opinativa, o parecer prévio do Tribunal de Contas Estadual não vincula o pronunciamento posterior da Assembleia Legislativa, cujo exercício da competência constitucional não pode ser impedido pelo Judiciário. 2. Entendimento contrário implica em contrariedade ao princípio da independência dos Poderes. 3. É inconfundível a natureza técnica do parecer prévio do TCE com o julgamento político da Assembleia

Legislativa Estadual. 4. Indeferido o pedido de nulidade do parecer do TCE, inconfundível que o julgador se manifeste sobre a validade de ato futuro e não realizado, da Assembleia Legislativa, para declará-lo nulo. 5. Recurso ordinário conhecido e improvido" (STJ – 2.ª Turma, ROMS 2.622, rel. Min. José de Jesus Filho, DJ, 10.06.1996).

"É inconstitucional o aumento do número de desembargadores sem proposta do Tribunal de Justiça. A regra, que decorre do princípio da independência e harmonia entre os Poderes, é tradicional no direito republicano e aplica-se tanto à legislatura ordinária, como à constituinte estadual, em razão do que prescreve a Constituição Federal, art. 96, II, *b* e *d*." (STF – Pleno, ADIN 157, rel. Min. Paulo Brossard, RDA 202/180).

§ 1.º São reservadas aos Estados as competências que não lhes sejam vedadas por esta Constituição.

Doutrina

Competência dos Estados Federados. É definida pelo critério residual, enumerando a Carta Federal as competências atribuídas à União e aos Municípios e as reservadas ou, melhor dizendo, remanescentes pertencem aos Estados. Assim, remanesce aos Estados competência privativa para: a criação, incorporação, fusão e desmembramento de municípios (art. 18, § 4.º); a legislação sobre os seus bens, serviços, órgãos e quadro de servidores (art. 25, *caput*,); a exploração dos serviços locais de gás canalizado (art. 25, § 2.º); a criação de regiões metropolitanas, aglomerações urbanas ou microrregiões (art. 25, § 3.º); a instituição e cobrança de impostos, taxas e contribuições de melhoria (art. 145); a instituição e cobrança de contribuição previdenciária de seus servidores (art. 149, § 1.º); a instituição e cobrança dos impostos de sua competência (art. 155); etc. Além disso, os Estados exercem a competência comum do art. 23 e a competência legislativa concorrente do art. 24, todos da Constituição Federal.

Jurisprudência

Súmula do STF: 440. "Os benefícios da legislação federal de serviços de guerra não são exigíveis dos Estados sem que a lei estadual assim disponha."

Viola o princípio federativo, consagrado na Constituição Federal, norma de lei estadual que equipara servidores estaduais a servidores federais para fins de remuneração, pois qualquer reajuste concedido a estes será automaticamente estendido àqueles, resultando em ilegal majoração de despesa para os Estados. (STF, RTJ, 146/348).

"Administrativo. Recurso ordinário em mandado de segurança. Desapropriação. Construção do Distrito Industrial de São João da Barra. Porto do Açu. Legitimidade ativa *ad causam*. Competência para edição do decreto expropriatório. Direito líquido e cero não demonstrado. 1. Quem possui direitos sobre terrenos a serem desapropriados tem legitimidade ativa para impetrar mandado de segurança contra decreto declaratório de utilidade pública para fins de desapropriação. 2. O Governador de Estado tem competência para proceder à desapropriação de bens imóveis do domínio municipal, desde que haja prévia declaração de utilidade pública, devidamente motivada, e o respectivo ato seja precedido de autorização legislativa (Decreto-Lei n. 3.365/1941, artigos 2.°, *caput* e § 2.°, e 6.°). 3. A prévia aprovação do projeto de implantação do distrito industrial, condição prevista no § 2.° do art. 5.° do Decreto-Lei n. 3.365/1941, não é necessária à declaração de utilidade pública nem à criação jurídica do distrito industrial, mas, sim, à efetivação da desapropriação, que é o meio pelo qual, efetivamente, o ente expropriante procura transferir o bem imóvel para o seu domínio, conforme esclarece o art. 10 do Decreto-Lei n. 3.365/1941. 4. No caso, não há ilegalidade no Decreto Estadual n. 41.584/2008, o qual declarou de utilidade pública diversos terrenos localizados no Município de São João da Barra com a finalidade de implementação de distrito industrial, por sua vez, criado, juridicamente, pelo Decreto Estadual n. 41.535/2008. 5. Recurso ordinário não provido" (STJ – 1.ª Turma, ROMS 32.092/RJ, rel. Min. Benedito Gonçalves, d. 13.10.2015, DJE, 26.12.2015).

§ 2.º Cabe aos Estados explorar diretamente, ou mediante concessão, os serviços locais de gás canalizado, na forma da lei, vedada a edição de medida provisória para a sua regulamentação.

Doutrina

Exploração dos serviços de gás canalizado. É competência dos Estados a exploração direta, por meio de órgão de sua própria estrutura administrativa, ou indiretamente, mediante concessão, os serviços locais de distribuição de gás canalizado. Observe-se, ainda, que a matéria não poderá ser objeto de regulamentação por meio de medida provisória.

Jurisprudência

"Na concessão de uma obra ou serviço público, o Governo não transfere propriedade alguma ao concessionário; este obtém, apenas, o uso ou gozo da coisa durante o prazo da exploração concedida. Os direitos do poder público de que o concessionário é investido, como de desapropriar ou arrecadar tarifas do público, não os exerce *jure proprio*, mas como mero delegado ou mandatário do poder concedente, e nos precisos limites da delegação recebida. Quaisquer que sejam os favores e direitos reconhecidos ao concessionário, todos eles são outorgados em vista do bem público; consequentemente, se entendem sempre regulados e fiscalizados pelo poder concedente." (STF, RDA, 9/30).

§ 3.º Os Estados poderão, mediante lei complementar, instituir regiões metropolitanas, aglomerações urbanas e microrregiões, constituídas por agrupamentos de Municípios limítrofes, para integrar a organização, o planejamento e a execução de funções públicas de interesse comum.

Doutrina

Órgãos destinados à execução de funções públicas de interesse comum. O desempenho de funções ou serviços públicos de interesse comum autoriza os Estados a instituírem órgãos para a realização de tais fins. Referidos órgãos são: a) *as regiões metropolitanas*, formadas por municípios limítrofes que se identificam do ponto de vista econômico e social e apresentam, não raro, continuidade urbana e problemas comuns de organização do espaço urbano a aconselhar solução integrada; b) *as aglomerações urbanas*, ou conurbações urbanas, formadas por cidades limítrofes que se confundem como se única fosse, sem, contudo, perderem a identidade, como ocorre no ABCD (Santo André, São Bernardo do Campo, São Caetano do Sul e Diadema) no Estado de São Paulo. Assim, a prestação de alguns serviços públicos poderia ser integrada para aumentar a eficiência dos mesmos; c) *as microrregiões*, formadas por municípios integrantes de certa região do Estado que apresentam vocações e problemas no mais das vezes comuns, mas não apresentam continuidade urbana a unir as suas sedes.

Jurisprudência

> "No sistema jurídico-constitucional brasileiro, a promulgação de uma Constituição não acarreta, *ipso facto*, a ineficácia da legislação preexistente, derrogando só aquela que, com ela, se mostre incompatível. O conferimento, pela atual Carta da República, aos Estados da competência para instituir as regiões metropolitanas (art. 25, § 3.º) não afasta, só por si, a vigência da Lei Complementar 14/73. As regiões metropolitanas criadas sob o império da legislação anterior continuam

a existir, salvante a hipótese de os Estados, por via de lei complementar, formalmente elaborada, resolverem extingui-las ou alterar-lhes a constituição (princípio da continuidade da ordem jurídica precedente, no que atende à nova ordem constitucional)" (STJ – ROMS 314/MG, rel. Min. Demócrito Reinaldo, DJ 1,17.10.1994, p. 27.859).

Art. 26. Incluem-se entre os bens dos Estados:

Doutrina

Bens dos Estados-membros. Pertencem aos Estados federados todos os bens de seu domínio como objeto de direito pessoal e real, independentemente de sua destinação. A norma constitucional inclui entre os seus bens aqueles nela mencionados, não tendo, pois, caráter exauriente.

Jurisprudência

> Súmulas do STF: 340. "Desde a vigência do Código Civil, os bens dominicais, como os demais bens públicos, não podem ser adquiridos por usucapião." 479. "As margens dos rios navegáveis são de domínio público, insuscetíveis de expropriação e, por isso mesmo, excluídas de indenização."

I – as águas superficiais ou subterrâneas, fluentes, emergentes e em depósito, ressalvadas, neste caso, na forma da lei, as decorrentes de obras da União;

Doutrina

Águas superficiais ou subterrâneas. As águas de superfície compreendem as dos rios (fluentes), dos lagos (estáticas) e das fontes (emergentes). As águas subterrâneas são aquelas encontradas no subsolo, como os lençóis freáticos e os lençóis subterrâneos e podem encontrar-se em depósito, ainda sem utilização, ou emergentes, como nas fontes e nos poços artesianos. Pertencem aos Estados as águas encontradiças nos seus domínios territoriais, salvo quanto às águas em depósito, decorrentes de obras da União, caso em que, na forma da lei, passam para o domínio desta.

Jurisprudência

A Constituição inclui entre os bens dos Estados os rios e lagos encontradiços nos seus respectivos territórios, sendo legítimo considerar a descarga de resíduos industriais, feita neles ou através deles, como serviço tributável da rede de esgotos estadual, pois, como os demais bens públicos de uso comum do povo (CC, art. 66, I), os rios e os lagos, bem como a plataforma submarina e o mar territorial, estes sob domínio da União, são áreas passíveis de utilização por particulares, na forma da regulamentação baixada pelo Poder Público e sujeita à taxação prevista em lei. (STF, RTJ, 46/805).

II – as áreas, nas ilhas oceânicas e costeiras, que estiverem no seu domínio, excluídas aquelas sob domínio da União, Municípios ou terceiros;

Doutrina

Áreas localizadas em ilhas oceânicas e costeiras. As ilhas marítimas, oceânicas ou costeiras integram o patrimônio da União. Contudo, pertencem aos Estados as áreas de terra nelas localizadas que se encontrem sob domínio destes, excluindo-se o da União, do Município ou de particular.

Jurisprudência

A Constituição Federal, no art. 20, IV, inclui, expressamente, as ilhas oceânicas e costeiras entre os bens da União, ressalvando as áreas nelas situadas e que estejam sob domínio dos Estados (art. 26, II). Portanto, se

> incerteza há acerca da dominialidade de terras devolutas em ilhas costeiras, legitimado para a ação discriminatória é o ente federativo com domínio sobre a área discriminada, pois o remédio é próprio para o deslinde do que resta de tais terras em área previamente delimitada, a fim de separá-las daquelas objeto de domínio alheio, cuja defesa se faz por meio das ações que o nosso sistema jurídico coloca à disposição dos proprietários e possuidores em geral. (STF, Ementário, n.º 1.685-01, p. 27).

III – as ilhas fluviais e lacustres não pertencentes à União;

Doutrina

Ilhas fluviais e lacustres. As ilhas fluviais e lacustres, localizadas em rios ou lagos limítrofes com outros países, são de propriedade da União. Aquelas localizadas em rios ou lagos internos ou interiores – dentro do território –, pertencem ao Estado Federado de sua situação, desde que não tituladas a particulares.

Jurisprudência

> As ilhas situadas em rio público navegável e divisório entre dois Estados são de domínio destes e a propriedade de cada uma se define através das regras de acessão contidas no artigo 537 do Código Civil. (STF, RT, 348/308).

IV – as terras devolutas não compreendidas entre as da União.

Doutrina

Terras devolutas dos Estados. A Constituição Federal de 1891 transferiu para os Estados (art. 64) as terras devolutas situadas nos seus respectivos territórios, cabendo à União somente a porção de território indispensável para a defesa das fronteiras, fortificações, construções militares e estradas de ferro federais. Cotejado o conteúdo da referida norma com aquela inscrita no artigo 20, II, da atual Constituição, conclui-se que, em substância, o objetivo é o mesmo, sendo este apenas mais amplo que aquele em razão das circunstâncias naturais decorrentes dos fatos e do tempo. Assim, excluídas as terras devolutas indispensáveis à defesa das fronteiras, das fortificações e construções militares, das vias federais de comunicação e as destinadas à preservação ambiental, as demais pertencem aos Estados Federados.

Jurisprudência

> Súmula do STF: 477. "As concessões de terras devolutas situadas na faixa de fronteira, feita pelos Estados, autorizam, apenas, o uso, permanecendo o domínio com a União, ainda que se mantenha inerte ou tolerante, em relação aos possuidores."

Art. 27. O número de Deputados à Assembleia Legislativa corresponderá ao triplo da representação do Estado na Câmara dos Deputados e, atingido o número de trinta e seis, será acrescido de tantos quantos forem os Deputados Federais acima de doze.

Doutrina

Poder Legislativo Estadual. É exercido pela Assembleia Legislativa, organizada sob o sistema unicameral, e composta por representantes do povo escolhidos em eleições diretas pelo sistema proporcional.

Composição. A composição da Assembleia Legislativa corresponderá ao triplo da representação do Estado na Câmara dos Deputados e, atingido o número de trinta e seis membros, será acrescida de tantos deputados estaduais quantos forem os federais acima de doze. Assim, num Estado com bancada de oito deputados federais, a sua Assembleia Legislativa terá o triplo desse número, ou vinte e quatro deputados estaduais e, no caso do Estado de São Paulo, com setenta representantes na Câmara Federal, a sua Assembleia Legislativa será composta de noventa e quatro deputados estaduais, resultante do número de trinta e seis deputados acrescido de cinquenta e oito, que é a diferença entre o máximo de setenta e o redutor doze.

Jurisprudência

"(...). 6. Fronteiras da autonomia municipal impostas pela própria Carta da República, que admite a proporcionalidade da representação política em face do número de habitantes. Orientação que se confirma e se reitera segundo o modelo de composição da Câmara dos Deputados e Assembleias Legislativas (CF, artigos 27 e 45, § 1.º). Inconstitucionalidade" (STF – Pleno, RE 273.844/SP, rel. Min. Maurício Corrêa, j. 31.03.2004).

§ 1.º Será de quatro anos o mandato dos Deputados Estaduais, aplicando-se-lhes as regras desta Constituição sobre sistema eleitoral, inviolabilidade, imunidades, remuneração, perda de mandato, licença, impedimentos e incorporação às Forças Armadas.

Doutrina

Estatuto dos deputados estaduais. É o conjunto de regras constantes da Constituição do Estado dispondo sobre a aplicação do sistema proporcional nas eleições, mandato com duração de quatro anos, normas de inviolabilidade e imunidade, sistema de remuneração, hipóteses de perda de mandato e casos de licença, impedimentos e incorporação às Forças Armadas.

Jurisprudência

Súmula do STF: 245. "A imunidade parlamentar não se estende ao corréu sem essa prerrogativa."

A Constituição do Estado pode estabelecer que o seu Tribunal de Justiça é o foro privilegiado do deputado estadual, para os crimes de competência de sua Justiça, inclusive os dolosos contra a vida. Isso em face do reconhecimento do poder implícito do Estado de conferir a seus agentes políticos as mesmas prerrogativas de função de natureza processual penal que a Constituição Federal outorga aos agentes da União em funções correspondentes. (STF, RTJ, 102/54).

§ 2.º O subsídio dos Deputados Estaduais será fixado por lei de iniciativa da Assembleia Legislativa, na razão de, no máximo, setenta e cinco por cento daquele estabelecido, em espécie, para os Deputados Federais, observado o que dispõem os arts. 39, § 4.º, 57, § 7.º, 150, II, 153, III e 153, § 2.º, I.

Doutrina

Remuneração dos deputados estaduais. A remuneração paga aos deputados estaduais tem o nome de subsídio, sendo este fixado em parcela única, vedado qualquer acréscimo a título de gratificação, adicional, abono, prêmio, verba de representação ou outra espécie remuneratória (art. 39, § 4.º). Outrossim, o seu valor não poderá ultrapassar o limite de setenta e cinco por cento do subsídio em espécie pago aos deputados federais, assegurada, porém, revisão geral anual (art. 37, X) que se dará na mesma data e nos mesmos índices aplicados à remuneração dos servidores públicos.

Jurisprudência

"Deputado Estadual. Subsídios. Decreto legislativo que, no curso da legislatura, os eleva a 75% da remuneração dos Deputados Federais, aos quais acresce 40% a título de 'ajuda de gabinete'. Plausibilidade da arguição de ofensa ao art. 37, § 2.º da CF, à qual se soma a da possível violação aos arts. 37, XIII, e 25 da Lei Fundamental" (STF – Pleno, ADIN 548/DF, rel. Min. Néri da Silveira, j. 30.04.1992).

§ 3.º Compete às Assembleias Legislativas dispor sobre seu regimento interno, polícia e serviços administrativos de sua secretaria, e prover os respectivos cargos.

Doutrina

Autonomia administrativa. A norma consagra a autonomia administrativa das Assembleias Legislativas, conferindo-lhes poderes para: a) *aprovar o seu regimento interno*, que é a lei interna que contém as regras de funcionamento da Casa; b) *organizar a sua polícia*, que é o exercício do poder de polícia no recinto e em todas as instalações da Casa com o objetivo de garantir o seu normal funcionamento; c) *organizar os serviços administrativos*, dispondo sobre a estrutura e o funcionamento de sua secretaria e demais órgãos internos: d) *prover os respectivos cargos*, após a realização necessária de concurso público, salvo quanto aos cargos de provimento em comissão.

Jurisprudência

Súmula do STF: 397. "O poder de polícia da Câmara dos Deputados e do Senado Federal, em caso de crime cometido nas suas dependências, compreende, consoante o regimento, a prisão em flagrante do acusado e a realização do inquérito."

Regimento interno é ato administrativo de conteúdo normativo, elaborado pelo colegiado de qualquer dos Poderes, com a finalidade de estabelecer diretrizes que disciplinem as atividades de seus componentes. (STF, RF, 107/67).

§ 4.º A lei disporá sobre a iniciativa popular no processo legislativo estadual.

Doutrina

Iniciativa popular no processo legislativo estadual. É o meio através do qual os cidadãos apresentam diretamente projetos de leis às Assembleias Legislativas dos Estados, nos termos definidos em lei, assegurada a sua apreciação, discussão e aprovação ou rejeição.

Jurisprudência

> "1. A estrutura do processo legislativo estadual é simétrica àquela descrita na Constituição Federal; todavia, isso não significa que o rol de competências atribuídas nos dois casos deva ser absolutamente idêntico. 2. A Carta Política do Estado de São Paulo reservou ao chefe do Poder Executivo atribuição específica que não encontra equivalente no âmbito da União. 3. Não havendo conteúdo análogo no Texto Magno, urge reconhecer que a análise de constitucionalidade da lei questionada limita-se ao âmbito estadual" (STF – 1.ª Turma, RE 592.612/SP AgRg, rel. Min. Dias Toffoli, j. 25.06.2013).

Art. 28. A eleição do Governador e do Vice-Governador de Estado, para mandato de 4 (quatro) anos, realizar-se-á no primeiro domingo de outubro, em primeiro turno, e no último domingo de outubro, em segundo turno, se houver, do ano anterior ao do término do mandato de seus antecessores, e a posse ocorrerá em 6 de janeiro do ano subsequente, observado, quanto ao mais, o disposto no art. 77.

§ 1.º Perderá o mandato o Governador que assumir outro cargo ou função na administração pública direta ou indireta, ressalvada a posse em virtude de concurso público e observado o disposto no art. 38, I, IV e V.

§ 2.º Os subsídios do Governador, do Vice-Governador e dos Secretários de Estado serão fixados por lei de iniciativa da Assembleia Legislativa, observado o que dis-

põem os arts. 37, XI, 39, § 4.º, 150, II, 153, III, e 153, § 2.º, I.

Doutrina

Poder Executivo Estadual. É exercido pelo Governador do Estado, auxiliado pelos secretários estaduais. A eleição para Governador e Vice-Governador será realizada no primeiro domingo de outubro, em primeiro turno, e no último domingo desse mês, em segundo turno, se necessário, do ano anterior ao término do mandato dos antecessores, ocorrendo a posse, para mandato de quatro anos, perante a Assembleia Legislativa, em 6 de janeiro do ano seguinte. O Vice-Governador é o substituto do Governador nos seus impedimentos e seu sucessor no caso de vacância do cargo. É admitida a reeleição (art. 14, § 5.º) do Governador e do Vice-Governador para um único período subsequente.

Perda do mandato de governador. É vedado ao Governador de Estado afastar-se do exercício de seu cargo para assumir outro cargo ou função na administração pública direta ou indireta, como o de Ministro de Estado, presidente ou diretor de estatal, sendo o afastamento sancionado com a perda do mandato. A única exceção é a posse em virtude de aprovação em concurso público, pois tomará posse e não entrará em exercício, sendo afastado imediatamente para exercer o cargo decorrente do mandato eletivo.

Remuneração do Governador, Vice-Governador e Secretário de Estado. Denomina-se subsídio, sendo fixado em parcela única, vedado qualquer acréscimo a título de gratificação, adicional, abono, prêmio, verba de representação ou outra espécie remuneratória (art. 39, § 4.º). Ademais, o seu valor não poderá exceder o subsídio mensal, em espécie, pago aos ministros do Supremo Tribunal Federal, assegurada, porém, revisão geral anual (art. 37, X e XI), que se dará na mesma data e nos mesmos índices aplicados à remuneração dos servidores públicos.

Jurisprudência

"1. Ação Direta de Inconstitucionalidade (...). 2.

Ação direta (Lei n.º 2.154/2009, do Estado do Tocantins). Eleição de Governador e Vice-Governador. Hipótese de cargos vagos nos dois últimos anos de mandato. Eleição indireta pela Assembleia Legislativa. Votação nominal e aberta. Constitucionalidade aparente reconhecida. Reprodução do disposto no art. 81, § 1.º, da CF. Não obrigatoriedade. Exercício da autonomia do Estado-membro. Liminar indeferida. Precedente. Em sede de tutela antecipada em ação direta de inconstitucionalidade, aparente constitucionalidade a lei estadual que prevê eleição pela Assembleia Legislativa, por votação nominal e aberta, para os cargos de Governador e Vice-Governador, vagos nos dois últimos anos do mandato" (STF – Pleno, ADIN 4.298 MC, rel. Min. Cezar Peluso, j. 07.10.2009).

"Ação direta de inconstitucionalidade. 2. Emenda Constitucional n.º 28, que alterou o § 2.º do art. 79 da Constituição do Estado de Sergipe, estabelecendo que, no caso de vacância dos cargos de Governador e Vice-Governador do Estado, no último ano do período governamental, serão sucessivamente chamados o Presidente da Assembleia Legislativa e o Presidente do Tribunal de Justiça, para exercer o cargo de Governador. 3. A norma impugnada suprimiu a eleição indireta para governador e Vice-Governador do Estado, realizada pela Assembleia Legislativa em caso de dupla vacância desses cargos no último biênio do período de governo. 4. Afronta aos parâmetros constitucionais que determinam o preenchimento desses cargos mediante eleição. 5. Ação julgada procedente" (STF – Pleno, ADIN 2.709, rel. Min. Gilmar Mendes, j. 01.08.2006).

"Ação direta de inconstitucionalidade. Procede a alegação de inconstitucionalidade formal por afronta ao disposto no § 2.º do art. 28 da Constituição Federal, acrescentado pela Emenda Constitucional n.º 19/98, uma vez que este dispositivo exige lei em sentido formal para tal fixação. A determinação de lei implica, nos termos do figurino estabelecido nos arts. 61 a 69 da Constituição Federal, a participação do Poder Executivo no processo legislativo, por meio das figuras da sanção e do veto (art. 66 e parágrafos). Ação direta julgada procedente" (STF – Plenário, ADIN 2.585, rel. Min. Ellen Gracie, j. 24.04.2003).

CAPÍTULO IV
DOS MUNICÍPIOS

Art. 29. O Município reger-se-á por lei orgânica, votada em dois turnos, com o interstício mínimo de dez dias, e aprovada por dois terços dos membros da Câmara Municipal, que a promulgará, atendidos os princípios estabelecidos nesta Constituição, na Constituição do respectivo Estado e os seguintes preceitos:

Doutrina

Municípios. São unidades autônomas integrantes da Federação, com personalidade jurídica de direito público interno. Como alhures visto (art. 18, § 4.º), a criação de novos Municípios se dá por incorporação de um em outro, por fusão entre dois ou mais, ou por desmembramento territorial, sempre através de lei estadual, precedida de manifestação das populações interessadas em plebiscito a ser realizado após os estudos de viabilidade levados a efeito para demonstrar a viabilidade econômica e social dos mesmos.

Autonomia dos Municípios. É assegurada pela Constituição Federal, que lhes outorga o direito de ter lei orgânica própria, desde que atenda aos princípios inscritos na Constituição Federal e do respectivo Estado. Referida lei orgânica disporá sobre a sua auto-organização, ou criação e organização dos Poderes Legislativo e Executivo locais; autolegislação, ou a capacidade de editar as suas próprias leis em matérias de sua competência; autogoverno, ou a capacidade de governar a si próprio mediante escolha pela população dos ocupantes dos cargos de Prefeito, Vice-Prefeito e Vereadores; e autoadministração, ou a capacidade de exercer plenamente as competências que lhes foram atribuídas para a defesa dos interesses locais.

Limitações à autonomia dos Municípios. Sendo apenas entes autônomos, os Municípios exercem a autonomia dentro dos limites fixados nas Constituições Federal e do respectivo Estado. As principais limitações referem-se à própria forma de organização já preordenada e que dispõe sobre a eleição, posse e exercício dos mandatos por parte do Prefeito, Vice-Prefeito e Vereadores, limites de remuneração, proibições, incompatibilidades e crimes de responsabilidade e hipóteses de perda do mandato, além da obrigação de prestar contas da administração pública direta e indireta.

Jurisprudência

> Súmula Vinculante do STF: 42. "É inconstitucional a vinculação do reajuste de vencimentos de servidores estaduais ou municipais a índices federais de correção monetária".
>
> Súmula do STF: 419. "Os municípios têm competência para regular o horário do comércio local, desde que não infrinjam leis estaduais ou federais válidas."
>
> "Tributário e Processual Civil. Obrigação Tributária. Câmara de Vereadores. Ausência de personalidade jurídica. 1. Nos termos da jurisprudência do STJ, 'despeito de sua capacidade processual para postular direito próprio (atos *interna corporis*) ou para defesa de suas prerrogativas, a Câmara de Vereadores não possui legitimidade para discutir em juízo a validade da cobrança de contribuições previdenciárias incidentes dos a folha de pagamento dos exercentes de mandato eletivo, uma vez que desprovida de personalidade jurídica,

cabendo ao Município figurar no polo ativo da referida demanda' (Resp 696.561/RN, Rel. Min. Luiz Fux, DJ de 24/1-/2005). 2. Desse modo, 'a Câmara de Vereadores não possui personalidade jurídica autônoma que lhe permita figurar no polo passivo da obrigação tributária ou ser demandada em razão dessas obrigações. Sujeito passivo da contribuição previdenciária incidente sobre remuneração de membros da Câmara Municipal é o Município, pessoa jurídica de direito público' (Precedente: REsp n. 573.129/PB, DJ de 4.9.2006, Primeira Turma, Rel. Min. Teori Zavascki). 3. Agravo Regimental não provido" (STJ – 2.ª Turma, REsp 1.403.583 AgRg, rel. Min. Herman Benjamin, DJE, 25.06.2014).

I – eleição do Prefeito, do Vice-Prefeito e dos Vereadores, para mandato de quatro anos, mediante pleito direto e simultâneo realizado em todo o país;

Doutrina

Eleição para Prefeito, Vice-Prefeito e Vereadores. O sufrágio é universal pelo voto direto e secreto, sendo as eleições realizadas simultaneamente – na mesma data – em todo o país. A duração do mandato é de quatro anos, admitida a reeleição do Prefeito e do Vice-prefeito para um único período subsequente.

II – eleição do Prefeito e do Vice-Prefeito realizada no primeiro domingo de outubro do ano anterior ao término do mandato dos que devam suceder, aplicadas as regras do art. 77, no caso de Municípios com mais de duzentos mil eleitores;

Doutrina

Realização das eleições e princípio majoritário. As eleições para Prefeito e Vice-Prefeito serão realizadas no primeiro domingo do mês de outubro do ano que antecede o término do mandato dos que devam suceder. No caso de Municípios com mais de duzentos mil eleitores, se nenhum candidato lograr conseguir a maioria absoluta dos votos válidos no primeiro turno, realizar-se-á segundo turno, com os dois candidatos mais votados no primeiro, no último domingo do referido mês.

III – posse do Prefeito e do Vice-Prefeito no dia 1.º de janeiro do ano subsequente ao da eleição;

Doutrina

Posse do Prefeito e Vice-Prefeito. Posse é o ato solene por meio do qual se confere aos referidos agentes políticos as prerrogativas de seus cargos, marcando, com o exercício, também o início dos direitos, deveres e responsabilidades que lhes são cometidos. Isso se dá no dia primeiro de janeiro do ano subsequente ao da eleição, dando início ao mandato eletivo.

Jurisprudência

> Súmula do STJ: 164. "O prefeito municipal, após a extinção do mandato, continua sujeito a processo por crime previsto no art. 1.º do Dec. Lei n. 201, de 27.02.67."

IV – para a composição das Câmaras Municipais, será observado o limite máximo de:

a) 9 (nove) Vereadores, nos Municípios de até 15.000 (quinze mil) habitantes;

b) 11 (onze) Vereadores, nos Municípios com mais de 15.000 (quinze mil) habitantes e de até 30.000 (trinta mil) habitantes;

c) 13 (treze) Vereadores, nos Municípios com mais de 30.000 (trinta mil) habitantes e de até 50.000 (cinquenta mil) habitantes;

d) 15 (quinze) Vereadores, nos Municípios de mais de 50.000 (cinquenta mil) habitantes e de até 80.000 (oitenta mil) habitantes;

e) 17 (dezessete) Vereadores, nos Municípios de mais de 80.000 (oitenta mil) habitantes e de até 120.000 (cento e vinte mil) habitantes;

f) 19 (dezenove) Vereadores, nos Municípios de mais de 120.000 (cento e vinte mil) habitantes e de até 160.000 (cento e sessenta mil) habitantes;

g) 21 (vinte e um) Vereadores, nos Municípios de mais de 160.000 (cento e sessenta mil) habitantes e de até 300.000 (trezentos mil) habitantes;

h) 23 (vinte e três) Vereadores, nos Municípios de mais de 300.000 (trezentos mil) habitantes e de até 450.000 (quatrocentos e cinquenta mil) habitantes;

i) 25 (vinte e cinco) Vereadores, nos Municípios de mais de 450.000 (quatrocentos e cinquenta mil) habitantes e de até 600.000 (seiscentos mil) habitantes;

j) 27 (vinte e sete) Vereadores, nos Municípios de mais de 600.000 (seiscentos mil) habitantes e de até 750.000 (setecentos e cinquenta mil) habitantes;

k) 29 (vinte e nove) Vereadores, nos Municípios de mais de 750.000 (setecentos e cinquenta mil) habitantes e de até 900.000 (novecentos mil) habitantes;

l) 31 (trinta e um) Vereadores, nos Municípios de mais de 900.000 (novecentos mil) habitantes e de até 1.050.000 (um milhão e cinquenta mil) habitantes;

m) 33 (trinta e três) Vereadores, nos Municípios de mais de 1.050.000 (um milhão e cinquenta mil) habitantes e de até 1.200.000 (um milhão e duzentos mil) habitantes;

n) 35 (trinta e cinco) Vereadores, nos Municípios de mais

de 1.200.000 (um milhão e duzentos mil) habitantes e de até 1.350.000 (um milhão e trezentos e cinquenta mil) habitantes;

o) 37 (trinta e sete) Vereadores, nos Municípios de mais de 1.350.000 (um milhão e trezentos e cinquenta mil) habitantes e de até 1.500.000 (um milhão e quinhentos mil) habitantes;

p) 39 (trinta e nove) Vereadores, nos Municípios de mais de 1.500.000 (um milhão e quinhentos mil) habitantes e de até 1.800.000 (um milhão e oitocentos mil) habitantes;

q) 41 (quarenta e um) Vereadores, nos Municípios de mais de 1.800.000 (um milhão e oitocentos mil) habitantes e de até 2.400.000 (dois milhões e quatrocentos mil) habitantes;

r) 43 (quarenta e três) Vereadores, nos Municípios de mais de 2.400.000 (dois milhões e quatrocentos mil) habitantes e de até 3.000.000 (três milhões) de habitantes;

s) 45 (quarenta e cinco) Vereadores, nos Municípios de mais de 3.000.000 (três milhões) de habitantes e de até 4.000.000 (quatro milhões) de habitantes;

t) 47 (quarenta e sete) Vereadores, nos Municípios de mais de 4.000.000 (quatro milhões) de habitantes e de até 5.000.000 (cinco milhões de habitantes);

u) 49 (quarenta e nove) Vereadores, nos Municípios de mais de 5.000.000 (cinco milhões) de habitantes e de até 6.000.000 (seis milhões) de habitantes;

v) 51 (cinquenta e um) Vereadores, nos Municípios de mais de 6.000.000 (seis milhões) de habitantes e de até 7.000.000 (sete milhões) de habitantes;

w) 53 (cinquenta e três) Vereadores, nos Municípios de mais de 7.000.000 (sete milhões) de habitantes e de até

8.000.000 (oito milhões de habitantes; e

x) 55 (cinquenta e cinco) Vereadores, nos Municípios de mais de 8.000.000 (oito milhões) de habitantes;

Doutrina

Composição da Câmara Municipal. O número de vereadores é fixado na lei orgânica e será proporcional à população do Município, sendo o mínimo de nove, nos municípios de até 15.000 (quinze mil) habitantes, e de cinquenta e cinco nos municípios de mais de 8.000.000 (oito milhões) de habitantes, como disposto nas dezenas de faixas estabelecidas neste inciso. De qualquer forma, resta patente que o princípio consagrado é o da proporcionalidade.

Jurisprudência

> "(...). 4. Princípio da razoabilidade. Restrição legislativa. A aprovação de norma municipal que estabelece a composição da Câmara de Vereadores sem observância da relação cogente de proporção com a respectiva população configura excesso do poder de legislar, não encontrando eco no sistema constitucional vigente. 5. Parâmetro aritmético que atende ao comando expresso na Constituição Federal, sem que a proporcionalidade reclamada traduza qualquer lesão aos demais princípios constitucionais nem resulte formas estranhas e distantes da realidade dos Municípios brasileiros. Atendimento aos postulados da moralidade, impessoalidade e economicidade dos atos administrativos (CF, artigo 37)" (STF – Pleno, RE 273.844/SP, rel. Min. Maurício Corrêa, j. 31.03.2004).
>
> Viola a norma contida no art. 29, IV, da Constituição Federal dispositivo de Carta Estadual fixando o número de Vereadores, pois compete ao Município, na sua lei orgânica, fixá-lo proporcionalmente à sua população e observados os limites inscritos no mencionado dispositivo. (STF, Ementário, n.° 1.743-02, p. 236).

"(...). 2. Norma que determina a retroação dos efeitos de regras constitucionais de composição das Câmaras Municipais em pleito ocorrido e encerrado: afronta à garantia do exercício da cidadania popular (arts. 1.º, parágrafo único e 14 da Constituição) e a segurança jurídica" (STF – Pleno, ADIN 4.307/DF, rel. Min. Cármen Lúcia, j. 11.04.20013).

V – subsídios do Prefeito, do Vice-Prefeito e dos Secretários Municipais fixados por lei de iniciativa da Câmara Municipal, observado o que dispõem os arts. 37, XI, 39, § 4.º, 150, II, 153, III, e 153, § 2.º, I;

Doutrina

Remuneração do Prefeito, Vice-Prefeito e Secretários Municipais. Como agentes políticos, serão remunerados através de subsídio fixado em parcela única, vedado qualquer outro acréscimo a título de gratificação, adicional, abono, prêmio, verba de representação ou outra espécie remuneratória (art. 39, § 4.º). Ademais, o seu valor não poderá exceder o subsídio mensal, em espécie, pago aos ministros do Supremo Tribunal Federal (art. 37, XI) e a fixação se dará por meio de lei de iniciativa da Câmara Municipal.

Jurisprudência

"Subsídios – Prefeito e Vice-Prefeito. Os subsídios do prefeito e do vice-prefeito devem ser fixados, de forma clara e invariável, mediante lei de iniciativa da Câmara Municipal. Não cabe a tomada de empréstimo do que percebido, em termos de remuneração – gênero –, por integrante da Assembleia Legislativa. Inteligência do disposto no artigo 29, inciso V, da Constituição Federal" (STF – 1.ª Turma, RE 434.278/MG, rel. Min. Marco Aurélio, j. 12.06.2012).

VI – o subsídio dos Vereadores será fixado pelas respectivas Câmaras Municipais em cada legislatura para a subsequente, observado o que dispõe esta Constituição, observados os critérios estabelecidos na respectiva Lei Orgânica e os seguintes limites máximos:

a) em Municípios de até dez mil habitantes, o subsídio máximo dos Vereadores corresponderá a vinte por cento do subsídio dos Deputados Estaduais;

b) em Municípios de dez mil e um a cinquenta mil habitantes, o subsídio máximo dos Vereadores corresponderá a trinta por cento do subsídio dos Deputados Estaduais;

c) em Municípios de cinquenta mil e um a cem mil habitantes, o subsídio máximo dos Vereadores corresponderá a quarenta por cento do subsídio dos Deputados Estaduais;

d) em Municípios de cem mil e um a trezentos mil habitantes, o subsídio máximo dos Vereadores corresponderá a cinquenta por cento do subsídio dos Deputados Estaduais;

e) em Municípios de trezentos mil e um a quinhentos mil habitantes, o subsídio máximo dos Vereadores corresponderá a sessenta por cento do subsídio dos Deputados Estaduais;

f) em Municípios de mais de quinhentos mil habitantes, o subsídio máximo dos Vereadores corresponderá a setenta e cinco por cento do subsídio dos Deputados Estaduais;

Doutrina

Remuneração dos Vereadores. Como agentes políticos, serão remunerados por meio de subsídio fixado em parcela única, vedado qualquer outro acréscimo a título de gratificação, adicional, abono, prêmio, verba de representação ou outra espécie remuneratória (art. 39, § 4.º). A fixação se dará por meio de lei de iniciativa da Câmara Municipal em cada legislatura para vigorar na subsequente e não poderá ultrapassar os limites máximos estabelecidos nas alíneas acima, fixados em percentuais incidentes sobre o subsídio pago aos Deputados Estaduais, segundo a população do Município.

Jurisprudência

> "Direito Constitucional. Vinculação dos subsídios dos agentes públicos municipais. Inadmissibilidade. Vedação Constitucional. Inconstitucionalidade de lei municipal. Recurso Extraordinário interposto sob a égide do CPC/1973. Consonância da decisão recorrida com a jurisprudência cristalizada do Supremo Tribunal Federal. Recurso Extraordinário que não merece trânsito. Agravo manejado sob e vigência do CPC/1973. 1. O entendimento da Corte de origem, nos moldes do assinalado na decisão agravada, não diverge da jurisprudência firmada no Supremo Tribunal Federal, no sentido da inconstitucionalidade de vinculação dos subsídios devidos aos agentes políticos locais (Prefeito, Vice-Prefeito e Vereadores) à remuneração estabelecida em favor dos servidores públicos municipais. 2. As razões do agravo regimental não se mostram aptas a infirmar os fundamentos que lastrearam a decisão agravada. 3. Agravo regimental conhecido e não provido" (STF – 1.ª Turma, RE 892.854/SP AgRg, rel. Min. Rosa Weber, Sessão Virtual de 02 a 08.12.2016).

> "Subsídios. Vereadores. Longe fica de conflitar com a Carta de República acórdão em que assentada a insubsistência de ato da Câmara Municipal, formalizado após a divulgação dos resultados da eleição, no sentido de redução substancial dos subsídios dos vereadores, afastando o patamar de vinte e cinco por cento do que percebido por deputado estadual e instituindo quantia igual a quinze vezes o valor do salário mínimo" (STF

– 2.ª Turma, RE 213.524/SP, rel. Min. Marco Aurélio, j. 19.10.22).

VII – o total da despesa com a remuneração dos Vereadores não poderá ultrapassar o montante de 5% (cinco por cento) da receita do Município;

Doutrina

Limite de gasto com a remuneração de Vereadores. O total da despesa com o pagamento de subsídio aos vereadores não poderá ultrapassar o montante de cinco por cento da receita do Município. Portanto, além da limitação percentual estabelecida no inciso anterior, a lei que fixar o subsídio deverá levar em conta também o limite de gasto aqui estabelecido.

VIII – inviolabilidade dos Vereadores por suas opiniões, palavras e votos no exercício do mandato e na circunscrição do Município;

Doutrina

Inviolabilidade dos Vereadores. A norma garante ser o vereador inviolável por suas opiniões (juízos de valor sobre fatos), palavras e votos no exercício do mandato e dentro da circunscrição ou território do Município. Significa que a Constituição assegura ao edil a chamada imunidade material, não constituindo crime as opiniões que emitir no exercício do mandato e dentro da circunscrição de seu Município. Porém, não lhe garante a chamada imunidade formal, ou de processo, podendo vir a ser processado, independentemente de licença da Câmara, se cometer qualquer outro crime.

Jurisprudência

A Constituição Federal assegura aos vereadores apenas a inviolabilidade, ou imunidade material, e não a imunidade formal, podendo os mesmos serem submetidos a processo criminal independentemente de licença da Câmara Municipal. (STF, RT, 707/394).

Não comete crime de calúnia vereador que, no exercício do mandato na Câmara Municipal, solicita informações em face de notícia de irregularidades que teriam sido cometidas pelo Prefeito (STF, RT, 603/414).

"(....). 2.ª) garantia da inviolabilidade dos vereadores, restrita aos atos praticados no exercício do mandato e dentro da circunscrição do Município (CF, art. 29, VIII). 3. Com a nova redação do art. 51 do Código Penal, a pena de multa não mais pode ser convertida em pena de detenção, passando a ser considerada dívida de valor e executada como dívida ativa da Fazenda Pública; em consequência não mais cabe 'habeas corpus' quando o paciente é apenado, exclusivamente, com pena de multa, eis que não há como surgir a hipótese de constrição ilegal à sua liberdade de locomoção. 4. 'Habeas corpus' não conhecido" (STF – 2.ª Turma, HC 73.758/SP, rel. Min. Néri da Silveira, j. 14.05.96).

IX – proibições e incompatibilidades, no exercício da vereança, similares, no que couber, ao disposto nesta Constituição para os membros do Congresso Nacional e, na Constituição do respectivo Estado, para os membros da Assembleia Legislativa;

Doutrina

Proibições e incompatibilidades. A norma constitucional proíbe ao vereador, por ser incompatível com o exercício da vereança, a prática de condutas descritas principalmente no artigo 54 da Constituição, como ser proprietário, controlador ou diretor de empresa que goze de favor decorrente de contrato com pessoa jurídica de direito público, ou nela exercer função remunerada; ocupar, nestas entidades, cargo ou função de que seja demissível *ad nutum*; ser titular de mais de um cargo ou mandato público eletivo etc. A Constituição do Estado poderá dispor também sobre outras hipóteses de incompatibilidades aplicáveis aos deputados estaduais e, se o fizer, estas serão estendidas aos vereadores.

X – julgamento do Prefeito perante o Tribunal de Justiça;

Doutrina

Privilégio de foro. Na verdade, o juízo natural para o processo e julgamento do Prefeito é a segunda instância. Assim, nas infrações penais comuns, de competência da Justiça local, ou nos delitos decorrentes de apropriação ou desvio de verba repassada pelo Governo Federal através de convênios, o julgamento ocorre perante o Tribunal de Justiça do Estado; nos crimes praticados contra bens, serviços ou interesse da União, de suas autarquias ou de empresas públicas federais, a competência é do Tribunal Regional Federal; nos crimes eleitorais, a competência é do Tribunal Regional Eleitoral. Porém, nas infrações político-administrativas, que configuram os chamados crimes de responsabilidade próprios, a competência para julgamento é da Câmara Municipal, pois aqui a responsabilidade é de natureza política.

Jurisprudência

> Súmula do STF: 451. "A competência especial por prerrogativa de função não se estende ao crime cometido após a cessação definitiva do exercício funcional."
>
> Súmula do STJ: 164. "O prefeito municipal, após a extinção do mandato, continua sujeito a processo por crime previsto no art. 1.° do Dec. Lei n. 201, de 27.02.67."
>
> Súmula do TFR: 133. "Compete à Justiça Comum Estadual processar e julgar Prefeito Municipal acusado de desvio de verba recebida em razão de convênio firmado com a União Federal."

"I – Crimes comuns praticados por Prefeito Municipal. Competência originária do Tribunal de Justiça para o julgamento. Eficácia plena e aplicabilidade imediata da norma inscrita no art. 29, VIII, da Constituição Federal. II – Crimes eleitorais praticados por Prefeito. Competência originária do Tribunal Regional Eleitoral. HC 59903, Relator Ministro Néri da Silveira, 2.ª. Turma. III – Crimes Federais – CF, art. 109, IV. Competência originária do Tribunal Regional Federal. HC 68967/PR, Plenário; HC 69649/DF, Plenário. IV – Crimes do art. 1.º do DL 201/67. Crimes comuns. Denúncia apresentada após a extinção do mandato do Prefeito. A ação penal deve prosseguir. Reformulação da jurisprudência do Supremo Tribunal Federal. HC 70671/PI, Min. Carlos Velloso, Plenário, 13/04/94. Constitucionalidade do DL 201, de 1967. HC 70671/PI, HC 69850/RS." (STF – 2.ª Turma, RE 149.544/MA, rel. Min. Carlos Velloso, Ementário, n.º 1.793-04, p. 798).

A competência originária do Tribunal de Justiça para processar e julgar Prefeito Municipal, nos crimes comuns, da Justiça Estadual, inclui os crimes dolosos contra a vida, caso em que se afasta a norma inscrita no art. 5.º, XXXVIII, *d*, da Constituição Federal. (STF, RTJ, 150/833). Nas infrações político-administrativas, a competência para julgamento do Prefeito é da Câmara Municipal, pois se trata de apuração de responsabilidade de natureza política. (STF, DJ 1, de 02.03.1995, p. 4.022).

"A Constituição, ao estabelecer, no inciso X do artigo 29, que o julgamento do Prefeito se fará perante o Tribunal de Justiça impõe que o julgamento se faça pelo Tribunal de Justiça, mas não necessariamente por seu Plenário ou por seu órgão especial, podendo, pois, o regimento interno da Corte designar um órgão fracionário dela para proceder a esse julgamento. E nada há de irregular pelo fato de esse regimento estabelecer que uma de suas Câmaras Criminais tenha competência preferencial para julgamento de ação penal contra

Prefeito Municipal. Inexistência de irregularidade na Câmara Julgadora. Nada impede que o recebimento da denúncia seja feita por Juiz do Tribunal de Alçada regularmente convocado para integrar a Câmara Criminal em substituição a Desembargador, porquanto o substituto atua como se fosse o substituído, exercendo, portanto, integralmente a competência deste, salvo disposição expressa em contrário, o que não ocorre no caso. 'Habeas corpus' indeferido" (STF – 1.ª Turma, HC 71.381, rel. Min. Moreira Alves, j. 25.10.1994).

XI – organização das funções legislativas e fiscalizadoras da Câmara Municipal;

Doutrina

Funções legislativas e fiscalizadoras. A Câmara Municipal é titular da função legislativa com a finalidade de legislar sobre os assuntos de interesse local ou para suplementar, no que couber, a legislação federal e a estadual. Exerce, ainda, as chamadas funções fiscalizadoras, destinadas a tornar efetivo o controle legislativo sobre todas as atividades públicas do Município.

XII – cooperação das associações representativas no planejamento municipal;

Doutrina

Planejamento municipal e cooperação. O principal documento do sistema municipal de planejamento é o plano diretor do Município, que condensa a sua política urbana. Neste e noutros instrumentos, deve ser admitida a colaboração de associações representativas da sociedade, como as associações de bairros, os clubes de serviços, associações comercial ou industrial etc.

Jurisprudência

"(...). 1. Além das modalidades explícitas, mas espasmódicas, de democracia direta – o plebiscito, o referendo e a iniciativa popular (art. 14) – a Constituição da República aventa oportunidades tópicas de participação popular na administração pública (v.g., art. 5.º, XXXVIII e LXXIII; art. 37, § 3.º; art. 74, § 2.º; art. 187; art. 194, § único, VII; art. 204, II; art. 206 VI; art. 224). 2. A Constituição não abriu ensanchas, contudo, à interferência popular na gestão da segurança pública: ao contrário, primou o texto fundamental por sublinhar que os seus organismos – as polícias e corpos de bombeiros militares, assim como as polícias civis, subordinam-se aos Governadores" (STF – Pleno, ADIN 244, rel. Min. Sepúlveda Pertence, j. 04.12.2002).

XIII – iniciativa popular de projetos de lei de interesse específico do Município, da cidade ou de bairros, através de manifestação de, pelo menos, cinco por cento do eleitorado;

Doutrina

Iniciativa popular no processo legislativo municipal. A iniciativa popular para a apresentação de projetos de leis à Câmara Municipal pode ser exercida desde que se trate de matéria de interesse próprio do Município, subscrita, pelo menos, por cinco por cento dos eleitores locais.

XIV – perda do mandato do Prefeito, nos termos do art. 28, parágrafo único.

Doutrina

Referência legislativa. Nos termos da Emenda Constitucional 19, de 04.06.1998, a referência é ao artigo 28, § 1.º e não ao parágrafo único.

Perda de mandato de prefeito. É vedado ao Prefeito afastar-se do exercício de seu cargo para assumir qualquer outro cargo ou função na administração pública direta ou indireta, sendo o afastamento sancionado com a perda do mandato. A única exceção é a posse em virtude de concurso público, pois tomará posse e não entrará em exercício, sendo afastado imediatamente para exercer o cargo decorrente de mandato eletivo.

Art. 29-A. O total da despesa do Poder Legislativo Municipal, incluídos os subsídios dos Vereadores e os demais gastos com pessoal inativo e pensionistas, não poderá ultrapassar os seguintes percentuais, relativos ao somatório da receita tributária e das transferências previstas no § 5.º do art. 153 e nos arts, 158 e 159 desta Constituição, efetivamente realizado no exercício anterior:

I – 7% (sete por cento) para Municípios com população de até 100.000 (cem mil habitantes);

II – 6% (seis por cento) para Municípios com população entre 100.000 (sem mil) e 300.000 (trezentos mil) habitantes;

III – 5% (cinco por cento) para Municípios com população entre 300.001 (trezentos mil e um) e 500.000 (quinhentos mil) habitantes;

IV – 4,5% (quatro inteiros e cinco décimos por cento) para Municípios com população entre 500.001 (quinhentos mil e um) e 3.000.000 (três milhões) de habitantes;

V – 4% (quatro por cento) para Municípios com população entre 3.000.001 (três milhões e um) e 8.000.000 (oito milhões) de habitantes;

VI – 3,5% (três inteiros e cinco décimos por cento) para Municípios com população acima de 8.000.001 (oito milhões e um) habitantes.

Doutrina

Custo de manutenção do Legislativo Municipal. A norma constitucional limita o custo da Câmara Municipal a percentual do valor resultante da soma da receita tributária do Município e das transferências e participações no produto da repartição de tributos arrecadados pelo Estado e pela União. No total da despesa do Legislativo Municipal deve ser incluído o gasto com os subsídios e pagamento de aposentadorias e pensões a servidores aposentados. O limite de custo não poderá ultrapassar o percentual fixado em relação à população do Município, conforme previsto em cada item da regra em comento.

Jurisprudência

> "1. Violam o princípio da autonomia dos entes federados as Resoluções 2/92 e 3/96 da Câmara de Araucária, as quais fixaram a remuneração dos vereadores, respectivamente, em 70% e 75% daquela percebida pelos deputados estaduais. Precedentes desta Corte em casos semelhantes: ADI 3.461, Rel. Min. Gilmar Mendes, Tribunal Pleno, DJE de 25/8/2014; MS 21.075, Rel. Min. Sepúlveda Pertence, Primeira Turma, DJ de 24/10/1997; ADI 898/MC, Rel. Min. Sepúlveda Pertence, Tribunal Pleno, DJ de 4/3/1994; ADI 691-MC, Rel. Min. Sepúlveda Pertence, Tribunal Pleno, DJ de 19/6/1992; Rp 1.437, Rel. Min. Sydney Sanches, Tribunal Pleno, DJ de 26/2/1988. 2. Agravos regimentais a que se nega provimento" (STF – 2.ª Turma, RE 358.374/PR AgRg, rel. Min. Teori Zavascki, j. 12.05.2015).

§ 1.º A Câmara Municipal não gastará mais de setenta por cento de sua receita com folha de pagamento, incluído o gasto com o subsídio de seus Vereadores.

Doutrina

Limitação de gastos com pessoal. A norma limita a despesa com pessoal, aí incluído o subsídio de vereadores, a setenta por cento da receita da Câmara Municipal. Releva esclarecer que a sua receita é oriunda das dotações orçamentárias que lhes são destinadas no orçamento do Município e entregues, na forma de duodécimo, até o dia vinte de cada mês (art. 168).

§ 2.° Constitui crime de responsabilidade do Prefeito Municipal:

I – efetuar repasse que supere os limites definidos neste artigo;

II – não enviar o repasse até o dia vinte de cada mês; ou

III – enviá-lo a menor em relação à proporção fixada na Lei Orçamentária.

Doutrina

Crimes de responsabilidade do Prefeito. São as infrações político-administrativas, aquelas cometidas contra os dinheiros e o patrimônio da entidade pública e configuram os chamados crimes de responsabilidade próprios. A norma define como crime as seguintes condutas praticadas pelo Prefeito: *a*) efetuar repasse que supere os limites percentuais acima definidos, significa liberar recursos em valores que ultrapassem os limites de gastos; *b*) não enviar o repasse até o dia vinte de cada mês, quer dizer, deixar de entregar os recursos na forma prevista no art. 168; *c*) enviá-lo a menor em relação à proporção fixada na lei orçamentária, significa que os recursos entregues deverão corresponder ao duodécimo das dotações previstas no orçamento. Releva lembrar que a competência para o processo e julgamento de tais crimes é da Câmara Municipal, pois a sua prática implica em responsabilidade de natureza política, naturalmente sem prejuízo de eventual controle de legalidade por parte do Poder Judiciário.

§ 3.° Constitui crime de responsabilidade do Presidente da Câmara Municipal o desrespeito ao § 1.° deste artigo.

Doutrina

Crimes de responsabilidade do Presidente da Câmara de Vereadores. A norma define como crime de responsabilidade do Presidente da Câmara Municipal o desrespeito ao limite de setenta por cento de sua receita com a folha de pagamento, nela incluídos a remuneração dos servidores e o subsídio dos vereadores. E assim é porque, em última instância, ele é quem autoriza a despesa.

Jurisprudência

> "Penal. Habeas Corpus. Peculato. Presidente da Câmara Legislativa. Ausência de repasse das verbas descontadas. Função administrativa. Incidência da causa de aumento da pena do art. 327, § 2.°, do CP. Equiparação a funcionário público na função de direção. Ordem denegada. 1. O Presidente da Câmara Municipal, além do exercício político como chefe do Poder Legislativo local, possui atribuições de caráter administrativo, como repasse das verbas descontadas da folha de pagamento de funcionários, de forma que o paciente equipara-se a funcionário público na função de direção da Administração Direta e, consequentemente, tem contra si o reconhecimento da causa de aumento de pena do art. 327, § 2.°, do CP. 2. Ordem denegada" (STJ – 5.ª Turma, HC 91.697, rel. Min. Arnaldo Esteves Lima, DJE 07.06.2010).

Art. 30. Compete aos Municípios:

I – legislar sobre assuntos de interesse local;

Doutrina

Competência dos Municípios. É o conjunto de atribuições cometidas pela Constituição Federal ao município, com o objetivo de permitir que proveja sobre os assuntos de seu interesse, tomando as necessárias providências de ordem legislativa ou administrativa.

Legislação de interesse local. Cabe ao município, por meio de processo legislativo próprio, legislar sobre todos os assuntos de interesse local, entendidos estes como os diretamente ligados à sua área de atuação exclusiva.

Jurisprudência

> Súmula do STF: 419. "Os municípios têm competência para regular o horário do comércio local, desde que não infrinjam leis estaduais ou federais válidas."
>
> Súmula do STJ: 19. "A fixação do horário bancário, para atendimento ao público, é da competência da União."
>
> "Agravo regimental em Agravo de instrumento. Serviços bancários. Municípios. Competência legislativa. Nos termos da jurisprudência do Supremo Tribunal Federal, os Municípios possuem competência para legislar sobre assuntos de interesse local, tais como medidas que propiciem segurança, conforto e rapidez aos usuários de serviços bancários. Precedentes. Agravo regimental a que se nega provimento" (STF – 1.ª Turma, AgI 768.666/SP AgRg, rel. Min. Roberto Barroso, j. 26.11.2013).
>
> "Constitucional e Administrativo. Município. Câmara de Vereadores. Capacidade jurídica e postulatória. Funcionário. Férias não gozadas. Direito de indenização. Correção monetária. Critério a observar. Juros moratórios. I. O Município é gerido pelos Poderes Executivo e Legislativo, harmônicos e independentes entre si, mas quem tem a personalidade jurídica é o Município que, em juízo, é representado pelo Prefeito ou Procurador. Não se nega que a Câmara Municipal tenha capacidade processual ativa e passiva para defesa de suas prerrogativas institucionais. Todavia, tratando-se de ação indenizatória promovida por antigo funcionário da Câmara, presentemente aposentado, contra o Município, não há porque anular-se o processo a fim de chamá-la a juízo a título de litisconsorte passiva neces-

sária" (STJ – 5.ª Turma, REsp 32.747, rel. Min. Jesus Costa Lima, DJ, 27.03.1995, p. 7.178).

"Autonomia Municipal. Disciplina legal de assunto de interesse local. Lei municipal que proíbe a instalação de nova farmácia a menos de 500 metros de estabelecimento da mesma natureza. Extremo a que não se pode levar a competência municipal para o zoneamento da cidade, por redundar em reserva de mercado, ainda que relativa, e, consequentemente, em afronta aos princípios da livre concorrência, da defesa do consumidor e da liberdade do exercício das atividades econômicas, que informam o modelo de ordem econômica consagrado pela Carta da República (art. 170 e parágrafo, da CF)" (STF – 1.ª Turma, RE 203.909/SC, rel. Min. Ilmar Galvão, j. 14.10.1997).

II – suplementar a legislação federal e a estadual no que couber;

Doutrina

Legislação supletiva. Cabe ao Município legislar supletivamente com a finalidade de suprir, naquilo que toca ao seu peculiar interesse, a legislação federal e estadual, porém sempre em compatibilidade com ambas.

III – instituir e arrecadar os tributos de sua competência, bem como aplicar suas rendas, sem prejuízo da obrigatoriedade de prestar contas e publicar balancetes nos prazos fixados em lei;

Doutrina

Instituição e arrecadação de tributos. Instituir tributo é criá-

-lo por lei; da mesma forma, o aumento do tributo depende de autorização legal. Arrecadar é cobrar o tributo por meio do lançamento. Cabe ao município a instituição e arrecadação dos tributos de sua competência, quais sejam: a) *impostos*, incidentes sobre a propriedade predial e territorial urbana, transmissão *inter vivos* de bens imóveis e de direitos reais sobre imóveis, e sobre serviços de qualquer natureza; b) *taxas*, em razão do poder de polícia ou pela utilização, efetiva ou potencial de serviços públicos; c) *contribuição de melhoria*, decorrente de obras públicas. As contas da arrecadação e destinação dos recursos são prestadas à Câmara Municipal.

Jurisprudência

> "(...). No modelo federativo brasileiro – no ponto acentuado na Constituição de 1988 – os temas alusivos ao Município, a partir das normas atinentes à sua criação, há muito não constituem – ao contrário do que, na Primeira República, pudera sustentar Castro Nunes (Do Estado Federado e sua Organização Municipal, 2.ª. ed., Câmara dos Deputados, 1982, passim) – uma questão de interesse privativo do Estado-membro. Ente da Federação (CF, art. 18), que recebe diretamente da Constituição Federal numerosas competências comuns (art. 23) ou exclusivas (art. 30) – entre elas a de instituir e arrecadar tributos de sua área demarcada na Lei Fundamental (art. 156) – além de direito próprio de participação no produto de impostos federais e estaduais (art. 157-162) – o Município, seu regime jurídico e as normas regentes de sua criação interessam não apenas ao Estado-membro, mas à estrutura do Estado Federal total" (STF – Pleno, ADIN 2.381/RS MC, rel. Min. Sepúlveda Pertence, j. 20.06.2001).

IV – criar, organizar e suprimir distritos, observada a legislação estadual;

Doutrina

Criação, organização e supressão de distritos. Distrito é a divisão administrativa de um município e compreende porção de seu território, envolvendo normalmente mais de um bairro. Tanto a criação como a sua organização administrativa e eventual extinção depende de lei.

Jurisprudência

> "(...). A teor do disposto no inciso IV do artigo 30 da Constituição, compete aos municípios criar, organizar e suprimir distritos. A legislação estadual deve ficar restrita ao estabelecimento de normas gerais, em forma de princípios. Precedente: ação direta de inconstitucionalidade n.º 390-9/DF, relatada pelo Ministro Carlos Velloso, cujo aresto foi veiculado na Revista Trimestral de Jurisprudência n.º 146/741" (STF – Pleno, ADIN 30/PR, rel. Min. Marco Aurélio, j. 22.06.1997).

V – organizar e prestar, diretamente ou sob regime de concessão ou permissão, os serviços públicos de interesse local, incluído o de transporte coletivo, que tem caráter essencial;

Doutrina

Organização e prestação de serviços públicos. Serviços públicos são aqueles destinados ao atendimento de uma necessidade coletiva. Serviços públicos de interesse local são aqueles que atendem às necessidades de certa comunidade, bairro, distrito ou cidade. Cabe ao Município prestá-los diretamente, com os seus próprios meios, ou mediante regime de concessão ou permissão. À guisa de exemplo de serviço público local, de caráter essencial, a norma correspondente cita o de transporte coletivo.

Jurisprudência

"Até o julgamento do respectivo recurso extraordinário, fica sem efeito a decisão do Juízo da execução, que determinou o bloqueio de vultosa quantia nas contas bancárias da executada (Companhia do Metropolitano de São Paulo – METRÔ). Adota-se esse entendimento sobretudo em homenagem ao princípio da continuidade do serviço público, sobre o qual, a princípio, não pode prevalecer a interesse creditício de terceiros. Conclusão que se reforça, no caso, ante o caráter essencial do transporte coletivo, assim considerado pelo inciso V do art. 30 da Lei Maior. Nesse entretempo, restaura-se o esquema de pagamento concebido na forma do art. 678 do CPC. Medida cautelar deferida" (STF – Plenário, Ação Cautelar 669/SP, rel. Min. Carlos Britto, j. 06.10.2005).

VI – manter, com a cooperação técnica e financeira da União e do Estado, programas de educação infantil e de ensino fundamental;

Doutrina

Educação infantil e ensino fundamental. Educação infantil é aquela destinada às crianças de até seis anos de idade e compreende as escolas maternais, os jardins de infância e a pré-escola. O ensino fundamental corresponde ao de primeiro grau, ou primário, com duração de nove anos letivos, ministrado dos seis aos catorze anos de idade. Nestes dois níveis deverão os Municípios atuar prioritariamente (art. 211, § 2.º).

VII – prestar, com a cooperação técnica e financeira da União e do Estado, serviços de atendimento à saúde da população;

Doutrina

Serviços de atendimento à saúde da população. Trata-se de competência comum da União, dos Estados, do Distrito Federal e dos Municípios, que deverão articular-se para a prestação dos serviços por meio do sistema único de saúde, outros órgãos próprios, ou por meio de convênios de cooperação.

Jurisprudência

> "1. Incumbe ao Estado, em todas as suas esferas, prestar assistência à saúde da população, nos termos do art. 196 da Constituição Federal, configurando essa obrigação, consoante entendimento pacífico na Corte, responsabilidade solidária entre os entes da Federação. 2. O Supremo Tribunal Federal reconheceu a existência da repercussão geral da questão relativa ao fornecimento de medicamentos de alto custo. Aplicação do art. 543-B do CPC. 3. Agravo regimental do Estado do Ceará não provido e agravo regimental interposto pela União prejudicado" (STF – 1.ª Turma, RE 818.572/CE AgRg, rel. Min. Dias Toffoli, j. 02.09.2014).

VIII – promover, no que couber, adequado ordenamento territorial, mediante planejamento e controle do uso, do parcelamento e da ocupação do solo urbano;

Doutrina

Planejamento urbano. Diz respeito à adoção de um conjunto de medidas destinadas ao ordenamento adequado do território e controle de seu uso, das regras de parcelamento e ocupação racional do solo urbano.

Jurisprudência

> "O entendimento adotado pela Corte de origem, nos moldes do que assinalado na decisão agravada, não diverge da jurisprudência firmada no âmbito deste Supremo Tribunal Federal. A Constituição da República confere aos municípios competência para legislar sobre assuntos de interesse local, nele compreendidos o

uso e a ocupação do solo urbano no seu território" (STF – 1.ª Turma, ARE 780.070/RS ED, rel. Min. Rosa Weber, j. 01.03.2016).

"Constitucional. Ordem urbanística. Competências Legislativas. Poder Normativo Municipal. Art. 30, VIII e art. 182, *caput*, da Constituição Federal. Pleno Diretor. Diretrizes básicas de ordenamento territorial. Compreensão. 1. A Constituição Federal atribuiu aos Municípios com mais de vinte mil habitantes a obrigação de aprovar Plano Diretor, como 'instrumento básico da política de desenvolvimento e de expansão urbana' (art. 182, § 1.º). Além disso, atribuiu a todos os Municípios competência para editar normas destinadas a 'promover, no que couber, adequado ordenamento territorial, mediante planejamento e controle do uso do solo, do parcelamento e da ocupação do solo urbano' (art. 30, VIII) e a fixar diretrizes gerais com o objetivo de 'ordenar o pleno desenvolvimento das funções sociais da cidade e a garantir o bem-estar dos habitantes' (art. 182, *caput*). Portanto, nem toda a competência normativa municipal (ou distrital) sobre ocupação dos espaços urbanos se esgota na aprovação de Plano Diretor. 2. É legítima, sob o aspecto formal e material, a Lei Complementar Distrital 710/2005, que dispõe sobre uma forma diferenciada de ocupação e parcelamento do solo urbano em loteamentos fechados, tratando da disciplina interna desses espaços e dos requisitos urbanísticos mínimos a serem neles observados. A edição de leis dessa espécie, que visa, entre outras finalidades, inibir a consolidação de situações irregulares de ocupação do solo, está inserida na competência normativa conferida pela Constituição Federal aos Municípios e ao Distrito Federal, e nada impede que a matéria seja disciplinada em ato normativo separado do que disciplina o Plano Diretor. 3. Aprovada, por deliberação majoritária do Plenário, tese com repercussão geral no sentido de que 'Os municípios com mais de vinte mil habitantes e o Distrito Federal podem legislar sobre programas e projetos específicos de ordenamento do espaço urbano por meio de leis que sejam compatíveis com as diretrizes fixadas no plano diretor'. 4. Recurso extraordinário a que se nega provimento" (STF – Pleno, RE 607.940/DF, rel. Min. Teori Zavascki, j. 29.10.2015).

IX – promover a proteção do patrimônio histórico-cultural local, observada a legislação e a ação fiscalizadora federal e estadual.

Doutrina

Proteção do patrimônio histórico-cultural local. Trata-se de competência que será exercida de forma comum com a União e o Estado, conquanto esses entes têm competência para legislar sobre a matéria. A propósito, o Decreto-lei n.° 25, de 30.11.1937, organiza a proteção do patrimônio histórico e artístico nacional.

Jurisprudência

"Ereção da antiga capital em cidade monumento para conservar o seu valioso patrimônio histórico e cultural. Criação de cidades satélites e outras providências da Lei Estadual n. 5.290, de 18.9.64. Não é inconstitucional esse diploma legal. Representação julgada improcedente" (STF – Pleno, Rp 640/GO, rel. Min. Evandro Lins, j. 14.04.1966, DJ, 15.06.1966, p. 2100).

Art. 31. A fiscalização do Município será exercida pelo Poder Legislativo Municipal, mediante controle externo, e pelos sistemas de controle interno do Poder Executivo Municipal, na forma da lei.

§ 1.° O controle externo da Câmara Municipal será exercido com o auxílio dos Tribunais de Contas dos Estados ou do Município ou dos Conselhos ou Tribunais de Contas dos Municípios, onde houver.

§ 2.º O parecer prévio, emitido pelo órgão competente sobre as contas que o Prefeito deve anualmente prestar, só deixará de prevalecer por decisão de dois terços dos membros da Câmara Municipal.

§ 3.º As contas dos Municípios ficarão, durante sessenta dias, anualmente, à disposição de qualquer contribuinte, para exame e apreciação, o qual poderá questioná-las a legitimidade, nos termos da lei.

§ 4.º É vedada a criação de tribunais, Conselhos ou órgãos de contas municipais.

Doutrina

Fiscalização do Município. A Câmara Municipal exercerá a fiscalização contábil, financeira, orçamentária, operacional e patrimonial do Município mediante controle externo. Já o Poder Executivo exercerá o controle interno da administração por meio de sistemas próprios. O controle externo visa a verificar a probidade da Administração, a guarda e a legalidade da aplicação dos recursos públicos; o controle interno visa a avaliar o cumprimento dos objetivos previstos nos programas de governo e nos orçamentos e a comprovar a legalidade de todas as atividades administrativas.

Tribunais de Contas. São tribunais administrativos, que funcionam como órgãos colegiados, com a finalidade de auxiliar o Poder Legislativo no exercício de sua função fiscalizadora por meio do chamado controle externo da Administração. A quase totalidade dos municípios não têm tribunais próprios, sendo as Câmaras Municipais auxiliadas pelos Tribunais de Contas dos Estados.

Rejeição do parecer prévio. O tribunal ou conselho de contas emitirão parecer prévio sobre as contas e o mesmo somente deixará de prevalecer por decisão de dois terços dos membros da Câmara Municipal.

Controle dos contribuintes. As contas deverão ficar, durante sessenta dias, à disposição de qualquer contribuinte para exame e eventual questionamento quanto à legitimidade das mesmas mediante impugnação escrita apresentada à presidência da Câmara. Esta fará o encaminhamento ao órgão competente para apreciação e decisão.

Proibição de criação de novos órgãos de contas. Se o § 1.° outorga aos tribunais dos Estados de contas a tarefa de auxiliar o Poder Legislativo no exercício do controle externo, esta norma só faz sentido se entendida como proibição de instituição de novos tribunais, conselhos ou órgãos de contas municipais, restando reconhecidos os existentes na data da promulgação da Constituição. Assim, existem, hoje, apenas dois tribunais de contas municipais: o do Município de São Paulo e o do Município do Rio de Janeiro.

Jurisprudência

> "Não há que reconhecer qualquer ilegalidade no ato da autoridade apontada como coatora em deixar de prestar as informações requeridas de modo individual por vereador. Nessa linha, é o ensinamento sempre contemporâneo do saudoso mestre Hely Lopes Meirelles, ao dissertar que, 'no nosso sistema municipal, ao vereador não cabe administrar diretamente os interesses e bens do Município, mas indiretamente, votando leis e demais proposições ou apontando providências e fatos ao prefeito, através de indicações, para a solução administrativa conveniente. Tratando-se de interesses locais não há limitações à ação do vereador, desde que atue por intermédio da Câmara e na forma regimental'. Adverte o ilustre administrativista, com a mesma ênfase, que 'o vereador não age individualmente, senão para propor medidas à Câmara a que pertence, não lhe competindo o trato direto com o Executivo ou com qualquer autoridade local, estadual ou federal acerca de assuntos oficiais do Município. Toda medida ou providência desejada pelo vereador, no desempenho de suas funções, deverá ser conhecida e deliberada pela Câmara, que,

aprovando-a, se dirigirá oficialmente, por seu representante a quem de direito, solicitado o que deseja o edil' ('Direito Municipal Brasileiro', 13.ª ed., São Paulo: Ed. Malheiros, p. 596, 2003). Mais a mais, bem se sabe que a fiscalização do Município é exercida, também, pelo Poder Legislativo municipal, mediante controle externo (cf. art. 31 da CR). Sabem-no todos, também, que o Poder Legislativo é pela Câmara Municipal como órgão colegiado integrado por vereadores e a representação é conferido ao Presidente. Recurso ordinário em mandado de segurança improvido" (STJ – 2.ª Turma, ROMS 12.942, rel. Min. Franciulli Netto, DJ, 28.02.2005, p. 255).

"(...). A Câmara Municipal não tem personalidade jurídica nem patrimônio próprio, falecendo-lhe competência para exercer direitos de natureza privada e assumir obrigações na ordem patrimonial, posto possuir apenas representação política dos munícipes. 6. O controle externo da Câmara Municipal exercido com o auxílio dos Tribunais de Contas dos Estados, quando inexistentes os Conselhos ou Tribunais de Contas Municipais (CF, art. 31, § 1.º) e suas decisões que resultem em imputação de débito e multa tenham eficácia de título executivo (CF, art. 73, § 3.º, II), não legitimam o ressarcimento de verba pública municipal (remuneração de ex-vereador) para competência fiscal do Estado-membro diante de decisão proferida pelo seu Tribunal de Contas, sem afrontar, de forma imediata, às condições da ação executiva (art. 1.º da LEF e art. 3.º do CPC) e, mediata, os princípios da autonomia orçamentária e financeira municipal" (STJ – 1.ª Turma, REsp 1.117.685, rel. Min. Luiz Fux, DJE, 11.02.2010).

"1. A disposição contida em lei orgânica estadual que determina que prevalecerá o parecer prévio expedido pelo Tribunal de Contas se, no prazo de 60 (sessenta) dias contados do seu recebimento, o Poder Legislativo municipal não houver deliberado sobre a respectiva conta anual do prefeito, não contraria os princípios constitucionais da autonomia federativa e do devido processo legal. 2. Malgrado o constituinte tenha disposto que os Tribunais de Contas dos Estados devam ser estruturados, no que couber, em simetria com o modelo federal (CF, art. 75), possibilita-se que, no âmbito dessa estruturação, haja espaço residual de autônoma formulação acerca de procedimento específico de atuação do órgão legislativo municipal. 3. O prazo designado para a apreciação do parecer prévio pela Câmara Municipal, por falta de previsão legal, não comporta suspensão ou interrupção. 4. Recurso ordinário não provido" (STJ – 2.ª Turma, ROMS 28.089, rel. Min. João Otávio de Noronha, DJ, 10.10.2005, p. 270).

"O Tribunal de Contas, órgão auxiliar do Poder Legislativo, a propósito das contas do Executivo Municipal, exerce mera função opinativa, devendo prevalecer, *in casu*, a decisão política da Câmara Municipal, no sentido de acatar ou não o perecer prévio emitido por aquele órgão e, via de consequência, aceitar ou rejeitar as contas de determinado exercício financeiro. Na hipótese dos autos, não há falar em violação de direito líquido e certo do impetrante, tampouco em cerceamento de seu direito constitucional à ampla defesa, posto que, além de ter acatado seu pedido de reexame das contas pelo corpo técnico do TCE/SC, o mesmo ainda não foi submetido ao crivo do Legislativo, isto é, a Câmara Municipal ainda não se pronunciou acerca das contas *sub quaestio*, a qual, na ocasião, recebido o parecer prévio e instituída a Comissão, dará ao impetrante nova oportunidade de defesa e manifestação. Recurso ordinário improvido" (STJ – 2.ª Turma, ROMS 13.316/SC, rel. Min. Franciulli Netto, DJ, 21.03.2005, p. 296).

CAPÍTULO V
DO DISTRITO FEDERAL E DOS TERRITÓRIOS

Seção I

DO DISTRITO FEDERAL

Art. 32. O Distrito Federal, vedada sua divisão em Municípios, reger-se-á por lei orgânica, votada em dois turnos com interstício mínimo de dez dias, e aprovada por dois terços da Câmara Legislativa, que a promulgará, atendidos os princípios estabelecidos nesta Constituição.

§ 1.º Ao Distrito Federal são atribuídas as competências legislativas reservadas aos Estados e Municípios.

§ 2.º A eleição do Governador e do Vice-Governador, observadas as regras do art. 77, e dos Deputados Distritais coincidirá com a dos Governadores e Deputados Estaduais, para mandato de igual duração.

§ 3.º Aos Deputados Distritais e à Câmara Legislativa aplica-se o disposto no art. 27.

§ 4.º Lei federal disporá sobre a utilização, pelo Governo do Distrito Federal, da polícia civil, da polícia penal, da polícia militar e do corpo de bombeiros militar.

Doutrina

Distrito Federal. Trata-se de pessoa jurídica de direito público interno, integrante do Estado Federal, com autonomia política, administrativa e financeira assegurada nos termos da Constituição, o que lhe confere perfil assemelhado a de um Estado-membro, apesar de um de seus Poderes – o Judiciário – ser organizado e mantido pela União, que mantém, ainda, outros órgãos e instituições, como as polícias civil, penal e militar, além do corpo de bombeiros militar e o Ministério Público do Distrito Federal. A norma impõe ainda limite à sua autonomia consistente na proibição de divisão de seu território em municípios.

Lei Orgânica do Distrito Federal. É a lei básica do Distrito Federal e dispõe sobre a sua auto-organização, definindo as competências de seus Poderes, autogoverno, com a eleição do Governador, Vice-Governador e Deputados Distritais, autoadministração, através do exercício de suas competências, quer no plano legislativo ou no administrativo e financeiro. A Lei Orgânica do Distrito Federal foi votada em dois turnos, com interstício mínimo de dez dias, aprovada por dois terços dos membros do Poder Legislativo local, promulgada e publicada no Diário da Câmara Legislativa do Distrito Federal, de 08 de junho de 1993.

Competência legislativa. Compete ao Distrito Federal legislar sobre as matérias não outorgadas à União, sobre assuntos de interesse local, suplementar a legislação federal no que couber e instituir e cobrar os tributos que lhes foram atribuídos pela Constituição.

Poder Executivo. É exercido pelo Governador do Distrito Federal, eleito pelo critério da maioria absoluta, para mandato de quatro anos, admitida a reeleição, auxiliado por secretários distritais. O seu substituto legal, nos casos de impedimento, e sucessor, no caso de vacância, é o Vice-Governador do Distrito Federal.

Poder Legislativo Distrital. É exercido pela Câmara Legislativa do Distrito Federal, organizada sob o sistema unicameral e composta por representantes do povo escolhidos em eleições diretas pelo sistema proporcional. Os critérios para a sua composição são os mesmos fixados para as Assembleias Legislativas, a duração do mandato também é de quatro anos, e são as mesmas as normas de inviolabilidade e imunidade, remuneração, hipóteses de perda de mandato e casos de licença, impedimentos e incorporação às Forças Armadas e processo legislativo, inclusive quanto à iniciativa popular.

Polícias civil, polícia penal, militar, e corpo de bombeiros militar. São instituições organizadas e mantidas pela União e, segundo o que dispor a lei federal, serão utilizadas pelo Distrito Federal na execução de seus serviços públicos.

Preenchimento do quadro de servidores das polícias penais. Nos termos do art. 4.º da Emenda Constitucional 104, de 04.12.2019, será feito, exclusivamente, por meio de concurso público e por meio da transformação dos cargos isolados, dos cargos de carreira dos atuais agentes penitenciários e dos cargos públicos equivalentes.

Jurisprudência

> "Constitucional. Ação direta de inconstitucionalidade. Impugnação do inciso II do § 3.º do art. 1.º, bem como dos incisos II e III do art. 20 da Lei Complementar n.º 101, de 04 de maio de 2000. 1. É de se reconhecer a legitimidade ativa *ad causam* da Câmara Legislativa do Distrito Federal, dado que a presente impugnação tem por alvo dispositivos da LC 101/00. Dispositivos que versam, justamente, sobre a aplicação dos limites globais das despesas com pessoal do Poder Legislativo dis-

trital. 2. O Distrito Federal é uma unidade federativa de compostura singular, dado que: a) desfruta de competências que são próprias dos Estados e dos Municípios, cumulativamente (art. 32, § 1.°, CF); b) algumas de suas instituições elementares são organizadas e mantidas pela União (art. 21, XIII e XIV, CF); c) os serviços públicos a cuja prestação está jungido são financiados, em parte, pela mesma pessoa federada central, que é a União (art. 21, XIV, parte final, CF). 3. Conquanto submetido a regime constitucional diferenciado, o Distrito Federal está bem mais próximo da estruturação dos Estados-membros do que da arquitetura constitucional dos Municípios. Isto porque: a) ao tratar da competência concorrente, a Lei Maior colocou o Distrito Federal em pé de igualdade com os Estados e a União (art. 24); b) ao versar o tema da intervenção, a Constituição dispôs que a 'União não intervirá nos Estados e nem no Distrito Federal' (art. 34), reservando para os Municípios um artigo em apartado (art. 35); c) o Distrito Federal tem, em plenitude, os três orgânicos Poderes estatais, ao passo que os Municípios somente dois (inciso I do art. 29); d) a Constituição tratou de maneira uniforme os Estados-membros e o Distrito Federal quanto ao número de deputados distritais, à duração dos respectivos mandatos, aos subsídios dos parlamentares etc. (§ 3.° do art. 32); e) no tocante à legitimação para propositura de ação direta de inconstitucionalidade perante o STF, a Magna Carta dispensou à Mesa da Câmara Legislativa do Distrito Federal o mesmo tratamento dado às Assembleias Legislativas estaduais (inciso IV do art. 103); f) no modelo constitucional brasileiro, o Distrito Federal se coloca ao lado dos Estados-membros para compor a pessoa jurídica da União; g) tanto os Estados-membros como o Distrito Federal participam da formação da vontade legislativa da União (arts. 45 e 46). 4) A LC 101/00 conferiu ao Distrito Federal um tratamento rimado com a sua peculiar e favorecida situação tributário-financeira, porquanto desfruta de fontes cumulativas de receitas tributárias, na medida em que adiciona às arrecadações próprias dos Estados aquelas que timbram o perfil constitucional dos Municípios. 5) Razoável é o critério de que se valeram os dispositivos legais agora questionados. Se irrazoabilidade houvesse, ela estaria em igualar o Distrito Federal aos Municípios, visto que o primeiro é superlativamente aquinhoado com receitas tributárias. Ademais, goza do favor constitucional de não custear seus órgãos judiciário e ministerial público, tanto quanto a sua Defensoria Pública, Polícias Civil e Militar e ainda seu Corpo de Bombeiros Militar" (STF – Pleno, ADI 3.756/DF, rel. Min. Carlos Britto, j. 21.06.2007).

"Processual penal. *Habeas Corpus*. Crimes contra o parcelamento do solo urbano. Prisão em flagrante. Prisão preventiva. I. Aos deputados distritais, em sede de prisão em flagrante, aplica-se o disposto no art. 53, § 2.º, *ex vi* arts. 27 § 1.º e 32 §º, todos da *Lex Maxima*. II. Os deputados distritais só poderão, em princípio, sofrer prisão cautelar decorrente de situação de flagrância (Precedentes do Pretório Excelso, Inq. n.º 510, Pleno). *Writ* concedido" (STJ – 5.ª Turma, HC 29.951/DF, rel. Min. Felix Fischer, DJ, 09.02.2004, p. 195).

A Constituição Federal dispõe que são servidores militares do Distrito Federal os integrantes de sua Polícia Militar e de seu Corpo de Bombeiros Militar, sendo as patentes de seus respectivos oficialatos conferidas pelo Governador do Distrito Federal, a quem estão subordinados por força da norma contida no art. 144, § 6.º, da referida Carta. (STF, Ementário, n.º 1.704-02, p. 249).

Seção II
DOS TERRITÓRIOS

Art. 33. A lei disporá sobre a organização administrativa e judiciária dos Territórios.

§ 1.º Os Territórios poderão ser divididos em Municípios, aos quais se aplicará, no que couber, o disposto no Capítulo IV deste Título.

§ 2.º As contas do Governo do Território serão submetidas ao Congresso Nacional, com parecer prévio do Tribunal de Contas da União.

§ 3.º Nos Territórios Federais com mais de cem mil habitantes, além do Governador nomeado na forma desta Constituição, haverá órgãos judiciários de primeira e segunda instância, membros do Ministério Público e defensores públicos federais; a lei disporá sobre as eleições para a Câmara Territorial e sua competência deliberativa.

Doutrina

Territórios. São pessoas jurídicas de direito público interno, de natureza autárquica, integrantes da União como entes de descentralização administrativa e territorial criados com o fim de incentivar o desenvolvimento ou garantir a segurança nacional em determinada região do país. Não existem no Brasil, atualmente, Territórios Federais, pois os de Roraima e Amapá foram transformados em Estados e o de Fernando de Noronha foi reincorporado ao Estado de Pernambuco (ADCT, arts. 14 e 15). Releva anotar que os Territórios serão governados por Governadores nomeados pelo Presidente da República, após aprovação do Senado Federal, onde, aliás, não têm representação;

contudo, a representação popular na Câmara Federal se dará pela eleição de quatro deputados federais.

Divisão em Municípios. A norma constitucional assegura nos Territórios Federais a criação de municípios, que gozarão de autonomia plena, como se integrassem território de Estado Federado.

Prestação de contas. O Governo do Território fará a prestação de contas dos recursos transferidos pela União para que a mesma integre as contas desta, sendo, então, apreciadas pelo Congresso Nacional, após parecer técnico previamente elaborado pelo Tribunal de Contas da União.

Organização dos Territórios. Naqueles com população superior a cem mil habitantes, além do Governador nomeado pelo Presidente da República, após aprovação do Senado Federal, serão criados por lei federal órgãos do Poder Judiciário, de primeira e segunda instâncias, do Ministério Público e da Defensoria Pública. A lei disporá, ainda, sobre as eleições para a Câmara Territorial e sua competência deliberativa.

Jurisprudência

> "(...). 3. O artigo 1.º do Decreto-lei 246/67, versando sobre competência de serventias extrajudiciais, foi revogado pela Lei 6.750/79, que dispõe sobre a nova Organização Judiciária do Distrito Federal e dos Territórios. 4. Não ocorre desacato à decisão do Supremo Tribunal Federal fundamentada no artigo 1.º do Decreto-lei 246/67, se o ato apontado como ofensivo teve como fundamento a Lei 6.750/79. Agravo regimental não provido" (STF – Pleno, Recl. 344 AgRg/DF, rel. Min. Maurício Corrêa, j. 06.12.2001).

CAPÍTULO VI
DA INTERVENÇÃO

Art. 34. A União não intervirá nos Estados nem no Distrito Federal, exceto para:

Doutrina

Intervenção federal. É o ato político-jurídico da União de ingerência nos negócios do Estado-membro, do Distrito Federal, ou do Município situado em Território Federal, sustando temporariamente a autonomia, com o objetivo de assegurar a integridade da Federação ou para a defesa de outro valor relevante que lhe tenha dado causa. Observe-se que o princípio consagrado é o da não intervenção, sendo a intervenção medida de caráter excepcional, admitida apenas nas hipóteses taxativamente previstas na Constituição.

Jurisprudência

> "(...). 3. Conquanto submetido a regime constitucional diferenciado, o Distrito Federal está bem mais próximo da estruturação dos Estados-membros do que da arquitetura constitucional dos Municípios. Isto porque: a) ao tratar da competência concorrente, a Lei Maior colocou o Distrito Federal em pé de igualdade com os

Estados e a União (art. 24); b) ao versar o tema de intervenção, a Constituição dispôs que a 'União não intervirá nos Estados nem no Distrito Federal' (art. 34)" (STF – Pleno, ADIN 3.756/DF, rel. Min. Carlos Britto, j. 21.06.2007).

"Enquanto medida extrema e excepcional, tendente a repor estado de coisas desestruturado por atos atentatórios à ordem definida por princípios constitucionais de extrema relevância, não se decreta intervenção federal quando tal ordem já tenha sido restabelecida por providências eficazes das autoridades competentes" (STF – Pleno, IF 5.179/DF, rel. Min. Cezar Peluso, DJE 190, j. 08.10.2010).

I – manter a integridade nacional;

Doutrina

Manutenção da integridade nacional. É qualquer ação destinada a preservar a inteireza da Federação, nos seus aspectos físico, social e político, ameaçada de separação. Ao consagrar o princípio da indissolubilidade (art. 1.º), a Constituição veda o direito de secessão e qualquer tentativa deve ser prontamente rechaçada pela União, quer seja oriunda de Estado estrangeiro ou de Estado-membro com aspiração separatista.

II – repelir invasão estrangeira ou de uma unidade da Federação em outra;

Doutrina

Repelir invasão estrangeira. A intervenção ocorre com a finalidade de expulsar o invasor do território nacional, ou de evitar a invasão, se iminente, prestes a ocorrer. Não visa a punir o Estado-membro; porém, susta-se a sua autonomia em nome de um interesse maior, o da defesa da pátria.

Invasão de um ente federado em outro. A União intervirá para evitar ou dar cobro à invasão de um Estado em outro, podendo, se necessário para o restabelecimento da normalidade, intervir em ambos, tanto no invasor quanto no invadido. O objetivo é manter a integridade nacional e a ordem constitucional.

Jurisprudência

> É insuscetível de apreciação pelo Poder Judiciário a alegada abstenção do Presidente da República em decretar intervenção federal em Estado, por invasão do território de outro, já que a verificação do fato, pressuposto da medida, enquadra-se dentro de seu poder discricionário, pois se trata de juízo de ordem eminentemente política. (STF, RDA, 187/215).

III – pôr termo a grave comprometimento da ordem pública;

Doutrina

Grave comprometimento da ordem pública. Ordem pública é o estado de paz e tranquilidade decorrente da fiel observância e cumprimento da lei por parte das pessoas de forma espontânea, ou obrigatória, sendo neste caso imposta pelos órgãos e instituições estatais encarregados de garanti-la. Apenas o seu grave comprometimento autoriza a intervenção, devendo ser entendido como tal a perturbação da ordem que o Estado-membro não consiga ou não deseje debelar com os seus próprios meios.

IV – garantir o livre exercício de qualquer dos Poderes nas unidades da Federação;

Doutrina

Garantia do livre exercício dos Poderes nas Unidades federadas.

O artigo 2.º da Constituição consagra o princípio da independência e harmonia dos Poderes Legislativo, Executivo e Judiciário. Portanto, se quaisquer deles forem coagidos no exercício legítimo de suas atribuições é o caso de intervenção. Porém, esta dependerá de solicitação do Poder Legislativo ou do Poder Executivo coacto ou impedido, ou de requisição do Supremo Tribunal Federal, quando a coação for exercida contra o Poder Judiciário.

V – reorganizar as finanças da unidade da Federação que:

a) suspender o pagamento da dívida fundada por mais de dois anos consecutivos, salvo motivo de força maior;

b) deixar de entregar aos Municípios receitas tributárias fixadas nesta Constituição, dentro dos prazos estabelecidos em lei;

Doutrina

Reorganização das finanças da unidade federada. Constitui relevante interesse nacional a reorganização das finanças de ente federado, pois a desorganização financeira tem graves consequências na prestação dos serviços públicos, podendo levar à quebra da ordem pública. Daí a norma constitucional admitir a intervenção nos seguintes casos: a) *suspensão do pagamento da dívida fundada* – esta compreende os compromissos de exigibilidade superior a doze meses, contraídos para atender a desequilíbrio orçamentário ou a financiamento de obras e serviços públicos. A suspensão de seu pagamento, por mais de dois anos consecutivos, autoriza a intervenção, salvo se a mesma ocorreu por motivo de força maior, entendida como evento de ocorrência imprevisível e inevitável, não havendo como resistir; b) *retenção indevida de receitas tributárias* – significa deixar de entregar aos Municípios os valores correspondentes à participação no produto da arrecadação dos tributos estaduais, dentro do prazo legal. Porém, a Constituição (art. 160), apesar de vedar a retenção ou qualquer restrição à entrega e emprego dos recursos, autoriza o Estado a condicionar a entrega ao pagamento de seus créditos, inclusive de suas autarquias, e à aplicação dos mínimos legais em ações e serviços públicos de saúde.

VI – prover a execução de lei federal, ordem ou decisão judicial;

Doutrina

Execução de lei federal, ordem ou decisão judicial. Caberá a intervenção para fazer com que se cumpra a lei federal quando a desobediência não lograr cobro por via judicial; para fazer cumprir ordem judicial, quer dizer ordem legal emanada de magistrado; ou para fazer cumprir decisão judicial, entendida como sentença ou acórdão transitados em julgado, não importando o tribunal de origem. A decretação da intervenção dependerá, no caso de desobediência a ordem ou decisão judiciária, de requisição do Supremo Tribunal Federal, do Superior Tribunal de Justiça, ou do Tribunal Superior Eleitoral, e, no caso de recusa à execução de lei federal, de provimento, pelo Superior Tribunal de Justiça, de representação do Procurador-Geral da República.

Jurisprudência

Na forma da Constituição, é dispensado o controle político do Congresso Nacional nas hipóteses de intervenção previstas no art. 34, VI (STF, RTJ, 87/716).

"A intervenção federal, providência de natureza excepcional, deve ser deferida quando demonstrado que o Poder Executivo do Estado procrastina, há anos, o atendimento de requisição de força policial para auxiliar no cumprimento de sentença transitada em julgado" (STJ – Corte Especial, IF 12/PR, rel. Min. Jesus Costa Lima, RSTJ, 56/55).

Cabe ao Supremo Tribunal Federal, além da hipótese de descumprimento de suas próprias decisões ou ordens judiciais, a requisição de intervenção para assegurar o cumprimento de decisões ou ordens judiciais da Justiça Federal, Estadual, do Trabalho, ou da Justiça Militar, mesmo que lastreadas em direito infraconstitucional. (STF, DJ 1, 1. 7. 96, p. 23.860).

A legitimidade é exclusiva do Tribunal de Justiça local para encaminhar, ao Supremo Tribunal Federal, pedido de intervenção fundado em descumprimento de suas próprias decisões. (STF, RTJ, 114/443).

VII – assegurar a observância dos seguintes princípios constitucionais:

a) forma republicana, sistema representativo e regime democrático;

b) direitos da pessoa humana;

c) autonomia municipal;

d) prestação de contas da administração pública, direta e indireta;

e) aplicação do mínimo exigido da receita resultante de impostos estaduais, compreendida a proveniente de transferências, na manutenção e desenvolvimento do ensino e nas ações e serviços públicos de saúde.

Doutrina

Princípios constitucionais de observância assegurada. São os destinados a garantir a unidade da Federação e por esta razão o constituinte sanciona o descumprimento com a intervenção federal. São os seguintes: a) *forma republicana, sistema representativo e regime democrático* – quer dizer, governo republicano eleito pelo povo para período certo, com mecanismo de representação, os eleitos representando o povo, e regime democrático, onde todo o poder emana do povo; b) *direitos da pessoa humana* – aqueles previstos no rol do art. 5.º, sem prejuízo de outros;

c) *autonomia municipal* – que não pode ser violada pelo Estado-membro na sua organização; d) *prestação de contas da administração pública, direta e indireta* – é o dever de prestar contas dos recursos e patrimônio públicos, tanto dos órgãos da administração direta quanto da administração indireta; e) *aplicação mínima em educação e saúde* – significa utilização de pelo menos os percentuais mínimos da receita resultante da arrecadação de impostos estaduais acrescida das transferências recebidas do Governo Federal na manutenção e desenvolvimento do ensino e nas ações e serviços públicos de saúde.

Jurisprudência

> Na forma da Constituição, é dispensado o controle político do Congresso Nacional nas hipóteses de intervenção previstas no art. 34, VII (STF, RTJ, 87/716).

Art. 35. O Estado não intervirá em seus Municípios, nem a União nos Municípios localizados em Território Federal, exceto quando:

I – deixar de ser paga, sem motivo de força maior, por dois anos consecutivos, a dívida fundada;

II – não forem prestadas contas devidas, na forma da lei;

III – não tiver sido aplicado o mínimo exigido da receita municipal na manutenção e desenvolvimento do ensino e nas ações e serviços públicos de saúde;

IV – o Tribunal de Justiça der provimento a representação para assegurar a observância de princípios indicados na Constituição estadual, ou para prover a execução de lei, de ordem ou de decisão judicial.

Doutrina

Intervenção federal e estadual nos municípios. É a ingerência da União nos municípios localizados em Territórios Federais, e dos Estados em seus municípios, nos negócios destes, sustando temporariamente a autonomia municipal, com o objetivo de assegurar valor relevante que lhe tenha dado causa. Da mesma forma que no artigo anterior, o princípio consagrado é o da não intervenção, sendo a intervenção medida de caráter excepcional, admitida apenas nas hipóteses taxativamente previstas na Constituição.

Falta de pagamento da dívida fundada. Como dito alhures, a dívida fundada compreende os compromissos de exigibilidade superior a doze meses contraídos para atender a desequilíbrio orçamentário ou a financiamento de obras e serviços públicos. A falta de seu pagamento, por dois anos consecutivos, autoriza a intervenção, salvo se o não pagamento se deu por motivo de força maior, entendida esta como evento de ocorrência imprevisível e inevitável.

Ausência de prestação de contas. A fiscalização do Município é de competência da Câmara Municipal a quem as contas devem ser prestadas para viabilizar o exercício do controle externo cujo fim é o de verificar a probidade da Administração, a guarda e a legalidade da aplicação dos recursos públicos. O Município deve ainda prestar contas dos dinheiros que receber a título de transferência de fundos federais ou estaduais.

Aplicação mínima em educação e saúde. Enseja intervenção estadual no Município se este deixar de aplicar o mínimo exigido da receita local, nela compreendidas as oriundas de transferências, na manutenção e desenvolvimento do ensino e nas ações e serviços públicos de saúde. Referidos percentuais, no caso do ensino, é de vinte e cinco por cento (art. 212), e, no caso da saúde é aquele fixado por lei complementar, porém, até o advento desta, será de quinze por cento (ADCT, art. 77).

Observância de princípios indicados na Constituição Estadual. A Constituição estadual deve indicar os princípios e normalmente são os constantes do art. 34, VII, da Constituição Federal. Nesta hipótese, a decretação da intervenção fica condicionada ao provimento, pelo Tribunal de Justiça do Estado, de representação oferecida pelo Procurador-Geral da Justiça.

Execução de lei, de ordem ou decisão judicial. A hipótese depende, da mesma forma, de provimento pelo Tribunal de Justiça de representação do Procurador-Geral do Estado.

Jurisprudência

A Constituição do Estado não pode ampliar os casos de intervenção nos Municípios já previstos, taxativamente, na Constituição Federal (STF, DJ 1, de 26.03.1993).

"Processual Civil. Agravo Regimental. Recurso Especial. Intervenção Estadual. Pagamento de Dívida Oriunda de Ação Expropriatória. Alegação de Violação ao Art. 535, II, do CPC. Omissão. Inexistência de Alegada Violação a Dispositivos Constitucionais. Inviabilidade. Súmula 7/STJ. I – O recorrente afirma que o Tribunal *a quo* não teria levado em conta o pagamento por ele realizado o qual teria o condão de esvaziar os requisitos previstos no artigo 35 da CF, infirmando a decretação da intervenção estadual junto ao Município. II – Inexistiu a omissão referida, porquanto o Tribunal *a quo* entendeu que a municipalidade não teria cumprido a ordem judicial dando ensejo à intervenção estadual (art. 35, IV, CF). Observou que a extinção do feito somente teria lugar na hipótese de pagamento do crédito respectivo, circunstância que foi objetada pela credora e remanesceu assente no voto que decretou a intervenção. III – Para fazer prevalecer o entendimento do recorrente de que a dívida teria sido paga, far-se-ia necessário o reexame do conjunto probatório, o que é insusceptível na via do recurso especial (Súmula n.º 7/STJ). IV – A análise de violação a dispositivos constitucionais é de competência exclusiva do Pretório Excelso, sendo, pois, defeso a esta Colenda Corte fazê-lo na angusta via do recurso especial. V – Os paradigmas colacionados não possuem identidade fática com o acórdão recorrido, inviabilizando a alegada divergência jurisprudencial. VI – Agravo regimental improvido" (STJ – 1.ª Turma, REsp 623.194/SP AgRg, rel. Min. Francisco Falcão, DJ, 03.11.2004, p. 153).

"1. Pretende-se a definição do Tribunal competente para exame da Representação efetuada para fins de intervenção da União no Estado do Rio Grande do Sul, ante o descumprimento de ordem judicial emanada da Corte de Justiça – que requisitou a intervenção estadual no Município de Pelotas, nos termos do inc. IV, do art. 35 da CF – por parte da Sra. Chefe do Poder Executivo estadual. 2. Apenas o Órgão Especial do Tribunal de Justiça local possui legitimidade para proceder ao juízo prévio de admissibilidade do pedido de intervenção, na hipótese de descumprimento de suas próprias ordens ou decisões, antes de sua remessa ao Pretório Excelso, consoante disciplina o art. 218 do RITJRS. 3. Conflito de competência conhecido para declarar competente o Tribunal de Justiça do Estado do Rio Grande do Sul, o suscitado" (STJ – 1.ª Seção, CC 2008802107269, rel. Min. Castro Meira, DJE, 07.04.2011).

Art. 36. A decretação da intervenção dependerá:

I – no caso do art. 34, IV, de solicitação do Poder Legislativo ou do Poder Executivo coacto ou impedido, ou de requisição do Supremo Tribunal Federal, se a coação for exercida contra o Poder Judiciário;

II – no caso de desobediência a ordem ou decisão judiciária, de requisição do Supremo Tribunal Federal, do Superior Tribunal de Justiça ou do Tribunal Superior Eleitoral;

III – de provimento, pelo Supremo Tribunal Federal, de representação do Procurador-Geral da República, na hipótese do art. 34, VII e no caso de recusa à execução de lei federal;

IV – (norma revogada pela Emenda Constitucional 45, de 08.12.2004).

§ 1.º O decreto de intervenção, que especificará a amplitude, o prazo e as condições de execução e que, se cou-

ber, nomeará o interventor, será submetido à apreciação do Congresso Nacional ou da Assembleia Legislativa do Estado, no prazo de vinte e quatro horas.

§ 2.º Se não estiver funcionando o Congresso Nacional ou a Assembleia Legislativa, far-se-á convocação extraordinária, no mesmo prazo de vinte e quatro horas.

§ 3.º Nos casos do art. 34, VI e VII, ou do art. 35, IV, dispensada a apreciação pelo Congresso Nacional ou pela Assembleia Legislativa, o decreto limitar-se-á a suspender a execução do ato impugnado, se essa medida bastar ao restabelecimento da normalidade.

§ 4.º Cessados os motivos da intervenção, as autoridades afastadas de seus cargos a estes voltarão, salvo impedimento legal.

Doutrina

Decretação da intervenção. Nas hipóteses de solicitação direta ao Presidente da República, este exercerá o juízo de oportunidade e conveniência de intervir ou não no Estado-membro. Portanto, não está obrigado a fazê-lo, somente adotando a providência se entender necessária ao caso. Contrariamente, é seu dever decretar a intervenção nos casos de requisição.

Intervenção para garantir o livre exercício dos Poderes nas Unidades federadas. A primeira parte da norma trata dos casos de solicitação dos Poderes Legislativo ou Executivo, coactos ou impedidos de funcionar, diretamente ao Presidente da República, que decidirá sobre a conveniência e oportunidade da decretação da intervenção. Na segunda parte, trata da hipótese de coação ou impedimento exercido sobre o Poder Judiciário do ente federado e, neste caso, o mesmo fará a solicitação ao Supremo Tribunal Federal, titular do juízo de conveniência e oportunidade da intervenção, que fará a apreciação e, se decidir pela sua necessidade, requisitará a decretação ao Presidente da República, restando a este apenas baixar o decreto interventivo.

Intervenção para garantir o cumprimento de ordem ou decisão judicial. No caso de desobediência a ordem ou decisão judiciária, a decretação da intervenção somente se dará mediante requisição do Supremo Tribunal Federal, em qualquer caso, e do Superior Tribunal de Justiça, ou do Tribunal Superior Eleitoral, segundo a competência de cada um.

Intervenção para garantir a observância de princípios constitucionais. É aquela requisitada pelo Supremo Tribunal Federal após provimento de representação apresentada pelo Procurador-Geral da República. A representação se faz através da chamada ação direta de inconstitucionalidade interventiva, onde deverá ser demonstrada a violação do princípio e requerida a intervenção federal.

Decreto de intervenção. Cabe ao Presidente da República decretar e executar a intervenção federal, devendo o decreto interventivo especificar a sua *amplitude* – ou área de abrangência, se no Executivo ou no Legislativo, ou em ambos –, *prazo* – sendo obrigatoriamente temporária, há de se estabelecer a sua duração, a mínima necessária para recobrar a normalidade – , *condições de execução* – como as relativas às funções de interventor e outras providências necessárias à intervenção –, bem como, se for o caso, nomear o interventor, que é um delegado da União com poderes para restaurar a normalidade. Referido decreto será submetido, dentro do prazo de vinte e quatro horas, ao Congresso Nacional, quando se tratar de intervenção federal, e à Assembleia Legislativa, quando se tratar de intervenção estadual, para o exercício do controle político sobre a medida, devendo estas Casas rejeitar ou aprovar a intervenção decretada.

Convocação extraordinária. A convocação extraordinária do Congresso Nacional para apreciar caso de intervenção é feita pelo Presidente do Senado Federal, dentro do mesmo prazo de vinte e quatro horas da assinatura do decreto interventivo. Quando se tratar de intervenção estadual, a Assembleia Legislativa será convocada, dentro do mesmo prazo, pelo seu Presidente.

Suspensão da execução do ato impugnado. Nos casos de negativa de cumprimento de lei federal, ordem ou decisão judicial (art. 34, VI), de violação de princípios federais (art. 34, VII), ou de inobservância de princípios indicados na Constituição estadual (art. 35, IV), há dispensa de apreciação do Poder Legislativo porque, rigorosamente falando, não há aí decretação de intervenção e sim mera suspensão do ato impugnado que deu causa ao pedido. Contudo, se a suspensão do ato mostrar-se insuficiente para o retorno à normalidade, a intervenção deverá ser decretada em seguida e, nesse caso, o decreto interventivo deverá ser submetido à apreciação do Poder Legislativo.

Cessação da intervenção e retorno a seus cargos das autoridades afastadas. A intervenção exaure-se com o desaparecimento dos motivos que lhe deu causa. Assim, cessada a intervenção, as autoridades afastadas temporariamente de seus cargos – *v.g.*, Governador de Estado, Presidente de Assembleia Legislativa ou de Tribunal de Justiça – a estes retornam, salvo se existente algum impedimento legal, como expiração de mandato ou perda do cargo por meio do devido processo legal.

Jurisprudência

> Cabe ao Supremo Tribunal Federal, além da hipótese de descumprimento de suas próprias decisões ou ordens judiciais, a requisição de intervenção para assegurar o cumprimento de decisões ou ordens judiciais da Justiça Federal, Estadual, do Trabalho, ou da Justiça Militar, mesmo que lastreadas em direito infraconstitucional (STF, DJ 1, 01.07.1996, p. 23.860).
>
> "1. Deve-se destacar que, à luz do entendimento sedimentado no STJ, o município recorrente pode sofrer o procedimento de intervenção, por inadimplemento de precatório judicial de suas autarquias, uma vez que responsável, subsidiariamente (RMS 31.833/SP, Rel. Min. Benedito Gonçalves, Primeira Turma, DJE 24/8/10). 2. Portanto, o Município de Santo André/SP detém legitimidade para figurar no polo passivo do pedido de intervenção estadual decorrente de precatório alimentar inadimplido pelo Instituto de Previdência, autarquia municipal. 3. Quanto à medida interventiva, o Supremo Tribunal Federal, atento ao princípio da proporcio-

nalidade, tem entendido que o não pagamento de precatório judicial, na hipótese em que ausente atuação dolosa das autoridades competente do respectivo ente federado inadimplente, não é causa para a decretação da intervenção. 4. Para o STF a intervenção é inadequada, porque o interventor não teria condições de agir de modo diferente a fim de atingir o resultado desejado; desnecessária, porque há meios menos gravosos e igualmente eficazes para solucionar o problema que deu ensejo ao pedido interventivo; e desproporcional em sentido estrito, por não haver razoabilidade entre o objetivo perseguido e o ônus imposto aos cidadãos (IF 3.601/SP, Relator p/acórdão Min. Gilmar Mendes, Tribunal Pleno, DJ, 22/8/03). 5 O referido entendimento também é compartilhado pelo Superior Tribunal de Justiça, em casos como o dos autos em que a decretação da intervenção se mostra inócua, desnecessária e, eventualmente, pode implicar quebra da ordem cronológica no pagamento dos precatórios. 6. Não tendo os embargos declaratórios opostos na instância de origem caráter protelatório, pois objetivava, além de esclarecimentos adicionais, o prequestionamento, indispensável ao acesso às instâncias especiais, nos termos da Súmula 98/STJ, incabível a imposição da multa prevista no art. 538, parágrafo único do CPC. 7. Recurso ordinário provido para obstar a decretação da intervenção estadual no Município de Santo André/SP, excluindo-se a multa imposta nos termos do art. 538, parágrafo único, do CPC" (STJ – 1.ª Turma, ROMS 31.162/SP, rel. Min. Arnaldo Esteves Lima, DJE, 01.10.2010).

CAPÍTULO VII
DA ADMINISTRAÇÃO PÚBLICA

Seção I
DISPOSIÇÕES GERAIS

Art. 37. A administração pública direta e indireta de qualquer dos Poderes da União, dos Estados, do Distrito Federal e dos Municípios obedecerá aos princípios de legalidade, impessoalidade, moralidade, publicidade e eficiência e, também, ao seguinte:

Doutrina

Administração Pública. A expressão é aqui empregada em sentido amplo, com a finalidade de designar os Poderes do Estado e também os órgãos integrantes da estrutura da administração estatal. Os Poderes do Estado exercem, cada qual, predominantemente, uma função, o Legislativo, a função legislativa; o Executivo, a função administrativa; e o Judiciário, a função jurisdicional. Administração Pública, em sentido estrito, compreende: a) órgãos da administração direta, os integrantes da própria estrutura do Estado, como são os ministérios; e b) órgãos da administração indireta, aqueles dotados de personalidade jurídica própria, como as autarquias, empresas públicas, sociedades de economia mista e as fundações instituídas pelo Estado.

Princípios norteadores da Administração Pública. Os Poderes do Estado e a administração pública, direta ou indireta, obedecerão aos seguintes princípios: a) *legalidade*, ou atuação dentro dos estritos limites da lei, nada fazendo ou nada exigindo do cidadão senão com base em norma legal; b) *impessoalidade*, ou, em relação ao administrado, atuação que não beneficie ou prejudique pessoas sem um fim legítimo, de interesse público; ou, em relação ao administrador, atuação profissional e impessoal, destituída de cunho personalista ou de promoção de servidor ou autoridade; c) *moralidade*, ou atuação da administração dentro de um senso ético de respeito à lei, à moral, aos bons costumes e ao justo; d) *publicidade*, ou o dever de tornar público o ato administrativo, para fins de ciência e cumprimento, admitido o sigilo apenas em razão de interesse público relevante; e) *eficiência*, ou atuação pronta e eficaz, que alcance bons resultados e implique em melhora na relação custo-benefício no uso dos recursos públicos.

Jurisprudência

> Súmula Vinculante do STF: 13. "A nomeação de cônjuge, companheiro ou parente em linha reta, colateral ou por afinidade, até o terceiro grau, inclusive, da autoridade nomeante ou de servidor da mesma pessoa jurídica investido em cargo de direção, chefia ou assessoramento, para o exercício em comissão ou de confiança ou, ainda, de função gratificada na administração pública direta e indireta em qualquer dos poderes da União, dos Estados, do Distrito Federal e dos Municípios, compreendido o ajuste mediante designações recíprocas, viola a Constituição Federal."
>
> Súmulas do STF: 346. "A Administração Pública pode declarar a nulidade dos seus próprios atos." 473. "A

Administração pode anular seus próprios atos, quando eivados de vícios que os tornem ilegais, porque deles não se originam direitos; ou revogá-los, por motivo de conveniência ou oportunidade, respeitados os direitos adquiridos e ressalvada, em todos os casos, a apreciação judicial."

Súmula do STJ: 2. "Não cabe o *habeas data* (CF 5.°, LXXII, letra 'a') se não houve recusa de informações por parte da autoridade administrativa".

I – os cargos, empregos e funções públicas são acessíveis aos brasileiros que preencham os requisitos estabelecidos em lei, assim como aos estrangeiros, na forma da lei;

Doutrina

Acessibilidade aos cargos, empregos e funções públicas. Significa que todos têm direito de acesso aos *cargos*, sempre criados por lei, com denominação própria, número certo, pago pelos cofres públicos, e regime jurídico estatutário; *empregos*, vocábulo usado pelo legislador constituinte para se referir principalmente aos cargos dos quadros de pessoal das estatais, empresas públicas e sociedades de economia mista, além de fundações públicas, regidos, normalmente, pela Consolidação das Leis do Trabalho; *funções públicas*, normalmente criadas para atender a tarefas de natureza provisória. Na redação original, eram acessíveis apenas aos brasileiros que preenchessem os requisitos estabelecidos em lei; com a redação da EC 19, também os estrangeiros terão acesso aos cargos, empregos e funções públicas, desde que preencham os requisitos próprios previstos em lei.

Jurisprudência

Súmula Vinculante do STF: 44. "Só por lei se pode sujeitar a exame psicotécnico a habilitação de candidato a cargo público."

"Constitucional. Administrativo. Agravo regimental em Recurso extraordinário. Exame psicotécnico. Necessidade de lei. Precedentes. 1. É irrelevante para o desate da questão o objeto da investidura, quando em debate a violação direta do art. 37, I, da Constituição Federal. 2. A exigência de exame psicotécnico prevista apenas em edital importa em ofensa constitucional. Precedentes. 3. A CLT carece dos critérios objetivos para ser tida como lei formal a regular exame psicotécnico. Precedentes. 4. Agravo regimental improvido" (STF – 2.ª Turma, RE 559.069/DF AgRg, rel. Min. Ellen Gracie, j. 26.05.2009).

"Agravo regimental no Agravo de instrumento. Concurso público. Exame psicotécnico. Agravo regimental ao qual se nega provimento. 1. Impossibilidade da análise prévia da legislação infraconstitucional e das normas editalícias e do reexame de fatos e provas na via do recurso extraordinário (Súmula 279). 2. A jurisprudência deste Supremo Tribunal Federal firmou-se no sentido de que, ainda que a exigência do exame psicotécnico esteja prevista em lei, os critérios para a realização do mencionado exame devem ter um grau mínimo de objetividade" (STF – 1.ª Turma, AgI 658.527/RR AgRg, rel. Min. Cármen Lúcia, j. 20.11.2007).

II – a investidura em cargo ou emprego público depende de aprovação prévia em concurso público de provas ou de provas e títulos, de acordo com a natureza e a complexidade do cargo ou emprego, na forma prevista em lei, ressalvadas as nomeações para cargo em comissão declarado em lei de livre nomeação e exoneração;

Doutrina

Investidura em cargo ou emprego público. Compreende a nomeação, posse e início de exercício em cargo ou emprego público. Para a primeira investidura, há necessidade de aprovação anterior em concurso público de provas ou de provas e títulos, dependendo da natureza e complexidade do cargo ou emprego. Contudo, a norma constitucional ressalva da necessidade de concurso público as nomeações para os cargos comissionados, ou de confiança, declarados em lei de livre nomeação ou exoneração.

Jurisprudência

> Súmula Vinculante do STF: 43. "É inconstitucional toda modalidade de provimento que propicie ao servidor investir-se, sem prévia aprovação em concurso público destinado ao seu provimento, em cargo que não integra a carreira na qual anteriormente investido."
>
> Súmula do STF: 16. "Funcionário nomeado por concurso tem direito à posse."
>
> Somente a lei, com exclusão de qualquer outra norma, inclusive a regulamentar, pode estabelecer limite de idade para inscrição em concurso destinado ao provimento de cargo público. (STF, RDA, 72/70).
>
> A aprovação em concurso público constitui-se em simples expectativa de direito, que se converterá em direito à nomeação se for nomeado candidato reprovado no concurso, ou provido o cargo com inobservância da classificação do candidato aprovado. (STF, RTJ, 155/178).
>
> O direito à nomeação nasce, para o candidato aprovado em concurso, no momento em que é nomeado outro candidato, de classificação inferior, daí se contando o prazo decadencial. (STF, RTJ, 67/226).
>
> Sociedade de economia mista que explora atividade econômica também sujeita-se à exigência de concurso público para preenchimento de seus cargos, não havendo aí colidência com a norma inscrita no art. 173, § 1.º da Constituição Federal (STF, RTJ, 146/139).

III – o prazo de validade do concurso público será de até dois anos, prorrogável uma vez, por igual período;

Doutrina

Prazo de validade do concurso público. É de até dois anos, prorrogável uma vez, por igual período, podendo, pois, atingir quatro anos. O prazo é contado da publicação do edital com a lista final dos candidatos aprovados que poderão vir a ser nomeados durante todo o prazo de validade do concurso.

Jurisprudência

> Súmula do STF: 15. "Dentro do prazo de validade do concurso, o candidato aprovado tem direito à nomeação, quando o cargo for preenchido sem observância da classificação."
>
> Dentro do prazo de validade do concurso, candidato nele aprovado não pode ser preterido com a nomeação de outro, ao arrepio da classificação, principalmente se a burla ocorrer com estranho ao certame (TFR, LEX, 36/306).

IV – durante o prazo improrrogável previsto no edital de convocação, aquele aprovado em concurso público de provas ou de provas e títulos será convocado com prioridade sobre novos concursados para assumir cargo ou emprego, na carreira;

Doutrina

Prioridade na nomeação. A norma constitucional assegura ao candidato aprovado em concurso anterior, com prazo de validade em andamento, prioridade na nomeação em relação a candidato aprovado em concurso posterior para o mesmo cargo, ainda que melhor classificado.

Jurisprudência

> A norma inscrita no art. 37, IV, da Constituição Federal, tem por fim assegurar a precedência quando realizados concursos públicos em sequência para o mesmo cargo. Sendo assim, representa violação à norma e caracteriza abuso de poder, o ato da Administração de deixar decorrer o prazo de validade de concurso anterior para nomear os candidatos aprovados em concurso posterior (STF, RDA, 206/185).

V – as funções de confiança, exercidas exclusivamente por servidores ocupantes de cargo efetivo, e os cargos em comissão, a serem preenchidos por servidores de carreira nos casos, condições e percentuais mínimos previstos em lei, destinam-se apenas às atribuições de direção, chefia e assessoramento;

Doutrina

Preenchimento de funções e cargos de confiança. A norma determina que as funções de confiança sejam exercidas exclusivamente por servidores de carreira e os cargos em comissão, ou de confiança, serão, também, ocupados por servidores de carreira, nos casos, condições e percentuais mínimos que a lei estabelecer. Tanto as funções quanto os cargos de confiança destinam-se tão somente às atribuições de direção, chefia e assessoramento, vedada a sua criação para atribuições de outra natureza.

Jurisprudência

> "O art. 10 do Decreto-Lei 1.660/79, que estabelece que 50% (cinquenta por cento) do número de funções classificadas nos níveis 1 e 2 do Grupo de Direção e Assessoramento Superior deverão ser preenchidas por servidores da Administração Federal direta ou autárquica ocupantes de cargo efetivo ou emprego incluído

no PCC, foi recepcionado pela nova Constituição Federal que criou, em seu art. 37, V, uma clara preferência em favor do servidor concursado e ocupante de cargo de carreira técnica ou profissional" (STJ – 1.ª Seção, MS 234/DF, rel. Min. Luiz Vicente Cernicchiaro, RSTJ, 11/206).

VI – é garantido ao servidor público civil o direito à livre associação sindical;

Doutrina

Direito à associação sindical. A norma constitucional assegura ao servidor público civil o direito de sindicalização, o que era vedado pelo direito constitucional anterior. Os sindicatos de servidores públicos organizam-se com base nas regras inscritas no art. 8.º da Constituição.

Contribuição sindical. O Supremo Tribunal Federal já decidiu ser constitucional norma legal que proíbe ser obrigatório o desconto anual de um dia de trabalho para financiar as atividades sindicais.

Jurisprudência

> O direito à livre associação sindical, assegurado pela Constituição Federal ao funcionalismo público, é uma ampliação da liberdade de associação profissional ou sindical consagrada no art. 8.º (STJ, RSTJ, 26/261).

VII – o direito de greve será exercido nos termos e nos limites definidos em lei específica;

Doutrina

Direito de greve. Na redação original, a regulamentação do direito de greve exigia lei complementar, contudo, na nova redação, decorrente da EC 19, a exigência foi reduzida para lei específica, quer dizer, lei ordinária para tratar especificamente da forma, condições e limites para o exercício do referido direito.

Jurisprudência

> Súmula do STF: 316. "A simples adesão a greve não constitui falta grave."

VIII – a lei reservará percentual dos cargos e empregos públicos para as pessoas portadoras de deficiência e definirá os critérios de sua admissão;

Doutrina

Reserva de cargos e empregos para pessoas com deficiência. A lei fará a reserva percentual de cargos e empregos públicos para as pessoas com deficiência e definirá os critérios de sua admissão. A Lei n.º 8.112/90 reserva vinte por cento das vagas oferecidas em concurso público federal para as pessoas com deficiência, que disputarão no concurso os cargos reservados, portanto, a reserva de vaga não implica, evidentemente, dispensa de aprovação no concurso público.

Jurisprudência

> "O tratamento diferenciado em favor de pessoas portadoras de deficiência, tratando-se, especificamente, de acesso ao serviço público, tem suporte legitimador no próprio texto constitucional (CF, art. 37, VIII), cuja razão de ser, nesse tema, objetiva compensar, mediante ações de conteúdo afirmativo, os desníveis e as dificuldades que afetam os indivíduos que compõem esse grupo vulnerável. Doutrina. – A vigente Constituição da República, ao proclamar e assegurar a reserva de vagas em concursos públicos para os portadores de deficiência, consagrou cláusula de proteção viabilizadora de ações afirmativas em favor de tais pessoas, o que veio a ser concretizado com a edição de atos legislativos, como as Leis n.º 7.853/89 e n.º 8.112/90 (art. 5.º § 2.º), e com a cele-

bração da Convenção Internacional das Nações Unidas sobre os Direitos das Pessoas com Deficiência (2007), já formalmente incorporada, com força, hierarquia e eficácia constitucionais (CF, art. 5.º, § 3.º), ao plano do ordenamento positivo interno do Estado brasileiro. – Essa Convenção das Nações Unidas, que atribui maior densidade normativa à cláusula fundada no inciso VIII do art. 37 da Constituição da República, legitima a instituição e a implementação, pelo Poder Público, de mecanismos compensatórios destinados a corrigir as profundas desvantagens sociais que afetam as pessoas vulneráveis, em ordem a propiciar-lhes maior grau de inclusão e a viabilizar a sua efetiva participação, em condições equânimes e mais justas, na vida econômica, social e cultural do País" (STF – 2.ª Turma, ROMS 32.732/DF AgRg, rel. Min. Celso de Mello, j. 03.06.2014).

IX – a lei estabelecerá os casos de contratação por tempo determinado para atender a necessidade temporária de excepcional interesse público;

Doutrina

Contratação por prazo determinado. A norma constitucional remete à lei a definição dos casos de contratação de servidores, independentemente de concurso público, contanto que o seja por prazo determinado, para atender necessidade temporária e de excepcional interesse público, decorrente, por exemplo, do atendimento à população atingida por calamidades públicas ou surtos endêmicos.

Jurisprudência

Súmula do STF: 195. "Contrato de trabalho por obra certa, ou de prazo determinado, transforma-se em contrato de prazo indeterminado, quando prorrogado por mais de quatro anos"

X – a remuneração dos servidores públicos e o subsídio de que trata o § 4.º do art. 39 somente poderão ser fixados ou alterados por lei específica, observada a iniciativa privativa em cada caso, assegurada revisão geral anual, sempre na mesma data e sem distinção de índices;

Doutrina

Regime de remuneração dos servidores públicos. A norma constitucional estabelece dois regimes remuneratórios no Serviço Público: a) *o regime da remuneração*, compreendendo os vencimentos e vantagens, destinado aos servidores públicos em geral; b) *o regime do subsídio*, fixado em parcela única, vedado qualquer outro acréscimo de caráter remuneratório, destinado aos membros de Poder (Presidente e Vice-Presidente da República, membros do Congresso Nacional, Ministros de Tribunais Superiores e juízes), Ministros de Estado e do Tribunal de Contas da União, Secretários Estaduais e Municipais, membros do Ministério Público, da Advocacia e da Defensoria Públicas, e servidores das carreiras policiais. A remuneração será fixada ou alterada por lei, de iniciativa da autoridade competente para cada caso, sendo assegurado o direito à revisão geral anual, quer dizer, para todos, sempre na mesma data e sem distinção de índices.

Jurisprudência

Súmulas Vinculantes do STF: 37. "Não cabe ao Poder Judiciário, que não tem função legislativa, aumentar vencimentos de servidores públicos sob fundamento de isonomia". 51. "O reajuste de 28,86%, concedido aos servidores militares pelas Leis 8.622/93 e 8.627/93, estende-se aos servidores civis do poder executivo, observadas as eventuais compensações decorrentes dos reajustes diferenciados concedidos pelos mesmos diplomas legais".

A situação que se enquadra na letra do art. 37, X, da Constituição Federal é a do aumento de vencimentos concedido à generalidade dos servidores e não aquela decorrente de reestruturação, empreendida com o objetivo de corrigir distorções no serviço público, e que abrange alguns cargos ou classes funcionais (STJ, RSTJ, 95/416).

XI – a remuneração e o subsídio dos ocupantes de cargos, funções e empregos públicos da administração direta, autárquica e fundacional, dos membros de qualquer dos Poderes da União, dos Estados, do Distrito Federal e dos Municípios, dos detentores de mandato eletivo e dos demais agentes políticos e os proventos, pensões ou outra espécie remuneratória, percebidos cumulativamente ou não, incluídas as vantagens pessoais ou de qualquer outra natureza, não poderão exceder o subsídio mensal, em espécie, dos Ministros do Supremo Tribunal Federal, aplicando-se como limite, nos Municípios, o subsídio do Prefeito, e nos Estados e no Distrito Federal, o subsídio mensal do Governador no âmbito do Poder Executivo, o subsídio dos Deputados Estaduais e Distritais no âmbito do Poder Legislativo e o subsídio dos Desembargadores do Tribunal de Justiça, limitado a noventa inteiros e vinte e cinco centésimos por cento do subsídio mensal, em espécie, dos Ministros do Supremo Tribunal Federal, no âmbito do Poder Judiciário, aplicável este limite aos membros do Ministério Público, aos Procuradores e Defensores Públicos;

Doutrina

Limite de remuneração no Serviço Público. Tanto a remuneração dos servidores públicos em geral, quanto o subsídio pago aos agentes políticos e servidores nele enquadrados, têm como limite o subsídio mensal, em moeda corrente, pago aos Ministros do Supremo Tribunal Federal. Este teto compreende também os proventos, pensões ou qualquer outra espécie remuneratória percebidos, cumulativamente ou não, incluídas as vantagens de cunho pessoal ou de qualquer outra natureza, e tem aplicação no âmbito da União, dos Estados, do Distrito Federal e dos Municípios.

Jurisprudência

> "A teor do disposto no inciso XI do artigo 37 da Constituição Federal, cumpre à lei fixar o limite máximo e a relação de valores entre a maior e a menor remuneração dos servidores públicos. Descabe substituir o diploma referido no inciso XI do artigo 37 da Constituição Federal, ou seja, a lei em sentido formal e material, por decreto emanado do Poder Executivo" (STF – Pleno, ADIN 1.396/DF, rel. Min. Marco Aurélio, j. 08.06.1998).
>
> "A limitação constitucional definida em tema de remuneração pelo art. 37, XI, da Carta Política – que constitui, para esse específico efeito, cláusula revestida de suficiente densidade normativa e dotada de consequente autoaplicabilidade – estende-se aos proventos dos servidores públicos inativos. Precedentes do Supremo Tribunal Federal. Os servidores públicos vinculados ao Poder Executivo da União, ainda que aposentados, e sempre ressalvadas as vantagens de caráter individual e/ou as relativas à natureza ou ao local de trabalho (RTJ 130/475), não podem receber estipêndio que supere os valores pecuniários percebidos, a qualquer título, como remuneração, por Ministro de Estado, que representa, para esse específico efeito, o paradigma constitucional desses agentes estatais.
>
> A superação do limite remuneratório imposto pela Carta Política impede que se atribua, com fundamento em um inexistente direito adquirido, legitimidade ao excesso pecuniário percebido pelo servidor público, eis que situações revestidas de inconstitucionalidade não podem justificar o reconhecimento de quaisquer direitos. Doutrina e precedentes do STF.

O desconto efetuado pela Administração Pública, com o objetivo de adequar a remuneração dos agentes estatais aos limites fixados pela própria Constituição da República, não importa em ofensa à garantia de irredutibilidade de vencimentos, eis que esse comportamento administrativo nada mais traduz senão mera consequência derivada da execução do comando constitucional inscrito no art. 37, XI, da Carta Política" (STF, MS 21.856-1, rel. Min. Celso de Mello, RDA, 203/150).

XII – os vencimentos dos cargos do Poder Legislativo e do Poder Judiciário não poderão ser superiores aos pagos pelo Poder Executivo;

Doutrina

Teto de vencimentos. Os vencimentos pagos pelo Poder Executivo são o teto para a remuneração dos cargos dos Poderes Legislativo e Judiciário com semelhança ou identidade de atribuições.

Jurisprudência

Para fins do disposto no art. 37, XII, da Constituição Federal, os vencimentos do Poder Executivo não abrangem as vantagens de caráter pessoal (STF, RTJ, 130/475).

XIII – é vedada a vinculação ou equiparação de quaisquer espécies remuneratórias para o efeito de remuneração de pessoal do serviço público;

Doutrina

Vinculação ou equiparação de remuneração. A norma constitucional veda qualquer vinculação – criação de vínculo, liame – ou equiparação – comparação com o fim de tornar igual – entre quaisquer espécies remuneratórias, quer dizer vencimento ou vantagem, para fins de remuneração de pessoal do serviço público. A finalidade é evitar que reajuste concedido a uma carreira se estenda, automaticamente, a outras àquela vinculada ou equiparada.

Jurisprudência

Súmula Vinculante do STF: 42. "É inconstitucional a vinculação do reajuste de vencimentos de servidores estaduais ou municipais a índices federais de correção monetária."

"No conceito constitucional de vinculação de vencimentos está ínsita a ideia de automatismo nas modificações da retribuição de cargos ou empregos públicos, de molde a acarretar o aumento ou a redução de todos os que estão ligados ao cargo-paradigma, toda vez que a remuneração deste é alterada. O que o constituinte quis impedir foi a subtração aos administradores da pecúnia pública da faculdade de dosar as despesas de pessoal, de acordo com as possibilidades do Erário e a oportuna avaliação da utilidade dos cargos para o serviço público e da justa retribuição dos ocupantes" (STF – Pleno, Rp 1.370/GO, rel., Min. Célio Borja, RTJ, 123/24).

O art. 37, XIII, da Constituição Federal veda a vinculação ou equiparação de vencimentos, para o efeito de remuneração do pessoal do serviço público, com o objetivo de impedir aumentos em cadeia (STF, Ementário, n.º 1.765-01, p. 155).

A lei não pode fixar vencimentos de servidor público à base de salário mínimo profissional. (STF, RDA, 99/130).

XIV – os acréscimos pecuniários percebidos por servidor público não serão computados nem acumulados para fim de concessão de acréscimos ulteriores;

Doutrina

Proibição de incidência recíproca. A norma proíbe que os acréscimos pecuniários percebidos pelo servidor sejam computados ou acumulados para fins de concessão de outro acréscimo. Quer dizer, está proibido acumular os valores de vantagens percebidas para cálculo de nova vantagem, independentemente de título ou fundamento.

Jurisprudência

> "Agravo regimental em recurso extraordinário. Estado de São Paulo. Procuradores autárquicos. Proventos. Irredutibilidade. Artigo 17 do ADCT/88. 1. O Decreto estadual n. 26.233/86, editado anteriormente à Constituição de 1988, estabeleceu vinculação vedada de vencimentos ao promover a extensão aos Procuradores Autárquicos de vantagens remuneratórias previstas em lei complementar estadual que disciplinava carreira diversa – a dos Procuradores do Estado de São Paulo. 2. Não há qualquer vício na supressão, por meio de decreto, de parcelas remuneratórias ilegalmente pagas a servidores. Consoante dispõe o Enunciado n. 473 da Súmula desta Corte, a Administração, no exercício de sua autotutela, pode anular seus próprios atos quando eivados de vícios que os tornem ilegais. 3. Reconhecida a inconstitucionalidade da norma, não há falar em direito à percepção de vantagem por ela disciplinada, nem em ofensa ao princípio da irredutibilidade de vencimentos, eis que a jurisprudência desta Corte é no sentido de que são irredutíveis os vencimentos e proventos constitucionais e legais, jamais os ilegais (Precedentes). Como se isso não bastasse, a Constituição de 1988, no artigo 17 do ADCT, expressamente permitiu a supressão de verbas remuneratórias quando percebidas em desacordo com o texto constitucional. Agravo regimental a que se nega provimento" (STF – 1.ª Turma, RE 411.327/SP AgRg, rel. Min. Eros Grau, j. 31.05.2005).

É incompatível com a norma do art. 37, XIV, da Constituição Federal, o sistema de contagem sucessiva de parcelas de remuneração, ou seja, influência recíproca de umas sobre as outras, de forma que seja a mesma gratificação incorporada aos vencimentos, para vir a integrar, na operação seguinte, a sua própria base de cálculo. (STJ, DJ 1, de 08.03.1996, p. 4.217).

O pagamento da gratificação pela prestação de serviços em tempo integral e dedicação exclusiva incidindo sobre o vencimento básico, sem a incidência sobre as demais gratificações, é ato administrativo legal e sua prática obedece a Constituição. (STJ, RSTJ, 95/421).

XV – o subsídio e os vencimentos dos ocupantes de cargos e empregos públicos são irredutíveis, ressalvado o disposto nos incisos XI e XIV deste artigo e nos arts. 39, § 4.º, 150, II, 153, III, e 153, § 2.º, I;

Doutrina

Irredutibilidade de subsídio e vencimentos. A norma consagra a irredutibilidade do subsídio e dos vencimentos dos ocupantes de cargos e empregos públicos, sem prejuízo da observância do teto (art. 37, XI), da proibição de incidência recíproca (art. 37, XIV) e da incidência dos impostos gerais. Trata-se de proibição de redução nominal dos valores do subsídio e dos vencimentos.

Jurisprudência

A ocorrência de inflação não gera direito à revisão automática da remuneração paga aos servidores públicos, pois o reajuste não constitui decorrência necessária da cláusula constitucional que garante a irredutibilidade. (STF, RTJ, 147/1013).

XVI – é vedada a acumulação remunerada de cargos públicos, exceto, quando houver compatibilidade de horá-

rios, observado em qualquer caso o disposto no inciso XI:

a) a de dois cargos de professor;

b) a de um cargo de professor com outro, técnico ou científico;

c) a de dois cargos ou empregos privativos de profissionais de saúde, com profissões regulamentadas;

Doutrina

Acumulação remunerada de cargos públicos. É proibida a acumulação remunerada de cargos públicos, inclusive funções e empregos públicos, tanto da administração direta quanto da indireta.

Exceções. Contudo, a norma constitucional, por razões de interesse público, admite, quando houver compatibilidade de horários, quer dizer, quando os horários de trabalho dos dois cargos não coincidirem, as seguintes acumulações: a) *a de dois cargos de professor*, sendo irrelevante o grau; b) *a de um cargo de professor com outro, técnico ou científico*, *v. g.*, o cargo de professor e o de analista de finanças, ou, o de professor e o de pesquisador de saúde; c) *a de dois cargos ou empregos privativos de profissionais de saúde, com profissões regulamentadas*, *v. g.*, os cargos de médico do Estado e do Município.

Jurisprudência

> "A acumulação de proventos e vencimentos somente é permitida quando se tratar de cargos, funções ou empregos acumuláveis na atividade, na forma permitida na Constituição" (STF – Pleno, RE 163.204-6, rel. Min. Carlos Velloso, j. 09.11.1994).

XVII – a proibição de acumular estende-se a empregos e funções e abrange autarquias, fundações, empresas públicas, sociedades de economia mista, suas subsidiá-

rias, e sociedades controladas, direta ou indiretamente, pelo poder público;

Doutrina

Proibição de acumulação remunerada de empregos e funções. Da mesma forma que a regra anterior, esta estende a proibição de acumular aos empregos e funções e abrange os exercidos em autarquias, fundações, empresas públicas, sociedades de economia mista, suas subsidiárias, e sociedades controladas, direta ou indiretamente, pelo Poder Público. Aqui, as exceções são as mesmas do inciso anterior e mesma é a exigência quanto a compatibilidade de horário.

Jurisprudência

> Por aplicação analógica da alínea *a*, inciso XVI, do art. 37 da Constituição Federal, é possível a acumulação remunerada de um cargo de professor com um emprego de professor (STF – 2.ª Turma, RE 169.807, rel. Min. Carlos Velloso, j. 24.06.1996).
>
> A regra proibitiva da acumulação, tanto na Carta anterior quanto na atual, alcança os empregos mantidos com empresas públicas ou sociedades de economia mista (STF, RTJ, 99/993).
>
> A proibição de acumulação de cargos, empregos ou funções estende-se às fundações mantidas pelo Poder Público (STJ, RSTJ, 65/209).

XVIII – a administração fazendária e seus servidores fiscais terão, dentro de suas áreas de competência e jurisdição, precedência sobre os demais setores administrativos, na forma da lei;

Doutrina

Precedência da administração fazendária. A norma estabelece precedência para a administração fazendária e seus servidores, nos termos que a lei estabelecer e dentro das áreas de competência e atuação do fisco. A compreensão mais razoável para a precedência é entendê-la como privilégio conferido por lei à administração fazendária e seus servidores apenas no tocante ao exercício de suas atribuições, do contrário, restará configurada hipótese de violação da igualdade.

Jurisprudência

> Súmula do STF: 439. "Estão sujeitos à fiscalização tributária ou previdenciária quaisquer livros comerciais, limitado o exame aos pontos objeto da investigação."

XIX – somente por lei específica poderá ser criada autarquia e autorizada a instituição de empresa pública, de sociedade de economia mista e de fundação, cabendo à lei complementar, neste último caso, definir as áreas de sua atuação;

Doutrina

Criação de entes da administração indireta. A norma constitucional dispõe que somente por meio de lei própria será criada a autarquia ou autorizada a instituição de empresa pública, de sociedade de economia mista e de fundação, devendo a lei complementar, à exceção da autarquia, definir as áreas de atuação dos demais entes.

Jurisprudência

> Súmulas do STF: 8. "Diretor de sociedade de economia mista pode ser destituído no curso do mandato." 25. "A nomeação a termo não impede a livre demissão pelo Presidente da República, de ocupante de cargo dirigente de autarquia."

XX – depende de autorização legislativa, em cada caso, a criação de subsidiárias das entidades mencionadas no inciso anterior, assim como a participação de qualquer delas em empresa privada;

Doutrina

Criação de subsidiárias. A criação de qualquer ente, controlado por autarquia, empresa pública, sociedade de economia mista ou fundação, ou a participação destas em empresa privada, dependerá, sempre e em cada caso, de lei própria. O objetivo da norma é o de evitar a proliferação de tais entes, principalmente daqueles instituídos por sociedades de economia mista ou empresas públicas, sem controle do Poder Legislativo.

Jurisprudência

> "A Constituição Federal ao referir-se à expressão autorização legislativa, em cada caso, o faz relativamente a um conjunto de temas, dentro de um mesmo setor. A autorização legislativa, na espécie, abrange o setor energético resultante da política nacional do petróleo definida pela Lei n.º 9.478/97. Inexistência de violação aos incisos XIX e XX do art. 37 e ao art. 2.º da Carta Federal" (STF – Pleno, ADIN 1.649/DF, rel. Min. Maurício Corrêa, DJ 1, 09.09.2000, p. 4).

XXI – ressalvados os casos especificados na legislação, as obras, serviços, compras e alienações serão contratados mediante processo de licitação pública que assegure igualdade de condições a todos os concorrentes, com cláusulas que estabeleçam obrigações de pagamento, mantidas as condições efetivas da proposta, nos termos da lei, o qual somente permitirá as exigências de qualificação técnica e econômica indispensáveis à garantia do cumprimento das obrigações.

Doutrina

Exigência de licitação. A licitação destina-se a garantir a observância do princípio da isonomia e a selecionar a proposta mais vantajosa para a Administração. O processo de licitação pública, além de assegurar igualdade de condições entre os licitantes, deve dispor sobre as obrigações de pagamento, nos termos e condições da proposta, sobre as exigências de qualificação técnica e econômica necessárias ao adequado cumprimento do contrato e obedecer aos princípios constitucionais de observância obrigatória pela administração pública.

Exceções. A regra geral é a da necessidade de licitação; contudo, a própria norma constitucional admite exceções para ressalvar os casos de dispensa – quando é possível fazer a licitação, porém é conveniente ao interesse público não fazê-la –, e de inexigibilidade – quando a licitação não se realiza por inviabilidade de competição.

Jurisprudência

> "I – Considerando que o objeto da presente ação está relacionado à aplicação dos recursos da União que foram repassados pelo Fundo Nacional de Desenvolvimento da Educação – FNDE (autarquia federal sob supervisão do Ministério da Educação) – ao Município de Florínea/SP, para aquisição de merenda escolar (Programa Nacional de Alimentação Escolar), é patente a competência da justiça federal para o processamento e julgamento do feito, em razão do interesse da União Federal, nos termos do artigo 109, I, da Constituição Federal (...). III – O conjunto probatório carreado aos autos atesta que os corréus, no exercício de as atribuições, não realizavam licitação específica para aquisição de gêneros alimentícios com verbas federais, em razão do seu pequeno valor. IV – A legislação vigente não admite o dispêndio de verba pública sem prévia cotação de preços, que deve ser documentalmente comprovada. Também não admite a dispensa de licitação sem a formalização de processo de dispensa, nos termos do artigo 26 da Lei n.º 8.666/93. Não se trata de mera for-

malidade, mas sim de cumprimento aos princípios da publicidade, da legalidade, da impessoalidade e da moralidade, que norteiam toda a administração pública. IV – O texto constitucional é expresso ao determinar que 'ressalvados os casos especificados na legislação, as obras, serviços, compras e alienações serão contratados mediante processo de licitação pública que assegure igualdade de condições a todos os concorrentes, com cláusulas que estabeleçam obrigações de pagamento, mantidas as condições efetivas da proposta, nos termos da lei, o qual somente permitirá as exigências de qualificação técnica e econômica indispensáveis à garantia do cumprimento das obrigações' (CF, artigo 37, XXI). Vale dizer: a licitação é regra; a dispensa é situação excepcional, que deve ser comprovada" (TRF3 – 6.ª Turma, AC 1.768.064/SP, rel. Des. Fed. Consuelo Yoshida, e-DJF3, Judicial 1, 04.04.2014).

"(...). 2. A exigência de realização de procedimento licitatório para a contratação de franquia de serviços postais foi instituída pela Medida Provisória n.º 403/2007, transformada na Lei n.º 11.668/2008, segundo a qual todos os contratos vigentes até 27.11.2007 teriam sua eficácia estendida por dois anos, contados da data da sua regulamentação, que ocorreu em novembro de 2008, com a publicação do Decreto n.º 6.639/2008. Esta norma regulamentadora estabeleceu que o prazo para a conclusão das novas contratações pela ECT seria 10.11.2010. Com a edição da Medida Provisória n.º 509/2010 esse prazo foi prorrogado para 11.06.2011. 3. Nos termos dos arts. 37, inciso XXI e 175, *caput*, da Constituição Federal, os serviços públicos serão sempre contratados mediante processo de licitação pública que assegure igualdade de condições a todos os concorrentes, excepcionando somente os casos especificados na legislação, dentre os quais não se inclui a contratação de franqueados prestadores de serviços postais. 4. Impossibilidade de manutenção dos atuais contratos de franquia postal firmados sem licitação, ante a ausência de previsão legal para dar amparo à pretendida continuidade por tempo indeterminado dos contratos antigos. Pelas mesmas razões, não merece acolhida o pleito de aplicação *ex nunc* dos efeitos da legislação que regulamentou a contratação das franquias dos serviços postais em debate, uma vez que estes foram firmados em desacordo com os preceitos constitucionais. (...). Apelação improvida" (TRF5 – 2.ª Turma, AC 524.536, rel. Des. Fed. Ivan Lira de Carvalho, DJE, 25.08.2011, p. 215).

XXII – as administrações tributárias da União, dos Estados, do Distrito Federal e dos Municípios, atividades essenciais ao funcionamento do Estado, exercidas por servidores de carreiras específicas, terão recursos prioritários para a realização de suas atividades e atuarão de forma integrada, inclusive com o compartilhamento de cadastros e de informações fiscais, na forma da lei ou convênio.

Doutrina

Administração tributária. Compreende o conjunto de órgãos voltados – no âmbito dos diversos entes federados –, para as atividades de gestão, administração, fiscalização, lançamento e arrecadação de tributos e contribuições, cujo produto destina-se ao financiamento de sua própria existência, além de financiar as demais atividades da máquina estatal. Os órgãos da administração tributária, movidos por servidores de carreira lotados em estruturas próprias de cargos, deverão, na forma da lei ou do convênio, compartilhar as informações cadastrais e as informações fiscais que detêm, visando a melhorar a eficiência de suas atuações.

§ 1.º A publicidade dos atos, programas, obras, serviços e campanhas dos órgãos públicos deverá ter cará-

ter educativo, informativo ou de orientação social, dela não podendo constar nomes, símbolos ou imagens que caracterizem promoção pessoal de autoridades ou servidores públicos.

Doutrina

Publicidade e campanhas estatais. O salutar objetivo da norma é o de exigir que a publicidade dos atos oficiais, programas, obras, serviços e campanhas de governo tenha natureza educativa, de informação e de orientação social. Outrossim, ao vedar o uso de nomes, símbolos ou imagens, capazes de caracterizar promoção pessoal de autoridade ou de servidor público, a norma busca a realização concreta no princípio da moralidade pública.

Jurisprudência

> "O art. 37, § 1.º da Constituição Federal preceitua que 'a publicidade dos atos, programas, obras, serviços e campanhas dos órgãos públicos deverá ter caráter educativo, informativo ou de orientação social, dela não podendo constar nomes, símbolos ou imagens que caracterizem promoção pessoal de autoridades ou servidores públicos'. 2. Publicidade de caráter autopromocional do Governador e de seus correligionários, contendo nomes, símbolos e imagens, realizadas às custas do erário. Não observância do disposto na segunda parte do preceito constitucional contido no art. 37, § 1.º Decisão proferida à luz das provas carreadas para os autos. Reapreciação da matéria fática em sede extraordinária. Impossibilidade. Súmula 279/STF. Agravo regimental não provido" (STF – 2.ª Turma, RE 217.025/RJ AgRg, rel. Min. Maurício Corrêa, j. 27.04.1998).

> "(...). 6. Segundo preceitua o art. 6.º da Lei n.º 4.717/1965, a ação popular será proposta em desfavor, dentre outros, das 'autoridades, funcionários ou administradores que houverem autorizado, aprovado,

ratificado ou praticado o ato impugnado, ou que, por omissão, tiverem dado oportunidade à lesão, e contra os beneficiários diretos do mesmo' [...]. 7. Nos termos do que dispõe o art. 37, § 1.º, da Constituição Federal, "A publicidade dos atos, programas, obras, serviços e campanhas dos órgãos públicos deverá ter caráter educativo, informativo ou de orientação social, dela não podendo constar nomes, símbolos ou imagens que caracterizem promoção pessoal de autoridades ou servidores públicos'. 8. Segundo o arcabouço fático delineado no acórdão, restou claramente demonstrado o dolo, senão ao menos a culpa, por omissão, do ora agravante, na prática do ato ilícito, tendo em vista que, mesmo diante da existência de promoção indevida de sua pessoa no material de propaganda, realizou seu pagamento ao fornecedor e autorizou sua distribuição. 9. Agravo regimental parcialmente conhecido e, nessa parte, não provido" (STJ – 1.ª Turma, AREsp 104.368/SP AgRg, rel. Min. Sérgio Kukina, DJE, 18.12.2017).

§ 2.º A não observância do disposto nos incisos II e III implicará a nulidade do ato e a punição da autoridade responsável, nos termos da lei.

Doutrina

Nulidade da investidura. A norma constitucional inquina de nulidade o ato de investidura, em cargo ou emprego público que depende de aprovação em concurso público, daquele que não cumpre o requisito, bem como da investidura que se deu após o prazo de validade do concurso, devendo a autoridade responsável ser punida, na forma que a lei estabelecer.

§ 3.º A lei disciplinará as formas de participação do usuário na administração pública direta e indireta, regulando especialmente:

I – as reclamações relativas à prestação dos serviços públicos em geral, asseguradas a manutenção de serviço de atendimento ao usuário e a avaliação periódica, externa e interna, da qualidade dos serviços;

II – o acesso dos usuários a registros administrativos e a informações sobre atos de governo, observado o disposto no art. 5.º, X e XXXIII;

III – a disciplina da representação contra o exercício negligente ou abusivo de cargo, emprego ou função na administração pública.

Doutrina

Formas de participação do usuário. São os meios previstos em lei para viabilizar a participação do administrado nos negócios da administração pública direta ou indireta. A norma constitucional obriga a lei a dispor sobre: a) *as reclamações administrativas*, meios através dos quais os administrados reclamam da administração providências visando a garantir direito seu ou a corrigir a prestação de serviço público. Quanto aos serviços públicos, a administração manterá serviço de atendimento aos usuários e serviço de controle de qualidade, externo e interno, para proceder à avaliação periódica; b) *os pedidos de informações*, para permitir ao administrado acesso aos registros administrativos dos serviços e informações sobre atos do governo, respeitadas a intimidade, a vida privada, a honra e a imagem das pessoas e, quando for o caso, o sigilo imprescindível à segurança do Estado e da sociedade; c) *as representações*, são petições endereçadas à administração com o objetivo de denunciar irregularidades de qualquer natureza, como na prestação de serviços ou contra o exercício negligente ou abusivo de cargo, emprego ou função pública. Na verdade, são os meios destinados a garantir o direito de petição.

Jurisprudência

O direito de petição perante os Poderes Públicos (CF,

art. 5.º XXXIV, *a*) é inconfundível com o direito de obter a prestação jurisdicional em qualquer demanda (STF, RTJ, 153/498).

O direito de certidão há de ser reverente e não colidir com outras garantias constitucionais. Assim, não é irrestrito o acesso à intimidade dos negócios de terceiros, cujo conhecimento o Poder Público obteve por razão de ofício. Do contrário, este estaria patrocinando violação da intimidade e da privacidade (TRF4, RTRF, 10/214).

§ 4.º Os atos de improbidade administrativa importarão a suspensão dos direitos políticos, a perda da função pública, a indisponibilidade dos bens e o ressarcimento ao erário, na forma e gradação previstas em lei, sem prejuízo da ação penal cabível.

Doutrina

Improbidade administrativa. Improbidade é a prática de ato administrativo lesivo ao patrimônio e aos serviços da administração. As consequências para o autor do ato de improbidade são as seguintes: a) *suspensão dos direitos políticos*: após condenação transitada em julgado o autor terá suspenso o direito de votar ou de ser votado; b) *perda da função pública*, após processo administrativo ou judicial, sendo assegurado ao servidor o direito à ampla defesa; c) *indisponibilidade dos bens*, significa tirar do servidor a disponibilidade de seus bens enquanto responde a processo; d) *ressarcimento ao erário*: uma vez transitada em julgado a decisão condenatória, o condenado tem o dever de ressarcir ao erário o prejuízo a que deu causa. Em face do princípio da autonomia de instâncias, a responsabilidade civil e administrativa não implica em prejuízo para a ação penal cabível.

Jurisprudência

Súmulas do STF: 18. "Pela falta residual, não compreendida na absolvição pelo juízo criminal, é admissível a punição administrativa do servidor público." 19. "É inadmissível segunda punição de servidor público, baseada no mesmo processo em que se fundou a primeira." 20. "É necessário processo administrativo com ampla defesa, para demissão de funcionário admitido por concurso."

A absolvição do juízo criminal, fundada em ausência de prova quanto à autoria, não exclui a punição administrativa aplicada com base nas provas colhidas no inquérito administrativo (STF, DJ, 02.10.1978, p. 3.031).

"O abuso do exercício de função, cargo ou emprego na Administração direta ou indireta que é causa de inelegibilidade é o que contém a nota de improbidade exigida pelo § 4.º do art. 37 da Constituição, para que se cogite da suspensão dos direitos políticos, tal como prevista na alínea *g* do inciso I do art. 1.º da Lei Complementar 64/90" (STF, RE 129.392/DF, Min. Célio Borja, citado pelo rel. Min. Sepúlveda Pertence, Ementário, n.º 1.699-05, p. 867).

§ 5.º A lei estabelecerá os prazos de prescrição para ilícitos praticados por qualquer agente, servidor ou não, que causem prejuízos ao erário, ressalvadas as respectivas ações de ressarcimento.

Doutrina

Prescrição dos ilícitos administrativos. A norma constitucional estabelece que lei própria disporá sobre a perda do direito de ação da administração para punir os ilícitos administrativos, compreendidos aqui como toda e qualquer ação ou omissão do servidor que viole o regime disciplinar previsto nos estatutos e regulamentos administrativos. Isso tudo sem prejuízo da ação de ressarcimento, que também prescreverá, decorrido o prazo previsto em lei.

Jurisprudência

Súmula do STF: 383. "A prescrição em favor da Fazenda Pública recomeça a correr, por dois anos e meio, a partir do ato interruptivo, mas não fica reduzida aquém de cinco anos, embora o titular do direito a interrompa durante a primeira metade do prazo."

A regra é a da prescritibilidade do direito da administração de atuar a lei, não podendo o servidor público ficar perpetuamente sujeito à sanção administrativa por ato ou fato praticado há muito tempo (STF, RDA, 135/78).

§ 6.º As pessoas jurídicas de direito público e as de direito privado prestadoras de serviços públicos responderão pelos danos que seus agentes, nessa qualidade, causarem a terceiros, assegurado o direito de regresso contra o responsável nos casos de dolo ou culpa.

Doutrina

Responsabilidade civil objetiva. A norma constitucional consagra o princípio da responsabilidade objetiva do Estado, que significa a obrigação de indenizar terceiros por danos causados pelos agentes públicos – servidores da administração ou empregados de concessionários ou permissionários de serviços públicos – em razão de condutas lícitas ou ilícitas, comissivas ou omissivas, materiais ou jurídicas. Trata-se de responsabilidade fundada na chamada teoria do risco administrativo, pois admite excludentes, como culpa da vítima ou força maior, para afastar o dever do Estado de indenizar.

Direito de regresso. O direito de regresso pressupõe sempre dolo ou culpa do agente público, sendo, pois, subjetiva a sua responsabilidade.

Jurisprudência

"A responsabilidade civil do Estado, responsabilidade objetiva, com base no risco administrativo, que admite pesquisa em torno da culpa do particular, para o fim de abrandar ou mesmo excluir a responsabilidade estatal, ocorre, em síntese, diante dos seguintes requisitos: a) do dano; b) da ação administrativa; c) e desde que haja nexo causal entre o dano e a ação administrativa. A consideração no sentido da licitude da ação administrativa é irrelevante, pois o que interessa é isto: sofrendo o particular um prejuízo, em razão da atuação estatal, regular ou irregular, no interesse da coletividade, é devida a indenização, que se assenta no princípio da igualdade dos ônus e encargos sociais" (STF – 2.ª Turma, RE 113.587/SP, rel. Min. Carlos Velloso, RTJ, 140/636).

"A teoria do risco administrativo, consagrada em sucessivos documentos constitucionais brasileiros desde a Carta Política de 1946, confere fundamento doutrinário à responsabilidade civil objetiva do Poder Público pelos danos a que os agentes públicos houverem dado causa, por ação ou por omissão. Essa concepção teórica, que informa o princípio constitucional da responsabilidade civil objetiva do Poder Público, faz emergir, da mera ocorrência de ato lesivo causado à vítima pelo Estado, o dever de indenizá-la pelo dano pessoal e/ou patrimonial sofrido, independentemente de caracterização de culpa dos agentes estatais ou de demonstração de falta do serviço público, consoante enfatiza o magistério da doutrina. Impõe-se destacar, neste ponto, que os elementos que compõem a estrutura e delineiam o perfil da responsabilidade civil objetiva do Poder Público compreendem (a) a alteridade do dano, (b) a causalidade material entre o *eventus damni* e o comportamento positivo (ação) ou negativo (omissão) do agente público, (c) a oficialidade da atividade causal e lesiva, imputável a agente do Poder Público, que tenha, nessa condição funcional, incidindo em conduta comissiva ou omissiva, independentemente da licitude, ou não, do comportamento funcional (RTJ 140/636) e (d) a ausência de causa excludente da responsabilidade estatal (RTJ 55/503 – RTJ 71/99 – RTJ 91/377 – RTJ 99/1155 – RTJ 131/417). A ausência de qualquer desses pressupostos basta para descaracterizar a responsabilidade civil objetiva do Estado, especialmente quando ocorre circunstância que rompe o nexo de causalidade material entre o comportamento do agente público e a consumação do dano pessoal ou patrimonial". (STF – 1.ª Turma, RE 109.615-2/RJ, rel. Min. Celso de Mello, DJ 1, 02.08.1996, p. 25.785).

"O princípio da responsabilidade objetiva não se reveste de caráter absoluto, eis que admite o abrandamento e, até mesmo, a exclusão da própria responsabilidade civil do Estado, nas hipóteses excepcionais configuradoras de situações liberatórias – como o caso fortuito e a força maior – ou evidenciadoras de ocorrência de culpa atribuível à própria vítima (RDA 137/233 – RTJ 55/50)" (STF – 1.ª Turma, RE 109.615-2/RJ, rel. Min. Celso de Mello, DJ 1, 02.08.1996, p. 25.785).

"A responsabilidade civil das pessoas jurídicas de direito público e das pessoas jurídicas de direito privado prestadoras de serviço público, responsabilidade objetiva, com base no risco administrativo, admite pesquisa em torno da culpa da vítima, para o fim de abrandá-la ou mesmo excluí-la" (STF – 2.ª Turma, AgI 636.814/DF AgRg, rel. Min. Eros Grau, j. 22.05.2007).

"Recurso extraordinário. Responsabilidade objetiva. Ação reparatória de dano por ato ilícito. Ilegitimidade de parte passiva. 2. Responsabilidade exclusiva do Estado. A autoridade judiciária não tem responsabilidade civil pelos atos jurisdicionais praticados. Os magistrados enquadram-se na espécie agente político, investidos para o exercício de atribuições constitucionais, sendo dotados de plena liberdade funcional no desempenho de suas funções, com prerrogativas próprias e legislação específica. 3. Ação que deveria ter sido ajuizada contra a Fazenda Estadual – responsável eventual pelos alegados danos causados pela autoridade judicial, ao exercer suas atribuições –, a qual, posteriormente, terá assegurado o direito de regresso contra o magistrado responsável, nas hipóteses de dolo ou culpa. 4. Legitimidade passiva reservada ao Estado. Ausência de responsabilidade concorrente em face dos eventuais prejuízos causados a terceiros pela autoridade julgadora no exercício de suas funções, a teor do art. 37, § 6.º, da CF/88. 5. Recurso extraordinário conhecido e provido" (STF – 2.ª Turma, RE 228.977/SP, rel. Min. Néri da Silveira, j. 22.10.2002).

"I. – Tratando-se de ato omissivo do poder público, a responsabilidade civil por esse ato é subjetiva, pelo que exige dolo ou culpa, em sentido estrito, esta numa de suas três vertentes – a negligência, a imperícia ou a imprudência – não sendo, entretanto, necessário individualizá-la, dado que pode ser atribuída ao serviço público, de forma genérica, a falta do serviço. II. – A falta do serviço – *faute du service* dos franceses – não dispensa o requisito da causalidade, vale dizer, do nexo de causalidade entre ação omissiva atribuída ao poder público e o dano causado a terceiro. III. – Detento ferido por outro detento: responsabilidade civil do Estado: ocorrência da falta do serviço, com a culpa genérico do serviço público, por isso que o Estado deve zelar pela integridade física do preso" (STF – 2.ª Turma, RE 382.054/RJ, rel. Min. Carlos Velloso, j. 03.08.2004).

"Constitucional e Administrativo. Agravo regimental em Agravo de instrumento. Responsabilidade objetiva do Estado. Omissão. Dever de fiscalização do Município. Art. 37, § 6.º, CF/88. Nexo causal. Fatos e provas. Súmula STF 279. 1. Existência de nexo causal entre a omissão do Município e o dano causado ao agravado. Precedente. 2. Incidência da Súmula STF 279 para afastar a alegada ofensa ao artigo 37, § 6.º, da Constituição Federal – responsabilidade objetiva do Estado. 3. Agravo regimental improvido" (STF – 2.ª Turma, AgI 742.555/RJ AgRg, rel. Min. Ellen Gracie, j. 28.04.2010).

§ 7.º A lei disporá sobre os requisitos e as restrições ao ocupante de cargo ou emprego da administração direta e indireta que possibilite o acesso a informações privilegiadas.

Doutrina

Servidor público e acesso a informações privilegiadas. Informação privilegiada é aquela, de natureza econômica, administrativa ou política, cujo conhecimento antecipado pode gerar resultados indesejados pelo Estado. A lei definirá os requisitos necessários e as restrições impostas ao ocupante de cargo ou emprego, na administração direta ou indireta, quando estes possibilitarem o acesso a tais informações, com o objetivo de radicar-lhes responsabilidade no caso de se valerem ou permitir, de qualquer forma, que terceiros se valham das mesmas logrando ou não qualquer espécie de vantagem, como, *v.g.*, no caso de um *insider*, investidor que tem acesso a informações privilegiadas antes de sua divulgação pública e graças a isso consegue lucros indevidos nos seus investimentos.

Jurisprudência

> Súmulas do STF: 20. "É necessário processo administrativo com ampla defesa, para demissão de funcionário admitido por concurso." 21. "Funcionário em estágio probatório não pode ser exonerado nem demitido sem inquérito ou sem as formalidades legais de apuração de sua capacidade."

§ 8.º A autonomia gerencial, orçamentária e financeira dos órgãos e entidades da administração direta e indireta poderá ser ampliada mediante contrato, a ser firmado entre seus administradores e o poder público, que tenha por objeto a fixação de metas de desempenho para o órgão ou entidade, cabendo à lei dispor sobre:

I – o prazo de duração do contrato;

II – os controles e critérios de avaliação de desempenho, direitos, obrigações e responsabilidade dos dirigentes;

III – a remuneração do pessoal.

Doutrina

Contrato de gestão. É o ajuste firmado entre órgão ou entidade da administração direta ou indireta com o Poder Público, cujo objetivo é o de fixar metas de desempenho para a consecução de determinados fins e resultados. Trata-se de contrato administrativo, consensual, formal, oneroso, comutativo, *intuitu personae*, com prazo determinado, cláusulas exorbitantes quanto à fiscalização de desempenho, obrigações, responsabilidades dos contratados e aplicação de penalidades, além de disposições quanto à remuneração de pessoal.

Jurisprudência

> Súmula do STF: 454. "Simples interpretação de cláusulas contratuais não dá lugar a recurso extraordinário."
>
> Súmula do STJ: 5. "A simples interpretação de cláusula contratual não enseja recurso especial."

§ 9.º O disposto no inciso XI aplica-se às empresas públicas e às sociedades de economia mista, e suas subsidiárias, que receberem recursos da União, dos Estados, do Distrito Federal ou dos Municípios para pagamento de despesas de pessoal ou de custeio em geral.

Doutrina

Aplicação do limite de remuneração no Serviço Público. A norma constitucional determina a aplicação do limite remuneratório dos servidores públicos aos empregados de empresas públicas, sociedades de economia mista, e suas subsidiárias, ligadas a quaisquer dos entes políticos, desde que destes recebam recursos para o financiamento de despesas de custeio ou para pagamento de pessoal. O limite é o subsídio mensal, em moeda corrente, pago aos Ministros do Supremo Tribunal Federal.

Jurisprudência

> "O desconto efetuado pela Administração Pública, com o objetivo de adequar a remuneração dos agentes estatais aos limites fixados pela própria Constituição da República, não importa em ofensa à garantia de irredutibilidade de vencimentos, eis que esse comportamento administrativo nada mais traduz senão mera consequência derivada da execução do comando constitucional inscrito no art. 37, XI, da Carta Política" (STF – Pleno, MS 21.856-1, rel. Min. Celso de Mello, RDA, 203/150).

§ 10. É vedada a percepção simultânea de proventos de aposentadoria decorrentes do art. 40 ou dos arts. 42 e 142 com a remuneração de cargo, emprego ou função pública, ressalvados os cargos acumuláveis na forma desta Constituição, os cargos eletivos e os cargos em comissão declarados em lei de livre nomeação e exoneração.

Doutrina

Proibição de recebimento simultâneo de proventos e vencimentos. Ao proibir o recebimento simultâneo de proventos e vencimentos, a norma constitucional obsta o reingresso de servidor público aposentado, civil ou militar, no serviço público, ainda que mediante novo concurso público. Ressalva, no entanto, os casos de cargos acumuláveis, os eletivos e os comissionados. Outrossim, o art. 11 da EC 20 ressalva o direito adquirido de membros de poder e inativos, civis e militares, que até 15.12.98, data da publicação da referida emenda, tenham ingressado novamente no serviço público, mediante concurso público de provas ou de provas e títulos, ou por outra forma prevista na CF, sendo-lhes proibida a percepção de mais de uma aposentadoria pelo erário público, aplicando-se-lhes, ainda, o limite remuneratório do serviço público.

Jurisprudência

> "A acumulação de proventos e vencimentos somente é permitida quando se tratar de cargos, funções ou empregos acumuláveis na atividade, conforme determinam os artigos 37, incisos XVI e XVII, e 95, parágrafo único, inciso I. A regra geral é a da proibição das acumulações, salvo as exceções que devem ser sempre taxativas" (TJSP – Órgão Especial, MS 40.460/SP, rel. Des. Viseu Júnior, j. 22.04.1998).

§ 11. Não serão computadas, para efeito dos limites remuneratórios de que trata o inciso XV do *caput* deste artigo, as parcelas de caráter indenizatório previstas em lei.

Doutrina

Exclusão de parcelas indenizatórias do cálculo do teto remuneratório. Dispõe a norma contida neste § 11 que, para fins de cálculo de limites de remuneração, deverão ser excluídas as parcelas de natureza indenizatória previstas em lei, como, por exemplo, as diárias com alimentação e hospedagem, passagens por via aérea ou terrestre etc., que, de fato, não integram a remuneração do servidor

Jurisprudência

> "(...). Vê-se que a Constituição de 1988, desde a sua promulgação até a redação atual, sempre previu a existência de um teto constitucional, fazendo referência, quanto ao Poder Judiciário, aos vencimentos, hoje subsídios, dos Ministros do STF. Esse teto deve ser compreendido como limite máximo de vencimentos e não

como uma espécie de piso salarial, no sentido de que todos os servidores do Judiciário possam ganhar o mesmo que os Ministros da Corte Suprema. Assim, possível a instituição de subtetos pelo legislador infraconstitucional, levando em conta, inclusive, a hierarquia e carreira pública envolvida. Foi o que se sucedeu com a Lei 10.474/2002, que dispôs a respeito da remuneração da magistratura da União" (TRF4, AC 2005.71.00.038142-3/RS, rel. Des. Fed. Thomson Flores Lenz, DE, 22.04.2010).

§ 12. Para os fins do disposto no inciso XI do *caput* deste artigo, fica facultado aos Estados e ao Distrito Federal fixar, em seu âmbito, mediante emenda às respectivas Constituições e Lei Orgânica, como limite único, o subsídio dos Desembargadores do respectivo Tribunal de Justiça, limitado a noventa inteiros e vinte e cinco centésimos por cento do subsídio mensal dos Ministros do Supremo Tribunal Federal, não se aplicando o disposto neste parágrafo aos subsídios dos Deputados Estaduais e Distritais e dos Vereadores.

Doutrina

Limite remuneratório no âmbito dos Estados e Distrito Federal. Dispõe a norma contida neste § 12 que Estados e Distrito Federal poderão estabelecer, como limite remuneratório, o subsídio pago aos Desembargadores de seus respectivos Tribunais de Justiça, excetuando-se da aplicação da regra os subsídios de deputados estaduais, distritais e vereadores.

§ 13. O servidor público titular de cargo efetivo poderá ser readaptado para exercício de cargo cujas atribuições e responsabilidades sejam compatíveis com a limitação que tenha sofrido em sua capacidade física ou mental, enquanto permanecer nesta condição, desde que pos-

sua a habilitação e o nível de escolaridade exigidos para o cargo de destino, mantida a remuneração do cargo de origem.

Doutrina

Readaptação. É o instituto por meio do qual a administração busca adequar o servidor titular de cargo efetivo para o exercício de atribuições de cargo de destino compatível com a sua nova condição física ou mental, desde que presentes os requisitos de habilitação e escolaridade exigidos. Nesses casos, deverá ser mantida a remuneração do cargo de que era titular o servidor.

§ 14. A aposentadoria concedida com a utilização de tempo de contribuição decorrente de cargo, emprego ou função pública, inclusive do Regime Geral de Previdência Social, acarretará o rompimento do vínculo que gerou o referido tempo de contribuição.

Doutrina

Extinção de vínculo. Dispõe a norma do § 14 que a aposentadoria obtida com o aproveitamento de tempo de contribuição recolhida em razão de cargo, emprego ou função pública, inclusive do regime geral, implica extinção do vínculo que gerou o correspondente tempo de contribuição que, evidentemente, não poderá mais ser aproveitado para fins de concessão de qualquer outro benefício.

§ 15. É vedada a complementação de aposentadorias de servidores públicos e de pensões por morte a seus dependentes que não seja decorrente do disposto nos §§ 14 a 16 do art. 40 ou que não seja prevista em lei que extinga regime próprio de previdência social.

Doutrina

Proibição de complementação de aposentadorias e pensões. A norma ora anotada proíbe, como regra geral, a complementação de valores de aposentadorias de servidor ou de pensões de dependentes, salvo quando decorrentes do disposto nos §§ 14 a 16, ou seja, quando tiverem lastro em regime de previdência complementar, com expressa opção, ou não sejam veiculadas em lei que cuide da extinção de regime próprio de previdência. Ademais, os valores de tais benefícios serão limitados aos limites máximos daqueles valores pagos pelo regime geral de previdência social.

§ 16. Os órgãos e entidades da administração pública, individual ou conjuntamente, devem realizar avaliação das políticas públicas, inclusive com divulgação do objeto a ser avaliado e dos resultados alcançados, na forma da lei.

Doutrina

Política Pública. Constitui um conjunto de regras organizadas e voltadas para a condução dos negócios do Estado. Trata-se, pois, de buscar a identificação dos fundamentos do próprio programa de governo, que deverá ser executado pela administração pública.

Art. 38. Ao servidor público da administração direta, autárquica e fundacional, no exercício de mandato eletivo, aplicam-se as seguintes disposições:

I – tratando-se de mandato eletivo federal, estadual ou distrital, ficará afastado de seu cargo, emprego ou função;

II – investido no mandato de Prefeito, será afastado do cargo, emprego ou função, sendo-lhe facultado optar pela sua remuneração;

III – investido no mandato de Vereador, havendo compatibilidade de horários, perceberá as vantagens de seu cargo, emprego ou função, sem prejuízo da remuneração do cargo eletivo, e, não havendo compatibilidade, será aplicada a norma do inciso anterior;

IV – em qualquer caso que exija o afastamento para o exercício de mandato eletivo, seu tempo de serviço será contado para todos os efeitos legais, exceto para promoção por merecimento;

V – na hipótese de ser segurado de regime próprio de previdência social, permanecerá filiado a esse regime, no ente federativo de origem.

Doutrina

Servidor público e mandato eletivo. O servidor público da administração direta, das autarquias e fundações, desde que cumpra as condições de elegibilidade (art.14, § 3.º), poderá disputar mandato eletivo e, se eleito, exercê-lo na forma da Constituição.

Afastamento para exercício do mandato eletivo. O servidor público será afastado do exercício de seu cargo efetivo, emprego ou função para investidura no mandato eletivo. Porém, se o cargo ou a função pública ocupados pelo servidor for comissionado, impõe-se a sua exoneração antes do início de exercício do mandato eletivo de deputado federal, estadual ou distrital. O objetivo da norma é garantir o exercício do mandato eletivo com exclusividade e independência.

Investidura no mandato de Prefeito Municipal. Da mesma forma, o afastamento se dará se o servidor ocupar cargo, emprego ou função não comissionados, pois se de provimento em comissão, deverá exonerar-se para ser investido no mandato de Prefeito. O servidor poderá optar entre o subsídio para o exercício do mandato e a remuneração de seu cargo, emprego ou função.

Investidura no mandato de Vereador. O servidor público investido no mandato de Vereador, havendo compatibilidade de horários, não será afastado de seu cargo, emprego ou função, podendo, inclusive, acumular a remuneração destes com o subsídio da vereança. Porém, se houver coincidência de horário, a inviabilizar o exercício do cargo e da vereança, impõe-se o seu afastamento, podendo optar pela remuneração do cargo ou pelo subsídio de Vereador.

Contagem de tempo de serviço. Na hipótese de afastamento do servidor público do cargo, emprego ou função, o tempo de duração do mandato eletivo será contado como tempo de serviço para todos os fins, como aposentadoria, percepção de adicionais, promoção por antiguidade, mas não para fins de promoção por merecimento.

Afastamento e benefício previdenciário. Impondo-se o afastamento do servidor para o exercício do mandato eletivo, qualquer benefício previdenciário que lhe for concedido será calculado tomando como base o valor da remuneração que perceberia se estivesse no exercício do cargo efetivo, do emprego ou da função públicos.

Vinculação ao regime de origem. Quando o servidor for segurado de regime próprio de previdência, mesmo eleito para o exercício de cargo político, de outra esfera de poder, permanecerá vinculado ao regime do ente federativo de origem.

Jurisprudência

> "Constitucional e Administrativo. Servidor público eleito para o cargo de Deputado Estadual. Cumulação de remunerações. Impossibilidade. Interpretação do art. 38, II e IV, da Constituição Federal. 1. Narram os autos que Deputado Estadual eleito no escrutínio de 2006 impetrou mandado de segurança contra ato do Sr. Secretário de Educação do Estado da Bahia consistente na suspensão de pagamento da remuneração relativa a seu cargo público originário. 2. Alega que, conforme o art. 61, VI, da Lei Estadual n.º 8.261/02 ('Serão considerados de efetivo exercício os afastamentos do servidor

do magistério quando no exercício de mandato legislativo compor a Comissão de Educação'), o afastamento do magistério enquanto no exercício de mandato eletivo de Deputado Estadual deve ser computado como período de efetivo exercício na hipótese em que o parlamentar compuser a Comissão de Educação, o que, como consequência, também importaria o recebimento cumulado da remuneração de professor. 3. A pretendida interpretação da norma estadual atenta frontalmente contra a expressa disposição do art. 38, II, da Constituição Federal, ao vedar a dupla remuneração de servidor público no exercício de mandato eletivo (no caso, Deputado Estadual). Apenas se permite o gozo desse benefício, de maneira excepcional aos detentores do cargo de Vereador, desde que atendidos os estritos requisitos estipulados no inciso III. 4. Isso não significa que o art. 61 da Lei Estadual n.° 8.261/02 não se harmoniza com a Constituição Federal, já que apenas a exegese almejada pelo recorrente incorre em claro equívoco por ir muito além de seu real alcance. 5. A norma estadual passa ao largo de regular o sistema de remuneração do servidor público que exerce o mandato de Deputado Estadual e mesmo a possibilidade de cumulação de vencimentos; ao contrário, vale-se de outras expressões para reproduzir o art. 38, IV, da CF, e assegurar ao servidor público afastado para exercer cargo eletivo o cômputo do tempo de serviço para todos os efeitos legais, não garantindo a dupla remuneração, o que seria ilegítimo diante do art. 38, I, da CF. Precedente do STF. 6. Recurso ordinário não provido" (STJ – 2.ª Turma, ROMS 32.501/BA, rel. Min. Castro Meira, DJE, 10.12.2010).

Seção II
DOS SERVIDORES PÚBLICOS

Art. 39. A União, os Estados, o Distrito Federal e os Municípios instituirão, no âmbito de sua competência, regime jurídico único e planos de carreira para os servidores da administração pública direta, das autarquias e das fundações públicas

§ 1.° A fixação dos padrões de vencimento e dos demais componentes do sistema remuneratório observará:

I – a natureza, o grau de responsabilidade e a complexidade dos cargos componentes de cada carreira;

II – os requisitos para investidura;

III – as peculiaridades dos cargos.

§ 2.° A União, os Estados e o Distrito Federal manterão escolas de governo para a formação e o aperfeiçoamento dos servidores públicos, constituindo-se a participação nos cursos um dos requisitos para a promoção na carreira, facultada, para isso, a celebração de convênios ou contratos entre os entes federados.

§ 3.° Aplica-se aos servidores ocupantes de cargo público o disposto no art. 7.°, IV, VII, VIII, IX, XII, XIII, XV, XVI, XVII, XVIII, XIX, XX, XXII e XXX, podendo a lei estabelecer requisitos diferenciados de admissão quando a natureza do cargo o exigir.

§ 4.° O membro de Poder, o detentor de mandato eletivo, os Ministros de Estado e os Secretários Estaduais e Municipais serão remunerados exclusivamente por subsídio fixado em parcela única, vedado o acréscimo de qualquer gratificação, adicional, abono, prêmio, verba de representação ou outra espécie remuneratória, obedecido, em qualquer caso, o disposto no art. 37, X e XI.

§ 5.º Lei da União, dos Estados, do Distrito Federal e dos Municípios poderá estabelecer a relação entre a maior e a menor remuneração dos servidores públicos, obedecido, em qualquer caso, o disposto no art. 37, XI.

§ 6.º Os Poderes Executivo, Legislativo e Judiciário publicarão anualmente os valores do subsídio e da remuneração dos cargos e empregos públicos.

§ 7.º Lei da União, dos Estados, do Distrito Federal e dos Municípios disciplinará a aplicação de recursos orçamentários provenientes da economia com despesas correntes de cada órgão, autarquia e fundação, para aplicação no desenvolvimento de programas de qualidade e produtividade, treinamento e desenvolvimento, modernização, reaparelhamento e racionalização do serviço público, inclusive sob a forma de adicional ou prêmio de produtividade.

§ 8.º A remuneração dos servidores públicos organizados em carreira poderá ser fixada nos termos do § 4.º

§ 9.º É vedada a incorporação de vantagens de caráter temporário ou vinculadas ao exercício de função de confiança ou de cargo em comissão à remuneração do cargo efetivo.

Doutrina

Servidores públicos. São pessoas físicas que prestam serviços aos órgãos estatais ou da administração, subordinadas a determinado regime jurídico e remuneradas pelo erário público. Classificam-se em: a) *funcionários públicos*, aqueles investidos em cargos públicos, civis ou militares, e sujeitos ao regime estatutário; b) *empregados públicos*, os ocupantes de empregos públicos, sujeitos ao regime da consolidação das leis do trabalho; c) *servidores temporários*, os contratados por tempo determinado, para a prestação de serviço temporário ou transitório, e os ocupantes de funções públicas, também de natureza transitória.

Regime jurídico único. Era exigência da redação original do *caput* deste artigo; porém, com a nova redação dada pela EC 19, deixou de ser obrigatório, podendo os entes estatais organizarem os seus quadros de servidores com a adoção dos regimes estatutário ou de contrato, ou com a combinação de ambos, observadas as regras constitucionais sobre a matéria.

Conselho de política de administração e remuneração de pessoal. Os entes políticos instituirão órgãos colegiados, compostos de servidores indicados pelos seus Poderes, para definir, implementar e acompanhar a política de gestão e remuneração dos servidores públicos. Referidos conselhos serão criados por lei própria da União, dos Estados, do Distrito Federal e dos Municípios.

Isonomia. A redação original da norma assegurava isonomia de vencimentos para cargos de atribuições iguais ou assemelhados. Na redação da EC 19, desapareceu a garantia, porém não o direito à isonomia, que poderá ser pleiteado com base na regra geral inscrita no art. 5.º, *caput*, da Constituição Federal.

Normas para a fixação da política de remuneração. A política de remuneração prevista no *caput* deverá considerar, na fixação do valor dos padrões do vencimento e dos demais componentes do sistema remuneratório, como as vantagens e os adicionais, a natureza, a responsabilidade e a complexidade do cargo ou dos cargos integrantes da carreira; os requisitos para investidura, como necessidade de aprovação prévia em concurso público, ou sua desnecessidade, como no caso das funções de confiança; e as características peculiares do cargo, como o grau de risco para o seu exercício.

Escolas de governo. São instituições destinadas à formação, ao desenvolvimento e ao aperfeiçoamento de servidores públicos. A norma constitucional autoriza a União, os Estados e o

Distrito Federal a criá-las e mantê-las, mas veda que o façam os municípios. Os servidores destes poderão ser treinados em escolas de governo dos Estados, mediante convênio ou contrato, como autoriza a parte final da norma.

Extensão de direitos. A norma determina a extensão dos seguintes direitos próprios dos trabalhadores em geral aos servidores ocupantes de cargo público: salário mínimo; garantia de remuneração variável nunca inferior ao salário mínimo; décimo terceiro salário; remuneração do trabalho noturno superior à do diurno; salário-família; jornada diária não superior a oito horas e semanal de até quarenta e quatro horas; repouso semanal remunerado; remuneração do serviço extraordinário superior, no mínimo, em cinquenta por cento à do normal; gozo de férias anuais remuneradas com, pelo menos, um terço a mais do que o salário normal; licença à gestante; licença-paternidade; proteção ao mercado de trabalho da mulher; redução dos riscos inerentes ao trabalho, por meio de normas de saúde, higiene e segurança; e proibição de diferença de salários, de exercício de funções e de critérios de admissão por motivo de sexo, idade, cor ou estado civil.

Requisitos diferenciados de admissão. A lei poderá estabelecer requisitos diferenciados de admissão se assim o exigir a natureza do cargo. São as discriminações toleradas pela Constituição, como, por exemplo, exame de capacitação física para o cargo de agente penitenciário.

Regime de subsídio. A norma institui o subsídio como forma de remuneração para os membros de Poder, parlamentares, ministros de Estado, secretários de Estado ou de Municípios. Referido subsídio será fixado em parcela única, vedada a sua divisão em uma parte fixa e outra variável, sendo, ainda, proibido o acréscimo de qualquer outra parcela que tenha caráter de remuneração, como gratificação de qualquer espécie, adicional por tempo de serviço, abono, prêmio de produtividade, verba de representação etc. Referido subsídio será fixado por lei, assegurada sua revisão geral anual, e não poderá exceder o valor pago mensalmente, em espécie, aos ministros do Supremo Tribunal Federal.

Relação entre a maior e a menor remuneração paga. A norma constitucional faculta aos entes políticos a edição de lei para estabelecer a relação entre a maior e a menor remuneração paga a servidor público, impondo como limite ou teto de remuneração, o valor mensal em espécie pago a título de subsídio aos ministros do Supremo Tribunal Federal. Com isso, afasta a possibilidade de fixação de subtetos estaduais ou municipais.

Publicidade da política remuneratória. A norma constitucional impõe aos Poderes constituídos o dever de publicar, anualmente, os valores do subsídio e da remuneração pagos aos integrantes de seus quadros funcionais. O objetivo da norma é dar publicidade e transparência à política de administração e remuneração dos servidores públicos, viabilizando o controle da sociedade sobre a mesma.

Destinação da economia obtida com despesas correntes. A norma impõe aos entes políticos que disciplinem a aplicação dos recursos orçamentários obtidos com a economia em despesas correntes – são as despesas com pessoal, material de consumo, serviços de terceiros – de seus órgãos, autarquias ou fundações, destinando-os para o desenvolvimento de programas de melhoria do serviço público, como os de qualidade e produtividade, treinamento e desenvolvimento, modernização, reaparelhamento e racionalização, inclusive mediante o pagamento de adicional ou prêmio de produtividade a servidores.

Extensão do subsídio. A norma constitucional faculta a extensão do regime de subsídio para a remuneração dos servidores públicos organizados em carreira. Aliás, a Constituição já determina a aplicação no caso dos advogados da União, procuradores dos Estados e do Distrito Federal, defensores públicos e servidores públicos policiais.

Proibição de incorporação de vantagens de natureza transitória. A norma do § 9.º proíbe a incorporação de vantagens de natureza transitória, devidas somente enquanto no exercício do cargo, ou vinculadas ao exercício de função de confiança ou de cargo comissionado à remuneração do cargo efetivo.

Jurisprudência

Súmula Vinculante do STF: 16. "Os artigos 7.º, IV e 39, § 3.º (redação da Emenda Constitucional n. 19/98), da Constituição, referem-se ao total da remuneração percebida pelo servidor público".

"Pensão especial. Vinculação da remuneração de Secretário de Estado à de Deputado Estadual para fins de aplicação de limite para concessão de pensões especiais. Inconstitucionalidade. 1. Recurso extraordinário. 2. Acórdão do TJ/SC que reconheceu a vinculação da remuneração de Secretário de Estado ao subsídio de Deputado Estadual para fins de aplicação do limite para concessão de pensões especiais nos termos da LC n.º 43/1992, do Estado de Santa Catarina, declarada constitucional pelo STF no RE n.º 228.080. 3. Inconstitucionalidade da vinculação remuneratória. 4. Violação ao disposto no inciso XVIII do art. 37 da Constituição da República. Precedentes. 5. Supressão da isonomia como critério de remuneração no serviço público pela Emenda Constitucional n.º 19/1998, que alterou o art. 39, § 1.º, da Constituição da República. Precedentes. 6. A vinculação da remuneração de Secretário de Estado à de Deputado Estadual não configura direito adquirido a regime jurídico. Precedentes. 7. Recurso parcialmente provido apenas para estabelecer que a remuneração de Secretário de Estado de Santa Catarina, para fins de fixação do teto das pensões especiais, é aquela aprovada periodicamente pela Assembleia Legislativa, e não resultado de vinculação automática aos vencimentos dos Deputados Estaduais" (STF – Pleno, RE 171.241/SC, rel. Min. Ilmar Galvão, j. 19.08.2009).

"(...). 3. A Constituição Federal, em leitura literal, é clara ao vedar o pagamento de vantagens aos agentes públicos listados no art. 39, § 4.º, os quais 'serão remunerados exclusivamente por subsídio fixado em parcela única, vedado o acréscimo de qualquer gratificação, adicional, abono, prêmio, verba de representação ou outra espécie remuneratória'. 4. Não é possível identificar o direito líquido e certo postulado diante do texto do art. 39, § 4.º da Constituição Federal, combinado com o precedente do Supremo Tribunal Federal (ADI 3491/RS) e do entender da doutrina que frisa ser 'a norma (...) cogente, isto é, tem caráter compulsório: uma vez que o agente público esteja incluído numa das categorias ali mencionadas, a remuneração terá de ser efetivada exclusivamente por subsídios' (José dos Santos Carvalho Filho. *In*: Paulo Bonavides, Jorge Miranda, Walber de Moura Agra. Comentários à Constituição Federal de 1988. Rio de Janeiro: Editora Forense, 2009, p. 814). Recurso ordinário improvido" (STJ – 2.ª Turma, ROMS 44.012/RS, rel. Min. Humberto Martins, DJE, 21.02.2014).

Art. 40. O regime próprio de previdência social dos servidores titulares de cargos efetivos terá caráter contributivo e solidário, mediante contribuição do respectivo ente federativo, de servidores ativos, de aposentados e de pensionistas, observados critérios que preservem o equilíbrio financeiro e atuarial.

Doutrina

Previdência dos servidores públicos. A norma constitucional institui o regime de previdência dos servidores titulares de cargos efetivos, portanto, dos funcionários públicos, da União, dos Estados, do Distrito Federal e dos Municípios, incluídos os de suas autarquias e fundações. Referido sistema previdenciário é de caráter contributivo e fundado em critérios técnicos que preservem ao longo do tempo o seu equilíbrio financeiro e atuarial, visando garantir o pagamento futuro das aposentadorias e pensões. Com relação aos ocupantes de cargos comissionados, de empregos públicos e de funções temporárias, ficam sujeitos ao regime geral de previdência social.

Custeio do sistema. Os entes federativos poderão instituir contribuição social, cobrada de seus servidores – ativos, inativos e pensionistas – para o custeio do sistema próprio de previdência e assistência social (CF, art. 149), além dos recursos provenientes de seus orçamentos para financiar as suas próprias contribuições.

Jurisprudência

Súmulas do STF: 36. "Servidor vitalício está sujeito à aposentadoria compulsória em razão da idade." 359. "Ressalvada a revisão prevista em lei, os proventos da inatividade regulam-se pela lei vigente ao tempo em que o militar, ou servidor civil, reuniu os requisitos necessários."

"1. A 'forma federativa de Estado' – elevado a princípio intangível por todas as Constituições da República – não pode ser conceituada a partir de um modelo ideal e apriorístico de Federação, mas, sim, daquele que o constituinte originário concretamente adotou e, como o adotou, erigiu em limite material imposto às futuras emendas à Constituição; de resto as limitações materiais ao poder constituinte de reforma, que o art. 60, § 4.°, da Lei Fundamental enumera, não significam a intangibilidade literal da respectiva disciplina na Constituição originária, mas apenas a proteção essencial dos princípios e institutos cuja preservação nele se protege. 2. À vista do modelo ainda acentuadamente centralizado do federalismo adotado pela versão originária da Constituição de 1988, o preceito questionado da EC 20/28 nem tende a aboli-lo, nem sequer a afetá-lo. 3. Já assentou o Tribunal (MS 23047-MC, Pertence), que no novo art. 40 e seus parágrafos da Constituição (cf. EC 20/98), nela pouco inovou 'sob a perspectiva da Federação, a explicitação de que os servidores efetivos dos Estados, do Distrito Federal e dos Municípios, "é assegurado regime de previdência de caráter contributivo, observados critérios que preservem o equilíbrio financeiro e atuarial", assim como as normas relativas às respectivas aposentadorias e pensões, objeto de seus numerosos parágrafos: afinal, toda a disciplina constitucional originária do regime dos servidores públicos – inclusive a do seu regime previdenciário – já abrangia os três níveis da organização federativa, impondo-se à observância de todas as unidades federadas, ainda quando – com base no art. 149, parág. único – que a proposta não altera – organizem sistema previdenciário próprio para os seus servidores': análise da evolução do tema, do texto constitucional de 1988, passando pela EC 3/93, até a recente reforma previdenciária. 4. A matéria da disposição discutida é previdenciária e, por sua natureza, comporta norma geral de âmbito nacional de validade, que à União se facultava editar, sem prejuízo da legislação estadual suplementar ou plena, na falta de lei federal (CF 88, arts. 24, XII, e 40, § 2.º): se já o podia ter feito a lei federal, com base nos preceitos recordados do texto constitucional originário, obviamente não afeta, ou, menos ainda, tende a abolir a autonomia dos Estados-membros que assim agora tenha prescrito diretamente a norma constitucional sobrevinda. 5. É da jurisprudência do Supremo Tribunal que o princípio da imunidade tributária recíproca (CF, art. 150, VI, a) – ainda que se aplique a sua aplicabilidade a outros tributos, que não os impostos – não pode ser invocado na hipótese de contribuições previdenciárias. 6. A autoaplicabilidade do novo art. 40, § 13 é questão estranha à constitucionalidade do preceito e, portanto, ao âmbito próprio da ação direta" (STF – Pleno, ADIN 2.024/DF, rel. Min. Sepúlveda Pertence, j. 03.05.2007).

"(...). No ordenamento jurídico vigente, não há norma, expressa nem sistemática, que atribua à condição jurídico-subjetiva da aposentadoria de servidor público o efeito de lhe gerar direito subjetivo como poder de subtrair *ad aeternum* a percepção dos respectivos proventos e pensões à incidência de lei tributária que, anterior ou ulterior, os submeta à incidência de contribuição previdencial. Noutras palavras, não há, em nosso ordenamento, nenhuma norma jurídica válida que, como efeito específico do fato jurídico da aposentadoria, lhe imunize os proventos e as pensões, de modo absoluto, à tributação de ordem constitucional, qualquer que seja a modalidade do tributo eleito, donde não haver, a respeito, direito adquirido com o aposentamento. (...). Não é inconstitucional o art. 4.°, *caput*, da Emenda Constitucional n.° 41, de 19 de dezembro de 2003, que instituiu contribuição previdenciária sobre os proventos de aposentadoria e as pensões dos servidores públicos da União, dos Estados, do Distrito Federal e dos Municípios, incluídas suas autarquias e fundações" (STF – Pleno, ADINs 3.105/DF e 3.128/DF, rel. p/ acórdão Min. Cezar Peluso, DJ, 18.02.2005, p. 4).

"(...). 2. No julgamento das Ações Diretas de Inconstitucionalidade n. 3.105/DF e 3.128/DF, o Pleno do Supremo Tribunal Federal decidiu ser constitucional a instituição pelo art. 4.° da Emenda Constitucional n. 41/03 de contribuição previdenciária sobre os proventos de aposentadoria e de pensões de servidores públicos da União, dos Estados, do Distrito Federal e dos Municípios, incluídas suas autarquias e fundações. 3. Não fez o STF distinção alguma quanto a regime jurídico próprio – militar ou civil –, por força do princípio supremo da igualdade e equidade na forma de participação do custeio, devendo todos atuar de forma solidária, a fim de buscar o equilíbrio financeiro e atuarial do Estado" (STJ – 2.ª Turma, ROMS 20.744, rel. Min. João Otávio de Noronha, DJ, 29.05.2006, p. 206).

"O próprio Supremo Tribunal Federal já decidiu que (...) após o advento da Emenda Constitucional n. 41/03, os servidores públicos passariam a contribuir para a previdência social em 'obediência aos princípios da solidariedade e do equilíbrio financeiro e atuarial, bem como aos objetivos constitucionais de universalidade, universalidade, equidade na forma de participação no custeio e diversidade da base de financiamento'. Os servidores públicos militares não foram excepcionados da incidência da norma, razão pela qual não subsiste a pretensa imunidade tributária relativamente à categoria" (TRF2, AG 199.045, rel. Des. Fed. Carmen Silvia Lima de Arruda, E-DJF2R, 27.07.2011, p. 330).

§ 1.° O servidor abrangido por regime próprio de previdência social será aposentado:

Doutrina

Aposentadoria. É o direito ao ócio remunerado reconhecido ao servidor público que reunir os requisitos previstos em lei. São três as espécies de aposentadoria: a) *por invalidez permanente*, nos casos de incapacidade definitiva para o trabalho; b) *compulsória*, ao atingir a idade limite prevista em lei; c) *voluntária*, por iniciativa do interessado que preencher as exigências relativas à idade mínima, ao tempo de serviço público e tempo de contribuição.

Jurisprudência

O direito à aposentadoria adquire-se com o cumprimento dos requisitos exigidos pela lei da época, sendo irrelevante se o servidor requereu ou não o benefício durante a sua vigência. (STF, RTJ, 65/830).

I – por incapacidade permanente para o trabalho, no cargo em que estiver investido, quando insuscetível de readaptação, hipótese em que será obrigatória a realização de avaliações periódicas para verificação da continuidade das condições que ensejaram a concessão da aposentadoria, na forma de lei do respectivo ente federativo;

Doutrina

Invalidez permanente. É a decorrente de dano físico ou mental que deixa o servidor incapacitado em caráter permanente para o exercício de suas atribuições, sujeitando-se o interessado à verificação periódica da invalidez. Os proventos da aposentadoria serão integrais nos casos de acidente em serviço, moléstia profissional e doença grave, contagiosa ou incurável, e proporcionais ao tempo de contribuição, e não mais ao tempo de serviço, nos demais casos em que a lei admitir a aposentação.

Jurisprudência

> Súmula do STF: 217. "Tem direito de retornar ao emprego, ou ser indenizado em caso de recusa do empregador, o aposentado que recupera a capacidade de trabalho dentro de cinco anos, a contar da aposentadoria, que se torna definitiva após esse prazo".
>
> Súmula do TFR: 171. "No cálculo da renda mensal do benefício de aposentadoria-invalidez é considerado como de atividade o período em que o segurado tenha percebido auxílio-doença ou outra aposentadoria-invalidez."

II – compulsoriamente, com proventos proporcionais ao tempo de contribuição, aos 70 (setenta) anos de idade, ou aos 75 (setenta e cinco) anos de idade, na forma de lei complementar;

Doutrina

Aposentadoria compulsória. É a que decorre do implemento da idade – aos setenta ou aos setenta e cinco anos de idade, ocorrendo a presunção *juris et de jure* de incapacidade para o exercício das atribuições do cargo. Os proventos da aposentadoria serão proporcionais ao tempo de contribuição e não mais tempo de serviço, como na regra anterior.

Jurisprudência

Súmula do STF: 36. "Servidor vitalício está sujeito à aposentadoria compulsória, em razão da idade".

III – no âmbito da União, aos 62 (sessenta e dois) anos de idade, se mulher, e aos 65 (sessenta e cinco) anos de idade, se homem, e, no âmbito dos Estados, do Distrito Federal e dos Municípios, na idade mínima estabelecida mediante emenda às respectivas Constituições e Leis Orgânicas, observados o tempo de contribuição e os demais requisitos estabelecidos em lei complementar do respectivo ente federativo.

Doutrina

Aposentadoria voluntária. É aquela que se coloca na esfera da *voluntas*, da vontade do servidor, que poderá exercer ou não o seu direito à aposentadoria a partir do momento em que implementados todos os requisitos previstos em lei. Os requisitos usuais são os seguintes: a) *tempo mínimo de permanência no serviço público*, de dez anos de efetivo exercício no serviço público municipal, estadual, distrital ou federal; b) *tempo mínimo no cargo efetivo em que se dará a aposentadoria*, no caso, provimento do cargo efetivo há pelo menos cinco anos; c) *idade mínima* que, no plano federal é de sessenta e dois anos, se mulher, e de sessenta e cinco anos, se homem; d) *tempo de contribuição*, que é o lapso temporal de contribuição do servidor à previdência e esta determina o valor dos proventos.

Modalidades de aposentadoria voluntária. A aposentadoria voluntária dos servidores compreende duas modalidades: a) *com proventos integrais*, quando, se homem, contar idade mínima de sessenta anos e pelo menos trinta e cinco anos de contribuição e, se mulher, contar idade mínima de cinquenta e cinco anos de idade e pelo menos trinta de contribuição; b) *com proventos proporcionais*, quando, se homem, contar idade mínima de sessenta e cinco anos e, se mulher, contar idade mínima de sessenta anos, sendo os proventos, em quaisquer dos casos, proporcionais ao tempo efetivo de contribuição.

§ 2.º Os proventos de aposentadoria não poderão ser inferiores ao valor mínimo a que se refere o § 2.º do art. 201 ou superiores ao limite máximo estabelecido para o Regime Geral de Previdência Social, observado o disposto nos §§ 14 a 16.

Doutrina

Limitação do valor dos proventos e pensões. Os proventos de aposentadoria e as pensões concedidas a beneficiários não poderão ter valor inferior ao salário mínimo mensal e nem superiores ao máximo pago no âmbito do Regime Geral de Previdência Social.

Jurisprudência

Súmulas do TFR: 159. "É legítima a divisão da pensão previdenciária entre a esposa e a companheira, atendidos os requisitos exigidos". 170. "Não se extingue a pensão previdenciária, se do novo casamento não resulta melhoria na situação econômico-financeira da viúva, de modo a tornar dispensável o benefício".

§ 3.º As regras para cálculo de proventos de aposentadoria serão disciplinadas em lei do respectivo ente federativo.

Doutrina

Base de cálculo dos proventos. Os proventos de aposentadoria serão calculados tomando-se por base a remuneração do cargo efetivo no qual ocorrer a aposentadoria do servidor e, segundo a forma que a lei estabelecer, corresponderá ao total da remuneração percebida quando em atividade.

Jurisprudência

Súmula do TFR: 171. "No cálculo da renda mensal do

benefício de aposentadoria-invalidez é considerado como de atividade o período em que o segurado tenha percebido auxílio-doença ou outra aposentadoria-invalidez".

§ 4.º É vedada a adoção de requisitos ou critérios diferenciados para concessão de benefícios em regime próprio de previdência social, ressalvado o disposto nos §§ 4.º-A, 4.º-B, 4.º-C e 5.º.

Doutrina

Proibição de privilégios e exceções. A norma proíbe ao legislador infraconstitucional a adoção de requisitos e critérios diferenciados, mais benéficos ou privilegiados, para a concessão de aposentadoria a qualquer categoria de funcionários públicos em detrimento dos demais. Contudo, a própria norma excepciona situações que poderão receber tratamento diferenciado para a concessão de benefício previdenciário.

§ 4.º-A. Poderão ser estabelecidos por lei complementar do respectivo ente federativo idade e tempo de contribuição diferenciados para aposentadoria de servidores com deficiência, previamente submetidos à avaliação biopsicossocial realizada por equipe multiprofissional e interdisciplinar.

Doutrina

Requisitos para aposentadoria nos casos de servidores com deficiência. A norma constitucional admite que, por meio de lei complementar, sejam definidos requisitos diferenciados, como idade e tempo de contribuição, para a concessão de aposentadoria de servidores com deficiência, mediante prévia avaliação física, psíquica e social, a cargo de equipe integrada por profissionais de várias formações e voltados para várias disciplinas.

§ 4º-B. Poderão ser estabelecidos por lei complementar do respectivo ente federativo idade e tempo de contribuição diferenciados para aposentadoria de ocupantes do cargo de agente penitenciário, de agente socioeducativo ou de policial dos órgãos de que tratam o inciso IV do *caput* do art. 51, o inciso XIII do *caput* do art. 52 e os incisos I a IV do *caput* do art. 144.

Doutrina

Requisitos para aposentadoria nos casos de agentes de segurança e policiais. A norma constitucional ora anotada admite que, por meio de lei complementar, sejam definidos requisitos diferenciados de idade e tempo de contribuição, para a concessão de aposentadoria aos ocupantes de cargos de agente penitenciário, agente socioeducativo, policial legislativo (do Senado Federal e da Câmara dos Deputados), policial federal, policial rodoviário federal, policial ferroviário federal e policial civil.

§ 4.º-C. Poderão ser estabelecidos por lei complementar do respectivo ente federativo idade e tempo de contribuição diferenciados para aposentadoria de servidores cujas atividades sejam exercidas com efetiva exposição a agentes químicos, físicos e biológicos prejudiciais à saúde, ou associação desses agentes, vedada a caracterização por categoria profissional ou ocupação.

Doutrina

Requisitos para aposentadoria de servidores expostos a agentes nocivos à saúde. A norma constitucional ora anotada admite que, por meio de lei complementar, sejam definidos requisitos diferenciados de idade e tempo de contribuição, para a concessão de aposentadoria aos servidores ocupantes de cargos que os expõem a agentes químicos, físicos e biológicos nocivos à saúde, inclusive nos casos de associação de tais produtos, proibida, no entanto, a identificação por categoria profissional ou ocupação.

§ 5.º Os ocupantes do cargo de professor terão idade mínima reduzida em 5 (cinco) anos em relação às idades decorrentes da aplicação do disposto no inciso III do § 1.º, desde que comprovem tempo de efetivo exercício das funções de magistério na educação infantil e no ensino fundamental e médio fixado em lei complementar do respectivo ente federativo.

Doutrina

Aposentadoria especial do professor. Nos casos de aposentadoria voluntária de professor que comprove, exclusivamente, tempo de efetivo exercício de magistério na educação infantil e no ensino fundamental (primeiro grau) e médio (segundo grau), a aposentadoria se dará aos sessenta anos de idade se homem, e aos cinquenta e sete de idade se mulher, presentes o tempo de contribuição e os demais requisitos previstos em lei. Observe-se, ademais, que a redução de idade e tempo de contribuição aplica-se, em caráter exclusivo, aos professores que atuam em sala de aula, não se estendendo às funções administrativas da escola.

Jurisprudência

> "1. O § 5.º do artigo 40 da Carta Federal prevê exceção à regra constitucional prevista no artigo 40, § 1.º, inciso III, alínea 'a' e 'b', tendo em vista que reduz em cinco anos os requisitos de idade e de tempo de contribuição para 'o professor que comprove exclusivamente tempo de efetivo exercício das funções de magistério na educação infantil e no ensino fundamental e médio'. 2. Funções de magistério. Desempenho das funções exercidas em sala de aula. Não abrangência da atividade-meio relacionada com a pedagogia, mas apenas da atividade-fim do ensino. Dessa forma, os beneficiários

são aqueles que lecionam na área de educação infantil e de ensino fundamental e médio, não se incluindo quem ocupa cargos administrativos, como o de diretor ou coordenador escolar, ainda que privativos de professor. 3. Lei complementar estadual 156/99. Estende a servidores, ainda que integrantes da carreira de magistério, o benefício da aposentadoria especial mediante redução na contagem de tempo de serviço no exercício de atividades administrativas. Inconstitucionalidade material. Ação direto de inconstitucionalidade julgada procedente" (STF – Pleno, ADIN 2.253/ES, rel. Min. Maurício Corrêa, j. 25.03.2004).

Para fins de aposentadoria voluntária, com proventos integrais, de professora e professor, respectivamente, aos 25 e 30 anos de exercício efetivo do magistério, não se considera tempo de serviço por eles prestados no desempenho de funções de natureza administrativa. (STF, RE 171.694/SC, j. 12.03.1996).

§ 6.° Ressalvadas as aposentadorias decorrentes dos cargos acumuláveis na forma desta Constituição, é vedada a percepção de mais de uma aposentadoria à conta do regime próprio de previdência social, aplicando-se outras vedações, regras e condições para a acumulação de benefícios previdenciários estabelecidas no Regime Geral de Previdência Social.

Doutrina

Proibição de acumulação de aposentadorias. A norma constitucional proíbe a percepção de mais de uma aposentadoria pelo regime de previdência social, admitindo, apenas, aquelas decorrentes de cargos acumuláveis (*v.g.*, dois cargos de professor, um cargo de professor e outro de médico etc.).

Exceções. Contudo, ressalva a possibilidade de acumulação de aposentadorias decorrentes de cargos acumuláveis, que são os constantes do art. 37, XVI, alíneas *a* a *c*, ou seja, proventos acumulados em razão do provimento de dois cargos de professor; de um cargo de professor com outro, de natureza técnica ou científica; ou de dois cargos privativos de profissionais da saúde. Por outro lado, não está proibida a acumulação de aposentadoria obtida por outro regime; assim, é possível acumular uma aposentadoria pelo regime de previdência dos servidores com outra obtida pelo regime geral de previdência.

Jurisprudência

> Súmulas do STF: 37. "Não tem direito de se aposentar pelo Tesouro Nacional servidor que não satisfizer as condições estabelecidas na legislação do serviço público federal, ainda que aposentado pela respectiva instituição previdenciária, com direito, em tese, a duas aposentadorias." 371. "Ferroviário, que foi admitido como servidor autárquico, não tem direito a dupla aposentadoria."
>
> Súmulas do TFR: 8. "Não constitui obstáculo à concessão da dupla aposentadoria de que trata a Lei 2.752/56, art. 1.° e parágrafo único, em favor de ferroviário da Estrada de Ferro Central do Brasil, o fato de deter a condição de extranumerário da União Federal à data da autarquização da referida Estrada, e nessa situação ter sido posto à sua disposição, nela obtendo modificações e melhorias funcionais." 251. "Os ferroviários provenientes da 'The Leopoldina Railway Company Limited' são regidos pela CLT, pelo que não têm direito à dupla aposentadoria."

§ 7.° Observado o disposto no § 2.° do art. 201, quando se tratar da única fonte de renda formal auferida pelo dependente, o benefício de pensão por morte será concedido nos termos de lei do respectivo ente federativo, a qual tratará de forma diferenciada a hipótese de morte dos servidores de que trata o § 4.°-B decorrente de agressão sofrida no exercício ou em razão da função.

Doutrina

Pensão por morte. É o benefício mensal concedido aos dependentes do servidor falecido, devendo a lei complementar dispor sobre o valor, considerando valor mínimo e máximo e levando em conta, ainda, que deverá tratar de forma diferenciada nos casos de morte de ocupantes de cargos de agente penitenciário, agente socioeducativo ou policial. Poderá o benefício corresponder ao valor da remuneração integral do servidor no cargo efetivo que ocupou até a sua morte, desde que a lei assim vier a dispor.

Jurisprudência

> Súmula do TFR: 159. "É legítima a divisão da pensão previdenciária entre a esposa e a companheira, atendidos os requisitos exigidos."

§ 8.º É assegurado o reajustamento dos benefícios para preservar-lhes, em caráter permanente, o valor real, conforme critérios estabelecidos em lei.

Doutrina

Revisão dos proventos de aposentadorias e pensões. A norma impõe o reajuste do valor dos proventos de aposentadorias e pensões de forma a preservar-lhes, em caráter permanente, o valor de compra, conforme critérios previstos em lei.

Jurisprudência

> Súmula 359 do STF: "Ressalvada a revisão prevista em lei, os proventos da inatividade regulam-se pela lei vigente ao tempo em que o militar, ou servidor civil, reuniu os requisitos necessários, inclusive a apresentação do requerimento, quando a inatividade for voluntária". *Nota: Foi excluída da súmula a seguinte parte: "inclusive a apresentação do requerimento, quando a inatividade for voluntária" (STF, ERE 72.509, 14.02.1973).*

A revisão dos proventos de aposentadoria e a extensão aos inativos de benefícios ou vantagens concedidos aos servidores ativos, depende apenas da existência de norma legal criando-os para estes, pois, existente a lei, a norma constitucional determina a repercussão daqueles nos pagamentos das aposentadorias e pensões. (STF, DJ, 1, 19.04.1996, p. 12.228).

A revisão dos proventos de aposentadoria e a extensão aos inativos de quaisquer benefícios e vantagens concedidos aos servidores em atividade pressupõem, tão-somente, a existência de lei prevendo-os em relação a estes últimos. Editada a lei de outorga de direito aos servidores em atividade, este deve ser estendido aos inativos em face do comando da norma constitucional, pena de, não operando a igualação, relegá-la a plano secundário, de atuação do legislador ordinário, como se a este fosse possível ditar temperamentos à igualdade. (STF, RTJ, 142/966).

A Constituição Federal prevê a extensão dos benefícios concedidos aos servidores em atividade aos inativos que exerciam o mesmo cargo ou função à época da aposentadoria. No entanto, não procede o pleito de extensão aos inativos de vantagens concedidas a servidores ativos através de ato administrativo, pois a norma constitucional pressupõe a existência de lei. (STJ, ROMS 8.062/RJ, DJU, de 12.08.1997).

§ 9.º O tempo de contribuição federal, estadual, distrital ou municipal será contado para fins de aposentadoria, observado o disposto nos §§ 9.º e 9.º-A do art. 201, e o tempo de serviço correspondente será contado para fins de disponibilidade.

Doutrina

Tempo de contribuição. O tempo de contribuição corresponde ao período em que o servidor contribuiu para sistema de previdência e assistência social de qualquer ente federativo. Este tempo será contado para fins de aposentadoria.

Tempo de serviço. O tempo de serviço corresponde ao período de efetiva prestação de serviço, ou considerado como tal, a quaisquer dos entes federativos e será contado para fins de disponibilidade.

Contagem recíproca. É o mecanismo legal que admite a contagem do tempo de serviço público federal, estadual, distrital ou municipal para fins de aposentadoria ou disponibilidade, podendo, mediante lei, ser contado também para outros fins, como para a percepção de adicionais, de sexta-parte etc.

Norma de transição. Nos termos do art. 4.º da EC 20/98, o tempo de serviço considerado pela legislação vigente para efeito de aposentadoria, cumprido até que a lei discipline a matéria, será contado como tempo de contribuição. O objetivo da norma é o de equiparar tempo de serviço a tempo de contribuição, considerando que nem sempre este corresponde àquele.

Jurisprudência

> Súmulas do STF: 10. "O tempo de serviço militar conta-se para efeito de disponibilidade e aposentadoria do servidor público estadual". 567. "A Constituição, ao assegurar, no § 3.º do art. 102, a contagem integral de tempo de serviço público federal, estadual ou municipal para os efeitos de aposentadoria e disponibilidade não proíbe à União, aos Estados e aos Municípios mandarem contar, mediante lei, para efeito diverso, tempo de serviço prestado a outra pessoa de direito público interno".

§ 10. A lei não poderá estabelecer qualquer forma de contagem de tempo de contribuição fictício.

Doutrina

Proibição de contagem fictícia de tempo de contribuição. A norma constitucional proíbe, categoricamente, a instituição, mediante lei, de qualquer forma de contagem fictícia de tempo de contribuição. A lei poderá até estabelecer referida contagem para o tempo de serviço, com eventuais repercussões de ordem financeira em adicionais, porém, jamais o referido tempo será considerado como de contribuição. O objetivo visado é o de proibir a concessão de qualquer benefício previdenciário sem a correspondente contribuição, em face de seu caráter contraprestacional.

Norma de transição. O art. 4.° da EC 20/98, ao equiparar tempo de serviço prestado, nos termos da legislação vigente, com tempo de contribuição, manda excluir deste o tempo o tempo de serviço fictício.

§ 11. Aplica-se o limite fixado no art. 37, XI, à soma total dos proventos de inatividade, inclusive quando decorrentes de acumulação de cargos ou empregos públicos, bem como de outras atividades sujeitas a contribuição para o regime geral de previdência social, e ao montante resultante da adição de proventos de inatividade com remuneração de cargo acumulável na forma desta Constituição, cargo em comissão declarado em lei de livre nomeação e exoneração, e de cargo eletivo.

Doutrina

Limite de proventos de inatividade no Serviço Público. O pagamento de aposentadoria, pensão ou qualquer outra espécie remuneratória devida em razão da inatividade do servidor tem como limite o subsídio mensal, em moeda corrente, pago aos Ministros do Supremo Tribunal Federal. Este teto será aplicado em qualquer hipótese, inclusive nos casos de percepção de proventos decorrentes de acumulação permitida de cargos ou empregos públicos; ou de proventos percebidos pelo regime previdenciário dos servidores com aqueles decorrentes de contribuição para o regime geral de previdência social; ou ao montante que resultar da soma dos proventos de inatividade com remuneração de outro cargo público de provimento efetivo, em comissão, ou cargo eletivo.

Jurisprudência

> "A limitação constitucional definida em tema de remuneração pelo art. 37, XI, da Carta Política – que constitui, para esse específico efeito, cláusula revestida de suficiente densidade normativa e dotada de consequente autoaplicabilidade – estende-se aos proventos dos servidores públicos inativos. Precedentes do Supremo Tribunal Federal. Os servidores públicos vinculados ao Poder Executivo da União, ainda que aposentados, e sempre ressalvadas as vantagens de caráter individual e/ou as relativas à natureza ou ao local de trabalho (RTJ 130/475), não podem receber estipêndio que supere os valores pecuniários percebidos, a qualquer título, como remuneração, por Ministro de Estado, que representa, para esse específico efeito, o paradigma constitucional desses agentes estatais." (STF, MS 21.856-1, rel. Min. Celso de Mello, RDA, 203/150).

§ 12. Além do disposto neste artigo, serão observados, em regime próprio de previdência social, no que couber, os requisitos e critérios fixados para o Regime Geral de Previdência Social.

Doutrina

Natureza do regime de previdência dos funcionários públicos. Trata-se de regime previdenciário próprio, de caráter contributivo, instituído pelo *caput* deste artigo e sujeito às normas aqui dispostas. Contudo, além disso, referido regime observará, quando compatível, os requisitos e critérios estabelecidos para o Regime Geral de Previdência Social, como, por exemplo, financiamento oriundo de várias fontes; criação de benefício ou serviço de seguridade social condicionada à respectiva fonte de financiamento; filiação compulsória ao regime próprio com desconto de contribuição, sem prejuízo da existência de regime de previdência complementar de adesão facultativa.

Jurisprudência

Súmula do STF: 37. "Não tem direito de se aposentar pelo Tesouro Nacional servidor que não satisfizer as condições estabelecidas na legislação do serviço público federal, ainda que aposentado pela respectiva instituição previdenciária, com direito, em tese, a duas aposentadorias".

"1. De acordo com o art. 40, § 12, da CF/88, o regime de previdência dos servidores públicos de cargo efetivo é regido apenas subsidiariamente pelos requisitos e critérios fixados para o regime geral de previdência social previsto no art. 201 da Carta Constitucional, nos limites da sua compatibilidade com este. 2. A Lei Complementar do Estado de São Paulo 943/03, apesar de imperfeita em sua redação, visou adequar a realidade estadual às novas exigências constitucionais, buscando incluir no custeio do seu regime de previdência, ao lado da contrapartida do Estado, a participação dos seus principais beneficiários, os servidores públicos civis e militares estaduais. 3. Deve-se interpretar a expressão 'compor', inserida no art. 6.º da lei complementar estadual, de forma a lhe dar compatibilidade com a nova redação do art. 40 da CF/88, dada pela EC 41/03, que passou a prever textualmente a contrapartida do Estado no sistema de previdência dos servidores públicos, primeiro porque assim assegurar-se-á a presunção de constitucionalidade que milita em favor da norma legal, que na Constituição busca seu fundamento de validade, e também porque estar-se-á prestigiando o princípio constitucional da segurança jurídica" (STJ – 2.ª Turma, ROMS 19.933, rel. Min. Eliana Calmon, DJ, 10.10.2005, p. 270).

§ 13. Aplica-se ao agente público ocupante, exclusivamente, de cargo em comissão declarado em lei de livre nomeação e exoneração, de outro cargo temporário, inclusive mandato eletivo, ou de emprego público, o Regime Geral de Previdência Social.

Doutrina

Previdência dos servidores não titulares de cargos de provimento efetivo. Os servidores titulares de cargos de provimento efetivo têm regime próprio de previdência, conforme previsto no *caput* deste artigo. Todavia, os servidores investidos exclusivamente em cargos comissionados, quer dizer, que não tenham cargo de carreira, e os ocupantes de cargos ou funções temporários e de empregos públicos, serão filiados obrigatórios do Regime Geral de Previdência Social. Submete-se também ao Regime Geral os ocupantes de mandato eletivo como, por exemplo, os senadores, os deputados federais, os deputados estaduais, os deputados distritais e os vereadores. Vale a regra para ocupantes de cargos comissionados no âmbito do Poder Executivo.

Jurisprudência

> "II – Previdência social (CF, art. 40, §° 13), cf. EC/20/98: submissão dos ocupantes exclusivamente de cargos em comissão, assim como os de outro cargo temporário ou de emprego público ao regime geral da previdência social: arguição de inconstitucionalidade do preceito por tendente a abolir a 'forma federativa do Estado' (CF, art. 60, § 4.°, I): Improcedência" (STF – Pleno, ADIN 2.024/DF, rel. Min. Sepúlveda Pertence, j. 03.05.2007).

§ 14. A União, os Estados, o Distrito Federal e os Municípios instituirão, por lei de iniciativa do respectivo Poder Executivo, regime de previdência complementar para servidores públicos ocupantes de cargo efetivo, observado o limite máximo dos benefícios do Regime Geral de Previdência Social para o valor das aposentadorias

e das pensões em regime próprio de previdência social, ressalvado o disposto no § 16.

Doutrina

Regime de previdência complementar. Os entes federativos, desde que criem regime de previdência complementar para os seus servidores titulares de cargos de provimento efetivo, poderão fixar o valor dos proventos de aposentadorias e pensões no limite máximo pago pelo Regime Geral de Previdência Social. O regime de previdência complementar somente poderá ser aplicado aos servidores que ingressarem no serviço público após a publicação da lei de sua criação e o limite máximo para o valor dos benefícios é o fixado pelo artigo 14 da EC 20/98.

Jurisprudência

> "O regime de previdência complementar de que trata o § 14 será instituído por lei de iniciativa do respectivo Poder Executivo, observado o disposto no art. 202 e seus parágrafos, no que couber, por intermédio de entidades fechadas de previdência complementar, de natureza pública, que oferecerão aos respectivos participantes planos de benefícios somente na modalidade de contribuição definida (Redação dada pela Emenda Constitucional n.º 41, 19.12.2003). Veja-se que a previsão de submissão ao teto do RGPS e de opção pelo regime complementar após sua instituição é para todos os servidores titulares de cargo efetivo, com direito à aposentadoria especial ou não. Tais normas constitucionais foram regulamentadas pela Lei 12.618/12 e abrangia todos os servidores titulares de cargo efetivo ingressos após a instituição do regime complementar" (TRF1, AgI 0044098-80.2015.4.1.0000, rel. convocado Juiz Federal Cleberson José Rocha, e-DJF1, 14.01.2016)

§ 15. O regime de previdência complementar de que trata o § 14 oferecerá plano de benefícios somente na modali-

dade contribuição definida, observará o disposto no art. 202 e será efetivado por intermédio de entidade fechada de previdência complementar ou de entidade aberta de previdência complementar.

Doutrina

Normas gerais do regime de previdência complementar. Lei complementar da União fixará as normas gerais aplicáveis aos regimes previdenciários complementares dos entes federativos para atender os seus respectivos servidores titulares de cargos efetivos. Integrarão, necessariamente, o elenco das normas complementares, todos os requisitos previstos no artigo 202 da Constituição Federal. Anote-se que o plano de benefícios somente compreenderá aqueles da chamada modalidade de contribuição definida.

§ 16. Somente mediante sua prévia e expressa opção, o disposto nos §§ 14 e 15 poderá ser aplicado ao servidor que tiver ingressado no serviço público até a data da publicação do ato de instituição do correspondente regime de previdência complementar.

Doutrina

Opção do servidor pelo regime de previdência complementar. Ao servidor ocupante de cargo de provimento efetivo, desde que tenha ingressado no serviço público até a data da publicação do ato de instituição do regime de previdência complementar, somente será aplicado este regime mediante sua prévia e expressa opção, pois tem direito de permanecer no regime instituído pelo *caput* deste artigo.

Jurisprudência

> A supremacia jurídica das normas que integram a Constituição não permite, salvo as exceções previstas no próprio texto magno, que contra elas seja invocado o direito adquirido. (STF, RDA, 196/107).

§ 17. Todos os valores de remuneração considerados para o cálculo do benefício previsto no § 3.º serão devidamente atualizados, na forma da lei.

Doutrina

Atualização da base de cálculo da aposentadoria. Dispõe a norma que a totalidade da remuneração considerada para fins de cálculo do benefício de aposentadoria será corrigida monetariamente, na forma que a lei estabelecer.

§ 18. Incidirá contribuição sobre os proventos de aposentadorias e pensões concedidas pelo regime de que trata este artigo que superem o limite máximo estabelecido para os benefícios do regime geral de previdência social de que trata o art. 201, com percentual igual ao estabelecido para os servidores titulares de cargos efetivos.

§ 19. Observados critérios a serem estabelecidos em lei do respectivo ente federativo, o servidor titular de cargo efetivo que tenha completado as exigências para a aposentadoria voluntária e que opte por permanecer em atividade poderá fazer jus a um abono de permanência equivalente, no máximo, ao valor da sua contribuição previdenciária, até completar a idade para aposentadoria compulsória.

Doutrina

Abono de permanência. É a remuneração devida ao servidor que já tenha cumprido os requisitos para a aposentadoria e resolve permanecer em atividade. O seu valor corresponde ao *quantum* da contribuição previdenciária e será devida desde a data de aquisição dos requisitos para a aposentadoria até a data limite para a aposentadoria compulsória.

Jurisprudência

"(...). 2. O abono de permanência, instituído pela Emenda Constitucional n. 21/2003, é o reembolso da contribuição previdenciária, devido ao servidor público que, já tendo cumprido todas as exigências legais para se aposentar, decide permanecer em atividade. Assim, para sua concessão, impõe-se ao servidor público implementar todas as condições para aposentadoria voluntária" (STJ – 2.ª Turma, REsp 1.277.616, Rel. Min. Mauro Campbell Marques, DJE, 14.02.2012).

§ 20. É vedada a existência de mais de um regime próprio de previdência social e de mais de um órgão ou entidade gestora desse regime em cada ente federativo, abrangidos todos os poderes, órgãos e entidades autárquicas e fundacionais, que serão responsáveis pelo seu financiamento, observados os critérios, os parâmetros e a natureza jurídica definidos na lei complementar de que trata o § 22.

Doutrina

Regime próprio de Previdência Social. Dispõe o § 20 que é proibida a existência de mais de um regime próprio de previdência social para os servidores titulares de cargos efetivos (funcionários públicos), determinando, ainda, a existência de uma única unidade gestora do referido regime em cada ente estatal. Ademais, a lei complementar disporá sobre a organização dos regimes existentes, tratando de assegurar o seu regular funcionamento.

§ 21. ***(Revogado pela Emenda Constitucional 103, de 13.11.2019).***

§ 22. Vedada a instituição de novos regimes próprios de

previdência social, lei complementar federal estabelecerá, para os que já existam, normas gerais de organização, de funcionamento e de responsabilidade em sua gestão, dispondo, entre outros aspectos, sobre:

I – requisitos para sua extinção e consequente migração para o Regime Geral de Previdência Social;

II – modelo de arrecadação, de aplicação e de utilização dos recursos;

III – fiscalização pela União e controle externo e social;

IV – definição de equilíbrio financeiro e atuarial;

V – condições para instituição do fundo com finalidade previdenciária de que trata o art. 249 e para vinculação a ele dos recursos provenientes de contribuições e dos bens, direitos e ativos de qualquer natureza;

VI – mecanismos de equacionamento do *deficit* atuarial;

VII – estruturação do órgão ou entidade gestora do regime, observados os princípios relacionados com governança, controle interno e transparência;

VIII – condições e hipóteses para responsabilização daqueles que desempenhem atribuições relacionadas, direta ou indiretamente, com a gestão do regime;

IX – condições para adesão a consórcio público;

X – parâmetros para apuração da base de cálculo e definição de alíquota de contribuições ordinárias e extraordinárias.

Doutrina

Normas gerais para a gestão dos regimes de previdência já existentes. Com efeito, proibida a instituição de novos regimes próprios de previdência social, convém que a lei (complementar federal) venha a dispor sobre as normas de organização, funcionamento, responsabilização de gestores, forma de fiscalização e de arrecadação, destinação de recursos, definição do equilíbrio financeiro e atuarial, estruturação de mecanismos de governança etc.

Art. 41. São estáveis após 3 (três) anos de efetivo exercício os servidores nomeados para cargo de provimento efetivo em virtude de concurso público.

Doutrina

Estabilidade. É o direito conferido ao servidor de permanecer no serviço público, após o cumprimento das condições previstas em lei. Adquire-se a estabilidade mediante: a) *aprovação prévia em concurso público*, de provas ou de provas e títulos, organizado segundo a natureza e a complexidade do cargo público; b) *nomeação para cargo de provimento efetivo*, excluídas, pois, as nomeações para cargos de provimento em comissão ou para funções públicas, ou as contratações para empregos públicos; c) *cumprimento do estágio probatório*, que é o período de três anos de efetivo exercício do cargo durante o qual a Administração verificará se o servidor reúne as condições previstas em lei para a aquisição da estabilidade, tais como assiduidade, disciplina, capacidade de iniciativa, responsabilidade e produtividade, sendo o desempenho objeto de avaliação especial feita por meio de comissão própria (cf. § 4.º). O objetivo da estabilidade é o de proteger o servidor contra demissões arbitrárias.

Estabilidade excepcional. É aquela decorrente da norma contida no artigo 19 do ADCT, conferida aos servidores públicos civis dos entes federativos, tanto da administração direta quanto da autárquica e das fundações públicas, admitidos sem concurso público, desde que em exercício na data da promulgação da Constituição há pelo menos cinco anos continuados.

Jurisprudência

Súmulas do STF: 20. "É necessário processo administrativo com ampla defesa, para demissão de funcionário admitido por concurso". 21. "Funcionário em estágio probatório não pode ser exonerado nem demitido sem inquérito ou sem as formalidades legais de apuração de sua capacidade". 22. "O estágio probatório não protege o funcionário contra a extinção do cargo".

"(...). 5. Aplicabilidade do artigo 41 da Constituição Federal. São estáveis após três anos de efetivo exercício os servidores nomeados para cargo de provimento efetivo em virtude de concurso público. Findo esse prazo, não mais se cogita de avaliação de desempenho em estágio probatório, exceto se houver justificativa plausível para a demora da Administração. Precedentes (v.g.: STJ ROMS 24602, Relator Ministro Arnaldo Esteves Lima – Quinta Turma, DJE: 01/12/2008). 6. No caso, o autor adquiriu estabilidade no serviço público, na condição de Advogado da União, em 09 de setembro de 2006, não se configurando qualquer justificativa plausível para a demora da Administração em praticar tardiamente os seus atos – notadamente, o de instruir, somente em 17 de novembro de 2006, Comissão Especial de Avaliação de Desempenho do servidor, cujo ato de exoneração foi publicado no dia 29 de junho de 2009. 7. Preliminares rejeitadas. Apelação e remessa oficial não providas" (TRF5, ApReeNec 21.405/PB, rel. Des. Fed. Paulo Gadelha, DJE, 30.08.2012, p. 218).

§ 1.º O servidor público estável só perderá o cargo:

I – em virtude de sentença judicial transitada em julgado;

II – mediante processo administrativo em que lhe seja assegurada ampla defesa;

III – mediante procedimento de avaliação periódica de desempenho, na forma de lei complementar, assegurada ampla defesa.

Doutrina

Perda do cargo. Uma vez adquirida a estabilidade, o servidor público somente perderá o cargo nas seguintes hipóteses: a) *em virtude de sentença judicial transitada em julgado*, quer dizer, decisão do Poder Judiciário contra a qual não caiba mais recurso, podendo ser de natureza civil, como no caso de desconstituição judicial de nomeação ilegal de servidor há mais de três anos, ou de natureza penal, decorrente de condenação do servidor em processo criminal que implique na perda da função pública, como ocorre quando condenado a pena privativa de liberdade por crime cometido com abuso de poder ou violação inerente à função pública, ou condenado por outro crime a pena de reclusão por mais de dois anos ou de detenção por mais de quatro anos; b) *mediante processo administrativo em que lhe seja assegurada ampla defesa*, quer dizer, procedimento administrativo disciplinar instaurado para a apuração da falta e da responsabilidade do servidor, devendo o mesmo assegurar-lhe os mais amplos meios de defesa, sob pena de nulidade da penalidade aplicada; c) *mediante procedimento de avaliação periódica*, quer dizer, procedimento administrativo instaurado para a avaliação periódica de desempenho dos servidores, na forma e com os requisitos que a lei complementar estabelecer, desde que assegurada ampla defesa ao servidor prejudicado na referida avaliação.

Perda do cargo para redução de despesa com pessoal. Além das hipóteses anteriores, o servidor estável poderá perder o cargo em decorrência de redução de despesa com pessoal, desde que o ato normativo baixado para tal fim seja motivado pela autoridade competente (art. 169, § 4.º).

Natureza jurídica. Nas hipóteses previstas nos itens I a III do § 1.º, a perda do cargo decorre de demissão e esta é a pena aplicada em face da prática pelo servidor de um ilícito administrativo; na hipótese do art. 169, § 4.º, a perda do cargo decorre da necessidade de a Administração reduzir despesa com pessoal para adequá-la ao limite permitido por lei complementar, não incorrendo o servidor na prática de nenhum ilícito, tratando-se, pois, de exoneração.

Jurisprudência

Súmula do STF: 18. "Pela falta residual, não compreendida na absolvição pelo juízo criminal, é admissível a punição administrativa do servidor público".

A demissão de funcionário com base em inquérito administrativo que não lhe assegurou os meios para ampla defesa deve ser anulada. (STF, RDA, 73/136).

Há diferença substancial entre a pena criminal e a administrativa, podendo esta perdurar mesmo quando anulada aquela. (STF, RDA, 75/171).

A absolvição no processo criminal não implica automática reintegração do funcionário demitido, salvo se inexistente falta residual a apurar. (STF, RDA, 97/112).

Regra consagrada no direito brasileiro é a da independência das instâncias civil, penal e administrativa. Assim, mesmo que o fato se constitua em ilícito penal e administrativo, a decisão proferida no processo criminal somente terá repercussão na instância disciplinar se declarar a inexistência material do fato ou se julgar que aquele agente público não foi seu autor. (STF, RDA, 183/94).

"O ato que torna sem efeito a nomeação de servidores públicos estáveis, com fundamento em decisão transitada em julgado proferida nos autos de ação civil pública, não incorre em inconstitucionalidade. Com efeito, nos termos do art. 41, §1.º, da Constituição Federal, a perda de cargo de servidor estável deve ser determinada por sentença judicial transitada em julgado ou processo administrativo" (STJ – 6.ª Turma, ROMS 10.839, rel. Min. Maria Thereza de Assis Moura, DJ, 28.05.2007, p. 400).

"II. Se entre o momento em que a Administração veio a tomar conhecimento da infração e o da instauração de processo administrativo disciplinar contra a servidora não houve o transcurso de mais de cinco anos (em se tratando de pena de cassação de aposentadoria – art. 134 da Lei 8.112/90), não se pode considerar prescrita a pretensão punitiva da Administração. III. A Lei 8.112/90, ao estabelecer regulamentação específica para o processo disciplinar dos servidores públicos por ela regidos, admite aplicação apenas subsidiária da Lei 9.784/99. IV. Se as práticas cometidas pela impetrante autorizam a aplicação da pena de demissão, observados os trâmites do processo disciplinar que assegure a ampla defesa e o contraditório, e havendo permissão constitucional para a perda do cargo do servidor estável no âmbito administrativo (art. 41, § 1.º, inciso II, CF/88), não há que se falar em violação ao direito adquirido e ao ato jurídico perfeito". (STJ – 3.ª Seção, MS 8.595, rel. Min. Felix Fischer, DJ, 07.04.2003, p. 218).

"(...). III – Entretanto, o art. 41 da Constituição Federal de 1988, na sua redação original, garantiu somente aos servidores estáveis o direito de prévio procedimento administrativo para a aplicação de penalidade de demissão. *A contrario sensu*, não fica o administrador condicionado a proceder da mesma forma se se tratar de servidor não estável, inobstante pudesse o legislador derivado dispor de forma diversa, exigindo procedimento administrativo também nesta hipótese, o que, todavia, não fez. IV – Conseguintemente, se o servidor público, no momento de seu desligamento, não tinha logrado atingir as condições para aquisição da estabilidade no cargo, revela-se absolutamente escorreita a atuação da Administração que o demite fundamentando o ato em sentença criminal condenatória por tráfico de drogas no interior de campus universitário. V – Por derradeiro, a só reintegração administrativa do autor não é suficiente para afastar a apreciação judicial do pedido, sendo certo que o Judiciário não tem função de convalidar os atos da Administração, mormente se desconformes com os angustos, ademais de indisponíveis, princípios que informam e condicionam a atividade do administrador, que, no caso, trata-se de ato que anulou a demissão do autor e, em sequência, o reintegrou aos quadros da UFES, afrontando o próprio texto da Constituição Federal (o art. 41, e seu § 1.º, acima referido)" (TRF2, AC 0002126-39.1995.4.02.5001, rel. Des. Fed. Sérgio Schwaitzer, DJE, 11.05.2005).

§ 2.º Invalidada por sentença judicial a demissão do servidor estável, será ele reintegrado, e o eventual ocupante da vaga, se estável, reconduzido ao cargo de origem, sem direito a indenização, aproveitado em outro cargo ou posto em disponibilidade com remuneração proporcional ao tempo de serviço.

Doutrina

Reintegração do servidor. Se a demissão do servidor estável for anulada por decisão judicial transitada em julgado, este tem direito a ser reconduzido ao cargo que ocupava e a fruir das vantagens dele, devendo o novo ocupante, se estável, retornar ao seu cargo de origem, independentemente de indenização, aproveitado em outro cargo ou colocado em disponibilidade com remuneração proporcional ao tempo de serviço.

Jurisprudência

Súmula do STF: 39. "À falta de lei, funcionário em disponibilidade não pode exigir, judicialmente, o seu aproveitamento; que fica subordinado ao critério de conveniência da Administração".

§ 3.º Extinto o cargo ou declarada a sua desnecessidade, o servidor estável ficará em disponibilidade, com remuneração proporcional ao tempo de serviço, até seu adequado aproveitamento em outro cargo.

Doutrina

Disponibilidade remunerada. Ao servidor estável é garantida a disponibilidade remunerada, com vencimentos proporcionais ao tempo de serviço, nos casos de extinção de seu cargo ou da declaração de desnecessidade deste. O servidor ficará à disposição da Administração até o seu aproveitamento, ou retorno ao serviço público para ocupar cargo de natureza e vencimento compatíveis com o cargo anterior.

Jurisprudência

> "A garantia constitucional da disponibilidade remunerada decorre da estabilidade no serviço público, que é assegurada, não apenas aos ocupantes de cargos, mas também aos de empregos públicos, já que o art. 41 da CF se refere genericamente a servidores. A extinção de empregos públicos e a declaração de sua desnecessidade decorrem de juízo de conveniência e oportunidade formulado pela Administração Pública, prescindindo de lei ordinária que as discipline (CF, art. 84, XXV)" (STF – Pleno, MS 21.236, rel. Min. Sydney Sanches, DJ, 25.08.1995).

§ 4.° Como condição para a aquisição da estabilidade, é obrigatória a avaliação especial de desempenho por comissão instituída para essa finalidade.

Doutrina

Condição especial para a aquisição da estabilidade. No final do estágio probatório, o servidor será avaliado para verificar se reúne as condições previstas em lei para a aquisição da estabilidade, sendo esta a oportunidade para a obrigatória avaliação especial de desempenho a ser feita por comissão especialmente constituída para essa finalidade.

Jurisprudência

> "(...). 8. Somente após o cumprimento do estágio

probatório é que o servidor adquire a estabilidade no serviço público, conforme preconizado no artigo 41 da Constituição Federal e no artigo 22 da Lei Complementar n.º 73/1993, anotando-se que o prazo atualmente é de três anos, e não mais de dois anos. 9. Desse modo, a tese sustentada pelos agravados e acolhida pelo Juízo de origem não se sustenta, sob pena de se tornar inócua a alteração implementada pela Emenda Constitucional n.º 19/1998 no artigo 41 da Constituição Federal. 10. Aliás, diferentemente do que se afirma na inicial, não se mostra patente a alegada dissociação entre o período de estágio confirmatório (artigo 22 da Lei Complementar n.º 73/1993) e o tempo necessário para a aquisição da estabilidade no serviço público (artigo 41 da Constituição Federal); antes, a estabilidade decorre justamente da aprovação no estágio probatório, tal como dispõe o § 4.º do artigo 41 da Constituição Federal. 11. Ora, se a aprovação no estágio probatório de três anos é condição para a estabilidade no serviço público, com muito mais razão o é para a promoção na carreira, pois só se pode cogitar em ascensão na carreira daquele que foi nela aprovado. 12. Não se pode dizer que antes do fim bem sucedido do estágio probatório o servidor convém para a Administração. Sendo assim, não há como autorizar a participação do servidor em concurso de promoção na carreira, constrangendo o Estado a eventualmente promover pessoa que, ao cabo de três anos de prestação laboral, poderia revelar-se inservível para o serviço público" (TRF3 – 1.ª Turma, AgI 333.636/SP, rel. Des. Fed. Johonson di Salvo, e-DJF3, Jud. 1, 05.11.2010, p. 186).

Seção III
DOS MILITARES DOS ESTADOS, DO DISTRITO FEDERAL E DOS TERRITÓRIOS

Art. 42. Os membros das Polícias Militares e Corpos de Bombeiros Militares, instituições organizadas com base na hierarquia e disciplina, são militares dos Estados, do Distrito Federal e dos Territórios.

Doutrina

Militares dos Estados, do Distrito Federal e dos Territórios. São os membros das Polícias Militares e dos Corpos de Bombeiros Militares, organizados sob dois princípios básicos: a) *hierarquia*, relação de subordinação que se estabelece entre os vários escalões hierárquicos; b) *disciplina*, decorrente da hierarquia, submetendo os integrantes dos escalões inferiores ao cumprimento das ordens emanadas dos escalões superiores da correspondente organização militar.

Jurisprudência

> Súmulas do STF: 55. "Militar da reserva está sujeito à pena disciplinar". 56. "Militar reformado não está sujeito à pena disciplinar". 297. "Oficiais e praças das milícias dos Estados, no exercício de função policial civil, não são considerados militares para efeitos penais, sendo competente a Justiça comum para julgar os crimes cometidos por ou contra eles".

§ 1.ºAplicam-se aos militares dos Estados, do Distrito Federal e dos Territórios, além do que vier a ser fixado em lei, as disposições do art. 14, § 8.º; do art. 40, § 9.º; e

do art. 142, §§ 2.° e 3.°, cabendo a lei estadual específica dispor sobre as matérias do art. 142, § 3.°, X, sendo as patentes dos oficiais conferidas pelos respectivos governadores.

Doutrina

Regime jurídico dos militares dos Estados, do Distrito Federal e dos Territórios. A lei, ao estabelecer o regime jurídico dos militares, necessariamente disporá sobre as condições de alistabilidade e de elegibilidade (art. 14, § 8.º); cômputo do tempo de contribuição para fins de aposentadoria e do tempo de serviço para fins de disponibilidade; descabimento de *habeas corpus* em relação a punições disciplinares (art. 142, § 2.º); patentes, prerrogativas, direito e deveres, reserva, agregação, proibição de sindicalização, greve, filiação partidária, perda de posto e patente e condições de ingresso e carreira (art. 142, § 3.º). As patentes serão conferidas pelos governadores de Estado, do Distrito Federal ou do Território.

Jurisprudência

Súmula do STF: 57. "Militar inativo não tem direito ao uso do uniforme fora dos casos previstos em lei ou regulamento".

Não ofende a garantia das patentes a reforma punitiva de oficial da Polícia Militar com proventos proporcionais, nos termos da lei ordinária, a que foi remetida, pela Constituição Federal, a disciplina das condições de transferência, do militar para a inatividade (STF – 1.ª Turma, AgI 156.764, rel. Min. Octavio Gallotti, j. 15.08.1995).

O *habeas corpus* se destina à tutela da liberdade de locomoção, não sendo meio hábil para questionar decisão judicial que confirmou a sanção de perda de posto e patente aplicada por conselho de disciplina da corporação (STF, RTJ, 141/159).

"Concurso público. Altura mínima. Inexistência de lei. Longe fica de vulnerar a Constituição Federal pronunciamento no sentido da inexigibilidade de altura mínima para habilitação em concurso público quando esta for prevista estritamente no edital, e não em lei em sentido formal e material" (STF – 1.ª Turma, AgI 598.715/DF AgRg, rel. Min. Marco Aurélio, j. 01.04.2008).

"Concurso público para o cargo de policial militar do Distrito Federal. Altura mínima. Impossibilidade de sua inserção em edital de concurso. Norma restrita de direito que somente na lei tem sua via adequada. Agravo regimental a que se nega provimento" (STF – 1.ª Turma, AgI 518.863/DF AgRg, rel. Min. Eros Grau, j. 23.08.2005).

"O requisito de altura mínima constante do edital que regula o concurso de admissão ao Estágio de Adaptação à Graduação de Sargento – EAGS/2001, foi estabelecido com base na Portaria DEPENS n. 115-T/DE-2, de 13 de outubro de 2000. Não atendimento à disciplina no art. 42, parágrafo 1.º, segundo a qual 'Aplicam-se aos militares dos Estados, do Distrito Federal e dos Territórios, além do que vier a ser fixado em lei, as disposições do art. 14, parágrafo 8.º do art. 40, parágrafo 9.º, e do art. 142, parágrafos 2.º e 3.º, cabendo a lei estadual específica dispor sobre as matérias do art. 142, parágrafo 3.º, X, sendo as patentes dos oficiais conferidas pelos respectivos governadores'. Precedente jurisprudencial – DESP 129.263/DF. Apelação e remessa oficial improvidas" (TRF5, AMS 84.806, rel. Des. Fed. Paulo Gadelha, DJ, 20.02.2006, p. 431).

§ 2.º Aos pensionistas dos militares dos Estados, do Distrito Federal e dos Territórios aplica-se o que for fixado em lei específica do respectivo ente estatal.

Doutrina

Benefícios previdenciários aos militares. Da mesma forma que os servidores civis, os militares e os seus dependentes têm direito a pensão por morte e à revisão dos proventos de aposentadorias e pensões na mesma data e nos mesmos percentuais de reajuste concedidos aos servidores em atividade.

Jurisprudência

Súmula do STF: 359. "Ressalvada a revisão prevista em lei, os proventos da inatividade regulam-se pela lei vigente ao tempo em que o militar, ou servidor civil, reuniu os requisitos necessários".

Súmula do TFR: 159. "É legítima a divisão da pensão previdenciária entre a esposa e a companheira, atendidos os requisitos exigidos".

A norma constitucional é de eficácia imediata e concede o benefício por morte na totalidade dos vencimentos ou proventos do servidor falecido, ficando, apenas, sujeito ao disposto no art. 37, XI, da Constituição, que trata do limite de remuneração dos servidores públicos. (STF, RTJ, 152/939).

A revisão dos proventos de aposentadoria e a extensão aos inativos de quaisquer benefícios e vantagens concedidos aos servidores em atividade pressupõem, tão-somente, a existência de lei prevendo-os em relação a estes últimos. Existente esta, é indeclinável o dever de estender aos inativos o mesmo direito. (STF, RTJ, 142/966).

§ 3.° Aplica-se aos militares dos Estados, do Distrito Federal e dos Territórios o disposto no art. 37, inciso XVI, com prevalência da atividade militar.

Doutrina

Vedação da acumulação de cargo público. O dispositivo mencionado proíbe a acumulação de cargo público por militares dos Estados, do Distrito Federal e dos Territórios, salvo quando houver compatibilidade de horários e nos casos de acumulação admitidos pela Constituição Federal.

Seção IV
DAS REGIÕES

Art. 43. Para efeitos administrativos, a União poderá articular sua ação em um mesmo complexo geoeconômico e social, visando a seu desenvolvimento e à redução das desigualdades regionais.

Doutrina

Regiões administrativas. São entes criados pela União com a finalidade de implementar políticas públicas de desenvolvimento visando a redução das desigualdades regionais. Instituídas por lei federal, as regiões, apesar de abranger grandes áreas territoriais, são meramente administrativas, não podendo aspirar, ainda que minimamente, qualquer capacidade política capaz de opô-las aos Estados Federados.

Jurisprudência

> "(...). Ofende a vedação à discriminação tributária de natureza espacial a fixação de reserva de mercado a prestadores domiciliados em determinado Estado-membro como requisito para a fruição de regime tributário favorecido e de acesso a investimentos públicos. 4. Não é justificável a discriminação em razão da origem ou do destino com base na redução das desigualdades regionais, porquanto arrosta o mercado único e indiferenciado do ponto de vista tributário, reflexo da própria soberania nacional e da unidade política e econômica da República. 5. A cotização do percentual mínimo de prestadores de serviço de transporte e a atribuição de encargos incompatíveis à iniciativa privada representam ofensa direta às liberdades fundamentais da empresa, pois não guarda correção jurídica a

atribuição de deveres instrumentais que praticamente equiparam o agente econômico privado à Administração Pública, com mera finalidade de persecução de política financeira estadual em contexto de guerra fiscal. 6. Há desequilíbrio concorrencial no mercado interno, quando ato legislativo incentiva a concentração de mercados e eventual cartelização das cadeias produtivas. No caso, atentam contra a livre concorrência os requisitos para fruição dos subsídios financeiros e econômicos criados por ente federativo às sociedades empresárias do ramo automobilístico sediadas em seu território. 7. Ação direta de inconstitucionalidade a que se dá procedência" (STF – Pleno, ADIN 5.472/GO, rel. Min. Edson Fachin, j. 01.08.2018).

1.° Lei complementar disporá sobre:

I – as condições para integração de regiões em desenvolvimento;

II – a composição dos organismos regionais que executarão, na forma da lei, os planos regionais, integrantes dos planos nacionais de desenvolvimento econômico e social, aprovados juntamente com estes.

Doutrina

Condições para a integração e organismos regionais. A lei complementar definirá as condições para a integração de regiões em desenvolvimento, na verdade subdesenvolvidas, estabelecendo as políticas públicas necessárias para tal, além de dispor sobre a composição dos organismos regionais, tais como a Sudam, a Suframa e a Sudene, encarregados da execução dos planos regionais de desenvolvimento econômico e social.

§ 2.° Os incentivos regionais compreenderão, além de outros, na forma da lei:

I – igualdade de tarifas, fretes, seguros e outros itens de custos e preços de responsabilidade do poder público;

II – juros favorecidos para financiamento de atividades prioritárias;

III – isenções, reduções ou diferimento temporário de tributos federais devidos por pessoas físicas ou jurídicas;

IV – prioridade para o aproveitamento econômico e social dos rios e das massas de água represadas ou represáveis nas regiões de baixa renda, sujeitas a secas periódicas.

Doutrina

Incentivos ao desenvolvimento regional. Cabe à União, mediante lei, adotar um conjunto de incentivos capazes de viabilizar a implantação e o desenvolvimento das regiões administrativas através de, exemplificativamente, incentivos tarifários, com igualdade de tarifas e preços de serviços públicos; incentivos ao crédito, por meio de financiamento de atividades prioritárias, com juros favorecidos; incentivos fiscais, por meio de isenções, reduções ou diferimento temporário de tributos federais; e incentivo ao aproveitamento econômico e social de rios ou de massas de águas represadas ou represáveis.

Jurisprudência

> "1. A previsão contida no art. 2.°, § 3.°, da Portaria n.° 141/96-MICT, atribuindo às usinas sucroalcooleiras das regiões Norte e Nordeste prioridade no abastecimento do mercado preferencial norte-americano sempre contou com expresso respaldo legal, não incidindo, assim, em vício de ilegalidade. 2. Não se há falar em inconstitucionalidade formal, pois os incentivos foram veiculados em lei formal, consoante exigência do art. 43, § 2.°, e art. 174, § 1.°, ambos da CF. 3. Descabe, igualmente, cogitar de violação aos princípios da igualdade,

livre iniciativa e livre concorrência. A interpretação dos postulados comporta temperamentos, sobretudo nas hipóteses em que a exceção prestigia diretrizes e objetivos delineados pelo Constituinte Originário, como a redução das desigualdades regionais. Medida concretizadora do postulado da igualdade, pois dispensa tratamento desigual àqueles que se encontram em situação desigual. 4. Apelação e remessa oficial providas" (TRF3 – 6.ª Turma, ApReeNec 602.851/SP, rel. Des. Fed. Mairan Maia, e-DJF3, Jud. 1, 10.05.2012).

§ 3.º Nas áreas a que se refere o § 2.º, IV, a União incentivará a recuperação de terras áridas e cooperará com os pequenos e médios proprietários rurais para o estabelecimento, em suas glebas, de fontes de água e de pequena irrigação.

Doutrina

Política de cooperação da União. A norma determina à União que, nas regiões de baixa renda, sujeitas a secas periódicas, ofereça incentivos para a recuperação de terras áridas e implemente instrumentos de cooperação com pequenos e médios proprietários rurais para o estabelecimento, em suas propriedades, de fontes de água e de pequena irrigação. Por seu turno, o art. 42 do ADCT, determina a aplicação, por quarenta anos, contados da promulgação da Carta, dos recursos destinados à irrigação, nos percentuais de vinte por cento para a região Centro-Oeste e de cinquenta por cento para a região Nordeste, com preferência para o chamado semiárido nordestino

TÍTULO IV
DA ORGANIZAÇÃO DOS PODERES

CAPÍTULO I
DO PODER LEGISLATIVO

Seção I
DO CONGRESSO NACIONAL

Art. 44. O Poder Legislativo é exercido pelo Congresso Nacional, que se compõe da Câmara dos Deputados e do Senado Federal.

Parágrafo único. Cada legislatura terá a duração de quatro anos.

Doutrina

Poder Legislativo. O Poder Legislativo cumpre, principalmente, a função legislativa, criando as leis, sem prejuízo do desempenho das funções administrativa e jurisdicional, nos casos previstos pela Constituição. Na clássica divisão de Montesquieu, é o Poder de maior relevância, com preeminência sobre os demais; contudo, modernamente, o Executivo é o de maior expressão, em face da natureza das tarefas administrativas, que exigem presença constante e ingerência direta nos assuntos de interesse mais imediato da sociedade.

Bicameralismo. A competência legislativa conferida à União é exercida pelo Congresso Nacional, órgão composto pela Câmara dos Deputados e pelo Senado Federal. O sistema é o do bicameralismo, pois é inerente ao Estado Federal a existência do Senado, como órgão de representação dos Estados federados e do Distrito Federal, ao lado da Câmara dos Deputados, que congrega a representação popular, sendo que no caso brasileiro não há prevalência de uma Casa sobre outra, já que ambas participam igualmente do processo legislativo. Observe-se, no entanto, que em relação aos Estados, Distrito Federal e Municípios, a Constituição impõe o sistema unicameral, tendo os respectivos Poderes Legislativos apenas uma câmara legislativa.

Legislatura. Corresponde ao período de funcionamento de cada Congresso e tem a duração de quatro anos, coincidindo com o prazo do mandato dos deputados federais, pois o Senado é contínuo, com renovações parciais a cada quatro anos.

Jurisprudência

> Súmula 397 do STF: "O poder de polícia da Câmara dos Deputados e do Senado Federal, em caso de crime cometido nas suas dependências, compreende, consoante o regimento, a prisão em flagrante do acusado e a realização do inquérito".
>
> "(...). III – Inaplicabilidade na legislatura em que foi promulgada a EC n.º 1/92, do limite de remuneração nela inscrito, dado que a EC 1/92 estabelece que a remuneração dos Deputados Estaduais será fixada, em

cada legislatura, para a subsequente, em, no máximo, setenta e cinco por cento da remuneração dos Deputados Federais. Promulgada a EC n.º 1/92 no curso da legislatura, certo que cada legislatura tem a duração de quatro anos (C.F., art. 44, parág. único), a regra nela inscrita terá vigência na legislatura iniciada em 1995. IV – O autor, vencido, fica isento de custas e do ônus da sucumbência (C.F., art. 5.º, LXXIII. V – Ação popular julgada improcedente" (STF – Pleno, AO 170/GO, rel. Min. Carlos Velloso, j. 08.02.1996).

Art. 45. A Câmara dos Deputados compõe-se de representantes do povo, eleitos, pelo sistema proporcional, em cada Estado, em cada Território e no Distrito Federal.

Doutrina

Câmara dos Deputados. Representa o povo brasileiro, sendo os deputados eleitos em cada Estado, em cada Território e no Distrito Federal para o exercício de mandato com duração de quatro anos.

Sistema proporcional. Caracteriza-se por permitir a representação dos vários partidos políticos na Câmara Federal, segundo uma proporção que se estabelece entre o número de cadeiras existentes e a população.

Jurisprudência

"(...). O mandato representativo não constitui projeção de um direito pessoal titularizado pelo parlamentar eleito, mas representa, ao contrário, expressão que deriva da indispensável vinculação do candidato ao partido político, cuja titularidade sobre as vagas conquistadas no processo eleitoral resulta de 'fundamento constitucional autônomo', identificável tanto no art. 14, § 3.º, inciso V (que define a filiação partidária como condição de elegibilidade) quanto no art. 45, '*caput*' (que consagra o 'sistema proporcional'), da Constituição da República. – O sistema eleitoral proporcional: um modelo mais adequado ao exercício democrático do poder, especialmente porque assegura, às minorias, o direito de representação e viabiliza às correntes políticas o exercício do direito de oposição parlamentar. Doutrina. A ruptura dos vínculos de caráter partidário e de índole popular, provocada por atos de infidelidade do representante eleito (infidelidade ao partido e infidelidade ao povo), subverte o sentido das instituições, ofende o senso de responsabilidade política, traduz gesto de deslealdade para com as agremiações partidárias de origem, compromete o modelo de representação popular e frauda, de modo acintoso e reprovável, a vontade soberana dos cidadãos eleitores, introduzindo fatores de desestabilização na prática do poder e gerando, como imediato efeito perverso, a deformação da ética de governo, com projeção vulneradora sobre a própria razão de ser e os fins visados pelo sistema eleitoral proporcional, tal como previsto e consagrado pela Constituição da República" (STF – Pleno, MS 26.603/DF, rel. Min. Celso de Mello, j. 04.10.2007).

"(...). No Brasil, a eleição de deputados faz-se pelo sistema da representação proporcional, por lista aberta, uninominal. No sistema que acolhe – como se dá no Brasil desde a Constituição de 1934 – a representação proporcional para a eleição de deputados e vereadores, o eleitor exerce a sua liberdade de escolha apenas entre os candidatos registrados pelo partido político, sendo eles, portanto, seguidores necessários do programa partidário de sua opção. O destinatário do voto é o partido político viabilizador da candidatura por ele oferecida. O eleito vincula-se, necessariamente, a determinado partido político e tem em seu programa e ideário o norte de sua atuação, a ele se subordinando por força de lei (art. 24, da Lei n. 9.096/95). Não pode, então, o eleito afastar-se do que suposto pelo mandante – o eleitor –, com base na legislação vigente que determina ser exclusivamente partidária a escolha por ele feita. Injurídico é o descompromisso do eleito com o partido – o que se estende ao eleitor – pela ruptura da equação político-jurídica estabelecida. 6. A fidelidade partidária é corolário lógico-jurídico necessário do sistema constitucional vigente, sem necessidade de sua expressão literal. Sem ela não há atenção aos princípios obrigatórios que informam o ordenamento constitucional" (STF – Pleno, MS 26.604/DF, rel. Min. Cármen Lúcia, j. 04.10.2007).

§ 1.° O número total de Deputados, bem como a representação por Estado e pelo Distrito Federal, será estabelecido por lei complementar, proporcionalmente à população, procedendo-se aos ajustes necessários, no ano anterior às eleições, para que nenhuma daquelas unidades da Federação tenha menos de oito ou mais de setenta Deputados.

Doutrina

Composição da Câmara dos Deputados. O número total de membros da Câmara dos Deputados é estabelecido por meio de lei complementar, sendo proporcional à população do país e atingindo, hoje, 513 representantes.

Mitigação do critério da proporcionalidade da população. A norma constitucional determina que ajustes serão procedidos, no ano anterior às eleições, para que nenhum Estado e o Distrito Federal tenham menos de oito ou mais de setenta deputados. Ocorre, porém, que ao mitigar referido critério, o legislador constituinte acabou por admitir grave distorção no sistema de representação proporcional, favorecendo os Estados menos populosos em detrimento dos mais populosos, além de ignorar o princípio da igualdade do voto consagrado pela Constituição (art. 14, *caput*).

Jurisprudência

"(...). 4. O art. 45, § 1.°, da Constituição da República comanda a definição, por lei complementar (i) do número total de Deputados e (ii) da representação dos Estados e do Distrito Federal, proporcionalmente à população – e não ao número de eleitores –, respeitados o piso de oito e o teto de setenta cadeiras por ente federado. Tal preceito não comporta a inferência de que suficiente à espécie normativa complementadora – a LC 78/1993 –, o número total de deputados. Indispensável, em seu bojo, a fixação da representação dos Estados e do Distrito Federal. A delegação implícita de tal responsabilidade política ao Tribunal Superior Eleitoral traduz descumprimento do comando constitucional em sua inteireza. 5. Compete ao legislador complementar, definir, dentre as possibilidades existentes, o critério de distribuição do número de Deputados dos Estados e do Distrito Federal, proporcionalmente à população, observados os demais parâmetros constitucionais. De todo inviável transferir a escolha de tal critério, que necessariamente envolve juízo de valor, ao Tribunal Superior Eleitoral ou a outro órgão. 6. A Resolução impugnada contempla o exercício de ampla discricionariedade pelo TSE na definição do critério de apuração da distribuição proporcional da representação dos Estados, matéria reservada à lei complementar. A renúncia do legislador complementar ao exercício da sua competência exclusiva não legitima o preenchimento da lacuna legislativa por órgão diverso. 7. Inconstitucionalidade da Resolução n.º 23.389/2013 do TSE, por violação do postulado da reserva de lei complementar ao introduzir inovação de caráter primário na ordem jurídica, em usurpação da competência legislativa complementar. Ação direta de inconstitucionalidade julgada procedente, sem modulação de efeitos" (STF – Pleno, ADIN 5.028/DF, rel. Min. Gilmar Mendes, j. 01.07.2014).

"Tanto da regra geral do art. 16 da Constituição quanto da norma específica do seu art. 45, § 1.º, resulta a positivação constitucional do dogma ético-político que impõe a definição antecedente das regras e do próprio objeto de disputa eleitoral. Por isso, quando admissível, é certo que de nenhuma modalidade de suprimento da omissão da lei complementar reclamada poderia resultar aquilo que nem da edição dela pudesse advir, ou seja, a alteração do número total da Câmara dos Deputados e de sua distribuição pelas unidades federativas, enquanto circunscrições eleitorais, que não somente não se fizesse no ano anterior ao pleito, mas que fosse posterior à sua realização". (TSE – Pleno, REe 9.394/SP, rel. Min. Sepúlveda Pertence, decisão de 10.09.1991, DJ 1, de 06.03.1992, p. 2.248).

"Mandado de Injunção. Aumento do número de Deputados Federais. Autoaplicabilidade do parágrafo 1 do artigo 45, da Constituição. Exegese desse dispositivo e do parágrafo 2 do artigo 4 do Ato das Disposições Constitucionais Transitórias. Hipótese de convocação de suplentes de Deputados Federais. Ilegitimidade ativa dos suplentes. – O parágrafo 1 do artigo 45 da Constituição Federal, como resulta claramente de seu próprio texto, não é autoaplicável. A interposição de mandado de injunção, que visa a compelir o Congresso Nacional a editar a lei complementar a que se refere esse dispositivo, não se concilia, por incoerência, com a afirmação de sua autoaplicabilidade, a depender apenas de atos executórios da Câmara dos Deputados. – Por outro lado, quando o texto do parágrafo 1 do artigo 45 da Constituição manda proceder, no ano anterior às eleições, aos reajustes necessários no número de deputados fixados na lei complementar de que ela cuida, não permite a conclusão de que essa alteração inicial na composição da Câmara dos Deputados atinja a legislatura em curso, com o preenchimento das vagas criadas, pela convocação de suplentes. Essa exegese, que emerge clara do texto do citado dispositivo, que só tem aplicação às eleições subsequentes a edição da lei complementar, é também confirmada pelo disposto no parágrafo 2 do artigo 4 do Ato das Disposições Constitucionais Transitórias, que prevê a irredutibilidade do número atual de representantes das unidades federativas na Câmara

Federal, na legislatura imediata" (STF – Pleno, MI 233/DF, rel. Min. Moreira Alves, j. 02.08.1990).

§ 2.º Cada Território elegerá quatro Deputados.

Doutrina

Bancada dos Territórios. A população de Território será representada na Câmara Federal por quatro deputados. Esta representação é admitida no direito brasileiro desde a Constituição de 1934. Anote-se, contudo, que não existe atualmente nenhum Território no país, conquanto a Constituição Federal de 1988 transformou aqueles então existentes em Estados-membros.

Art. 46. O Senado Federal compõe-se de representantes dos Estados e do Distrito Federal, eleitos segundo o princípio majoritário.

§ 1.º Cada Estado e o Distrito Federal elegerão três Senadores, com mandato de oito anos.

§ 2.º A representação de cada Estado e do Distrito Federal será renovada de quatro em quatro anos, alternadamente, por um e dois terços.

§ 3.º Cada Senador será eleito com dois suplentes.

Doutrina

Senado Federal. O seu papel é o de representação dos Estados federados e do Distrito Federal, entendendo a doutrina clássica que a sua existência é necessária à ideia de Estado Federal. Porém, na prática, não raro os senadores defendem mais os seus interesses partidários e menos os de seus Estados de origem, funcionando a Casa mais como instância de revisão, porque, em princípio, formada por pessoas mais maduras, capazes, pois, de agirem com maior moderação e senso de responsabilidade.

Princípio majoritário. A eleição para o Senado Federal se dá pelo voto popular, sendo considerado eleito o candidato que obter a maioria dos votos.

Representação paritária. A representação de cada um dos vinte e seis Estados e do Distrito Federal é composta de três Senadores, garantindo tratamento igual aos referidos entes federativos. Assim, atualmente, são oitenta e um os Senadores da República.

Duração do mandato. O mandato de oito anos vem desde a Constituição de 1934 e corresponde a duas legislaturas.

Renovação parcial. Ocorre de quatro em quatro anos, de forma alternada, por um ou por dois terços. Este mecanismo tem por objetivo manter o equilíbrio entre a necessidade de renovar a representação e a de manter o perfil moderador da Casa.

Suplentes de Senadores. Cada Senador será eleito com dois suplentes com ele registrados. A norma repete o § 3.º do art. 41 da Constituição de 1969, acrescido pela EC n.º 8, de 14 de abril de 1977.

Jurisprudência

> "Consulta. Senador da República. Candidatura a novo mandato após quatro anos. Impossibilidade. 1. Consulta formulada por Senador da República indagando sobre a possibilidade de membro do Senado, na metade de seu mandato, concorrer a novo cargo de Senador. 2. Nos termos dos §§ 1.º, 2.º e 3.º do art. 46 da C/F 1988, cada Estado e Distrito Federal elegem três Senadores, com seus suplentes, para mandato de oito anos, renovando-se a sua representação, de forma alternada, a cada quatro anos. 3. Os senadores e seus suplentes compõem um único grupo de representação dos Estados e Distrito Federal. É certo, assim, que o voto dado ao senador também é atribuído aos seus suplentes. Isso, no entanto, não afasta o fato de o eleitor confiar que

o mandato será exercido pelo titular da chapa. 4. Dessa forma, a tentativa de reeleição no curso da primeira metade do mandato conduziria a um cenário em que os quatro anos finais do mandato passariam a ser exercidos, em regra, pelo suplente, em fraude à vontade popular e ao sistema eleitoral. 5. Além disso, o art. 46, § 2.º, da CF/1988, exige a renovação alternada da composição do Senado a cada quatro anos. A assunção de novo mandato por aquele que foi eleito quatro anos impediria essa renovação. 6. Consulta respondida negativamente, nos seguintes termos: 'Não se admite a reeleição de senador ainda no exercício da primeira metade de seu mandato, tendo em vista que: (i) os quatro anos finais do mandato passaria a ser exercidos, em regra, por suplente e não pelo senador eleito, em fraude à vontade popular e ao sistema eleitoral; e (ii) a Constituição exige que, a cada quatro anos, haja a renovação da composição do Senado'" (TSE, Consulta 060275291/DF, rel. Min. Luis Roberto Barroso, DJE, Tomo 93, 11.05.2018).

Art. 47. Salvo disposição constitucional em contrário, as deliberações de cada Casa e de suas Comissões serão tomadas por maioria de votos, presente a maioria absoluta de seus membros.

Doutrina

Deliberações das Casas e de suas Comissões. As decisões de caráter normativo ou decisório do Congresso Nacional, do Senado Federal, da Câmara dos Deputados e de suas respectivas Comissões serão tomadas por maioria de votos, salvo se norma constitucional exigir outro *quorum*. O *quorum* para deliberação válida é o de maioria absoluta. Assim, instalada a sessão da Casa, com a maioria absoluta de seus membros, qualquer decisão poderá ser tomada com o voto favorável da maioria dos presentes, sempre que a Constituição não exigir outro *quorum*.

Maioria. Simples grandeza aritmética que traduz o maior número de pessoas ou de votos. A maioria classifica-se em: a) *maioria simples*, também chamada relativa, eventual ou ocasional, é aquela calculada em função do número de membros da Casa *presentes* na votação; b) *maioria qualificada*, aquela calculada em função do *número total* de membros da Casa, podendo ser: b.1) *maioria absoluta*, que corresponde a mais da metade dos membros da Casa (arts. 55, § 2.°, 66, § 4.°, 69, 128, § 2.°); b.2) *maioria de dois terços* dos membros da Casa (arts. 29, *caput*, 31, § 2.°, 32, *caput*, 51, I, 52, par. único, 86); b.3) *maioria de três quintos* dos membros da Casa (art. 60, § 2.°).

Jurisprudência

> "Maioria absoluta. Sua definição, como significando metade mais um, serve perfeitamente quando o total é número par. Fora daí temos que recorrer à verdadeira definição, a qual, como advertem Scialoja e outros, deve ser esta, que serve seja par ou ímpar o total: *maioria absoluta é o número inteiro imediatamente superior à metade*". (STF, RE 68.419, rel. Min. Luiz Gallotti, RF, 235/72).

Seção II

DAS ATRIBUIÇÕES DO CONGRESSO NACIONAL

Art. 48. Cabe ao Congresso Nacional, com a sanção do Presidente da República, não exigida esta para o especificado nos arts. 49, 51 e 52, dispor sobre todas as matérias de competência da União, especialmente sobre:

Doutrina

Congresso Nacional. É o órgão, composto pela Câmara dos Deputados e pelo Senado Federal, que exerce a competência legislativa conferida à União, com a sanção do Presidente da República, não sendo esta exigida nas matérias de competência exclusiva do próprio Congresso ou privativas da Câmara e do Senado. Observe-se que a enumeração constante do artigo não constitui *numerus clausus*, sendo meramente exemplificativa, pois cabe ao Congresso dispor sobre todas as matérias de competência da União, quer constantes da lista ou não, e o faz normalmente por meio de lei.

Jurisprudência

> O Presidente da República não pode retirar do Congresso Nacional medida provisória editada. No entanto, é possível ab-rogá-la por meio de nova medida provisória, valendo tal ato pela simples suspensão dos efeitos da primeira, efeitos esses que, todavia, o Congresso poderá ver restabelecidos mediante a rejeição da medida ab-rogatória. (STF, ADIN 1.315/DF, Ementário, n.º 1.797-02, p. 293).

I – sistema tributário, arrecadação e distribuição de rendas;

Doutrina

Sistema Tributário Nacional. Compreende o conjunto de regras jurídicas destinadas a reger as normas gerais sobre os tributos, a dispor sobre conflitos de competência, a regular as limitações constitucionais ao poder de tributar e a dispor sobre a arrecadação e a distribuição das rendas públicas. Somente a lei poderá criar ou aumentar tributo (art. 150, I).

Jurisprudência

> "(...). 3. O art. 48 da Constituição Federal dispõe que compete ao Congresso Nacional, com a sanção do Presidente da República, dispor sobre todas as matérias de competência da União, dentre elas, o sistema tributário. Por conseguinte, não resta configurada a alegação de usurpação de iniciativa do Presidente da República. 4. O Plenário desta Egrégia Corte afastou a arguição de inconstitucionalidade da Lei n.º 12.197/2010, ao julgar a Arguição de Inconstitucionalidade n.º 51 (processo n.º 2011.51.01.000284-0). 5. Recurso a que se nega provimento" (TRF2, AC 0000347-78.2011.4.02.5101, rel. Des. Fed. José Carlos Garcia, j. 23.06.2015).

II – plano plurianual, diretrizes orçamentárias, orçamento anual, operações de crédito, dívida pública e emissões de curso forçado;

Doutrina

Planos plurianuais. São aqueles destinados a dispor sobre os investimentos do Estado segundo as prioridades fixadas e têm duração de mais de ano, podendo ser bienal, trienal, quadrienal, quinquenal, decenal etc.

Diretrizes orçamentárias. São fixadas por lei com o objetivo de orientar a elaboração do orçamento anual e dispor sobre a realização de programas constantes dos planos plurianuais, as aplicações de agências financeiras oficiais de fomento, e sobre alterações na legislação tributária.

Orçamento anual. Compreende a previsão da receita e a fixação da despesa para um ano e é elaborado a partir da lei de diretrizes orçamentárias, consolidando os programas constantes dos planos plurianuais que deverão ser realizados no exercício seguinte.

Operações de crédito. São normalmente destinadas à obtenção de recursos para financiar atividades estatais ligadas à prestação de serviços ou a investimentos e dependem, sempre, de autorização do Congresso por meio de lei.

Dívida pública. Decorre de empréstimos e outras obrigações contraídos pelo Estado e compreende tanto a *dívida fundada* – de prazo superior a doze meses – quanto a *dívida flutuante*, de curto prazo, sendo aquela destinada a atender a desequilíbrio orçamentário ou financeiro de obras e serviços públicos e esta a atender necessidades transitórias de recursos. A dívida pública é, ainda, *interna*, quando assumida dentro do país, e *externa*, aquela assumida fora do país, perante outros países ou instituições internacionais.

Emissões de curso forçado. São aquelas dotadas de força liberatória e que não podem ser recusadas como meio de pagamento porque criam moeda. São sempre autorizadas por lei, que dispõe sobre o seu curso e poder liberatório.

III – fixação e modificação do efetivo das Forças Armadas;

Doutrina

Efetivo das Forças Armadas. Corresponde ao número de membros dos quadros do Exército, da Marinha e da Aeronáutica, cuja fixação ou modificação se fará por meio de lei, de iniciativa privativa do Presidente da República, tanto em tempo de paz quanto em tempo de guerra.

IV – planos e programas nacionais, regionais e setoriais de desenvolvimento;

Doutrina

Planos de desenvolvimento. São documentos que consubstanciam as metas e prioridades fixadas para atingir-se o desenvolvimento do país (plano nacional), de uma de suas regiões (plano regional), ou de determinado setor da economia (plano setorial). As prioridades são definidas em programas que visam a realização de objetivos determinados.

Jurisprudência

> Os planos e programas nacionais, regionais e setoriais que estão sob reserva de lei **são aqueles a que se referem os arts. 48, IV, e 165, § 4.°**, da Constituição Federal, pois ou implicam em investimentos ou despesas para a União e, por essa razão, estão necessariamente inseridos no seu orçamento, ou, ainda que não impliquem em investimentos ou despesas para a União, estão previstos em norma constitucional. Daí decorre que não estão sob reserva de lei os demais planos e programas governamentais, como é o caso do Programa Nacional de Petroquímica. (STF, Ementário, n.° 1.769-01, p. 8).

V – limites do território nacional, espaço aéreo e marítimo e bens do domínio da União;

Doutrina

Fixação de limites do território nacional. Por se tratar de limites entre países, referida fixação se dará, no mais das vezes, por meio de tratado internacional e estes, na verdade, são aprovados pelo Congresso Nacional através de decreto legislativo. Portanto, a norma excepciona o princípio geral do art. 49, I, para submeter os tratados sobre limites do território nacional à aprovação congressual por meio de lei.

Espaço aéreo e marítimo. Cabe à lei de cada Estado fixar os seus espaços aéreo e marítimo e dispor sobre a utilização e exploração econômica dos mesmos.

Bens do domínio da União. São todos os bens públicos sob domínio federal, devendo a lei dispor sobre a sua utilização, bem como autorizar a alienação, quando for o caso.

VI – incorporação, subdivisão ou desmembramento de áreas de Territórios ou Estados, ouvidas as respectivas Assembleias Legislativas;

Doutrina

Incorporação, subdivisão ou desmembramento de áreas de Territórios ou Estados. Quaisquer das referidas operações, no caso dos Estados, dependerá da aprovação da população diretamente interessada, através de plebiscito, de oitiva das respectivas Assembleias Legislativas, e de lei complementar. No caso dos Territórios, tais requisitos não são exigíveis porque os mesmos integram a União; porém, a criação, transformação em Estados ou reintegração ao Estado de origem de tais entes serão reguladas em lei complementar.

VII – transferência temporária da sede do Governo Federal;

Doutrina

Transferência temporária da sede do Governo Federal. Em que pese a sede do Governo Federal estar localizada em Brasília, a Capital Federal (art. 18, § 1.º), mediante lei e por razões de interesse público relevante, como, por exemplo, no caso de revolução, guerra, grave comoção interna ou calamidade pública, a inviabilizar o funcionamento do governo na sua sede, este poderá ser transferido, em caráter temporário, para lugar que permita o seu normal funcionamento.

VIII – concessão de anistia;

Doutrina

Concessão de anistia. A anistia somente será concedida por meio de lei. Portanto, o Congresso Nacional a concede e o Presidente da República a sanciona e determina a adoção do necessário para a concreção do ato.

Jurisprudência

> "1. 'Cabe ao Congresso Nacional, com a sanção do Presidente da República, (...) dispor sobre todas as matérias de competência da União, especialmente sobre concessão de anistia' (artigo 48, inciso VIII, da CF. 2. Texto nominado de artigo 11, parágrafo **único, da Lei Federal** n.º 9639/98, pelo diário oficial, com a isolada assinatura do Presidente da República, não é lei, insuscetível, por isto, de ser objeto de correção, nos termos da Lei de Introdução ao Código Civil. 3. O Poder Judiciário, no exercício de sua competência política, constitucionalmente qualificada, pode ampliar subjetivamente o benefício da anistia. 4. Inconveniência da extensão, aos empresários, da anistia concedida aos agentes políticos, por manifesta afronta aos objetivos fundamentais da República (artigo 3.º, da Constituição Federal). 5. Definição do tema pelo Supremo Tribunal Federal (HC n.º 77724 e 77734). 6. Recurso provido" (TRF3, 5.ª Turma, RSE 1.813, rel. Des. Fed. Fábio Prieto, DJU, 10.09.2002).

> "1. 'Cabe ao Congresso Nacional, com a sanção do Presidente da República, (...) dispor sobre todas as matérias de competência da União, especialmente sobre concessão de anistia' (artigo 48, inciso VIII, da CF). 2. Texto nominado de artigo 11, parágrafo único, da Lei Federal n.º 9639/98, pelo diário oficial, com a isolada assinatura do Presidente da República, não é lei, insuscetível, por isto, de ser objeto de correção, nos termos da Lei de Introdução ao Código Civil. 3. O Poder Judiciário, no exercício de sua competência política, constitucionalmente

qualificada, pode ampliar subjetivamente o benefício da anistia. 4. Inconveniência da extensão, aos empresários, da anistia concedida aos agentes políticos, por manifesta afronta aos objetivos fundamentais da República (artigo 3.º, da Constituição Federal). 5. Definição do tema pelo Supremo Tribunal Federal (HC n.º 77724 e 77734). 6. Recurso provido" (TRF3, Quinta Turma, HC 9.423, rel. Des. Fed. Johonsom di Salvo, DJU, 05.06.2001).

IX – organização administrativa, judiciária, do Ministério Público e da Defensoria Pública da União e dos Territórios e organização judiciária e do Ministério Público do Distrito Federal;

Doutrina

Órgãos e instituições da União, dos Territórios e do Distrito Federal. Compete ao Congresso Nacional, mediante lei, dispor sobre a organização de entes administrativos e das instituições da União referidas na norma constitucional, bem como a dos Territórios Federais, pois estes a integram, e do Ministério Público e da Defensoria Pública do Distrito Federal, que são mantidos pela mesma.

X – criação, transformação e extinção de cargos, empregos e funções públicas, observado o que estabelece o art. 84, VI, *b*;

Doutrina

Cargos, empregos e funções públicas. A criação, transformação e extinção de cargos, empregos e funções públicas dependem de lei, pois, em face do princípio do paralelismo das formas, o que foi criado por lei somente por meio de lei poderá ser extinto ou transformado.

Jurisprudência

A regulamentação de uma profissão não implica, por falta de imposição de ordem constitucional ou legal, em obrigação das entidades públicas de criarem em seus respectivos quadros cargos e empregos a ela correspondentes. (STJ, MI 18/DF, DJ 1, 06.11.1989, p. 16.680).

XI – criação e extinção de Ministérios e órgãos da administração pública;

Doutrina

Ministérios. São órgãos de cúpula da Administração Federal subordinados à Presidência da República e têm por finalidade a gestão dos negócios públicos ligados às suas respectivas áreas de atuação. A criação, estruturação e atribuições dos ministérios – ou de outro órgão da administração pública federal – depende de lei de iniciativa privativa do Presidente da República.

XII – telecomunicações e radiodifusão;

Doutrina

Telecomunicações e radiodifusão. São matérias de competência da União, devendo sobre as mesmas legislar o Congresso Nacional, dispondo sobre as formas de exploração de tais serviços.

XIII – matéria financeira, cambial e monetária, instituições financeiras e suas operações;

Doutrina

Matéria financeira, cambial e monetária. Cabe ao Congresso Nacional legislar sobre: a) *matéria financeira*, aquela que diz respeito às finanças públicas, envolvendo receita, despesa, dívida pública, orçamento e contabilidade; b) *matéria cambial*, aquela que diz respeito ao câmbio, ou operações de troca de moedas, bem como de transferência de valores para o exterior; c) *matéria monetária*, aquela que diz respeito mais propriamente à política monetária, instrumento poderoso de controle da economia através de medidas tomadas pelo Banco Central.

Instituições financeiras. São pessoas jurídicas de direito público ou privado, organizadas com a finalidade de desenvolver atividades ligadas à intermediação financeira, captação de recursos de terceiros e aplicação de recursos próprios ou captados de terceiros.

XIV – moeda, seus limites de emissão, e montante da dívida mobiliária federal;

Doutrina

Moeda e seus limites de emissão. Compete ao Congresso Nacional, através de lei, dispor sobre a moeda e, principalmente, fixar limites para a sua emissão visando a abastecer o mercado de dinheiro de valor o bastante para assegurar as transações e manter o poder liberatório da mesma.

Montante da dívida mobiliária federal. A dívida mobiliária federal se traduz em papéis emitidos no mercado para a captação de recursos, como os títulos da dívida pública, as letras do tesouro etc. A lei deve dispor sobre os limites globais de endividamento do Governo Federal com os mais variados títulos, forma de resgate, prazo de vencimento etc.

XV – fixação do subsídio dos Ministros do Supremo Tribunal Federal, observado o que dispõem os arts. 39, § 4.°, 150, II, 153, III e 153, § 2.°, I.

Doutrina

Subsídio dos Ministros do Supremo Tribunal Federal. Cabe ao Congresso Nacional fixá-lo, por iniciativa conjunta dos Presidentes da República, da Câmara dos Deputados, do Senado Federal e do próprio Supremo Tribunal Federal. Isso porque referido subsídio é o limite máximo de remuneração no Serviço Público Federal, devendo ser fixado em parcela única, sem quaisquer acréscimos, sem distinção em razão de ocupação profissional ou função exercida, e sujeito aos impostos gerais, inclusive ao imposto de renda e proventos de qualquer natureza.

Art. 49. É da competência exclusiva do Congresso Nacional:

Doutrina

Competência exclusiva do Congresso Nacional. É aquela que não admite delegação e é exercida única e exclusivamente pelo Congresso Nacional, sem a participação dos demais Poderes do Estado. A espécie normativa própria para veicular os atos congressuais de competência exclusiva é o decreto legislativo, que equivale à lei ordinária federal e não se submete ao poder de veto ou de sanção do Presidente da República.

I – resolver definitivamente sobre tratados, acordos ou atos internacionais que acarretem encargos ou compromissos gravosos ao patrimônio nacional;

Doutrina

Tratados, acordos e atos internacionais. Tratado é o acordo de vontades firmado entre dois ou mais Estados para dispor sobre finalidades diversas ou interesses comuns. Convenções internacionais são os chamados tratados abertos. Acordos são ajustes, bilaterais ou multilaterais, firmados entre os Estados para dispor sobre interesses comuns, como, *v.g.*, os de comércio. Atos internacionais são, normalmente, compromissos unilaterais assumidos perante outro Estado. Não importa a natureza do ato – se tratado, convenção, acordo ou ato unilateral –, todos se submetem à ratificação ou referendo do Congresso Nacional para terem validade na ordem jurídica interna.

Jurisprudência

> Uma vez regularmente incorporados ao ordenamento jurídico brasileiro, os tratados, pactos, convenções etc. passam à categoria de normas infraconstitucionais, possuindo hierarquia de lei ordinária e sujeitos à supremacia da Constituição. (STF, RTJ, 83/809).
>
> No sistema constitucional brasileiro, a incorporação dos tratados internacionais à ordem jurídica interna decorre de ato complexo, resultante da manifestação comum de vontades do Congresso Nacional, que resolve, definitivamente, por meio de decreto legislativo, sobre tratados, acordos ou atos internacionais (CF, art. 49, I), e do Presidente da República, que, além de celebrá-los (CF, art. 84, VIII), é competente para a promulgação através de decreto. (STF, DJU, 02.08.1996, p. 25.792).
>
> "(...). 5. A ausência de deliberação do Congresso Nacional não ocasionou nenhum prejuízo. Deveras, o art. 49, inciso I, da Constituição Federal é claro, ao assentar ser '[...] da competência exclusiva do Congresso Nacional resolver definitivamente sobre tratados, acordos ou atos internacionais que acarretem encargos ou compromissos gravosos ao patrimônio nacional'. No caso em foco, sobreleva notar que os Ajustes impugnados versam sobre estudos acerca de prevenção de desastres decorrentes da desordenada exploração do meio ambiente, com enfoque na questão climática. Logo, é extreme de dúvida que os Ajustes guerreados não ostentam a propriedade de causar lesão ao patrimônio nacional; ao revés, visam, em última análise, possibilitar avanços tecnológicos nas pesquisas relacionadas às

alterações climáticas na Amazônia" (STJ – 1.ª Turma, RO 167, rel. Min. Benedito Gonçalves, DJE, 19.06.2019).

II – autorizar o Presidente da República a declarar guerra, a celebrar a paz, a permitir que forças estrangeiras transitem pelo território nacional ou nele permaneçam temporariamente, ressalvados os casos previstos em lei complementar;

Doutrina

Declaração de guerra e celebração da paz. Declaração de guerra é o ato por meio do qual um Estado dá ciência a outro de que o tratará doravante como inimigo, mobilizando contra o mesmo as suas forças armadas. Celebração da paz é o conjunto de atos tendentes a conduzir a um acordo ou tratado de paz, após cessadas as agressões recíprocas. Tanto a declaração de guerra, quanto a celebração da paz, são atos complexos que apenas se perfazem com a manifestação de vontades do Congresso Nacional – autorizando-os, se em funcionamento, ou referendando-os, se em recesso – e do Presidente da República, que deve adotar as medidas necessárias visando realizá-los.

Trânsito ou permanência de forças estrangeiras no território nacional. Tanto o trânsito – ou a passagem de forças estrangeiras pelo território nacional – quanto a permanência temporária – manter-se acampada ou aquartelada por algum tempo – dependem de lei complementar (art. 21, IV) que estabelecerá as hipóteses nas quais serão admitidos. Uma vez prevista a hipótese na lei complementar, o Presidente da República concederá a permissão (art. 84, XXII); se não prevista a hipótese pela norma legal, a permissão dependerá de autorização expressa do Congresso Nacional (art. 49, II).

III – autorizar o Presidente e o Vice-Presidente da República a se ausentarem do País, quando a ausência exceder a quinze dias;

Doutrina

Autorização de ausência. Sempre que se ausentarem do país por período de tempo superior a quinze dias, tanto o Presidente quanto o Vice-Presidente da República deverão solicitar autorização do Congresso Nacional, que poderá concedê-la ou não, formalizando o decidido por meio de resolução. Se se ausentarem sem autorização, estarão sujeitos à perda do cargo.

IV – aprovar o estado de defesa e a intervenção federal, autorizar o estado de sítio, ou suspender qualquer uma dessas medidas;

Doutrina

Aprovação do estado de defesa e da intervenção federal. O estado de defesa implica na restrição de alguns direitos e garantias constitucionais com o objetivo de preservar ou restabelecer, em locais restritos e determinados, a ordem pública e a paz social. A intervenção federal é a ingerência da União nos Estados federados ou no Distrito Federal para assegurar quaisquer dos valores que autorizam a medida (art. 34). Nas duas hipóteses, as medidas deverão ser submetidas ao Congresso Nacional para aprovação e, se rejeitadas, cessa-se o estado de defesa e suspende-se a intervenção federal.

Autorização do estado de sítio. O estado de sítio suspende alguns direitos e garantias constitucionais da pessoa e autoriza a adoção de medidas protetivas do Estado e das instituições democráticas, podendo ser decretado nos casos de grave comoção interna ou de guerra externa. A sua decretação pelo Presidente da República depende sempre de autorização do Congresso Nacional.

Suspensão de quaisquer das medidas adotadas. O Congresso Nacional poderá suspender quaisquer das medidas acima, se entendê-las desnecessárias ou prejudiciais aos interesses nacionais.

V – sustar os atos normativos do Poder Executivo que exorbitem do poder regulamentar ou dos limites de delegação legislativa;

Doutrina

Sustação de atos normativos. Cabe ao Congresso Nacional suspender, por meio de decreto legislativo, a eficácia de decretos regulamentares ou de quaisquer outros atos normativos que ultrapassem dos estritos limites do poder regulamentar, que deve ser exercido dentro do balizamento da lei, bem como a eficácia das leis delegadas se as mesmas forem baixadas com violação dos limites da matéria delegada através de resolução. O exercício dessa prerrogativa relaciona-se, ainda, com a preservação de sua competência legislativa.

VI – mudar temporariamente sua sede;

Doutrina

Mudança temporária de sede. Cabe ao Congresso Nacional decidir sobre a transferência temporária de sua sede se na Capital Federal desaparecerem as condições normais para o seu regular funcionamento em razão de guerra, grave comoção interna, calamidade pública etc. Essa decisão, por ser de sua competência exclusiva, independe da mudança de sede dos demais Poderes do Estado.

VII – fixar idêntico subsídio para os Deputados Federais e os Senadores, observado o que dispõem os arts. 37, XI, 39, § 4.°, 150, II, 153, III, e 153 § 2.°, I;

Doutrina

Remuneração dos congressistas. Cabe ao Congresso Nacional decidir sobre a remuneração de Deputados Federais e Senadores, cuja denominação é subsídio, fixado em igual valor, não podendo exceder aquele pago aos ministros do Supremo Tribunal Federal, em parcela única, vedado o acréscimo de qualquer outra parcela remuneratória, proibida qualquer distinção em razão de ocupação profissional ou função e sujeito à incidência do imposto de renda ou de qualquer outro de caráter geral. A nova redação do dispositivo, dada pela EC 19, introduziu importante mudança, pois não se refere mais à fixação de remuneração em cada legislatura para viger na subsequente, com isso, o subsídio poderá ser revisto sempre que se entender seja oportuno.

Jurisprudência

> "1. A fixação de subsídios parlamentares, em cada legislatura para a seguinte, não é matéria de lei, mas objeto de resolução, de competência exclusiva do Congresso Nacional (CF, art. 49, VII) ou da Assembleia Legislativa (CF, art. 29, par. 2). 2. Ainda que impressione o argumento de que o art. 37, XIII, CF, não incide, quando não se cuida de vencimentos de servidores públicos, mas de remuneração de agentes de um dos poderes do Estado, o princípio as isonomia do Estado-membro faz plausível a inconstitucionalidade material do atrelamento de subsídios de deputados estaduais aos dos deputados federais (cf. ADIN 491, cautelar, 22.4.92; Pertence, ADIN 891, cautelar, 23.6.92, Pertence (...)" (STF – Pleno, ADIN 898/SC MC, rel. Min. Sepúlveda Pertence, j. 25.11.1993).

VIII – fixar os subsídios do Presidente e do Vice-Presidente da República e dos Ministros de Estado, observado o que dispõem os arts. 37, XI, 39, § 4.°, 150, II, 153, III, e 153 § 2.°, I;

Doutrina

Remuneração do Presidente, Vice-Presidente e dos Ministros de

Estado. Cabe ao Congresso Nacional decidir sobre a remuneração do Presidente e Vice-Presidente da República e dos Ministros de Estado, cuja denominação é subsídio, fixado em parcela única, vedado o acréscimo de qualquer outra de natureza remuneratória, não podendo exceder do valor pago aos ministros do Supremo Tribunal Federal, proibida qualquer distinção em razão de ocupação profissional ou função e sujeito à incidência do imposto de renda ou de qualquer outro de caráter geral. A nova redação da norma constitucional, dada pela EC 19, não exige mais a fixação para cada exercício financeiro, podendo, com isso, o subsídio ser revisto sempre que o Congresso Nacional entender oportuno.

IX – julgar anualmente as contas prestadas pelo Presidente da República e apreciar os relatórios sobre a execução dos planos de governo;

Doutrina

Julgamento anual das contas apresentadas pelo Presidente da República. Trata-se de uma das funções mais expressivas do chamado controle externo, exercido pelo Congresso Nacional, com o auxílio do Tribunal de Contas da União.

Apreciação de relatórios. A apreciação dos relatórios sobre a execução dos planos de governo também se insere entre as funções de controle e fiscalização, pois os referidos documentos são fonte importante de informações para o acompanhamento da ação do governo.

X – fiscalizar e controlar, diretamente, ou por qualquer de suas Casas, os atos do Poder Executivo, incluídos os da administração indireta;

Doutrina

Fiscalização e controle dos atos do Poder Executivo. Cabe ao

Congresso Nacional, ou a qualquer de suas Casas, a fiscalização e o controle dos atos do Poder Executivo, tanto da administração direta quanto da indireta, com o objetivo de garantir moralidade e transparência da Administração.

Jurisprudência

> A ação fiscalizadora do Legislativo tem por objetivo impedir o desequilíbrio das relações entre os Poderes do Estado, mormente em razão da hegemonia ostentada por órgãos do Executivo em alguns momentos da vida política nacional. (STF, RTJ, 147/56).

XI – zelar pela preservação de sua competência legislativa em face da atribuição normativa dos outros Poderes;

Doutrina

Preservação da competência legislativa. Cabe ao Congresso Nacional zelar para manter íntegra a sua principal função, a legislativa, fiscalizando para que a atribuição normativa conferida pela Constituição ao Executivo para expedir decretos e regulamentos visando o fiel cumprimento da lei, e ao Judiciário para elaborar e aprovar regimentos internos de tribunais, seja exercido nos estritos limites da outorga constitucional.

Jurisprudência

> "Como a função legislativa ordinariamente pertence ao Congresso Nacional, que a exerce por direito próprio, com observância da estrita tipicidade constitucional que define a natureza das atividades estatais, torna-se imperioso assinalar – e advertir – que a utilização da medida provisória, por constituir exceção derrogatória do postulado da divisão funcional do Poder, subordina-se, em seu processo de conversão legislativa, à vontade soberana do Congresso Nacional". (STF – Pleno, ADIN 293/DF MC, rel. Min. Celso de Mello, Ementário, n.º 1.699-01, p. 9).

XII – apreciar os atos de concessão e renovação de concessão de emissoras de rádio e televisão;

Doutrina

Concessão ou renovação de concessão a emissoras de rádio e televisão. A norma constitucional visa a assegurar ao Congresso poder de controle e fiscalização sobre as mencionadas concessões em face do evidente interesse público do assunto.

XIII – escolher dois terços dos membros do Tribunal de Contas da União;

Doutrina

Escolha de ministros do Tribunal de Contas da União. Compete ao Congresso Nacional a escolha de dois terços dos ministros do referido tribunal, sendo o outro terço escolhido pelo Presidente da República, com aprovação do Senado Federal.

XIV – aprovar iniciativas do Poder Executivo referentes a atividades nucleares;

Doutrina

Iniciativas ligadas a atividades nucleares. Compete ao Congresso Nacional aprovar qualquer iniciativa do Poder Executivo relacionada com a atividade nuclear. Anote-se que as atividades nucleares somente serão admitidas para fins pacíficos.

Jurisprudência

> "Mandado de Segurança requerido por Deputados Federais contra decreto do Presidente da República que teria invadido, ao ver dos impetrantes, competência exclusiva do Congresso Nacional, estabelecida no art. 49,

XIV, da Constituição. Falta de direito individual a amparar e consequente ilegitimidade ativa para a causa. Agravo regimental a que se nega provimento, confirmada a decisão singular do Relator, que negara seguimento ao pedido" (STF – Pleno, MS 22.857/SP AgRg, rel. Min. Octávio Gallotti, j. 12.06.1995).

XV – autorizar referendo e convocar plebiscito;

Doutrina

Referendo e plebiscito. Cabe ao Congresso Nacional autorizar referendo, isto é, pronunciamento do povo sobre uma medida legislativa já aprovada, e convocar plebiscito, ou consulta prévia ao povo sobre assunto de relevante interesse nacional. Portanto, este se faz *a priori* e aquele *a posteriori*.

XVI – autorizar, em terras indígenas, a exploração e o aproveitamento de recursos hídricos e a pesquisa e lavra de riquezas minerais;

Doutrina

Exploração de recursos hídricos e minerais em terras indígenas. Compete ao Congresso Nacional, ouvidas as comunidades indígenas, autorizar a exploração e o aproveitamento de recursos hídricos, inclusive de potenciais energéticos, e a pesquisa e lavra de recursos minerais em terras tradicionalmente por eles ocupadas.

XVII – aprovar, previamente, a alienação ou concessão de terras públicas com área superior a dois mil e quinhentos hectares.

XVIII – decretar o estado de calamidade pública de âmbito nacional previsto nos arts. 167-B, 167-C, 167-D, 167-E, 167-F e 167-G desta Constituição

Doutrina

Calamidades públicas. São eventos que atingem grandes populações da humanidade, por meio de inundações, incêndios, epidemias e guerras e que exigem das instituições do Estado a sua decretação, em âmbito nacional, nos termos dos artigos 167-B a 167-G, da Constituição.

Art. 50. A Câmara dos Deputados e o Senado Federal, ou qualquer de suas Comissões, poderão convocar Ministro de Estado ou quaisquer titulares de órgãos diretamente subordinados à Presidência da República para prestarem, pessoalmente, informações sobre assunto previamente determinado, importando em crime de responsabilidade a ausência sem justificação adequada.

Doutrina

Convocação de ministros e autoridades. Convocação é ato de cumprimento obrigatório e a ausência injustificada ou sem justificação aceitável implica em crime de responsabilidade do convocado. Poderão convocar a Câmara dos Deputados, o Senado Federal, ou qualquer de suas Comissões, permanentes, temporárias, parlamentares de inquérito, ou mistas. As autoridades sujeitas à convocação são os Ministros de Estado ou os titulares de órgãos diretamente subordinados à Presidência da República, como os Chefes do Gabinete Civil e do Gabinete Militar, que, às vezes, têm *status* de ministro.

Jurisprudência

> "Ação Direta de Inconstitucionalidade. Medida Cautelar. Dispositivo da Constituição do Estado da Bahia

que prevê a convocação, pela Assembleia Legislativa, do Governador do Estado, para prestar pessoalmente informações sobre assunto determinado, importando em crime de responsabilidade a ausência sem justificação adequada. 'Fumus boni juris' que se demonstra com a afronta ao princípio da separação e harmonia dos Poderes, consagrado na Constituição Federal. 'Periculum in mora' evidenciado no justo receio do conflito entre Poderes, em face de injunções políticas. Medida cautelar concedida" (STF – Pleno, ADI 111 MC, rel. Min. Carlos Madeira, j. 25.10.1989).

§ 1.º Os Ministros de Estado poderão comparecer ao Senado Federal, à Câmara dos Deputados, ou a qualquer de suas Comissões, por sua iniciativa e mediante entendimentos com a Mesa respectiva, para expor assunto de relevância de seu Ministério.

Doutrina

Comparecimento espontâneo. Os Ministros de Estado – e apenas estes – de iniciativa própria e após entendimentos com a Mesa respectiva, poderão comparecer ao Senado Federal, à Câmara dos Deputados, ou a qualquer de suas Comissões, para discorrer sobre assunto específico de sua pasta, estando, pois, proibido de tratar de questões da alçada de outros Ministérios ou órgãos do Governo.

§ 2.º As Mesas da Câmara dos Deputados e do Senado Federal poderão encaminhar pedidos escritos de informação a Ministros de Estado ou a qualquer das pessoas referidas no *caput* deste artigo, importando em crime de responsabilidade a recusa, ou o não atendimento, no prazo de trinta dias, bem como a prestação de informações falsas.

Doutrina

Pedidos escritos de informações. Qualquer parlamentar poderá solicitar à Mesa de sua respectiva Casa que encaminhe o seu pedido de informações sobre qualquer matéria a um Ministro de Estado ou a titular de órgão subordinado diretamente à Presidência da República. Constitui crime de responsabilidade tanto a recusa, negar-se a fornecer as informações, quanto o não atendimento, deixar de atender, ou a prestação de informações falsas, informações que falseiam a verdade, podendo, neste caso, caracterizar, ainda, o crime de falsidade ideológica.

Jurisprudência

> "I. O direito de requerer informações aos Ministros de Estado foi conferido pela Constituição tão somente às Mesas da Câmara dos Deputados e do Senado Federal e não a parlamentares individualmente. Precedentes. II – O entendimento pacífico desta Corte é no sentido de que o parlamentar individualmente não possui legitimidade para impetrar mandado de segurança para defender prerrogativa concernente à Casa Legislativa a qual pertence. III – No caso, não está caracterizada a legitimidade passiva do Ministro de Estado da Fazenda, uma vez que o projeto de implantação do teleférico no Complexo do Alemão, no âmbito do Programa de Aceleração do Crescimento, foi elaborado pelo Departamento de Urbanização de Assentamentos Precários do Ministério das Cidades, cabendo a este o fornecimento das informações pretendidas. IV – Agravo regimental a que se nega provimento" (STF – 2.ª Turma, ROMS 28.251/DF AgRg, rel. Min. Ricardo Lewandowski, j. 18.10.2011).

Seção III
DA CÂMARA DOS DEPUTADOS

Art. 51. Compete privativamente à Câmara dos Deputados:

Doutrina

Competência privativa da Câmara dos Deputados. A norma constitucional trata, na verdade, de competência exclusiva, pois deve ser exercida pela Câmara dos Deputados em caráter exclusivo, não se admitindo delegação.

I – autorizar, por dois terços de seus membros, a instauração de processo contra o Presidente e o Vice-Presidente da República e os Ministros de Estado;

Doutrina

Instauração de processo. A instauração de processo, por crime comum ou de responsabilidade, contra o Presidente e o Vice-Presidente da República e os Ministros de Estado, depende de autorização da Câmara dos Deputados, que se manifestará por dois terços de seus membros. Aqui reside a fase inaugural do processo de *impeachment* e a Câmara, se entender relevantes os fatos arrolados na acusação, poderá autorizar a instauração do processo que se desenrolará perante o Senado Federal.

Jurisprudência

> Autorizada pela Câmara dos Deputados, por dois terços de seus membros, a instauração do processo (CF, art. 51, I), ou admitida a acusação (CF, art. 86), o processo e julgamento do Presidente da República nos crimes de responsabilidade se dará perante o Senado Federal.

É esta Casa, e não mais a Câmara dos Deputados, que formulará a acusação, conduzirá o processo segundo as normas de processo e julgamento contidas na Lei n.º 1.079, de 1950, em grande parte recepcionada pela Constituição de 1988, e proferirá o julgamento. (STF, Ementário, n.º 1.705-02, p. 202).

"Em face da interpretação sistemática da Constituição, o requisito de procedibilidade a que alude seu art. 51, I, restringe-se, no tocante aos Ministros de Estado, aos crimes comuns e de responsabilidade conexos com os da mesma natureza imputados ao Presidente da República" (STF, QC 427-8/DF QO, rel. Min. Moreira Alves, RDA 194/143).

"(...). 1.1. Apresentada denúncia contra o Presidente da República por crime de responsabilidade, compete à Câmara dos Deputados autorizar a instauração de processo (art. 51, I, da CF/1988). A Câmara exerce, assim, um juízo eminentemente político sobre os fatos narrados, que constitui condição para o prosseguimento da denúncia" (STF – Pleno, ADPF 378 MC, rel. Min. Edson Fachin, rev. Min. Roberto Barroso, j. 17.12.2015).

"(...). 1.1. Ao Senado compete, privativamente, processar e julgar o Presidente (art. 52, I), locução que abrange a realização de um juízo inicial de instauração ou não do processo, isto é, de recebimento ou não da denúncia autorizada pela Câmara" (STF – Pleno, ADPF 378 MC, rel. Min. Edson Fachin, rev. Min. Roberto Barroso, j. 17.12.2015).

II – proceder à tomada de contas do Presidente da República, quando não apresentadas ao Congresso Nacional dentro de sessenta dias após a abertura da sessão legislativa;

Doutrina

Processo de tomada de contas. Deve ser aberto, exclusivamente pela Câmara dos Deputados, para a tomada de contas do Presidente da República quando este não apresentá-las ao Congresso Nacional dentro do prazo de sessenta dias, contados da abertura da sessão legislativa em 2 de fevereiro de cada ano (art. 57) e se constitui num conjunto de procedimentos visando a busca e reunião no processo de documentos relativos à execução orçamentária do exercício, à execução financeira, ao controle dos dinheiros e do patrimônio da União e das entidades federais da administração indireta.

III – elaborar seu regimento interno;

Doutrina

Regimento interno. É o conjunto de normas que dispõem sobre o funcionamento da Casa legislativa como expressão de seu poder de auto-organizar-se. Deve conter as normas relativas ao desenvolvimento do processo legislativo, organização de comissões, organização de seus serviços e de sua secretaria etc.

IV – dispor sobre sua organização, funcionamento, polícia, criação, transformação ou extinção dos cargos, empregos e funções de seus serviços, e a iniciativa de lei para fixação da respectiva remuneração, observados os parâmetros estabelecidos na lei de diretrizes orçamentárias;

Doutrina

Organização e funcionamento. Compete exclusivamente à Câmara dos Deputados dispor sobre a sua organização e funcionamento nos aspectos de estrutura orgânica, serviços, quadro de pessoal e polícia interna, entendidas estas como as medidas destinadas a garantir a segurança e a tranquilidade necessárias ao desenvolvimento dos trabalhos.

Jurisprudência

Súmula 397 do STF: "O poder de polícia da Câmara dos Deputados e do Senado Federal, em caso de crime cometido nas suas dependências, compreende, consoante o Regimento, a prisão em flagrante do acusado e a realização do inquérito".

"1. Nos termos do art. 51, IV, da Constituição Federal, a Câmara dos Deputados goza de competência privativa para 'dispor sobre sua organização, funcionamento, polícia, criação, transformação ou extinção dos cargos, empregos e funções de seus serviços, e a iniciativa de lei para fixação de respectiva remuneração, observados os estabelecidos na lei de diretrizes orçamentárias'" (TRF1, AgI 003265-65.2015.4.01.0000, rel. Des. Fed. Gilda Sigmaringa Seixas, e-DJF1, 13.09.2016).

"(...). Como se vê, o art. 51, inciso IV, da CF, nada mais faz do que estabelecer a competência privativa da Câmara dos Deputados para dispor sobre a sua organização, funcionamento, transformação ou extinção de cargos, empregos e funções de seus serviços, sempre observando as disposições estabelecidas na lei de diretrizes orçamentárias" (TRF1, AgI 0012397-24-2003.4.01.0000, rel. Juiz Federal Convocado Velasco Nascimento, DJ, 12.06.2003, p. 47).

V – eleger membros do Conselho da República, nos termos do art. 89, VII.

Doutrina

Eleição de membros do Conselho de República. O Conselho da República é órgão superior de consulta do Presidente da República e dele participam, dentre outros, seis cidadãos brasileiros natos, com mais de trinta e cinco anos de idade, sendo dois nomeados pelo Chefe do Poder Executivo, dois eleitos pelo Senado Federal e dois eleitos pela Câmara Federal, todos com mandato de três anos, vedada a recondução. A eleição se dá na forma disposta no Regimento Interno da Câmara.

Seção IV
DO SENADO FEDERAL

Art. 52. Compete privativamente ao Senado Federal:

Doutrina

Competência privativa do Senado Federal. Da mesma forma que no artigo 51, o dispositivo constitucional do artigo 52 trata de competência exclusiva, pois deve ser exercida pelo Senado Federal em caráter exclusivo, não se admitindo delegação.

I – processar e julgar o Presidente e o Vice-Presidente da República nos crimes de responsabilidade, bem como os Ministros de Estado e os Comandantes da Marinha, do Exército e da Aeronáutica nos crimes da mesma natureza conexos com aqueles;

Doutrina

Impeachment. É o processo, de natureza política, por meio do qual se processa e julga, perante o Senado Federal, o Presidente e o Vice-Presidente da República, nos crimes de responsabilidade, bem como os Ministros de Estado e Comandantes Militares nos crimes da mesma natureza praticados em conexão com aqueles. Nos crimes comuns, tais autoridades são processadas e julgadas perante o Supremo Tribunal Federal.

Procedimento do impeachment. Uma vez recebida a denúncia, que pode ser apresentada por qualquer cidadão, o processo se desenvolve mediante as seguintes fases: a) *autorização da Câmara dos Deputados*, por dois terços de seus membros, de instauração do processo (art. 51, I); b) *abertura do processo pelo Senado*, com as providências materiais e formais (art. 52, I), ficando o Presidente da República suspenso do exercício do cargo pelo prazo de cento e oitenta dias (art. 86, § 1.°, II, c.c. § 2.°); c) *fase de instrução do processo*, assegurando ao acusado a mais ampla defesa (art. 5.°, LV); d) *fase de julgamento*, com a absolvição ou a condenação do acusado, sendo que esta somente se dará por dois terços dos votos do Senado Federal, limitando-se a mesma à perda do cargo, com inabilitação, por oito anos, para o exercício de função pública, sem prejuízo das demais sanções judiciais aplicadas após o processo cabível (art. 52, par. único). Presidirá o Senado Federal, quando este funcionar como corte judicante (art. 51, I e II), o Presidente do Supremo Tribunal Federal.

Jurisprudência

O *impeachment* é sanção de natureza político-administrativa que visa a, de modo legítimo, destituir conforme a Constituição o Presidente da República, além de inabilitá-lo, pelo prazo de oito anos, para o exercício de qualquer função pública eletiva ou de nomeação. (STF, HC 69.647-3, DJU, 05.08.1992).

O processo de *impeachment* está sujeito a controle judicial na hipótese de lesão ou ameaça a direito, nos termos do art. 5.°, XXXV, da Constituição Federal. (STF, RTJ, 142/88).

Não enseja *habeas corpus* a pena de inabilitação, por oito anos, para o exercício de função pública eletiva ou de nomeação, pois não se colocou em risco o *status libertatis* do paciente. (STF, RTJ, 147/650).

"Compete ao Senado Federal processar e julgar o Presidente da República nos crimes de responsabilidade (art. 52, I; art. 86, § 1.°, II), depois de autorizada, pela Câmara dos Deputados, por dois terços de seus membros, a instauração do processo (CF, art. 51, I), ou admitida a acusação (CF, art. 86). É dizer: o *impeachment* do Presidente da República será processado e julgado pelo Senado. O Senado e não mais a Câmara dos Deputados formulará a acusação (Juízo de Pronúncia) e proferirá o julgamento

(CF, art. 51, I; 52, I; 86, § 1.°, I, § 2.°). No regime da Carta de 1988, a Câmara dos Deputados, diante da denúncia oferecida contra o Presidente da República, examina a admissibilidade da acusação (CF, art. 86, *caput*), podendo, portanto, rejeitar a denúncia oferecida na forma do art. 14 da Lei 1.079/50. No procedimento de admissibilidade da denúncia, a Câmara dos Deputados profere juízo político. Deve ser concedido ao acusado prazo para defesa, defesa que decorre do princípio inscrito no art. 5.°, LV, da Constituição, observadas, entretanto, as limitações do fato de a acusação somente materializar-se com a instauração do processo, no Senado. Neste é que a denúncia será recebida, ou não, dado que, no Senado ocorre, apenas, a admissibilidade da acusação, a partir da edição de um juízo político, em que a Câmara verificará se a acusação é existente, se tem ela base em alegações e fundamentos plausíveis, ou se a notícia do fato reprovável tem razoável procedência, não sendo a acusação simplesmente fruto de quizílias ou desavenças políticas. Por isso, será na esfera institucional do Senado, que processa e julga o Presidente da República, nos crimes de responsabilidade, que este poderá promover as indagações probatórias admissíveis" (STF, MS 21.564/DF, rel. Min. Octávio Gallotti, DJ, de 27.08.1993, p. 17.019).

"(...). 3. No caso do Presidente da República, compete privativamente ao Senado Federal processá-lo e julgá-lo nos crimes de responsabilidade, a teor do art. 52, I, c/c o art. 85, V, da CF/88, o que afasta a competência do juízo federal de primeiro grau para decidir as causas, independentemente da nomenclatura que a elas seja atribuída, em que se imputem atos de improbidade administrativa ao Chefe do Poder Executivo Federal, ainda que sob a roupagem de ação popular, e em que, eventualmente, como na espécie, se almeje a perda do cargo público e a suspensão dos direito políticos. 4. Apelação não conhecida e remessa oficial desprovida" (TRF1, AC, 0012079-21.2006.4.01.3400, rel. Des. Fed. Souza Prudente, e-DJF1, 28.10.2008, p. 674).

II – processar e julgar os Ministros do Supremo Tribunal Federal, os membros do Conselho Nacional de Justiça e do Conselho Nacional do Ministério Público, o Procurador-Geral da República e o Advogado-Geral da União nos crimes de responsabilidade;

Doutrina

Processo e julgamento de outras autoridades públicas. O processo e julgamento dos Ministros do Supremo Tribunal Federal, dos membros do Conselho Nacional de Justiça e do Conselho Nacional do Ministério Público, do Procurador-Geral da República e do Advogado-Geral da União somente ocorre perante o Senado Federal quando se tratar de crime de responsabilidade cometido por essas autoridades; funcionará como Presidente da Casa o do Supremo Tribunal Federal.

III – aprovar previamente, por voto secreto, após arguição pública, a escolha de:

a) magistrados, nos casos estabelecidos nesta Constituição;

b) Ministros do Tribunal de Contas da União indicados pelo Presidente da República;

c) Governador de Território;

d) presidente e diretores do Banco Central;

e) Procurador-Geral da República;

f) titulares de outros cargos que a lei determinar;

Doutrina

Aprovação da escolha de agentes públicos. Compete ao Senado Federal aprovar previamente, por voto secreto, após arguição pública, a escolha do Presidente da República de vários agentes públicos. Assim, referidas nomeações se constituem ato complexo porque somente se aperfeiçoam com a intervenção de autoridades dos Poderes Legislativo e Executivo.

Indicações sujeitas à aprovação do Senado Federal. Sujeitam-se à aprovação prévia as indicações para os seguintes cargos: a) *magistrados*, apenas nos casos previstos na Constituição, quais sejam as nomeações de ministros para o Supremo Tribunal Federal (neste caso a aprovação deve se dar pela maioria absoluta dos membros do Senado Federal), para o Superior Tribunal de Justiça, para o Tribunal Superior do Trabalho e para o Superior Tribunal Militar; b) *Ministros do Tribunal de Contas da União*, apenas nos casos de indicação feita pelo Presidente da República; c) *Governador de Território*, a escolha e a nomeação competem ao Presidente da República; d) *presidente e diretores do Banco Central*, os membros da diretoria do Banco Central do Brasil, ou de qualquer outro que venha a desempenhar as atribuições típicas de um Banco Central; e) *Procurador-Geral da República*, que é o chefe do Ministério Pública da União e cuja escolha deverá ser aprovada pela maioria absoluta dos membros do Senado Federal; f) *titulares de outros cargos que a lei determinar*, trata-se de norma infraconstitucional que submeta à aprovação prévia do Senado Federal a escolha de ocupantes de outros cargos, como, por exemplo, os presidentes de agências nacionais de regulação ou de desenvolvimento, como a Anatel, a Aneel etc., ou de bancos de fomento, como o BNDES.

IV – aprovar previamente, por voto secreto, após arguição em sessão secreta, a escolha dos chefes de missão diplomática de caráter permanente;

Doutrina

Chefes de missão diplomática. A norma impõe a aprovação prévia, após arguição em sessão secreta e não pública, como no inciso anterior, apenas para as chefias de missões diplomáticas de caráter permanente, como as embaixadas, os postos nos organismos internacionais, e não para as missões temporárias.

V – autorizar operações externas de natureza financeira, de interesse da União, dos Estados, do Distrito Federal, dos Territórios e dos Municípios;

Doutrina

Operações externas de natureza financeira. São todas as operações financeiras realizadas com o exterior, tanto de empréstimos quanto de aplicações, de interesse dos entes federados e dos Territórios, quer seja da administração direta ou indireta. Tais operações dependem de autorização do Senado Federal, que passa a exercer importante papel no controle do endividamento público.

Jurisprudência

> "(...). 6. De acordo com o disposto no artigo 42 da Carta então vigente, o qual estabelecia as atribuições do Senado, a autorização era necessária para a realização de operações de crédito externo: 'Art. 42. Compete privativamente ao Senado Federal: (...) – autorizar empréstimos, operações ou acordos externos, de qualquer natureza, de interesse dos Estados, do Distrito Federal e dos Municípios, ouvido o Poder Executivo Federal; Com o advento da Constituição da República de 1988 passou a ser exigida a autorização para a contratação de operações de crédito interno, consoante dispõe seu art. 52, a seguir transcrito: Art. 52. Compete privativamente ao Senado Federal: (...). V – autorizar operações externas de natureza financeira, de interesse da União, dos Estados, do Distrito Federal, dos Territórios e dos Municípios' (...)" (TRF3 – ApReeNec 1.634.289/SP, rel. Juiz Federal Convocado Roberto Jeuken, e-DJF3, 24.05.2013).

VI – fixar, por proposta do Presidente da República, limites globais para o montante da dívida consolidada da União, dos Estados, do Distrito Federal e dos Municípios;

Doutrina

Fixação dos limites globais para a dívida consolidada. A iniciativa de fixação dos limites globais para o montante da dívida consolidada dos entes federados, também chamada de dívida oriunda de empréstimos, deve ser do Presidente da República, cabendo ao Senado Federal discuti-la, alterá-la, se o caso, e, ao final, decidir sobre a matéria.

VII – dispor sobre limites globais e condições para as operações de crédito externo e interno da União, dos Estados, do Distrito Federal e dos Municípios, de suas autarquias e demais entidades controladas pelo Poder Público federal;

Doutrina

Operações de crédito externo e interno. Cabe ao Senado Federal dispor sobre os limites globais, com o objetivo de controlar o endividamento, e condições gerais, visando garantir o pagamento, das operações de crédito externo e interno dos entes federados, de suas autarquias e demais entidades controladas pelo Poder Público Federal. Apesar da redação final do dispositivo, quer parecer que, além das autarquias, também as demais entidades controladas pelos Estados, Distrito Federal e Municípios, estão sujeitas à regra, principalmente em face da norma contida no inciso V deste artigo.

VIII – dispor sobre limites e condições para a concessão de garantia da União em operações de crédito externo e interno;

Doutrina

Concessão de garantia da União. Cabe ao Senado Federal estabelecer os limites e as condições para a União garantir operações de crédito externo e interno realizadas por entes federados.

Normalmente, os limites referem-se à capacidade de endividamento e as condições dizem respeito à duração do financiamento, destinação dos recursos, forma de pagamento etc.

IX – estabelecer limites globais e condições para o montante da dívida mobiliária dos Estados, do Distrito Federal e dos Municípios;

Doutrina

Limites globais e condições para o montante da dívida mobiliária. Da mesma forma que fixa limites globais para a dívida consolidada, deve o Senado Federal estabelecer limites globais e condições para o montante da dívida mobiliária dos Estados, do Distrito Federal e dos Municípios.

X – suspender a execução, no todo ou em parte, de lei declarada inconstitucional por decisão definitiva do Supremo Tribunal Federal;

Doutrina

Suspensão da execução de lei declarada inconstitucional. Suspender a execução significa retirar da lei declarada inconstitucional a sua eficácia. Pode ser da lei no seu todo, quer dizer, na totalidade de seus dispositivos, ou apenas em parte, somente dos dispositivos declarados inconstitucionais. A declaração de inconstitucionalidade deverá ocorrer através de decisão definitiva do STF, portanto, decisão irrecorrível, contra a qual não caiba mais nenhum recurso.

Controle incidental. O dispositivo se refere às decisões tomadas no caso concreto, em sede de controle incidental, *incidenter tantum*, na via de exceção. Apenas nestes casos o STF está obrigado a fazer a comunicação ao Senado Federal, após o trânsito em julgado da decisão.

Papel do Senado Federal. O Senado Federal, se entender que deve estender a decisão do STF no caso concreto para a generalidade dos casos, baixará, por meio de resolução, ato suspendendo a aplicação da lei considerada, no todo ou em parte, inconstitucional. O entendimento predominante é no sentido de que o Senado Federal não está obrigado a suspender a execução da lei e somente o fará se desejar legislar para atender os demais casos idênticos ao decidido pelo STF. Portanto, este *decide* o caso concreto e, a partir dele, o Senado *legisla*, estendendo a decisão para a generalidade dos casos.

Jurisprudência

> A declaração de inconstitucionalidade gera efeitos *ex tunc*, retroagindo às origens do dispositivo legal acoimado daquele vício e, por isso, a revogação da lei não impede seja decretada a sua inconstitucionalidade. (TFR, RTFR, 129/75).
>
> A comunicação ao Senado é cabível apenas no caso de declaração incidental de inconstitucionalidade, isto é, na apreciação do caso concreto. No controle por via principal, a simples decisão da Corte, por maioria absoluta de votos, já importa na perda de eficácia da lei ou ato normativo. (STF, Processo Administrativo 4.477/72, DJU, 16.05.1977, p. 3123).
>
> O entendimento comum do STF e do Senado Federal é o de que este não está obrigado a baixar resolução suspendendo a lei declarada inconstitucional na via de exceção. (STF, DJ, 16.06.1994, p. 15.509).
>
> Não pode o Senado voltar atrás e alterar resolução editada anteriormente suspendendo, no todo ou em parte, a executoriedade de lei ou decreto declarados inconstitucionais pelo Supremo. (STF, RTJ, 39/628).

XI – aprovar, por maioria absoluta e por voto secreto, a exoneração, de ofício, do Procurador-Geral da República antes do término de seu mandato;

Doutrina

Exoneração do Procurador-Geral da República. O Chefe do Ministério Público da União poderá ser exonerado, de ofício, antes do término de seu mandato, por ato do Presidente da República, que o submeterá ao Senado Federal para aprová-lo ou não, manifestando-se pelo voto secreto da maioria absoluta de seus membros.

XII – elaborar seu regimento interno;

Doutrina

Regimento interno. O regimento interno do Senado Federal condensa as normas de funcionamento da Casa e é expressão de seu poder de auto-organização.

XIII – dispor sobre sua organização, funcionamento, polícia, criação, transformação ou extinção dos cargos, empregos e funções de seus serviços, e a iniciativa de lei para fixação da respectiva remuneração, observados os parâmetros estabelecidos na lei de diretrizes orçamentárias;

Doutrina

Organização e funcionamento. Compete exclusivamente ao Senado Federal dispor sobre a sua organização e funcionamento nos aspectos de estrutura orgânica, serviços, quadro de pessoal e polícia interna, entendidas estas como as medidas destinadas a garantir a segurança e a tranquilidade necessárias ao desenvolvimento dos trabalhos.

Jurisprudência

> Súmula 397 do STF: "O poder de polícia da Câmara dos Deputados e do Senado Federal, em caso de crime cometido nas suas dependências, compreende, con-

soante o Regimento, a prisão em flagrante do acusado e a realização do inquérito".

"(...). 5. O teto remuneratório constitucional existe e deve ser observado, mas a par disso existe a independência (harmônica) dos poderes, com suas prerrogativas constitucionais, e que andam com os seus próprios pés, sem tutela, como é das regras republicanas. A Constituição confere privativamente ao Senado Federal competência para 'dispor sobre sua organização, funcionamento, polícia, criação, transformação ou extinção dos cargos, empregos e funções de seus serviços, e a iniciativa de lei para fixação da respectiva remuneração, observados os parâmetros estabelecidos na lei de diretrizes orçamentárias.' (art. 52, XIII). 6. A alteração abrupta, sem contraditório, de inúmeras situações jurídicas remuneratórias constituídas e seladas pelo teste do tempo, quando ainda existe discussão jurídica não cerificada sobre determinadas verbas, se salariais ou se indenizatórias, tem aptidão para dificultar, senão inviabilizar, a estrutura de funcionamento das complexas atividades do Senado Federal. 7. A ingerência da atividade jurisdicional sobre atribuições de outro Poder da República, importando alterações na condução do planejamento da sua atuação, deve ser, em princípio, pontual – v. g., em relações jurídicas específicas, com sujeitos determinados –, com critério e prudência. A decisão que, substituindo-se à atribuição legislativa de uma das casas do Congresso Nacional, impõe regras remuneratórias gravosas aos servidores e membros do Senado Federal, atenta contra a ordem pública, nela incluída a ordem administrativa, no ponto em que põe em xeque o normal funcionamento dos seus serviços. 8. Improvimento do agravo regimental" (TRF1, Corte Especial, AgRg 0046388-10.2011.3.01.0000, rel. Des. Fed. Olindo Menezes, e-DJF1, 17.04.2012, p. 37).

XIV – eleger membros do Conselho da República, nos termos do art. 89, VII.

Doutrina

Eleição de membros do Conselho de República. O Conselho da República é órgão superior de consulta do Presidente da República e dele participam, dentre outros, seis cidadãos brasileiros natos, com mais de trinta e cinco anos de idade, sendo dois eleitos pelo Senado Federal, na forma disposta no seu Regimento Interno.

XV – avaliar periodicamente a funcionalidade do Sistema Tributário Nacional, em sua estrutura e seus componentes, e o desempenho das administrações tributárias da União, dos Estados e do Distrito Federal e dos Municípios.

Doutrina

Funcionalidade do Sistema Tributário Nacional. Visa a norma determinar seja a funcionalidade do sistema tributário objeto de avaliação de desempenho a partir de sua estrutura e componentes. Trata-se de tarefa pouco realista.

Parágrafo único. Nos casos previstos nos incisos I e II, funcionará como Presidente o do Supremo Tribunal Federal, limitando-se a condenação, que somente será proferida por dois terços dos votos do Senado Federal, à perda do cargo, com inabilitação, por oito anos, para o exercício de função pública, sem prejuízo das demais sanções judiciais cabíveis.

Doutrina

Senado Federal como órgão judicante. Nos processos de *impeachment*, o Senado Federal funciona como órgão judicante, espécie de tribunal político, sob a presidência do Presidente do Supremo Tribunal Federal, sendo que a condenação somente será proferida por dois terços dos votos dos membros da Casa.

Natureza da sanção. A punição, nos crimes de responsabilidade, é, principalmente, a perda do cargo e, em caráter acessório, a inabilitação, por oito anos, para o exercício de função pública, eletiva ou não. Como o processo de *impeachment* é de natureza política, não constitui *bis in idem* o processo judicial para a apuração das responsabilidades civil e criminal, podendo o responsável responder a ambos e ser condenado a indenizar ou sofrer pena de multa ou privativa da liberdade, como detenção ou reclusão.

Jurisprudência

> No direito brasileiro, o *impeachment* comporta as penas de perda do cargo e de inabilitação, por oito anos, para o exercício de função pública, e a renúncia ao cargo, apresentada na sessão de julgamento, quando este já fora iniciado, não implica em paralisação do processo. (STF, MS 21.689-1, DJU, 07.04.1995).
>
> "Não cabe ao Poder Judiciário emitir juízo a respeito do acerto ou desacerto da Câmara Alta, porque sua decisão é soberana, incontrastável, irrecorrível. Não é dado ao Supremo Tribunal Federal interferir no mérito do julgamento senatorial, haja vista o princípio da separação de Poderes (art. 2.º) e o fato de que o processo de *impeachment* desenvolve-se no próprio âmbito do Parlamento, por determinação constitucional expressa. (...) O certo é que o *decisum* da Câmara Alta é prolatado no exercício de sua competência exclusiva, a qual lhe permite julgar em última instância. (...) Em verdade, as leis não concebem recurso algum da decisão do Senado para qualquer outra Corte, nem mesmo para o próprio Senado; nem a rescisória é admitida; o Judiciário, originariamente ou em grau de recurso, não pode conhecer a matéria, dado que a Constituição, bem ou mal, reservou para o Senado, e, exclusivamente, para ele, conhecer e decidir acerca do assunto". (STF, MS 21.689-1, voto do Min. Paulo Brossard, DJU, 07.04.1995, p. 18.871).
>
> "Crime de responsabilidade do Presidente da República. Compreende-se o desempenho de mandato ele-

tivo na pena de inabilitação no parágrafo único do art. 52 da Constituição" (STF – 1.ª Turma, RE 234.223/DF, rel. Min. Octávio Gallotti, DJ, 12.05.2000).

Seção V
DOS DEPUTADOS E DOS SENADORES

Art. 53. Os Deputados e Senadores são invioláveis, civil e penalmente, por quaisquer de suas opiniões, palavras e votos.

Doutrina

Imunidades parlamentares. São garantias constitucionais asseguradas aos parlamentares para o pleno exercício do mandato. Portanto, são prerrogativas que visam mais à proteção da instituição parlamentar do que propriamente aos parlamentares; contudo, nestes são radicadas para permitir que o mandato seja exercido sem medo e sem restrições. As imunidades são: a) materiais, ou substanciais, que tornam imunes os parlamentares por suas opiniões, palavras e votos. Estão consagradas nesta norma constitucional e significam a exclusão do cometimento de crimes contra a honra, por deputados e senadores, em razão de suas opiniões, palavras e votos; b) formais, ou processuais, que podem impedir a instauração ou tramitação de processo contra o parlamentar.

Jurisprudência

A Carta de 1988 conferiu maior extensão à chamada imunidade material ao omitir a referência ao exercício do mandato; porém, isso não dispensa, em cada caso, que seja verificada a existência ou não de um nexo de implicação recíproca entre a manifestação de pensamento do parlamentar, ainda que fora do exercício do mandato, e a sua condição de deputado ou senador (STF, RT, 648/318).

"O Supremo Tribunal Federal tem acentuado que a prerrogativa constitucional da imunidade parlamentar em sentido material protege o congressista em todas as suas manifestações que guardem relação com o exercício do mandato, ainda que produzidas fora do recinto da própria Casa Legislativa (RTJ 131/1.039, RTJ 135/509, RT 648/318), ou, com maior razão, quando exteriorizadas no âmbito do Congresso Nacional (RTJ 133/90). O depoimento prestado por membro do Congresso Nacional a uma Comissão Parlamentar de Inquérito está protegido pela cláusula de inviolabilidade que tutela o legislador no desempenho de seu mandato, especialmente quando a narração dos fatos – ainda que veiculadora de supostas ofensas morais – guarda íntima conexão com o exercício do ofício legislativo e com a necessidade de esclarecer os episódios objeto da investigação parlamentar". (STF – Pleno, Inq 681/SP, rel. Min. Celso de Mello, Ementário, n.° 1741-01, p. 168).

"O deputado que exerce a função de Ministro de Estado não perde o mandato, porém não pode invocar a prerrogativa da imunidade, material ou processual, pelo cometimento de crime no exercício da nova função". (STF, RTJ, 99/477).

"1. O processamento da queixa-crime encontra óbice no inciso III do art. 395 do Código de Processo Penal. Não há justa causa para o exercício da ação penal se o fato increpado ao acusado (detentor de foro por prerrogativa de função) está estreitamente ligado ao exercício do mandato parlamentar, sabido que 'os Deputados e Senadores são invioláveis, civil e penalmente, por quaisquer de suas opiniões, palavras e votos' (cabeça do art. 53 da CF/88). Torna-se imperioso, portanto, o reconhecimento da manifesta ausência de tipicidade da conduta descrita na inicial acusatória" (STF – Pleno, Inq 2.674/DF, rel. Min. Carlos Britto, j. 26.11.2009).

"1. Os Deputados e Senadores são invioláveis por suas opiniões, palavras e votos, desde que guardem nexo de causalidade com o exercício da atividade legislativa. No caso, o pronunciamento foi realizado na Tribuna do

Senado Federal. O conteúdo foi de natureza eminentemente política. As manifestações estão compreendidas na esfera de proteção da imunidade material. (...). No caso, a queixa-crime é incabível. Por isso, foi negado seguimento. Agravo regimental improvido" (STF – Pleno, Inq 1.775 /PR AgRg, rel. Min. Nelson Jobim, j. 21.11.2001).

"Queixa-crime – Imunidade Parlamentar. Estando as palavras circunscritas ao exercício do mandato, muito embora veiculadas pela imprensa, surge o óbice ao recebimento da queixa-crime, consubstanciado na imunidade parlamentar, tal como prevista no artigo 53 da Constituição Federal – 'os deputados e senadores são invioláveis, civil e penalmente, por quaisquer de suas opiniões, palavras e votos'" (STF – Pleno, Inq 2.253/DF, rel. Min. Marco Aurélio, j. 19.12.2005).

"Constitucional e Penal. *Habeas Corpus*. Deputado Estadual. Imunidade Material. Queixa. I. Incide, *in casu*, a inviolabilidade prevista na *Lex Maxima*, *ex vi*, do art. 53, *caput*, pois o paciente, Deputado Estadual, não pode ser submetido a processo penal pela prática de crime contra a honra, uma vez que a conduta a ele atribuída consubstanciou-se em manifestações relacionadas à sua atuação parlamentar (Precedentes do Pretório Excelso). II – Reconhecido esse liame entre as declarações proferidas, de um lado, e a relação com o exercício do múnus público decorrente da atividade parlamentar, de outro, implica o reconhecimento da incidência, obrigatória, da imunidade material, a teor do disposto no art. 53, *caput*, da Lex Fundamentalis: 'Os Deputados e Senadores são invioláveis, civil e penalmente, por quaisquer de suas opiniões, palavras e votos'" (STJ – 5.ª Turma, HC 67.587, rel. Min. Felix Fischer, DJ, 14.05.2007, p. 344).

§ 1.° Os Deputados e Senadores, desde a expedição do diploma, serão submetidos a julgamento perante o Supremo Tribunal Federal.

Doutrina

Foro privilegiado. Os membros do Congresso Nacional – deputados e senadores –, desde a expedição do diploma, têm foro privilegiado (ou prerrogativa de foro) perante o Supremo Tribunal Federal. Portanto, serão processados e julgados, nas infrações penais comuns (art. 102, inciso I, alínea *b*, da Constituição Federal), junto à Corte Suprema, cuja competência prevalecerá enquanto durar o mandato parlamentar. Cessado este, existindo ação tramitando, os autos serão remetidos para o juízo de primeiro grau para processar e julgar o caso.

Jurisprudência

> "(...). Com base no decidido na Questão de Ordem referente ao Inquérito 571, e tendo em vista que o acusado não foi reeleito deputado federal, tornou-se este Tribunal incompetente para julgar a apelação que foi apresentada perante o Juízo da primeira vara criminal da comarca de Campinas (SP), razão por que se resolve esta questão de ordem determinando-se a devolução dos autos ao referido Juízo, para que ele proceda como de direito" (STF – Pleno, Inq 967-9, rel. Min. Moreira Alves, DJ 1, 18.06.1999, p. 3).

§ 2.° Desde a expedição do diploma, os membros do Congresso Nacional não poderão ser presos, salvo em flagrante de crime inafiançável. Nesse caso, os autos serão remetidos dentro de vinte e quatro horas à Casa respectiva, para que, pelo voto da maioria de seus membros, resolva sobre a prisão.

Doutrina

Imunidade à prisão. Significa que membro do Congresso Nacional – deputado ou senador – não poderá ser preso, salvo em flagrante delito de crime inafiançável. A prisão a que se refere a norma é tanto a penal quanto a civil e a exceção refere-se unicamente às hipóteses de prisão em flagrante, ainda assim apenas quando se tratar de crime que não admita fiança.

Extensão da imunidade à prisão. O termo *a quo* ocorre com o ato de expedição do diploma, da diplomação, que faz nascer para o parlamentar o direito de fruir das prerrogativas do mandato e responder por todos os deveres e restrições a ele pertinentes. O termo *ad quem* **não foi previsto na Constituição**; porém, dela decorre que o mesmo equivale ao início da legislatura seguinte.

Jurisprudência

> Súmula do STF: 245. "A imunidade parlamentar não se estende ao corréu sem essa prerrogativa".
>
> "A garantia da imunidade parlamentar em sentido formal não impede a instauração do inquérito policial contra membro do Poder Legislativo, que está sujeito, em consequência – e independentemente de qualquer licença congressional –, aos atos de investigação criminal promovidos pela polícia judiciária, desde que essas medidas pré-processuais de persecução penal sejam adotadas no âmbito de procedimento investigatório em curso perante órgão judiciário competente: STF, no caso de os investigandos serem Congressistas (CF, art. 102, I, *b*)". (STF, Recl. 511/PB, rel. Min. Celso de Mello, Ementário, n.º 1800-01, p. 60).

§ 3.º Recebida a denúncia contra o Senador ou Deputado, por crime ocorrido após a diplomação, o Supremo Tribunal Federal dará ciência à Casa respectiva, que, por iniciativa de partido político nela representado e pelo voto da maioria de seus membros, poderá, até a decisão final, sustar o andamento da ação.

Doutrina

Crime praticado desde a diplomação. Neste caso, recebida a denúncia contra o parlamentar – senador ou deputado –, o Supremo Tribunal Federal dará ciência à Casa – Senado Federal ou Câmara dos Deputados –, podendo prosseguir no mandato, já que não há mais necessidade de licença para a instauração do processo.

Sustação do processo. É caso de imunidade parlamentar prevista na segunda metade da norma contida neste § 3.°, podendo a Casa do parlamentar sustar o andamento da ação, antes de proferida decisão final no processo e desde que haja, nesse sentido, iniciativa de partido político com representação (bancada) e a Casa decida pela sustação pelo voto favorável da maioria de seus membros.

§ 4.° O pedido de sustação será apreciado pela Casa respectiva no prazo improrrogável de quarenta e cinco dias do seu recebimento pela Mesa Diretora.

Doutrina

Trâmite do pedido de sustação. Apresentado, por representação de partido político, o pedido de sustação da ação, este será apreciado pela Casa – Senado Federal, no caso de Senador e Câmara Federal, no caso de Deputado Federal -, dentro do prazo único de quarenta e cinco dias, contado do protocolo de recebimento pela Mesa Diretora.

§ 5.° A sustação do processo suspende a prescrição, enquanto durar o mandato.

Doutrina

Prescrição. Decidindo a Casa parlamentar pela sustação do processo, resta suspensa a prescrição na constância do mandado, voltando a fruir após o seu final.

§ 6.º Os Deputados e Senadores não serão obrigados a testemunhar sobre informações recebidas ou prestadas em razão do exercício do mandato, nem sobre as pessoas que lhes confiaram ou deles receberam informações.

Doutrina

Obrigação de testemunhar. Todos têm o dever de testemunhar, inclusive autoridades, para o esclarecimento de fatos necessários à instrução de processo civil ou criminal. A norma, contudo, desobriga os parlamentares de testemunhar sobre informações recebidas ou prestadas em razão do exercício do mandato e sobre as pessoas que lhes confiaram ou deles receberam informações. Portanto, trata-se de faculdade, podendo o parlamentar testemunhar sobre referidas informações e pessoas se entender pertinente e necessário, e desde que não viole o direito à intimidade (art. 5.º, X) ou o dever de sigilo com relação às informações necessárias à segurança do Estado e da sociedade (art. 5.º, XXXIII).

Jurisprudência

> "(...). Protegeu-se, com essa cláusula de garantia, o direito do congressista ao sigilo da fonte de informação, desobrigando-o de indicar a quem transmitiu ou de quem recebeu elementos de informação" (STF, Inq 1.504/DF, rel. Min. Celso de Mello, Informativo 153).

§ 7.º A incorporação às Forças Armadas de Deputados e Senadores, embora militares e ainda que em tempo de guerra, dependerá de prévia licença da Casa respectiva.

Doutrina

Licença para incorporação às Forças Armadas. A incorporação de parlamentar, ainda que militar e em tempo de guerra, dependerá sempre de licença prévia da Casa a que pertence. Trata-se de prerrogativa próxima da imunidade, pois ocorre a dispensa de cumprimento de uma obrigação legal imposta a todos.

Jurisprudência

Durante o tempo de incorporação às Forças Armadas ou de desempenho de função diplomática ou cultural temporária, o deputado ou senador não goza de imunidades, pois estas se constituem em garantias necessárias apenas ao exercício do mandato parlamentar. (STF, RTJ, 148/85).

§ 8.º As imunidades de Deputados ou Senadores subsistirão durante o estado de sítio, só podendo ser suspensas mediante o voto de dois terços dos membros da Casa respectiva, nos casos de atos praticados fora do recinto do Congresso Nacional, que sejam incompatíveis com a execução da medida.

Doutrina

Imunidade e estado de sítio. A regra geral é a de que subsistirão as imunidades do parlamentar durante o estado de sítio. Excepcionalmente, no entanto, poderão ser suspensas nos casos de prática de atos incompatíveis, ou em colidência, com a execução das medidas, praticados fora do recinto do Congresso Nacional, quer dizer, fora de seu prédio, de suas instalações, e desde que a medida seja aprovada pelo voto de dois terços dos membros da Casa a que pertence o parlamentar. Não há que falar em suspensão de imunidade no caso de estado de defesa, pois a Constituição sequer cogita da hipótese.

Art. 54. Os Deputados e Senadores não poderão:

I – desde a expedição do diploma:

a) firmar ou manter contrato com pessoa jurídica de direito público, autarquia, empresa pública, sociedade de economia mista ou empresa concessionária de serviço público, salvo quando o contrato obedecer a cláusulas uniformes;

b) aceitar ou exercer cargo, função ou emprego remunerado, inclusive os de que sejam demissíveis *ad nutum*, nas entidades constantes da alínea anterior;

II – desde a posse:

a) ser proprietários, controladores ou diretores de empresa que goze de favor decorrente de contrato com pessoa jurídica de direito público, ou nela exercer função remunerada;

b) ocupar cargo ou função de que sejam demissíveis *ad nutum*, nas entidades referidas no inciso I, *a*;

c) patrocinar causa em que seja interessada qualquer das entidades a que se refere o inciso I, *a*;

d) ser titulares de mais de um cargo ou mandato público eletivo.

Doutrina

Incompatibilidades. São proibições de índole constitucional destinadas a garantir o exercício ético do mandato parlamentar. Algumas operam desde a expedição do diploma, pois este ato atesta a condição de eleito do diplomado, e outras a partir da posse, ato de investidura no cargo de deputado ou senador e que marca também o início de exercício da atividade parlamentar.

Proibições desde a expedição do diploma. São aquelas que antecedem à posse, estando o eleito proibido de: a) *contratar*, firmando ou mantendo contrato com a União, Estados, Distrito Federal, Municípios, autarquias, empresa pública, sociedade de economia mista, empresa concessionária de serviço público, exceto quando se tratar de contrato de cláusulas uniformes, como os contratos de adesão, pois aí não há como beneficiar o parlamentar; b) *aceitar ou exercer cargo, função ou emprego remunerado*, inclusive os de provimento em comissão, de livre nomeação e exoneração, nas entidades citadas na alínea *a*. As incompatibilidades da alínea *a* são chamadas de contratuais ou negociais e da alínea *b*, de funcionais.

Proibições desde a posse. São aquelas que incidem desde o momento da posse e início de exercício do mandato eletivo e vedam ao parlamentar: a) *participação*, na condição de proprietário, controlador ou diretor de empresa que goze de favor, quer dizer, de condições favoráveis, decorrentes de contrato firmado com pessoa jurídica de direito público, ou nela exerça função remunerada, impedindo possa o parlamentar favorecer a empresa fazendo uso indevido do mandato; b) *ocupação de cargo ou função comissionados*, portanto de livre exoneração, nas entidades referidas no inciso I, *a*; c) *patrocínio de causa*, quer dizer, postular, na condição de advogado, em ação de qualquer natureza, de interesse das entidades referidas no inciso I, *a*; d) *titularização de mais de um cargo ou mandato público eletivo ao mesmo tempo, v. g.*, governador e deputado federal. As incompatibilidades da alínea *a* são chamadas de profissionais; da alínea *b*, de funcionais; da alínea c, de profissionais; e da alínea *d*, são de natureza política.

Jurisprudência

> "(...). Não obstante os fundamentos contidos na decisão agravada, vejo presentes, na espécie, os pressupostos do art. 1.019, I, do CPC, a autorizar a concessão da almejada antecipação da tutela recursal, mormente em face do comando proibitivo da norma do artigo 54, incisos I, a, e II, a, da Carta Política Federal, com a possibilidade, em tese, de sofrer a sanção prevista no artigo 55, I, do Texto Fundamental, nos termos do § 2.° do referido artigo 55 constitucional, enquanto no exercício do seu mandato, que assim dispõem: Art. 54. Os Deputados e Senadores não poderão: I – desde a expedição

do diploma: a) firmar ou manter contrato com pessoa jurídica de direito público, autarquia, empresa pública, sociedade de economia mista ou empresa concessionária de serviço público, salvo quando o contrato obedecer a cláusulas uniformes; aceitar ou exercer cargo, função ou emprego remunerado, inclusive os de que sejam demissíveis *ad nutum*, nas entidades constantes da alínea anterior; II – desde a posse: a) ser proprietários, controladores ou diretores de empresa que goze de favor decorrente de contrato com pessoa jurídica de direito público, ou nela exercer função remunerada; b) ocupar cargo ou função de que sejam demissíveis *ad nutum*, nas entidades referidas no inciso I, *a*; c) patrocinar causa em que seja interessada qualquer das entidades a que se refere o inciso I, *a*; a) ser titulares de mais de um cargo ou mandato público eletivo. Art. 55. Perderá o mandato o Deputado ou Senador: I – que infringir qualquer das proibições estabelecidas no artigo anterior; II – cujo procedimento for declarado incompatível com o decoro parlamentar; III – que deixar de comparecer, em cada sessão legislativa, à terça parte das sessões ordinárias da Casa a que pertencer, salvo licença ou missão por esta autorizada; IV – que perder ou tiver suspensos os direitos políticos; V – quando o decretar a Justiça Eleitoral, nos casos previstos nesta Constituição; VI – que sofrer condenação criminal em sentença transitada em julgado" (TRF1, 1.ª Turma, AgI 0012093-34.2017.4.01.0000, rel. Des. Fed. Souza Prudente, e-DJF1, 05.06.2017).

"Constitucional. Suplência. Senador. Prefeito Municipal. As restrições constitucionais inerentes ao exercício do mandato parlamentar não se estendem ao suplente. A eleição e o exercício do mandato de prefeito não acarretam a perda da condição jurídica de suplente, podendo ser legitimamente convocado para substituir o titular, desde que renuncie ao mandato eletivo municipal. Mandado de segurança denegado" (STF – Pleno, MS 21.266/DF, rel. Min. Célio Borja, DJ 1, 22.10.1993, p. 22.253).

Art. 55. Perderá o mandato o Deputado ou Senador:

I - que infringir qualquer das proibições estabelecidas no artigo anterior;

II - cujo procedimento for declarado incompatível com o decoro parlamentar;

III - que deixar de comparecer, em cada sessão legislativa, à terça parte das sessões ordinárias da Casa a que pertencer, salvo licença ou missão por esta autorizada;

IV - que perder ou tiver suspensos os direitos políticos;

V - quando o decretar a Justiça Eleitoral, nos casos previstos nesta Constituição;

VI - que sofrer condenação criminal em sentença transitada em julgado.

Doutrina

Perda do mandato. É a sanção imposta ao parlamentar que incidir numa das hipóteses de privação do mandato previstas pela norma constitucional. A perda do mandato ocorre por: a) *cassação*, em decorrência de violação de dever jurídico inerente ao cargo ou cometimento de falta grave prevista em lei e que implique na aplicação dessa pena. Portanto, a cassação tem caráter punitivo e o ato que a formaliza tem natureza constitutiva; b) *extinção*, em decorrência de ato ou fato que conduza à extinção da investidura no cargo, como nos casos de morte, renúncia, ausência contumaz às sessões da Casa Legislativa, ou perda ou suspensão dos direitos políticos. Tem natureza meramente declaratória, pois apenas reconhece o ato ou fato no qual se funda.

Infringência às incompatibilidades. A consequência para a violação de qualquer uma das hipóteses de incompatibilidade previstas no art. 54 é a perda do mandato por meio de *cassação*.

Decoro parlamentar. É a conduta compatível com o padrão ético e a dignidade moral exigíveis de titular do grave cargo de representação popular em Casa Legislativa. Portanto, qualquer procedimento aético e contrário à moralidade fere o decoro parlamentar, sendo que a própria Constituição define como tais o abuso das prerrogativas asseguradas a membro do Congresso Nacional ou a percepção de vantagens indevidas, deixando para o regimento interno a definição dos demais casos. A quebra do decoro parlamentar implica em *cassação* do mandato.

Ausência às sessões ordinárias. Se o não comparecimento atingir um terço das reuniões ordinárias realizadas durante a sessão legislativa anual, salvo nos casos em que a ausência se deu por licença ou para o cumprimento de missão autorizada pela Casa, a consequência é a perda do mandato, pois a falta contumaz configura desídia e desinteresse. Trata-se de hipótese de simples *extinção* do mandato, pois, constatado o fato ausência não justificada, a Casa apenas declara a extinção.

Perda ou suspensão dos direitos políticos. Direitos políticos são aqueles ligados ao exercício das prerrogativas próprias do cidadão, como o direito de votar e ser votado e o de intervir na vida política do país por meio dos mecanismos constitucionais, como o direito de ação popular ou de iniciativa de leis. Ora, a perda ou suspensão de tais direitos leva à *extinção* do mandato

Decretação da perda pela Justiça Eleitoral. A Justiça Eleitoral, no exercício de sua competência, poderá decretar a cassação do mandato eletivo, nos casos de crimes eleitorais e conexos. Trata-se de hipótese de *extinção*, cabendo à Mesa da Casa apenas declará-la.

Condenação criminal. Ocorrendo condenação criminal, mediante decisão transitada em julgado, a consequência será a perda do mandato. A hipótese é de *cassação* a ser decretada pela Casa a que pertence o parlamentar.

Jurisprudência

> Medida política tomada no âmbito da discrição de um Poder não pode ser revista pelo Judiciário, salvo se adotada com preterição de requisitos formais. (STF, RT, 215/298).

É cabível o mandado de segurança contra perda do mandato parlamentar decretada sem a observância dos requisitos legais e regimentais. (STF, RDA, 78/224).

A cassação de mandato de parlamentar constitui ato disciplinar de competência privativa da Casa a que pertence, cujo procedimento se desenvolve em instância distinta do Poder Judiciário e de natureza diversa da sanção penal, ainda quando a conduta coincida com tipo definido na Lei Penal. (STF, RTJ, 142/03).

Impõe-se o indeferimento do mandado de segurança quando a declaração, de ofício, de perda do mandato parlamentar, por não comparecimento às sessões da Câmara dos Deputados, tenha observado o requisito da ampla defesa. (STF, RTJ, 146-01/77).

Nos crimes comuns, na linguagem da Constituição, estão abrangidos os delitos eleitorais e, portanto, praticados por Deputado Federal, este tem direito ao foro especial por prerrogativa de função. (STF, RTJ 63/1).

A cassação de mandato de parlamentar constitui ato disciplinar de competência privativa da Casa a que pertence e o fato de a imputação constituir, também, crime, sujeita-o à incidência do inciso VI deste artigo; contudo, não impede a aplicação da sanção disciplinar mesmo antes da condenação criminal. (STF, RTJ, RDA 189/271).

"Em face do disposto no art. 15, III, da Constituição Federal, a suspensão dos direitos políticos se dá ainda quando, com referência ao condenado por sentença criminal transitada em julgado, esteja em curso o período da suspensão condicional da pena." (STF, RE 179.502/SP, rel. Min. Moreira Alves, Ementário, n.º 1799-09, p. 1668).

§ 1.º É incompatível com o decoro parlamentar, além dos casos definidos no regimento interno, o abuso das prerrogativas asseguradas a membro do Congresso Nacional ou a percepção de vantagens indevidas.

Doutrina

Incompatibilidade com o decoro parlamentar. Qualquer procedimento aético é contrário à moralidade e fere o decoro parlamentar e deveria ser o bastante para a perda do mandato. Porém, a Constituição restringe as hipóteses de quebra do decoro parlamentar, limitando o alcance do instituto, ao definir como tais o abuso das prerrogativas asseguradas a membro do Congresso Nacional, quer dizer, o uso indevido, danoso ou prejudicial à sociedade das garantias constitucionais, ou a percepção de vantagens indevidas, quer dizer, vantagens ilícitas e imorais, além daquelas definidas no regimento interno, que deverá prever as demais condutas que implicarão em perda do mandato.

Jurisprudência

> A cassação de mandato de parlamentar constitui ato disciplinar de competência privativa da Casa a que pertence, cujo procedimento se desenvolve em instância distinta do Poder Judiciário e de natureza diversa da sanção penal, ainda quando a conduta coincida com tipo definido na Lei Penal. (STF, RTJ, 142/03).

§ 2.º Nos casos dos incisos I, II e VI, a perda do mandato será decidida pela Câmara dos Deputados ou pelo Senado Federal, por maioria absoluta, mediante provocação da respectiva Mesa ou de partido político representado no Congresso Nacional, assegurada ampla defesa.

Doutrina

Processo de cassação. Será instaurado mediante provocação da Mesa da Casa a que pertence o parlamentar, ou de partido político com representação no Congresso Nacional. Uma vez iniciado, deverá ocorrer a notificação do interessado para apresentar defesa e valer-se de todos os meios e recursos inerentes ao contraditório e ampla defesa. Após a instrução, a perda do mandato será decidida pelo voto secreto da maioria absoluta dos membros da Casa.

Jurisprudência

"A expressão 'ampla defesa' contida no § 2.º do art. 55 da Constituição Federal não encerra, necessariamente, a representação do parlamentar por profissional da advocacia, a ponto de impor, a qualquer das Casas do Legislativo, a admissão deste na Tribuna. O processo de perda de mandato não é administrativo, nem judicial, mas político, sendo regido por normas *interna corporis*" (STF, MS 21.360/DF, rel. Min. Marco Aurélio, RTJ, 146/153).

§ 3.º Nos casos previstos nos incisos III a V, a perda será declarada pela Mesa da Casa respectiva, de ofício ou mediante provocação de qualquer de seus membros, ou de partido político representado no Congresso Nacional, assegurada ampla defesa.

Doutrina

Processo de extinção. Será instaurado pela Mesa da Casa a que pertence o parlamentar, de ofício ou mediante provocação de qualquer de seus membros ou de partido político com representação no Congresso Nacional. Da mesma forma que no processo de cassação, deverá ser assegurada ao interessado ampla defesa. Após a instrução, verificando a Mesa a ocorrência de uma das hipóteses previstas nos incisos III, IV e V, declarará extinto o mandato.

Jurisprudência

Impõe-se o indeferimento do mandado de segurança quando a declaração, de ofício, de perda do mandato parlamentar, por não comparecimento às sessões da Câmara dos Deputados, tenha observado o requisito da ampla defesa. (STF, RTJ, 146/77).

§ 4.º A renúncia de parlamentar submetido a processo que vise ou possa levar à perda do mandato, nos termos deste artigo, terá seus efeitos suspensos até as deliberações de que tratam os §§ 2.º e 3.º

Doutrina

Efeitos da renúncia. Quando o parlamentar estiver sob investigação por qualquer órgão do Poder Legislativo, ou tenha contra si processo de cassação ou extinção de mandato já instaurado ou protocolado junto à Mesa da Casa a que pertence, a renúncia fica sujeita à condição suspensiva, somente produzindo efeitos se a decisão final não concluir pela perda do mandato.

Art. 56. Não perderá o mandato o Deputado ou Senador:

I – investido no cargo de Ministro de Estado, Governador de Território, Secretário de Estado, do Distrito Federal, de Território, de Prefeitura de Capital ou chefe de missão diplomática temporária;

II – licenciado da respectiva Casa por motivo de doença, ou para tratar, sem remuneração, de interesse particular, desde que, neste caso, o afastamento não ultrapasse cento e vinte dias por sessão legislativa.

Doutrina

Manutenção do cargo. A norma constitucional garante ao parlamentar o direito de investidura em alguns cargos ou de licença para determinados fins, implicando a ocorrência apenas em afastamento do exercício do mandato.

Investiduras permitidas. São apenas as constantes da norma constitucional e se constituem em *exceções* às proibições previstas no art. 54, I, *b* e II, *b*. A relação é taxativa e comporta investidura nos seguintes cargos: a) *Ministro de Estado*, auxiliar direto do Presidente da República e titular de um Ministério; b) *Governador de Território*, cargo de confiança de livre nomeação pelo Presidente da República, após aprovação do nome pelo Senado Federal; c) *Secretário de Estado, do Distrito Federal, de Território e de Prefeitura de Capital*, cargo de primeiro escalão da Administração; d) *chefe de missão diplomática temporária*, aquela que tem duração efêmera e que não liga a pessoa à carreira diplomática.

Licença por motivo de saúde. É o afastamento temporário para tratamento de saúde durante o qual o parlamentar não perderá o cargo e terá direito ao recebimento do subsídio.

Licença para tratar de interesse particular. Neste caso, a licença é sem direito ao subsídio e o afastamento não poderá ultrapassar cento e vinte dias por sessão legislativa, que corresponde ao período de reunião anual do Congresso.

Jurisprudência

> "(...). 3. O membro do Congresso Nacional que se licencia do mandato para investir-se no cargo de Ministro de Estado não perde os laços que o unem, organicamente, ao Parlamento (CF, art. 56, I). Consequentemente, continua a subsistir em seu favor a garantia constitucional da prerrogativa de foro em matéria penal (INQO 777-3/TO, rel. min. Moreira Alves, DJ 01.10.1993), bem como a faculdade de optar pela remuneração do mandato (CF, art. 56, § 3.º). Da mesma forma, ainda que licenciado, cumpre-lhe guardar estrita observância às vedações e incompatibilidades inerentes ao estatuto constitucional do congressista, assim como às exigências ético-jurídicas que a Constituição (CF, art. 55, § 1.º) e os regimentos internos das casas legislativas estabelecem caracterizadores do decoro parlamentar. 4. Não obstante, o princípio da separação e independência dos poderes e os mecanismos de interferência recíproca que lhe são inerentes impedem, em princípio, que a Câmara a que pertença o parlamentar o submeta, quando licenciado nas condições supramencionadas, a processo de perda do mandato, em virtude de atos por ele praticados que tenham estrita vinculação com a fun-

ção exercida no Poder Executivo (CF, art. 87, parágrafo único, incisos I, II, III e IV), uma vez que a Constituição prevê modalidade específica de responsabilização política para os membros do Poder Executivo (CF, arts. 85, 86 e 102, I, c). 5. Na hipótese dos autos, contudo, embora afastado do exercício do mandato parlamentar, o Impetrante foi acusado de haver usado de sua influência para levantar fundos junto a bancos 'com a finalidade de pagar parlamentares para que, na Câmara dos Deputados, votassem projetos em favor do Governo' (Representação n.° 38/2005, formulada pelo PTB). Tal imputação se adequa, em tese, ao que preceituado no art. 4.°, inciso IV do Código de Ética e Decoro Parlamentar da Câmara dos Deputados que qualifica como suscetíveis de acarretar a perda do mandato os atos e procedimentos levados a efeito no intuito de 'fraudar, por qualquer meio ou forma, o regular andamento dos trabalhos legislativos para alterar o resultado da deliberação.' 6. Medida liminar indeferida" (STF – Pleno, MS 25.579/DF MC, rel. Min. Sepúlveda Pertence, ver. Min. Joaquim Barbosa, j. 19.10.5005).

§ 1.° O suplente será convocado nos casos de vaga, de investidura em funções previstas neste artigo ou de licença superior a cento e vinte dias.

Doutrina

Hipóteses de convocação de suplente. O suplente será convocado para assumir o cargo parlamentar nos seguintes casos: a) *vacância*, ou vaga do cargo, nos casos de morte, renúncia ou cassação do titular; b) *investidura do titular em outro cargo*, nos casos previstos no inciso I deste artigo; c) *licença do titular do cargo*, sempre que a mesma for superior a cento e vinte dias, o que ocorrerá apenas no caso de licença para tratamento de saúde, já que a licença para tratamento de assuntos particulares não poderá ultrapassar referido prazo.

§ 2.º Ocorrendo vaga e não havendo suplente, far-se-á eleição para preenchê-la se faltarem mais de quinze meses para o término do mandato.

Doutrina

Ocorrência de vaga sem suplente. Ocorrendo vacância e não havendo suplente para assumir o cargo, realizar-se-á eleição para preenchimento do mesmo sempre que restarem mais de quinze meses para o término do mandato.

Jurisprudência

> Não perde a condição de suplente aquele que se desvincula do partido ou aliança partidária pelo qual se elegeu, pois, no silêncio da Constituição, estende-se a este, da mesma forma que aos parlamentares empossados, a inaplicabilidade do princípio da fidelidade partidária. (STF, DJ1, de 15. 4. 94, p. 8.061).

§ 3.º Na hipótese do inciso I, o Deputado ou Senador poderá optar pela remuneração do mandato.

Doutrina

Direito de opção. O Deputado ou Senador investido em qualquer dos cargos previstos no inciso I deste artigo poderá optar pelo recebimento do subsídio de seu cargo eletivo.

Seção VI
DAS REUNIÕES

Art. 57. O Congresso Nacional reunir-se-á, anualmente, na Capital Federal, de 2 de fevereiro a 17 de julho e de 1.° de agosto a 22 de dezembro.

Doutrina

Reunião do Congresso Nacional. O Congresso Nacional reunir-se-á em Brasília, para a sessão legislativa anual, nos períodos compreendidos ente 2 de fevereiro a 17 de julho e de 1.° de agosto a 22 de dezembro. Estes períodos compõem a chamada sessão legislativa ordinária.

Jurisprudência

> A Constituição Federal não estabelece regras que devam ser observadas pelos Estados-membros, com relação ao período de funcionamento de seu Poder Legislativo, pois se trata de matéria de interesse local a ser disciplinada levando-se em conta as peculiaridades de cada Estado. (STF, RTJ, 2/409).

§ 1.° As reuniões marcadas para essas datas serão transferidas para o primeiro dia útil subsequente, quando recaírem em sábados, domingos ou feriados.

Doutrina

Prorrogação de datas. Quando as datas referidas no *caput*, relativas às sessões inaugural ou de encerramento da sessão legislativa, recaírem em sábados, domingos ou feriados, serão transferidas para o primeiro dia útil subsequente.

§ 2.º A sessão legislativa não será interrompida sem a aprovação do projeto de lei de diretrizes orçamentárias.

Doutrina

Prorrogação da sessão legislativa. É automática e durará até que seja aprovado o projeto de lei de diretrizes orçamentárias.

§ 3.º Além de outros casos previstos nesta Constituição, a Câmara dos Deputados e o Senado Federal reunir-se-ão em sessão conjunta para:

I – inaugurar a sessão legislativa;

II – elaborar o regimento comum e regular a criação de serviços comuns às duas Casas;

III – receber o compromisso do Presidente e do Vice-Presidente da República;

IV – conhecer do veto e sobre ele deliberar.

Doutrina

Sessão conjunta. É aquela em que se reúnem na mesma oportunidade e conjuntamente os membros do Senado Federal e da Câmara dos Deputados nos casos previstos pela Constituição Federal. São deliberados em sessão conjunta, dentre outros, os seguintes assuntos: a) *inauguração da sessão legislativa*, que marca, solenemente, a abertura dos trabalhos legislativos e serve para a tomada de conhecimento da situação do país, através de mensagem do Presidente da República (art. 84, XI); b) *elaboração do regimento comum*, destinado a dispor sobre o funcionamento do Congresso Nacional; c) *deliberação sobre os serviços comuns*, aqueles destinados a garantir o funcionamento do Congresso ou de suas Casas e organizados de forma comum; d) *posse do Presidente e Vice-Presidente da República*, tomando o compromisso destas autoridades (art. 78); e) *decisão sobre o veto*, dele conhecendo e deliberando; f) *apreciação de leis orçamentárias*, como os projetos de lei relativos ao plano plurianual, as diretrizes orçamentárias, o orçamento anual e os créditos adicionais (art. 166) etc.

§ 4.º Cada uma das Casas reunir-se-á em sessões preparatórias, a partir de 1.º de fevereiro, no primeiro ano da legislatura, para a posse de seus membros e eleição das respectivas Mesas, para mandato de 2 (dois anos), vedada a recondução para o mesmo cargo na eleição imediatamente subsequente.

Doutrina

Sessões preparatórias. São destinadas à posse dos membros de cada uma das Casas do Congresso Nacional, bem como à eleição de suas Mesas, para mandato de dois anos, proibida a reeleição para o mesmo cargo no pleito seguinte, podendo, no entanto, disputar outro cargo na composição da Mesa.

Jurisprudência

> A proibição de recondução para o mesmo cargo na eleição subsequente de membro das Mesas das Casas Legislativas da União não se constitui num princípio constitucional estabelecido e, portanto, não é de reprodução obrigatória nas Constituições dos Estados-membros. (STF, RTJ, 163/52).
>
> As Leis Orgânicas do Distrito Federal e dos Municípios, ao tratarem do Poder Legislativo local, poderão dispor sobre a composição, eleição e possibilidade de reeleição de suas respectivas Mesas diretoras. (STF, RTJ, 153/105).

§ 5.º A Mesa do Congresso Nacional será presidida pelo Presidente do Senado Federal, e os demais cargos serão

exercidos, alternadamente, pelos ocupantes de cargos equivalentes na Câmara dos Deputados e no Senado Federal.

Doutrina

Presidência e composição da Mesa do Congresso Nacional. A Mesa do Congresso Nacional é presidida pelo Presidente do Senado Federal e os demais cargos são exercidos em regime de alternância, ora um Senador ora um Deputado Federal, na forma estabelecida pelo regimento comum.

§ 6.º A convocação extraordinária do Congresso Nacional far-se-á:

I – pelo Presidente do Senado Federal, em caso de decretação de estado de defesa ou de intervenção federal, de pedido de autorização para a decretação de estado de sítio e para o compromisso e a posse do Presidente e do Vice-Presidente da República;

II – pelo Presidente da República, pelos Presidentes da Câmara dos Deputados e do Senado Federal, ou a requerimento da maioria dos membros de ambas as Casas, em caso de urgência ou interesse público relevante, em todas as hipóteses deste inciso com a aprovação da maioria absoluta de cada uma das Casas do Congresso Nacional.

Doutrina

Convocação extraordinária do Congresso Nacional. É aquela que ocorre fora dos períodos normais de funcionamento da sessão legislativa. Tanto a competência para a convocação quanto os assuntos que a justificam são bem restritos e far-se-á: *a*) pelo Presidente do Senado Federal, nos casos de decretação de estado de defesa ou de intervenção federal, ou de pedido de autorização para baixar decreto de estado de sítio, bem como para a tomada de compromisso e posse do Presidente e Vice-Presidente da República; *b*) pelo Presidente da República, pelos Presidentes da Câmara dos Deputados e do Senado Federal, ou a requerimento da maioria dos membros de ambas as Casas, quando se tratar de caso de urgência ou de interesse público relevante.

§ 7.º Na sessão legislativa extraordinária, o Congresso Nacional somente deliberará sobre a matéria para a qual foi convocado, ressalvada a hipótese do § 8.º deste artigo, vedado o pagamento de parcela indenizatória, em razão da convocação.

Doutrina

Funcionamento do Congresso na sessão extraordinária. O Congresso Nacional tem funcionamento restrito na sessão legislativa extraordinária, somente decidindo sobre a matéria objeto da convocação, vedado o pagamento de ajuda de custo, de natureza indenizatória.

§ 8.º Havendo medidas provisórias em vigor na data da convocação extraordinária do Congresso Nacional, serão elas automaticamente incluídas na pauta da convocação.

Doutrina

Matéria de inclusão automática na pauta da convocação. As medidas provisórias vigentes na data da convocação extraordinária do Congresso Nacional deverão ser automaticamente incluídas na pauta.

Seção VII
DAS COMISSÕES

Art. 58. O Congresso Nacional e suas Casas terão comissões permanentes e temporárias, constituídas na forma e com as atribuições previstas no respectivo regimento ou no ato de que resultar sua criação.

Doutrina

Comissões Parlamentares. São órgãos colegiados instituídos no âmbito do Congresso Nacional, do Senado Federal e da Câmara dos Deputados, destinados ao estudo e deliberação de matérias de sua competência. As Comissões são: a) *permanentes*, são obrigatórias e organizadas, em caráter permanente e em razão da matéria, para a discussão e votação de projetos de lei e deliberação de assuntos gerais de sua competência; b) *temporárias*, são facultativas e normalmente destinadas à apuração de fato determinado; c) *mistas*, de caráter permanente ou temporário, formadas por deputados e senadores e destinadas à apreciação de matéria ou apuração e deliberação de fato de competência do Congresso Nacional, como a prevista no art. 166, § 1.º da Constituição.

§ 1.º Na constituição das Mesas e de cada Comissão, é assegurada, tanto quanto possível, a representação proporcional dos partidos ou dos blocos parlamentares que participam da respectiva Casa.

Doutrina

Representação proporcional. É o mecanismo que assegura, na constituição das Mesas e de cada Comissão, a proporcionalidade dos partidos e dos blocos parlamentares da Casa, segundo o tamanho de cada um deles.

Jurisprudência

> "Constitucional. Comissões Parlamentares de Inquérito. Substituição do Presidente de C.P.I. A Constituição Federal, quanto à composição das C.P.I., apenas prevê que deve ser assegurada, tanto quanto possível, 'a representação proporcional dos partidos políticos que participam da respectiva Câmara'(...)" (STF – Pleno, MS 20.415/DF, rel. Min. Aldir Passarinho, j. 19.12.1984).

§ 2.º Às comissões, em razão da matéria de sua competência, cabe:

I – discutir e votar projeto de lei que dispensar, na forma do regimento, a competência do Plenário, salvo se houver recurso de um décimo dos membros da Casa;

II – realizar audiências públicas com entidades da sociedade civil;

III – convocar Ministros de Estado para prestar informações sobre assuntos inerentes a suas atribuições;

IV – receber petições, reclamações, representações ou queixas de qualquer pessoa contra atos ou omissões das autoridades ou entidades públicas;

V – solicitar depoimento de qualquer autoridade ou cidadão;

VI – apreciar programas de obras, planos nacionais, regionais setoriais de desenvolvimento e sobre eles emitir parecer.

Doutrina

Competência das Comissões. É fixada em razão da matéria nos regimentos das Casas Legislativas tanto para as comissões permanentes quanto para as temporárias. Cabe às comissões, segundo a distribuição de matéria da norma constitucional, o seguinte: a) *discussão e votação de projeto de lei*, no caso em que o regimento da Casa dispensar a apreciação pelo Plenário e não houver recurso de um décimo dos membros da Casa; b) *audiências públicas*, são reuniões com entidades representativas da sociedade civil; c) *convocação de Ministro de Estado*, para que preste, pessoalmente, informações sobre assuntos de sua pasta e previamente determinados (art. 50); d) *recepção de petições e representações*, além de reclamações ou queixas contra atos ou omissões de autoridade ou de entidade pública; e) *solicitação de depoimento*, expresso em convite para qualquer autoridade ou cidadão; f) *apreciação de programas e planos de governo*, tanto de âmbito nacional quanto regional ou setorial de desenvolvimento e emitir parecer sobre os mesmos.

§ 3.º As comissões parlamentares de inquérito, que terão poderes de investigação próprios das autoridades judiciais, além de outros previstos nos regimentos das respectivas Casas, serão criadas pela Câmara dos Deputados e pelo Senado Federal, em conjunto ou separadamente, mediante requerimento de um terço de seus membros, para a apuração de fato determinado e por prazo certo, sendo suas conclusões, se for o caso, encaminhadas ao Ministério Público, para que promova a responsabilidade civil ou criminal dos infratores.

Doutrina

Comissão Parlamentar de Inquérito. É o órgão colegiado instituído no âmbito da Câmara dos Deputados ou do Senado Federal, em conjunto ou separadamente, por iniciativa de pelo menos um terço de seus membros, destinado a apurar fato determinado e por prazo certo.

Autonomia. A Comissão Parlamentar de Inquérito goza de plena autonomia na instauração, instrução e conclusão do inquérito parlamentar, não sendo este obstado pela existência de inquérito policial, instaurado pela autoridade administrativa, ou de ação penal instaurada perante o Judiciário.

Poderes. A Comissão Parlamentar de Inquérito tem poderes próprios das autoridades judiciais, o que significa que pode tomar depoimentos, convocar e ouvir testemunhas, inclusive determinando a condução coercitiva, requisitar documentos de repartições públicas, realizar diligências, determinar a produção de provas e de laudos. Pode, ainda, decretar a quebra de sigilo bancário, fiscal e telefônico, contanto que o faça em decisão fundamentada. Além dos poderes próprios das autoridades judiciais, o regimento interno da Casa pode estabelecer outros, desde que reverentes aos limites impostos pela Constituição.

Limites. A atuação da Comissão Parlamentar de Inquérito deve obedecer aos seguintes limites: obediência ao princípio da separação dos poderes, pois é mero órgão de um dos Poderes do Estado; não tem o *poder de julgar*, pois não é órgão jurisdicional; está sujeita ao controle de legalidade por parte do Supremo Tribunal Federal; o seu âmbito de atuação é o próprio das matérias de competência da União, em face da autonomia assegurada pela Constituição aos demais entes integrantes da Federação; os poderes de investigação não são universais, devendo limitar-se ao fato determinado que justificou a sua criação; as diligências, em hipótese nenhuma, poderão violar direitos e garantias individuais, salvo quando a Constituição e as leis autorizarem; os indiciados estão obrigados a comparecer, mas têm direito ao silêncio em face da garantia constitucional contra a autoincriminação, *nemo tenetur se detegere*; não pode determinar a prisão de pessoas, salvo se em situação de flagrante, como nos casos de falso testemunho.

Apuração de fato determinado. Fato determinado é o certo, concreto, que se constitui no objeto da investigação em face de sua relevância para o interesse público, devendo, ainda, sua apuração ser de competência da Casa que criou a Comissão de Inquérito, caso contrário faltará pertinência para a investigação.

Prazo certo. Significa que o ato de instauração da Comissão deve determinar um prazo para a conclusão dos trabalhos.

Contudo, isso não significa que, em havendo necessidade justificada pelos fatos, não possa o prazo sofrer prorrogações sucessivas, desde que dentro da mesma legislatura.

Procedimento. As conclusões da Comissão Parlamentar de Inquérito são consubstanciadas num relatório, aprovado por resolução do órgão, sendo, após, ou concomitantemente à adoção das medidas de competência da própria Casa ou do Congresso Nacional, remetidas para o Ministério Público, para a autoridade administrativa ou para o Judiciário, conforme a competência, para a apuração da responsabilidade civil ou criminal dos indiciados. A autoridade, sob pena de responsabilidade, dentro do prazo de trinta dias do recebimento das conclusões, informará ao Presidente do Congresso, da Câmara dos Deputados ou do Senado Federal as providências adotadas ou justificará a omissão delas e, semestralmente, comunicará àquelas autoridades o andamento do processo, que terá prioridade sobre qualquer outro, salvo os relativos a pedido de *habeas corpus*, *habeas data* e mandado de segurança.

Jurisprudência

> "A Comissão Parlamentar de Inquérito – que dispõe de competência constitucional para ordenar a quebra do sigilo bancário, fiscal e telefônico das pessoas sob investigação do Poder Legislativo – somente poderá praticar tal ato, que se reveste de gravíssimas consequências, se justificar, de modo adequado, e sempre mediante indicação concreta de fatos específicos, a necessidade de adoção dessa medida excepcional. Precedentes" (STF – Pleno, MS 23.964/DF, rel. Min. Celso de Mello, j. 30.08.2001).

> "Revela-se desvestido de fundamentação o ato de Comissão Parlamentar de Inquérito, que, ao ordenar a ruptura do sigilo inerente aos registros fiscais, bancários e telefônicos, apoia-se em motivação genérica, destituída de base empírica idônea e, por isso mesmo, desvinculada de fatos concretos e específicos referentes à pessoa investigada. Sem a existência de causa provável, a ser necessariamente indicada pela Comissão

Parlamentar de Inquérito, no ato que ordena a quebra de sigilo, não se legitima a excepcional interferência do Estado na esfera sensível da intimidade, que representa prerrogativa jurídica a todos assegurada pela própria Constituição da República" (STF – Pleno, MS 23.868/DF, rel. Min. Celso de Mello, j. 30.08.2001).

"Comissão Parlamentar de Inquérito. Direito ao silêncio. Pedido deferido para que, caso reconvocado a depor, não seja o paciente preso ou ameaçado de prisão pela recusa de responder a pergunta cujas respostas entenda poderem vir a incriminá-lo" (STF – Pleno, HC 79.589/DF, rel. Min. Octávio Gallotti, j. 05.04.2000).

"1. Comissão Parlamentar de Inquérito. Interceptação telefônica. Sigilo judicial. Quebra. Impossibilidade jurídica. Requisição de cópias das ordens judiciais e dos mandados. Liminar concedida. Admissibilidade de submissão da liminar ao Plenário, pelo Relator, para referendo. Precedentes (MS n.º 24.832-MC, MS n.º 26.307-MS e MS n.º 26.900-MC). Voto vencido. Pode o Relator de mandado de segurança submeter ao Plenário, para efeito de referendo, a liminar que haja deferido. 2. Comissão Parlamentar de Inquérito – CPI. Prova. Interceptação telefônica. Decisão judicial. Sigilo judicial. Segredo de justiça. Quebra. Requisição, às operadoras, de cópias das ordens judiciais e dos mandados de interceptação. Inadmissibilidade. Poder que não tem caráter instrutório ou de investigação. Competência exclusiva do juízo que ordenou o sigilo. Aparência de ofensa a direito líquido e certo. Liminar concedida e referendada. Voto vencido. Inteligência dos arts. 5.º, X e LX, § 3.º, da CF, art. 325 do CP, e art. 10, cc. Art. 1.º da Lei Federal n.º 9.296/96. Comissão Parlamentar de Inquérito não tem poder jurídico de, mediante requisição, a operadoras de telefonia, de cópias de decisão nem de mandado judicial de interceptação telefônica, quebrar sigilo imposto a processo sujeito a segredo de justiça. Este é oponível a Comissão Parlamentar de Inquérito, representando expressiva limitação aos seus poderes constitucionais" (STF – Pleno, MS 27.483/DF MC-REF, rel. Min. Cezar Peluso, j. 14.08.2008).

Compete, originariamente, ao Supremo Tribunal Federal o controle de legalidade dos atos de Comissão Parlamentar de Inquérito que envolva violação da lei ou de direito individual, porquanto é de sua competência o processo e julgamento de *habeas corpus* e mandado de segurança contra atos das Mesas da Câmara dos Deputados e do Senado Federal (CF, art. 102, I, *d* e *i*), pois referido órgão de apuração atua como se fora uma das Casas ou o próprio Congresso Nacional. (STF, RDA, 199/205).

Os poderes próprios de Comissão Parlamentar de Inquérito são aqueles inerentes ao exercício de sua competência e relacionados com a sua precípua finalidade de órgão de investigação de fatos relacionados com as atribuições do Congresso Nacional. Assim sendo, tem poder para tomar depoimentos, ouvir indiciados, notificar e inquirir testemunhas, tendo estas a obrigação de não calar a verdade, sob pena de cometer crime de falso testemunho. (STF, RDA, 199/205).

As Comissões Parlamentares de Inquérito têm poderes para decretar a quebra do sigilo bancário, fiscal e telefônico de qualquer pessoa investigada, desde que o faça de forma fundamentada, demonstrando a existência de causa provável a indicar a necessidade da medida. (STF – Pleno, MS 23.452/RJ, rel. Min. Celso de Mello, j. 16.09.1999).

A pessoa pode avocar o privilégio contra a autoincriminação perante Comissão Parlamentar de Inquérito, pois se trata de direito público subjetivo que decorre da Constituição e é exercitável perante órgãos de quaisquer dos Poderes do Estado (STF – Pleno, HC 79.812-8/SP, rel. Min. Celso de Mello, j. 29.11.1999).

As Comissões Parlamentares de Inquérito não têm poderes para ordenar a prisão de qualquer investigado, pois falece-lhes competência para tal, conquanto, na ordem constitucional brasileira, a privação da liberdade somente ocorra nos casos de flagrância ou em razão de ordem promanada de autoridade judicial competente (CF, art. 5.º, LXI), salvo o caso excepcional de prisão por crime contra o Estado, determinada pelo executor das medidas adotadas na vigência do estado de defesa (CF, art. 136, § 3.º, I). (STF, RDA, 196/195).

§ 4.º Durante o recesso, haverá uma Comissão representativa do Congresso Nacional, eleita por suas Casas na última sessão ordinária do período legislativo, com atribuições definidas no regimento comum, cuja composição reproduzirá, quanto possível, a proporcionalidade da representação partidária.

Doutrina

Comissão representativa do Congresso Nacional. É aquela que tem o encargo de representar o Congresso Nacional durante o período de recesso parlamentar. Referida Comissão será composta por membros da Câmara dos Deputados e do Senado Federal, eleitos na última sessão ordinária do período legislativo, observando-se, quanto possível, a representação partidária.

Atribuições. As atribuições da Comissão representativa do Congresso Nacional serão definidas no regimento comum, ou seja, no regimento do Congresso Nacional, sendo razoável que figure, dentre outras, a observância das normas constitucionais no relacionamento com os demais Poderes do Estado; o zelo pela preservação da competência legislativa e das prerrogativas do Poder Legislativo em face da atribuição normativa aos Poderes Executivo e Judiciário; a fiscalização e controle dos atos do Poder Executivo, inclusive das entidades da administração indireta etc.

Jurisprudência

O sistema de *checks and balances* institucionalizou, visando impedir o desequilíbrio nas relações entre os Poderes do Estado, a existência de controles interorgânicos recíprocos. Consagrou, ainda, em face da hegemonia ostentada por órgãos executivos em alguns momentos da vida nacional, o princípio de sua plena exposição à ação fiscalizadora do Legislativo. (STF, RTJ, 147/56).

Seção VIII
DO PROCESSO LEGISLATIVO

Subseção I
Disposição Geral

Art. 59. O processo legislativo compreende a elaboração de:

Doutrina

Processo legislativo. Compreende todos os atos necessários à elaboração das normas jurídicas. É composto pelas seguintes fases: a) *iniciativa*, fase inicial, de apresentação do projeto de lei, emenda, resolução ou decreto; b) *emendas*, fase de apresentação de propostas visando emendar o projeto, suprimindo, modificando, ou introduzindo dispositivos; c) *votação*, ou fase de decisão pelo voto, que ocorre nas Comissões ou no Plenário; d) *sanção ou veto*, fase de competência exclusiva do Presidente da República que, se concordar com o projeto de lei aprovado pelas Casas do Congresso Nacional, o sancionará e se discordar, por entendê-lo inconstitucional ou contrário ao interesse público, o vetará; e) *promulgação e publicação*, é a fase final, sendo que a primeira atesta a existência da lei, emenda à constituição, resolução ou decreto e a segunda torna público o seu texto e se trata de condição indispensável para a sua vigência e eficácia.

Jurisprudência

"O princípio do *due process of law* estende-se à gênese da lei. Uma lei malformada, vítima de defeitos no processo que a gerou, é ineficaz; a ninguém pode obrigar" (STJ, ROMS 7.313-0/RS, rel. Min. Humberto Gomes de Barros, Ementário do STJ, 18/395).

As regras básicas do processo legislativo consagradas na Constituição Federal são modelos de observância obrigatória por parte do legislador constituinte estadual. (STF, RTJ, 150/482).

"Ação Direta de Inconstitucionalidade. 2. Emenda Constitucional n.° 35/2005, do Estado do Rio de Janeiro, que cria instituição responsável pelas perícias criminalística e médico-legal. 3. Inconstitucionalidade formal: matéria de iniciativa privativa do Chefe do Poder Executivo. 4. Violação, pelo poder constituinte decorrente, do princípio da separação de poderes, tendo em vista que, em se tratando de Emenda à Constituição estadual, o processo legislativo ocorreu sem a participação do Poder Executivo. 5. Precedentes. 6. Ação julgada improcedente" (STF – Pleno, ADIN 3.644/RJ, rel. Min. Gilmar Mendes, j. 04.03.2009).

"(...). Esta Corte firmou entendimento de que, embora reconhecida a mora legislativa, não poder o Judiciário deflagrar o processo legislativo, nem fixar prazo para que o chefe do Poder Executivo o faça. Além disso, esta Turma entendeu que o comportamento omissivo do chefe do Poder Executivo não gera direito à indenização por perdas e danos. Agravo regimental a que se nega provimento" (STF – 2.ª Turma, RE 547.654/PR AgRg, rel. Min. Joaquim Barbosa, j. 16.10.2007).

I – emendas à Constituição;

Doutrina

Poder constituinte derivado. É exercido pelo Congresso Nacional para o fim de reformar a Constituição, que é obra do Poder Constituinte Originário. Este faz a Constituição e aquele, também chamado de poder instituído, de reforma ou revisão, a emenda para adequá-la às novas exigências da sociedade.

Jurisprudência

Sujeita-se a controle de constitucionalidade tanto os atos de revisão quanto as emendas à Constituição, pois ambos podem incidir no vício de inconstitucionalidade caracterizado pelo desrespeito aos limites impostos ao poder de reforma e inscritos na Constituição pelo órgão exercente das funções constituintes primárias ou originárias. (STF, RTJ, 153/786).

"A tese de que há hierarquia entre normas constitucionais originárias, dando azo à declaração de inconstitucionalidade de umas em face de outras, é incompatível com o sistema de Constituição rígida. Na atual Carta Magna 'compete ao Supremo Tribunal Federal, precipuamente, a guarda da Constituição' (art. 102, *caput*), o que implica dizer que essa jurisdição lhe é atribuída para impedir que se desrespeite a Constituição como um todo, e não para, com relação a ela, exercer o papel de fiscal do poder constituinte originário, a fim de verificar se este teria, ou não, violado os princípios de Direito suprapositivo que ele próprio havia incluído no texto da mesma Constituição. Por outro lado, as cláusulas pétreas não podem ser invocadas para sustentação da tese de inconstitucionalidade de normas constitucionais inferiores em face das normas constitucionais superiores, porquanto a Constituição as prevê apenas como limites ao poder constituinte derivado ao rever ou emendar a Constituição elaborada pelo poder constituinte originário, e não como abarcando normas cuja observância se impôs ao próprio poder constituinte originário com relação às outras que não sejam consideradas como cláusulas pétreas, e, portanto, possam ser emendadas." (STF – Pleno, ADIN 815-3/RS, rel. Min. Moreira Alves, DJ 1, 10.05.1996, p. 15.131).

II – leis complementares;

Doutrina

Leis complementares. São aquelas destinadas a completar a Constituição naquelas matérias em que esta não legislou de forma total e exauriente. Diferem das leis ordinárias nos aspectos formal, por exigir *quorum* de aprovação de maioria absoluta, e material, ou substancial, por incidir sobre os assuntos que lhes foram reservados pela própria Constituição.

Jurisprudência

> "A lei ordinária que dispõe a respeito da matéria reservada à lei complementar usurpa competência fixada na Constituição Federal, incidindo no vício de inconstitucionalidade" (STJ – 2.ª Turma, REsp 92.508/DF, rel. Min. Ari Pargendler, DJ 1, 25.08.1997, p. 39.377).

III – leis ordinárias;

Doutrina

Leis ordinárias. Destinam-se a regular todas as matérias não reservadas à lei complementar ou aquelas de competência exclusiva do Congresso Nacional e reguladas por decreto legislativo ou resolução.

Jurisprudência

> "A lei ordinária que dispõe a respeito da matéria reservada à lei complementar usurpa competência fixada na Constituição Federal, incidindo no vício de inconstitucionalidade" (STJ – 2.ª Turma, REsp 92.508/DF, rel. Min. Ari Pargendler, DJ 1, 25.08.1997, p. 39.377).

IV – leis delegadas;

Doutrina

Leis delegadas. São aquelas elaboradas pelo Presidente da

República por delegação legislativa do Congresso Nacional conferida através de resolução. A delegação poderá incidir sobre qualquer matéria, salvo os atos de competência exclusiva do Congresso Nacional, os de competência privativa da Câmara dos Deputados ou do Senado Federal, a matéria reservada à lei complementar e a legislação relativa à organização do Poder Judiciário, do Ministério Público, nacionalidade, cidadania, direitos individuais, políticos e eleitorais, e planos plurianuais, diretrizes orçamentárias e orçamento.

Limites da delegação. A resolução que tratar da competência delegada especificará o seu conteúdo e a forma de exercício, podendo determinar a apreciação do projeto de lei pelo Congresso Nacional, que decidirá em votação única, vedada qualquer emenda.

Jurisprudência

> Em respeito ao princípio da separação de Poderes, a Constituição Federal disciplina, mediante regime de direito estrito, a possibilidade, sempre excepcional, de o Congresso Nacional conceder delegação legislativa externa ao Chefe do Poder Executivo. (STF, Ementário 1.795-01, p. 27).

V – medidas provisórias;

Doutrina

Medidas provisórias. São atos legislativos com força de lei editados pelo Presidente da República em caso de relevância e urgência. Surgiram no direito constitucional brasileiro com a Carta de 1988, em substituição ao decreto-lei, muito utilizado pela ditadura Vargas e pelo regime militar de 1964. Na verdade, são instrumentos típicos do sistema parlamentarista, em que são baixadas por conta e risco do Governo.

Jurisprudência

> As medidas provisórias, no direito brasileiro, são uma

categoria especial de atos normativos primários editados pelo Chefe do Poder Executivo e que têm força, eficácia e valor de lei e o que justifica a edição de tais medidas é a existência de um estado de necessidade que impõe ao Poder Executivo a imediata adoção de normas legais, o que demandaria lapso de tempo que não se pode aguardar em face do perigo da demora que decorreria do atraso na prestação legislativa. (STF, RTJ, 146/707).

VI – decretos legislativos;

Doutrina

Decretos legislativos. São atos normativos primários emanados do Congresso Nacional no exercício de sua competência exclusiva. São equivalentes às leis ordinárias, aprovados por maioria simples e promulgados pelo Presidente do Senado Federal, não se submetendo à sanção ou veto do Presidente da República.

Jurisprudência

No sistema constitucional brasileiro, a incorporação dos tratados internacionais à ordem jurídica interna decorre de ato complexo, resultante da manifestação comum de vontades do Congresso Nacional, que resolve, definitivamente, por meio de decreto legislativo, sobre tratados, acordos ou atos internacionais (CF, art. 49, I), e do Presidente da República, que, além de celebrá-los (CF, art. 84, VIII), é competente para a promulgação através de decreto. (STF, DJU, 02.08.1996, p. 25.792).

VII – resoluções.

Doutrina

Resoluções. São atos normativos primários destinados a dispor sobre matérias de competência do Congresso Nacional ou de qualquer uma de suas Casas. Normalmente veiculam matérias de economia interna; contudo, algumas geram efeitos externos, como, *v.g.*, a que concede delegação legislativa. As resoluções da Câmara dos Deputados e do Senado Federal, após aprovadas pelos seus membros, são promulgadas pelos seus respectivos presidentes; as do Congresso Nacional, uma vez aprovadas pelos membros das duas Casas, serão promulgadas pelo presidente do Senado Federal, no exercício da Presidência do Congresso Nacional.

Jurisprudência

> Somente mediante resolução, meio formalmente idôneo para veicular outorga parlamentar de funções normativas ao Chefe do Poder Executivo, poderá ser concedida a delegação legislativa externa nos casos em que esta for passível de concessão. (STF, Ementário 1.795-01, p. 27).

Parágrafo único. Lei complementar disporá sobre a elaboração, redação, alteração e consolidação das leis.

Doutrina

Lei de técnica legislativa. A norma constitucional exige lei complementar para dispor sobre os recursos de técnica legislativa destinados à criação das leis, bem como a forma de consolidação das mesmas. Consolidar leis significa reunir ordenadamente, num único texto, as diversas disposições esparsas sobre determinada matéria. A referida legislação foi baixada por meio da Lei Complementar 95, de 26 de fevereiro de 1998, regulamentada pelo Decreto 4.176, de 28 de março de 2002.

Jurisprudência

> Súmula 266 do STF: "Não cabe mandado de segurança contra lei em tese."

Subseção II
Da Emenda à Constituição

Art. 60. A Constituição poderá ser emendada mediante proposta:

I – de um terço, no mínimo, dos membros da Câmara dos Deputados ou do Senado Federal;

II – do Presidente da República;

III – de mais da metade das Assembleias Legislativas das unidades da Federação, manifestando-se, cada uma delas, pela maioria relativa de seus membros.

Doutrina

Reforma constitucional. A doutrina anota que reforma é gênero, do qual são espécies a emenda e a revisão constitucionais. No caso brasileiro, a revisão prevista no art. 3.° do ADCT já se realizou; portanto, a Constituição somente poderá ser reformada por meio de emendas. A diferença entre revisão e emenda é expressiva, pois, enquanto a primeira significa reforma em larga extensão, atingindo grande parte do texto constitucional, a segunda trata de reforma tópica, de alguns pontos da Constituição.

Iniciativa. É o poder conferido a certas pessoas ou instituições de apresentarem propostas de emendas à Constituição. O procedimento de emenda se dará por: a) *iniciativa de parlamentares,* cuja proposta será coletiva, devendo ser subscrita no mínimo por um terço dos membros da Câmara dos Deputados ou do Senado Federal; b) *iniciativa do Presidente da República*, em proposta individual, consagrando tendência universal de conceder ao Chefe do Poder Executivo o poder de propor a reforma da Constituição; c) *iniciativa de Assembleias Legislativas Estaduais*, em proposta coletiva subscrita por mais da metade das Casas

Legislativas das unidades da Federação e aprovada, em cada uma delas, pelo voto da maioria simples de seus membros.

Jurisprudência

> Sujeitam-se a controle de constitucionalidade tanto os atos de revisão quanto as emendas à Constituição, pois ambos podem incidir no vício de inconstitucionalidade caracterizado pelo desrespeito aos limites impostos ao poder de reforma e inscritos na Constituição pelo órgão exercente das funções constituintes primárias ou originárias. (STF, RTJ, 153/786).

§ 1.º A Constituição não poderá ser emendada na vigência de intervenção federal, de estado de defesa ou de estado de sítio.

Doutrina

Limitações circunstanciais. São aquelas decorrentes de situação ou estado de anormalidade que prejudicam o funcionamento das instituições e impedem a reforma da Constituição. A norma constitucional proíbe seja a Carta emendada na vigência de intervenção federal, de estado de defesa ou de estado de sítio, porque configuram situações de conturbação em que garantias constitucionais estão objetadas ou suspensas, carecendo o momento da normalidade mínima necessária para a reforma constitucional.

Jurisprudência

> O exercício, pelo Congresso Nacional, do poder constituinte derivado visando atuar sua função reformadora está juridicamente subordinado à decisão do poder constituinte originário, que estabeleceu restrições de ordem circunstancial (art. 60, § 1.º), inibitórias do poder reformador. (STF – Pleno, ADIN 466/91-DF, DJ 1, 10.05.1991, p. 5.929).

§ 2.º A proposta será discutida e votada em cada Casa do Congresso Nacional, em dois turnos, considerando-se aprovada se obtiver, em ambos, três quintos dos votos dos respectivos membros.

Doutrina

Procedimento de discussão e votação. Apresentada regularmente, a proposta de emenda será objeto de discussão e votação em cada uma das Casas do Congresso Nacional, sempre em dois turnos de votação e somente será considerada aprovada se obtiver em cada turno pelo menos três quintos dos votos dos membros de cada Casa.

Jurisprudência

> "Atos normativos *in fieri*, ainda em fase de formação, com tramitação procedimental não concluída, não ensejam, nem dão margem, ao controle concentrado ou em tese de constitucionalidade, que supõe – ressalvadas as situações configuradoras de omissões juridicamente relevantes – a existência de espécies normativas definitivas, perfeitas e acabadas. Ao contrário do ato normativo – que existe e pode dispor de eficácia jurídica imediata, constituindo, por isso mesmo, uma realidade inovadora da ordem positiva –, a mera proposição legislativa nada mais encerra do que simples proposta de direito novo, a ser submetido à apreciação do órgão competente, para que de sua eventual aprovação possa derivar, então, a sua introdução formal no universo jurídico. (STF – Pleno, ADIN 466/91-DF, rel. Min. Celso de Mello, DJ 1, 10.05.1991, p. 5.929).

§ 3.º A emenda à Constituição será promulgada pelas Mesas da Câmara dos Deputados e do Senado Federal, com o respectivo número de ordem.

Doutrina

Procedimento de promulgação. Após a aprovação, a emenda receberá número de ordem e será promulgada pelas Mesas da Câmara dos Deputados e do Senado Federal.

§ 4.° Não será objeto de deliberação a proposta de emenda tendente a abolir:

I – a forma federativa de Estado;

II – o voto direto, secreto, universal e periódico;

III – a separação dos Poderes;

IV – os direitos e garantias individuais.

Doutrina

Limitações materiais. São aquelas estabelecidas com o objetivo de proteger o chamado núcleo imodificável da Constituição, tornando-o imune ao poder de reforma exercido por meio de revisão ou emenda. O referido núcleo é também chamado de *cláusulas pétreas*, ou conjunto de normas que não poderão ser objeto de reforma. Tais limitações dividem-se em: a) *materiais explícitas ou expressas*, referentes às matérias contidas nos incisos acima e que dizem respeito à forma federativa de Estado, ao voto direto, secreto, universal e periódico, à separação de poderes e aos direitos e garantias individuais, que não se encontram restritos apenas ao art. 5.°, estando muitos outros esparsos no texto constitucional, como, *v.g.*, as limitações ao poder de tributar; b) *materiais implícitas*, relativas à titularidade do poder constituinte, à titularidade do poder reformador e as normas relativas ao procedimento das próprias emendas. Observe-se que a norma constitucional proíbe a deliberação de proposta de emenda tendente a abolir as matérias constantes dos incisos I a IV, significando que, se houve proposição, o Congresso Nacional, por suas Casas, nem sequer deverá deliberar sobre a mesma, e não apenas com relação àquelas que expressamente violem qualquer das cláusulas pétreas, mas também aquelas que apresentem *tendência* à violação.

Jurisprudência

As cláusulas pétreas contidas no § 4.º, art. 60, da Constituição Federal, representam, na realidade, categorias normativas subordinantes que, achando-se pré-excluídas, por decisão da Assembleia Nacional Constituinte, do poder de reforma do Congresso Nacional, evidenciam-se como temas insuscetíveis de modificação pela via do poder constituinte derivado. (STF, RTJ, 153/786).

"As limitações materiais, definidas no § 4.º do art. 60 da Constituição da República, incidem diretamente sobre o poder de reforma, conferido ao Poder Legislativo da União, inibindo-lhe o exercício nos pontos ali discriminados. A irreformabilidade desse núcleo temático, acaso desrespeitada, pode legitimar o controle normativo abstrato, e mesmo a fiscalização jurisdicional concreta da constitucionalidade." (STF – Pleno, ADIN 466/91-DF, rel. Min. Celso de Mello, DJ 1, 10.05.1991, p. 5.929).

A garantia inscrita no art. 150, III, *b*, da Constituição Federal, constitui-se em cláusula pétrea, insuscetível de modificação pelo poder constituinte derivado, que está proibido de deliberar sobre proposta tendente a abolir os direitos e garantias individuais. (STF, RTJ, 150/68-9).

§ 5.º A matéria constante de proposta de emenda rejeitada ou havida por prejudicada não pode ser objeto de nova proposta na mesma sessão legislativa.

Doutrina

Proposta de emenda rejeitada ou prejudicada. A norma estabelece que matéria constante de proposta de emenda rejeitada, portanto, objeto de votação, ou havida por prejudicada, sem tramitação normal, não pode ser objeto de nova proposta na mesma sessão, ou ano legislativo.

Jurisprudência

> "(...). Mandado de segurança conhecido quanto à alegação de impossibilidade de matéria constante de proposta de emenda rejeitada ou havida por prejudicada poder ser objeto de nova proposta na mesma sessão legislativa. II – Mérito 1. Não ocorre contrariedade ao § 5.º do art. 60 da Constituição na medida em que o Presidente da Câmara dos Deputados, autoridade coatora, aplica dispositivo regimental adequado e declara prejudicada a proposição que tiver substitutivo aprovado, e não rejeitado, ressalvados os destaques (art. 163, V). 2. É de ver-se, pois, que tendo a Câmara dos Deputados apenas rejeitado o substitutivo, e não o projeto que veio por mensagem do Poder Executivo, não se cuida de aplicar a norma do art. 60, § 5.º, da Constituição. Por isso mesmo, afastada a rejeição do substitutivo, nada impede que se prossiga na votação do projeto originário. O que não pode ser votado na mesma sessão legislativa é a emenda rejeitada ou havida por prejudicada, e não o substitutivo que é uma subespécie do projeto originariamente proposto. 3. Mandado de segurança conhecido em parte, e nesta parte indeferido" (STF – Pleno, MS 22.503/DF, rel. Min. Marco Aurélio, j. 08.05.1996).

Subseção III
Das Leis

Art. 61. A iniciativa das leis complementares e ordinárias cabe a qualquer membro ou Comissão da Câmara dos Deputados, do Senado Federal ou do Congresso Nacional, ao Presidente da República, ao Supremo Tribunal Federal, aos Tribunais Superiores, ao Procurador-Geral da República e aos cidadãos, na forma e nos casos previstos nesta Constituição.

Doutrina

Iniciativa das leis. **É o ato deflagrador do processo legislativo**, que consiste na apresentação de projeto de lei para apreciação do Congresso Nacional, visando a criação de direito novo. A iniciativa, em razão da matéria, é classificada em: a) *geral*, de todos os titulares citados no dispositivo constitucional, salvo se a matéria foi conferida a um titular; b) *reservada*, aquela conferida em caráter de exclusividade a um titular, como nos casos do Presidente da República (art. 61, § 1.º), da Câmara dos Deputados (art. 51, IV), do Senado Federal (art. 52, XIII), do Poder Judiciário (art. 96, I, *d*, II), do Procurador-Geral da República (arts. 127, § 2.º e 128, § 5.º) e a melhor doutrina admite também iniciativa para o Tribunal de Contas da União (art. 73).

Jurisprudência

"(...). A disciplina jurídica do processo de elaboração das leis tem matriz essencialmente constitucional, pois residem, no texto da Constituição – e nele somente –, os princípios que regem o procedimento de formação legislativa, inclusive aqueles que concernem ao exercício do poder de iniciativa das leis. – A teoria geral do processo legislativo, ao versar a questão da iniciativa vinculada das leis, adverte que esta somente se legitima – considerada a qualificação eminentemente constitucional do poder de agir em sede legislativa – se houver, no texto da própria Constituição, dispositivo que, de modo expresso, a preveja. Em consequência desse modelo constitucional, nenhuma lei, no sistema de direito positivo vigente no Brasil, dispõe de autoridade suficiente para impor, ao Chefe do Executivo, o exercício compulsório do poder de iniciativa legislativa" (STF – Pleno, MS 22.538/CE, rel. Min. Celso de Mello, j. 17.04.1997).

A gênese da lei está sujeita ao devido processo legal, pois uma lei malformada, em razão de defeitos no processo que a gerou, é ineficaz, não podendo obrigar ninguém. (STJ, Ementário 18/395).

"(...). 2. Processo legislativo dos Estados-membros: absorção compulsória das linhas básicas do modelo constitucional federal – entre elas, as decorrentes das normas de reserva de iniciativa das leis –, dada a implicação com o princípio fundamental da separação e independência dos Poderes: jurisprudência consolidada do Supremo Tribunal. 3. Processo legislativo: reserva de iniciativa do Poder Executivo para legislar sobre matéria concernente a servidores públicos da administração direta, autarquias e fundações públicas" (STF – Pleno, ADIN 637/MA, rel. Min. Sepúlveda Pertence, j. 25.08.2004).

§ 1.º São de iniciativa privativa do Presidente da República as leis que:

I – fixem ou modifiquem os efetivos das Forças Armadas;

II – disponham sobre:

a) criação de cargos, funções ou empregos públicos na administração direta e autárquica ou aumento de sua remuneração;

b) organização administrativa e judiciária, matéria tributária e orçamentária, serviços públicos e pessoal da administração dos Territórios;

c) servidores públicos da União e Territórios, seu regime jurídico, provimento de cargos, estabilidade e aposentadoria;

d) organização do Ministério Público e da Defensoria Pública da União, bem como normas gerais para a organização do Ministério Público e da Defensoria Pública dos Estados, do Distrito Federal e dos Territórios;

e) criação e extinção de Ministérios e órgãos da administração pública, observado o disposto no art. 84, VI;

f) militares das Forças Armadas, seu regime jurídico, provimento de cargos, promoções, estabilidade, remuneração, reforma e transferência para a reserva.

Doutrina

Iniciativa reservada. Compete ao Presidente da República iniciar o processo legislativo quando o projeto de lei versar as seguintes matérias: a) *fixação ou modificação de efetivos das Forças Armadas*, pois, de fato, o número de militares integrantes dos quadros do Exército, da Marinha e da Aeronáutica é assunto afeto, primeiramente, ao Chefe Supremo das Forças Armadas, responsável pela política de segurança nacional; b) *definição dos quadros e política de remuneração de servidores*, somente do Poder Executivo e de suas autarquias, obedecendo-se a iniciativa dos demais Poderes na matéria; c) *legislação para os Territórios*, relativa à organização administrativa e judiciária, tributos, orçamento, serviços públicos e quadro de pessoal, pois aqueles são meros entes administrativos da União; d) *organização e regime jurídico dos servidores públicos*, tanto da União quanto de Territórios, quando estes existirem, pois são meras autarquias territoriais daquela; e) *organização do Ministério Público e Defensorias*, no âmbito da União apenas e observe-se que, na verdade, com relação ao Ministério Público, a competência é comum do Presidente da República e do Procurador-Geral da República. Com relação às mesmas instituições pertencentes aos Estados-membros, Distrito Federal e Territórios, a iniciativa restringe-se à legislação sobre normas gerais; f) *criação e estruturação de Ministérios e outros órgãos*, com a fixação de suas respectivas áreas de competência e atuação, como entes integrantes da Administração Federal; g) *organização e regime jurídico dos servidores militares*, pois, ao desdobrar-se a matéria da alínea *c*, passou-se a reconhecer aos servidores militares regime próprio fundado nas peculiaridades de suas atribuições e das carreiras militares.

Jurisprudência

> "Mesmo que reconheça mora do Chefe do Poder Executivo, o Judiciário não pode obrigá-lo a apresentar projeto de lei de sua iniciativa privativa, tal como é o que trata da revisão geral anual da remuneração dos servidores, prevista no inciso X do artigo 37 da Lei Maior, em sua redação originária. Ressalva do entendimento pessoal do Relator. Precedente: ADI 2.061, Relator Ministro Ilmar Galvão; MS 22.439, Relator Ministro Maurício Corrêa; MS 22.663, Relator Ministro Néri da Silveira; AO 192, Relator Ministro Sydney Sanches; e RE 140.768, Relator Ministro Celso de Mello. Agravo regimental desprovido" (STF – 1.ª Turma, RE 527.622/SP AgRg, rel. Min. Carlos Britto, j. 15.05.2007).

> "Emenda parlamentar introduzida em projeto de iniciativa do chefe do Poder Executivo estadual. Provimento de cargos em fundação estadual sem concurso público. Vício de iniciativa. Aumento de despesa. Inconstitucionalidade. 1. Emenda parlamentar introduzida em projeto de lei de exclusiva iniciativa do Governador do Estado, sobre servidores de fundação pública, que implica aumento de despesa, constitui violação ao princípio da reserva de iniciativa das leis (CF, artigos 61, § 1.º, II, a e c, e 63, I). 2. O aproveitamento de servidores de entidade privada que prestam serviço a órgão

público é forma de aproveitamento ofensiva à exigência constitucional do concurso público (CF, artigo 37, II). 3. Plausibilidade da tese jurídica e existência do periculum in mora. Cautelar deferida" (STF – Pleno, ADIN 2.186/SP MC, rel. Min. Maurício Corrêa, j. 17.05.2000).

As regras fundamentais do processo legislativo, previsto na Constituição Federal, são de absorção obrigatória pelos Estados federados, pois consubstanciam aspectos relevantes do princípio da separação e independência dos Poderes. (STF, RTJ, 159/736).

"O Distrito Federal – à semelhança dos Estados-membros – está sujeito ao princípio estabelecido no art. 61, § 1.°, II, *a* e *c*, da Constituição Federal, que diz respeito à iniciativa exclusiva do Chefe do Poder Executivo para o processo de formação das leis que disponham sobre criação de cargos, funções ou empregos públicos, ainda, sobre o regime jurídico dos servidores públicos na Administração direta e autárquica." (STF, ADIN 980-0/DF, rel. Min. Celso de Mello, DJ 1, 13.05.1994, p. 11.337).

A sanção a projeto de lei que contém norma resultante de emenda parlamentar aprovada com inobservância do contido no art. 63, I, da Constituição Federal não sana o vício de inconstitucionalidade formal, porquanto não basta apenas a vontade do Chefe do Poder Executivo para convalidar vício decorrente de violação a preceito da Carta Magna (STF, RDA, 202/217).

A iniciativa de lei de criação de cargos no Ministério Público é privativa de seus órgãos diretivos e do Procurador-Geral da República, pois tal se configura como predicado de sua autonomia. (STF, RTJ, 147/126).

§ 2.° A iniciativa popular pode ser exercida pela apresentação à Câmara dos Deputados de projeto de lei subscrito por, no mínimo, um por cento do eleitorado nacional, distribuído pelo menos por cinco Estados, com

não menos de três décimos por cento dos eleitores de cada um deles.

Doutrina

Iniciativa popular. É a forma de exercício da soberania popular por meio da apresentação à Câmara dos Deputados de projeto de lei subscrito pelo menos por um por cento do eleitorado nacional, distribuído em pelo menos cinco Estados, com o mínimo de três décimos por cento dos eleitores de cada um deles. Trata-se de instrumento de democracia participativa, com o mesmo âmbito de iniciativa dos parlamentares, porém os requisitos exigidos pela norma constitucional são tantos que inviabilizam a participação do povo no processo político.

Jurisprudência

> "Em que pese a natureza jurídica controvertida dos crimes de responsabilidade, a regra geral da iniciativa popular à instauração do processo de desqualificação funcional não é aplicável nas pretensões deduzidas perante o Poder Judiciário, cuja apuração judicial, neste e nos crimes de falsificação de documento público, prevaricação e usurpação de função pública, também imputados ao denunciado, está sujeita à ação penal pública, da atribuição exclusiva do Ministério Público. Precedentes do STF" (STJ – Corte Especial, AP 329/PB, rel. Min. Hamilton Carvalhido, DJ, 23.04.2007, p. 226).

Art. 62. Em caso de relevância e urgência, o Presidente da República poderá adotar medidas provisórias, com força de lei, devendo submetê-las de imediato ao Congresso Nacional.

Doutrina

Medidas provisórias. São atos normativos primários, com força de lei, editados pelo Presidente da República em caso de relevância e urgência. Portanto, não são leis, em sentido formal, pois não emanam do Poder Legislativo; contudo, têm eficácia de lei enquanto vigentes, sendo, ainda, transitórias, conquanto destinadas a ser convertidas em lei.

Adoção pelos demais entes federados. Como os Estados, o Distrito Federal e os Municípios devem seguir o modelo do processo legislativo estabelecido na Constituição Federal, poderão os respectivos chefes do Poder Executivo adotar medidas provisórias, desde que previstas nas constituições estaduais e nas leis orgânicas municipais.

Pressupostos. A edição de medida provisória, apesar de ser ato unilateral do Presidente da República, subordina-se à ocorrência simultânea de dois pressupostos: a) *o da relevância*, ou seja, situação excepcionalmente importante e de alto interesse público a autorizar o Presidente da República a substituir o Poder Legislativo na sua função de legislar; b) *o da urgência*, ou seja, situação que mereça resposta em lapso curto de tempo, pois a espera pelo desenrolar do processo legislativo normal pode causar lesão grave ou irreversível a interesse coletivo que deva ser preservado.

Limites. O art. 246 da Constituição veda o uso de medida provisória para regulamentar artigo seu cuja redação tenha sido alterada por meio de emenda promulgada a partir de 1995. Além disso, boa parte da doutrina entende que está vedado o seu uso em matéria reservada à lei complementar, em matéria que não possa ser objeto de delegação legislativa, além de matéria criminal e tributária; porém, com relação a esta última, o Supremo Tribunal Federal tem entendido legítima a sua veiculação, desde que a mesma não exija lei complementar e respeite o princípio da anterioridade.

Reedição. Não há vedação constitucional expressa a respeito. A doutrina se divide entre aqueles que não admitem a reedição, ao argumento de que se o Congresso Nacional não apreciou a medida dentro do prazo de validade, esgotado este ocorreria a rejeição tácita; e aqueles que admitem a reedição, pois, se o Congresso Nacional não a apreciou e os pressupostos continuam presentes, nada obsta a reedição até a decisão do Poder Legislativo. A jurisprudência tem se posicionado da seguinte forma: se a medida foi rejeitada expressamente pelo Congresso Nacional, não poderá mais ser reeditada; porém, nos casos em que não houve apreciação, decorrido o prazo de validade, será admitida a reedição.

Controle de constitucionalidade. As medidas provisórias estão sujeitas ao controle jurisdicional de constitucionalidade como qualquer outra espécie normativa, tanto no que pertine aos pressupostos para edição, quanto **à** matéria compreendida no seu âmbito de atuação. Referido controle poderá ser o concentrado, pela via da ação, ou o difuso, pela via da exceção.

Jurisprudência

> "Possibilidade de controle jurisdicional dos pressupostos constitucionais (relevância e urgência) que condicionam a edição de medidas provisórias. – A edição de medidas provisórias, pelo Presidente da República, para legitimar-se juridicamente, depende, dentre outros requisitos, da estrita observância dos pressupostos constitucionais da urgência e da relevância (CF, art. 62, '*caput*'). – Os pressupostos da urgência e da relevância, embora conceitos jurídicos relativamente indeterminados e fluidos, mesmo expondo-se, inicialmente, à avaliação discricionária do Presidente da República, estão sujeitos, ainda que excepcionalmente, ao controle do Poder Judiciário, porque compõem a própria estrutura constitucional que disciplina as medidas provisórias, qualificando-se como requisitos legitimadores e juridicamente condicionantes do exercício, pelo Chefe do Poder Executivo, da competência normativa primária que lhe foi outorgada, extraordinariamente, pela Constituição da República. Doutrina. Precedentes. – A possibilidade de controle jurisdicional, mesmo sendo excepcional, apoia-se na necessidade de impedir que o Presidente da República, ao editar medidas provisórias, incida em excesso de poder ou em situação de manifesto abuso institucional, pois o sistema de limitação de

poderes não permite que práticas governamentais abusivas venham a prevalecer sobre os postulados constitucionais que informam a concepção democrática de Poder e de Estado, especialmente naquelas hipóteses em que se registrar o exercício anômalo e arbitrário das funções estatais". (STF – Pleno, ADIN 2.213 MC, rel. Min. Celso de Mello, j. 04.04.2002).

"Utilização abusiva de medidas provisórias – inadmissibilidade – princípio da separação dos Poderes – competência extraordinária do Presidente da República. – A crescente apropriação institucional do poder de legislar, por parte dos sucessivos Presidentes da República, tem despertado graves preocupações de ordem jurídica, em razão do fato de a utilização excessiva das medidas provisórias causar profundas distorções que se projetam no plano das relações políticas entre os Poderes Executivo e Legislativo. – Nada pode justificar a utilização abusiva de medidas provisórias, sob pena de o Executivo – quando ausentes razões constitucionais de urgência, necessidade e relevância material –, investir-se, ilegitimamente, na mais relevante função institucional que pertence ao Congresso Nacional, vindo a converter-se, no âmbito da comunidade estatal, em instância hegemônica de poder, afetando, desse modo, com grave prejuízo para o regime das liberdades públicas e sérios reflexos sobre o sistema de 'checks and balances', a relação de equilíbrio que necessariamente deve existir entre os Poderes da República. – Cabe, ao Poder Judiciário, no desempenho das funções que lhe são inerentes, impedir que o exercício compulsivo da competência extraordinária de editar medida provisória culmine por introduzir, no processo institucional brasileiro, em matéria legislativa, verdadeiro cesarismo governamental, provocando, assim, graves distorções no modelo político e gerando sérias disfunções comprometedoras da integridade do princípio constitucional da separação de poderes. – Configuração, na espécie, dos pressupostos constitucionais legitimadores das medidas provisórias ora impugnadas. Consequente reconhecimento da constitucionalidade formal dos atos presidenciais em questão". (STF –Pleno, ADIN 2.213 MC, rel. Min. Celso de Mello, j. 04.04.2002).

"Os conceitos de relevância e urgência a que se refere o art. 62 da Constituição, como pressupostos para a edição de medidas provisórias, decorrem, em princípio, do juízo discricionário de oportunidade e valor do Presidente da República, mas admitem o controle judiciário quanto ao excesso do poder de legislar, o que, no caso, não se evidencia de pronto." (STF - ADIN 162-1/DF, rel. Min. Moreira Alves, liminar, DJ 1, de 19.09.1997, p. 45.525).

A simples possibilidade de avaliação arbitrária, pelo Presidente da República, dos pressupostos de relevância e urgência é o bastante para justificar o controle jurisdicional, pois admitir a exclusão do exame judicial dos referidos pressupostos seria conferir àquela autoridade poderes quase ilimitados para a edição de medidas provisórias e isso se mostra incompatível com o sistema consagrado pela Constituição Federal. (STF, RTJ, 151/331).

As medidas provisórias, no direito brasileiro, são uma categoria especial de atos normativos primários editados pelo Chefe do Poder Executivo e que têm força, eficácia e valor de lei. O que justifica a edição de tais medidas é a existência de um estado de necessidade que impõe ao Poder Executivo a imediata adoção de normas legais que demandariam lapso de tempo que não se pode aguardar em face do perigo da demora decorrente do atraso na prestação legislativa. (STF, RTJ 146/707).

"A edição de medida provisória gera dois efeitos imediatos. O primeiro efeito é de ordem normativa, eis que a medida provisória – que possui vigência e eficácia imediatas – inova, em caráter inaugural, a ordem jurídica. O segundo efeito é de natureza ritual, eis que a publicação da medida provisória atua como verdadeira *provocatio ad agendum*, estimulando o Congresso Nacional a instaurar o adequado procedimento de conversão em lei." (STF – Pleno, ADIN 293/DF MC, rel. Min. Celso de Mello, RTJ, 146/707).

"A plena submissão das medidas provisórias ao Congresso Nacional constitui exigência que decorre do princípio da separação de Poderes. O conteúdo jurídico que elas veiculam somente adquirirá estabilidade normativa a partir do momento em que – observada a disciplina ritual do procedimento de conversão em lei – houver pronunciamento favorável e aquiescente do único órgão constitucionalmente investido do poder ordinário de legislar, que é o Congresso Nacional." (STF – Pleno, ADIN 293/DF MC, rel. Min. Celso de Mello, RTJ, 146/707).

O Presidente da República pode ab-rogar medida provisória, editando outra em substituição, e suspendendo, assim, os efeitos da primeira. Todavia, o Congresso Nacional poderá restabelecer referidos efeitos mediante a rejeição da medida ab-rogatória. (STF, RTJ, 157/856).

A medida provisória tem força de lei e se constitui em meio hábil para a instituição de tributos e contribuições sociais, a exemplo do que já ocorria com o decreto-lei previsto no regime constitucional anterior. (STF, Ementário 1.829-01).

"(...). 2. No julgamento da ADI 425, rel. Min. Maurício Correa, DJ 19.12.03, o Plenário desta Corte já havia reconhecido, por ampla maioria, a constitucionalidade da instituição de medida provisória estadual, desde que, primeiro, esse instrumento esteja expressamente previsto na Constituição do Estado e, segundo, sejam observados os princípios e as limitações impostas pelo modelo adotado pela Constituição Federal, tendo em vista a necessidade da observância simétrica do processo legislativo federal. Outros precedentes: ADI 691, rel. Min. Sepúlveda Pertence, DJ 19.06.92 e ADI 812-MC, rel. Min. Moreira Alves, DJ 14.05.93. 3. Entendimento reforçado pela significativa indicação na Constituição Federal, quanto a essa possibilidade, no capítulo referente à organização e à regência dos Estados, da competência desses entes da Federação para 'explorar diretamente, ou mediante concessão, os serviços locais de gás canalizado, na forma da lei, vedada a edição de medida provisória para a sua regulamentação' (art. 25, § 2.º). 4. Ação direta cujo pedido formulado se julga improcedente" (STF – Pleno, ADIN 2.391/SC, rel. Min. Ellen Gracie, j. 16.08.2006).

§ 1.º É vedada a edição de medidas provisórias sobre matéria:

I – relativa a:

a) nacionalidade, cidadania, direitos políticos, partidos políticos e direito eleitoral;

b) direito penal, processual penal e processual civil;

c) organização do Poder Judiciário e do Ministério Público, a carreira e a garantia de seus membros;

d) planos plurianuais, diretrizes orçamentárias, orçamento e créditos adicionais e suplementares, ressalvado o previsto no art. 167, § 3.º;

II – que vise a detenção ou sequestro de bens, de poupança popular ou qualquer outro ativo financeiro;

III – reservada a lei complementar;

IV – já disciplinada em projeto de lei aprovado pelo Congresso Nacional e pendente de sanção ou veto do Presidente da República.

Doutrina

Vedações materiais à edição de medidas provisórias. Constituem proibições expressas de adoção de medida provisória para dispor sobre as seguintes matérias (daí vedações materiais): *a)* nacionalidade, cidadania, direitos políticos, partidos políticos e direito eleitoral; *b)* direito penal, processual penal e processual civil; *c)* organização do Poder Judiciário e do Ministério Público, a carreira e a garantia de seus membros; *d)* planos plurianuais, diretrizes orçamentárias, orçamento e créditos adicionais e suplementares, ressalvado o previsto no art. 167, § 3.º; *e)* que vise a detenção ou sequestro de bens, de poupança popular ou qualquer outro ativo financeiro; *f)* reservada a lei complementar; *g)* já disciplinada em projeto de lei aprovado pelo Congresso Nacional e pendente de sanção ou veto do Presidente da República.

Exceção para admitir a adoção de medida provisória no caso de crédito extraordinário. A norma contida na parte final do § 1.º, I, *d*, do artigo ora comentado admite a adoção de medida provisória para a abertura de crédito extraordinário desde que destinado ao atendimento de despesas imprevisíveis e urgentes, *v.g.*, aquelas decorrentes de guerra externa, comoção interna ou calamidade pública.

Jurisprudência

> "Administrativo. FGTS. Correção monetária. Preliminar de deserção. I – Medida Provisória não é a normatividade idônea para a disciplina de normas relativas a direito processual, como na hipótese ventilada nos autos, sob pena de ferir-se a competência privativa da União, por intermédio do Congresso (CF, artigos 22, I, e 48, *caput*), posto que o devido processo legal (CF, art. 5.º, LIV) constitui-se como garantia individual, protegido por cláusula pétrea (CF, art. 60, § 4.º, IV), sem possibilidade de delegação congressual (CF, art. 68, § 1.º, II. II) – O art. 24-A da Lei n.º 9028/95, com a alteração introduzida pela MP 2180-35/2001, que dispõe sobre a não incidência de custas processuais nas ações relativas ao FGTS, não revoga disposições expressas do Código de

Processo Civil a respeito de custas processuais, tendo em vista o disposto no art. 62, § 1.º, inciso I, alínea 'b', da CF, pois é vedada a edição de medidas provisórias sobre matéria relativa a direito penal, processual penal e processual civil. III – Apelação não conhecida" (TRF1 – 6.ª Turma, AC 00131639620024013400, rel. Des. Fed. Souza Prudente, DJ, 20.02.2006, p. 101).

§ 2.º Medida provisória que implique instituição ou majoração de impostos, exceto os previstos nos arts. 153, I, II, IV, V e 154, II, só produzirá efeitos no exercício financeiro seguinte se houver sido convertida em lei até o último dia daquele em que foi editada.

Doutrina

Limitação de efeitos de impostos instituídos ou majorados por meio de medida provisória. Dispõe a norma acima que a instituição ou majoração dos impostos, salvo os previstos nos dispositivos mencionados, somente produzirão efeitos no exercício seguinte se a medida provisória pertinente tiver sido convertida em lei até o último dia do exercício financeiro em que editada.

Jurisprudência

"1- A questão discutida nos autos diz respeito à possibilidade de medida provisória (n.º 668/2015) majorar as alíquotas das contribuições PIS/PASEP e COFINS, bem como se a cobrança majorada deveria respeitar o princípio da anterioridade, produzindo efeitos somente no exercício financeiro seguinte daquele em que foi convertida em lei. 2. É sabido que, em se tratando de matéria tributária, o uso de medida provisória é plenamente possível, eis que, por previsão constitucional, a medida provisória tem força de lei, devendo ser observados, no entanto, os seus requisitos constitucionais. 3 – Com o advento da Emenda Constitucional n.º 32/2001, a Constituição Federal passou a prever que, ressalvados o II, o IE, o IPI, o IOF e os impostos extraordinários de guerra, a medida provisória que implique majoração de impostos só produzirá efeitos no exercício financeiro seguinte se for convertida em lei até o último dia daquele em que foi editada, nos termos do art. 62, § 2.° da Constituição Federal. (...)" (TRF2, AC 01087025520154025001, rel. Des. Fed. Luiz Antonio Soares, DJE, 13.10.2016).

§ 3.° As medidas provisórias, ressalvado o disposto nos §§ 11 e 12 perderão eficácia, desde a edição, se não forem convertidas em lei no prazo de sessenta dias, prorrogável, nos termos do § 7.°, uma vez por igual período, devendo o Congresso Nacional disciplinar, por decreto legislativo, as relações jurídicas delas decorrentes.

Doutrina

Perda de eficácia das medidas provisórias. Ocorre no prazo de sessenta dias, prorrogável uma vez por igual período, com as ressalvas dos §§ 11 (edição de decreto legislativo dispondo sobre as relações jurídicas delas decorrentes) e 12 (aprovação do projeto de conversão). Todavia, se o Congresso Nacional não editar o referido decreto legislativo, dentro do prazo de sessenta dias, contados da rejeição, a medida provisória deverá reger todas as relações jurídicas entabuladas durante sua vigência.

Jurisprudência

STF: Súmula Vinculante 54: "A medida provisória não apreciada pelo Congresso Nacional podia, até a Emenda Constitucional 32/2001, ser reeditada dentro do seu prazo de eficácia de trinta dias, mantidos os efeitos de lei desde a primeira edição".

§ 4.º O prazo a que se refere o § 3.º contar-se-á da publicação da medida provisória, suspendendo-se durante os períodos de recesso do Congresso Nacional.

Doutrina

Contagem de prazo. Refere-se ao prazo para perda de eficácia da medida provisória, contado, com a ressalva dos §§ 11 e 12, desde a publicação, suspendendo-se, contudo, durante os períodos de recesso do Congresso Nacional.

§ 5.º A deliberação de cada uma das Casas do Congresso Nacional sobre o mérito das medidas provisórias dependerá de juízo prévio sobre o atendimento de seus pressupostos constitucionais.

Doutrina

Juízo prévio de verificação de pressupostos constitucionais. Do ponto de vista da presença dos pressupostos constitucionais da relevância e urgência ou da adequação financeira ou orçamentária, necessários ao exame de mérito da medida provisória, serão verificadas por meio de comissão mista composta de Deputados e Senadores, que emitirá parecer e, se este for pelo reconhecimento dos pressupostos, a medida provisória será votada, aprovada e convertida em lei, primeiramente, no âmbito da Câmara dos Deputados e, em seguida, no âmbito do Senado Federal. No caso de não reconhecimento da presença dos pressupostos, a medida provisória será arquivada, conquanto ausentes os requisitos necessários para a apreciação do mérito.

§ 6.º Se a medida provisória não for apreciada em até quarenta e cinco dias contados da sua publicação, entrará em regime de urgência, subsequentemente, em cada uma das Casas do Congresso Nacional, ficando sobres-

tadas, até que se ultime a votação, todas as demais deliberações legislativas da Casa em que estiver tramitando.

Doutrina

Regime de urgência para apreciação de medida provisória. A norma contida neste parágrafo impõe um regime de urgência, de índole constitucional, para a apreciação de medida provisória, a partir de quarenta e cinco dias, contados da publicação, entrando, em seguida, no regime citado e, por via de consequência, restam sobrestadas, até que ultimada a votação, todas as demais deliberações legislativas da Casa em que se encontrar em tramitação. Registre-se, sobrestadas são as matérias legislativas, devendo prosseguir normalmente as deliberações administrativas dos vários órgãos da Câmara legislativa.

§ 7.º Prorrogar-se-á uma única vez por igual período a vigência de medida provisória que, no prazo de sessenta dias, contado de sua publicação, não tiver a sua votação encerrada nas duas Casas do Congresso Nacional.

Doutrina

Prorrogação de vigência de medida provisória. A medida provisória vigente poderá ser prorrogada uma única vez, pelo período de sessenta dias, contado da publicação, desde que não tenha encerrada sua votação tanto na Câmara dos Deputados quanto no Senado Federal.

§ 8.º As medidas provisórias terão sua votação iniciada na Câmara dos Deputados.

Doutrina

Casa iniciadora. A norma constitucional veiculada neste parágrafo dispõe, expressamente, que a votação da medida provisória tem início na Câmara dos Deputados. O dispositivo é corolário da consagração da Casa como representante do povo.

§ 9.º Caberá à comissão mista de Deputados e Senadores examinar as medidas provisórias e sobre elas emitir parecer, antes de serem apreciadas, em sessão separada, pelo plenário de cada uma das Casas do Congresso Nacional.

Doutrina

Norma de processo legislativo. Dispõe que o exame da medida provisória é feito por comissão mista, composta de deputados e senadores, cabendo-lhe preparar parecer antes mesmo da apreciação da matéria em sessão separada da Câmara dos Deputados e do Senado Federal. Vê-se, pois, que o parecer deve ser preparado pela comissão mista e não por relator por ela designado.

§ 10. É vedada a reedição, na mesma sessão legislativa, de medida provisória que tenha sido rejeitada ou que tenha perdido sua eficácia por decurso de prazo.

Doutrina

Proibição de reedição de medida provisória. A norma expressamente veda a reedição de medida provisória, na mesma sessão legislativa, que tenha sido rejeitada ou perdido eficácia por decurso de prazo. A sessão legislativa compreende os períodos de 2 de fevereiro a 17 de julho e de 1.º de agosto a 22 de dezembro de cada ano (CF, art. 57, *caput*). Portanto, no ano seguinte admite-se a reedição de medida provisória rejeitada ou que tenha perdido eficácia no ano anterior.

§ 11. Não editado o decreto legislativo a que se refere o § 3.º até sessenta dias após a rejeição ou perda de eficácia de medida provisória, as relações jurídicas constituídas e decorrentes de atos praticados durante sua vigência conservar-se-ão por ela regidas.

Doutrina

Medidas provisórias rejeitadas ou com perda de eficácia. Dispõe a norma contida no parágrafo que, não editado, pelo Congresso Nacional, o decreto legislativo mencionado, as relações jurídicas constituídas e decorrentes de atos praticados durante a vigência de determinada medida provisória serão por esta regidos.

Jurisprudência

> (...). '§ 11. Não editado o decreto legislativo a que se refere o § 3.º até sessenta dias após a rejeição ou perda de eficácia de medida provisória, as relações jurídicas constituídas e decorrentes de atos praticados durante sua vigência conservar-se-ão por ela regidas. (incluído pela Emenda Constitucional n.º 32, de 2001)'. 10. Como não há decreto legislativo expedido pelo Congresso Nacional regulando as relações jurídicas no decurso da Medida Provisória, aplicar-se-ia, em tese, o preceito normativo acima quando estabelece que 'as relações jurídicas constituídas e decorrentes de atos praticados durante sua vigência conservar-se-ão por ela regidas'" (STJ – REsp 1.517.046 AgI, rel. Min. Humberto Martins, DJE, 16.06.2017).

§ 12. Aprovado projeto de lei de conversão alterando o texto original da medida provisória, esta manter-se-á integralmente em vigor até que seja sancionado ou vetado o projeto.

Doutrina

Norma processual. Dispõe a regra que, ocorrendo alteração no texto da medida provisória, esta será mantida integralmente em vigência até que ocorra a sanção ou o veto ao projeto de conversão.

Art. 63. Não será admitido aumento da despesa prevista:

Doutrina

Proibição de aumento da despesa prevista. Despesa prevista é aquela constante da previsão feita no orçamento anual ou de projeto de lei submetido à apreciação do Congresso Nacional. Na verdade, ao proibir o aumento da despesa prevista nos projetos descritos nos incisos I e II, a norma está impondo limites ao poder de emenda próprio dos parlamentares, admitindo, nos referidos projetos, apenas aquelas que não impliquem em aumento de despesa.

Jurisprudência

> O poder de emendar é prerrogativa própria conferida ao parlamentar e sujeita-se, quanto ao seu exercício, apenas às restrições impostas, em *numerus clausus*, pela Constituição Federal. (STF, Ementário 1.739-03).

I – nos projetos de iniciativa exclusiva do Presidente da República, ressalvado o disposto no art. 166, §§ 3.º e 4.º;

Doutrina

Proibição de emenda nos projetos de iniciativa reservada. A proibição de emendas restringe-se apenas àquelas que impliquem em aumento da despesa prevista, pois o poder de emendar é próprio da atividade parlamentar, e restringe-se aos projetos de iniciativa reservada ao Presidente da República (art. 61, § 1.º).

Exceções à proibição de oferecer emendas. Excepcionalmente, a norma admite a apresentação de emendas que impliquem em aumento da despesa prevista nos casos: a) *do projeto de lei do orçamento anual ou projetos que o modifiquem*, desde que compatíveis com o plano plurianual e com a lei de diretrizes orçamentárias e indiquem os recursos necessários provenientes de anulação de outra despesa; b) *do projeto de lei de diretrizes orçamentárias*, desde que compatíveis com o conteúdo do plano plurianual.

Jurisprudência

> "Processo legislativo e Estado-membro: a atuação dos membros da Assembleia Legislativa dos Estados acha-se submetida, no processo de formação das leis, à limitação imposta pelo art. 63, I, da Constituição, que veda – ressalvadas as proposições de natureza orçamentária – oferecimento de emendas parlamentares de que resulte o aumento da despesa prevista nos projetos sujeitos ao exclusivo poder de iniciativa do Governador do Estado. Usurpação de iniciativa e sanção executiva: a sanção a projeto de lei que veicule norma resultante de emenda parlamentar aprovada com transgressão à cláusula inscrita no art. 63, I, da Carta Federal não tem o condão de sanar o vício de inconstitucionalidade formal, eis que a só vontade do Chefe do Executivo – ainda que deste seja a prerrogativa institucional usurpada – revela-se juridicamente insuficiente para convalidar o defeito radical oriundo do descumprimento da Constituição da República" (STF, ADIN 1.070/MS MC, rel. Min. Celso de Mello, Ementário 1.800-01, p. 187).

II – nos projetos sobre organização dos serviços administrativos da Câmara dos Deputados, do Senado Federal, dos Tribunais Federais e do Ministério Público.

Doutrina

Proibição de emendas nos projetos de organização dos servi-

ços administrativos. Serviços administrativos compreendem as atividades de secretaria e de apoio. Nos projetos de lei de organização de tais serviços da Câmara dos Deputados, do Senado Federal, dos Tribunais Federais e do Ministério Público, não serão admitidas emendas que resultem em aumento da despesa prevista.

Jurisprudência

> "O conteúdo restritivo da norma inscrita no art. 63, II, da Constituição Federal – que concerne exclusivamente aos serviços administrativos estruturados na secretaria dos Tribunais – não se aplica aos projetos referentes à organização judiciária, eis que as limitações expressamente previstas, nesse tema, pela Carta Política de 1969 (art. 144, § 5.° *in fine*), deixaram de ser reproduzidas pelo vigente ordenamento constitucional." (STF, ADIN 865/MA MC, rel. Min. Celso de Mello, Ementário 1739-03, p. 552).

Art. 64. A discussão e votação dos projetos de lei de iniciativa do Presidente da República, do Supremo Tribunal Federal e dos Tribunais Superiores terão início na Câmara dos Deputados.

Doutrina

Casa iniciadora. A Câmara dos Deputados é a casa iniciadora do procedimento de criação das leis nos casos de projetos de iniciativa do Presidente da República (art. 61, *caput* e § 1.°), do Supremo Tribunal Federal (art. 93), dos Tribunais Superiores (art. 96, I, *a* e II, *b*), do Procurador-Geral da República (arts. 61, § 1.°, *d*, c.c. 127, § 2.°, e 128, § 5.°), bem como quando se tratar de projeto oriundo da iniciativa popular (art. 61, § 2.°) e, naturalmente, de deputados federais ou de Comissão da própria Câmara.

Senado Federal como Casa iniciadora. O Senado Federal funciona como Casa iniciadora apenas nos projetos de iniciativa de seus membros ou de suas comissões.

Jurisprudência

Constitui direito público subjetivo do parlamentar a impetração de mandado de segurança para assegurar o correto cumprimento das normas disciplinadoras do processo legislativo. (STF, DJ 1, 06.06.1997, p. 24.872).

As regras básicas do processo legislativo consagradas na Constituição Federal são modelos de observância obrigatória por parte do legislador constituinte estadual. (STF, RTJ, 150/482).

§ 1.º O Presidente da República poderá solicitar urgência para apreciação de projetos de sua iniciativa.

Doutrina

Regime de urgência. É aquele que se caracteriza pela necessidade de atendimento de situação que demanda solução em lapso curto de tempo que pode, no entanto, aguardar o desenrolar do processo legislativo, desde que este ocorra de forma mais célere que o usual. Trata-se de conceito subjetivo, sujeito à discricionariedade do Presidente da República.

§ 2.º Se, no caso do § 1.º, a Câmara dos Deputados e o Senado Federal não se manifestarem sobre a proposição, cada qual sucessivamente, em até quarenta e cinco dias, sobrestar-se-ão todas as demais deliberações legislativas da respectiva Casa, com exceção das que tenham prazo constitucional determinado, até que se ultime a votação.

Doutrina

Procedimento de urgência. A solicitação de urgência implica na adoção do procedimento de urgência, sumário, ou abreviado, para a tramitação do projeto de lei e significa que o mesmo deverá ser apreciado pela Câmara dos Deputados no prazo máximo de quarenta e cinco dias, contados do recebimento; após, uma vez aprovado, o projeto seguirá para o Senado Federal, onde deverá ser apreciado dentro do mesmo prazo, totalizando, pois, noventa dias. Se as Casas não se manifestarem sobre o projeto dentro de seu respectivo prazo, o mesmo será incluído na ordem do dia, sobrestando-se a deliberação dos demais assuntos até se ultimar a sua votação.

§ 3.º A apreciação das emendas do Senado Federal pela Câmara dos Deputados far-se-á no prazo de dez dias, observado quanto ao mais o disposto no parágrafo anterior.

Doutrina

***Apreciação de emendas*.** No caso de o Senado Federal emendar o projeto de lei votado pela Câmara dos Deputados, o mesmo retornará a esta Casa para apreciação das emendas dentro do prazo de dez dias. Se vencido este prazo sem deliberação, o projeto será incluído na ordem do dia, com sobrestamento das demais matérias até que se ultime a sua votação. Assim, o procedimento de urgência exige pelo menos cem dias para ser ultimado, salvo se a Câmara não aprovar as emendas do Senado, pois neste caso o projeto de lei deverá ser remetido novamente à Câmara Alta para deliberação, exigindo mais tempo.

§ 4.º Os prazos do § 2.º não correm nos períodos de recesso do Congresso Nacional, nem se aplicam aos projetos de código.

Doutrina

***Recesso do Congresso Nacional*.** Durante o recesso do Congresso Nacional, os prazos sucessivos de quarenta e cinco dias não correm, ficando, pois, suspensos e voltando a fruir após a retomada dos trabalhos legislativos.

Exceção do procedimento de urgência. A parte final da norma excepciona o procedimento de urgência os projetos de código, pois, em razão da complexidade e larga extensão da matéria neles tratada, não seria razoável subordiná-los a prazos tão exíguos de apreciação.

Art. 65. O projeto de lei aprovado por uma Casa será revisto pela outra, em um só turno de discussão e votação, e enviado à sanção ou promulgação, se a Casa revisora o aprovar, ou arquivado, se o rejeitar.

Parágrafo único. Sendo o projeto emendado, voltará à Casa iniciadora.

Doutrina

Casa revisora. O processo de produção da lei compreende a votação do projeto na Casa iniciadora e a sua revisão pela Casa revisora, normalmente o Senado Federal, salvo nos projetos de iniciativa de seus membros ou de suas comissões. Quer dizer, a lei resulta da vontade conjugada e expressa das duas Casas do Congresso Nacional.

Procedimento de revisão. O procedimento de revisão se desenvolve num só turno de discussão e votação, ainda que o projeto de lei tenha sido submetido a dois turnos de votação na Casa iniciadora. Se a Casa revisora o aprovar sem nenhuma alteração, remetê-lo-á para sanção e promulgação; se o rejeitar, será arquivado, com as consequências previstas no art. 67. Porém, se o aprovar com alterações, deverá devolvê-lo à Casa iniciadora.

Deliberação sobre emendas. A Casa revisora poderá emendar o projeto de lei quando de sua revisão e, neste caso, deverá devolvê-lo à Casa iniciadora para apreciação das emendas que, após aprovação ou rejeição destas, fará a sua remessa ao Presidente da República para sanção e promulgação.

Jurisprudência

"1. Na inicial, ao sustentar a inconstitucionalidade formal da Lei n.° 9.876, de 26.11.1999, por inobservância do parágrafo único do art. 65 da Constituição Federal, segundo o qual 'sendo o projeto emendado, voltará à Casa iniciadora', não chegou a autora a explicar em que consistiram as alterações efetuadas pelo Senado Federal, sem retorno à Câmara dos Deputados. Deixou de cumprir, pois, o inciso I do art. 3.° da Lei n.° 9.868, de 10.11.1999, segundo o qual a petição inicial da ADI deve indicar 'os fundamentos jurídicos do pedido em relação a cada uma das impugnações'. Enfim, não satisfeito esse requisito, no que concerne à alegação de inconstitucionalidade formal de toda a Lei n.° 9.868, de 10.11.1999, a Ação Direta de Inconstitucionalidade não é conhecida, nesse ponto, ficando, a esse respeito, prejudicada a medida cautelar" (STF, ADIN 2.111/DF MC, rel. Min. Sydney Sanches, j. 16.03.2000).

Art. 66. A Casa na qual tenha sido concluída a votação enviará o projeto de lei ao Presidente da República, que, aquiescendo, o sancionará.

Doutrina

Sanção expressa. Concordando com o projeto de lei aprovado pelas Casas do Congresso Nacional, o Presidente da República o sancionará. Sanção é ato legislativo de integração da vontade presidencial no processo de formação da lei. É expressa quando manifestada de forma inequívoca, por escrito, autografando o Presidente o projeto de lei, dentro do prazo de quinze dias úteis. Sancionado, o projeto de lei se converte em *lei*, ocorrendo, ato contínuo, a promulgação, como pressuposto de existência da lei e, afinal, sua publicação, como pressuposto de eficácia, para tornar-se exigível.

Sanção e vício de iniciativa. O vício de iniciativa se dá quando, sendo esta reservada, ocorre sua usurpação, mediante apresentação de projeto de lei por quem não é titular da outorga constitucional. Sob a égide da Constituição de 1946, o STF firmou o entendimento (Súmula 5) de que a sanção do projeto supre a falta de iniciativa do Poder Executivo. Porém, a partir da Carta de 1967, passou a entender que a sanção não supre o vício de iniciativa.

Jurisprudência

> A sanção não supre a falta de iniciativa, em face do disposto no art. 57, parágrafo único, da Constituição de 1967/1969, que alterou o direito anterior. (STF, Rp 890/GB, RTJ, 69/625).
>
> A sanção a projeto de lei que contém norma resultante de emenda parlamentar aprovada com inobservância do contido no art. 63, I, da Constituição Federal, não sana o vício de inconstitucionalidade formal, porquanto não basta apenas a vontade do Chefe do Poder Executivo para convalidar vício decorrente de violação a preceito da Carta Magna. (STF, RDA, 202/217).

§ 1.º Se o Presidente da República considerar o projeto, no todo ou em parte, inconstitucional ou contrário ao interesse público, vetá-lo-á total ou parcialmente, no prazo de quinze dias úteis, contados da data do recebimento, e comunicará, dentro de quarenta e oito horas, ao Presidente do Senado Federal os motivos do veto.

Doutrina

Veto. É o ato legislativo consubstanciado na recusa do Presidente da República em aquiescer com o projeto de lei aprovado pelas Casas do Congresso Nacional, impedindo a sua conversão em lei. Trata-se de um poder outorgado ao Chefe do Executivo, que somente poderá ser usado em face de um dos fundamentos constitucionais que o autorizam.

Fundamentos do veto. O veto será, necessariamente, expresso e motivado com base em pelo menos um dos seguintes fundamentos: a) *inconstitucionalidade*, ou seja, o projeto de lei aprovado pelo Congresso está, no todo ou em parte, em desconformidade com a Constituição, sendo, no caso, o veto de caráter jurídico; b) *contrariedade ao interesse público*, ou seja, o projeto de lei se revela contrário ao interesse público, num juízo de conveniência e oportunidade exclusivo do Presidente da República, sendo, pois, o veto de caráter político. Evidentemente, pode ocorrer hipótese de incidência cumulada dos dois fundamentos, ou seja, ser o projeto de lei, no seu todo ou em parte, inconstitucional e contrário ao interesse público, sendo o veto, pois, de caráter jurídico e político.

Espécies de veto. O veto pode ser *total*, quando o Presidente da República veta o projeto de lei na sua totalidade, ou *parcial*, quando o veto atinge apenas parte do projeto de lei, alguns de seus dispositivos.

Prazo para o veto. O veto deverá ser manifestado dentro do prazo de quinze dias úteis, contados da data do recebimento do projeto de lei, e comunicado, dentro do prazo de quarenta e oito horas, ao Presidente do Senado Federal, declinando-se os motivos que levaram o Chefe do Executivo a manifestá-lo.

Jurisprudência

> O veto, uma vez manifestado, ainda que de forma intempestiva e imotivada, deve ser, obrigatoriamente, submetido à decisão do plenário do Legislativo, não podendo o presidente de Casa Legislativa considerá-lo, por meio de despacho pessoal, inexistente ou inválido. (STF, RTJ, 100/997).

§ 2.º O veto parcial somente abrangerá texto integral de artigo, de parágrafo, de inciso ou de alínea.

Doutrina

Veto parcial. Espécie de veto que atinge apenas parte do projeto de lei, permitindo ao Presidente da República dele retirar disposições estranhas à matéria tratada, introduzidas por emendas parlamentares, e dispositivos inconstitucionais ou contrários ao interesse público. Somente será objeto desse veto texto integral de artigo, de parágrafo, de inciso ou de alínea, com finalidade supressiva, não podendo mais, como no direito anterior, vetar-se vocábulo, grupo de vocábulos ou frase isolada, desvirtuando o sentido da norma e, não raro, implicando em sentido novo, transformando o titular do poder de veto em legislador.

Jurisprudência

"(...). Não quer, pelo veto, o Executivo exercer o poder (que não tem) de editar leis: sim, o de negar aprovação a que determinada norma jurídica, assim como proposta pelo Legislativo, ingresse no mundo jurídico. O veto impede. Não cria (...). Vetar é impedir, não legislar. Quem veta, num artigo, num parágrafo, num inciso, numa alínea, num item, algumas palavras, altera a significação que a própria redação da lei traduz. Dá *outra* redação à lei. Ora, isso não é vetar. É legislar (...). (STF, RTJ, 87/15-7, excerto do voto vencido proferido pelo Min. Rodrigues Alckmin, *apud* José Celso de Mello Filho. Constituição Federal Anotada, Saraiva, São Paulo, 1984, p. 172).

§ 3.º Decorrido o prazo de quinze dias, o silêncio do Presidente da República importará sanção.

Doutrina

Sanção tácita. É a que decorre do silêncio do Presidente da República em relação ao projeto de lei remetido do Congresso Nacional. A falta de manifestação expressa, dentro do prazo de quinze dias úteis, implica concordância com o mesmo.

§ 4.º O veto será apreciado em sessão conjunta, dentro de trinta dias a contar de seu recebimento, só podendo

ser rejeitado pelo voto da maioria absoluta dos Deputados e Senadores.

Doutrina

Efeitos do veto. O veto é sempre superável ou relativo, pois tem apenas o efeito de suspender a conversão do projeto de lei em lei, devolvendo-o ao Congresso Nacional para apreciação das razões da discordância do Presidente da República, não implicando em rejeição do projeto ou de parte dele, como no veto absoluto.

Procedimento de apreciação do veto. O veto será conhecido e apreciado em sessão conjunta da Câmara dos Deputados e do Senado Federal, a realizar-se dentro do prazo de trinta dias, contados de seu recebimento, sendo que somente será rejeitado pelo voto da maioria absoluta dos membros do Congresso Nacional, em votação secreta.

§ 5.º Se o veto não for mantido, será o projeto enviado, para promulgação, ao Presidente da República.

Doutrina

Rejeição do veto. Se o veto não for mantido, ocorrendo, pois, a sua rejeição, significará que a maioria absoluta dos membros do Congresso Nacional *ratificou* o projeto de lei conforme havia sido anteriormente aprovado. Assim, será remetido ao Presidente da República para promulgação e posterior publicação, não havendo mais falar em sanção, pois a ratificação havida dispensa a concordância do Presidente da República.

Manutenção do veto. Se o veto for mantido, quer dizer, não for derrubado, o projeto de lei será arquivado, não podendo mais as razões de veto serem novamente apreciadas pelas Casas do Congresso Nacional.

Jurisprudência

Tendo o Congresso Nacional confirmado as razões

subjacentes ao veto aposto pelo Presidente da República, isso implica em extinção do processo legislativo e impede, por via de consequência, a reabertura de qualquer fase procedimental visando a sua reapreciação (STF, DJ, I, 18.08.1995, p. 24.894).

§ 6.° Esgotado sem deliberação o prazo estabelecido no § 4.°, o veto será colocado na ordem do dia da sessão imediata, sobrestadas as demais proposições, até sua votação final.

Doutrina

Deliberação obrigatória do veto. Uma vez decorrido o prazo de trinta dias fixado no § 4.°, o veto será, obrigatoriamente, colocado na ordem do dia da sessão imediata para conhecimento e deliberação. Com isso, ocorre o sobrestamento da apreciação de quaisquer outras proposições até a votação final do veto, salvo aquelas relativas à disciplina das relações jurídicas decorrentes de medidas provisórias não convertidas em lei.

§ 7.° Se a lei não for promulgada dentro de quarenta e oito horas pelo Presidente da República, nos casos dos §§ 3.° e 5.°, o Presidente do Senado a promulgará, e, se este não o fizer em igual prazo, caberá ao Vice-Presidente do Senado fazê-lo.

Doutrina

Promulgação da lei pelo Presidente ou pelo Vice-Presidente do Senado Federal. A promulgação das leis é de competência do Presidente da República (art. 84, IV). Contudo, se esta autoridade não tomar a providência, dentro do prazo de quarenta e oito horas, nos casos de sanção tácita ou da comunicação de rejeição do veto, a mesma deverá ser tomada pelo Presidente do Senado Federal, e se esta autoridade não adotar a medida, dentro do mesmo prazo, deverá adotá-la o Vice-Presidente da referida Casa Legislativa.

Art. 67. A matéria constante de projeto de lei rejeitado somente poderá constituir objeto de novo projeto, na mesma sessão legislativa, mediante proposta da maioria absoluta dos membros de qualquer das Casas do Congresso Nacional.

Doutrina

Matéria constante de projeto de lei rejeitado. Somente poderá voltar a ser discutida, em novo projeto de lei, na mesma sessão legislativa, mediante proposta da maioria absoluta dos membros da Câmara dos Deputados ou do Senado Federal.

Jurisprudência

> "Constitucional. Constituição Estadual e Regimento Interno da Assembleia Legislativa. Estrutura do processo legislativo. Projeto de lei rejeitado. Reapresentação. Expressões em dispositivos que desobedecem ao art. 25 e se contrapõem ao art. 67, ambos da CF. A observância das regras federais não fere autonomia estadual. Precedentes. Ação julgada procedente em parte" (STF – Pleno, ADIN 1.546/SP, rel. Min. Nelson Jobim, j. 03.12.1998).

Art. 68. As leis delegadas serão elaboradas pelo Presidente da República, que deverá solicitar a delegação ao Congresso Nacional.

Doutrina

Leis delegadas. São atos normativos primários elaborados pelo Presidente da República mediante delegação legislativa conferida pelo Congresso Nacional. O Chefe do Executivo deverá solicitar a delegação para legislar ao Poder Legislativo e este a concederá ou não, pois, afinal, ao concedê-la estará transferindo para outro Poder o exercício da função legislativa que lhe é própria, ainda que modernamente essa transferência seja aceita como forma de aumentar a eficiência do Estado. Porém, a delegação configura derrogação ao princípio da separação de poderes, por isso mesmo deve ser claramente delimitada.

Jurisprudência

> Em respeito ao princípio da separação de Poderes, a Constituição Federal disciplina, mediante regime de direito estrito, a possibilidade, sempre excepcional, de o Congresso Nacional conceder delegação legislativa externa ao Chefe do Poder Executivo. (STF, Ementário, n.º 1.795-01, p. 27).

§ 1.º Não serão objeto de delegação os atos de competência exclusiva do Congresso Nacional, os de competência privativa da Câmara dos Deputados ou do Senado Federal, a matéria reservada à lei complementar, nem a legislação sobre:

I – organização do Poder Judiciário e do Ministério Público, a carreira e a garantia de seus membros;

II – nacionalidade, cidadania, direitos individuais, políticos e eleitorais;

III – planos plurianuais, diretrizes orçamentárias e orçamentos.

Doutrina

Vedações materiais. São proibições de delegar que incidem sobre algumas matérias. Assim, são indelegáveis os seguintes assuntos: a) *atos de competência exclusiva do Congresso Nacional*, pois implicaria em transferir para o Chefe do Poder Executivo a decisão isolada sobre assuntos fundamentais do Estado, fugindo estes do controle do Poder Legislativo da União; b) *atos de competência privativa da Câmara dos Deputados ou do Senado Federal*, pois delegá-los significaria abrir mão da independência necessária ao normal funcionamento das Casas do Congresso Nacional; c) *matéria reservada à lei complementar*, pois envolve uma série de leis destinadas a complementar dispositivos constitucionais, o que não se coaduna com os objetivos da delegação; d) *organização do Poder Judiciário e do Ministério Público*, pois admitir delegação dessas matérias e a relativa à carreira e garantia de seus membros representaria séria violação da independência de tais instituições; e) *nacionalidade, cidadania, direitos individuais, políticos e eleitorais*, pois são matérias ligadas às liberdades públicas e aos mais lídimos direitos dos cidadãos, devendo sobre as mesmas dispor apenas o Poder Legislativo; f) *planos plurianuais, diretrizes orçamentárias e orçamento*, pois são assuntos ligados à formulação de políticas públicas e gestão de recursos financeiros oriundos de tributos e outras fontes, devendo sobre os mesmos manifestar-se o Congresso Nacional.

Jurisprudência

> "Traduz situação configuradora de ilícito constitucional a outorga parlamentar ao Poder Executivo de prerrogativa jurídica cuja *sedes materiae* – tendo em vista o sistema constitucional de poderes limitados vigente no Brasil – só pode residir em atos estatais primários editados pelo Poder Legislativo." (STF, ADIN 1.296/PE MC, rel. Min. Celso de Mello, Ementário 1.795-01, p. 27).

§ 2.º A delegação ao Presidente da República terá a forma de resolução do Congresso Nacional, que especificará seu conteúdo e os termos de seu exercício.

Doutrina

Forma e limites da delegação. Uma vez aprovada a solicitação do Presidente da República, a outorga da competência delegada terá a forma de resolução, que deverá especificar o conteúdo da delegação, estabelecendo as linhas gerais da lei, seus limites e a forma de exercício, delimitando, ainda, o tempo de duração da outorga, que tem caráter temporário, não devendo jamais ultrapassar o período de uma legislatura.

Jurisprudência

> "A delegação legislativa externa, nos casos em que se apresente possível, só pode ser veiculada mediante resolução, que constitui o meio formalmente idôneo para consubstanciar, em nosso sistema constitucional, o ato de outorga parlamentar de funções normativas ao Poder Executivo. A resolução não pode ser validamente substituída, em tema de delegação legislativa, por lei comum, cujo processo de formação não se ajusta à disciplina ritual fixada pelo art. 68 da Constituição." (STF, ADIN 1.296/PE MC, rel. Min. Celso de Mello, Ementário 1.795-01, p. 27).

§ 3.º Se a resolução determinar a apreciação do projeto pelo Congresso Nacional, este a fará em votação única, vedada qualquer emenda.

Doutrina

Ratificação parlamentar. Consiste na apreciação do projeto elaborado pelo Presidente da República antes de sua promulgação e publicação. Referida ratificação se fará pelo Congresso Nacional em votação única, sendo vedada qualquer emenda ao texto, e isso significa que o mesmo deverá ser integralmente referendado, possibilitando ao Chefe do Poder Executivo a edição da lei, ou integralmente rejeitado, hipótese em que o projeto deverá ser arquivado.

Art. 69. As leis complementares serão aprovadas por maioria absoluta.

Doutrina

Quórum de aprovação. Diferentemente das leis ordinárias, que exigem apenas quorum de maioria simples para aprovação, as leis complementares exigem quorum de maioria absoluta, ou mais da metade dos membros da Casa Legislativa que estiver deliberando sobre o projeto de lei.

Jurisprudência

> "Maioria absoluta. Sua definição, como significando metade mais um, serve perfeitamente quando o total é número par. Fora daí temos que recorrer à verdadeira definição, a qual, como advertem Scialoja e outros, deve ser esta, que serve seja par ou ímpar o total: *maioria absoluta é o número inteiro imediatamente superior à metade*". (STF, RE 68.419, rel. Min. Luiz Gallotti, RF, 235/72).

Seção IX
DA FISCALIZAÇÃO CONTÁBIL, FINANCEIRA E ORÇAMENTÁRIA

Art. 70. A fiscalização contábil, financeira, orçamentária, operacional e patrimonial da União e das entidades da administração direta e indireta, quanto à legalidade, legitimidade, economicidade, aplicação das subvenções e renúncia de receitas, será exercida pelo Congresso Nacional, mediante controle externo, e pelo sistema de controle interno de cada Poder.

Doutrina

Controle externo. É aquele exercido pelo Congresso Nacional, de natureza essencialmente política, com o objetivo de assegurar a correta aplicação dos recursos geridos e aplicados pelos órgãos integrantes de todos os Poderes do Estado.

Controle interno. É aquele exercido *interna corporis*, pelos órgãos de cada Poder do Estado, com o objetivo de verificar a regularidade da execução da receita e realização da despesa, bem como a correta execução dos programas, sendo, pois, controle técnico e de legalidade.

Âmbito da fiscalização. A fiscalização abrange as seguintes áreas: a) *contábil*, ou controle dos registros contábeis de todas as operações de receita e despesa realizadas, bem como de todas as mutações patrimoniais; b) *financeira*, ou fiscalização de toda atividade financeira desenvolvida, tanto a relacionada com a receita quanto com a despesa; c) *orçamentária*, ou de controle da execução orçamentária, tanto com relação à receita quanto à despesa, para garantir a correta gestão do orçamento; d) *operacional*, ou controle da forma de procedimento dos órgãos estatais no desempenho de suas atividades; e) *patrimonial*, ou de controle do patrimônio, conjunto de todos os bens públicos, direitos, dinheiros e obrigações.

Aspectos da fiscalização. A fiscalização compreende os seguintes aspectos: a) *legalidade*, ou conformação do ato praticado com a norma jurídica de incidência; b) *legitimidade*, ou adequação do ato praticado não somente com a lei, mas também com o interesse público visado; c) *economicidade*, ou realização de gastos de forma a se obter a melhor relação custo-benefício possível; d) *aplicação das subvenções e renúncia de receitas*, visando fiscalizar o uso correto do dinheiro transferido, a título de subvenção ou renúncia de receita, para empresas, entidades ou instituições, em face de interesse público nas atividades econômicas ou sociais pelas mesmas desempenhadas.

Jurisprudência

> Súmula do STF: 7. "Sem prejuízo de recurso para o Congresso, não é exequível contrato administrativo a que o Tribunal de Contas houver negado registro."
>
> "1. Norma constitucional (art. 70 e seguintes da CF) estabelece a necessidade de exercerem os três Poderes da República a fiscalização e controle interno das suas finanças contábil e orçamentária. 2. A Lei 10.683/02, ao dispor sobre a organização da Presidência da República e dos Ministérios, outorgou à Controladoria-Geral da União o exercício do controle interno, e ao TCU o controle externo. 3. A Primeira Seção, em julgamento anterior, considerou válida a realização das fiscalizações, com escolha dos Municípios por sorteio. 4. Segurança denegada" (STJ – 1.ª Seção, MS 9.743/DF, rel. Min. Eliana Calmon, DJ, 14.11.2005, p. 176).

Parágrafo único. Prestará contas qualquer pessoa física ou jurídica, pública ou privada, que utilize, arrecade, guarde, gerencie ou administre dinheiros, bens e valores públicos ou pelos quais a União responda, ou

que, em nome desta, assuma obrigações de natureza pecuniária.

Doutrina

Obrigatoriedade de prestar contas. A obrigação de prestar contas atinge qualquer pessoa física ou jurídica, tanto entidade pública como empresa privada, que, de alguma forma, faça uso, arrecadação, guarda, gerência ou administração de dinheiro, bens e valores públicos, ou, ainda, pelos quais a União responda, ou em seu nome obrigações financeiras sejam assumidas. A amplitude da norma visa a atingir todos os responsáveis, de qualquer forma ou meio, por recursos públicos.

Jurisprudência

> "Agravo interno em mandado de segurança. Convênio firmado entre entes políticos. Repasse de verbas federais ao estado. Prestação de contas. Responsabilidade do estado-membro por irregularidades constatadas. Controle pelo TCU. Possibilidade. Agravo interno do qual se conhece e ao qual se nega provimento. 1. Prestará contas qualquer pessoa física ou jurídica, pública ou privada, que utilize, arrecade, guarde, gerencie ou administre dinheiros, bens e valores públicos ou pelos quais a União responda, ou que, em nome dela, assuma obrigações de natureza pecuniária. Inteligência do art. 70, parágrafo único, da CF/88. 2. Na condição de convenente, o estado pode ser responsabilizado pela má utilização de verbas públicas federais repassadas por convênio, submetendo-se, portanto, ao controle do TCU, sem prejuízo, ainda, de eventual responsabilidade concorrente do gestor estadual. 3. Os administradores estatais são agentes do Estado, de modo que suas atuações se fazem em nome desse e, portanto, sob a responsabilidade do ente estatal – assegurado o direito de regresso contra o responsável nos casos de dolo ou culpa. Inteligência do art. 37, § 6.°, da CF 88. 4. Agravo interno do qual se conhece e ao qual se nega provimen-

to" (STF – 2.ª Turma, MS 30.946/RS AgRg, rel. Min. Dias Toffoli, Sessão virtual de 23.03.2018 a 03.04.2018).

O âmbito de fiscalização dos tribunais de contas compreende todas as pessoas físicas e jurídicas, públicas ou privadas, bastando, para tanto, que tenham recebido recursos de origem estatal, pois a gerência de dinheiro público, ou a administração de bens e valores da comunidade, obriga à prestação de contas (STF, RTJ, 160/448).

Art. 71. O controle externo, a cargo do Congresso Nacional, será exercido com o auxílio do Tribunal de Contas da União, ao qual compete:

I – apreciar as contas prestadas anualmente pelo Presidente da República, mediante parecer prévio que deverá ser elaborado em sessenta dias a contar de seu recebimento;

II – julgar as contas dos administradores e demais responsáveis por dinheiros, bens e valores públicos da administração direta e indireta, incluídas as fundações e sociedades instituídas e mantidas pelo Poder Público federal, e as contas daqueles que derem causa a perda, extravio ou outra irregularidade de que resulte prejuízo ao erário público;

III – apreciar, para fins de registro, a legalidade dos atos de admissão de pessoal, a qualquer título, na administração direta e indireta, incluídas as fundações instituídas e mantidas pelo Poder Público, excetuadas as nomeações para cargo de provimento em comissão, bem como a das concessões de aposentadorias, reformas e pensões, ressalvadas as melhorias posteriores que não alterem o fundamento legal do ato concessório;

IV – realizar, por iniciativa própria, da Câmara dos De-

putados, do Senado Federal, de Comissão técnica ou de inquérito, inspeções e auditorias de natureza contábil, financeira, orçamentária, operacional e patrimonial, nas unidades administrativas dos Poderes Legislativo, Executivo e Judiciário, e demais entidades referidas no inciso II;

V – fiscalizar as contas nacionais das empresas supranacionais de cujo capital social a União participe, de forma direta ou indireta, nos termos do tratado constitutivo;

VI – fiscalizar a aplicação de quaisquer recursos repassados pela União mediante convênio, acordo, ajuste ou outros instrumentos congêneres, a Estado, ao Distrito Federal ou a Município;

VII – prestar as informações solicitadas pelo Congresso Nacional, por qualquer de suas Casas, ou por qualquer das respectivas Comissões, sobre a fiscalização contábil, financeira, orçamentária, operacional e patrimonial e sobre resultados de auditorias e inspeções realizadas;

VIII – aplicar aos responsáveis, em caso de ilegalidade de despesa ou irregularidade de contas, as sanções previstas em lei, que estabelecerá, entre outras cominações, multa proporcional ao dano causado ao erário;

IX – assinar prazo para que o órgão ou entidade adote as providências necessárias ao exato cumprimento da lei, se verificada ilegalidade;

X – sustar, se não atendido, a execução do ato impugnado, comunicando a decisão à Câmara dos Deputados e ao Senado Federal;

XI – representar ao Poder competente sobre irregularidades ou abusos apurados.

Doutrina

Titularidade do controle externo. O titular da outorga constitucional do controle externo é o Congresso Nacional, pois a fiscalização financeira é uma das mais lídimas tarefas do Poder Legislativo.

Tribunal de Contas da União. Trata-se de um tribunal administrativo que goza de autonomia e cuja missão é a de ser órgão auxiliar do Congresso Nacional no exercício do controle externo.

Competência. Compete ao Tribunal de Contas da União, no exercício de seu papel institucional, o seguinte: a) *apreciar as contas do Presidente da República*, que deverão ser prestadas anualmente e apresentadas dentro de sessenta dias após a abertura da sessão legislativa (arts. 51, II e 84, XXIV), elaborando parecer prévio, dentro do prazo de sessenta dias, contados do recebimento daquelas, e submetendo-o ao Congresso Nacional para decisão; b) *julgar as contas dos administradores e responsáveis por recursos públicos*, por meio de exame de sua regularidade e apuração de desvios ou irregularidade que resulte em prejuízo para o erário público, providenciando o necessário para o ressarcimento e responsabilização dos culpados; c) *apreciar a legalidade dos atos de admissão de pessoal*, salvo as nomeações para cargos comissionados, providenciando o registro se legal a admissão e negando-o se ilegal, e apreciar, também, a legalidade das aposentadorias, reformas e pensões; d) *realizar inspeções e auditorias*, por iniciativa própria ou em cumprimento a solicitação da Câmara dos Deputados, do Senado Federal, ou das Comissões técnicas ou de inquérito de ambas as Casas; e) *fiscalizar as contas nacionais das empresas supranacionais*, sempre nos termos do tratado de constituição da empresa, as contas nacionais, quer dizer, aquelas que envolvem recursos públicos do erário brasileiro, serão fiscalizadas mesmo em empresas supranacionais, ou empresas constituídas por vários Estados através de tratado internacional, como, *v. g.*, a empresa Itaipu Binacional, constituído por Brasil e Paraguai; f) *fiscalizar a aplicação dos recursos repassados pela União*, de quaisquer recursos oriundos de convênio, acordo, ajuste, ou da repartição da receita tributária, como o Fundo de Participação dos Estados ou o dos Municípios; g) *prestar as informações solicitadas pelo Congresso Nacional*, por qualquer de suas Casas ou Comissões, sobre o resultado da fiscalização contábil, financeira, orçamentária, operacional e patrimonial ou sobre o resultado de inspeções e auditorias levadas a cabo; h) *aplicar as sanções previstas em lei*, todas de caráter administrativo, como multa proporcional ao dano causado ao erário, advertência, suspensão, no caso de servidores públicos, sendo todas as cominações precedidas do devido processo legal, sem prejuízo da indenização, quando for o caso; i) *assinar prazo para a correção de irregularidades*, quer dizer, fixar prazo para que o órgão ou entidade tome as providências cabíveis para sanar eventuais ilegalidades; j) *sustar a execução de ato impugnado*, sempre que não atendido, comunicando a adoção da providência à Câmara dos Deputados e ao Senado Federal, salvo quando se tratar de contrato, cuja sustação é ato exclusivo do Congresso Nacional (art. 71, § 1.º); l) *representar à autoridade em caso de irregularidade ou abuso*, indicando os desvios procedimentais graves ou os abusos detectados para a adoção de providências a cargo do destinatário da representação.

Jurisprudência

Súmulas do STF: 248. "É competente, originariamente, o Supremo Tribunal Federal, para mandado de segurança contra ato do Tribunal de Contas da União." 347. "O Tribunal de Contas, no exercício de suas atribuições, pode apreciar a constitucionalidade das leis e dos atos do Poder Público."

O Ministério Público não está impedido de apresentar denúncia, mesmo após a aprovação das contas pelo Tribunal de Contas da União, se entender que há, em tese, crime em ato integrante da prestação de contas feita ao referido órgão administrativo. (STF, RTJ, 160/900).

O Tribunal de Contas da União tem competência constitucional para a verificação da legalidade de aposentadoria e, dependendo da regularidade do ato concessivo, determina a efetivação ou não de seu registro. Contudo, falece-lhe competência para proceder a qualquer inovação no título de aposentadoria submetido a exame. (STF, Ementário 1743-02, p. 295).

Não é possível desconstituir ato administrativo aprovado pelo Tribunal de Contas, sem rescindir a decisão do colegiado que o aprovou; e para rescindi-la é necessário que nela se constatem irregularidades formais ou manifesta ilegalidade. (STJ, RSTJ, 30/378).

§ 1.º No caso de contrato, o ato de sustação será adotado diretamente pelo Congresso Nacional, que solicitará, de imediato, ao Poder Executivo as medidas cabíveis.

Doutrina

Sustação de contrato. Se a irregularidade apontada, somente no caso de contrato, não for sanada dentro do prazo assinalado pelo Tribunal de Contas da União, este representará ao Congresso Nacional para, em ato de competência vinculada, decretar a sustação e solicitar imediatamente a adoção das medidas cabíveis ao Poder Executivo. Verifica-se, pois, que a norma é omissa com relação aos contratos firmados pelos Poderes Legislativo e Judiciário.

Jurisprudência

Súmula do STF: 7. "Sem prejuízo de recurso para o Congresso, não é exequível contrato administrativo a que o Tribunal de Contas houver negado registro."

§ 2.º Se o Congresso Nacional ou o Poder Executivo, no prazo de noventa dias, não efetivar as medidas previstas no parágrafo anterior, o Tribunal decidirá a respeito.

Doutrina

Omissão do Congresso Nacional ou do Poder Executivo. Na omissão dos referidos Poderes em adotar a sustação do contrato ou as medidas necessárias para a correção das irregularidades, a norma constitucional autoriza o Tribunal de Contas a decidir a respeito, sustando o contrato, impondo as sanções administrativas cabíveis e providenciando para a apuração das demais responsabilidades dos envolvidos.

Jurisprudência

> A Constituição Federal investiu os Tribunais de Contas de poderes mais amplos para garantir a fiscalização contábil, financeira, orçamentária, operacional e patrimonial das pessoas estatais e das entidades e órgãos de sua administração direta e indireta. (STF, Ementário 1743-02, p. 295).

§ 3.° As decisões do Tribunal de que resulte imputação de débito ou multa terão eficácia de título executivo.

Doutrina

Título executivo extrajudicial. A norma constitucional confere às decisões do Tribunal de Contas da União, tanto as de imputação de débito quanto as de imposição de multa, eficácia de título executivo. Isso significa autorizar-lhe a criação de título extrajudicial que dispensa o processo de conhecimento e enseja a execução, mas é preciso lembrar que tais títulos, aliás como qualquer outro extrajudicial, estão sujeitos a controle jurisdicional.

Jurisprudência

> Súmula do STF: 6. "A revogação ou anulação, pelo Poder Executivo, de aposentadoria ou qualquer outro ato aprovado pelo Tribunal de Contas, não produz efeitos antes de aprovada por aquele tribunal, ressalvada a competência revisora do Judiciário."
>
> O Tribunal de Contas exerce jurisdição administrativa, sujeitando-se as suas decisões à revisão pelo Poder Judiciário. (STF, RT, 357/466).

§ 4.º O Tribunal encaminhará ao Congresso Nacional, trimestral e anualmente, relatório de suas atividades.

Doutrina

Controle do Tribunal. Como órgão auxiliar do Congresso Nacional no exercício do controle externo, o Tribunal de Contas da União deverá encaminhar-lhe relatórios trimestrais e relatório anual de suas atividades, indicando-as de forma pormenorizada, para informar o Poder Legislativo sobre o exercício de suas atribuições e permitir o controle de sua atuação.

Jurisprudência

> É constitucional a exigência veiculada pela Constituição do Estado de que as contas do Tribunal de Contas sejam apresentadas, anualmente, à Assembleia Legislativa. (STF, Rp 937/RJ, 27.04.1977).

Art. 72. A comissão mista permanente a que se refere o art. 166, § 1.º, diante de indícios de despesas não autorizadas, ainda que sob a forma de investimentos não programados ou de subsídios não aprovados, poderá solicitar à autoridade governamental responsável que, no prazo de cinco dias, preste os esclarecimentos necessários.

Doutrina

Indícios de despesas não autorizadas. A Comissão Mista Permanente aqui referida é do Congresso Nacional e destinada, principalmente, a cuidar do orçamento anual, desde a fase de proposta, quando a examinará e dará parecer, até a fase de acompanhamento e fiscalização de sua execução. Caso a Comissão detecte indícios de realização de despesa não autorizada pela lei orçamentária, sendo irrelevante se de consumo, investimento não programado ou subsídios não aprovados, tem a faculdade de solicitar à autoridade responsável que preste esclarecimentos dentro do prazo de cinco dias.

§ 1.º Não prestados os esclarecimentos, ou considerados estes insuficientes, a comissão solicitará ao Tribunal pronunciamento conclusivo sobre a matéria, no prazo de trinta dias.

Doutrina

Diligências e parecer conclusivo. Solicitados os esclarecimentos, estes poderão ser considerados suficientes e esclarecedores pela Comissão Mista, que dará o caso por encerrado. Porém, se considerá-los incompletos ou insuficientes, solicitará manifestação do Tribunal de Contas da União e este deverá realizar as diligências necessárias, como por exemplo, uma inspeção *in loco,* na repartição pública que realizou a despesa, para instruir o pedido e exarar *parecer conclusivo* quanto à regularidade ou não da despesa e se a mesma causa dano irreparável ou é lesiva ao erário.

§ 2.º Entendendo o Tribunal irregular a despesa, a comissão, se julgar que o gasto possa causar dano irreparável ou grave lesão à economia pública, proporá ao Congresso Nacional sua sustação.

Doutrina

Proposta de sustação dos gastos. Se o Tribunal de Contas da União concluir pela irregularidade dos gastos, a Comissão Mista deverá manifestar-se sobre a irreparabilidade do dano ou a lesividade à economia pública deles decorrentes e, se entender que ocorre qualquer delas, proporá ao Congresso Nacional a sustação dos mesmos.

Art. 73. O Tribunal de Contas da União, integrado por nove Ministros, tem sede no Distrito Federal, quadro próprio de pessoal e jurisdição em todo o território nacional, exercendo, no que couber, as atribuições previstas no art. 96.

Doutrina

Tribunal de Contas da União. É um tribunal administrativo que goza de autonomia e independência e cuja missão é a de ser órgão auxiliar do Congresso Nacional no exercício do controle externo. Goza de prerrogativas próprias de tribunais judiciários; porém, não integra o Poder Judiciário e não exerce nenhuma função judicante e sim administrativa, com a finalidade de operar o controle financeiro e orçamentário de titularidade do Poder Legislativo. Exerce jurisdição administrativa em todo o território nacional, porém apenas no que pertine à fiscalização financeira e orçamentária da União, inclusive sobre os recursos federais repassados para os outros entes da Federação e demais instituições, sendo composto por nove ministros e possuindo quadro próprio de pessoal.

Jurisprudência

> Súmula Vinculante do STF: 3. "Nos processos perante o Tribunal de Contas da União asseguram-se o contraditório e a ampla defesa quando da decisão puder resultar anulação ou revogação de ato administrativo que beneficie o interessado, excetuada a apreciação da legalidade do ato de concessão inicial de aposentadoria, reforma e pensão".
>
> Súmulas do STF: 248. "É competente, originariamente, o Supremo Tribunal Federal, para mandado de segurança contra ato do Tribunal de Contas da União." 347. "O Tribunal de Contas, no exercício de suas atribuições, pode apreciar a constitucionalidade das leis e dos atos do Poder Público."
>
> "(...). 2. O preceito veiculado pelo artigo 73 da Constituição do Brasil aplica-se, no que couber, à organização,

composição e fiscalização dos Tribunais de Contas dos Estados e do Distrito Federal, bem como dos Tribunais e Conselhos de Contas dos Municípios. Imposição do modelo federal nos termos do artigo 75. 3. A inércia da Assembleia Legislativa cearense relativamente à criação de cargos e carreiras do Ministério Público Especial e de Auditores que devam atuar junto ao Tribunal de Contas estadual consubstancia omissão inconstitucional. 4. Ação direta de inconstitucionalidade por omissão julgada improcedente" (STF – Pleno, ADIN 3.276/CE, rel. Min. Eros Grau, j. 02.06.2005).

A jurisdição exercida pelo Tribunal de Contas é meramente administrativa e se caracteriza pela revisibilidade de suas deliberações pelo Poder Judiciário. (STF, RT, 357/466).

§ 1.º Os Ministros do Tribunal de Contas da União serão nomeados dentre brasileiros que satisfaçam os seguintes requisitos:

I – mais de trinta e cinco e menos de setenta anos de idade;

II – idoneidade moral e reputação ilibada;

III – notórios conhecimentos jurídicos, contábeis, econômicos e financeiros ou de administração pública;

IV – mais de dez anos de exercício de função ou de efetiva atividade profissional que exija os conhecimentos mencionados no inciso anterior.

Doutrina

Nomeação de ministros para o Tribunal de Contas. A nomeação para o cargo de ministro do Tribunal de Contas da União exige os seguintes requisitos: a) *nacionalidade brasileira*, podendo ser brasileiro nato ou naturalizado, pois o cargo não é privativo do primeiro; b) *idade*, devendo o interessado contar com mais de trinta e cinco e menos de setenta anos de idade; c) *idoneidade moral e reputação ilibada*, quer dizer, seja pessoa idônea e de reconhecida integridade; d) *notórios conhecimentos jurídicos, contábeis, econômicos e financeiros ou de administração pública*, significa que o interessado deve ter reconhecida competência, aptidão de conhecimento público, pelo menos em uma das áreas mencionadas; e) *tempo mínimo de atividade*, mais de dez anos de exercício de função ou de efetiva atividade profissional que exija os conhecimentos próprios de pelo menos uma das áreas acima mencionadas.

Jurisprudência

> O provimento dos cargos de Conselheiro de Tribunal de Contas de Estado recém-criado é ato vinculado ao disposto no art. 235, III, e, no que for cabível, no art. 73, III, da Constituição Federal. O requisito do notório saber diz respeito à necessidade de um mínimo de pertinência entre as qualidades intelectuais dos nomeados e as atividades a desempenhar. Caso não sejam obedecidos os requisitos vinculantes da nomeação, cabe ação popular para a desconstituição judicial do ato lesivo à moralidade administrativa. (STF, REO 167.137-8/TO, DJ 1, 25.11.1994, p. 32.312).

§ 2.º Os Ministros do Tribunal de Contas da União serão escolhidos:

I – um terço pelo Presidente da República, com aprovação do Senado Federal, sendo dois alternadamente dentre auditores e membros do Ministério Público junto ao Tribunal, indicados em lista tríplice pelo Tribunal, segundo critérios de antiguidade e merecimento;

II – dois terços pelo Congresso Nacional.

Doutrina

Escolha de ministros do Tribunal de Contas. A escolha de ministros do Tribunal de Contas da União é feita da seguinte forma: a) *um terço pelo Presidente da República*, com aprovação prévia do Senado Federal, sendo dois indicados em lista tríplice pelo próprio Tribunal, de forma alternada entre os auditores e membros do Ministério Público que nele atuam, segundo os critérios de antiguidade e merecimento, e mais um de sua livre escolha dentre brasileiros que cumpram os requisitos legais; b) *dois terços pelo Congresso Nacional*, escolhidos dentre brasileiros que cumpram os requisitos legais.

Jurisprudência

A nomeação para o cargo de ministro do Tribunal de Contas da União, com base no art. 73, § 2.°, I, da Constituição Federal, pressupõe a existência de uma lista tríplice a qual vincula-se o juízo discricionário do Presidente da República, que escolherá um dos nomes nela constante. (STF, RE 179.461-5/DF, DJ 1, de 22.03.1996, p. 8.204).

A Constituição Federal, no seu art. 73, § 2.°, dispõe apenas sobre a distribuição de competência para a indicação e nomeação de membro do Tribunal de Contas, não estabelecendo nenhuma ordem de precedência na escolha entre os Poderes Executivo e Legislativo. Assim sendo, a Constituição do Estado, ao reservar as duas primeiras nomeações à Assembleia Legislativa, alternando, em seguida, com o Chefe do Poder Executivo, não viola o dispositivo citado e muito menos cerceia o acesso dos membros do Ministério Público ao cargo de conselheiro do referido tribunal. (STF, RTJ, 151/441).

§ 3.° Os Ministros do Tribunal de Contas da União terão as mesmas garantias, prerrogativas, impedimentos, vencimentos e vantagens dos Ministros do Superior Tribunal de Justiça, aplicando-se-lhes, quanto à aposentadoria e pensão, as normas constantes do art. 40.

Doutrina

Garantias outorgadas aos ministros do Tribunal de Contas da União. São as garantias comuns à magistratura, como a vitaliciedade, a inamovibilidade, a irredutibilidade de subsídio, sendo que os mesmos foram equiparados aos Ministros do Superior Tribunal de Justiça quanto às garantias, prerrogativas, impedimentos e remuneração, aplicando-se-lhes, quanto à aposentadoria e pensão, as normas inscritas no artigo 40.

Jurisprudência

> Súmula do STF: 42. "É legítima a equiparação de juízes do Tribunal de Contas, em direitos e garantias, aos membros do Poder Judiciário."
>
> "(...). 5. É certo que, na esfera federal, o art. 73, § 3.º, da Carta Política explicitamente previu que 'os Ministros do Tribunal de Contas da União terão as mesmas garantias, prerrogativas, impedimentos, vencimentos e vantagens dos Ministros do Superior Tribunal de Justiça, aplicando-se-lhes, quanto à aposentadoria e pensão, as normas constantes do art. 40'. 6. Portanto, estando o Tribunal de Contas da União atrelado aos referenciais do Poder Judiciário Federal, aplicável o mesmo raciocínio aos servidores dos Tribunais de Contas estaduais. 7. A jurisprudência do STJ orienta-se no sentido, para os servidores dos Tribunais de Contas Estaduais, incide o teto remuneratório constitucional aplicável ao Poder Judiciário – limitado a 90,25% do subsídio dos Ministros do STF" (STJ – 2.ª Turma, ROMS 38.035/CE, rel. Min. Herman Benjamin, DJE, 20.05.2016).

§ 4.º O auditor, quando em substituição a Ministro, terá as mesmas garantias e impedimentos do titular e, quando no exercício das demais atribuições da judicatura, as de juiz de Tribunal Regional Federal.

Doutrina

Garantias outorgadas ao auditor em substituição a ministro. Quando em substituição a ministro, o auditor terá as mesmas garantias e sujeitar-se-á aos mesmos impedimentos do titular e, quando no exercício das atividades de seu cargo – que nada tem de atribuições da judicatura – as garantias e impedimentos de juiz de Tribunal Regional Federal.

Jurisprudência

> A Constituição Federal estabelece, com rigor vinculante, a disciplina para o provimento de cargos públicos e não há que falar, nesse âmbito, em autonomia de organização dos entes federados a justificar discrepância com o modelo federal. Assim sendo, entre as garantias estendidas aos auditores, pelo art. 73, § 4.°, não se inclui a forma de provimento prevista no seu § 1.° (STF, Ementário 1.743-01, p. 44).

Art. 74. Os Poderes Legislativo, Executivo e Judiciário manterão, de forma integrada, sistema de controle interno com a finalidade de:

I – avaliar o cumprimento das metas previstas no plano plurianual, a execução dos programas de governo e dos orçamentos da União;

II – comprovar a legalidade e avaliar os resultados, quanto à eficácia e eficiência, da gestão orçamentária, financeira e patrimonial nos órgãos e entidades da administração federal, bem como da aplicação de recursos públicos por entidades de direito privado;

III – exercer o controle das operações de crédito, avais e garantias, bem como dos direitos e haveres da União;

IV – apoiar o controle externo no exercício de sua missão institucional.

Doutrina

Controle interno. É exercido internamente pelos órgãos que integram a estrutura de cada um dos Poderes do Estado com o objetivo de verificar a regularidade da execução da receita e realização da despesa, bem como a correta execução dos programas, sendo, pois, controle técnico e de legalidade.

Atuação integrada dos sistemas de controle interno. A norma constitucional ordena a atuação integrada dos sistemas de controle interno com as seguintes finalidades: a) *avaliação do cumprimento de metas*, decorrentes daquelas previstas no plano plurianual, programas de governo e orçamentos da União; b) *comprovação de legalidade e avaliação de resultados*, do ponto de vista da eficácia e eficiência das gestões orçamentária, financeira e patrimonial de todos os órgãos federais, bem como da aplicação de recursos públicos por entidades de direito privado; c) *avaliação e controle das operações financeiras*, especialmente as de crédito, avais e garantias, bem como dos direitos e haveres da União; d) *preparação para o controle externo*, pois a atuação eficiente do controle interno é a melhor forma de apoio ao de natureza externa.

Jurisprudência

> "É logicamente impossível desconstituir ato administrativo aprovado pelo Tribunal de Contas, sem rescindir a decisão do colegiado que o aprovou; e para rescindi-la, é necessário que nela se constatem irregularidades formais ou ilegalidades manifestas" (STJ – 1.ª Turma, REsp 8.970/SP, rel. Min. Humberto Gomes de Barros, DJ 1, 09.03.1992, p. 2.533).

§ 1.º Os responsáveis pelo controle interno, ao tomarem conhecimento de qualquer irregularidade ou ilegalidade, dela darão ciência ao Tribunal de Contas da União, sob pena de responsabilidade solidária.

Doutrina

Procedimento no caso de irregularidades. Os servidores responsáveis pelo controle interno, como inspetores, auditores e outros, ao tomarem conhecimento de qualquer irregularidade ou violação da lei, devem levá-las ao conhecimento do Tribunal de Contas da União para fins de apuração. A omissão dos servidores poderá implicar em sua responsabilidade solidária com os responsáveis diretos pelas irregularidades.

§ 2.º Qualquer cidadão, partido político, associação ou sindicato é parte legítima para, na forma da lei, denunciar irregularidades ou ilegalidades perante o Tribunal de Contas da União.

Doutrina

Denúncia. As irregularidades ou ilegalidades de conhecimento de qualquer pessoa, instituição, associação, ou empresa poderão ser denunciadas ao Tribunal de Contas da União, que tem o dever de diligenciar, em caráter sigiloso, para apurar a procedência da denúncia.

Jurisprudência

> Ainda que paga a indenização por acidente de trânsito antes da conclusão do procedimento administrativo, sendo a mesma devida, não há falar em lesão ao erário que mereça correção por meio de ação popular. (STJ, RSTJ, 30/378).

Art. 75. As normas estabelecidas nesta seção aplicam-se, no que couber, à organização, composição e fiscalização dos Tribunais de Contas dos Estados e do Distrito Federal, bem como dos Tribunais e Conselhos de Contas dos Municípios.

Doutrina

Norma de extensão. A Constituição estende aos tribunais de contas estaduais, distrital e municipais as normas de organização, composição e fiscalização que estabelece para o Tribunal de Contas da União. Referida extensão é obrigatória no que couber, isto é, as normas são de observância obrigatória, salvo quanto àquelas inaplicáveis em face das peculiaridades locais.

Tribunais de Contas. Além do Tribunal de Contas da União, temos tribunais de contas em cada Estado federado, no Distrito Federal e nos Municípios de São Paulo e Rio de Janeiro, sendo proibida aos demais Municípios a criação de tribunais, conselhos ou órgãos locais de contas (art. 31, § 4.º).

Jurisprudência

> "(...). 1. A nomeação livre dos membros do Tribunal de Contas do Estado e do Tribunal de Contas dos Municípios pelo Governador dar-se-á nos termos do art. 75 da Constituição do Brasil, não devendo alongar-se de maneira a abranger também as vagas que a Constituição destinou aos membros do Ministério Público e aos auditores" (STF – Pleno, ADIN 3.276/CE, rel. Min. Eros Grau, j. 02.06.2005).
>
> É de adoção obrigatória o modelo federal para a composição dos Tribunais de Contas Estaduais. (STF, RTJ, 65/305).
>
> Os Estados, o Distrito Federal e os Municípios submetem-se, quanto à organização, composição e competência de seus respectivos tribunais de contas, ao modelo inscrito na Constituição Federal. (STF, RTJ, 152/398).

Parágrafo único. As Constituições estaduais disporão sobre os Tribunais de Contas respectivos, que serão integrados por sete Conselheiros.

Doutrina

Norma de preordenação. Destinada ao órgão titular do poder constituinte decorrente, ordenando-lhe a dispor sobre os tribunais de contas nas Constituições estaduais e fixando em sete o número de seus conselheiros. Da mesma forma, a Constituição estabelece (art. 235, III) que nos dez primeiros anos da criação de Estado, o seu tribunal de contas terá três membros.

Jurisprudência

A jurisprudência da Corte, construída ao longo do regime constitucional precedente, assevera a integral submissão do Estado-membro ao modelo federal fixado pela Constituição para o sistema de controle externo. Assim, o regramento do tribunal de contas pela Carta estadual há de obedecer ao referido modelo jurídico (STF, ADIN 215/PB, DJ, de 03.08.1990, p.7.234).

CAPÍTULO II
DO PODER EXECUTIVO

Seção I
DO PRESIDENTE E DO VICE-PRESIDENTE DA REPÚBLICA

Art. 76. O Poder Executivo é exercido pelo Presidente da República, auxiliado pelos Ministros de Estado.

Doutrina

Poder Executivo. É o Poder do Estado encarregado do exercício da função administrativa e o faz por meio de um conjunto de órgãos integrantes da Administração. Exerce, no mundo contemporâneo, papel de excepcional importância, conquanto não apenas aplica a lei aos negócios de interesse sociedade, como também legisla, nos casos permitidos pela Constituição, resolve o contencioso administrativo e interfere de forma direta num amplo espectro de atividades com o objetivo de garantir o bem estar coletivo.

Presidencialismo. Sistema de governo no qual o Presidente da República é o Chefe do Poder Executivo e o exerce de forma monocrática, unipessoal, concentrando ampla gama de poderes, pois é o Chefe de Estado e de Governo. Além de chefiar o Governo, o Presidente da República exerce a direção superior da Administração Federal (art. 84, II).

Presidente da República. Cargo privativo de brasileiro nato, com idade mínima de trinta e cinco anos, em pleno gozo dos direitos políticos, inclusive quanto à elegibilidade e filiação partidária, cujo provimento se dá pelo voto direto e secreto em pleito eleitoral de dois turnos, salvo se um candidato obtiver no primeiro turno a maioria absoluta dos votos, excluídos os em branco e os nulos.

Ministro de Estado. Agente político da cúpula da Administração Federal encarregado de auxiliar o Presidente da República no exercício do Poder Executivo.

Jurisprudência

> "Os artigos 76 e 84, I, II e VI, *a*, todos da Constituição Federal, atribuem ao Presidente da República a posição de Chefe supremo da administração pública federal, ao qual estão subordinados os Ministros de Estado" (STF – Pleno, ADIN 2.564/DF, rel. Min. Ellen Gracie, DJ, 06.02.2004).
>
> "(...). O artigo 76 da Constituição Federal é expresso em dizer que Poder Executivo é exercido pelo Presidente da República, auxiliado pelos Ministros de Estado" (TRF1, 1.ª Turma, decisão monocrática, rel. Des. Fed. Hilton Queiroz, e-DJF1, 24.02.2017).
>
> O Presidente da República tem competência implícita, decorrente do poder hierárquico, para decidir, em última instância, sobre tudo quanto interessa à administração da coisa pública. (STF, RDA, 35/272).

Art. 77. A eleição do Presidente e do Vice-Presidente da República realizar-se-á, simultaneamente, no primeiro domingo de outubro, em primeiro turno, e no último do-

mingo de outubro, em segundo turno, se houver, do ano anterior ao do término do mandato presidencial vigente.

Doutrina

Eleição do Presidente e Vice-Presidente da República. Será realizada de forma simultânea pelo sufrágio universal e voto direto e secreto, ocorrendo o primeiro turno no primeiro domingo do mês de outubro e o segundo turno, se necessário, no último domingo do mesmo mês, isso do ano imediatamente anterior ao do término do mandato presidencial em andamento.

Jurisprudência

> "Governador e Vice-Governador. Vacância simultânea. Novas investiduras. Solução. – Vagando os caros de Governador e Vice-Governador, simultaneamente, proceder-se-á, para a investidura de novos titulares, na forma que dispuser a Constituição Estadual respectiva" (TSE, Consulta 7.505/DF, rel. Min. William Patterson, Boletim Eleitoral 419, tomo I, p. 329).

§ 1.º A eleição do Presidente da República importará a do Vice-Presidente com ele registrado.

Doutrina

Eleição automática do Vice-Presidente. A eleição do Presidente importa também em eleição automática do Vice-Presidente da República registrado na sua chapa. Portanto, o Vice-Presidente da República não é votado e considera-se eleito em face da vinculação de sua candidatura à do Presidente, numa solução encontrada pelo constitucionalismo contemporâneo para evitar que o Vice-Presidente eleito pertença a partido político de oposição ao Presidente eleito, dificultando, assim, o exercício do poder.

Jurisprudência

"Eleição Presidencial. 2018. Proclamação do resultado final. Relatório da totalização. Aprovação. – Aprovados os relatórios parciais dos grupos de Estados, proclama-se o resultado definitivo da Eleição Presidencial de 2018, declarando-se eleitos para os cargos de Presidente e Vice-Presidente da República, respectivamente, Jair Messias Bolsonaro e Antônio Hamilton Martins Mourão" (TSE, Apuração 060193153/Brasília, rel. Min. Rosa Weber, DJE, tomo 25, 05.02.2019).

§ 2.º Será considerado eleito Presidente o candidato que, registrado por partido político, obtiver a maioria absoluta de votos, não computados os em branco e os nulos.

Doutrina

Eleição do candidato. A norma constitucional é clara ao dispor que somente será considerado eleito o candidato que: a) *for registrado por partido político*, exigência que erige os partidos políticos à condição de instituições indispensáveis à democracia brasileira; b) *obtiver a maioria absoluta de votos*, trata-se aqui de votos válidos, pois a maioria absoluta aqui significa subtrair da totalidade dos votos aqueles em branco e os nulos.

Jurisprudência

"Os votos em branco também representam manifestação da vontade política do eleitor. São eles computados em eleições majoritárias em face de norma expressa (arts. 28; 29, II; e 77, § 2.º, da CF) configuradora de exceção alusiva às eleições majoritárias, não podendo por isso ser tomada como princípio geral" (STF – Pleno, RE 140.460, rel. Min. Ilmar Galvão, DJ, 04.05.2001).

Não é incompatível com a atual Constituição da República o disposto no parágrafo único do art. 106 do Código Eleitoral, ao exarar que "contam-se como válidos os votos em branco para determinação do quociente eleitoral". (STF, RTJ, 151/462).

§ 3.º Se nenhum candidato alcançar maioria absoluta na primeira votação, far-se-á nova eleição em até vinte dias após a proclamação do resultado, concorrendo os dois candidatos mais votados e considerando-se eleito aquele que obtiver a maioria dos votos válidos.

Doutrina

Segundo turno. Se nenhum candidato lograr conseguir a maioria absoluta dos votos no primeiro turno, realizar-se-á segundo turno no último domingo do mês de outubro, como determina a EC 16/97, que deu nova redação ao *caput* deste artigo, e não mais em até vinte dias após a proclamação do resultado, concorrendo apenas os dois candidatos mais votados naquela ocasião.

Maioria dos votos válidos. Será considerado eleito, dentre os concorrentes do segundo turno, o candidato que obtiver a maioria dos votos válidos, o que corresponde à maioria absoluta dos votos, pois o desejo do constituinte aqui é o mesmo expresso no § 2.º, onde a apuração da maioria absoluta se faz não computando os votos em branco e os nulos.

§ 4.º Se, antes de realizado o segundo turno, ocorrer morte, desistência ou impedimento legal de candidato, convocar-se-á, dentre os remanescentes, o de maior votação.

Doutrina

Substituição de candidato. Se ocorrer a morte, desistência ou impedimento legal de qualquer um dos dois candidatos mais votados no primeiro turno, será convocado para disputar o segundo turno o candidato de maior votação dentre os remanescentes da disputa eleitoral. O que se pretende com essa norma é evitar que um candidato desistindo do certame o outro venha a ser declarado eleito, sem a realização do segundo turno, em evidente fraude ao princípio da maioria absoluta, de aplicação obrigatória na eleição presidencial.

§ 5.º Se, na hipótese dos parágrafos anteriores, remanescer, em segundo lugar, mais de um candidato com a mesma votação, qualificar-se-á o mais idoso.

Doutrina

Desempate em favor do mais idoso. Se ocorrer empate no segundo lugar do primeiro turno de votação entre dois ou mais candidatos, ou no caso de desistência de qualquer deles, houver empate entre dois ou mais dos candidatos remanescentes, disputará o segundo turno o mais idoso. Em outras palavras, o critério de desempate sempre será em favor do candidato mais idoso.

Art. 78. O Presidente e o Vice-Presidente da República tomarão posse em sessão do Congresso Nacional, prestando o compromisso de manter, defender e cumprir a Constituição, observar as leis, promover o bem geral do povo brasileiro, sustentar a união, a integridade e a independência do Brasil.

Doutrina

Posse. O Presidente e o Vice-Presidente da República assumirão os seus cargos perante o Congresso Nacional, reunido em sessão solene para o ato e a tomada de compromisso. Assim, a posse é o ato formal e solene de assunção aos referidos cargos.

Compromisso. O conteúdo do compromisso solene prestado perante o Congresso Nacional abrange a promessa de manter, defender e cumprir a Constituição; observar as leis, cumprindo-as e fazendo cumpri-las; promover o bem geral do povo brasileiro, o que significa trabalhar para o bem-estar de todos; sustentar a união, a integridade e a independência do Brasil, o que significa evitar a secessão, garantir a integridade física do país e coibir prontamente qualquer ato atentatório à sua soberania.

Parágrafo único. Se, decorrido dez dias da data fixada para a posse, o Presidente e o Vice-Presidente, salvo motivo de força maior, não tiver assumido o cargo, este será declarado vago.

Doutrina

Vacância do cargo. A posse para mandato completo é marcada para o dia cinco de janeiro do ano seguinte ao da eleição (art. 82) e, se decorridos dez dias, contados desta data, o Presidente ou o Vice-Presidente não tiver assumido o cargo, este será declarado vago pelo Congresso Nacional, pois se trata de ato de índole política.

Exceção. Após o decurso do referido prazo, a declaração de vacância somente não ocorrerá se a posse não se deu porque obstada por motivo de força maior, acontecimento irresistível a que não deu causa o interessado, como doença, calamidade pública, revolução ou guerra.

Art. 79. Substituirá o Presidente, no caso de impedimento, e suceder-lhe-á, no de vaga, o Vice-Presidente.

Doutrina

Substituição do Presidente. No caso de impedimento, que é evento de caráter temporário a obstaculizar o exercício do cargo, como doença, licença ou férias, o substituto natural é o Vice-Presidente.

Sucessão do Presidente. A sucessão ocorre quando há vacância do cargo por qualquer motivo que leve à extinção do mandato do titular, como *v. g.*, morte, renúncia, perda do cargo em razão de condenação criminal, perda da nacionalidade, incapacidade física ou mental absolutas. O sucessor natural e único é o Vice-Presidente da República.

Parágrafo único. O Vice-Presidente da República, além de outras atribuições que lhe forem conferidas por lei complementar, auxiliará o Presidente, sempre que por ele convocado para missões especiais.

Doutrina

Atribuições do Vice-Presidente. Compete ao Vice-Presidente da República o exercício das seguintes atribuições: substituir o Presidente da República nos seus impedimentos (art. 79, *caput*); participar do Conselho da República (art. 89, I); participar do Conselho de Defesa Nacional (art. 91, I); auxiliar o Presidente, quando convocado, no desempenho de missões especiais; cumprir outras atividades definidas em lei complementar.

Art. 80. Em caso de impedimento do Presidente e do Vice-Presidente, ou vacância dos respectivos cargos, serão sucessivamente chamados ao exercício da Presidência o Presidente da Câmara dos Deputados, o do Senado Federal e o do Supremo Tribunal Federal.

Doutrina

Demais substitutos do Presidente. No caso de impedimento simultâneo do Presidente e do Vice-Presidente da República, ou na hipótese de vacância de ambos os cargos, serão chamados em ordem sucessiva para o exercício temporário da Presidência o Presidente da Câmara dos Deputados, o do Senado Federal e o do Supremo Tribunal Federal. Observe-se que referidas autoridades substituem o Presidente, porém não o sucedem, pois apenas o Vice-Presidente poderá sucedê-lo.

Art. 81. Vagando os cargos de Presidente e Vice-Presidente da República, far-se-á eleição noventa dias depois de aberta a última vaga.

Doutrina

Vacância e eleição direta. No caso de vacância de ambos os cargos, a Presidência passa a ser exercida em caráter temporário pelos substitutos previstos no art. 80 e será realizada, dentro de noventa dias da declaração de vacância, eleição direta na forma do art. 77. Observe-se, somente será realizada a eleição no caso de vagar o cargo de Presidente e já se encontrar vago o de Vice-Presidente, pois se este estiver ocupado o seu titular assumirá a Presidência, sucedendo o Presidente da República, não havendo falar em nova eleição.

§ 1.º Ocorrendo a vacância nos últimos dois anos do período presidencial, a eleição para ambos os cargos será feita trinta dias depois da última vaga, pelo Congresso Nacional, na forma da lei.

Doutrina

Vacância e eleição indireta. Caso a vacância ocorra dentro do período de dois anos finais do mandato, haverá eleição para o preenchimento de ambos os cargos, dentro de trinta dias após a ocorrência da vaga, pelo Congresso Nacional, ou seja, eleição indireta. Portanto, na hipótese excepciona-se a regra do art. 14, *caput*.

§ 2.° Em qualquer dos casos, os eleitos deverão completar o período de seus antecessores.

Doutrina

Mandato reduzido. Tanto na hipótese de eleição direta (art. 80, *caput*), quando indireta (art. 80, § 1.°), o mandato dos eleitos terá a duração correspondente ao período restante do mandato de seus antecessores.

Art. 82. O mandato do Presidente da República é de 4 (quatro) anos e terá início em 5 de janeiro do ano seguinte ao da sua eleição.

Doutrina

Duração do mandato presidencial. O mandato presidencial tinha a duração de cinco anos; porém, na revisão constitucional de 1994 (ADCT, art. 3.°), foi reduzido para quatro anos (ECR 5/94). No entanto, passou-se a admitir a reeleição (EC 16/97).

Data do início do mandato. A EC 111/21 alterou a data da posse do Presidente e do Vice-Presidente da República do dia 1° de janeiro para o dia 5 de janeiro. Conforme o art. 5° da referida emenda constitucional, a nova data aplica-se apenas a partir das eleições de 2026.

Art. 83. O Presidente e o Vice-Presidente da República não poderão, sem licença do Congresso Nacional, ausentar-se do País por período superior a quinze dias, sob pena de perda do cargo.

Doutrina

Ausência e perda do cargo. Tanto o Presidente quanto o Vice-

-Presidente da República somente poderão se ausentar do país por período superior a quinze dias mediante licença do Congresso Nacional. Caso se ausentem sem licença ou permaneçam fora do país por período maior que o concedido, estará caracterizada a renúncia, salvo motivo de força maior, devendo o Congresso Nacional declará-la, com a consequente perda do cargo.

Seção II
DAS ATRIBUIÇÕES DO PRESIDENTE DA REPÚBLICA

Art. 84. Compete privativamente ao Presidente da República:

Doutrina

Competência do Presidente da República. Compreende as atribuições de Chefe de Estado, ou de representação interna e externa do país; de Chefe de Governo, conduzindo os negócios governamentais para a consecução dos objetivos do Estado; e de Chefe da Administração Federal, ou de exercício da direção superior da administração federal, com o auxílio dos Ministros de Estado. As atribuições listadas no artigo são exemplificativas, pois outras existem previstas em dispositivos constitucionais ou em lei.

Jurisprudência

> O Presidente da República tem competência implícita, decorrente do poder hierárquico, para decidir, em última instância, sobre tudo quanto interessa à administração da coisa pública. (STF, RDA, 35/272).

I – nomear e exonerar os Ministros de Estado;

Doutrina

Nomeação e exoneração de ministros. São atos de provimento e desprovimento de cargos de Ministro de Estado, auxiliares diretos do Presidente da República que ocupam cargos comissionados ou de confiança, podendo, pois, ser livremente nomeados ou destituídos de seus cargos.

Jurisprudência

> O Ministro de Estado é auxiliar do Presidente da República, competindo-lhe as atribuições descritas no art. 87, parágrafo único, da Constituição Federal. Portanto, não pode assumir compromisso, mesmo através de convênio, de praticar atos não previstos em lei. (TRF4, DJ 2, 12.09.1990, p. 20.739).

II – exercer, com o auxílio dos Ministros de Estado, a direção superior da administração federal;

Doutrina

Chefia da Administração Federal. O exercício da direção superior da administração federal compete ao Presidente da República, que se desincumbe da tarefa com o auxílio dos Ministros de Estado, e tem por fim determinar os rumos gerais a serem perseguidos na implementação das políticas públicas e do programa de governo.

Jurisprudência

> "Cabe ao chefe do Poder Executivo, com o concurso de seus auxiliares, exercer a direção superior da Administração Pública, o que pressupõe a disponibilidade e manuseio de amplos poderes gerenciais (art. 84, II, da CF)" (STJ, ROMS 1.680/RS, rel. Min. Demócrito Reinaldo, DJ 1, 16.05.1994, p. 11.705).

III – iniciar o processo legislativo, na forma e nos casos previstos nesta Constituição;

Doutrina

Início do processo legislativo. Cabe ao Presidente da República a iniciativa de leis visando a criação de direito novo. Aliás, tem iniciativa privativa nas matérias listadas no § 1.° do artigo 61 e iniciativa vinculada com relação às matérias previstas no artigo 165.

Jurisprudência

> A sanção a projeto de lei que contém norma resultante de emenda parlamentar que implica aumento de despesa não sana o vício de inconstitucionalidade formal, porquanto não basta apenas a vontade do Chefe do Poder Executivo para convalidar o vício decorrente de violação do preceito constitucional da iniciativa exclusiva. (STF, RDA, 202/217).
>
> A iniciativa de lei de criação de cargos no Ministério Público é privativa de seus órgãos diretivos e do Procurador-Geral da República, como decorrência natural de sua autonomia. (STF, RTJ, 147/126).

IV – sancionar, promulgar e fazer publicar as leis, bem como expedir decretos e regulamentos para sua fiel execução;

Doutrina

Sanção, promulgação e publicação de leis. São atos da fase final do processo legislativo, de competência exclusiva do Presidente da República, e destinados a produzir os seguintes efeitos próprios: a) *sanção*, ou ato jurídico de concordância expressa ou tácita com o projeto de lei aprovado pelo Congresso Nacional, transformando-o em lei; b) *promulgação*, ou ato jurídico de autenticação do texto da lei e de certificação de sua existência; c) *publicação*, ou ato de dar publicidade ao texto da lei para torná-la exigível e eficaz.

Expedição de decretos e regulamentos. Decretos são atos formais de competência privativa do Chefe do Executivo, destinados a baixar normas visando o cumprimento das leis ou dispor sobre assuntos de interesse da administração. Regulamentos são atos formais de competência privativa do Chefe do Poder Executivo destinados a editar normas para o fiel cumprimento das leis. Ambos são atos normativos secundários, necessariamente fundados em lei, dela não se distanciando, nem dispondo de forma contrária, restritiva, abusiva, ou inovadora, pois estas são funções próprias da lei, único veículo capaz de criar direitos ou impor obrigações ao cidadão. O direito brasileiro admite apenas os regulamentos de execução, sendo incompatíveis com o nosso direito os chamados regulamentos autônomos.

Jurisprudência

> Não se sujeita a controle de constitucionalidade o decreto regulamentar, pois se este extrapola do conteúdo da lei há ilegalidade e não inconstitucionalidade. O ato regulamentar somente se submete a controle de constitucionalidade na hipótese de inexistência de lei que o fundamente. (STF, Ementário, n.º 1.797-02, p. 267).
>
> Cabe ao Executivo regulamentar as leis, sem qualquer avaliação apriorística do Judiciário quanto a conveniência e oportunidade do ato regulamentar. O controle judicial será feito *a posteriori* para tornar ineficaz o regulamento extralegal ou que extrapole a legislação regulamentada. (STF, RDA, 204/228).
>
> "(...). De fato, a Constituição Federal estatui, no seu art. 84, inciso V, que 'Compete privativamente ao Presidente da República (...) IV – sancionar, promulgar e fazer publicar as leis, bom como expedir decretos para sua fiel execução;'. Cuida-se aí, dos Decretos regulamentadores, cujos limites são os da lei. Não cabe, pois, ao Decreto, restringir, de forma alguma, aquilo que a Lei prevê" (STJ – 1.ª Turma, AREsp 180.731, rel. Min. Francisco Falcão, DJ 29.11.2004, p. 225).

V – vetar projetos de lei, total ou parcialmente;

Doutrina

Veto. É ato formal do processo legislativo, de competência exclusiva do Presidente da República, por meio do qual esta autoridade manifesta a sua discordância com o projeto de lei aprovado pelo Congresso Nacional, impedindo a sua conversão em lei. Como visto, o veto será expresso e motivado com base em pelo menos um dos fundamentos previstos na Constituição, ou seja, inconstitucionalidade ou contrariedade ao interesse público. O veto, que deverá ser manifestado dentro do prazo de quinze dias úteis, pode ser *total*, quando o Presidente da República veta o projeto de lei na sua totalidade, ou *parcial*, quando o veto atinge apenas parte do projeto de lei, alguns de seus dispositivos.

Jurisprudência

> O veto, uma vez manifestado, ainda que de forma intempestiva e imotivada, deve ser, obrigatoriamente, submetido à decisão do plenário do Legislativo, não podendo o presidente de Casa Legislativa considerá-lo, por meio de despacho pessoal, inexistente ou inválido. (STF, RTJ, 100/997).

VI – dispor, mediante decreto, sobre:

a) organização e funcionamento da administração federal, quando não implicar aumento de despesa nem criação ou extinção de órgãos públicos;

b) extinção de funções ou cargos públicos, quando vagos;

Doutrina

Organização e funcionamento da administração federal. Cabe ao Presidente da República definir a organização, ou estrutura, e dispor sobre o funcionamento e as atividades dos órgãos da administração federal, regulamentando, dentro dos estritos limites fixados em lei, a forma de atuação e de prestação dos serviços públicos.

Extinção de funções ou cargos públicos. Ocorrendo a vacância de funções ou cargos públicos e não sendo estes necessários para o bom desempenho das atividades da administração federal, convém sejam extintos.

Jurisprudência

> "(...). Ausência de ofensa ao princípio da reserva legal, diante da nova redação atribuída ao inciso VI do art. 84 pela Emenda Constitucional n.º 32/01, que permite expressamente ao Presidente da República dispor, por decreto, sobre a organização e o funcionamento da administração federal, quando isso não implicar aumento de despesa ou criação de órgãos públicos, exceções que não se aplicam ao Decreto atacado" (STF – Pleno, ADIN 2.564/DF, rel. Min. Ellen Gracie, DJ I, 06.02.2004, p. 21).

VII – manter relações com Estados estrangeiros e acreditar seus representantes diplomáticos;

Doutrina

Relações internacionais. Compete ao Presidente da República manter relações com Estados estrangeiros e instituições internacionais, como, por exemplo, a ONU, estabelecendo contatos de natureza política, econômica, cultural etc., e celebrando acordos, tratados e convenções internacionais. É ainda sua atribuição acreditar os representantes diplomáticos de países estrangeiros, recebendo as suas credenciais e reconhecendo-os como os legítimos órgãos de representação de seus Estados de origem.

Jurisprudência

> É inadmissível a pretensão de prevalência dos tra-

> tados e convenções internacionais contra norma expressa da Constituição, pois, hierarquicamente, tanto aqueles quanto a lei situam-se abaixo da Carta Política. (STF, RTJ, 121/270).

VIII – celebrar tratados, convenções e atos internacionais, sujeitos a referendo do Congresso Nacional;

Doutrina

Celebração de tratados, convenções e atos internacionais. Cabe ao Presidente da República firmar tratados, convenções ou outros atos internacionais que se sujeitam a referendo ou homologação do Congresso Nacional. Portanto, no direito brasileiro, a vontade estatal na celebração de tais atos somente se completa com a manifestação de concordância do Chefe do Poder Executivo e aprovação do Congresso Nacional.

Jurisprudência

> No sistema constitucional brasileiro, a incorporação dos tratados internacionais à ordem jurídica interna decorre de ato complexo, resultante da manifestação comum de vontades do Congresso Nacional, que resolve, definitivamente, por meio de decreto legislativo, sobre tratados, acordos ou atos internacionais (CF, art. 49, I), e do Presidente da República, que, além de celebrá-los (CF, art. 84, VIII), é competente para a promulgação através de decreto. (STF, DJU, 02.08.1996, p. 25.792).

IX – decretar o estado de defesa e o estado de sítio;

Doutrina

Decretação do estado de defesa e do estado de sítio. Cabe ao Presidente da República adotar as medidas protetivas do Estado e das Instituições Democráticas, dentre as quais o estado de defesa, com a suspensão de algumas garantias constitucionais, ou, se este não for o bastante, ou a situação exigir, o estado de sítio, com restrição grave dos direitos individuais e das liberdades públicas. Observe-se que a decretação do estado de defesa não necessita de autorização do Congresso Nacional; porém, a do estado de sítio não a dispensa em nenhuma hipótese.

Jurisprudência

> A aprovação do estado de sítio pelo Congresso não obsta a que o Supremo Tribunal Federal ampare direitos individuais violados pela sua decretação ao arrepio da Constituição (STF, RF, 24/150-1).

X – decretar e executar a intervenção federal;

Doutrina

Intervenção federal. Cabe ao Presidente da República decretar a intervenção federal para assegurar a integridade da Federação ou proteger valor relevante que lhe tenha dado causa. Deve, também, adotar as medidas de execução, como a ingerência nos negócios do ente atingido pela intervenção, a suspensão temporária da autonomia, e a nomeação de interventor, se for o caso.

Jurisprudência

> Embora traumática, e admitida apenas em casos taxativos e extremos, a intervenção federal é instituto destinado a preservar a Federação e, não se deve olvidar, que a sobrevivência do Estado e da sociedade reside na preservação das decisões legais emanadas de autoridade competente, sob pena de prevalência da força bruta, com o garroteamento da lei e do Direito. (STJ, DJ 1, 29.11.1993, p. 25.838).

XI – remeter mensagem e plano de governo ao Congresso Nacional por ocasião da abertura da sessão legislativa, expondo a situação do País e solicitando as providências que julgar necessárias;

Doutrina

Mensagem sobre a situação do País. Cabe ao Presidente da República remeter ao Congresso Nacional, na abertura da sessão legislativa anual, mensagem contendo relatório consubstanciado sobre a situação do país e plano de governo com as medidas previstas para o exercício em curso. Poderá solicitar providências que se insiram no âmbito da competência exclusiva do Congresso Nacional, bem como remeter projetos de leis de sua iniciativa em apenso à mensagem.

Jurisprudência

> Não viola a Constituição Federal norma constante de Carta Estadual que exige a presença do Governador na abertura da sessão anual da Assembleia Legislativa, representando, aliás, resgate de costume que já existiu entre nós e praticado ainda hoje em alguns países. (STF, RT, 314/642).

XII – conceder indulto e comutar penas, com audiência, se necessário, dos órgãos instituídos em lei;

Doutrina

Direito de graça. Compreende os atos de clemência do Poder Público e abrange a anistia, o indulto e a comutação de pena. A anistia somente será concedida por lei (art. 48, VIII) e não se estende aos crimes de tortura, tráfico ilícito de entorpecentes e drogas afins, terrorismo e os crimes hediondos, como latrocínio, extorsão qualificada pela morte, extorsão mediante sequestro, estupro, genocídio etc. O Presidente da República concederá: a) *o indulto*, ato de clemência ou perdão de caráter coletivo (indulto propriamente dito) ou individual (graça), pois a Constituição usa o termo no sentido genérico; o indulto e a graça extinguem a punibilidade sem fazer desaparecer os crimes dos beneficiados; b) a *comutação de penas*, ato de clemência que implica na substituição da pena aplicada por outra menos grave. A lei estabelecerá as hipóteses de audiência dos órgãos federais instituídos em lei.

Jurisprudência

A Constituição Federal confere ao Presidente da República (art. 84, XII) a faculdade de apreciar a conveniência, a oportunidade e a ocorrência dos requisitos legais para a concessão do indulto. Assim, a reparação do dano como condição necessária à fruição do benefício é legítima e o seu indeferimento não configura constrangimento ilegal. (STF, Ementário, 1.760-03, p. 475).

Desde que não caiba mais recurso da acusação, é possível a concessão de indulto mesmo antes do trânsito em julgado da sentença condenatória. (STF, RT, 662/372).

"(...). 2. Destarte, é vedada a interpretação extensiva para se criar novos condicionantes na comutação de penas, visto que, a teor do art. 84, XII, da CF, compete privativamente ao Presidente da República estabelecer os requisitos de tal benesse, bom como do indulto. No caso, somente foram estabelecidos requisitos objetivos para a comutação da pena, sendo ilegal, portanto, a exigência de outros pressupostos, como de índole subjetiva" (STJ – 6.ª Turma, HC 212.451, rel. Min. Vasco Della Giustina (Des. TJ/RS), DJE 14.12.2011).

XIII – exercer o comando supremo das Forças Armadas, nomear os Comandantes da Marinha, do Exército e da Aeronáutica, promover seus oficiais-generais e nomeá-los para os cargos que lhes são privativos;

Doutrina

Comando supremo das Forças Armadas. Cabe ao Presidente da República que o exerce na sua expressão política, decidindo quando e como empregar as Forças Armadas, remanescendo aos comandantes militares a direção técnica e de operações. Decorre desse comando a competência presidencial para nomear os Comandantes da Marinha, do Exército e da Aeronáutica, além de promover os seus oficiais-generais e nomeá-los para os cargos que lhes são privativos.

Jurisprudência

> Súmula do STF: 440. "Os benefícios da legislação federal de serviços de guerra não são exigíveis dos Estados sem que a lei estadual assim disponha."

XIV – nomear, após aprovação pelo Senado Federal, os Ministros do Supremo Tribunal Federal e dos Tribunais Superiores, os Governadores de Territórios, o Procurador-Geral da República, o presidente e os diretores do Banco Central e outros servidores, quando determinado em lei;

Doutrina

Nomeação de altas autoridades. Cabe ao Presidente da República, após aprovação do nome indicado, nomear os Ministros do STF e dos Tribunais Superiores (STJ, TSE, TST e STM), os Governadores de Territórios, o Procurador-Geral da República, o presidente e diretores do Banco Central do Brasil e outros servidores se a lei assim o exigir.

Jurisprudência

> Súmula do STF: 9. "Para o acesso de auditores ao Superior Tribunal Militar, só concorrem os de segunda entrância."

XV – nomear, observado o disposto no art. 73, os Ministros do Tribunal de Contas da União;

Doutrina

Nomeação de Ministros do TCU. Cabe ao Presidente da República a nomeação de um terço dos Ministros do TCU após aprovação do Senado Federal (art. 73, § 2.º, I), recaindo a escolha de dois deles de forma alternada dentre auditores e membros do Ministério Público. Quanto aos dois terços restantes, a escolha cabe ao Congresso Nacional, que solicita do Presidente a prática do ato de nomeação.

Jurisprudência

> A nomeação para o cargo de ministro do Tribunal de Contas da União, com base no art. 73, § 2.º, I, da Constituição Federal, pressupõe a existência de uma lista tríplice à qual vincula-se o juízo discricionário do Presidente da República, que escolherá um dos nomes nela constante (STF – Pleno, RE 179.461-5/DF, DJ 1, 22.03.1996, p. 8.204).

XVI – nomear os magistrados, nos casos previstos nesta Constituição, e o Advogado-Geral da União;

Doutrina

Nomeação de magistrados. Os demais magistrados nomeados pelo Presidente da República, nos casos que independem de aprovação do Senado Federal, são os integrantes dos Tribunais Regionais Federais, dos Tribunais Regionais do Trabalho e dos Tribunais Regionais Eleitorais.

Advocacia-Geral da União. Trata-se do órgão responsável pela representação judicial e extrajudicial da União e é chefiado pelo Advogado-Geral da União, sendo este de livre escolha e nomeação do Presidente da República dentre cidadãos com mais de trinta e cinco anos, de notável saber jurídico e reputação ilibada.

XVII – nomear membros do Conselho da República, nos termos do art. 89, VII;

Doutrina

Nomeação de membros do Conselho da República. Dentre os membros do referido Conselho, o Presidente da República nomeará dois, dentre cidadãos brasileiros natos, com mais de trinta e cinco anos de idade, com mandato de três anos, vedada a recondução.

XVIII – convocar e presidir o Conselho da República e o Conselho de Defesa Nacional;

Doutrina

Presidência dos Conselhos da República e de Defesa Nacional. Referidos órgãos de consulta são presididos pelo Presidente da República, que deverá convocá-los nas hipóteses previstas na Constituição.

XIX – declarar guerra, no caso de agressão estrangeira, autorizado pelo Congresso Nacional ou referendado por ele, quando ocorrida no intervalo das sessões legislativas, e, nas mesmas condições, decretar, total ou parcialmente, a mobilização nacional;

Doutrina

Declaração de guerra. Ato através do qual um Estado dá ciência a outro de que o tratará doravante como inimigo, mobilizando contra o mesmo as suas forças armadas. Trata-se de meio violento de solução de controvérsia mediante o uso da força e se perfaz com a manifestação de vontade do Congresso Nacional autorizando a declaração, se em funcionamento, ou referendando-a, se em recesso – e do Presidente da República, mediante a adoção das medidas necessárias para torná-la efetiva.

Mobilização nacional. Compreende as ações destinadas a colocar em prontidão para a luta as forças militares da União, as polícias militares e os corpos de bombeiros militares dos Estados, bem como o esforço de guerra a ser empreendido por todos os segmentos da nação na defesa da pátria.

XX – celebrar a paz, autorizado ou com o referendo do Congresso Nacional;

Doutrina

Celebração da paz. Conjunto de atos tendentes a conduzir a um acordo ou tratado de paz, após a cessação das agressões recíprocas. Trata-se de ato complexo que apenas se perfaz com a manifestação de vontades do Congresso Nacional – autorizando-o, se em funcionamento, ou referendando-o, se em recesso – e do Presidente da República, que deve adotar as medidas necessárias visando torná-lo efetivo.

XXI – conferir condecorações e distinções honoríficas;

Doutrina

Concessão de condecorações e distinções honoríficas. Cabe ao Presidente da República conceder: a) *condecorações*, representadas por títulos e medalhas condecorativas e de ordens, como a do Cruzeiro do Sul; b) *distinções honoríficas*, representadas por títulos de distinção, como o de doutor *honoris causa*.

XXII – permitir, nos casos previstos em lei complementar, que forças estrangeiras transitem pelo território nacional ou nele permaneçam temporariamente;

Doutrina

Permissão de trânsito ou de permanência temporária de forças estrangeiras. Compete ao Presidente da República autorizar que forças estrangeiras: a) *transitem pelo território nacional*, quer dizer, tenham passagem efêmera pelo território nacional; b) *permaneçam temporariamente no território nacional*, quer dizer, tenham permanência temporária, com estacionamento de forças militares em solo brasileiro apenas com ânimo de ficar pelo tempo autorizado. Em ambos os casos, a permissão somente será concedida dentro das estritas hipóteses previstas em lei complementar, em caráter temporário, e sempre dependerá de autorização do Congresso Nacional.

XXIII – enviar ao Congresso Nacional o plano plurianual, o projeto de lei de diretrizes orçamentárias e as propostas de orçamento previstos nesta Constituição;

Doutrina

Plano plurianual e projetos de leis orçamentárias. São projetos de leis de iniciativa privativa do Presidente da República, devendo ser remetidos ao Congresso Nacional para apreciação e aprovação de suas Casas.

Jurisprudência

> O poder de emendar é prerrogativa própria conferida ao parlamentar e sujeita-se, quanto ao seu exercício, apenas às restrições impostas, em *numerus clausus*, pela Constituição Federal. (STF, Ementário, n.º 1.739-03).

XXIV - prestar, anualmente, ao Congresso Nacional, dentro de sessenta dias após a abertura da sessão legislativa, as contas referentes ao exercício anterior;

Doutrina

Prestação anual de contas. Compete ao Presidente da República apresentar ao Congresso Nacional, dentro do prazo de sessenta dias, contados da abertura da sessão legislativa anual, as contas da União. Se não o fizer, a Câmara dos Deputados deverá proceder à sua tomada (art. 51, II).

XXV - prover e extinguir os cargos públicos federais, na forma da lei;

Doutrina

Provimento e extinção de cargos públicos federais. São atos de competência do Presidente da República, que os pratica na forma que a lei dispuser. Assim, o provimento de cargos efetivo pressupõe prévia aprovação em concurso público de provas ou de provas e títulos e a extinção de cargo público pressupõe a sua desnecessidade para a prestação do serviço público.

Jurisprudência

> Súmula do STF: 15. "Dentro do prazo de validade do concurso, o candidato aprovado tem direito à nomeação quando o cargo for preenchido sem observância da classificação".
>
> A extinção do cargo e a declaração de sua desnecessidade decorrem de juízo de conveniência e oportunidade formulado pela Administração Pública, prescindindo de lei ordinária que as discipline. (STF, RTJ, 149/796).

XXVI – editar medidas provisórias com força de lei, nos termos do art. 62;

Doutrina

Edição de medidas provisórias. A Constituição Federal autoriza (art. 62) o Presidente da República a adotar, em caso de relevância e urgência, medidas provisórias, com força de lei, submetendo-as, de pronto, à apreciação do Congresso Nacional.

Jurisprudência

> As medidas provisórias, no direito brasileiro, são uma categoria especial de atos normativos primários editados pelo Chefe do Poder Executivo e que têm força, eficácia e valor de lei. O que justifica a edição de tais medidas é a existência de um estado de necessidade que impõe ao Poder Executivo a imediata adoção de normas legais que demandaria lapso de tempo que não se pode aguardar em face do perigo da demora que decorreria do atraso na prestação legislativa (STF, RTJ 146/707).
>
> O Presidente da República pode ab-rogar medida provisória, editando outra em substituição, e suspendendo, assim, os efeitos da primeira. Todavia, o Congresso Nacional poderá restabelecer referidos efeitos mediante a rejeição da medida ab-rogatória. (STF, RTJ, 157/856).

XXVII – exercer outras atribuições previstas nesta Constituição.

Doutrina

Competências do Presidente da República. As atribuições constantes deste artigo são apenas exemplificativas, não se constituindo, pois, *numerus clausus*, já que outras são conferidas ao Presidente da República por meio de normas constitucionais ou de leis infraconstitucionais.

XXVIII – propor ao Congresso Nacional a decretação do estado de calamidade pública de âmbito nacional previsto nos arts. 167-B, 167-C, 167-D, 167-E, 167-F, e 167-G desta Constituição.

Doutrina

Proposição e decretação da calamidade pública. É da competência do Presidente da República propor ao Congresso Nacional a decretação do estado de calamidade pública de âmbito nacional conforme inscrito nos artigos 167-B a 167-G, da Constituição Federal.

Jurisprudência

> O Presidente da República tem competência implícita, decorrente do poder hierárquico, para decidir, em última instância, sobre tudo quanto interessa à administração da coisa pública. (STF, RDA, 35/272).

Parágrafo único. O Presidente da República poderá delegar as atribuições mencionadas nos incisos VI, XII e XXV, primeira parte, aos Ministros de Estado, ao Procurador-Geral da República e ao Advogado-Geral da União, que observarão os limites traçados nas respectivas delegações.

Doutrina

Delegação de competência. A norma atribui ao Presidente da República a faculdade para, se entender conveniente e oportuno, delegar algumas de suas competências às autoridades nela listadas. O objetivo é admitir alguma descentralização de poder, devendo os delegados cumprirem, rigorosamente, os limites impostos ao exercício da delegação. O dispositivo admite a delegação das seguintes atribuições: a) *inciso VI*: dispor sobre a organização e o funcionamento da administração federal, na forma da lei; b) *inciso XII*: conceder indulto e comutar penas, com audiência, se necessário, dos órgãos instituídos em lei; c) *inciso XXV, primeira parte*: prover os cargos públicos, na forma da lei.

Jurisprudência

> Súmulas do STF: 194. "É competente o Ministro do Trabalho para a especificação das atividades insalubres." 460. "Para efeito do adicional de insalubridade, a perícia judicial, em reclamação trabalhista, não dispensa o enquadramento da atividade entre as insalubres, que é ato da competência do Ministro do Trabalho e Previdência Social."

Seção III
DA RESPONSABILIDADE DO PRESIDENTE DA REPÚBLICA

Art. 85. São crimes de responsabilidade os atos do Presidente da República que atentem contra a Constituição Federal e, especialmente, contra:

Doutrina

Legislação de regência da matéria. A Lei n.° 1.079, de 10.04.1950, define os crimes de responsabilidade e regula o respectivo processo de julgamento. Por sua vez, a Lei n.° 8.429, de 02.06.1992, dispõe sobre as sanções aplicáveis a agentes públicos nos casos de enriquecimento ilícito.

Crimes de responsabilidade. São delitos de índole político-administrativa, definidos em lei de competência da União, cometidos por agente político no exercício do cargo e que atentam contra a própria Constituição. Contrapõem-se aos crimes comuns, pois aqueles dizem respeito a ilícitos de natureza política e administrativa, punidos com a sanção política da perda do cargo, com a consequente inabilitação temporária para o exercício de função pública, sem prejuízo do processo e julgamento por infração penal comum, se for o caso; já as demais infrações penais são punidas com penas restritivas ou privativas de direitos e privativas da liberdade. Por outro lado, as infrações político-administrativas serão apuradas por meio do processo de *impeachment,* perante um órgão político (art. 52, I), enquanto as infrações comuns serão processadas e julgadas por um tribunal judicial (art. 102, I, *b*).

Atentados contra a Constituição. São todos os atos tipificados como crime de responsabilidade, sendo a relação do artigo meramente exemplificativa.

Jurisprudência

Súmula do STF: 722. "São da competência legislativa da União a definição dos crimes de responsabilidade e o estabelecimento das respectivas normas de processo e julgamento".

A definição dos crimes de responsabilidade se insere, em face de seu conteúdo penal, na esfera de competência exclusiva da União, haja vista o brocardo *nullum crimen sine typo*. (STF, RTJ, 166/147).

I – a existência da União;

Doutrina

Atentado contra a existência da União. É toda conduta ativa ou omissiva do Presidente da República tendente a fazer desaparecer a União, enquanto unidade de coesão do Estado Federal, ou capaz de comprometer a independência nacional.

II – o livre exercício do Poder Legislativo, do Poder Judiciário, do Ministério Público e dos Poderes constitucionais das unidades da Federação;

Doutrina

Atentado contra o livre exercício dos Poderes e instituições. Constitui crime de responsabilidade toda ação ou omissão do Presidente da República que possa embaraçar o pleno exercício e funcionamento dos Poderes Legislativo e Judiciário, dos Poderes constitucionais das unidades federadas e do Ministério Público.

Jurisprudência

"(...). Ato Presidencial que, ao menos em tese, é de intervenção do Poder Executivo, no exercício do Poder

Judiciário. Ato que obsta ou é destinado a obstar o seu – do Judiciário – livre exercício. Ao menos em tese, repita-se, pode indicar o cometimento ou tentativa de crime de responsabilidade" (TRF1, Suspensão de liminar ou antecipação de tutela 0014782-85.2016.4.01.0000/DF, rel. Des. Fed. Cândido Ribeiro, EDJF1, 31.03.2016, p. 184).

III – o exercício dos direitos políticos, individuais e sociais;

Doutrina

Atentado ao exercício dos direitos políticos, individuais e sociais. Constitui crime de responsabilidade do Presidente da República toda ação ou omissão contra o pleno exercício dos direitos enunciados na norma constitucional.

IV – a segurança interna do País;

Doutrina

Atentado contra a segurança interna do País. Constitui crime de responsabilidade do Presidente da República toda ação ou omissão que comprometa a ordem pública, com a periclitação da segurança interna.

V – a probidade na administração;

Doutrina

Atentado contra a probidade na administração. Constitui crime de responsabilidade do Presidente da República toda ação ou omissão contrárias à probidade administrativa, ou dever do administrador de ser probo, conduzindo dentro da moralidade os negócios e os dinheiros da Administração e de tudo prestando contas.

Jurisprudência

> "(...). 3. A circunstância de os agentes políticos, na esteira de sedimentado pensar doutrinário, por ocuparem cargos estruturais à organização política do Estado, singularizam-se pela investidura, atribuições e responsabilidades definidas na Constituição, respalda o entendimento de que o Presidente da República e Ministros de Estado, em face da adoção magna de regime de responsabilidade político-administrativa especial (arts. 52, I, e 102, I, c, CF), cuja delineação magna está na Lei 1.079/50, a qual contempla atentado à probidade na Administração (art. 9.º), estão excluídos da incidência da Lei 8.429/92" (TRF2, AC 596.584/PB, rel. Des. Fed. Edílson Nobre, DJE, 09.01.2018, p. 94).

VI – a lei orçamentária;

Doutrina

Atentado contra a lei orçamentária. Constitui crime de responsabilidade do Presidente da República toda ação ou omissão, tanto na efetivação de receitas quanto na realização de despesas, que impliquem desrespeito à lei orçamentária.

Jurisprudência

> "1. Na espécie, a malversação dos valores, utilizados para o pagamento de despesas não autorizadas, embora ilegal, não foi realizada com o propósito de locupletamento ilícito próprio ou de terceiro individualmente considerado, mas em benefício de uma coletividade (pessoas ditas carentes), razão pela qual não se enquadra na conduta descrita no inciso I, tampouco no inciso III – porquanto não evidenciado que os recursos tenham tido empregados em setor diverso do que pre-

viam as leis orçamentárias –, mas sim no inciso V, do art. 1.º, do mesmo Diploma Legal. Precedente." (STJ – 5.ª Turma, HC 204.285, rel. Min. Laurita Vaz, DJE, 05.09.2012).

VII – o cumprimento das leis e das decisões judiciais.

Doutrina

Atentado contra o cumprimento das leis e das decisões judiciais. Constitui crime de responsabilidade do Presidente da República toda ação ou omissão no cumprimento das leis e de decisões judiciais.

Jurisprudência

O Poder Executivo deve, ao baixar normas regulamentares, conter-se nos estritos limites da lei regulamentada e não exorbitar de seus termos, sob pena de ineficácia e responsabilidade. (TJSP, JTJ/SP, LEX, 142/293).

Parágrafo único. Esses crimes serão definidos em lei especial, que estabelecerá as normas de processo e julgamento.

Doutrina

Princípio da legalidade. Da mesma forma que os delitos comuns, também os crimes de responsabilidade deverão ser definidos em lei, pois não há crime sem anterior definição legal, consoante enunciado no princípio *nullum crimen nulla poena sine lege*. Portanto, apesar de se tratar de processo de natureza eminentemente política, a conduta objeto de apuração deverá estar tipificada em lei como crime de responsabilidade, pois, do contrário, faltará justa causa para o processo, que ficará sujeito à apreciação judicial.

Normas de processo e julgamento. A mesma lei especial de definição dos crimes de responsabilidade disporá sobre o processo e julgamento dos mesmos, desde a fase de pronúncia, perante a Câmara dos Deputados, até as fases de processamento e de julgamento, perante o Senado Federal.

Jurisprudência

> O *impeachment* é sanção de natureza político-administrativa que visa, de modo legítimo, a destituir conforme a Constituição o Presidente da República, além de inabilitá-lo, pelo prazo de oito anos, para o exercício de qualquer função pública eletiva ou de nomeação. (STF, HC 69.647-3, DJU, 05.08.1992).
>
> O processo de *impeachment* está sujeito a controle judicial na hipótese de lesão ou ameaça a direito, nos termos do art. 5.º, XXXV, da Constituição Federal. (STF, RTJ, 142/88).

Art. 86. Admitida a acusação contra o Presidente da República, por dois terços da Câmara dos Deputados, será ele submetido a julgamento perante o Supremo Tribunal Federal, nas infrações penais comuns, ou perante o Senado Federal, nos crimes de responsabilidade.

Doutrina

Procedimento do impeachment. Uma vez recebida a denúncia, que pode ser apresentada por qualquer cidadão, o processo se desenvolve mediante as seguintes fases: a) *autorização da Câmara dos Deputados*, por dois terços de seus membros, para a instauração do processo (art. 51, I); b) *abertura do processo pelo Senado Federal*, com as providências materiais e formais (art. 52, I), ficando o Presidente da República suspenso do exercício do cargo pelo prazo de cento e oitenta dias (art. 86, § 1.º, II, c.c. § 2.º); c) *fase de instrução do processo*, assegurando ao acusado a mais ampla defesa (art. 5.º, LV); d) *fase de julgamento*, com a absolvição ou a condenação do acusado, sendo que esta somente se dará por dois terços dos votos do Senado Federal, limitando-se a mesma à perda do cargo, com inabilitação, por oito anos, para o exercício de função pública, sem prejuízo das demais sanções judiciais aplicadas após o processo cabível (art. 52, par. único). Presidirá o Senado Federal, quando este funcionar como corte judicante (art.51, I e II), o Presidente do Supremo Tribunal Federal.

Procedimento nos crimes comuns. Nestes, admitida a acusação contra o Presidente da República, por dois terços dos membros da Câmara dos Deputados, o processo e julgamento se dará perante o Supremo Tribunal Federal.

Jurisprudência

> "Compete ao Senado Federal processar e julgar o Presidente da República nos crimes de responsabilidade (art. 52, I; art. 86, § 1.°, II), depois de autorizada, pela Câmara dos Deputados, por dois terços de seus membros, a instauração do processo (CF, art. 51, I), ou admitida a acusação (CF, art. 86). É dizer: o *impeachment* do Presidente da República será processado e julgado pelo Senado. O Senado e não mais a Câmara dos Deputados formulará a acusação (Juízo de Pronúncia) e proferirá o julgamento (CF, art. 51, I; 52, I; 86, § 1.°, I, § 2.°)." (STF – Pleno, MS 21.564/DF, rel. Min. Octávio Gallotti, DJ, 27.08.1993, p. 17.019).
>
> No regime da Carta de 1988, a Câmara dos Deputados, diante da denúncia oferecida contra o Presidente da República, examina a admissibilidade da acusação (CF, art. 86, *caput*), podendo, portanto, rejeitar a denúncia oferecida na forma do art. 14 da Lei 1.079/50." (STF, MS n.° 21.564/DF, rel. Min. Octávio Gallotti, DJ, de 27. 8. 93, p. 17.019).

§ 1.° O Presidente ficará suspenso de suas funções:

I – nas infrações penais comuns, se recebida a denúncia ou queixa-crime pelo Supremo Tribunal Federal;

II – nos crimes de responsabilidade, após a instauração do processo pelo Senado Federal.

Doutrina

Suspensão das funções. O Presidente da República ficará suspenso do exercício das funções próprias do cargo: a) *nos crimes comuns*, desde o recebimento da denúncia ou queixa-crime pelo Supremo Tribunal Federal; b) *nos crimes de responsabilidade*, desde a instauração do processo de *impeachment* pelo Senado Federal. Na hipótese, deverá ser substituído, enquanto durar o impedimento, na forma do art. 80 da Constituição.

Jurisprudência

> "Competência legislativa – Lei Orgânica de Município – Julgamento do Prefeito nos crimes de responsabilidade. Surge harmônico com a Carta da República preceito de lei orgânica de município prevendo a competência da câmara municipal para julgar o prefeito nos crimes de responsabilidade definidos no Decreto-Lei n.º 201/67, o mesmo ocorrendo relativamente ao afastamento, por até noventa dias (período razoável), na hipótese de recebimento da denúncia. Competência Legislativa – Crime comum praticado por Prefeito – Atuação da Câmara Municipal. O afastamento do prefeito em face de recebimento de denúncia por tribunal de justiça circunscreve-se ao plano processual penal, competindo à União dispor a respeito" (STF – Pleno, RE 192.527/PR, rel. Min. Marco Aurélio, j. 25.04.2001).

§ 2.º Se, decorrido o prazo de cento e oitenta dias, o julgamento não estiver concluído, cessará o afastamento do Presidente, sem prejuízo do regular prosseguimento do processo.

Doutrina

Cessação do afastamento. Cessará o afastamento do Presidente da República, que reassumirá o exercício das funções do cargo, se decorridos cento e oitenta dias, contados do recebimento da denúncia ou queixa-crime pelo STF, ou da instauração do processo pelo Senado Federal, o julgamento ainda não estiver concluído. Contudo, o processo terá prosseguimento regular.

§ 3.º Enquanto não sobrevier sentença condenatória, nas infrações comuns, o Presidente da República não estará sujeito a prisão.

Doutrina

Proibição de prisão preventiva. O objetivo da norma é o de impedir a decretação da prisão preventiva do Presidente da República antes de proferida sentença condenatória em processo e julgamento de crime comum.

Jurisprudência

> É inconstitucional, por usurpação de competência legislativa da União, norma inscrita em Carta de Estado-membro que estende ao Governador a imunidade à prisão cautelar e a qualquer processo penal por delitos estranhos ao exercício das funções governamentais. Ademais, trata-se de prerrogativas inerentes ao Presidente da República enquanto Chefe de Estado. (STF, DJ 1, 17.11.1995, p. 39.196).

§ 4.º O Presidente da República, na vigência de seu mandato, não pode ser responsabilizado por atos estranhos ao exercício de suas funções.

Doutrina

Responsabilidade por atos estranhos ao exercício do mandato. A norma exclui, na vigência do mandato, a responsabilidade do Presidente da República por crimes comuns praticados antes da investidura e também daqueles praticados durante o exercício de suas funções, desde que estranhos a estas. Contudo, isso não significa a consagração do princípio da irresponsabilidade penal absoluta e muito menos da exclusão da responsabilidade civil e, em qualquer hipótese de aplicação da norma, consequência inafastável é a da suspensão da prescrição.

Jurisprudência

"Presidente da República: responsabilidade penal por crimes comuns estranhos ao exercício de suas funções: histórico da questão no constitucionalismo republicano; solução vigente: imunidade processual temporária (CF, art. 86, § 4.º): consequente incompetência do STF para a ação penal eventualmente proposta, após extinto o mandato, por fato anterior à investidura nele do ex-Presidente da República; problema da prescrição. 1. O que o art. 86, § 4.º, confere ao Presidente da República não é imunidade penal, mas imunidade temporária à persecução penal: nele não se prescreve que o Presidente é irresponsável por crimes não funcionais praticados no curso do mandato, mas apenas que, por tais crimes, não poderá ser responsabilizado enquanto não cesse a investidura na presidência. 2. Da impossibilidade, segundo o art. 86 § 4.º, de que, enquanto dure o mandato, tenha curso ou se instaure processo penal contra o Presidente da República por crimes não funcionais, decorre que, se o fato é anterior à sua investidura, o Supremo Tribunal não será originariamente competente para a ação penal, nem consequentemente para o *habeas corpus* por falta de justa causa para o curso futuro do processo. 3. Na questão similar do impedimento temporário à persecução penal do Congressista, quando não concedida a licença para o processo, o STF já extraíra, antes que a Constituição o tornasse expresso, a suspensão do curso da prescrição, até a extinção do mandato parlamentar: deixa-se, no entanto, de dar força de decisão à aplicabilidade, no caso, da mesma solução, à falta de competência do Tribunal para, neste momento, decidir a respeito" (STF – Pleno, HC 83.154/SP, rel. Min. Sepúlveda Pertente, alteração de 26.02.2004).

A outorga de privilégio de natureza político-funcional ao Presidente da República, conferida pelo art. 86, § 4.°, da Constituição Federal, exclui-o, na vigência do mandato e por atos estranhos ao seu exercício, da ação persecutória do Estado. Por isso mesmo, a norma é excepcional e reclama exegese estrita, não se aplicando, pois, a qualquer situação jurídica extrapenal. (STF, Inq 927-0/SP, DJ 1, 23.02.1995, p. 3.507).

A norma inscrita no art. 86, § 4.° da Constituição Federal, não consagra o princípio da irresponsabilidade penal absoluta do Presidente da República. Portanto, o Chefe de Estado, nos ilícitos penais praticados *in officio* ou cometidos *propter officium*, poderá, mesmo durante a vigência do mandato, sofrer a persecução criminal, após prévia autorização da Câmara dos Deputados. (STF, RTJ, 146/467).

Seção IV
DOS MINISTROS DE ESTADO

Art. 87. Os Ministros de Estado serão escolhidos dentre brasileiros maiores de vinte e um anos e no exercício dos direitos políticos.

Doutrina

Ministros de Estado. São auxiliares diretos do Presidente da República, ocupantes de cargos comissionados ou de confiança, sendo, pois, livremente nomeados ou destituídos de suas pastas. São escolhidos dentre brasileiros, natos ou naturalizados, com idade mínima de vinte e um anos e no exercício dos direitos políticos, com a missão de assessorar o Presidente da República, gerir os serviços administrativos e implementar a política definida pelo Chefe do Executivo para a sua área.

Jurisprudência

> O Ministro de Estado é auxiliar do Presidente da República, competindo-lhe as atribuições descritas no art. 87, parágrafo único, da Constituição Federal. Portanto, não pode assumir compromisso, mesmo através de convênio, de praticar atos não previstos em lei. (TRF4, DJ 2, 12.09.1990, p. 20.739).

Parágrafo único. Compete ao Ministro de Estado, além de outras atribuições estabelecidas nesta Constituição e na lei:

Doutrina

Competências do Ministro de Estado. São o conjunto de atribuições cometidas ao Ministro de Estado pela Constituição ou pelas leis e mais aquelas delegadas pelo Presidente da República visando descentralizar a administração e garantir maior eficiência no desempenho da atividade pública. Assim, o rol inscrito nesta norma tem caráter meramente exemplificativo.

Jurisprudência

> Súmulas do STF: 194. "É competente o Ministro do Trabalho para a especificação das atividades insalubres." 460. "Para efeito do adicional de insalubridade, a perícia judicial em reclamação trabalhista não dispensa o enquadramento da atividade entre as insalubres, que é ato da competência do Ministro do Trabalho e Previdência Social."

I – exercer a orientação, coordenação e supervisão dos órgãos e entidades da administração federal na área de sua competência e referendar os atos e decretos assinados pelo Presidente da República;

Doutrina

Exercício da função administrativa. Enquanto o Presidente da República toma as decisões políticas e detém essa responsabilidade, ao Ministro de Estado cabe o exercício da função administrativa consistente na orientação, ou definição do rumo a seguir, coordenação, ou conjugação de esforços, e supervisão, ou fiscalização constante das atividades administrativas desenvolvidas pelos órgãos e entidades federais de sua área de competência.

Referendo de atos e decretos baixados pelo Presidente. O referendo, no sentido da norma constitucional, significa a aposição da assinatura do Ministro, nos atos e decretos baixados pelo Presidente da República, apenas com o sentido de autenticação e concordância, gerando, quando muito, corresponsabilidade política ao subscritor. A ausência do referendo não retira do ato a sua validade, pois esta funda-se na vontade política do Chefe do Executivo, titular da competência para a sua prática, sendo o referendo daquele apenas exigência formal.

Jurisprudência

> Sob a ótica institucional, o referendo é fato gerador de corresponsabilidade político-administrativa ao Ministro de Estado, não se constituindo em requisito de validade de ato ou decreto baixados pelo Presidente da República. (STF – Pleno, MS 22.706-1/MS, DJ 1, 05. 02.1997, p. 1.223).

II – expedir instruções para a execução de leis, decretos e regulamentos;

Doutrina

Instruções de caráter geral ou normativo. São normas gerais destinadas a aclarar o sentido das leis, decretos e regulamentos, com o objetivo de garantir-lhes fiel aplicação. Não poderão inovar na ordem jurídica, sob pena de ilegalidade, devendo apenas cumprir sua finalidade de orientação segundo a lei. Referidos atos são normalmente baixados pelo Ministro de Estado; porém, admitem delegação para autoridade subalterna, sendo comuns entre nós as instruções normativas firmadas, *v.g.*, pelo Secretário da Receita Federal.

Jurisprudência

> A competência constitucional para expedir instruções para a execução de leis, decretos e regulamentos é conferida ao Ministro de Estado, que pode, contudo, delegá-la para autoridade inferior na hierarquia administrativa, devendo esta desempenhar-se nos estritos limites da lei, sob pena de praticar ato abusivo. (TRF1, DJ 2, 10.12.1990, p. 29.859).

III – apresentar ao Presidente da República relatório anual de sua gestão no Ministério;

Doutrina

Relatório anual das atividades do Ministério. Compete ao Ministro de Estado fazer relatório anual das atividades desenvolvidas pelo seu Ministério, dando conta de sua gestão e expondo ao Presidente da República os resultados alcançados e os planos e programas de governo que pendem de execução.

IV – praticar os atos pertinentes às atribuições que lhe forem outorgadas ou delegadas pelo Presidente da República.

Doutrina

Prática de atos por outorga ou delegação de competência. Cabe ao Ministro de Estado praticar os atos que lhes foram cometidos por outorga ou delegação do Presidente da República. A norma é correlata ao disposto no art. 84, parágrafo único, que admite a delegação das atribuições relativas à organização e ao funcionamento da administração federal, na forma da lei; à concessão de indulto e comutação de penas, com audiência, se necessário, dos órgãos instituídos em lei; e ao provimento de cargos públicos, na forma da lei.

Art. 88. A lei disporá sobre a criação e extinção de Ministérios e órgãos da administração pública.

Doutrina

Ministérios. São órgãos autônomos da administração federal encarregados de exercer atividades específicas de seu âmbito de competência, integrando serviços da administração direta e coordenando aqueles cometidos a órgãos da administração indireta que lhes são vinculados. Depende de lei a criação, a estruturação e a divisão de atribuições dos Ministérios.

Jurisprudência

> "Ação direta de inconstitucionalidade. 2. Artigos 238 e 239 da Constituição do estado do Rio Grande do Sul. 3. Lei estadual n. 9.726/1992. 4. Criação do Conselho de Comunicação Social. 5. O art. 61, § 1.°, inciso II, alínea a da Constituição Federal, prevê reserva de iniciativa do chefe do Poder Executivo para criação e extinção de ministérios e órgão da administração pública. 6. É firme a jurisprudência desta Corte orientada pelo princípio da simetria de que cabe ao Governador do Estado a iniciativa de lei para criação, estruturação e atribuições de secretarias e de órgãos da administração pública. 7. Violação ao princípio da separação dos poderes, pois o processo legislativo ocorreu sem a participação do chefe do Poder Executivo. 8. Ação julgada procedente" (STF – Pleno, ADIN 821/RS, rel. Min. Gilmar Mendes, j. 02.09.2015).

Seção V
DO CONSELHO DA REPÚBLICA E DO CONSELHO DE DEFESA NACIONAL

Subseção I
Do Conselho da República

Art. 89. O Conselho da República é órgão superior de consulta do Presidente da República, e dele participam:

I – o Vice-Presidente da República;

II – o Presidente da Câmara dos Deputados;

III – o Presidente do Senado Federal;

IV – os líderes da maioria e da minoria na Câmara dos Deputados;

V – os líderes da maioria e da minoria no Senado Federal;

VI – o Ministro da Justiça;

VII – seis cidadãos brasileiros natos, com mais de trinta e cinco anos de idade, sendo dois nomeados pelo Presidente da República, dois eleitos pelo Senado Federal e dois eleitos pela Câmara dos Deputados, todos com mandato de três anos, vedada a recondução.

Doutrina

Conselho da República. É órgão colegiado destinado a assessorar o Presidente da República em relevantes questões de Estado. Trata-se de órgão equivalente ao Conselho de Estado instituído pela Constituição Política do Império e que exerceu importante papel na sua época.

Composição. O Conselho da República é integrado pelo Presidente da República, que o preside (art. 84, XVIII), pelo Vice-Presidente da República, pelos Presidentes da Câmara dos Deputados e do Senado Federal, pelos líderes da maioria e da minoria nas duas Casas do Congresso Nacional, pelo Ministro da Justiça e por seis cidadãos, brasileiros natos e com mais de trinta e cinco anos de idade, sendo todos detentores de mandato único de três anos.

Jurisprudência

> "(...). 1. Criação e atribuições de Conselho de Governo em conformidade com a Constituição Federal. Inconstitucionalidade da inclusão do procurador-geral de Justiça e dos presidentes dos Tribunais de Justiça e de Contas na composição do Conselho de Governo" (STF – Pleno, ADIN 106, rel. Min. Gilmar Mendes, DJ, 25.11.2005).

Art. 90. Compete ao Conselho da República pronunciar-se sobre:

I – intervenção federal, estado de defesa e estado de sítio;

II – as questões relevantes para a estabilidade das instituições democráticas.

Doutrina

Competência do Conselho da República. Ao Conselho da República compete manifestar a sua opinião com relação à intervenção federal, à decretação de estado de defesa ou estado de sítio e sobre questões relevantes para a preservação e estabilidade das instituições democráticas, assegurando-lhes normal funcionamento como garantia do Estado Democrático de Direito.

§ 1.º O Presidente da República poderá convocar Ministro de Estado para participar da reunião do Conselho,

quando constar da pauta questão relacionada com o respectivo Ministério.

Doutrina

Convocação de Ministro de Estado. A norma constitucional outorga ao Presidente da República a faculdade de convocar Ministro de Estado para participar de reunião do Conselho, isso quando constar da pauta assunto sobre o qual deve ser colhida a opinião ou ter a assessoria do ministro da área.

Jurisprudência

> O Ministro de Estado é auxiliar do Presidente da República, competindo-lhe as atribuições descritas no art. 87, parágrafo único, da Constituição Federal. Portanto, não pode assumir compromisso, mesmo através de convênio, de praticar atos não previstos em lei. (TRF4, DJ 2, 12.09.1990, p. 20.739).

§ 2.º A lei regulará a organização e o funcionamento do Conselho da República.

Doutrina

Organização e funcionamento do Conselho da República. Cabe à lei dispor sobre a organização dos serviços auxiliares do referido Conselho e seu funcionamento, mormente quanto ao processo decisório adotado pelo colegiado.

Subseção II
Do Conselho de Defesa Nacional

Art. 91. O Conselho de Defesa Nacional é órgão de consulta do Presidente da República nos assuntos relacionados com a soberania nacional e a defesa do Estado democrático, e dele participam como membros natos:

I – o Vice-Presidente da República;

II – o Presidente da Câmara dos Deputados;

III – o Presidente do Senado Federal;

IV – o Ministro da Justiça;

V – o Ministro de Estado da Defesa;

VI – o Ministro das Relações Exteriores;

VII – o Ministro do Planejamento;

VIII – os Comandantes da Marinha, do Exército e da Aeronáutica.

Doutrina

Conselho de Defesa Nacional. É órgão colegiado destinado a assessorar o Presidente da República em assuntos relacionados com a soberania nacional e a defesa do Estado Democrático de Direito. Trata-se de órgão equivalente ao Conselho de Segurança Nacional do direito anterior.

Composição. O Conselho de Defesa Nacional é integrado pelo Presidente da República, que o preside (art. 84, XVIII), pelo Vice-Presidente da República, pelos Presidentes da Câmara dos Deputados e do Senado Federal, pelo Ministro da Justiça, pelo Ministro de Estado da Defesa, pelo Ministro das Relações Exteriores, pelo Ministro do Planejamento e pelos Comandantes da Marinha, do Exército e da Aeronáutica. Estes são os membros permanentes ou natos, o que significa que a lei poderá agregar outros na condição de membros eventuais.

§ 1.º Compete ao Conselho de Defesa Nacional:

I – opinar nas hipóteses de declaração de guerra e de celebração da paz, nos termos desta Constituição;

II – opinar sobre a decretação do estado de defesa, do estado de sítio e da intervenção federal;

III – propor os critérios e condições de utilização de áreas indispensáveis à segurança do território nacional e opinar sobre seu efetivo uso, especialmente na faixa de fronteira e nas relacionadas com a preservação e a exploração dos recursos naturais de qualquer tipo;

IV – estudar, propor e acompanhar o desenvolvimento de iniciativas necessárias a garantir a independência nacional e a defesa do Estado democrático.

Doutrina

Competência do Conselho de Defesa Nacional. Ao Conselho de Defesa Nacional compete manifestar a sua opinião sobre: a declaração de guerra e a celebração da paz, nos termos da Constituição; a intervenção federal, a decretação de estado de defesa ou estado de sítio; os critérios e condições de uso efetivo de áreas indispensáveis à segurança nacional, especialmente aquelas localizadas em faixa de fronteira ou relacionadas com a preservação e exploração de recursos naturais; o desenvolvimento de iniciativas necessárias a garantir a independência nacional e a defesa do Estado Democrático de Direito.

Jurisprudência

> "(...). Somente à União, por atos situados na esfera de atuação do Poder Executivo compete instaurar, sequenciar e concluir formalmente o processo demar-

catório das terras indígenas, tanto quanto efetivá-lo materialmente, nada impedindo que o Presidente da República venha a consultar o Conselho de Defesa Nacional (inciso III do § 1.º do art. 91 da CF), especialmente se as terras indígenas a demarcar coincidirem com faixa de fronteira" (STF – Pleno, PET 3.388/RO, rel. Min. Carlos Britto, j. 19.03.2009).

§ 2.º A lei regulará a organização e o funcionamento do Conselho de Defesa Nacional.

Doutrina

Organização e funcionamento do Conselho de Defesa Nacional. Caberá à lei dispor sobre a organização dos serviços auxiliares do referido Conselho e seu funcionamento, mormente quanto à admissão de membros eventuais e ao processo decisório adotado pelo colegiado.

CAPÍTULO III
DO PODER JUDICIÁRIO

Seção I
DISPOSIÇÕES GERAIS

Art. 92. São órgãos do Poder Judiciário:

I – o Supremo Tribunal Federal;

I-A – o Conselho Nacional de Justiça;

II – o Superior Tribunal de Justiça;

II-A – o Tribunal Superior do Trabalho;

III – os Tribunais Regionais Federais e Juízes Federais;

IV – os Tribunais e Juízes do Trabalho;

V – os Tribunais e Juízes Eleitorais;

VI – os Tribunais e Juízes Militares;

VII – os Tribunais e Juízes dos Estados e do Distrito Federal e Territórios.

Doutrina

Poder Judiciário. É o Poder do Estado que tem por fim exercer a função jurisdicional, aplicando a lei contenciosamente. No Estado contemporâneo, em face da enorme gama de atribuições exercidas pelo Poder Executivo, mais se sobreleva o importante papel do Poder Judiciário visando a proteção das liberdades públicas e dos direitos individuais dos cidadãos. Além de sua função típica, o Poder Judiciário exerce ainda funções administrativas, quando organiza os seus serviços, e legislativas, quando dispõe sobre os regimentos internos dos tribunais.

Órgãos do Poder Judiciário. O Poder Judiciário é exercido apenas pelos órgãos descritos nos incisos desta norma e a criação de outros dependerá, sempre, de previsão constitucional expressa. Ao descrever todos os órgãos, tanto do Judiciário da União, quanto dos Estados, Distrito Federal e Territórios, a regra firma o caráter uno do Poder Judiciário.

Jurisprudência

> Súmula do STF: 339. "Não cabe ao Poder Judiciário, que não tem função legislativa, aumentar vencimentos de servidores públicos sob o fundamento de isonomia".
>
> "A Súmula 339/STF – cuja formulação presta obséquio ao postulado nuclear da separação de poderes – foi recebida, quanto ao seu enunciado, pela nova ordem constitucional promulgada em 1988, que erige o legislador como sujeito concretizante do princípio da isonomia." (STF – 1.ª Turma, RE 165.864-9, rel. Min. Celso de Mello, RTJ 147/931).
>
> Viola o princípio da separação dos Poderes norma da Constituição de Estado que institui Conselho Estadual de Justiça, integrado por membros da magistratura estadual, autoridades vinculadas a outros Poderes, advogados e representantes de serviços notariais e judiciários, destinado à fiscalização e acompanhamento do desempenho dos órgãos do Poder Judiciário (STF, DJU, 03.10.1997, p. 49.227).

§ 1.º O Supremo Tribunal Federal, o Conselho Nacional de Justiça e os Tribunais Superiores têm sede na Capital Federal.

§ 2.º O Supremo Tribunal Federal e os Tribunais Superiores têm jurisdição em todo o território nacional.

Doutrina

Supremo Tribunal Federal e Tribunais Superiores. O Supremo Tribunal Federal é o tribunal de cúpula do Poder Judiciário brasileiro, tendo a Constituição Federal criado ainda os seguintes tribunais superiores: o Superior Tribunal de Justiça, o Tribunal Superior do Trabalho, o Tribunal Superior Eleitoral e o Superior Tribunal Militar. Todos têm sede em Brasília – a capital da República – e jurisdição em todo o território nacional, o que reforça o caráter de unidade do Poder Judiciário.

Jurisprudência

> Súmulas do STF: 249. "É competente o STF para a ação rescisória quando, embora não tendo conhecido do recurso extraordinário, ou havendo negado provimento a agravo, tiver apreciado a questão federal controvertida." 515. "A competência para a ação rescisória não é do Supremo Tribunal Federal quando a questão federal, apreciada no recurso extraordinário ou no agravo de instrumento, seja diversa da que foi suscitada no pedido rescisório."

Art. 93. Lei complementar, de iniciativa do Supremo Tribunal Federal, disporá sobre o Estatuto da Magistratura, observados os seguintes princípios:

Doutrina

Estatuto da Magistratura. É o conjunto de normas que dispõe sobre a organização e o funcionamento do Poder Judiciário e sobre o regime jurídico aplicável aos magistrados. A iniciativa de lei dispondo sobre a matéria é exclusiva do Supremo Tribunal Federal e o estatuto será aprovado por meio de lei complementar.

Jurisprudência

O art. 93 da Constituição Federal veicula normas que mais traduzem diretrizes a serem seguidas, em caráter compulsório, pelo legislador do que regras dependentes de ulterior legislação e por isso mesmo independem, para atuação concreta, da promulgação do Estatuto da Magistratura (STF, RTJ, 132/66).

"Ação direta de inconstitucionalidade. 2. Artigo 154, VI, da Lei Complementar n.º 59, de 18 de janeiro de 2001, do Estado de Minas Gerais, que prevê hipótese de pena de demissão a magistrado em razão de procedimento incompatível com a dignidade, a honra e o decoro de suas funções, por decisão da maioria de votos dos membros da Corte Superior do Tribunal de Justiça, além dos casos previstos no art. 26 da Lei Orgânica da Magistratura Nacional – LOMAN; e artigo 156, da mesma lei complementar estadual, que prevê procedimentos a serem estabelecidos no Regimento Interno do Tribunal de Justiça do Estado de Minas Gerais – RI/TJMG para apuração de faltas e aplicação de penalidades, bem como para a decretação de remoção ou disponibilidade compulsórias. 3. Vício de inconstitucionalidade formal, por se tratar de matéria reservada ao Estatuto da Magistratura, de acordo com o art. 93, *caput*, da Constituição Federal. Precedentes: ADI n.º 2.880-MA, ADI n.º 3.053-PA, ADI n.º 3.224-AP. 4. Ação Direta de Inconstitucionalidade julgada procedente" (STF – Pleno, ADIN 3.227/MG, rel. Min. Gilmar Mendes, j. 26.04.2004).

"Ação direta de inconstitucionalidade. Regimento Interno do TJ/PE. Recondução de membros do Conselho da Magistratura. Inconstitucionalidade. 1. Até o advento da lei complementar prevista no artigo 93, *caput*, da Constituição de 1988, o Estatuto da Magistratura será disciplinado pelo texto da Lei Complementar n. 35/79, que foi recebida pela Constituição. Precedentes. 2. A regra contemplada no artigo 102 da LOMAN, que cuida dos mandatos dos membros dos órgãos colegiados de direção, proíbe a recondução. 3. Pedido de declaração de inconstitucionalidade julgado procedente" (STF – Pleno, ADIN 1.985/PE, rel. Min. Eros Grau, j. 03.03.2005).

"'Habeas Corpus' – 'Sursis' – Período de prova – Estipulação de prazo superior ao mínimo legal – Ausência de motivação – Constrangimento injusto caracterizado – Pedido deferido para que o tribunal apontado como coator motive, em caso de superação do mínimo legal, o prazo do 'sursis' concedido ao paciente. Os órgãos do Poder Judiciário, ao concederem ao sentenciado o benefício do 'sursis', devem fundamentar a decisão sempre que fixarem o período de prova em limite superior ao mínimo legal. Jurisprudência e doutrina" (STF – 1.ª Turma, HC 70.323/RJ, rel. Min. Celso de Mello, j. 08.06.1993).

"1. O art. 16 do Estatuto do Desarmamento (Lei 10.826/2003) é norma penal em branco que delega à autoridade executiva definir o que é arma de uso restrito. A norma infralegal não pode, contudo, revogar direito previsto no art. 33, V, da Lei Complementar n. 35/1979 – Lei Orgânica da Magistratura – e que implique ainda a criminalização da conduta. 2. A prerrogativa constante na LOMAN não faz distinção do direito ao porte de arma e munições de uso permitido ou restrito, desde que com a finalidade de defesa pessoal dos magistrados. Paralelismo entre magistrado de segundo grau e conselheiro de tribunais de contas estaduais reconhecido constitucionalmente. 3. Não se trata de hierarquia entre lei complementar e ordinária, mas de invasão de competência reservada àquela por força do art. 93 da Constituição de 1988, que prevê lei complementar para o Estatuto da Magistratura. Conflito de normas que se resolve em favor daquela mais benéfica para abranger o direito também em relação à arma e munição de uso restrito. 4. A Portaria do Comando do Exército 209/2014 autoriza membro do Ministério Público da União ou da magistratura a adquirir até duas armas de uso restrito (ponto 357 Magnum e ponto 40) sem mencionar pistolas 9mm. É indiferente reconhecer a *abolitio criminis* por analogia, diante de lei própria a conferir direito de porte aos magistrados. 5. Denúncia julgada improcedente com fundamento no art. 386, III, do CPP" (STJ – Corte Especial, AP 657/DF, rel. Min. João Otávio de Noronha, DJE, 29.10.2015).

I – ingresso na carreira, cujo cargo inicial será o de juiz substituto, através de concurso público de provas e títulos, com a participação da Ordem dos Advogados do Brasil em todas as fases, exigindo-se do bacharel em direito, no mínimo, três anos de atividade jurídica e obedecendo-se, nas nomeações, à ordem de classificação;

Doutrina

Ingresso na magistratura. Será feito sempre no cargo de juiz substituto, inicial da carreira, através de concurso público de provas e títulos, organizado pelo tribunal interessado, com a participação, em todas as fases do certame, de representantes da Ordem dos Advogados do Brasil, sendo as nomeações feitas segundo rigorosa ordem de classificação.

Jurisprudência

A aprovação em curso de preparação à magistratura não dispensa o candidato de fazer prova do exercício, pelo período mínimo de dois anos, da advocacia ou de cargo para o qual se exija o bacharelado em Direito, pois este requisito decorre de lei. (TRF4, DJ 2, 21.02.1990, p. 2.526).

II – promoção de entrância para entrância, alternadamente, por antiguidade e merecimento, atendidas as seguintes normas:

a) é obrigatória a promoção do juiz que figure por três vezes consecutivas ou cinco alternadas em lista de merecimento;

b) a promoção por merecimento pressupõe dois anos de exercício na respectiva entrância e integrar o juiz a primeira quinta parte da lista de antiguidade desta, salvo se não houver com tais requisitos quem aceite o lugar vago;

c) aferição do merecimento conforme o desempenho e pelos critérios objetivos de produtividade e presteza e segurança no exercício da jurisdição e pela frequência e aproveitamento em cursos reconhecidos de aperfeiçoamento;

d) na apuração da antiguidade, o tribunal somente poderá recusar o juiz mais antigo pelo voto fundamentado de dois terços de seus membros, conforme procedimento próprio, e assegurada ampla defesa, repetindo-se a votação até fixar-se a indicação;

e) não será promovido o juiz que, injustificadamente, retiver autos em seu poder além do prazo legal, não podendo devolvê-los ao cartório sem o devido despacho ou decisão;

Doutrina

Critérios de promoção. A norma constitucional consagra o critério misto de promoção por antiguidade e merecimento, sempre de forma alternada. Nos juízos estaduais, organizados em entrâncias, a promoção se dará da inferior para a imediatamente superior, segundo o disposto na lei de organização judiciária. Além disso, o processo de promoção deverá obedecer ao seguinte: a) promoção compulsória do juiz que figurar por três vezes consecutivas ou cinco alternadas em lista de merecimento; b) exigência de interstício mínimo de dois anos de exercício na entrância, além de integrar o juiz a primeira quanta parte da lista de antiguidade desta, salvo se não houver com tais requisitos quem aceite o cargo vago; c) aferição do merecimento através da presteza, ou forma expedita, rápida e eficiente, e segurança, quer dizer, correção e acerto nas decisões proferidas, além de frequência e aproveitamento em cursos de aperfeiçoamento reconhecidos pelo Judiciário; d) a recusa do juiz mais antigo, na promoção por antiguidade, somente se dará pelo voto de dois terços dos membros do tribunal, na forma do procedimento próprio, repetindo-se a votação até fixar-se a indicação.

Jurisprudência

> Súmula do STF: 40. "A elevação da entrância da comarca não promove automaticamente o juiz, mas não interrompe o exercício de suas funções na mesma comarca."
>
> A norma inscrita em ato regimental emanado de Tribunal de Justiça, estabelecendo a antiguidade na entrância como elemento de desempate nas promoções por merecimento, viola o art. 93 da Constituição Federal, pois desestrutura a dualidade de critérios estabelecida para acesso aos tribunais de segundo grau. (STF, RTJ, 138/371).
>
> O merecimento deve ser aferido de acordo com os critérios fixados na alínea *c*, inciso II, do art. 93 da Constituição Federal, pois a obrigatoriedade da promoção do magistrado somente ocorre na hipótese da alínea *a* do mesmo artigo. Ato normativo primário ou secundário não pode privilegiar a antiguidade, na promoção de magistrado por merecimento, mais do que faz a norma constitucional. (STF, RTJ, 138/371).

III – o acesso aos tribunais de segundo grau far-se-á por antiguidade e merecimento, alternadamente, apurados na última ou única entrância;

Doutrina

Critérios de promoção para o segundo grau. Também aqui a norma constitucional consagra o critério misto de promoção, alternando antiguidade e merecimento apurados sempre na última entrância. A promoção se dará da última entrância do primeiro grau para o Tribunal de Justiça, sempre atendidas as normas do inciso II e a classe de origem do interessado, quer dizer, antiguidade e merecimento se apuram de forma separada nas classes dos juízes de carreira, do Ministério Público e dos advogados.

Jurisprudência

> O provimento dos cargos judiciários dos tribunais de segundo grau é de competência do próprio Tribunal de Justiça e não mais do Governador de Estado. A nova Carta Política consagra a regra como postulado de autogoverno do Judiciário. (STF, RDA, 188/100).
>
> A escolha de juiz para a substituição de desembargador se dá entre os integrantes do Tribunal de Alçada, onde houver, restando recepcionado pela Constituição o art. 118, § 3.°, III, da LOMAN, não alterado pela LC 54/85 (STF, RTJ, 141/930).
>
> Da interpretação dos arts. 93, III, parte final, e 94, parágrafo único, da Constituição Federal, decorre que os juízes que integram, pelo quinto, Tribunal de Alçada, somente concorrem ao Tribunal de Justiça disputando as vagas reservadas à sua classe. (STJ, RSTJ, 62/173).

IV – previsão de cursos oficiais de preparação, aperfeiçoamento e promoção de magistrados, constituindo etapa obrigatória do processo de vitaliciamento a parti-

cipação em curso oficial ou reconhecido por escola nacional de formação e aperfeiçoamento de magistrados;

Doutrina

Preparação e aperfeiçoamento de magistrados. A lei complementar deverá dispor sobre cursos oficiais de preparação para o ingresso na magistratura e de aperfeiçoamento de magistrados como requisito para a promoção na carreira. Referidos cursos são organizados sob a supervisão da Escola Nacional de Formação e Aperfeiçoamento de Magistrados (ENFAM) e ministrados no âmbito das Escolas de Magistrados ligadas aos respectivos tribunais de justiça.

Jurisprudência

> A aprovação em curso de preparação à magistratura não dispensa o candidato de fazer prova do exercício, pelo período mínimo de dois anos, da advocacia ou de cargo para o qual se exija o bacharelado em Direito, pois este requisito decorre de lei. (TRF4, DJ 2, 21.02.1990, p. 2.526).

V – o subsídio dos Ministros dos Tribunais Superiores corresponderá a 95% (noventa e cinco por cento) do subsídio mensal fixado para os Ministros do Supremo Tribunal Federal e os subsídios dos demais magistrados serão fixados em lei e escalonados, em nível federal e estadual, conforme as respectivas categorias da estrutura judiciária nacional, não podendo a diferença entre uma e outra ser superior a 10% (dez por cento) ou inferior a 5% (cinco por cento), nem exceder a 95% (noventa e cinco por cento) do subsídio mensal dos Ministros dos Tribunais Superiores, obedecido, em qualquer caso, o disposto nos arts. 37, XI, e 39, § 4.º;

Doutrina

Escalonamento da remuneração da magistratura. A norma estabelece uma escala para a remuneração das diversas carreiras da magistratura. Assim, o subsídio dos Ministros do STF corresponderá a cem por cento do valor fixado; o subsídio dos Ministros dos Tribunais Superiores corresponderá a noventa e cinco por cento do valor daquele fixado para os Ministros do STF; e o subsídio dos demais magistrados será fixado em lei, não podendo exceder a noventa e cinco por cento do valor do subsídio de Ministro de Tribunal Superior e nem fixar diferença entre uma e outra categoria da estrutura judiciária superior a dez por cento ou inferior a cinco por cento.

Jurisprudência

> "A norma inscrita no art. 93, V, da Carta Política, ao consagrar uma garantia subjetiva de carreira em favor dos magistrados, encerra clara limitação ao poder de legislar do Estado, que não deverá, no concreto desempenho de sua atividade legislativa, afastar-se do modelo federal. O único espaço de liberdade decisória possível reservado ao legislador ordinário nessa matéria é aquele que lhe permite reduzir essa diferença percentual, eis que, em assim procedendo, o Poder Público estará conferindo maior intensidade ao postulado constitucional que objetiva tutelar e resguardar a situação financeira dos magistrados." (STF – Pleno, ADIN 764/PI, rel. Min. Celso de Mello, RTJ, 153/756).

VI – a aposentadoria dos magistrados e a pensão de seus dependentes observarão o disposto no art. 40;

Doutrina

Aposentadoria de magistrado e pensão de dependentes. Tanto a aposentadoria do magistrado quanto a pensão de seus dependentes observarão as regras gerais do regime geral de previdência fixadas pelo art. 40 da Constituição.

Jurisprudência

Da interpretação dos arts. 93, VI, 101, 104, parágrafo único, 107, 111, § 1.º e 125, da Constituição Federal, decorre que advogado com mais de sessenta e cinco anos de idade não pode figurar como candidato, em lista sêxtupla, para o cargo de desembargador de Tribunal de Justiça, em vaga reservada ao quinto constitucional, pois ser-lhe-á impossível implementar a condição de cinco anos de efetivo exercício na judicatura antes de aposentar-se por limite de idade. (TRF1, DJ 2, 03.05.1993, p. 15.734).

VII – o juiz titular residirá na respectiva comarca, salvo autorização do tribunal;

Doutrina

Residência do juiz. Deverá ser na sede da comarca e os objetivos são os de facilitar o atendimento de situações urgentes, garantir presença constante do magistrado na sua sede e aumentar a eficiência no exercício da judicatura. A norma aplica-se apenas aos juízes de primeiro grau.

VIII – o ato de remoção ou de disponibilidade do magistrado, por interesse público, fundar-se-á em decisão por voto da maioria absoluta do respectivo tribunal ou do Conselho Nacional de Justiça, assegurada ampla defesa;

Doutrina

Exceções ao princípio da inamovibilidade. Os magistrados são inamovíveis para garantia do correto e integral desempenho das atividades judicantes. Porém, razões de interesse público, normalmente ligadas à boa administração da Justiça, poderão ditar a conveniência ou a necessidade de excepcionar-se o princípio para impor ao juiz: a) *a sua remoção*, ou transferência de uma sede para outra; b) *a sua disponibilidade*, ou afastamento da atividade judicante.

Natureza jurídica e procedimento. Os atos de remoção, disponibilidade e aposentadoria compulsória são punições aplicadas aos magistrados e por isso mesmo devem fundar-se em razão de relevante interesse público, sendo a decisão tomada pelo voto de dois terços dos membros do tribunal a que se ache vinculado o juiz, em procedimento administrativo que lhe assegure os mais amplos recursos de defesa.

Jurisprudência

> A ampla defesa e o contraditório previstos no art. 93, VIII, da Constituição Federal aplicam-se apenas aos casos de remoção, disponibilidade e aposentadoria por interesse público e não às hipóteses de ato não punitivo, de simples rotina administrativa ou em obediência a comando emanado de norma legal. (STF, Ementário 1.764-01, p. 77).

VIII-A – a remoção a pedido ou a permuta de magistrados de comarca de igual entrância atenderá, no que couber, ao disposto nas alíneas *a*, *b*, *c* e *e* no inciso II;

Doutrina

Remoção a pedido ou permuta. A remoção a pedido ou a permuta, desde que entre juízes de igual entrância, é permitida se obedecidas as disposições constantes das alíneas *a*, *b*, *c* e *e*, do inciso II do artigo em tela, quer tratam de requisitos necessários para a promoção do magistrado.

IX – todos os julgamentos dos órgãos do Poder Judiciário serão públicos, e fundamentadas todas as decisões, sob pena de nulidade, podendo a lei limitar a presença, em

determinados atos, às próprias partes e a seus advogados, ou somente a estes, em casos nos quais a preservação do direito à intimidade do interessado no sigilo não prejudique o interesse público à informação;

Doutrina

Publicidade dos julgamentos. Os julgamentos dos órgãos do Poder Judiciário serão realizados publicamente, podendo qualquer do povo ter acesso aos recintos dos juízos. Contudo, a lei, em face de interesse público relevante, poderá limitar a presença em determinados atos apenas às partes e a seus advogados, ou somente a estes, realizando-se o ato a portas fechadas. O que se proíbe são os julgamentos em sessão secreta.

Dever de fundamentar as decisões. As decisões judiciais, como as sentenças e os acórdãos, deverão, necessariamente, ser motivadas, pois a ausência de motivação pode conduzir à nulidade das mesmas. Fundamentar é declinar as razões de fato e de direito que oferecem supedâneo ao convencimento do julgador.

Jurisprudência

> "O que a Constituição exige, no inciso IX do art. 93, é que o juiz ou o tribunal dê as razões de seu convencimento. A Constituição não exige que a decisão seja amplamente fundamentada, extensamente fundamentada, dado que a decisão com motivação sucinta é decisão motivada" (STF – 2.ª Turma, AgI 177.283-3/DF AgRg, rel. Min. Carlos Velloso, DJ 1, 03.05.1996, p. 13.913).

> "As sentenças devem conter fundamentação que, tanto quanto possível, leve as partes ao convencimento sobre o acerto do que decidido. Da mesma forma em que se exige, para deferimento do *sursis*, a motivação, caminha-se para a declaração de nulidade de acórdão mediante o qual é cassado, quando ausente qualquer fundamentação" (STF – 2.ª Turma, HC 72.384-5/MG, rel. Min. Marco Aurélio, DJ 1, 09.06.1995, p. 17.234).

"(...). 6. Na concreta situação dos autos, o ato impugnado não contém o conteúdo mínimo da garantia constitucional da fundamentação real das decisões judiciais. Decisão constritiva que simplesmente apontou o óbice à liberdade provisória, contido no art. 44 da Lei 11.343/2006, para restabelecer a prisão cautelar do paciente. O que não tem a força de preencher a finalidade da garantia que se lê na segunda parte do inciso LXI do art. 5.° e na parte inicial do inciso IX do art. 93 da Constituição e sem a qual não se viabiliza a ampla defesa, nem se afere o dever do juiz de se manter equidistante das partes processuais em litígio. Garantia processual que circunscreve o magistrado a coordenadas objetivas de imparcialidade e possibilita às partes conhecer os motivos que levaram o julgador a decidir neste ou naquele sentido. 7. A garantia da fundamentação importa o dever judicante da real ou efetiva demonstração de que a segregação atende a pelo menos um dos requisitos do art. 312 do Código de Processo Penal" (STF – 2.ª Turma, HC 111.166/MT, rel. Min. Ayres Britto, j. 13.12.2011).

"(...). 2. Em matéria de prisão provisória, a garantia da fundamentação das decisões judiciais consiste na demonstração da necessidade da custódia cautelar, a teor do inciso LXI do art. 5.° da Carta Magna e do art. 312 do Código de Processo Penal. A falta de fundamentação do decreto de prisão inverte a lógica elementar a Constituição, que presume a não culpabilidade do indivíduo até o momento do trânsito em julgado de sentença penal condenatória (inciso LVII do art. 5.° da CF)" (STF – 1.ª Turma, HC 97.523/SP, rel. Min. Carlos Britto, j. 30.06.2009).

"A função judicial é prática, só lhe importando as teses discutidas no processo enquanto necessárias ao julgamento da causa. Nessa linha, o juiz não precisa, ao julgar procedente a ação, examinar-lhe todos os fundamentos. Se um deles é suficiente para esse resultado, não está obrigado ao exame dos demais" (STJ – 2.ª

Turma, REsp 15.450/SP, rel. Min. Ari Pargendler, DJU, 06.05.1996, p. 14.399).

"No ápice da pirâmide da hierarquia das leis encontra-se a Constituição; os seus princípios devem prevalecer sobre todos os demais. No vertente caso, foi preterido o cânone do inciso IX do art. 93 do Texto Constitucional – publicidade dos julgamentos dos órgãos do Poder Judiciário; logo, a sanção prevista no dispositivo – nulidade –, deve ser cominada ao julgamento secreto." (STJ – 6.ª Turma, ROMS 3.340/PI, rel. Min. Pedro Acioli, DJ 1, de 18.04.1994, p. 8.528).

X – as decisões administrativas dos tribunais serão motivadas e em sessão pública, sendo as disciplinares tomadas pelo voto da maioria absoluta de seus membros;

Doutrina

Motivação das decisões administrativas. Também as decisões administrativas dos tribunais deverão ser motivadas e, no caso de aplicação de medidas de caráter disciplinar, a decisão será tomada pelo voto da maioria absoluta de seus membros.

Jurisprudência

"O ato administrativo do Tribunal recorrido está motivado e atende satisfatoriamente ao art. 93, X, da Constituição. A ampla defesa e o contraditório previstos no inciso VIII do mesmo artigo aplicam-se apenas aos casos de remoção, disponibilidade e aposentadoria por interesse público; não se aplicam a ato não punitivo, de rotina administrativa e em obediência a comando legal." (STF – 2.ª Turma, ROMS 21.950/DF, rel. Min. Paulo Brossard, Ementário, 1.764-01, p. 77).

"Distinguem-se as sessões dos órgãos administrativos dos tribunais – que se podem realizar a portas fechadas – daquelas apropriadas aos órgãos jurisdicionais, com julgamentos públicos (portas abertas), conforme os lineamentos estabelecidos no art. 93, IX e X, da CF." (STJ – 1.ª Turma, ROMS 628/RS, rel. Min. Milton Luiz Pereira, DJ 1, 18.10.1993, p. 21.835).

XI – nos tribunais com número superior a vinte e cinco julgadores poderá ser constituído órgão especial, com o mínimo de onze e o máximo de vinte e cinco membros, para o exercício das atribuições administrativas e jurisdicionais da competência do tribunal pleno, provendo-se metade das vagas por antiguidade e a outra metade por eleição pelo tribunal pleno.

Doutrina

Criação e composição do órgão especial. A norma constitucional autoriza, nos tribunais compostos por mais de vinte e cinco julgadores, a criação de órgão especial, cuja composição será de no mínimo onze e no máximo vinte e cinco membros, com a finalidade de exercer atribuições administrativas e também jurisdicionais de competência do tribunal pleno. O objetivo da medida é tornar mais céleres as decisões de natureza administrativa ou jurisdicionais afetas ao tribunal.

Jurisprudência

O órgão especial previsto no art. 93, XI, da Constituição Federal, pode ser instituído através de ato regimental emanado do próprio Tribunal de Justiça, como manifestação do autogoverno da magistratura previsto no art. 96, I, a, da mesma Carta. (STF, Ementário, 1747-01, p. 96).

XII – a atividade jurisdicional será ininterrupta, sendo vedado férias coletivas nos juízos e tribunais de segundo grau, funcionando, nos dias em que não houver expediente forense normal, juízes em plantão permanente;

Doutrina

Proibição de férias coletivas em segundo grau. Decreta a norma constitucional em foco o exercício ininterrupto da atividade jurisdicional no âmbito de juízos e tribunais de segundo grau, vedando as férias coletivas. Contudo, nos dias em que não houver expediente forense normal, deverão atuar juízes em regime de plantão permanente para assegurar a prestação jurisdicional ao cidadão.

XIII – o número de juízes na unidade jurisdicional será proporcional à efetiva demanda judicial e à respectiva população;

Doutrina

Critério de lotação de magistrados nas unidades jurisdicionais. O número de juízes em determinada comarca, sessão ou subseção judiciárias será estabelecido mediante regra de proporcionalidade em face da demanda e da população.

XIV – os servidores receberão delegação para a prática de atos de administração e atos de mero expediente sem caráter decisório;

Doutrina

Delegação para a prática de atos administrativos ou de mero expediente. Os chamados atos de administração e os atos de mero expediente, destituídos de carga decisória, poderão ser objeto de delegação para servidores que portem qualificação para tanto.

XV – a distribuição de processos será imediata, em todos os graus de jurisdição.

Doutrina

Distribuição imediata de processos. Por meio da distribuição reparte-se, quando existente mais de um juiz na unidade jurisdicional, a carga de trabalho e define-se o magistrado competente para conhecer e decidir o processo. Dispõe a norma constitucional que esta distribuição será feita imediatamente, não importando o grau de jurisdição.

Art. 94. Um quinto dos lugares dos Tribunais Regionais Federais, dos tribunais dos Estados, e do Distrito Federal e Territórios será composto de membros, do Ministério Público, com mais de dez anos de carreira, e de advogados de notório saber jurídico e reputação ilibada, com mais de dez anos de efetiva atividade profissional, indicados em lista sêxtupla pelos órgãos de representação das respectivas classes.

Doutrina

Composição dos tribunais pelo quinto constitucional. A norma constitucional reserva aos membros do Ministério Público, com mais de dez anos de carreira, e aos advogados de notório saber jurídico, reputação ilibada e mais de dez anos de efetiva atividade profissional, um quinto das vagas nos Tribunais Regionais Federais, Tribunais dos Estados (inclusive tribunais militares), Tribunal do Distrito Federal e dos Territórios. Serão indicados em lista sêxtupla pelos órgãos de representação de suas respectivas classes, ou seja, o Conselho Superior do Ministério Público e a Ordem dos Advogados do Brasil.

Exceção ao princípio do quinto constitucional. Não se aplica o princípio do quinto constitucional na composição dos Tribunais Regionais Eleitorais, pois o art. 120, § 1.º, III, já prevê a nomeação de dois de seus membros dentre advogados indicados pelo Tribunal de Justiça em lista sêxtupla.

Jurisprudência

"Um quinto da composição dos Tribunais Regionais Federais será de juízes oriundos da advocacia e do Ministério Público Federal. Esta é uma norma constitucional expressa, que há de prevalecer sobre a norma implícita, que decorre da norma expressa, no sentido de que, se um quinto é dos advogados e membros do Ministério Público Federal, quatro quintos serão dos juízes de carreira. Observada a regra de hermenêutica – a norma expressa prevalece sobre a norma implícita – força é convir que, se o número total da composição não for múltiplo de cinco, arredonda-se a fração – superior ou inferior a meio – para cima, obtendo-se, então, o número inteiro seguinte. É que, se assim não for feito, o Tribunal não terá, na sua composição, um quinto de juízes oriundos da advocacia e do Ministério Público Federal, com descumprimento da norma constitucional (CF, art. 94 e art. 107, I)" (STF – Pleno, MS 22.323-5/SP, rel. Min. Carlos Velloso, DJ 1, 19.04.1996, p. 12.213).

"(...). II. O 'quinto constitucional' na ordem judiciária constitucional brasileira: fórmula tradicional, a partir de 1934 – de livre composição pelos tribunais da lista de advogados ou de membros do Ministério Público – e a fórmula de compartilhamento de poderes entre as entidades corporativas e os órgãos judiciários na seleção dos candidatos ao 'quinto constitucional' adotada pela Constituição vigente (CF, art. 94 e parágrafo único). 1. Na vigente Constituição da República – em relação aos textos constitucionais anteriores – a seleção originária dos candidatos ao 'quinto' se transferiu dos tribunais para 'os órgãos de representação do Ministério Público e da advocacia' –, incumbidos da composição das listas sêxtuplas – restando àqueles, os tribunais, o poder de reduzir a três os seis indicados pelo MP ou pela OAB, para submetê-los à escolha final do Chefe do Poder Executivo. 2. À corporação do Ministério Público ou da advocacia, conforme o caso, é que a Constituição atribuiu o primeiro juízo de valor positivo atinente à qualificação dos seis nomes que indica para o ofício da judicatura de cujo provimento se cogita. 3. Pode o Tribunal recusar-se a compor a lista tríplice dentre os seis indicados, se tiver razões objetivas para recusar a algum, a alguns ou a todos eles, as qualificações pessoais reclamadas pelo art. 94 da Constituição (v.g. mais de dez anos de carreira no MP ou de efetiva atividade profissional na advocacia). 4. A questão é mais delicada se a objeção do Tribunal fundar-se na carência dos atributos de 'notório saber jurídico' ou de 'reputação ilibada': a respeito de ambos esses requisitos constitucionais, o poder de emitir juízo negativo ou positiva se transferiu, por força do art. 94 da Constituição, dos Tribunais de cuja composição se trate para a entidade de classe correspondente. 5. Essa transferência de poder não elide, porém, a possibilidade de o tribunal recusar a indicação de um ou mais dos componentes da lista sêxtupla, à falta de requisito constitucional para a investidura, desde que fundada a recusa em razões objetivas, declinadas na motivação da deliberação do órgão competente do colegiado judiciário. 6. Nessa hipótese ao Tribunal envolvido jamais se há de reconhecer o poder de substituir a lista sêxtupla encaminhada pela respectiva entidade de classe por outra lista sêxtupla que o próprio órgão judicial componha, ainda que constituída por advogados componentes de sextetos eleitos pela Ordem para vagas diferentes. 7. A solução harmônica à Constituição é a devolução motivada da lista sêxtupla à corporação da qual emanada, para que a refaça, total ou parcialmente, conforme o número de candidatos desqualificados: dissentindo a entidade de classe, a ela restará questionar em juízo, na via processual adequada, a rejeição parcial ou total do tribunal competente às suas indicações" (STF – Pleno, MS 25.624/SP, rel. Min. Sepúlveda Pertence, j. 06.09.2006).

Parágrafo único. Recebidas as indicações, o tribunal formará lista tríplice, enviando-a ao Poder Executivo, que, nos vinte dias subsequentes, escolherá um de seus integrantes para nomeação.

Doutrina

Elaboração da lista tríplice. Ao receber a lista sêxtupla, elaborada pelo órgão de representação de classe, o tribunal interessado decidirá quais os nomes que deverão integrar a lista tríplice, sendo esta enviada ao Chefe do Poder Executivo, que, dentro do prazo de vinte dias, escolherá um de seus integrantes para nomeação.

Jurisprudência

> "É materialmente administrativo e não jurisdicional o ato de Tribunal relativo à composição de lista tríplice a ser encaminhada ao Poder Executivo, com vistas ao provimento de cargo do Colegiado. Dá-se, nessa hipótese, exercício de competência que se insere entre as atribuições referentes à autonomia administrativa e autogoverno dos tribunais, na forma da Constituição" (STF – Pleno, MS 21.814/MS, rel. Min. Néri da Silveira, Ementário 1.748-01, p. 94).

Art. 95. Os juízes gozam das seguintes garantias:

Doutrina

Garantias dos juízes. As garantias conferidas aos juízes, enquanto órgãos do Poder Judiciário, visam a assegurar-lhes condições para o exercício da judicatura com independência e imparcialidade. As garantias de independência são as da vitaliciedade, inamovibilidade e irredutibilidade de subsídio; as garantias de imparcialidade são as proibições impostas aos magistrados quanto ao exercício de atividade profissional ou político-partidária e percepção de custas ou participação em processos.

I – vitaliciedade, que, no primeiro grau, só será adquirida após dois anos de exercício, dependendo a perda do cargo, nesse período, de deliberação do tribunal a que o juiz estiver vinculado, e, nos demais casos, de sentença judicial transitada em julgado;

Doutrina

Vitaliciedade do magistrado. É a condição do juiz vitalício, que adquire a titularidade do cargo por toda a vida. O objetivo da vitaliciedade é o de assegurar ao magistrado independência para o exercício da judicatura, sendo, pois, prerrogativa da instituição e não pessoal do juiz, que apenas se acha dela investido. A condição de vitalício adquire-se: a) *no primeiro grau*, após dois anos de exercício, dependendo a perda do cargo, nesse período, de decisão do tribunal a que o juiz estiver vinculado e, nas demais hipóteses, somente após sentença judicial transitada em julgado; b) *no segundo grau e nos tribunais superiores*, desde a posse, nos casos de magistrados oriundos do quinto constitucional, pois os de carreira já adquiriram a condição no primeiro grau.

Jurisprudência

> "O art. 100, §§ 2.º e 3.º, da Constituição do Estado de Minas Gerais não briga com o art. 95, I, da Constituição Federal. Ao contrário, com ele se harmoniza. O período de dois anos para aquisição da vitaliciedade do magistrado de carreira fica sustado, *pendente conditione*: término do processo administrativo. No caso concreto, não tendo o Tribunal afastado o juiz de sua atividade judicante e lhe aplicado pena menor (censura), encerrado ficou seu direito de punir" (STJ – 6.ª Turma, ROMS 4.012/MG, rel. Min. Adhemar Maciel, DJ 1, de 19.12.1994, p. 35.330).

II – inamovibilidade, salvo por interesse público, na forma do art. 93, VIII;

Doutrina

Inamovibilidade do magistrado. É a condição do magistrado de ser irremovível do cargo que titulariza, salvo quando aceita promoção, pede remoção, ou esta ocorre em face de interesse público, fundando-se o ato, neste caso, em decisão por voto de dois terços dos membros do tribunal a que estiver vinculado.

Jurisprudência

> "A garantia de inamovibilidade de magistrado está regulada nos casos de remoção, promoção e mudança da sede do juízo, hipóteses em que ele ocupa um cargo, art. 95, II, 1.ª parte, da Constituição Federal e arts. 30 e 31 da Loman, Lei Complementar 35/79, nem a Constituição nem a Loman atribuíram a garantia de inamovibilidade ao magistrado em disponibilidade que não ocupa cargo" (STF – 2.ª Turma, ROMS 21.950/DF, rel. Min. Paulo Brossard, Ementário 1.764-01, p. 77).

III – irredutibilidade de subsídio, ressalvado o disposto nos arts. 37, X e XI, 39, § 4.°, 150, II, 153, III, e 153, § 2.°, I.

Doutrina

Irredutibilidade nominal de subsídio. É a garantia conferida aos magistrados de que o subsídio não sofrerá redução em seu valor nominal. Objetiva-se, com isso, resguardar o juiz da pressão econômica como instrumento de persuasão a obstar ou anular a sua independência. Contudo, referido subsídio somente será fixado por lei específica, não poderá ser superior ao pago, em espécie, aos Ministros do STF e está sujeito à incidência dos impostos de caráter geral, inclusive o de renda e proventos de qualquer natureza.

Jurisprudência

> "A garantia constitucional da irredutibilidade de vencimentos dos magistrados não implica que se proceda à revisão automática desses vencimentos em vir-

tude da desvalorização da moeda, sendo que esse reajustamento só poderá decorrer de lei de iniciativa do Chefe do Poder Executivo" (STF – 1.ª Turma, RE 117.857/SP, rel. Min. Moreira Alves, RTJ, 134/429).

Parágrafo único. Aos juízes é vedado:

I – exercer, ainda que em disponibilidade, outro cargo ou função, salvo uma de magistério;

II – receber, a qualquer título ou pretexto, custas ou participação em processo;

III – dedicar-se a atividade político-partidária;

IV – receber, a qualquer título ou pretexto, auxílios ou contribuições de pessoas físicas, entidades públicas ou privadas, ressalvadas as exceções previstas em lei;

V – exercer a advocacia no juízo ou tribunal no qual se afastou, antes de decorridos três anos do afastamento do cargo por aposentadoria ou exoneração.

Doutrina

Garantias de imparcialidade. As vedações se constituem em garantias de imparcialidade do magistrado. Assim sendo, aos juízes é proibido: a) *exercer outro cargo ou função, exceto uma de magistério*, quer dizer, é vedado exercer qualquer cargo ou função, públicos ou privados, ainda que em disponibilidade, salvo um cargo ou uma função no magistério de qualquer grau; b) *receber custas ou participação em processo*, quer dizer, receber qualquer soma em dinheiro a título de custas ou despesas ou participação de natureza financeira ou patrimonial; c) *dedicar-se a atividade político-partidária*, quer dizer, fundar ou filiar-se a partido político ou participar de suas atividades institucionais ou eleitorais. A norma não proíbe a participação em associações de magistrados.

Jurisprudência

A Constituição Federal, nos seus arts. 37, XVI, e 95, parágrafo único, I, veicula vedações expressas das quais decorre a proibição implícita de acumulação de proventos da aposentadoria no cargo de juiz estadual com os vencimentos decorrentes do exercício da judicatura federal (TRF3, DJ 2, 05.12.1995, p. 84.304/5).

Art. 96. Compete privativamente:

I – aos tribunais:

a) eleger seus órgãos diretivos e elaborar seus regimentos internos, com observância das normas de processo e das garantias processuais das partes, dispondo sobre a competência e o funcionamento dos respectivos órgãos jurisdicionais e administrativos;

b) organizar suas secretarias e serviços auxiliares e os dos juízos que lhes forem vinculados, velando pelo exercício da atividade correicional respectiva;

c) prover, na forma prevista nesta Constituição, os cargos de juiz de carreira da respectiva jurisdição;

d) propor a criação de novas varas judiciárias;

e) prover, por concurso público de provas, ou de provas e títulos, obedecido o disposto no art. 169, parágrafo único, os cargos necessários à administração da Justiça, exceto os de confiança assim definidos em lei;

f) conceder licença, férias e outros afastamentos a seus membros e aos juízes e servidores que lhes forem imediatamente vinculados;

Doutrina

Competência privativa dos tribunais. Ao conferir a todos os tribunais um conjunto de competências privativas, o legislador constituinte originário está reafirmando o princípio do autogoverno da magistratura com o objetivo de resguardar a independência do Poder Judiciário. Assim, compete privativamente aos tribunais: a) *eleger seus órgãos diretivos*, mediante eleição para os cargos de direção, como a Presidência, a Vice-Presidência e a Corregedoria; b) *elaborar seus regimentos internos*, destinados a dispor sobre a sua auto-organização, sobre a competência e o funcionamento de seus órgãos jurisdicionais ou administrativos; c) *organizar suas secretarias e serviços auxiliares e os dos juízos vinculados*, o que significa dispor sobre os órgãos destinados a cuidar da rotina administrativa das secretarias e serviços auxiliares, como limpeza, comunicação, transporte, tanto os próprios quanto as secretarias e serviços auxiliares dos juízos de primeiro grau que lhes forem vinculados; d) *prover os cargos de juiz de carreira*, mediante concurso público de provas e títulos e sempre nos limites de sua respectiva jurisdição; e) *propor a criação de varas judiciárias*, exercendo o poder de iniciativa, pois a instituição depende de lei; f) *prover os cargos necessários à administração da justiça*, fazendo o preenchimento dos cargos da estrutura administrativa, sempre mediante concurso público de provas, ou de provas e títulos, exceto os cargo de confiança ou comissionados, de livre provimento, observando-se, ainda, a lei de diretrizes orçamentárias e a existência de dotação orçamentária para fazer face às despesas decorrentes (art. 169, § 1.º); g) *administrar os seus respectivos quadros de pessoal*, concedendo licença, férias e outros afastamentos a seus próprios membros e aos juízes e servidores que lhes forem vinculados.

Jurisprudência

> O regimento interno de tribunal é lei em sentido material e, na taxionomia das normas jurídicas, equipara-se à lei formal. Portanto, a prevalência de uma ou de outra dependerá da matéria regulada – já que são hierarquicamente iguais –, devendo prevalecer a lei em matéria processual e o regimento interno quando se tratar de funcionamento dos tribunais. (STF, RDA, 200/202).

"(...). III. – A Constituição, ao conferir competência privativa aos Tribunais – art. 96, I, a – para, 'com observância das normas de processo e das garantias processuais das partes' elaborar seus regimentos internos, 'dispondo sobre a competência e o funcionamento dos respectivos órgãos jurisdicionais e administrativos', conferiu-lhes o poder de instituírem, regimentalmente, esses órgãos. Distinção entre órgãos dos Tribunais, que podem ser instituídos por norma regimental, e órgãos do Poder Judiciário, cuja instituição é reservada à lei. IV. – Julgamento do Prefeito por órgão fracionário do Tribunal de Justiça: legitimidade. V. – Precedentes do STF: ADIN 410-SC (medida cautelar), Celso de Mello, Plenário, 27.08.92 ('DJ' de 03.06.94, LEX 191/166); AOr 232-PE, Pertence, Plenário, 03.05.95; HC 72.476-SP, M. Corrêa, 2.ª Turma, 08.08.95. VI. – H.C. indeferido" (STF – 2.ª Turma, HC 71.251, rel. Min. Carlos Velloso, j. 19.09.1995).

O órgão especial previsto no art. 93, XI, da Constituição Federal, pode ser instituído através de ato regimental emanado do próprio Tribunal de Justiça, como manifestação do autogoverno da magistratura previsto no art. 96, I, a, da mesma Carta (STF, Ementário, n.º 1747-01, p. 96).

Somente a lei complementar, prevista no art. 93 da Constituição Federal, poderá dispor sobre o processo de escolha para os cargos de direção superior nos tribunais judiciários e condições de elegibilidade de seus membros, inclusive para os integrantes do órgão especial, onde houver. A autonomia do Poder Judiciário, donde emana para os tribunais a prerrogativa de autogoverno, não lhes permite legislar, através de regimento, sobre a disciplina normativa concernente ao preenchimento de seus cargos diretivos. (STF, Ementário, n.º 1.773-01, p. 73).

"Dispor, em seus regimentos internos, sobre a competência dos respectivos órgãos jurisdicionais, expressão do princípio do autogoverno da magistratura, é atribuição constitucionalmente cometida aos tribunais (art. 96, I, *a*). Inexistência de constrangimento ilegal, em consequência, na submissão do paciente a processo e julgamento perante órgão fracionário do Tribunal, tal como previsto em assento regimental." (STJ – 6.ª Turma, HC 493/RS, rel. Min. Costa Leite, RSTJ, 15/128).

II – ao Supremo Tribunal Federal, aos Tribunais Superiores e aos Tribunais de Justiça propor ao Poder Legislativo respectivo, observado o disposto no art. 169:

a) a alteração do número de membros dos tribunais inferiores;

b) a criação e a extinção de cargos e a remuneração dos seus serviços auxiliares e dos juízos que lhes forem vinculados, bem como a fixação do subsídio de seus membros e dos juízes, inclusive dos tribunais inferiores, onde houver;

c) a criação ou extinção dos tribunais inferiores;

d) a alteração da organização e da divisão judiciárias;

Doutrina

Iniciativa legislativa. A norma confere a atribuição de apresentar ao Poder Legislativo respectivo (Congresso Nacional ou Assembleia Legislativa), projeto de lei para dispor sobre matérias de interesse do Supremo Tribunal Federal, dos Tribunais Superiores (Superior Tribunal de Justiça, Tribunal Superior do Trabalho, Tribunal Superior Eleitoral e Superior Tribunal Militar) e dos Tribunais de Justiça dos Estados-membros. Referida iniciativa legislativa recairá sobre as seguintes matérias: a) *composição de tribunais inferiores*, com a alteração, para mais ou para menos, do número de seus membros; b) *criação e extinção de cargos e fixação de vencimentos*, tanto de seus serviços auxiliares quantos dos juízos vinculados, bem como a fixação do subsídio de seus membros e dos juízes de tribunais inferiores, salvo a fixação do subsídio dos Ministros do STF, de competência do Congresso Nacional; c) *criação ou extinção de tribunais inferiores*, tanto no nível federal, por meio de proposta do STF ou dos Tribunais Superiores, quanto no estadual, através do respectivo Tribunal de Justiça; d) *organização judiciária*, a sua criação, alteração e divisão compreendem matérias de iniciativa reservada aos mencionados tribunais, devendo exercê-las o STF e os Tribunais Superiores no plano federal e os Tribunais de Justiça no plano estadual (art. 125, § 1.º).

Jurisprudência

> "É inconstitucional o aumento do número de Desembargadores pela Assembleia Constituinte Estadual sem proposta do Tribunal de Justiça. A regra, que decorre do princípio da independência e harmonia entre os Poderes e é tradicional no direito republicano, aplica-se tanto à legislatura ordinária como à Constituinte estadual, em razão do que prescreve a Constituição Federal, art. 96, II, *b* e *d*" (STF – Pleno, ADIN 2.741/PE, rel. Min. Paulo Brossard, RDA, 202/180).
>
> "Ação direta de inconstitucionalidade. 2. Resoluções n.ºs 26, de 22/12/1994; 15, de 23/10/1997, e 16, de 30/10/1997, do Tribunal de Justiça do Estado do Espírito Santo, havendo a primeira criado gratificação de representação correspondente a 40% do valor global atribuído a diversos cargos da estrutura organizacional do Tribunal, e as demais, incluído, entre os beneficiários da gratificação de representação, outros cargos do Tribunal. 3. Alegação de ofensa a funções privativas dos Poderes Legislativo e Executivo. Necessidade de lei em sentido formal para a criação de vantagens pecuniárias para os servidores do Poder Judiciário. 4. Impossível confundir a iniciativa de lei conferida pela Constituição aos Tribunais mencionados no art. 96, II, com a competência para fixar vencimentos e vantagens a seus servidores sem lei formal. A Constituição não assegura aos Tribunais fixar, sem lei, vencimentos ou vantagens

a seus membros ou servidores. 5. Medida cautelar deferida para suspender, ex nunc, até o julgamento final da ação, a eficácia das Resoluções n.ºs 26, de 22/12/1994; 15, de 23/10/1997; e 16, de 30/12/1997, todas do Tribunal de Justiça do Estado do Espírito Santo" (STF – Pleno, ADIN 1.732/ES MC, rel. Min. Néri da Silveira, j.15.12.1997).

III – aos Tribunais de Justiça julgar os juízes estaduais e do Distrito Federal e Territórios, bem como os membros do Ministério Público, nos crimes comuns e de responsabilidade, ressalvada a competência da Justiça Eleitoral.

Doutrina

Competência penal dos Tribunais de Justiça. Compete ao respectivo Tribunal de Justiça julgar os juízes dos Estados-membros, do Distrito Federal e dos Territórios, bem como os membros do Ministério Público, tanto nos crimes comuns quanto de responsabilidade, salvo os crimes eleitorais, de competência privativa da Justiça Eleitoral. Referidos tribunais são o foro especial, por prerrogativa de função, de seus respectivos juízes e também dos membros do Ministério Público.

Jurisprudência

"*Habeas Corpus*. Conflito de jurisdição julgado pelo Superior Tribunal de Justiça. Competência em razão da função exercida pelo corréu e em razão da matéria. Conexão. Impossibilidade. 1. O art. 96 da Constituição outorga competência privativa aos Tribunais de Justiça para processar e julgar os membros do Ministério Público. Trata-se de competência absoluta, tanto pelo fato de estar prevista como privativa na Constituição como por ser fixada em razão da função exercida pelo corréu. 2. Por outro lado, o art. 109, IV, da Constituição outorga competência aos juízes federais para processar as infrações penais praticadas em detrimento de bens, serviços ou interesses da União. Trata-se de competência em razão da matéria, portanto, absoluta e inderrogável. 3. Leis infraconstitucionais, que preveem o deslocamento da competência pela conexão ou pela continência, não têm o condão de modificar a competência fixada pela Constituição, ainda mais quando absoluta. 4. Conflito de competência inexistente. 5. Hipótese em que não tem aplicação nenhum dos precedentes trazidos à colação pelo impetrante nem pelo Ministério Público Federal. 6. *Habeas Corpus* conhecido, mas indeferido" (STF – 2.ª Turma, HC 77.883/RJ, rel. Min. Maurício Corrêa, j. 18.09.1998).

Nos crimes dolosos contra a vida, a competência do Tribunal do Júri não é absoluta, pois a Constituição Federal excepciona-a em razão da dignidade de certos cargos e da relevância destes para o Estado, como o faz nos arts. 29, VIII, 96, III, 108, I, *a*, 102, I, *b* e *c*, e 105, I, *a*. Assim, envolvidos em crime doloso contra a vida Prefeito e cidadão comum, biparte-se a competência e separa-se o processo, sendo o primeiro processado e julgado perante o Tribunal de Justiça e o segundo perante o Tribunal do Júri, seu juízo natural, decorrendo a atuação de órgãos diversos integrantes do Judiciário da própria Constituição. (STF, Ementário, n.º 1.723-01, p. 54).

"Compete originariamente aos Tribunais Regionais Eleitorais processar e julgar, por crimes eleitorais, as autoridades estaduais que, em crimes comuns, tenham no Tribunal de Justiça o foro por prerrogativa de função." (STF, RHC 69.773/PR, rel. Min. Moreira Alves, Ementário, n.º 1.691-01, p. 229).

Não há falar em foro especial por prerrogativa de função para os Procuradores Autárquicos em face de pretensa equiparação de função com os membros do Ministério Público. Não prevendo a Constituição Federal dito privilégio, submete-se o acusado que praticou crime doloso contra a vida ao Tribunal do Júri, de acordo com o disposto no art. 5.º, XXXVIII, *d*. (STF, Ementário, 1.709-02, p. 382).

Art. 97. Somente pelo voto da maioria absoluta de seus membros ou dos membros do respectivo órgão especial poderão os tribunais declarar a inconstitucionalidade de lei ou ato normativo do Poder Público.

Doutrina

Quórum para a declaração de inconstitucionalidade. A norma constitucional dispõe que os tribunais, ou os seus respectivos órgãos especiais, somente decretarão a inconstitucionalidade de lei ou ato normativo do Poder Público pelo voto da maioria absoluta de seus membros. Referida regra aplica-se tanto no controle concentrado, exclusivo do Supremo Tribunal Federal, quanto no difuso, comum a todos os tribunais e implicitamente contido no art. 102, III, *b*, da Constituição. Releva lembrar que nos juízos monocráticos o juiz também poderá declarar a inconstitucionalidade de lei ou ato normativo do Poder Público e o fará singularmente.

Jurisprudência

> Súmula Vinculante do STF: 10. "Viola a cláusula de reserva de plenário (CF, artigo 97) a decisão de órgão fracionário de tribunal que, embora não declare expressamente a inconstitucionalidade de lei ou ato normativo do poder público, afasta sua incidência, no todo ou em parte".
>
> "Nenhum órgão fracionário de qualquer Tribunal dispõe de competência, no sistema jurídico brasileiro, para declarar a inconstitucionalidade de leis ou atos emanados do Poder Público. Essa magna prerrogativa jurisdicional foi atribuída, *em grau de absoluta exclusividade*, ao Plenário dos Tribunais ou, *onde houver*, ao respectivo Órgão Especial. Essa extraordinária competência dos Tribunais é regida pelo princípio da reserva de Plenário, inscrito no art. 97 da Constituição da República." (STF – 1.ª Turma, HC 70.249/MS, rel. Min. Celso de Mello, RTJ, 150/224).

"Versando a controvérsia sobre ato normativo já declarado inconstitucional pelo guardião maior da Carta Política da República – o Supremo Tribunal Federal – descabe o deslocamento previsto no art. 97 do referido Diploma Maior. O julgamento de plano pelo Órgão fracionado homenageia não só a racionalidade, como também implica interpretação teleológica do art. 97 em comento, evitando a burocratização dos atos judiciais no que nefasta ao princípio da economia e da celeridade. A razão de ser do preceito está na necessidade de evitar-se que órgãos fracionados apreciem, pela primeira, a pecha de inconstitucionalidade arguida em relação a um certo ato normativo." (STF, AgI 168.149/RS AgRg, rel. Min. Marco Aurélio, Ementário, n.º 1.794-19, p. 3.994).

A declaração, pelos tribunais estaduais, de inconstitucionalidade de lei local, em face da Constituição Estadual, sujeita-se ao *quorum* do art. 97 da Constituição Federal. (STF, RTJ, 111/393).

Sempre que se fizer necessário para o julgamento da causa, deve o juiz declarar, de ofício e incidentalmente, a inconstitucionalidade de lei ou ato normativo do Poder Público. (STF, RTJ, 95/202).

"(...). 2. A pretensão de inconstitucionalidade de forma principal – isto é, sendo o pedido feito pela parte, para que o Juiz declare a inconstitucionalidade, no caso concreto, de uma determinada lei, afastando, conseguintemente, sua incidência, exige, nos termos do artigo 97 da Constituição Federal, a chamada cláusula de reserva de plenário, por meio da qual somente pelo voto da maioria absoluta de seus membros ou dos membros do respectivo órgão especial poderão os tribunais declarar a inconstitucionalidade de lei ou ato normativo do Poder Público. Súmula Vinculante n. 10. 3. A instauração de incidente de inconstitucionalidade é absolutamente incompatível com a via célere do 'habeas corpus', mormente pela celeridade exigida, que ficaria de todo comprometida com a suspensão do feito e afetação do tema à Corte Especial. 4. 'Habeas Corpus' não conhecido" (STJ – 6.ª Turma, HC 227.982/RS, rel. Min. Vasco Della Giustina (desembargador convocado do TJ/RS), DJE 30.04.2012).

Art. 98. A União, no Distrito Federal e nos Territórios, e os Estados criarão:

I – juizados especiais, providos por juízes togados, ou togados e leigos, competentes para a conciliação, o julgamento e a execução de causas cíveis de menor complexidade e infrações penais de menor potencial ofensivo, mediante os procedimentos oral e sumariíssimo, permitidos, nas hipóteses previstas em lei, a transação e o julgamento de recursos por turmas de juízes de primeiro grau;

Doutrina

Competência para criação. A criação de juizados especiais e da justiça da paz é de competência da União no que se refere ao Distrito Federal e aos Territórios e dos Estados-membros dentro de seu respectivo âmbito de atuação.

Juizados especiais e juizados de pequenas causas. São órgãos diferentes. Os juizados de pequenas causas foram instituídos pela Lei n.º 7.244/84, com alçada apenas para causas de pequeno valor patrimonial e sem competência criminal e encontram base no art. 24, X, da Constituição. Os juizados especiais foram previstos pela norma constitucional ora anotada e têm competência cível e criminal.

Juizados Especiais. São órgãos judiciários instituídos em lei, tanto pela União quanto pelos Estados-membros, compostos por juízes togados, de carreira, ou togados e leigos, os chamados temporários, com atribuições para, mediante procedimentos orais e sumaríssimos, conciliar as partes, por meio de acordo ou transação para resolver a causa, julgar as demandas e executar as suas decisões, tanto em causas cíveis de menor complexidade, menos difíceis do ponto de vista da atividade probatória e da aplicação da lei, quanto às causas criminais, apenas com relação aos delitos de menor potencial ofensivo, ou seja, aqueles onde a violação do bem jurídico protegido ocorre em pequena extensão.

Recurso. A lei poderá dispor sobre o julgamento dos recursos das decisões dos juizados especiais através de turmas de juízes de primeiro grau.

Jurisprudência

> "(...). 4. É possível extrair do ordenamento jurídico brasileiro a premissa de que toda conduta penalmente típica só é penalmente típica porque significante, de alguma forma, para a sociedade e para a própria vítima. Em tema de política criminal, a Constituição Federal pressupõe lesão significante a interesses e valores (os chamados 'bens jurídicos') por ela avaliados como dignos de proteção normativa. 5. Ao prever, por exemplo, a categoria de infrações de menor potencial ofensivo (inciso I do art. 98), a Constituição Federal logicamente nega a significância penal de tudo que ficar aquém desse potencial, de logo rotulado de 'menor'; ou seja, quando a Constituição Federal concebe a categoria das infrações de menor potencial, parece mesmo que o faz na perspectiva de uma conduta atenuadamente danosa para a vítima e a sociedade, é certo, mas ainda assim em grau suficiente de lesividade para justificar uma reação estatal punitiva. Pelo que estabelece um vínculo operacional direto entre o efetivo dano ao bem jurídico tutelado, por menor que seja, e a necessidade de uma resposta punitiva do Estado. 6. *A contrario sensu*, o dano que subjaz à categoria da insignificância penal não caracteriza, materialmente, sequer lesão de pequena monta; ou seja, trata-se de ofensividade factualmente nula, porquanto abaixo até mesmo da concepção constitucional de dano menor. Donde sua caracterização

como penalmente atípica" (STF – 2.ª Turma, HC 107.082/RS, rel. Min. Ayres Britto, j. 27.03.2012).

Os juizados de pequenas causas são órgãos instituídos pela Lei n.º 7.244/84, com atribuições definidas pelo valor da causa e sem competência na esfera criminal. Já os juizados especiais, instituídos pela Constituição de 1988, têm competência cível determinada pela menor complexidade da causa e competência criminal para as infrações penais de menor potencial ofensivo. (STF – Pleno, ADIN 1.127/DF, rel. Min. Marco Aurélio, j. 17.05.2016).

É nulo, *ex radice*, o processo criminal que correu perante juizado especial instituído por lei estadual anterior à lei federal prevista no art. 98, I, da Constituição. (STF, DJ 1, de 15.03.1996, p. 7.203).

II – justiça de paz, remunerada, composta de cidadãos eleitos pelo voto direto, universal e secreto, com mandato de quatro anos e competência para, na forma da lei, celebrar casamentos, verificar, de ofício ou em face de impugnação apresentada, o processo de habilitação e exercer as atribuições conciliatórias, sem caráter jurisdicional, além de outras previstas na legislação.

Doutrina

Justiça de paz. São órgãos instituídos em lei, sem poderes jurisdicionais, compostos por cidadãos eleitos pelo voto direto, universal e secreto, com mandato de quatro anos e, uma vez investidos, serão remunerados e exercerão atribuições como celebração de casamentos, verificação de ofício ou em face de impugnação, da regularidade do processo de habilitação, conciliação de questões envolvendo vizinhança, discórdias familiares ou entre casais etc., na forma que a lei prever. Seus juízes são leigos, não necessitam de formação jurídica, apenas de bom senso e experiência de vida, e não gozam das garantias próprias dos juízes togados.

Jurisprudência

"A regra constitucional insculpida no art. 98 e seu inciso II, segundo o qual a União, no Distrito Federal e nos Territórios, e os Estados criarão a Justiça de Paz, remunerada, não prescinde do ditame relativo à competência exclusiva enunciada no mencionado art. 96, II, *b*. As disposições que atribuem remuneração aos Juízes de Paz, decorrentes de emenda parlamentar ao projeto original, de iniciativa do Tribunal de Justiça Estadual, são incompatíveis com as regras dos arts. 2.º e 96, II, *b*, da Constituição Federal, eis que eivadas de vício de inconstitucionalidade formal, além de violarem, pela imposição de aumento de despesa, o princípio da autonomia administrativa e financeira do Poder Judiciário." (STF – Pleno, ADIN 1.051/SC, rel. Min. Maurício Correa, Ementário, 1.804-01, p. 48).

§ 1.º Lei federal disporá sobre a criação de juizados especiais no âmbito da Justiça Federal.

Doutrina

Juizados especiais federais. Instituídos pela União, mediante lei, compostos por juízes togados, ou togados e leigos, com atribuições para a conciliação, o julgamento e a execução de causas cíveis de menor complexidade e infrações penais de menor potencial ofensivo, admitida a transação e recurso para turma de juízes de primeiro grau.

Jurisprudência

Súmula 150 do STJ: "Compete à Justiça Federal decidir sobre a existência de interesse jurídico que justifique a presença, no processo, da União, suas autarquias ou empresas públicas."

A Constituição fixa a competência da Justiça Federal, que somente através de emenda constitucional poderá ser ampliada ou reduzida, jamais prevalecendo norma legal de hierarquia inferior. (STJ, RSTJ, 92/157).

"1. O art. 3.º, § 3.º da Lei n.º 10.259/2001 encontra recepção no art. 98, inc. I, da CF, que possibilitou a criação de juizados especiais em face de causas cíveis de menor complexidade, sendo certo que, na esteira da previsão do § 1.º do mesmo art. 98, 'Lei federal disporá sobre a criação de juizados especiais no âmbito da Justiça Federal'. 2. A competência do Juizado Especial Federal Cível é absoluta e, por se tratar de questão de ordem pública, deve ser conhecida de ofício pelo juiz, nem que para isto tenha o mesmo de reavaliar o valor atribuído erroneamente à causa" (TRF4, AgI 2007.04.00.004895-7, rel. Juiz Federal Luiz Antonio Bonat, DJE, 14.05.2007).

§ 2.º As custas e emolumentos serão destinados exclusivamente ao custeio dos serviços afetos às atividades específicas da Justiça.

Doutrina

Destinação das custas e emolumentos. São destinadas, em caráter exclusivo, ao custeio dos serviços próprios das atividades judiciárias.

Art. 99. Ao Poder Judiciário é assegurada autonomia administrativa e financeira.

Doutrina

Autonomia do Poder Judiciário. Como expressão de seu autogoverno, a Constituição assegura ao Poder Judiciário o monopólio da função jurisdicional e, para garantir o seu pleno exercício, nesta norma constitucional cuida de garantir-lhe autonomia administrativa, cabendo-lhe organizar e gerir todos os seus serviços e prover os cargos da magistratura, e autonomia financeira, ou seja, garante-lhe os recursos orçamentários e financeiros necessários para a consecução de seus fins.

Jurisprudência

> "Judiciário. Autonomia. Consoante disposto no artigo 99 da Carta de 1988, ao Poder Judiciário é assegurada autonomia administrativa e financeira. Tribunais. Direção. Regência. Ao contrário do versado no artigo 112 do Diploma Maior anterior Emenda Constitucional n.º 1, de 1969, o atual não remete mais à Lei Orgânica da Magistratura a regência da direção dos tribunais, ficando a disciplina a cargo do regimento interno. Reclamação. Efeito Transcendente. Reiterados são os pronunciamentos do Supremo no sentido de não se admitir, como base para pedido formulado em reclamação, o efeito transcendente" (STF – Pleno, Recl. 13.115/RS MC-AgRg, rel. Min. Marco Aurélio, j. 12.12.2012).
>
> Somente a lei complementar, prevista no art. 93 da Constituição Federal, poderá dispor sobre o processo de escolha para os cargos de direção superior nos tribunais judiciários e condições de elegibilidade de seus membros, inclusive para os integrantes do órgão especial, onde houver. A autonomia do Poder Judiciário, donde emana para os tribunais a prerrogativa de autogoverno, não lhes permite legislar, através de regimento, sobre a disciplina normativa concernente ao preenchimento de seus cargos diretivos. (STF, Ementário, n.º 1.773-01, p. 73).
>
> "Dispor, em seus regimentos internos, sobre a competência dos respectivos órgãos jurisdicionais, expressão do princípio do autogoverno da magistratura, é atribuição constitucionalmente cometida aos tribunais (art. 96, I, *a*)" (STJ – 6.ª Turma, HC 493/RS, rel. Min. Costa Leite, RSTJ, 15/128).

§ 1.º Os tribunais elaborarão suas propostas orçamentárias dentro dos limites estipulados conjuntamente com os demais Poderes na lei de diretrizes orçamentárias.

Doutrina

Elaboração da proposta orçamentária. A norma constitucional consagra um dos aspectos da autonomia financeira, que é o da elaboração e apresentação, pelo Poder Judiciário, de sua proposta orçamentária, limitando-se, apenas, aos parâmetros estipulados em conjunto com os demais Poderes na lei de diretrizes orçamentárias. O outro aspecto da autonomia financeira do Judiciário consubstancia-se no dever imposto ao Tesouro Nacional de entregar-lhe os recursos correspondentes às dotações de seu orçamento até o dia vinte de cada mês (art. 168).

Jurisprudência

> Decorre do art. 99, § 1.º, da Constituição Federal, ser necessária a participação do Poder Judiciário na fixação do limite de sua proposta orçamentária. (STF, Ementário, n.º 1699-02, p. 348).
>
> Viola o princípio da estipulação conjunta, previsto no art. 99, § 1.º, da Constituição Federal, a destinação de percentual fixo dos recursos arrecadados para o Poder Judiciário. (STF, RDA, 185/148).

§ 2.º O encaminhamento da proposta, ouvidos os outros tribunais interessados, compete:

I – no âmbito da União, aos Presidentes do Supremo Tribunal Federal e dos Tribunais Superiores, com a aprovação dos respectivos tribunais;

II – no âmbito dos Estados e no Distrito Federal e Territórios, aos Presidentes dos Tribunais de Justiça, com a aprovação dos respectivos tribunais.

Doutrina

Encaminhamento da proposta orçamentária. Uma vez elaborada, a proposta orçamentária do Judiciário é encaminhada ao Poder Executivo, encarregado de consolidar a proposta de orçamento e remetê-la ao Poder Legislativo para apreciação e posterior aprovação. Este encaminhamento ocorre da seguinte forma: a) *no âmbito da União*, cabe ao Presidente do Supremo Tribunal Federal encaminhar a proposta desta Corte e aos Presidentes dos Tribunais Superiores cabe o encaminhamento da proposta do respectivo Tribunal e dos órgãos judiciários vinculados, com a aprovação destes; b) *no âmbito dos Estados, do Distrito Federal e dos Territórios*, o encaminhamento cabe ao Presidente do respectivo Tribunal de Justiça, com a aprovação dos órgãos judiciários vinculados.

Jurisprudência

> O processo de formação das leis orçamentárias em geral é da competência exclusiva do Poder Executivo. O que a Constituição autoriza é, apenas, a elaboração pelos demais Poderes e pelo Ministério Público, na fase pré-legislativa, de suas respectivas propostas orçamentárias. (STF, ADIN 514/DF MC, Ementário, n.º 1.737-01, p. 49).

§ 3.º Se os órgãos referidos no § 2.º não encaminharem as respectivas propostas orçamentárias dentro do prazo estabelecido na lei de diretrizes orçamentárias, o Poder Executivo considerará, para fins de consolidação da proposta orçamentária anual, os valores aprovados na lei orçamentária vigente, ajustados de acordo com os limites estipulados na forma do § 1.º deste artigo.

Doutrina

Consolidação da proposta orçamentária anual. Dispõe a norma que, no caso de não encaminhamento das respectivas propostas orçamentárias por parte dos órgãos mencionados no §

2.º, o Poder Executivo fará a consolidação da proposta anual levando em conta a lei orçamentária vigente, portanto em execução, ajustados os valores conforme os limites estabelecidos no § 1.º

§ 4.º Se as propostas orçamentárias de que trata este artigo forem encaminhadas em desacordo com os limites estipulados na forma do § 1.º, o Poder Executivo procederá aos ajustes necessários para fins de consolidação da proposta orçamentária anual.

Doutrina

Ajustes na proposta orçamentária. Na hipótese de remessa de propostas orçamentárias em desacordo com os limites estabelecidos com os demais poderes, quando da elaboração da lei de diretrizes orçamentárias, o Poder Executivo fará os ajustes devidos para ultimar a consolidação da proposta orçamentária anual a ser submetida ao Legislativo.

§ 5.º Durante a execução orçamentária do exercício, não poderá haver a realização de despesas ou a assunção de obrigações que extrapolem os limites estabelecidos na lei de diretrizes orçamentárias, exceto se previamente autorizadas, mediante a abertura de créditos suplementares ou especiais.

Doutrina

Normas relativas à execução do orçamento anual. A execução orçamentária compreende a arrecadação da receita prevista e a realização da despesa fixada para determinado exercício financeiro. Dispõe a norma constitucional que, durante a execução orçamentária, é vedada a realização de despesa ou a contratação de obrigações (v.g., contratos financeiros) que desbordem dos limites estabelecidos no texto da lei de diretrizes orçamentárias, salvo quando anteriormente autorizadas por meio de abertura de créditos suplementares ou especiais.

Art. 100. Os pagamentos devidos pelas Fazendas Públicas Federal, Estaduais, Distrital e Municipais, em virtude de sentença judiciária, far-se-ão exclusivamente na ordem cronológica de apresentação dos precatórios e à conta dos créditos respectivos, proibida a designação de casos ou de pessoas nas dotações orçamentárias e nos créditos adicionais abertos para este fim.

Doutrina

Modificações decorrentes da EC 113, de 08.12.2021. Referida Emenda estabelece novo regime de pagamento de precatórios, além de modificar normas relativas a novo regime fiscal e autorizar parcelamento de débitos previdenciários em favor de municípios.

Dívida da Fazenda Pública. Os pagamentos decorrentes de decisão judicial transitada em julgado, de responsabilidade da Fazenda Pública, que compreende a União, os Estados, o Distrito Federal, os Municípios e suas respectivas autarquias, serão feitos segundo rigorosa ordem cronológica de apresentação dos precatórios.

Créditos de natureza alimentar. Os precatórios relativos aos créditos de natureza alimentícia são excepcionados da regra geral da ordem cronológica de pagamentos, com a intenção de que sejam quitados imediatamente. Se não pagos de pronto, devem formar ordem cronológica própria, com observância rigorosa da mesma no momento de quitação da dívida.

Garantia de precedência. Com o objetivo de evitar perseguição ou favorecimento pessoal, a norma impõe que os pagamentos sejam feitos na ordem rigorosa de apresentação do precatório, à conta dos respectivos créditos, sendo proibida a designação de casos ou de pessoas nas dotações orçamentárias, ou nos créditos adicionais abertos para atender a tais despesas.

Conceito de precatório. É uma requisição judicial de pagamento, expedida pelo juiz da execução ao presidente do tribunal competente, para que este ordene a inclusão da verba necessária à quitação da dívida no orçamento da entidade de direito público devedora.

Procedimento de formação do precatório. Trata-se de procedimento que obedece às seguintes fases: a) expedição, pelo juiz da execução, de ofício requisitório do pagamento dirigido ao presidente do tribunal competente, contendo a qualificação das partes, a identificação do ente de direito público condenado, a conta de liquidação e a quantia requisitada em moeda corrente do país; b) determinação do presidente do tribunal da apresentação do precatório à entidade pública devedora, para esta faça a previsão da verba orçamentária para o pagamento; c) consignação direta ao Poder Judiciário das dotações orçamentárias e dos créditos abertos para fins de quitação de precatórios; d) autorização de pagamento, pelo presidente do tribunal, segundo os depósitos efetuados pela entidade devedora, na ordem rigorosa de apresentação dos precatórios; d) realização do depósito do crédito à conta do juízo; e) autorização, do juiz da execução, para o levantamento do dinheiro através de mandado e mediante quitação do credor; f) satisfação integral do crédito com o pleno cumprimento do precatório, podendo a execução ser extinta por sentença.

Jurisprudência

> Súmula do STJ: 144. "Os créditos de natureza alimentícia gozam de preferência, desvinculados os precatórios da ordem cronológica dos créditos de natureza diversa."
>
> "A norma consubstanciada no art. 100 da Carta Política traduz um dos mais expressivos postulados realizadores do princípio da igualdade, pois busca conferir, na concreção do seu alcance, efetividade à exigência constitucional de tratamento isonômico dos credores

do Estado" (STF – ADIN 584/PR/MC, rel. Min. Celso de Mello, DJ 1, 22.05.1992, p. 7.213).

"O regime constitucional de execução por quantia certa contra o Poder Público, qualquer que seja a natureza do crédito exequendo (RTJ 150/337) – ressalvadas as obrigações definidas em lei como de pequeno valor – impõe a necessária extração de precatório, cujo pagamento deve observar, em obséquio aos princípios ético-jurídicos da moralidade, da impessoalidade e da igualdade, a regra fundamental que outorga preferência apenas a quem dispuser de precedência cronológica (*prior in tempore, potior in jure*). A exigência constitucional pertinente à expedição de precatório – com a consequente obrigação imposta ao Estado de estrita observância da ordem cronológica de apresentação desse instrumento de requisição judicial de pagamento – tem por finalidade (a) assegurar a igualdade entre os credores e proclamar a inafastabilidade do dever estatal de solver os débitos judicialmente reconhecidos em decisão transitada em julgado (RTJ 108/463), b) impedir favorecimentos pessoais indevidos e c) frustrar tratamentos discriminatórios, evitando injustas perseguições ou preterições motivadas por razões destituídas de legitimidade jurídica." (STF – Pleno, Recl. 2.182 AgRg, rel. Min. Celso de Mello, j. 12.03.2003).

"A jurisprudência do Supremo Tribunal Federal, ao interpretar o alcance da norma inscrita no *caput* do art. 100 da Constituição, firmou-se no sentido de considerar imprescindível, mesmo tratando-se de crédito de natureza alimentícia, a expedição de precatório, ainda que reconhecendo, para efeito de pagamento do débito fazendário, a absoluta prioridade da prestação de caráter alimentar sobre os créditos ordinários de índole comum. Precedentes.

O processo de execução por quantia certa contra a Fazenda Pública rege-se, nos termos do que prescreve a própria Constituição, por normas especiais que se estendem a todas as pessoas jurídicas de direito público interno, inclusive às entidades autárquicas. O sentido teleológico da norma inscrita no *caput* do art. 100 da Carta Política – cuja gênese reside, no que concerne aos aspectos essenciais, na Constituição Federal de 1934 (art. 182) – objetiva viabilizar, na concreção de seu alcance, a submissão incondicional do Poder Público ao dever de respeitar o princípio que confere preferência jurídica a quem dispuser da preferência cronológica (*prior in tempore, potier in jure*)" (STF – 1.ª Turma, RE 188.285-9/SP, rel. Min. Celso de Mello, DJ 1, 01.03.1996, p. 5.028).

§ 1.° Os débitos de natureza alimentícia compreendem aqueles decorrentes de salários, vencimentos, proventos, pensões e sua complementações, benefícios previdenciários e indenizações por morte ou por invalidez, fundadas em responsabilidade civil, em virtude de sentença judicial transitada em julgado, e serão pagos com preferência sobre todos os demais débitos, exceto sobre aqueles referidos no § 2.° deste artigo.

Doutrina

Débitos de natureza alimentícia. São aqueles de responsabilidade da Fazenda Pública relativos a salários, vencimentos, proventos, pensões e suas complementações, benefícios previdenciários e indenizações por morte ou invalidez, fundadas na responsabilidade civil, em virtude de sentença transitada em julgado, devendo ser pagos com preferência sobre os demais, salvo sobre aqueles constantes do § 2.° deste artigo. Releva, ademais, observar que a norma constitucional não é *numerus clausus*, já que existem outros casos de obrigação de caráter alimentar, como a indenização por acidente de trabalho.

Jurisprudência

Súmulas vinculantes do STF: 17. "Durante o período previsto no parágrafo 1.° do artigo 100 da Constituição, não incidem juros de mora sobre os precatórios que nele sejam pagos." 47. "Os honorários advocatícios incluídos na condenação ou destacados do montante principal devido ao credor consubstanciam verba de natureza alimentar cuja satisfação ocorrerá com a expedição de precatório ou requisição de pequeno valor, observada ordem especial restrita aos créditos dessa natureza."

São de natureza alimentícia os créditos decorrentes de decisões judiciárias proferidas em ações de acidente de trabalho, ficando, em princípio, sujeitos à expedição de precatórios. (STF, DJ 1, 16.02.1996, p. 3.025).

São de natureza alimentícia os créditos decorrentes de decisões judiciais proferidas em ações onde se reclamam benefícios previdenciários. (STF, DJU, 12.04.1996, p. 11.104).

Não viola o § 1.º do art. 100 da Constituição Federal decisão que determina a complementação de depósito insuficiente, pois as parcelas hão de ser quitadas com o seu valor atualizado, cabendo ao Estado velar quanto aos reforços orçamentário e financeiro e assumir postura capaz de coibir a projeção no tempo, de forma indeterminada, da liquidação de suas obrigações. (STF, Ementário 1.713-04, p. 769).

§ 2.º Os débitos de natureza alimentícia cujos titulares, originários ou por sucessão hereditária, tenham 60 (sessenta) anos de idade, ou sejam portadores de doença grave ou pessoas com deficiência, assim definidas na forma da lei, serão pagos com preferência sobre todos os demais débitos, até o valor equivalente ao triplo fixado em lei para os fins do disposto no § 3.º deste artigo, admitindo o fracionamento para essa finalidade, sendo que o restante será pago na ordem cronológica de apresentação do precatório.

Doutrina

Preferência para a quitação de precatórios de credores especiais. Dispõe a norma que os débitos do Poder Público, de natureza alimentícia, de titulares originários (*v.g.*, que tenham ingressado com ação de cobrança) ou habilitados em razão de herança, com idade igual ou superior a sessenta anos, ou pessoas com doença ou deficiência grave, na forma da lei, serão quitados com preferência dos demais, porém, até o valor máximo do triplo de que trata o § 3.º (seguinte), admitido, para essa finalidade, o fracionamento, percebendo-se a primeira parte dessa forma e a parte remanescente segundo a ordem cronológica de apresentação do precatório.

Jurisprudência

> "Reclamação. ADI 1662/SP. Estado: Legitimidade ativa. Precatório. Cabimento. Preterição de ordem de precedência. Sequestro de verbas públicas. Possibilidade. 1. Reclamação. Legitimidade ativa do Estado para sua propositura, dada a comprovação do prejuízo patrimonial sofrido em virtude do cumprimento da ordem judicial de constrição. Precedentes. 2. Precatório alimentar. Vencimento do prazo para o seu pagamento e não-inclusão, pela entidade estatal, da verba necessária à satisfação do débito não se equiparam à quebra da ordem cronológica dos precatórios e, portanto, não legitimam o sequestro. A efetivação do pagamento do precatório, com quebra da ordem de precedência dos títulos, é a única hipótese constitucional a autorizar a medida constritiva. 3. Precatório. Pagamento. Quebra da ordem de precedência devidamente comprovada pela quitação de parte de dívida inscrita a *posteriore*. Ocorrência de prescrição. Hipótese suficiente à legitimação da ordem de sequestro de verbas públicas. Observância à autoridade da decisão proferida na ADI 1662. Reclamação julgada improcedente e, em consequência, prejudicados os agravos regimentais interpostos" (STF – Pleno, Recl. 1.270/ES, rel. Min. Maurício Corrêa, j. 11.05.2004).

"Agravo regimental em reclamação. Sequestro de verbas públicas com base no art. 100, § 2.°, CF. Quebra de ordem cronológica. Alegação de desrespeito à ADI 1.662/SP. Ausência de identidade material. Agravo improvido. I – Preterição de direito de precedência. II – Decisão do Tribunal de Justiça que deferiu ordem de sequestro de verbas públicas fundamentada no art. 100, § 2.°, da CF. Possibilidade. III – Ausência de afronta ao decidido na ADI 1.662/SP. Precedentes. IV – Recurso de agravo improvido" (STF – Pleno, Recl. 3.450/SP AgRg, rel. Min. Ricardo Lewandowski, j. 25.06.2008).

§ 3.° O disposto no *caput* deste artigo relativamente à expedição de precatórios não se aplica aos pagamentos de obrigações definidas em lei como pagamento de pequeno valor que as Fazendas referidas devam fazer em virtude de sentença judicial transitada em julgado.

Doutrina

Dispensa de expedição de precatório. Dispõe esta norma constitucional sobre a dispensa da expedição de precatórios para os pagamentos de obrigações definidas em lei como de pequeno valor que as Fazendas referidas devam fazer em virtude de sentença judicial transitada em julgado. Todavia, resta proibida a expedição de precatórios complementares ou suplementares para viabilizar a aplicação desse critério de quitação de dívida de pequeno valor, sendo este definido por meio de leis próprias e segundo o interesse da fazenda devedora.

§ 4.° Para os fins do disposto no § 3.°, poderão ser fixados, por leis próprias, valores distintos às entidades de direito público, segundo as diferentes capacidades econômicas, sendo o mínimo igual ao valor do maior benefício do regime geral de previdência social.

Doutrina

Fixação por meio de leis do conceito de obrigações de pequeno valor. Dispõe o referido § 4.º que, para os fins de dispensa de expedição de precatórios (cf. § 3.º), os valores serão fixados por meio de leis próprias, com valores distintos para distintas entidades de direito público, tendo em conta as diferentes capacidades econômicas, sendo o mínimo igual ao valor do maior benefício do regime geral de previdência social. Assim, leis próprias definiram valores para a Previdência Social, para os Juizados Especiais Federais e para os Juizados da Fazenda Pública.

§ 5.º É obrigatória a inclusão no orçamento das entidades de direito público, de verba necessária ao pagamento de seus débitos oriundos de sentenças transitadas em julgado, constantes de precatórios judiciários apresentados até 2 de abril, fazendo-se o pagamento até o final do exercício seguinte, quando terão seus valores atualizados monetariamente.

Doutrina

Inclusão no orçamento anual de verba para pagamento de precatórios. O § 5.º veicula norma de obrigatória inclusão, no orçamento das respectivas entidades de direito público, de verba necessária ao pagamento de seus débitos, decorrentes de sentenças transitadas em julgado, desde que tenham precatórios expedidos até 2 de abril, dirigidos ao presidente do tribunal correspondente, que fará a inclusão da verba no orçamento e determinará o pagamento até o final do exercício seguinte, quando deverão ter os seus valores atualizados monetariamente.

§ 6.º As dotações orçamentárias e os créditos abertos serão consignados diretamente ao Poder Judiciário, cabendo ao Presidente do Tribunal que proferir a decisão exe-

quenda determinar o pagamento integral e autorizar, a requerimento do credor e exclusivamente para os casos de preterimento de seu direito de precedência ou de não alocação orçamentária do valor necessário à satisfação do seu débito, o sequestro da quantia respectiva.

Doutrina

Alocação de recursos orçamentários e pagamento de precatórios. As dotações orçamentárias e os créditos abertos serão consignados diretamente ao Poder Judiciário. Compete ao Presidente do Tribunal que proferir a decisão exequenda determinar o pagamento do precatório até o limite do depósito efetuado.

Violação do direito de precedência. O credor preterido no seu direito de precedência poderá requerer ao Presidente do Tribunal que autorize o sequestro da quantia necessária à satisfação de seu crédito. Isso sem prejuízo do crime de responsabilidade em razão do descumprimento de ordem judicial.

Jurisprudência

> Viola o § 2.º do art. 100, da Constituição Federal, autorizando o sequestro judicial da quantia necessária à satisfação do débito, o pagamento antecipado de credor mais recente, em detrimento daquele que dispõe de precedência cronológica, pois trata-se de postura estatal infringente da ordem de prioridade temporal assegurada a todos os credores do Estado, de forma objetiva e impessoal. (STF, RTJ, 159/945).

§ 7.º O Presidente do Tribunal competente que, por ato comissivo ou omissivo, retardar ou tentar frustrar a liquidação regular de precatórios incorrerá em crime de responsabilidade e responderá, também, perante o Conselho Nacional de Justiça.

Doutrina

Crime de responsabilidade. Constitui crime de responsabilidade imputado ao Presidente do Tribunal competente toda conduta sua, comissiva ou omissiva, que implique em retardar ou tentar frustrar a liquidação regular de precatório. É todo delito de índole político-administrativa, definido em lei, cometido por agente político no exercício do cargo e que atenta contra a própria Constituição.

Jurisprudência

> A definição dos crimes de responsabilidade se insere, em face de seu conteúdo penal, na esfera de competência exclusiva da União, haja vista o brocardo *nullum crimen sine typo*. (STF, RTJ, 166/147).

§ 8.º É vedada a expedição de precatórios complementares ou suplementares de valor pago, bem como o fracionamento, repartição ou quebra do valor da execução para fins de enquadramento de parcela do total ao que dispõe o § 3.º deste artigo.

Doutrina

Fixação de valores segundo a capacidade de pagamento. A definição de obrigações de pequeno valor poderá, na forma que a lei dispor, ser diferenciada de acordo com a capacidade de pagamento da entidade de direito público devedora.

§ 9.º Sem que haja interrupção no pagamento do precatório e mediante comunicação da Fazenda Pública ao Tribunal, o valor correspondente aos eventuais débitos inscritos em dívida ativa contra o credor do requisitório e seus substituídos deverá ser depositado à conta do juízo responsável pela ação de cobrança, que decidirá pelo seu destino definitivo.

§ 10. Antes da expedição dos precatórios, o Tribunal solicitará à Fazenda Pública devedora, para resposta em até 30 (trinta) dias, sob pena de perda do direito de abatimento, informação sobre os débitos que preencham as condições estabelecidas no § 9.º, para os fins nele previstos.

Doutrina

Requisitos para o exercício do direito ao abatimento. Dispõe o § 10 que, antes da expedição do precatório, o Tribunal deverá solicitar à Fazenda Pública devedora, com prazo de até trinta dias para resposta, sob pena de perda do direito de abatimento, informação sobre os débitos que preencham as condições estabelecidas no § 9.º e, presentes os requisitos, o abatimento poderá ser efetuado.

§ 11. É facultada ao credor, conforme estabelecido em lei do ente federativo devedor, com autoaplicabilidade para a União, a oferta de créditos líquidos e certos que originalmente lhe são próprios ou adquiridos de terceiros reconhecidos pelo ente federativo ou por decisão judicial transitada em julgado para:

I – quitação de débitos parcelados ou débitos inscritos em dívida ativa do ente federativo devedor, inclusive em transação resolutiva de litígio, e, subsidiariamente, débitos com a administração autárquica e fundacional do mesmo ente;

II – compra de imóveis públicos de propriedade do mesmo ente disponibilizados para venda;

III – pagamento de outorga de delegações de serviços públicos e demais espécies de concessão negocial promovidas pelo mesmo ente;

IV – aquisição, inclusive minoritária, de participação societária, disponibilizada para venda, do respectivo ente federativo; ou

V – compra de direitos, disponibilizados para cessão, do respectivo ente federativo, inclusive, no caso da União, da antecipação de valores a serem recebidos a título do excedente em óleo em contratos de partilha de petróleo.

Doutrina

Quitação de imóvel por meio de precatório. Dispõe o § 11 que é faculdade do credor, na forma que a lei da entidade federativa devedora estabelecer, oferecer crédito em precatório para a compra de imóvel público do patrimônio disponível do respectivo ente federado.

§ 12. A partir da promulgação desta Emenda Constitucional, a atualização de valores de requisitórios, após sua expedição, até o efetivo pagamento, independentemente de sua natureza, será feita pelo índice oficial de remuneração básica da caderneta de poupança e, para fins de compensação da mora, incidirão juros simples no mesmo percentual de juros incidentes sobre a caderneta de poupança, ficando excluída a incidência de juros compensatórios.

Doutrina

Mecanismo de atualização de valores de requisitórios. Dispõe a norma do § 12 que, a partir da promulgação da própria Emenda Constitucional, a atualização de valores de requisitórios, desde a sua expedição, até a data do efetivo pagamento, pouco importando a sua natureza, será feita pelo índice oficial de remuneração básica da caderneta de poupança e, para fins de compensação da mora, incidirão juros simples no mesmo percentual de juros incidentes sobre a caderneta de poupança, ficando excluída a incidência de juros compensatórios.

§ 13. O credor poderá ceder, total ou parcialmente, seus créditos em precatórios a terceiros, independentemente da concordância do devedor, não se aplicando ao cessionário o disposto nos §§ 2.° e 3.°

Doutrina

Cessão de créditos em precatórios. Dispõe a norma do § 13 que o credor poderá ceder, total ou parcialmente, seus créditos em precatórios a terceiros, independentemente da concordância do devedor, não se aplicando ao cessionário o disposto nos §§ 2.° e 3.° Quer dizer, não se aplicam nos casos de cessão as preferências previstas nestes dispositivos.

§ 14. A cessão de precatórios somente produzirá efeitos após comunicação, por meio de petição protocolizada, ao Tribunal de origem e ao ente federativo devedor.

Doutrina

Requisito de validade do negócio de cessão de precatório. Dispõe o § 14 que a cessão de precatório somente produzirá efeitos válidos após comunicação, por meio de petição protocolizada, ao tribunal de origem e à entidade federativa devedora. Na verdade, as todas as cessões de precatório realizadas antes da norma disciplinadora do negócio restaram convalidadas.

§ 15. Sem prejuízo do disposto neste artigo, lei complementar a esta Constituição Federal poderá estabelecer regime especial para pagamento de crédito de precatórios dos Estados, Distrito Federal e Municípios, dispondo sobre vinculações à receita corrente líquida e forma e prazo de liquidação.

Doutrina

Regime especial para pagamento de precatórios. A norma do § 15 dispõe que, independentemente do disposto neste artigo, Estados-membros, Distrito Federal e Municípios poderão, por meio de lei complementar, estabelecer regime especial para pagamento de crédito de precatórios, estabelecendo regras de vinculação à receita corrente líquida e forma e prazo de liquidação.

Receita corrente líquida. Compreende a soma das receitas tributárias, patrimoniais, industriais, agropecuárias, de contribuições e de serviços, transferências correntes e outras receitas correntes, apurada no período do mês de referência e os onze meses anteriores, excluídas parcelas de duplicidade e deduzidas as transferências aos municípios e o montante das contribuições de servidores para o custeio do sistema de previdência e assistência e as receitas de compensações financeiras dos entes federados, com exclusão da União.

ADIN 4.425. Anote-se que o Supremo Tribunal Federal, no julgamento da referida ADIN, julgou a ação procedente para declarar inconstitucional este parágrafo.

§ 16. A seu critério exclusivo e na forma da lei, a União poderá assumir débitos, oriundos de precatórios, de Estados, Distrito Federal e Municípios, refinanciando-os diretamente.

Doutrina

Assunção de dívida de precatório para fins de refinanciamento direto. Admite a norma constitucional que, mediante lei, a União poderá assumir dívidas de precatórios expedidos pelos Estados, Distrito Federal ou Municípios, para fins de refinanciamento direto por meio do Tesouro Nacional.

§ 17. A União, os Estados, o Distrito Federal e os Municípios aferirão mensalmente, em base anual, o comprometimento de suas respectivas receitas correntes líquidas com o pagamento de precatórios e obrigações de pequeno valor.

Doutrina

Conferência do comprometimento de receitas com o pagamento de precatórios. Dispõe esta norma constitucional que os entes federados nela mencionados farão conferência mensal, por meio do critério de base anual, do comprometimento de suas respectivas receitas correntes líquidas com o pagamento de dívidas de precatórios e outras obrigações de pequeno valor.

§ 18. Entende-se como receita corrente líquida, para fins de que trata o § 17, o somatório das receitas tributárias, patrimoniais, industriais, agropecuárias, contribuições e de serviços, de transferências correntes e outras receitas correntes, incluindo as oriundas do § 1.° do art. 20 da Constituição Federal, verificado no período compreendido pelo segundo mês imediatamente anterior ao de referência e os 11 (onze) meses precedentes, excluídas as duplicidades e deduzidas:

I – na União, as parcelas entregues aos Municípios por determinação constitucional;

II – nos Estados, as parcelas entregues aos Municípios por determinação constitucional;

III – na União, nos Estados, no Distrito Federal e nos Municípios, a contribuição dos servidores para custeio de seu sistema de previdência e assistência social e as receitas provenientes da compensação financeira referida no § 9.° do art. 201 da Constituição Federal.

Doutrina

Conceito de receita corrente líquida. A norma do § 18 dispõe sobre a compreensão do referido conceito, que já foi mencionado no § 15 alhures, com a advertência de que o Supremo Tribunal Federal já declarou inconstitucional aquele dispositivo. Por identidade de razões, penso que este parágrafo também padece de inconstitucionalidade.

§ 19. Caso o montante total de débitos decorrentes de condenações judiciais em precatórios e obrigações de pequeno valor, em período de 12 (doze) meses, ultrapasse a média do comprometimento percentual da receita corrente líquida nos 5 (cinco) anos imediatamente anteriores, a parcela que exceder esse percentual poderá ser financiada, excetuada dos limites de endividamento de que tratam os incisos VI e VII do art. 52 da Constituição Federal e de quaisquer outros limites de endividamento previstos, não se aplicando a esse financiamento a vedação de vinculação de receita prevista no inciso IV do art. 167 da Constituição Federal.

Doutrina

Financiamento de parcela excedente. Dispõe a regra do § 19 que, no caso de o montante total de débitos decorrentes de condenações judiciais em precatórios e obrigações de pequeno valor, em período de ano, ultrapassar a média do comprometimento percentual da receita corrente líquida dos últimos cinco anos, a parcela excedente desse percentual poderá ser financiada, excetuando-a dos limites globais do montante da dívida consolidada do ente federado ou desses limites e condições ou de quaisquer outros limites de endividamento previstos, não se aplicando ainda a esse financiamento a vedação de vinculação de receita prevista no inciso IV do artigo 167 da Constituição Federal.

§ 20. Caso haja precatório com valor superior a 15% (quinze por cento) do montante dos precatórios apresentados nos termos no § 5.° deste artigo, 15% (quinze por cento) do valor deste precatório serão pagos até o final do exercício seguinte e o restante em parcelas iguais nos cinco exercícios subsequentes, acrescidas de juros de mora e correção monetária, ou mediante acordos diretos, perante Juízos Auxiliares de Conciliação de Precatórios, com redução máxima de 40% (quarenta por cento) do valor do crédito atualizado, desde que em relação ao crédito não penda recurso ou defesa judicial e que sejam observados os requisitos definidos na regulamentação editada pelo ente federado.

Doutrina

Pagamentos parcelados de precatórios e acordos diretos juízos de conciliação. Dispõe a norma do § 20 que, no caso de existir precatório cujo valor individual ultrapasse de quinze por cento do valor total dos precatórios apresentados nos termos no § 5.° deste artigo, quinze por cento dos precatórios serão pagos até o final do exercício seguinte e o restante deles em parcelas iguais no espaço de cinco exercícios subsequentes, com acréscimo de juros de mora e correção monetária, ou mediante acordos diretos, perante Juízos Auxiliares de Conciliação e Precatórios, admitida a redução máxima de quarenta por cento do valor do crédito atualizado, desde que, em relação ao crédito objeto do acordo, não haja recurso pendente ou defesa judicial ainda não apreciada, devendo, ainda, serem observados os requisitos definidos na regulamentação editada pelo ente federado.

§ 21. Ficam a União e os demais entes federativos, nos montantes que lhes são próprios, desde que aceito por ambas as partes, autorizados a utilizar valores objeto de sentenças transitadas em julgado devidos a pessoa jurídica de direito público para amortizar dívidas, vencidas ou vincendas:

I – nos contratos de refinanciamento cujos créditos sejam detidos pelo ente federativo que figure como devedor na sentença de que trata o caput deste artigo;

II – nos contratos em que houve prestação de garantia a outro ente federativo;

III – nos parcelamentos de tributos ou de contribuições sociais; e

IV – nas obrigações decorrentes do descumprimento de prestação de contas ou de desvio de recursos;

§ 22. A amortização de que trata o § 21 deste artigo:

I – nas obrigações vencidas, será imputada primeiramente às parcelas mais antigas;

II – nas obrigações vincendas, reduzirá uniformemente o valor de cada parcela devida, mantida a duração original do respectivo contrato ou parcelamento.

Seção II
DO SUPREMO TRIBUNAL FEDERAL

Art. 101. O Supremo Tribunal Federal compõe-se de onze Ministros, escolhidos dentre cidadãos com mais de trinta e cinco e menos de setenta anos de idade, de notável saber jurídico e reputação ilibada.

Parágrafo único. Os Ministros do Supremo Tribunal Federal serão nomeados pelo Presidente da República, depois de aprovada a escolha pela maioria absoluta do Senado Federal.

Doutrina

Supremo Tribunal Federal. É o tribunal de cúpula do Poder Judiciário brasileiro, decidindo em última instância as questões que lhes são apresentadas, sendo sua principal atribuição a de guardião da Constituição Federal, no sentido de ser o seu intérprete mais autorizado e responsável por curar dos valores e princípios nela consagrados.

Composição do STF. Tem sido variável no decorrer do tempo, tendo a Constituição de 1891 fixada a composição em quinze ministros; a Constituição de 1934, reduziu-a para onze ministros, número mantido nas Constituições de 1937, 1946, 1969 e 1988; na Constituição de 1967, a composição era de dezesseis ministros, fixada anteriormente pelo Ato Institucional n.º 2, de 27 de outubro de 1965; e, por meio do Ato Institucional n.º 6, de 1.º de fevereiro de 1969, a composição foi reduzida para onze ministros, número mantido na Constituição de 1969.

Requisitos. Os ministros do STF devem atender aos seguintes requisitos para nomeação: ser brasileiro nato (art. 12, § 3.º, IV); estar em pleno gozo dos direitos políticos (art. 14, § 1.º, I); contar com mais de trinta e cinco e menos de setenta anos de idade; possuir notável saber jurídico, quer dizer, dominar extensos conhecimentos da ciência jurídica capaz de distingui-lo dos demais operadores do Direito; ter reputação ilibada, ou conceito e conduta social inatacáveis, merecendo, por isso mesmo, o respeito de seus concidadãos.

Processo de escolha, nomeação, posse e exercício. Desenvolve-se em quatro fases: a) o Presidente da República escolhe livremente um nome que reúna os requisitos constitucionais exigidos; b) em seguida, submete a indicação ao Senado Federal, que poderá recusá-la ou aprová-la pelo voto da maioria absoluta de seus membros; c) aprovada a escolha, o Presidente da República baixa o ato de nomeação; d) por último, o nomeado toma posse perante o Supremo Tribunal Federal, tendo, na mesma oportunidade, início o seu exercício.

Jurisprudência

> A Constituição não pode submeter-se à vontade dos Poderes constituídos nem ao império dos fatos e das circunstâncias. A Supremacia de que ela se reveste – enquanto for respeitada – constituirá a garantia mais efetiva de que os direitos e liberdades não serão jamais ofendidos. Ao Supremo Tribunal Federal incumbe a tarefa magna e eminente de velar para que essa realidade não seja desfigurada" (RTJ 146/707, trecho do voto do Min. Celso de Mello, *apud* Alexandre de Moraes, Constituição do Brasil Interpretada, Atlas, 2002, p. 1.359).

Art. 102. Compete ao Supremo Tribunal Federal, precipuamente, a guarda da Constituição, cabendo-lhe:

Doutrina

Competência precípua do STF. A competência principal, essencial, do Supremo Tribunal Federal, é a de guardião da Constituição da República, no sentido de ser seu intérprete mais categorizado e zelar pelo seu fiel cumprimento.

Jurisprudência

"O Supremo Tribunal Federal deve exercer sua função precípua de fiscalização da constitucionalidade das leis e dos atos normativos quando houver um tema ou uma controvérsia constitucional suscitada em abstrato, independente do caráter geral ou específico, concreto ou abstrato de seu objeto. Possibilidade de submissão das normas orçamentárias ao controle abstrato de constitucionalidade." (STF – Pleno, ADIN 4.048 MC, rel. Min. Gilmar Mendes, j. 14.05.2008).

"Na atual Carta Magna 'compete ao Supremo Tribunal Federal, precipuamente, a guarda da Constituição', (art. 102, *caput*), o que implica dizer que essa jurisdição lhe é atribuída para impedir que se desrespeite a Constituição como um todo, e não para, com relação a ela, exercer o papel do poder constituinte originário, a fim de verificar se esta teria, ou não, violado os princípios de Direito suprapositivo que ele próprio havia incluído no texto da mesma Constituição" (STF – Pleno, ADIN 815-3/RS, rel. Min. Moreira Alves, DJ 1, 10.05.1996, p. 15.131).

"(...) – A proteção das minorias e dos grupos vulneráveis qualifica-se como fundamento imprescindível à plena legitimação material do Estado Democrático de Direito. – Incumbe, por isso mesmo, ao Supremo Tribunal Federal, em sua condição institucional de guarda da Constituição (o que lhe confere 'o monopólio da última palavra' em matéria de interpretação constitucional), desempenhar função contramajoritária, em ordem a dispensar efetiva proteção às minorias contra eventuais excessos (ou omissões) da maioria, eis que ninguém se sobrepõe, nem mesmo os grupos majoritários, à autoridade hierárquico-normativa e aos princípios superiores consagrados na Lei Fundamental do Estado. Precedentes. Doutrina" (STF – 2.ª Turma, RE 477.554/MG AgRg, rel. Min. Celso de Mello, j. 16.08.2011).

"Tirar do mandado de segurança a providência cautelar e impedir a sua execução enquanto não transitar em julgado a sentença concessiva é atrofiar o instituto a ponto de reduzi-lo ao simulacro, deixando direitos individuais sem proteção real e reduzidos, por sua vez, a promessa vã, e isto não me parece que possa prevalecer em face da Constituição, da qual é guarda o Supremo Tribunal Federal." (STF – Pleno, ADIN 223-6/DF, rel. Min. Paulo Brossard, JSTF, LEX 143/36).

"O instituto do *amicus curiae* sugere a adoção de um modelo procedimental que ofereça alternativas e condições para permitir, de modo cada vez mais intenso, a interferência de uma pluralidade de sujeitos, argumentos e visões no processo constitucional. Essa nova realidade pressupõe, além de amplo acesso e participação de sujeitos interessados nos processos em análise pelo Supremo Tribunal Federal, a possibilidade efetiva de o Tribunal Constitucional contemplar as diversas perspectivas na apreciação da legitimidade de um determinado ato questionado. Esse modelo pressupõe não só a possibilidade de o Tribunal se valer de todos os elementos técnicos disponíveis para a apreciação da legitimidade do ato questionado, mas também um amplo direito de participação por parte de terceiros. E não se argumente que o instituto do *amicus curiae* somente pode ser admitido em processos de controle abstrato, pois já houve decisão desta Corte, pelo Tribunal Pleno, no sentido de admitir a intervenção do *amicus curiae* em recurso extraordinário" (STF – Pleno, RE 415.454/SC, rel. Min. Gilmar Mendes, DJ, 26.10.2007).

"Decisão: O Tribunal, por maioria e nos termos do voto do Ministro Marco Aurélio (Relator), no que foi acompanhado pelos Ministros Alexandre de Moraes, Ricardo Lewandowski, Gilmar Mendes, Celso de Mello e Dias Toffoli (Presidente), manteve sua jurisprudência e deu parcial provimento ao agravo interposto pelos investigados para: (i) no tocante ao fato ocorrido em 2014, reconsiderar a decisão recorrida e assentar a competência do Supremo Tribunal Federal; e (ii) quanto aos delitos supostamente cometidos em 2010 e 2012, declinar da competência para a Justiça Eleitoral do Estado do Rio de Janeiro; e julgou prejudicado o agravo regimental interposto pela Procuradoria-Geral da República, no que voltado à fixação da competência da Justiça Federal, relativamente ao delito de evasão de divisas, vencidos os Ministros Edson Fachin, Roberto Barroso, Rosa Weber, Luiz Fux e Cármen Lúcia, que davam parcial provimento aos agravos regimentais interpostos pela Procuradoria-Geral da República e pelos investigados para cindir os fatos apurados neste inquérito e determinar a remessa de cópia dos autos à Justiça Eleitoral do Estado do Rio de Janeiro para apuração, mediante livre distribuição, dos supostos crimes de falsidade ideológica eleitoral ocorridos nos anos de 2010, 2012 e 2014 (sendo que, quanto aos fatos ocorridos no ano de 2014, os Ministros que divergiram do Relator negavam provimento ao recurso por entenderem ser incompetente o STF) e, ainda, determinar o encaminhamento dos autos à Seção Judiciária do Rio de Janeiro para apuração, mediante livre distribuição, dos supostos crimes de corrupção ativa, corrupção passiva, lavagem de capitais e evasão de divisas ocorridos no ano de 2012" (STF – Pleno, Inq 4.435/DF, rel. Min. Marco Aurélio, j. 14.03.2019).

"Inquérito. Competência originária. Detentor de prerrogativa de foro. Coinvestigado sem prerrogativa funcional. Fase embrionária da investigação. Imbricação de condutas. Apuração conjunta. Precedentes. 1. Havendo detentores e não detentores de prerrogativa de foro na mesma investigação criminal, orienta a atual jurisprudência desta Suprema Corte no sentido de proceder ao desmembramento como regra, com a ressalva do coinvestigado relativamente ao qual imbricadas a tal ponto as condutas que inviabilizada a cisão. 2. Imbricação de condutas identificada no caso, a apontar para a apuração conjunta da investigação quanto aos coimplicados, presente o estágio da investigação. 3. Agravo regimental provido" (STF – 1.ª Turma, Inq 4.453/

DF AgRg-AgRg-AgRg, rel. Min. Marco Aurélio, red. para o acórdão Min. Rosa Weber, j. 12.09.2017).

I – processar e julgar, originariamente:

Doutrina

Competência originária do STF. A competência originária do STF é definida em razão da matéria, por sua natureza, e da qualidade das partes, em face do papel que desempenham no quadro das instituições. Assim, nas matérias listadas, que se constituem em *numerus clausus*, o STF é competente para processar e julgar em primeira e única instância.

Jurisprudência

> A competência originária do Supremo Tribunal Federal é fixada em *numerus clausus* pelo rol exauriente inscrito no art. 102, I, da Constituição Federal, não comportando, por isso mesmo, nenhuma possibilidade de extensão. (STF, RTJ, 43/129).

a) a ação direta de inconstitucionalidade de lei ou ato normativo federal ou estadual e a ação declaratória de constitucionalidade de lei ou ato normativo federal;

Doutrina

Legislação de regência da matéria. A Lei n.° 9.868, de 10.11.1999, dispõe sobre o processo e julgamento na ação direta de inconstitucionalidade e na ação declaratória de constitucionalidade perante o Supremo Tribunal Federal.

Controle concentrado de constitucionalidade. É o que se desenvolve perante o Supremo Tribunal Federal, com a finalidade de fazer prevalecer o princípio da supremacia da Constituição, que exige a conformação com esta de todas as normas do ordenamento jurídico. A Constituição consagra as seguintes ações para o exercício do referido controle: a direta de inconstitucionalidade genérica (art. 102, I, *a*); a direta de inconstitucionalidade por omissão (art. 103, § 2.º); a direta de inconstitucionalidade interventiva (art. 36, III); e a declaratória de constitucionalidade (art. 102, I, *a, in fine*).

Ação direta de inconstitucionalidade genérica. O seu objeto é a declaração de inconstitucionalidade de lei ou ato normativo federal ou estadual, apenas estes e não as leis ou atos normativos municipais, cujo controle ocorre na forma das constituições estaduais, perante os Tribunais de Justiça. Entende-se como lei a espécie normativa primária emanada do Poder Legislativo e como ato normativo todo aquele que impõe o cumprimento de uma obrigação, como as resoluções ou deliberações administrativas de tribunais, órgãos judiciários ou administrativos, não se entendendo como tal os atos estatais de efeitos concretos, como as súmulas, as respostas emitidas pelo Tribunal Superior Eleitoral e as convenções coletivas de trabalho. A finalidade visada com a declaração de inconstitucionalidade é a de expungir do ordenamento jurídico a lei ou o ato normativo em conflito com a Constituição. Os efeitos da declaração de inconstitucionalidade operam-se retroativamente (*ex tunc*), de forma genérica (*erga omnes*), atingindo a todos, e obrigatória. Por último, esta ação não se sujeita a prazo de prescrição ou decadência; admite-se a concessão de liminar; e o Advogado-Geral da União nela atua para fazer a defesa da constitucionalidade da norma legal ou do ato normativo impugnados.

Ação declaratória de constitucionalidade. Foi instituída pela EC 3/93 e visa a declaração de constitucionalidade de lei federal ou de ato normativo federal apenas, e não os estaduais, com a finalidade de afastar o estado de incerteza jurídica gerado pelo questionamento quanto à conformação ou não da norma com a Constituição. Aliás, constitui pressuposto necessário para o exercício da ação a prova da controvérsia judicial, com a juntada de documento da existência de inúmeras ações em andamento em vários juízos e tribunais impugnando a constitucionalidade da lei ou do ato normativo federais. A legitimação para o seu ajuizamento foi conferida às autoridades e instituições listadas nos incisos I a IX do art. 103 da Constituição. Quanto aos seus efeitos, as decisões definitivas de mérito, proferidas pelo Supremo Tribunal Federal, produzirão eficácia contra todos (*erga omnes*), efeito vinculante, relativamente aos demais órgãos do Poder Judiciário e ao Poder Executivo, e, ainda, *ex tunc*. Também não se sujeita a prazo de prescrição ou decadência.

Jurisprudência

> "O Supremo Tribunal Federal, no desempenho de sua atividade jurisdicional, não está condicionado às razões de ordem jurídica invocadas como suporte da pretensão de inconstitucionalidade deduzida pelo autor da ação direta. Tal circunstância, no entanto, não suprime, à parte, o dever processual de motivar o pedido e de identificar, na Constituição, em obséquio ao princípio da especificação das normas, os dispositivos alegadamente violados pelo ato normativo que pretende impugnar. Impõe-se, ao autor, no processo de controle concentrado de constitucionalidade, sob pena de não conhecimento (total ou parcial) da ação direta, indicar as normas de referência – que, inscritas na Constituição da República, revestem-se, por isso mesmo, de parametricidade –, em ordem a viabilizar a aferição da conformidade vertical dos atos normativos infraconstitucionais". (STF – Pleno, ADIN 2.213 MC, rel. Min. Celso de Mello, j. 04.04.2002).
>
> O Supremo Tribunal Federal, no exercício de sua função precípua de guarda da Constituição, pode declarar inconstitucional uma emenda constitucional emanada do poder constituinte derivado que implique em violação à Carta originária. (STF, RDA, 191/214).
>
> As cláusulas pétreas não se prestam para a sustentação de tese de inconstitucionalidade de normas constitucionais originárias inferiores em face de normas ou princípios constitucionais superiores, pois a Constituição as prevê apenas como limitadoras do exercício

do poder constituinte derivado, não englobando a própria produção originária. (STF – Pleno, ADIN 815/3, DJ 1, 10.05.1996, p. 15.131).

"O controle normativo abstrato, para efeito de sua válida instauração, supõe a ocorrência de situação de litigiosidade constitucional que reclama a existência de uma necessária relação de confronto imediato entre o ato estatal de menor positividade jurídica e o texto da Constituição Federal. Revelar-se-á processualmente inviável a utilização da ação direta, quando a situação de inconstitucionalidade – que sempre deve transparecer imediatamente do conteúdo material do ato normativo impugnado – depender, para efeito de seu reconhecimento, do prévio exame comparativo entre a regra estatal questionada e qualquer outra espécie jurídica de natureza infraconstitucional, como os atos internacionais – inclusive aqueles celebrados no âmbito da Organização Internacional do Trabalho (OIT) – que já se acham incorporados ao Direito positivo interno do Brasil, pois os tratados concluídos pelo Estado possuem, em nosso sistema normativo, o mesmo grau de autoridade e de eficácia das leis nacionais." (STF – Pleno, ADIN 1.347/5/DF, rel. Min. Celso de Mello, DJ 1, 01.12.1995, p. 41.685).

"Objeto da ação direta prevista no art. 102, I, *a*, e 103 da CF é a declaração de inconstitucionalidade de lei ou ato normativo em tese, logo o interesse de agir só existe se eles estiverem em vigor. (...). A revogação ulterior do ato normativo questionado realiza, em si, a função jurídica constitucional reservada à ação direta de expungir do sistema jurídico a norma inquinada de inconstitucionalidade" (STF – Pleno, ADIN 649-5/RN, rel. Min. Paulo Brossard, DJ 1, 23.09.1994, p. 25.313).

A liminar concedida em sede de ação direta de inconstitucionalidade, com o fim de suspender a vigência de lei ou ato normativo, produz efeitos *ex nunc*, não retroativos, a partir do momento em que deferida pelo Supremo Tribunal Federal. (STF, RTJ, 124/80).

Na ação declaratória de constitucionalidade, a comprovação da controvérsia em torno da validade ou não da lei ou ato normativo federal se faz de pronto, através da prova da existência de inúmeras ações tramitando em juízos ou tribunais diferentes. (STF – Pleno, ADC 1-1/DF, rel. Min. Moreira Alves, j. 01.12.1993).

É constitucional a ação declaratória de constitucionalidade, sendo de aplicação imediata, prescindindo de lei para regulamentar o seu procedimento. (STF – Pleno, ADC 1-1/DF QO, DJ 1, 05.11.1993, p. 23.286).

A ação declaratória de constitucionalidade é instrumento do sistema de controle abstrato da constitucionalidade das normas, cuja finalidade única é a defesa da ordem jurídica, não visando à proteção de direitos subjetivos. Assim sendo, deve ser estruturada em um processo objetivo, da mesma forma que a ação direta de inconstitucionalidade, ou seja, um processo sem contraditório, sem partes, ainda que possam ser ouvidos os órgãos que participaram da elaboração da lei ou do ato normativo. (STF, DJ 1, 05.11.1993, p. 23.286).

Na ação declaratória de constitucionalidade, a comprovação da controvérsia em torno da validade ou não da lei ou ato normativo federal se faz de pronto, através da prova da existência de inúmeras ações tramitando em juízos ou tribunais diferentes. (STF – Pleno, ADC 1-1/DF QO, DJ 1, 05.11.1993, p. 23.286).

"Uma vez ganhando o decreto contornos de verdadeiro ato normativo autônomo, cabível é a ação direta de inconstitucionalidade. Precedente: Ação Direta de Inconstitucionalidade n.° 1.590/SP, Plenário, Relator Ministro Sepúlveda Pertence, com aresto veiculado no Diário da Justiça de 15 de agosto de 1997". (STF – Pleno, ADIN 1.396, rel. Min. Marco Aurélio, j. 08.06.1998).

b) nas infrações penais comuns, o Presidente da República, o Vice-Presidente, os membros do Congresso Na-

cional, seus próprios Ministros e o Procurador-Geral da República;

Doutrina

Privilégio de foro. Em razão do reconhecimento das altas funções exercidas pelas autoridades aqui mencionadas, as mesmas têm foro para processo e julgamento perante o Supremo Tribunal Federal nas chamadas infrações penais comuns, que devem ser entendidas como toda e qualquer violação da lei penal por elas praticadas, inclusive os crimes eleitorais e as contravenções penais.

Procedimento com relação ao Presidente da República. A acusação deve ser submetida à Câmara dos Deputados para autorizar ou não a instauração do processo. Admitida a acusação, por dois terços de seus membros, o processo será instaurado pelo STF, ficando o Presidente da República suspenso de suas funções, pelo prazo de cento e oitenta dias, desde o recebimento da denúncia ou queixa-crime.

Jurisprudência

> A jurisprudência do Supremo Tribunal Federal é pacífica no sentido de entender-se a expressão "crimes comuns" como abrangente de todos os delitos, inclusive os crimes eleitorais e as contravenções penais. Assim, sendo o STF o juiz natural dos membros do Congresso Nacional nos processos penais, é o único órgão do Judiciário competente para ordenar, no que pertine a supostos crimes eleitorais atribuídos a parlamentares, quaisquer diligências necessárias à obtenção de prova da atividade delituosa, inclusive a decretação da quebra do sigilo bancário. (STF, DJ 1, 15.09.1995, p. 29.506).
>
> "1. Em tese, nas hipóteses em que se cuidar de processos de natureza penal, deve acolher-se a competência do Supremo Tribunal Federal para julgar recurso pendente de julgamento em tribunal diverso quando ao menos um dos réus passar a ocupar cargo ou função com foro privilegiado, nos termos do art. 102, inciso I,

alíneas 'b' e 'c' da Constituição Federal. Orientação que não firma a competência desta Corte, entretanto, considerando a absoluta ausência de legitimidade passiva e de interesse recursal no tocante ao requerido pessoa física, hoje Deputado Federal" (STF – Pleno, PET 3.645/PA, rel. Min. Menezes Direito, j. 20.02.2008).

"Reclamação. Negativa de seguimento. Agravo regimental. Art. 102, I, b da Constituição Federal. Foro privilegiado. A simples menção de nomes de parlamentares, por pessoas que estão sendo investigadas em inquérito policial, não tem o condão de ensejar a competência do Supremo Tribunal Federal para o processamento do inquérito, à revelia dos pressupostos necessários para tanto dispostos no art. 102, I, b da Constituição. Agravo regimental improvido" (STF – Pleno, Recl 2.101/DF AgRg, rel. Min. Ellen Gracie, j. 13.03.2003).

c) nas infrações penais comuns e nos crimes de responsabilidade, os Ministros de Estado e os Comandantes da Marinha, do Exército e da Aeronáutica, ressalvado o disposto no art. 52, I, os membros dos Tribunais Superiores, os do Tribunal de Contas da União e os chefes de missão diplomática de caráter permanente;

Doutrina

Infrações penais comuns e crimes de responsabilidade. A norma constitucional atribui competência ao STF para processar e julgar, tanto nos crimes comuns quanto nos de responsabilidade, não conexos com crime da mesma natureza imputado ao Presidente da República, as autoridades aqui mencionadas, garantindo-lhes privilégio de foro em razão de suas altas responsabilidades. Releva anotar que, se houver conexão no crime de responsabilidade imputado à autoridade e ao Presidente da República, a competência para processo e julgamento é do Senado Federal (art. 52, I).

Jurisprudência

O ordenamento jurídico vigente não veicula norma expressa impondo a suspensão do exercício das funções de Ministro de Estado denunciado por crime de responsabilidade, salvo se verificada a conexão com ato praticado pelo Presidente da República. (STF, DJ 1, 26.11.1997, p. 61.736).

d) o *habeas corpus*, sendo paciente qualquer das pessoas referidas nas alíneas anteriores; o mandado de segurança e o *habeas data* contra atos do Presidente da República, das Mesas da Câmara dos Deputados e do Senado Federal, do Tribunal de Contas da União, do Procurador-Geral da República e do próprio Supremo Tribunal Federal;

Doutrina

***Competência para o* habeas corpus.** É do Supremo Tribunal Federal a competência para o processo e julgamento de *habeas corpus* impetrado para garantir o direito de locomoção do Presidente da República, do Vice-Presidente da República, dos membros do Congresso Nacional, de Ministro do próprio STF, do Procurador-Geral da República, dos Ministros de Estado, dos Comandantes da Marinha, do Exército e da Aeronáutica, dos Ministros dos Tribunais Superiores e dos chefes de missão diplomática de caráter permanente, nos *writ* em que quaisquer deles figurem como pacientes.

***Competência para o mandado de segurança e o* habeas data.** Da mesma forma, compete ao Supremo Tribunal Federal processar e julgar o mandado de segurança e o *habeas data* impetrados contra atos emanados do Presidente da República, das Mesas da Câmara dos Deputados ou do Senado Federal, do Tribunal de Contas da União, do Procurador-Geral da República e do próprio STF.

Jurisprudência

Súmulas do STF: 248. "É competente, originariamente, o Supremo Tribunal Federal, para mandado de segurança contra ato do Tribunal de Contas da União." 267. "Não cabe mandado de segurança contra ato judicial passível de recurso ou correição."

"Não compete, originariamente, ao Supremo Tribunal Federal, mas, sim, ao Tribunal Superior do Trabalho, processar e julgar mandado de segurança contra seus próprios atos e decisões (art. 102, I, *d*, da Constituição Federal, e art. 21, VI, da Lei Complementar 35, de 14/03/1979 – Lei Orgânica da Magistratura Nacional)." (STF, Ementário, n.º 1.797-02, p. 360).

e) o litígio entre Estado estrangeiro ou organismo internacional e a União, o Estado, o Distrito Federal ou o Território;

Doutrina

Foro do Estado estrangeiro. Cabe ao Supremo Tribunal Federal processar e julgar o litígio entre Estado estrangeiro ou organismo internacional – equiparado, pois, a país estrangeiro –, e a União, o Estado e o Distrito Federal ou o Território. De fato, doutrina e jurisprudência têm mitigado a regra da imunidade de jurisdição do Estado estrangeiro para admitir seja o mesmo processado e julgado perante tribunal nacional em determinados casos.

Jurisprudência

É relativo o princípio da imunidade jurisdicional dos Estados estrangeiros, podendo, pois, vir a ser afastado em casos como o de reclamação trabalhista, o de indenização civil por danos, ou naqueles em que os mesmos atuem como particulares ou na prática de atos de comércio. (STF, RTJ, 133/159).

f) as causas e os conflitos entre a União e os Estados, a União e o Distrito Federal, ou entre uns e outros, inclusive as respectivas entidades da administração indireta;

Doutrina

Tribunal da Federação. A norma constitucional consagra o Supremo Tribunal Federal como o Tribunal da Federação, conferindo-lhe competência para processar e julgar as causas entre a União e os Estados-membros, a União e o Distrito Federal, Estados-membros entre si, Estado-membro e o Distrito Federal, inclusive os litígios envolvendo as suas respectivas entidades da administração indireta, como as autarquias e empresas públicas. Contudo, referida atribuição somente se legitima para as causas que apresentem algum risco para a existência do pacto federativo.

Jurisprudência

> Súmula do STF: 503. "A dúvida, suscitada por particular, sobre o direito de tributar, manifestado por dois Estados, não configura litígio da competência originária do Supremo Tribunal Federal."
>
> "O art. 102, I, *f*, da Constituição confere ao STF a posição eminente de Tribunal da Federação, atribuindo-lhe, nessa condição, o poder de dirimir as controvérsias que, irrompendo no seio do Estado Federal, oponham as unidades federadas umas às outras. A jurisprudência do Supremo Tribunal Federal, na definição do alcance dessa regra de competência originária da Corte, tem enfatizado o seu caráter de absoluta excepcionalidade, restringindo a sua incidência às hipóteses de litígios cuja potencialidade ofensiva revele-se apta a vulnerar os valores que informam o princípio fundamental que rege, em nosso ordenamento jurídico, o pacto da Federação. Ausente qualquer situação que introduza a instabilidade no equilíbrio federativo ou que ocasione a ruptura da harmonia que deve prevalecer nas relações entre as en-

tidades integrantes do Estado Federal, deixa de incidir, ante a inocorrência dos seus pressupostos de atuação, a norma de competência prevista no art. 102, I, *f*, da Constituição. Causas de conteúdo estritamente patrimonial, fundadas em títulos executivos extrajudiciais, sem qualquer substrato político, não justificam se instaure a competência do Supremo Tribunal Federal prevista no art. 102, I, *f*, da Constituição, ainda que nelas figurem, como sujeitos da relação litigiosa, uma pessoa estatal e um ente dotado de paraestatalidade." (STF – Pleno, ACO 359-8/SP, rel. Min. Celso de Mello, RTJ, 152/366).

g) a extradição solicitada por Estado estrangeiro;

Doutrina

Extradição. Compete ao Supremo Tribunal Federal processar e julgar o pedido de extradição feito por Estado estrangeiro. Cabe lembrar que a Constituição Federal não admite, em hipótese nenhuma, a extradição de brasileiro nato e nem de estrangeiro acusado de crime político ou de opinião. Quanto ao brasileiro naturalizado, a extradição poderá ser concedida apenas nos casos de crime comum, praticados antes da naturalização, ou de comprovado envolvimento em tráfico de entorpecentes e drogas afins.

Jurisprudência

Súmula do STF: 421. "Não impede a extradição a circunstância de ser o extraditando casado com brasileira ou ter filho brasileiro."

A extradição, após instaurada a fase judicial, constitui-se em ação especial, de natureza constitutiva, que tem por fim a formação de título jurídico capaz de legitimar o Poder Executivo da União a efetivar, com base em tratado internacional ou em compromisso de reciprocidade, a entrega do súdito reclamado pelo Estado estrangeiro. Portanto, tendo em nosso ordenamento jurídico caráter de processo documental, cabe ao Estado requerente a obrigação de produzir, dentre outros elementos, aqueles que constituem os documentos indispensáveis à própria instauração do juízo extradicional, sob pena de indeferimento liminar do pedido por insuficiência de instrução" (STF, EXT 667/3, DJU, 29.09.1995, p. 31.998/9).

No processo de extradição, não cabe à Justiça brasileira decidir quanto ao acerto ou não da Justiça do Estado requerente na aplicação de seu próprio direito, descabendo qualquer juízo quanto ao processo ou exame de mérito da condenação. (STF, RTJ, 160/402).

h) *Revogada pela Emenda Constitucional 45, de 08.12.2004.*

i) o *habeas corpus*, quando o coator for Tribunal Superior ou quando o coator ou o paciente for autoridade ou funcionário cujos atos estejam sujeitos diretamente à jurisdição do Supremo Tribunal Federal, ou se trate de crime sujeito à mesma jurisdição em uma única instância;

Doutrina

***Competência para o* habeas corpus**. Além das hipóteses previstas na alínea *d*, primeira parte, deste artigo, também é do Supremo Tribunal Federal a competência para o processo e julgamento de *habeas corpus* impetrado para garantir o direito de locomoção da pessoa nas seguintes hipóteses: *a*) quando o ato coator emanar de Tribunal Superior, ou seja, do STJ, do TST, do STM e do TSE; *b*) quando o coator ou o paciente for autoridade ou funcionário cujos atos estejam sujeitos diretamente à jurisdição do STF, como no caso de impetração do *writ* contra ato de ministro da própria Corte, ou da Presidência de uma Comissão Parlamentar de Inquérito; *c*) ou quando se tratar de crime sujeito à mesma jurisdição em uma única instância, quer dizer, nos delitos de competência originária do STF.

Jurisprudência

> Quando o constrangimento decorre de decisão colegiada, é o Tribunal que está se manifestando e, nesse caso, a competência é do Supremo Tribunal Federal (CF, art. 102, I, *i*). Contudo, quando o constrangimento tiver origem em decisão emanada de membro do Tribunal, quer na condição de juiz de instrução nos processos de competência originária, quer na condição de relator de recurso, por ato seu ou que lhe caiba administrar, a competência é do Superior Tribunal de Justiça (CF, art. 105, I, *c*). (STF, RTJ, 138/163).
>
> Cabe, perante o Supremo Tribunal Federal, *habeas corpus*, em caráter preventivo, contra ameaça de violência à liberdade de locomoção, concretizada em intimação do paciente para depor em CPI, que contém ainda a possibilidade de sua condução coercitiva, caso se recuse a comparecer. (STF – Pleno, HC 71.261-4/RJ, DJ 1, 24.06.1994, p. 16.651).
>
> É da competência originária do Supremo Tribunal Federal (CF, art. 102, alíneas *i* e *c*) o processo e julgamento do *habeas corpus* contra ameaça imputada a Senador ou Deputado Federal, inclusive a que decorra de ato praticado por membro do Congresso Nacional na qualidade de Presidente de Comissão Parlamentar de Inquérito. (STF – Pleno, HC 71.261-4/RJ, DJ 1, 24.06.1994, p. 16.651).

j) a revisão criminal e a ação rescisória de seus julgados;

Doutrina

***Revisão criminal no âmbito do STF*.** Revisão criminal é a ação destinada ao reexame de condenação criminal anterior visando a sua desconstituição. A competência do STF para a ação limita-se aos casos de revisão de decisões emanadas do próprio Tribunal.

Ação rescisória de seus julgados. A ação rescisória destina-se à desconstituição de sentença civil transitada em julgado. Da mesma forma, a competência do STF para esta ação limita-se àquelas destinadas à rescisão de seus próprios julgados.

Jurisprudência

> Súmulas do STF: 249. "É competente o Supremo Tribunal Federal para a ação rescisória, quando, embora não tendo conhecido do recurso extraordinário, ou havendo negado provimento ao agravo, tiver apreciado a questão federal controvertida." 295. "São inadmissíveis embargos infringentes contra decisão unânime do Supremo Tribunal Federal em ação rescisória." 343. "Não cabe ação rescisória por ofensa a literal disposição de lei, quando a decisão rescindenda se tiver baseado em texto legal de interpretação controvertida nos tribunais." 393. "Para requerer revisão criminal, o condenado não é obrigado a recolher-se à prisão." 514. "Admite-se a ação rescisória contra sentença transitada em julgado, ainda que contra ela não se tenham esgotado todos os recursos." 515. "A competência para a ação rescisória não é do Supremo Tribunal Federal, quando a questão federal, apreciada no recurso extraordinário ou no agravo de instrumento, seja diversa da que foi suscitada no pedido rescisório." 606. "Não cabe *habeas corpus* originário para o Tribunal Pleno de decisão de Turma, ou do Plenário, proferida em *habeas corpus* ou no respectivo recurso."
>
> A jurisprudência da Corte é firme no sentido de que não cabe *habeas corpus* contra decisão de Turma ou do Plenário do STF, salvo se se tratar de crime sujeito à jurisdição deste em única instância. Esta posição jurisprudencial não se alterou com o advento da nova Constituição, cujo art. 102, I, *j*, reproduz literalmente o art. 119, I, *h*, da EC n.º 1/69. (STF – Pleno, HC 67.768, DJ, 23.02.1990).

> Nas ações rescisórias não mais se aplica o art. 333, par. único, do RISFT, e sim o art. 530 do CPC. Assim sendo, cabem embargos infringentes de decisão não unânime do Plenário, independentemente do número mínimo de votos dissidentes previsto no regimento. (STF, RT, 755/161).

k) a reclamação para a preservação de sua competência e garantia da autoridade de suas decisões;

Doutrina

Reclamação perante o STF. Destina-se a preservar a competência do Tribunal, subvertida em face de decisões proferidas por outros juízos ou tribunais, ou para garantir a autoridade de suas decisões quando indevidamente questionadas.

Jurisprudência

> A reclamação destina-se a preservar a competência global do STF e o seu objetivo específico é o salvaguardar a extensão, o *imperium* e os efeitos dos julgados da Corte. (STF, RTJ, 149/354).

> Implica em usurpação da competência penal originária do STF a quebra do sigilo bancário de Deputados Federais, decretada por Tribunal Regional Eleitoral ao argumento de apuração de crime eleitoral, pois, sendo o Pretório Excelso o juiz natural dos membros do Congresso Nacional nos processos penais, somente a ele cabe determinar toda e qualquer providência necessária à obtenção de dados probatórios essenciais à demonstração da prática delituosa. (STF, Ementário n.º 1.800-01, p. 60).

> Como o controle normativo abstrato das leis e atos do Poder Público, cotejados em face da Constituição Federal, não se destina à tutela jurisdicional de direitos ou interesses subjetivos, o eventual descumprimento

de decisões proferidas em ação direta de inconstitucionalidade não autoriza o uso da reclamação por magistrado que se considera lesado em sua situação jurídica. (STF, RTJ, 146/416).

É inadmissível a reclamação requerida por terceiro, pretensamente interessado, com base em alegação de eventual prejuízo em face do descumprimento da decisão, pois o uso da via reclamatória somente se legitima quando fundado em desrespeito à autoridade das decisões do STF. (STF, RTJ, 160/788).

l) a execução de sentença nas causas de sua competência originária, facultada a delegação de atribuições para a prática de atos processuais;

Doutrina

Execução de sentença. Compete ao Supremo Tribunal Federal a execução de sentença apenas nas causas de sua competência originária, onde atua como juiz natural, pois, nas demais, a competência é do juízo de primeiro grau. Ainda assim, a norma constitucional faculta a delegação de atribuições ao juiz singular para a prática de atos processuais ligados à execução.

m) a ação em que todos os membros da magistratura sejam direta ou indiretamente interessados, e aquela em que mais da metade dos membros do tribunal de origem estejam impedidos ou sejam direta ou indiretamente interessados;

Doutrina

Ação de interesse da magistratura. Compete ao Supremo Tribunal Federal processar e julgar a ação em que todos os membros da magistratura sejam direta ou indiretamente interessados. O interesse da magistratura pode ser de qualquer natureza, como, *v.g.*, prerrogativas, remuneração etc., sendo de todo conveniente que o Tribunal de Cúpula do Judiciário deslinde a causa para evitar dissenções e desgastes desnecessários.

Impedimento ou interesse de mais da metade dos membros do tribunal de origem. Da mesma forma, cabe ao STF processar e julgar as causas de interesse de mais da metade dos membros do tribunal de origem e também aquelas em que igual número de seus membros esteja impedido de atuar. Aqui não se trata de interesse de toda a magistratura e sim de membros de um tribunal, irrelevante se federal ou estadual.

Jurisprudência

> A competência prevista no art. 102, I, *n*, da Constituição Federal, somente ocorre quando se tratar de causa versando interesse privativo da magistratura, não se verificando nas demandas que interessam aos demais servidores públicos. (STF, RTJ, 144/350).
>
> Mandado de segurança impetrado por servidor público pleiteando o pagamento de percentual que não teria sido agregado aos seus vencimentos, não se enquadra na hipótese de competência prevista no art. 102, I, *n*, da Constituição Federal, porquanto não se trata de interesse privativo da magistratura, pois eventual reflexo sobre a remuneração dos magistrados federais não é o bastante para acarretar a competência do Supremo Tribunal Federal. (STF, DJ 1, 02.12.1994, p. 33.196).
>
> "Como tem entendido o Supremo Tribunal Federal a partir do julgamento da Ação Originária 8 (RTJ 131/949 e segs.), 'em decorrência do fim a que visa a segunda parte da letra *n* do inciso I do art. 102 da Constituição, é de ser ela interpretada no sentido de que a hipótese nela prevista só ocorrerá se, conforme o órgão a que compete julgar o recurso, estiver este impossibilitado de ver constituído o *quorum* necessário, por impedimento ou suspeição da maioria de seus membros, ainda que se recorra à convocação de outros magistrados, na forma

regimental'." (STF – Pleno, AO 330-0/MS, rel. Min. Moreira Alves, DJ 1, 10.05.1996, p. 15.130).

"A jurisprudência do Supremo Tribunal Federal firmou-se no sentido de reconhecer a *inaplicabilidade* da regra especial de competência inscrita no art. 102, I, *n*, da Constituição, sempre que a alegação de interesse direto ou indireto de mais da metade dos membros do Tribunal de origem referir-se a procedimentos desvestidos de caráter jurisdicional, de índole administrativa, que se destinem à escolha dos órgãos de direção das Cortes judiciárias. Pertence ao próprio Tribunal impetrado, *em tal situação*, a competência originária para processar e julgar a causa mandamental, eis que a norma consubstanciada no art. 21, VI, da Loman foi integralmente recebida pelo *novo* ordenamento constitucional." (STF, AO 266-5/RJ AgRg, rel. Min. Celso de Mello, DJ 1, 16.06.1995, p. 18.218).

Como a competência para o julgamento de mandado de segurança contra ato do Tribunal é do próprio Tribunal, decorre daí que o mesmo deve julgar o *writ* impetrado para atacar ato seu que, quebrando a regra de antiguidade, prevista no art. 102, da Loman, preencheu o cargo de Vice-Presidente da Corte por meio de eleição. Ademais, compete ao próprio Tribunal em princípio competente para a causa, apreciar os pressupostos do impedimento e da suspeição capazes de gerar a competência do Supremo Tribunal Federal para o deslinde da ação. (STF, Ementário n.º 1.708-01, p. 120).

n) os conflitos de competência entre o Superior Tribunal de Justiça e quaisquer tribunais, entre Tribunais Superiores, ou entre estes e qualquer outro tribunal;

Doutrina

Conflitos de competência. Cabe ao Supremo Tribunal Federal dirimir os conflitos de competência verificados entre o Superior Tribunal de Justiça e qualquer outro tribunal, aqueles ocorridos entre Tribunais Superiores, ou entre estes e qualquer outro tribunal.

Jurisprudência

Compete ao Supremo Tribunal Federal, por ser de hierarquia superior aos Tribunais Superiores, dirimir conflito de competência entre estes, inclusive quando se tratar de hipótese envolvendo o Superior Tribunal de Justiça, que é Tribunal Superior do mesmo nível dos demais Tribunais Superiores, como, no caso concreto, o Tribunal Superior do Trabalho. (STF, RTJ, 159/780).

"Cabe ao Supremo Tribunal Federal processar e julgar, originariamente, os conflitos de competência entre os Tribunais Superiores da União e os magistrados de primeira instância a eles não vinculados." (STF – Pleno, CComp 7.025-1/PE, rel. Min. Celso de Mello, DJ 1, 09.06.1995, p. 17.228).

O Superior Tribunal de Justiça ocupa posição de eminência na organização constitucional do Poder Judiciário, o que impede que se configure entre o mesmo e os Tribunais Regionais Federais conflito negativo ou positivo de competência, ainda que se contraste decisão singular de Ministro do STJ com decisão emanada de órgão colegiado de TRF. (STF, RTJ, 143/550).

o) o pedido de medida cautelar das ações diretas de inconstitucionalidade;

Doutrina

Medida cautelar. A norma constitucional admite o pedido de medida cautelar em ações diretas de inconstitucionalidade, cabendo ao Supremo Tribunal Federal decidir sobre o pleito. A concessão da medida cautelar condiciona-se à comprovação do perigo de lesão irreparável em face da demora e os efeitos da liminar concedida operam-se *ex nunc*, quer dizer, não desconstituem, desde logo, as relações jurídicas realizadas sob a égide do direito questionado, até porque presume-se, em princípio, a sua constitucionalidade.

Jurisprudência

A concessão de liminar suspendendo a eficácia e execução de leis, atos normativos e até normas de constituições estaduais é medida de caráter excepcional em face da presunção de validade dos atos estatais e, por isso mesmo, exige a satisfação dos seguintes requisitos: a) plausibilidade jurídica da tese exposta (*fumus boni iuris*); b) possibilidade de prejuízo decorrente do retardamento da decisão postulada (*periculum in mora*); c) irreparabilidade ou insuportabilidade dos danos emergentes dos próprios atos impugnados; d) necessidade de garantir a ulterior eficácia da decisão. (STF, RTJ, 130/5).

O ajuizamento tardio da ação direta de inconstitucionalidade, quando já decorrido grande lapso de tempo da edição do ato normativo objeto da impugnação, desautoriza, ainda que relevante a tese jurídica sustentada, o reconhecimento do *periculum in mora* e inviabiliza a concessão da medida cautelar. (STF, RTJ, 152/692).

Admite-se a reiteração do pedido de concessão de medida cautelar nas ações diretas de inconstitucionalidade, desde que fatos supervenientes autorizem a suspensão da eficácia da lei ou ato normativo impugnados. (STF, DJ 1, 02.03.1998, p. 2).

A medida liminar concedida em sede de ação direta de inconstitucionalidade tem efeitos *ex nunc*, portanto não retroage. O que tem efeito retroativo é a decisão final que venha a reconhecer a inconstitucionalidade da norma impugnada. (STF, RTJ, 152/788).

A medida liminar, como regra geral, produz efeitos *ex nunc*, a partir de sua concessão. Contudo, excepcionalmente, poderá ter efeitos *ex tunc*, quando tenha por fim a desconstituição de atos pretéritos com repercussão futura indireta, pois não se pode suspender para o futuro o que já se exauriu no passado. (STF, RTJ, 138/86).

Em face do caráter excepcional da eficácia *ex tunc*, deve o Supremo Tribunal Federal declará-la, expressamente, na decisão concessiva da medida cautelar, pois no silêncio entende-se que o efeito é *ex nunc*. (STF, RTJ, 164/506).

As decisões proferidas pela Corte em ação direta de inconstitucionalidade têm eficácia *erga omnes* quando suspendem, *ex nunc*, o ato normativo impugnado e limita-se a revigorar, para o futuro e até decisão final da ação, a normatividade vigente anteriormente, impondo a todos a sua observância. Nisso se exaure a eficácia das medidas liminares que não admitem execução específica, ainda que provisória, para permitir sejam adotadas medidas como a de depósito judicial para o resguardo de eventuais direitos. (STF, RTJ, 163/546).

p) o mandado de injunção, quando a elaboração da norma regulamentadora for atribuição do Presidente da República, do Congresso Nacional, da Câmara dos Deputados, do Senado Federal, das Mesas de uma dessas Casas Legislativas, do Tribunal de Contas da União, de um dos Tribunais Superiores, ou do próprio Supremo Tribunal Federal;

Doutrina

Mandado de injunção perante o STF. Cabe ao Supremo Tribunal Federal processar e julgar o mandado de injunção quando a ausência de norma regulamentadora – não importa se lei formal, regulamento, regimento, decreto legislativo, resolução etc. – inviabilizar o exercício dos direitos e liberdades constitucionais e das prerrogativas inerentes à nacionalidade, à soberania e à cidadania. Porém, a competência do STF limita-se apenas aos casos em que a norma regulamentadora for de atribuição de uma das autoridades ou dos órgãos referidos expressamente na norma constitucional.

Jurisprudência

"O novo *writ* constitucional, consagrado pelo art. 5.º, LXXI, da Carta Federal, não se destina a constituir direito novo nem a ensejar ao Poder Judiciário o anômalo desempenho de funções normativas que lhe são institucionalmente estranhas. O mandado de injunção não é o sucedâneo constitucional das funções político-jurídicas atribuídas aos órgãos estatais inadimplentes. A própria excepcionalidade desse novo instrumento jurídico *impõe* ao Judiciário o dever de estrita observância do princípio constitucional da divisão funcional do poder. Reconhecido o estado de mora inconstitucional do Congresso Nacional – único destinatário do comando para satisfazer, no caso, a prestação legislativa reclamada – e considerando que, embora previamente cientificado no Mandado de Injunção 283, Rel. Min. Sepúlveda Pertence, absteve-se de adimplir a obrigação que lhe foi constitucionalmente imposta, torna-se prescindível nova comunicação à instituição parlamentar, assegurando-se aos impetrantes, 'desde logo', a possibilidade de ajuizarem, 'imediatamente', nos termos do direito comum ou ordinário, a ação de reparação de natureza econômica instituída em seu favor pelo preceito transitório." (STF – Pleno, MI 284/DF, rel. Min. Celso de Mello, RTJ 139-03/712).

A mora é de ser reconhecida no caso concreto, quando, dado o tempo decorrido da promulgação da norma constitucional invocada e o relevo da matéria, se deva considerar superado o prazo razoável para a edição do ato legislativo necessário à efetividade da Lei Maior. Vencido prazo razoável, nem a inexistência de prazo constitucional para o adimplemento do dever de legislar, nem a pendência de projetos de lei tendentes a cumpri-lo descaracterizam a inconstitucionalidade da persistente omissão de legislar. (STF, RTJ, 158/375).

q) as ações contra o Conselho Nacional de Justiça e contra o Conselho Nacional do Ministério Público;

II – julgar, em recurso ordinário:

Doutrina

Recurso ordinário constitucional. É aquele cabível nas estritas hipóteses previstas pela norma constitucional, ou seja, nos casos previstos nas alíneas *a* e *b*.

Jurisprudência

> Súmula 299 do STF: "O recurso ordinário e o extraordinário interpostos no mesmo processo de mandado de segurança, ou no de 'habeas corpus', serão julgados conjuntamente pelo Tribunal Pleno."
>
> "Só se admite o recurso ordinário para a impugnação do julgamento das questões suscitadas e discutidas na instância inferior, ainda que não tenham sido julgadas por inteiro. O que não ficar circunscrito a esse âmbito – como as questões jurídicas não suscitadas nem discutidas no processo – não pode ser conhecido, sob pena de violação do princípio do duplo grau de jurisdição." (STF – Pleno, ROMS 21.300/DF, rel. Min. Moreira Alves, RTJ, 142/782).

a) o *habeas corpus*, o mandado de segurança, o *habeas data* e o mandado de injunção decididos em única instância pelos Tribunais Superiores, se denegatória a decisão;

Doutrina

Decisões denegatórias. São aquelas que indeferem o pleito de segurança, com apreciação de mérito, ou as que não conhecem da impetração, extinguindo o processo sem julgamento da questão de direito material posta.

Jurisprudência

Decisões denegatórias são as que indeferem o mandado de segurança, com apreciação do mérito, ou as que não conhecem do *writ*, extinguindo o processo sem o julgamento da controvérsia material suscitada. (STF, RTJ, 160/472).

Na ausência de interposição do recurso ordinário cabível contra a decisão denegatória que indeferiu liminarmente o *habeas corpus* impetrado perante o STJ, conhece-se do *writ* como substituto do recurso. (STF, RTJ, 153/931).

b) o crime político;

Doutrina

Crime político. É aquele que lesa interesse político do Estado ou direito político do cidadão. O crime político classifica-se em três modalidades: os próprios, que ofendem a estrutura e a organização política do Estado; os impróprios, que ofendem os direitos políticos dos cidadãos; e os mistos, que ofendem direito político, quando praticados com motivação política, ou a norma penal comum, quando destituídos de motivação política.

Cabimento do recurso ordinário. Definido o crime como político, sempre caberá o recurso ordinário contra a decisão proferida em última instância por Tribunal Superior, sendo irrelevante se a decisão foi ou não contrária ao interessado

III – julgar, mediante recurso extraordinário, as causas decididas em única ou última instância, quando a decisão recorrida:

Doutrina

Recurso extraordinário. É cabível para submeter ao Supremo Tribunal Federal as causas decididas em única ou última instância, quando a decisão recorrida contrariar norma constitucional, declarar a inconstitucionalidade de tratado ou lei federal, ou julgar válida lei ou ato de governo local contestado em face da Constituição Federal. Destina-se, pois, a garantir a supremacia da Constituição em face das demais normas do ordenamento jurídico nacional, constituindo-se em instrumento do controle difuso de constitucionalidade.

Requisitos de admissibilidade. O recurso extraordinário somente será admitido quando presentes os seguintes requisitos: a) *ofensa direta e frontal à Constituição*, quer dizer, a decisão recorrida deve representar ofensa direta e frontal à Constituição e não simplesmente ofensa reflexa, aquela que ofende a norma constitucional por via indireta, apurada pela interpretação da norma infraconstitucional; b) *prequestionamento*, que se caracteriza quando o juízo se manifesta, de forma clara e explícita, sobre a matéria de ordem constitucional ventilada.

Jurisprudência

> Súmulas do STF: 279. "Para simples reexame de prova não cabe recurso extraordinário." 280. "Por ofensa a direito local não cabe recurso extraordinário." 281: "É inadmissível o recurso extraordinário, quando couber na justiça de origem, recurso ordinário da decisão impugnada." 282. "É inadmissível o recurso extraordinário, quando não ventilada, na decisão recorrida, a questão federal suscitada." 283. "É inadmissível o recurso extraordinário quando a decisão recorrida assenta em mais de um fundamento suficiente e o recurso não abrange todos eles." 284. "É inadmissível o recurso extraordinário, quando a deficiência na sua fundamentação não permitir a exata compreensão da controvérsia." 286. "Não se conhece do recurso extraordinário fundado em divergência jurisprudencial, quando a orientação do plenário do Supremo Tribunal Federal já se firmou no mesmo sentido da decisão recorrida." 287.

"Nega-se provimento ao agravo quando a deficiência na sua fundamentação, ou na do recurso extraordinário, não permitir a exata compreensão da controvérsia." 288. "Nega-se provimento a agravo para subida de recurso extraordinário, quando faltar no traslado o despacho agravado, a decisão recorrida, a petição de recurso extraordinário ou qualquer peça essencial à compreensão da controvérsia." 289. "O provimento do agravo por uma das turmas do Supremo Tribunal Federal ainda que sem ressalva, não prejudica a questão do cabimento do recurso extraordinário." 299. "O recurso ordinário e o extraordinário interpostos no mesmo processo de mandado de segurança, ou no de *habeas corpus*, serão julgados conjuntamente pelo Tribunal Pleno." 355. "Em caso de embargos infringentes parciais, é tardio o recurso extraordinário interposto após o julgamento dos embargos, quanto à parte da decisão embargada que não fora por eles abrangida." 356. "O ponto omisso da decisão, sobre o qual não foram opostos embargos declaratórios, não pode ser objeto de recurso extraordinário, por faltar o requisito do prequestionamento." 456: "O Supremo Tribunal Federal, conhecendo do recurso extraordinário, julgará a causa, aplicando o direito à espécie". 528. "Se a decisão contiver partes autônomas, a admissão parcial, pelo Presidente do Tribunal *a quo*, de recurso extraordinário que, sobre qualquer delas se manifestar, não limitará a apreciação de todas pelo Supremo Tribunal Federal, independentemente de interposição de agravo de instrumento." 602. "Nas causas criminais, o prazo de interposição de recurso extraordinário é de 10 (dez) dias."

Contra acórdão de tribunal de segundo grau cabem, simultaneamente, recurso extraordinário e recurso especial, donde decorre que, da decisão do STJ que não admite este último, somente cabe recurso extraordinário se a questão constitucional exsurgir neste julgado e for diversa daquela resolvida na instância ordinária. (STF, RTJ, 154/694).

"A configuração jurídica do prequestionamento – que traduz elemento indispensável ao conhecimento do recurso extraordinário – decorre da oportuna formulação, em momento procedimentalmente adequado, do tema de direito constitucional positivo. Mais do que a satisfação dessa exigência, impõe-se que a matéria questionada tenha sido explicitamente ventilada na decisão recorrida. Sem o cumulativo atendimento desses pressupostos, além de outros igualmente imprescindíveis, não se viabiliza o acesso à via recursal extraordinária." (STF – 1.ª Turma, AgI 145.985/PR, rel. Min. Celso de Mello, RTJ, 159/977).

"Diz-se prequestionada determinada matéria quando o órgão julgador haja adotado entendimento explícito a respeito, incumbindo à parte sequiosa de ver a controvérsia guindada à sede extraordinária, provocá-lo a tanto." (STF – 2.ª Turma, AgI 169.940-1/GO AgRg, rel. Min. Marco Aurélio, DJ 1, 02.02.1996, p. 862).

"1. A violação reflexa e oblíqua da Constituição Federal decorrente da necessidade de análise de malferimento de dispositivos infraconstitucionais torna inadmissível o recurso extraordinário. Precedentes: RE 596.682, Rel. Min. Carlos Britto, Dje de 21/10/10, e o AI 808.361, Rel. Min. Marco Aurélio, Dje de 08/09/10. 2. Os princípios da legalidade, do devido processo legal, da ampla defesa e do contraditório, da motivação das decisões judiciais, dos limites da coisa julgada e da prestação jurisdicional, quando a verificação de sua ofensa depende do reexame prévio de normas infraconstitucionais, revelam ofensa indireta ou reflexa à Constituição Federal, o que, por si só, não desafia a abertura da instância extraordinária. Precedentes: AI 804.854-AgR, 1.ª Turma, Rel. Min. Cármen Lúcia, DJE de 24/11/2010 e AI 756.336-AgR, 2.ª Turma, Rel. Min. Ellen Gracie, DJE de 22/10/2010" (STF – 1.ª Turma, AgI 847.845/RJ AgRg, rel. Min. Luiz Fux, j. 11.12.2012).

O recurso extraordinário cabe somente quando na decisão recorrida existir afronta direta e frontal à Constituição. (STF, RTJ, 107/661).

Não servem para sustentar a interposição de recurso extraordinário a ofensa reflexa à Constituição. (STF, RTJ, 105/704).

Conquanto não se pode erigir a dogma a máxima de que a violação da Constituição para viabilizar o recurso extraordinário há de ser direta e frontal, não menos correto é que o inciso II do art. 5.° da mesma Carta, ao inscrever como garantia constitucional o princípio da legalidade, não pode servir para transformar o STF em instância revisora, devendo a infringência ao referido princípio ser avaliada caso a caso. (STF, RTJ, 151/282).

"(...). Decido. O recurso não reúne condições de transitar. Isso porque a argumentação do recorrente não demonstra como o acórdão recorrido teria violando os preceitos constitucionais invocados, limitando-se a elencar razões de ordem meramente especulativa. Com efeito, há deficiência no fundamento do extraordinário capaz de inviabilizar seu processamento, consoante Enunciado 284 da Súmula de Jurisprudência desta Suprema Corte. Precedentes" (STF, RE 633.718/RJ, rel. Min. Gilmar Mendes, decisão monocrática, DJE-109, j. 05.06.2012).

"Processual Civil e Administrativo. Concurso Público. Fundamentação deficiente. Súmula STF 284. 1. É imprescindível para a admissão do apelo extremo que a fundamentação demonstre como os dispositivos constitucionais alegados foram violados pelo acórdão recorrido. Súmula STF 284. 2. Agravo regimental a que se nega provimento" (STF – 2.ª Turma, AgI 812.802 AgRg, rel. Min. Ellen Gracie, DJ-e, 08.02.2011).

Cabe recurso extraordinário somente contra decisão proferida em única ou última instância, sendo inadmissível a interposição quando couber, na Justiça de origem, recurso da decisão impugnada. (STF, DJ 1, 21.06.1996, p. 2.293).

Cabe recurso extraordinário contra decisão de juízo de primeiro grau, nas causas de alçada, desde que não sujeita a qualquer recurso ordinário. (STF, RTJ, 159/960).

Cabe recurso extraordinário contra decisão proferida pelo Colégio Recursal dos Juizados Especiais de Pequenas Causas. (STF, RTJ, 156/765).

A jurisprudência do STF tem admitido, em situações limitadas e excepcionais, medida cautelar para dar efeito suspensivo ao recurso extraordinário, desde que necessário para a proteção de direito suscetível de grave dano de incerta reparação, ou para garantir a eficácia da ulterior decisão da causa (STF, RTJ, 149/413).

a) contrariar dispositivo desta Constituição;

Doutrina

Contrariedade à Constituição. Cabe recurso extraordinário contra decisão de qualquer juízo ou tribunal, desde que proferida em única ou última instância e contrariar norma da Constituição vigente. O objetivo deste recurso é o de garantir a supremacia da Constituição, sendo a guarda desta missão precípua do Supremo Tribunal Federal.

Jurisprudência

"É firme o entendimento desta Corte no sentido de que não cabe recurso extraordinário quando a alegada ofensa à Constituição é reflexa ou indireta, porquanto, a prevalecer o entendimento contrário, toda a alegação de negativa de vigência de lei ou até de má interpretação desta passa a ser ofensa a princípios constitucionais genéricos como o da reserva legal, o do devido processo legal ou o da ampla defesa, tornando-se, assim, o recurso extraordinário – ao contrário do que pretende a Constituição – meio de ataque à aplicação da legislação infraconstitucional" (STF – 1.ª Turma, AgI 146.611-2/RJ AgRg, rel. Min. Moreira Alves, DJ 1, 12.04.1996, p. 11.076).

"Estando o extraordinário dirigido contra acórdão prolatado sem que alcançada a unanimidade, descabe tê-lo como enquadrado no inciso III do art. 102 da Carta Política da República, considerada a referência à decisão de última instância. O provimento exsurge passível de impugnação via embargos infringentes." (STF – 2.ª Turma, AgI 174.509-7/DF AgRg, rel. Min. Marco Aurélio, DJ 1, 19.04.1996, p. 12.227).

Cabe recurso extraordinário contra decisão do Tribunal Superior Eleitoral, proferida em recurso ordinário de *habeas corpus*, quando as questões constitucionais invocadas foram objeto de prequestionamento. (STF, Ementário, n.º 1.802-06, p. 1.185).

b) declarar a inconstitucionalidade de tratado ou lei federal;

Doutrina

Declaração de inconstitucionalidade de tratado ou lei federal. Cabe recurso extraordinário para atacar decisão, proferida em única ou última instância, que tenha declarado inconstitucional tratado ou lei federal. O objetivo aqui é o de submeter ao crivo do STF a decisão para ensejar a apreciação da cláusula constante de tratado ou a norma legal em face da Constituição e, uma vez reconhecida a inconstitucionalidade, a cláusula do tratado deverá ser suspensa e objeto de denúncia no foro próprio e a lei poderá ter suspensa a sua aplicação pelo Senado Federal.

Jurisprudência

"A Constituição qualifica-se como o estatuto fundamental da República. Nessa condição, todas as leis e tratados celebrados pelo Brasil estão subordinados à autoridade normativa desse instrumento básico. Nenhum valor jurídico terá o tratado internacional que, incorporado ao sistema de direito positivo interno, transgredir, formal ou materialmente, o texto da Carta Política." (STF – Pleno, ADIN 1.480-3 MC, rel. Min. Celso de Mello, DJU, 02.08.1996, p. 25.794).

"Interposto o extraordinário com fundamento na alínea *b* do inciso III do art. 102 da Carta Política da República, indispensável é que se tenha nos autos o acórdão da Corte de origem que, no incidente de inconstitucionalidade, concluiu pela configuração da pecha. Simples referência a verbetes da Súmula editados a partir do julgamento do incidente não suprem a falta da peça." (STF – 2.ª Turma, RE 192.882-5/MG, rel. Min. Marco Aurélio, DJ 1, 16.02.1996, p. 3.015).

"A observância da jurisprudência sedimentada no sentido de que o Supremo Tribunal Federal, conhecendo do recurso extraordinário, julgará a causa aplicando o Direito à espécie (verbete 456 da Súmula), pressupõe decisão formalizada, a respeito, na instância de origem. Declarada a inconstitucionalidade linear de um certo artigo, uma vez restringida a pecha a uma das normas nele insertas ou a um enfoque determinado, impõe-se a baixa dos autos para que, na origem, seja julgada a lide com apreciação das peculiaridades. Inteligência da ordem constitucional, no que homenageante do devido processo legal, avesso, a mais não poder, às soluções que, embora práticas, resultem no desprezo à organicidade do Direito." (STF – 2.ª Turma, RE 192.616-3/RS, rel. Min. Marco Aurélio, DJ 1, 02.02.1996, p. 877).

c) julgar válida lei ou ato de governo local contestado em face desta Constituição;

Doutrina

Conflito entre direito local e federal. Compete ao Supremo Tribunal Federal julgar, mediante recurso extraordinário, conflito entre o direito local e o direito federal quando a decisão recorrida julgar válido aquele em face deste. Contudo, cabe registrar que nem sempre há a prevalência do direito federal, pois, no exercício regular de suas competências constitucionais, o direito dos entes federados prevalece sobre o direito federal. A expressão *governo local* é usada na norma constitucional para significar o conjunto dos Poderes e órgãos dos Estados, Distrito Federal e Municípios.

Jurisprudência

> "A declaração de constitucionalidade de ato normativo local sem a referência a fundamentos é conducente a se ter o recurso extraordinário como não enquadrado na previsão da alínea *c* do inciso III do art. 102 da Constituição Federal." (STF – 2.ª Turma, AgI 169.940-1/GO AgRg, rel. Min. Marco Aurélio, DJ 1, 02.02.1996, p. 862).

d) julgar válida lei local contestada em face de lei federal.

§ 1.º A arguição de descumprimento de preceito fundamental, decorrente desta Constituição, será apreciada pelo Supremo Tribunal Federal, na forma da lei.

Doutrina

Preceito fundamental. Considera-se preceito fundamental toda norma constitucional relativa a princípios organizativos do Estado ou à instituição de direitos ou garantias fundamentais dos cidadãos.

Arguição de descumprimento. É uma ação de rito especial ajuizada perante o Supremo Tribunal Federal com o objetivo de evitar ou reparar lesão a preceito fundamental, resultante de ato do Poder Público, ou, quando relevante o fundamento da controvérsia constitucional, sobre lei ou ato normativo federal, distrital, estadual e municipal, inclusive os anteriores à Constituição. Trata-se de um instrumento de controle concentrado de constitucionalidade que pode ser usado tanto em caráter preventivo quanto repressivo, inclusive com relação a leis ou atos estaduais, distritais e municipais, tradicionalmente feitos somente pelo método difuso, desde que, além da violação de preceito fundamental, esteja presente o requisito da relevância da questão controversa. Podem propor a arguição os legitimados para a ação direta de inconstitucionalidade, listados no art. 103 da Constituição e, uma vez admitida, o que ocorrerá quando presentes todos os requisitos previstos em lei e quando não houver outro meio eficaz de sanar a lesividade, poderá ser deferido pedido de liminar, por decisão da maioria absoluta dos membros do STF, inclusive para determinar a suspensão do andamento de processo, efeitos de decisões judiciais proferidas em instâncias inferiores, ou qualquer outra medida que apresente relação com a matéria objeto da arguição, exceto se decorrentes da coisa julgada. Instruída a causa, inclusive com a requisição de informações adicionais que serão prestadas pelas autoridades competentes, abre-se vista ao Ministério Público; após, o relator lançará o relatório, com cópia para todos os ministros, e pedirá data para julgamento e a decisão será tomada por maioria absoluta, desde que presentes dois terços dos ministros da Corte. A decisão, que tem eficácia contra todos (*erga omnes*) e vinculante dos demais órgãos do Poder Público, será comunicada às autoridades ou órgãos responsáveis pela prática dos atos questionados na arguição, fixando-se as condições e o modo de interpretação e aplicação do preceito fundamental, devendo o Presidente do STF determinar o imediato cumprimento da decisão, lavrando-se o acórdão posteriormente. Com relação à eficácia, ao declarar a inconstitucionalidade de lei ou ato normativo, nas arguições de descumprimento de preceito fundamental, por razões de segurança jurídica ou de excepcional interesse social, poderá o STF, pelo voto de dois terços de seus membros, restringir os efeitos da declaração ou decidir que ela só opere a partir de seu trânsito em julgado, ou de outro momento que venha a ser fixado. De qualquer forma, a decisão de procedência ou improcedência da ação é irrecorrível, não podendo ser objeto de ação rescisória, porém, do descumprimento da decisão caberá reclamação para o STF, na forma de seu regimento interno.

Jurisprudência

É descabida a ação rescisória em processo objetivo. (STF – Pleno, Recl. 354-0, rel. Min. Celso de Mello, DJ, 17.04.1991).

§ 2.º As decisões definitivas de mérito, proferidas pelo Supremo Tribunal Federal, nas ações diretas de inconstitucionalidade e nas ações declaratórias de constitucionalidade produzirão eficácia contra todos e efeito vinculante, relativamente aos demais órgãos do Poder Judiciário e à administração pública direta e indireta, nas esferas federal, estadual e municipal.

Doutrina

Decisões definitivas de mérito. São aquelas decorrentes da apreciação do pedido de direito material deduzido nos autos e que, nas ações declaratórias de constitucionalidade de lei ou ato normativo federal, produzem eficácia contra todos e efeito vinculante com relação aos demais órgãos do Poder Judiciário e do Poder Executivo.

Eficácia da decisão e seus efeitos. A eficácia é contra todos, *erga omnes*, o que significa que atinge a todos indistintamente; os efeitos são *ex tunc* e vinculantes dos demais órgãos dos Poderes Judiciário e Executivo; portanto, a decisão submete ao seu império juízos e tribunais inferiores e todos os órgãos da Administração.

Reconhecimento dos efeitos em sede de liminar. O Supremo Tribunal Federal tem entendido que os efeitos acima podem ser conferidos liminarmente, em medida cautelar, em face de seu poder geral de cautela. Se desrespeitada a liminar, cabe reclamação para que o STF restaure e garanta a inteireza de sua aplicação.

Jurisprudência

"O exercício do poder geral de cautela, pelo STF, em sede de ação declaratória de constitucionalidade, destina-se a garantir a própria utilidade da prestação jurisdicional e ser efetivada no processo de controle normativo abstrato, em ordem a impedir que eventual retardamento na apreciação do litígio constitucional culmine por afetar e comprometer o resultado definitivo do julgamento". (STF, PET 1.408-8/DF, rel. Min. Celso de Mello, DJ 1, 12.03.1998, p. 13).

"Inconstitucionalidade. Ação direta. Lei estadual. Tributo. Taxa de segurança pública. Uso potencial do serviço de extinção de incêndio. Atividade que só pode ser sustentada pelos impostos. Liminar concedida pelo STF. Edição de lei posterior, de outro Estado, com idêntico conteúdo normativo. Ofensa à autoridade da decisão do STF. Não caracterização. Função legislativa que não é alcançada pela eficácia *erga omnes*, nem pelo efeito vinculante da decisão cautelar na ação direta. Reclamação indeferida liminarmente. Agravo regimental improvido. Inteligência do art. 102, § 2.°, da CF, e do art. 28 § único, da Lei Federal n.° 9.868/99. A eficácia geral e o efeito vinculante de decisão, proferida pelo Supremo Tribunal Federal, em ação direta de constitucionalidade ou de inconstitucionalidade de lei ou ato normativo federal, só atingem os demais órgãos do Poder Judiciário e todos os do Poder Executivo, não alcançando o legislador, que pode editar nova lei com idêntico conteúdo normativo, sem ofender a autoridade daquela decisão" (STF – Pleno, Recl 2.617/MG AgRg, rel. Min. Cezar Peluso, j. 23.02.2005).

Decidida uma matéria em sede de ação declaratória de constitucionalidade, não é mais possível nova apreciação, pois o Supremo Tribunal Federal, quando do exercício do controle concentrado de constitucionalidade, não se vincula a nenhuma causa de pedir e faz cognição plena da matéria, examinando e esgotando todos os seus aspectos constitucionais. (STF, DJ 1, de 02.05.1996, p. 13.770).

§ 3.º No recurso extraordinário o recorrente deverá demonstrar a repercussão geral das questões constitucionais discutidas no caso, nos termos da lei, a fim de que o Tribunal examine a admissão do recurso, somente podendo recusá-lo pela manifestação de dois terços de seus membros.

Doutrina

Repercussão geral. O § 3.º em comento foi acrescentado ao texto da Constituição por meio da Emenda Constitucional n.º 45, de 08 de dezembro de 2004, determinando que, no recurso extraordinário, o recorrente deverá demonstrar a repercussão geral das questões de índole constitucional para ensejar a eventual admissão do recurso, que somente será recusado mediante voto de dois terços dos membros da Corte.

Jurisprudência

> "Direito Tributário. Agravo interno em Recurso extraordinário. Repercussão Geral. Sistemática. Aplicação. Pendência de embargos de declaração no paradigma. Irrelevância. Julgamento imediato da causa. Precedentes. 1. A existência de decisão de mérito julgada sob a sistemática da repercussão geral autoriza o julgamento imediato de causas que versarem sobre o mesmo tema, independente do trânsito em julgado do paradigma. Precedentes. 2. [...]. 3. Agravo interno a que se nega provimento, com aplicação da multa prevista no art. 1.021, § 4.º, do CPC/2015" (STF – 1.ª Turma, RE 1.112.500 AgRg, rel. Min. Roberto Barroso, DJE, 10.08.2018).

Art. 103. Podem propor a ação direta de inconstitucionalidade e a ação declaratória de constitucionalidade:

I – o Presidente da República;

II – a Mesa do Senado Federal;

III – a Mesa da Câmara dos Deputados;

IV – a Mesa de Assembleia Legislativa ou da Câmara Legislativa do Distrito Federal;

V – o Governador de Estado ou do Distrito Federal;

VI – o Procurador-Geral da República;

VII – o Conselho Federal da Ordem dos Advogados do Brasil;

VIII – partido político com representação no Congresso Nacional;

IX – confederação sindical ou entidade de classe de âmbito nacional.

Doutrina

Ação direta de inconstitucionalidade. Conforme o disposto no art. 102, I, *a*, o objetivo desta ação é a busca da declaração de inconstitucionalidade de lei ou ato normativo federal ou estadual em colidência com a Constituição, visando retirá-los do ordenamento jurídico. Os efeitos da declaração de inconstitucionalidade operam-se *ex tunc*, de forma genérica e obrigatória, atingindo a todos.

Ação declaratória de constitucionalidade. Como visto nas notas ao artigo 102, foi instituída pela EC 3/93 e visa à declaração de constitucionalidade de lei federal ou de ato normativo federal apenas, e não os estaduais, com a finalidade de afastar o estado de incerteza jurídica gerado pelo questionamento quanto à conformação ou não da norma com a Constituição. Quanto aos seus efeitos, as decisões definitivas de mérito, proferidas pelo Supremo Tribunal Federal, produzirão eficácia contra todos (*erga omnes*), efeito vinculante, relativamente aos demais órgãos do Poder Judiciário e ao Poder Executivo, e, também, *ex tunc*. Também não se sujeita a prazo de prescrição ou decadência.

Legitimação para a causa. É a capacidade para ajuizar as ações mencionadas. No direito constitucional anterior, era exclusiva do Procurador-Geral da República; porém, a Constituição de 1988 instituiu um rol de legitimados. Assim, pode-se dizer que a legitimação para a causa divide-se em: a) *legitimação ativa restrita*, que se refere àqueles que têm legitimidade quando provarem o requisito da *pertinência temática* na ação proposta, ou seja, a relação de pertinência entre o interesse defendido pelo legitimado e o objeto da ação. Devem provar a relação de pertinência, as Mesas das Assembleias Legislativas Estaduais, a Mesa da Câmara Legislativa do Distrito Federal, o Governador de Estado, o Governador do Distrito Federal, as confederações sindicais e as entidades de classe de âmbito nacional; b) *legitimação ativa universal*, é aquela que não exige do legitimado prova de nenhum outro requisito, salvo o fato de figurar na lista constitucional dos detentores da *legitimatio ad causam*, como é o caso do Presidente da República, da Mesa do Senado Federal, da Mesa da Câmara dos Deputados, do Procurador-Geral da República, de partido político com representação no Congresso Nacional e do Conselho Federal da Ordem dos Advogados do Brasil.

Jurisprudência

> A ação direta de inconstitucionalidade não está sujeita a prazos de decadência ou de prescrição, pois os atos inconstitucionais não se convalidam por mero decurso de tempo. (STF, RDA, 201/213).
>
> O requisito da pertinência é de demonstração obrigatória quando se tratar de impugnação de ato normativo de Estado diverso daquele governado pelo requerente. (STF, RTJ, 158/441).
>
> O Conselho Federal da OAB foi distinguido com menção separada das demais entidades de classe de âmbito nacional para lhe permitir a propositura da ação direta de inconstitucionalidade na defesa da ordem jurídica com o primado da Constituição, não dependendo, nesses casos, de demonstração do requisito da pertinência temática. (STF, RTJ, 142/363).

Partido político com representação no Congresso Nacional tem legitimidade ativa universal, sendo ampla a prerrogativa de impugnação de qualquer ato normativo oriundo do Poder Público e irrelevante o seu conteúdo material. (STF, RTJ, 163/936).

A legitimação para a propositura da ação direta de inconstitucionalidade pertence ao diretório nacional do partido político, que é, salvo deliberação estatutária em contrário, o órgão diretivo da agremiação no plano nacional. (STF – Pleno, ADIN 779-3/DF, DJ 1, 11.03.1994, p. 4.095).

As entidades de classe de âmbito nacional somente têm legitimação para propor ação direta de inconstitucionalidade quando preencherem o requisito objetivo da relação de pertinência entre o interesse específico da classe que representam e o ato normativo tido como inconstitucional. (STF – Pleno, ADIN 913-3/DF, DJ 1, 05.05.1995, p. 11.904).

Segundo a norma contida no art. 103, IX, da Constituição Federal, somente as confederações sindicais têm legitimidade para o ajuizamento da ação direta de inconstitucionalidade, devendo comprovar a constituição na forma prevista na Consolidação das Leis do Trabalho. (STF, RT, 757/100).

A Associação Brasileira de Magistrados tem legitimidade para a propositura de ação direta de inconstitucionalidade quando a matéria impugnada for pertinente com as suas finalidades institucionais. (STF, RTJ, 133/1011).

A Associação Brasileira de Magistrados não tem legitimidade para propor a ação direta de inconstitucionalidade para impugnar questões relativas à organização do Poder Judiciário quando estas não coartarem a sua independência e finalidades institucionais. (STF, RTJ, 157/816).

A Confederação Geral dos Trabalhadores (CGT), não tem legitimidade para ajuizar a ação direta de inconstitucionalidade por não se tratar nem de entidade de classe e nem de confederação sindical. (STF, RTJ, 154/721).

O Sindicato Nacional da Indústria de Cimento não tem legitimidade para propor a ação direta de inconstitucionalidade, pois, em que pese tratar-se de entidade sindical que tem por base territorial todo o território brasileiro, a Constituição Federal, no art. 103, IX, defere a legitimação com exclusividade para as confederações, que são organizações de terceiro grau. (STF, Ementário n.º 1.803-01, p. 152).

Federação Nacional de Sindicatos não tem legitimidade para o ajuizamento de ação direta de inconstitucionalidade, porquanto não se configura uma confederação e não pode ser considerada entidade de classe de âmbito nacional. (STF, RTJ, 151/743).

§ 1.º O Procurador-Geral da República deverá ser previamente ouvido nas ações de inconstitucionalidade e em todos os processos de competência do Supremo Tribunal Federal.

Doutrina

Papel do Ministério Público. Nas ações diretas de inconstitucionalidade e em todos os processos de competência do Supremo Tribunal Federal, o Procurador-Geral da República será ouvido previamente, de um lado, para conhecimento da matéria versada nos autos e, de outro, para que exerça o seu papel de defensor da ordem jurídica.

Jurisprudência

"O preceito inserto no § 1.º do art. 103 da Constituição Federal há de merecer interpretação teleológica.

Visa ao conhecimento da matéria pelo Ministério Público, não implicando, necessariamente, seja-lhe enviado automaticamente todo e qualquer processo. O pronunciamento do Órgão pode ocorrer na assentada em que apreciado o recurso." (STF – 2.ª Turma, AgI 158.725-1/MG ED AgRg, rel. Min. Marco Aurélio, RTJ, 165/1042).

Pode o Procurador-Geral da República manifestar-se, ao final, pela improcedência de ação direta de inconstitucionalidade que anteriormente ajuizara. (STF, RTJ, 122/923).

§ 2.º Declarada a inconstitucionalidade por omissão de medida para tornar efetiva norma constitucional, será dada ciência ao Poder competente para a adoção das providências necessárias e, em se tratando de órgão administrativo, para fazê-lo em trinta dias.

Doutrina

Ação de inconstitucionalidade por omissão. Destina-se a garantir eficácia a todas as normas constitucionais não suscetíveis de aplicação em face de ausência de regras infraconstitucionais que lhes propicie efetividade. Estão legitimados para a ação as autoridades e instituições listadas nos incisos do art. 103, sendo obrigatória a oitiva do Procurador-Geral da República na fase instrutória, indo, em seguida, o feito a julgamento do Pleno do Supremo Tribunal Federal. Uma vez declarada pelo STF a omissão, será dada ciência do decidido ao Poder competente para a adoção das providências necessárias que: a) *em se tratando de órgão administrativo*, será intimado para, dentro do prazo de trinta dias, dar cumprimento à decisão, sob pena de responsabilidade daqueles que se omitirem; e b) *em se tratando do Poder Legislativo*, será apenas comunicado da decisão, cabendo-lhe, segundo o critério da conveniência e oportunidade, dispor sobre a matéria declarada omissa, sem prazo fixado para fazê-lo, em respeito ao princípio da independência e harmonia dos Poderes.

Jurisprudência

"Se o Estado deixar de adotar as medidas necessárias à realização concreta dos preceitos da Constituição, em ordem a torná-los efetivos, operantes e exequíveis, abstendo-se, em consequência, de cumprir o dever de prestação que a Constituição lhe impôs, incidirá em violação negativa do texto constitucional. Desse *non facere*, ou *non praestare*, resultará a inconstitucionalidade por omissão, que pode ser total, quando é nenhuma a providência adotada, ou parcial, quando é insuficiente a medida efetivada pelo Poder Público." (STF – Pleno, ADIN 1.458/DF, rel. Min. Celso de Mello, RDA, 206/248).

É incompatível com a natureza e finalidade da ação direta de inconstitucionalidade por omissão a suspensão liminar da eficácia do ato normativo questionado, pois o que decorre dela é apenas a comunicação formal ao órgão estatal inadimplente que está em mora constitucional. (STF, RTJ, 161/739).

Em face do que dispõe o art. 103, § 2.º, da Constituição Federal, declarando a Corte a inconstitucionalidade por omissão da lei, limitar-se-á a comunicá-la ao órgão legislativo competente para as providências. (STF, RTJ, 146/424).

§ 3.º Quando o Supremo Tribunal Federal apreciar a inconstitucionalidade, em tese, de norma legal ou ato normativo, citará, previamente, o Advogado-Geral da União, que defenderá o ato ou texto impugnado.

Doutrina

Advogado-Geral da União. A sua citação prévia se dará para que funcione como curador da constitucionalidade das normas infraconstitucionais, quer federais ou estaduais, e apenas nas ações de inconstitucionalidade por ação, pois naquelas por omissão não existe ato normativo a ser defendido. O seu papel é o de defensor da norma legal impugnada, devendo sustentar a sua constitucionalidade, enquanto ao Procurador-Geral da República cabem as funções opinativa e fiscalizadora.

Jurisprudência

O Advogado-Geral da União atua como curador das normas infraconstitucionais, inclusive as estaduais, sustentando a sua constitucionalidade, integridade e validade, não podendo, portanto, ostentar posição contrária ao ato impugnado, sob pena de descumprimento do papel que lhe foi imposto pela Constituição Federal. (STF – Pleno, ADIN 1.254-1/RJ, RT, 747/178).

Na condição de curador da norma infraconstitucional, não pode o Advogado-Geral da União manifestar-se contra as leis, pois estaria desfigurando a missão que lhe foi confiada pela Constituição Federal e comprometendo a sua atuação no processo. (STF, RTJ, 131/958).

É desnecessária a citação e audiência do Advogado-Geral da União nas ações de inconstitucionalidade por omissão porque não existe ato normativo a ser defendido. (STF, RDA, 178/79).

§ 4.º *(Revogado pela Emenda Constitucional 45, de 08.12.2004).*

Art. 103-A. O Supremo Tribunal Federal poderá, de ofício ou por provocação, mediante decisão de dois terços de seus membros, após reiteradas decisões sobre matéria constitucional, aprovar súmula que, a partir de sua publicação na imprensa oficial, terá efeito vinculante em relação aos demais órgãos do Poder Judiciário e à administração pública direta e indireta, nas esferas federal, estadual e municipal, bem como proceder à sua revisão ou cancelamento, na forma estabelecida em lei.

Doutrina

Conceito. Súmulas vinculantes são aquelas baixadas exclusivamente pelo Supremo Tribunal Federal com a finalidade de uniformizar a interpretação da norma constitucional, acelerar o julgamento de ações com pedidos idênticos e tornar efetivo o princípio da segurança jurídica.

Efeito vinculante. As súmulas vinculantes, uma vez publicadas no diário oficial, geram o efeito de vincular ao seu comando normativo os demais órgãos do Poder Judiciário, bem como os órgãos da administração pública, em todas as esferas, inclusive aqueles da administração indireta, todos subordinados aos seus efeitos.

§ 1.º A súmula terá por objetivo a validade, a interpretação e a eficácia de normas determinadas, acerca das quais haja controvérsia atual entre órgãos judiciários ou entre esses e a administração pública que acarrete grave insegurança jurídica e relevante multiplicação de processos sobre questão idêntica.

Doutrina

Objetivo da súmula. Assegurar a validade, a interpretação e a eficácia de normas de interpretação controversa entre órgãos do próprio Judiciário, bem como entre estes e outros órgãos da administração pública, implicando quebra da segurança jurídica e repetição de processos, demandando maior tempo para decisão, com prejuízo da celeridade na tramitação dos feitos. É o que se pretende evitar com a aplicação da súmula vinculante.

§ 2.º Sem prejuízo do que vier a ser estabelecido em lei, a aprovação, revisão ou cancelamento de súmula poderá ser provocada por aqueles que podem propor a ação direta de inconstitucionalidade.

Doutrina

Iniciativa para a edição ou cancelamento de súmula. A provocação para a aprovação, revisão ou cancelamento de súmula é de iniciativa dos legitimados para propor ação direta de inconstitucionalidade, conforme previsto no artigo 103 da Constituição Federal. Todavia, isso não é tudo, pois a Lei 11.417, de 19 de dezembro de 2006, estendeu a iniciativa ao Defensor Público da União, aos Tribunais Superiores, aos Tribunais de Justiça de Estados ou do Distrito Federal e Territórios, aos Tribunais Regionais Federais, aos Tribunais Regionais do Trabalho, aos Tribunais Regionais Eleitorais e aos Tribunais Militares.

§ 3.º Do ato administrativo ou decisão judicial que contrariar a súmula aplicável ou que indevidamente a aplicar, caberá reclamação ao Supremo Tribunal Federal que, julgando-a procedente, anulará o ato administrativo ou cassará a decisão judicial reclamada, e determinará que outra seja proferida com ou sem a aplicação da súmula, conforme o caso.

Doutrina

Meio de correção de contrariedade à súmula vinculante. A norma deste § 3.º dispõe que o ato administrativo ou a decisão judicial que incorrer em contrariedade à súmula de aplicação na hipótese ficará sujeito à reclamação junto ao Supremo Tribunal Federal, que, julgando-a procedente, decretará a anulação do ato ou a cassação da decisão reclamada determinando, ainda, que outra decisão seja proferida, independentemente da aplicação da súmula impugnada, se for o caso.

Art. 103-B. O Conselho Nacional de Justiça compõe-se de 15 (quinze) membros com mandato de 2 (dois) anos, admitida 1 (uma) recondução, sendo:

I – o Presidente do Supremo Tribunal Federal;

II – um Ministro do Superior Tribunal de Justiça, indicado pelo respectivo tribunal;

III – um Ministro do Tribunal Superior do Trabalho, indicado pelo respectivo tribunal;

IV – um desembargador de Tribunal de Justiça, indicado pelo Supremo Tribunal Federal;

V – um juiz estadual, indicado pelo Supremo Tribunal Federal;

VI – um juiz de Tribunal Regional Federal, indicado pelo Superior Tribunal de Justiça;

VII – um juiz federal, indicado pelo Superior Tribunal de Justiça;

VIII – um juiz de Tribunal Regional do Trabalho, indicado pelo Tribunal Superior do Trabalho;

IX – um juiz do trabalho, indicado pelo Tribunal Superior do Trabalho;

X – um membro do Ministério Público da União, indicado pelo Procurador-Geral da República;

XI – um membro do Ministério Público estadual, escolhido pelo Procurador-Geral da República dentre os nomes indicados pelo órgão competente de cada instituição estadual;

XII – dois advogados, indicados pelo Conselho Federal da Ordem dos Advogados do Brasil;

XIII – dois cidadãos, de notável saber jurídico e reputação ilibada, indicados um pela Câmara dos Deputados e outro pelo Senado Federal.

Doutrina

Finalidade do Conselho Nacional de Justiça. Embora figure no artigo 92, inciso I-A, da Constituição Federal, como órgão do Poder Judiciário, a verdade é que o CNJ não exerce função jurisdicional, prestando-se ao controle das atividades administrativas e financeiras dos órgãos judiciários e de apuração e correção de condutas inadequadas de membros da magistratura.

§ 1.° O Conselho será presidido pelo Presidente do Supremo Tribunal Federal e, nas suas ausências e impedimentos, pelo Vice-Presidente do Supremo Tribunal Federal.

Doutrina

Presidência do CNJ. A presidência do CNJ é privativa do Presidente do Supremo Tribunal Federal, admitindo-se, apenas, que nas suas ausências ou impedimentos o órgão seja presidido pelo Vice-Presidente da própria Corte Suprema.

§ 2.° Os demais membros do Conselho serão nomeados pelo Presidente da República, depois de aprovada a escolha pela maioria absoluta do Senado Federal.

Doutrina

Nomeação de membros do CNJ. Exceção feita ao presidente, que exerce a presidência em face de sua condição de Presidente do Supremo Tribunal Federa, os demais membros do CNJ são nomeados pelo Presidente da República, após aprovação da escolha pelo Senado Federal, mediante quórum de maioria absoluta.

§ 3.° Não efetuadas, no prazo legal, as indicações previstas neste artigo, caberá a escolha ao Supremo Tribunal Federal.

Doutrina

Indicações ou escolha de membros do CNJ. Como se verifica no *caput* do artigo 103, salvo o Presidente do Supremo Tribunal Federal, todos os demais membros do CNJ são indicados por suas instituições de origem; porém, se as indicações respectivas não forem feitas dentro do prazo legal, a escolha passa a ser feita pelo presidente do STF.

> § 4.° Compete ao Conselho o controle da atuação administrativa e financeira do Poder Judiciário e do cumprimento dos deveres funcionais dos juízes, cabendo-lhe, além de outras atribuições que lhe forem conferidas pelo Estatuto da Magistratura:
>
> I – zelar pela autonomia do Poder Judiciário e pelo cumprimento do Estatuto da Magistratura, podendo expedir atos regulamentares, no âmbito de sua competência, ou recomendar providências;
>
> II – zelar pela observância do art. 37 e apreciar, de ofício ou mediante provocação, a legalidade dos atos administrativos praticados por membros ou órgãos do Poder Judiciário, podendo desconstituí-los, revê-los ou fixar prazo para que se adotem as providências necessárias ao exato cumprimento da lei, sem prejuízo da competência do Tribunal de Contas da União;
>
> III – receber e conhecer das reclamações contra membros ou órgãos do Poder Judiciário, inclusive contra seus serviços auxiliares, serventias e órgãos prestadores de serviços notariais e de registro que atuem por delegação do poder público ou oficializados, sem prejuízo da competência disciplinar e correicional dos tribunais, podendo avocar processos disciplinares em curso, determinar a remoção ou a disponibilidade e aplicar outras sanções administrativas, assegurada ampla defesa;

IV – representar ao Ministério Público, no caso de crime contra a administração pública ou de abuso de autoridade;

V – rever, de ofício ou mediante provocação, os processos disciplinares de juízes e membros de tribunais julgados há menos de um ano;

VI – elaborar semestralmente relatório estatístico sobre processos e sentenças prolatadas, por unidade da Federação, nos diferentes órgãos do Poder Judiciário;

VII – elaborar relatório anual, propondo as providências que julgar necessárias, sobre a situação do Poder Judiciário no País e as atividades do Conselho, o qual deve integrar mensagem do Presidente do Supremo Tribunal Federal a ser remetida ao Congresso Nacional, por ocasião da abertura da sessão legislativa.

Doutrina

Competência do Conselho Nacional de Justiça. A norma ora em comento trata da competência atribuída ao CNJ, principalmente o controle da atuação administrativa e financeira do Poder Judiciário, o cumprimento de deveres funcionais de juízes e as demais atividades previstas nos incisos I a VII. A característica comum de todas as atribuições listadas no artigo é que todas têm natureza administrativa e não jurisdicional.

Jurisprudência

> "O pronunciamento do Conselho Nacional de Justiça que consubstancie recusa de intervir em determinado procedimento ou, então, que envolva mero reconhecimento de sua incompetência ou, ainda, que nada determine, que nada imponha, que nada avoque, que nada aplique, que nada ordene, que nada invalide, que nada desconstitua não faz instaurar, para efeito de controle jurisdicional, a competência originária do Supremo Tribunal Federal. – O Conselho Nacional de

Justiça, em tais hipóteses, considerado o próprio conteúdo negativo de suas resoluções (que nada proveem), não supre, não substitui, nem revê atos ou omissões eventualmente imputáveis a órgãos judiciários em geral, inviabilizando, desse modo, o acesso ao Supremo Tribunal Federal, que não pode converter-se em instância revisional ordinária dos atos e pronunciamentos administrativos emanados do CNJ. Precedentes." (STF – Pleno, MS 27.148/DF AgRg, rel. Min. Celso de Mello, j. 11.05.2011).

"O Conselho Nacional de Justiça, embora integre a estrutura constitucional do Poder Judiciário como órgão interno de controle administrativo, financeiro e disciplinar da magistratura – excluídos, no entanto, do alcance de referida competência, o Supremo Tribunal Federal e os seus Ministros (ADI 3.367/DF) –, qualifica-se como instituição de caráter eminentemente administrativo, não dispondo de atribuições funcionais que lhe permitam, que colegialmente, quer mediante atuação monocrática de seus Conselheiros ou, ainda, do Corregedor Nacional de Justiça, fiscalizar, reexaminar, interferir e/ou suspender os efeitos de atos de conteúdo jurisdicional emanados de magistrados e Tribunais em geral, sob pena de, em tais hipóteses, a atuação administrativa de referido órgão estatal – por traduzir comportamento 'ultra vires' – revelar-se arbitrária e destituída de legitimidade jurídico-constitucional. Doutrina. Precedentes (MS 28.598-MC-AgR/DF, Rel. Min. Celso de Mello, Pleno, v.g.)". (STF – Pleno, MS 27.148/DF AgRg, rel. Min. Celso de Mello, j. 11.05.2011).

"(...). 3. A intervenção desta Corte em relação aos atos do CNJ só deve ocorrer em caráter excepcionalíssimo. O Conselho Nacional de Justiça foi criado com a finalidade constitucional expressa de exercer o controle da atuação administrativa e financeira do Poder Judiciário e do cumprimento dos deveres funcionais dos juízes (CRFB/1988, art. 103-B, § 4.º)" (STF – Pleno, AO 1.789/SP, rel. Min. Roberto Barroso, DJE 230, j. 26.10.2018).

"I – O Conselho Nacional de Justiça, órgão de natureza administrativa que é, não possui competência para determinar o afastamento de cobrança de emolumento judicial com fundamento na sua inconstitucionalidade, mesmo porque tal ato termina por afastar a aplicação da própria lei tributária. II – A providência a ser adotada, por eventuais interessados em afastá-la, é a propositura de ação direta de inconstitucionalidade com o intuito de pôr fim a cobrança de tal exação. III – Embora o CNJ não pudesse, no caso, afastar a cobrança da contribuição instituída pela Lei 8.943/2008, para a Associação Mato-grossense de Defensores Públicos – AMDEP, não é possível a concessão da segurança, pois restabelecer a citada cobrança seria fazer tabula rasa da jurisprudência desta Corte, que é absolutamente pacífica no sentido de que é vedada a destinação de valores recolhidos a título de custas e emolumentos a pessoas jurídicas de direito privado. IV – Opiniões divergentes de Ministros quanto à decretação de inconstitucionalidade, no caso. V – Segurança denegada". (STF – Pleno, MS 28.141/MT, rel. Min. Ricardo Lewandowski, j. 10.02.2011).

"1. O Conselho Nacional de Justiça tem legitimidade para fiscalizar, inclusive de ofício, os atos administrativos praticados por órgãos do Poder Judiciário (MS 26.163, rel. min. Cármen Lúcia, DJE 04.09.2008). 2. Após a publicação do edital e no curso do certame, só se admite a alteração das regras do concurso se houver modificação na legislação que disciplina a respectiva carreira. Precedentes (RE 318.106, rel. min. Ellen Gracie, DJ 18.11.2005). 3. No caso, a alteração das regras do concurso teria sido motivada por suposta ambiguidade de norma do edital acerca de critérios de classificação para a prova oral. Ficou evidenciado, contudo, que o critério de escolha dos candidatos que deveriam ser convocados para as provas orais do concurso para a magistratura do Estado do Piauí já estava claramente delimitado quando da publicação do Edital n.º 1/2007. 4.

> A pretensão de alteração das regras do edital é medida que afronta o princípio da moralidade e da impessoalidade, pois não se pode permitir que haja, no curso de determinado processo de seleção, ainda que de forma velada, escolha direcionada dos candidatos habilitados às provas orais, especialmente quando já concluída a fase das provas escritas subjetivas e divulgadas as notas provisórias de todos os candidatos. 5. Ordem denegada" (STF – Pleno, MS 27.160/DF, rel. Min. Joaquim Barbosa, j. 18.12.2008),

§ 5.º O Ministro do Superior Tribunal de Justiça exercerá a função de Ministro-Corregedor e ficará excluído da distribuição de processos no Tribunal, competindo-lhe, além das atribuições que lhe forem conferidas pelo Estatuto da Magistratura as seguintes:

I – receber as reclamações e denúncias, de qualquer interessado, relativas aos magistrados e aos serviços judiciários;

II – exercer funções executivas do Conselho, de inspeção e de correição geral;

III – requisitar e designar magistrados, delegando-lhes atribuições, e requisitar servidores de juízos ou tribunais, inclusive nos Estados, Distrito Federal e Territórios.

Doutrina

Corregedoria do CNJ. Nos termos do § 5.º, o Ministro do Superior Tribunal de Justiça será o Ministro-corregedor do CNJ, ficando, em razão disso, excluído da distribuição de processo no STJ. Anote-se, ainda, que ele é o substituto eventual do Presidente do STF na presidência do CNJ.

§ 6.º Junto ao Conselho oficiarão o Procurador-Geral da República e o Presidente do Conselho Federal da Ordem dos Advogados.

Doutrina

Ofício junto ao CNJ. Dispõe o § 6.º que atuarão junto ao Conselho o Procurador-Geral da República – que também preside o Conselho Nacional do Ministério Público (art. 130-A) – e o Presidente do Conselho Federal da Ordem dos Advogados do Brasil.

Jurisprudência

> "I. Mandado de segurança contra ato do Conselho Nacional de Justiça: arquivamento de petição que pretendia a anulação de decisão judicial, por alegado vício processual atribuídos aos Ministros do Superior Tribunal de Justiça: indeferimento. 1. Ainda que disponha o art. 103-B, § 6.º, da Constituição Federal que 'junto ao Conselho oficiarão o Procurador-Geral da República e o Presidente do Conselho Federal da Ordem dos Advogados do Brasil', a ausência destes às sessões do Conselho não importa em nulidade das mesmas. 2. A dispensa da lavratura de acórdão (RICNJ, art. 103, § 3.º), quando mantido o pronunciamento do relator da decisão recorrida pelo Plenário, não traduz ausência de fundamentação: II. Conselho Nacional de Justiça: competência restrita ao controle de atuação administrativa e financeira dos órgãos do Poder Judiciário e a eles sujeitos" (STF – Pleno, MS 25.879/DF AgRg, rel. Min. Sepúlveda Pertence, j. 23.08.2006).

§ 7.º A União, inclusive no Distrito Federal e nos Territórios, criará ouvidorias de justiça, competentes para receber reclamações e denúncias de qualquer interessado contra membros ou órgãos do Poder Judiciário, ou contra seus serviços auxiliares, representando diretamente ao Conselho Nacional de Justiça.

Doutrina

Ouvidoria de Justiça junto ao CNJ. Dispõe o § 7.° que a União criará ouvidorias de justiça para receber reclamações e denúncias contra magistrados ou órgãos do Poder Judiciário ou contra seus serviços auxiliares com representação dirigida diretamente ao Conselho Nacional de Justiça.

Seção III
DO SUPERIOR TRIBUNAL DE JUSTIÇA

Art. 104. O Superior Tribunal de Justiça compõe-se de, no mínimo, trinta e três Ministros.

Doutrina

Superior Tribunal de Justiça. Sua principal atribuição é a de garantir a inteireza do direito federal, velando pela sua correta aplicação e pela uniformidade de sua interpretação pelos demais tribunais, sendo, na prática, a última instância do direito federal no país. O STJ foi criado com a finalidade de desafogar o Supremo Tribunal Federal, assumindo as suas atribuições ligadas ao direito federal, e de substituir o Tribunal Federal de Recursos.

Composição do STJ. O STJ é integrado por trinta e três ministros, número fixado pela norma constitucional, podendo a lei, de sua iniciativa privativa, ampliar esse número segundo as suas necessidades. A sua composição inicial se fez (ADCT, art. 27, § 2.º) pelo aproveitamento dos ministros do antigo Tribunal Federal de Recursos e nomeação do necessário para completar o número estabelecido na Constituição.

Jurisprudência

> A competência atribuída aos tribunais para a apresentação de proposta de aumento do número de seus membros decorre do princípio da independência e harmonia entre os poderes. (STF, RDA, 202/180).

Parágrafo único. Os Ministros do Superior Tribunal de Justiça serão nomeados pelo Presidente da República, dentre brasileiros com mais de trinta e cinco e menos de

setenta anos de idade, de notável saber jurídico e reputação ilibada, depois de aprovada a escolha pela maioria absoluta do Senado Federal, sendo:

I – um terço dentre juízes dos Tribunais Regionais Federais e um terço dentre desembargadores dos Tribunais de Justiça, indicados em lista tríplice elaborada pelo próprio Tribunal;

II – um terço, em partes iguais, dentre advogados e membros do Ministério Público Federal, Estadual, do Distrito Federal e Territórios, alternadamente, indicados na forma do art. 94.

Doutrina

Critério de composição do STJ. O STJ é composto de um terço de juízes oriundos dos Tribunais Regionais Federais; de um terço de desembargadores dos Tribunais de Justiça; e de um terço, dividido em partes iguais e com nomeação alternada, dentre advogados e membros do Ministério Público Federal, Estadual, do Distrito Federal ou Territórios.

Requisitos. Os ministros do STJ devem atender aos seguintes requisitos para nomeação: ser brasileiro, nato ou naturalizado; estar no gozo dos direitos políticos; contar com mais de trinta e cinco e menos de setenta anos de idade; possuir notável saber jurídico, quer dizer, dominar extensos conhecimentos da ciência jurídica capaz de distingui-los dos demais operadores do Direito; ter reputação ilibada, ou conceito e conduta sociais inatacáveis, merecendo, assim, o respeito de seus concidadãos; e pertencer aos quadros de um Tribunal Regional ou de Justiça, integrar o Ministério Público ou ser advogado.

Processo de escolha, nomeação, posse e exercício. Desenvolve-se em quatro fases: a) o Presidente da República escolhe livremente um nome que atenda aos requisitos constitucionais exigidos, dentre os integrante da lista tríplice elaborada pelo próprio STJ; b) em seguida, submete a indicação ao Senado Federal, que poderá recusá-lo ou aprová-lo pelo voto da maioria absoluta de seus membros; c) aprovada a escolha, o Presidente da República baixa o ato de nomeação; d) por último, o nomeado toma posse perante o Superior Tribunal de Justiça, tendo, na mesma oportunidade, início de exercício.

Jurisprudência

> "1. A Constituição determina que um terço dos Ministros do Superior Tribunal de Justiça seja nomeado dentre 'advogados e membros do Ministério Público Federal, Estadual, do Distrito Federal e Territórios, alternadamente, indicados na forma do art. 94'. 2. A elaboração da lista tríplice pelo STJ compreende a ponderação de dois requisitos a serem preenchidos pelos advogados incluíveis na terça parte de que se cuida [notório saber jurídico e reputação ilibada] e a verificação de um fato [mais de dez anos de efetiva atividade profissional]. Concomitantemente, a escolha de três nomes tirados da lista sêxtupla indicada pela Ordem dos Advogados Brasileiros. 3. O Superior Tribunal de Justiça está vinculado pelo dever-poder de escolher três advogados cujos nomes comporão a lista tríplice a ser enviada ao Poder Executivo. Não se trata de simples poder, mas de função, isto é, dever-poder. Detém o poder de proceder a essa escolha apenas na medida em que o exerça a fim de cumprir o dever de a proceder. Pode, então, fazer o quanto deva fazer. Nada mais. 4. Essa escolha não consubstancia mera decisão administrativa, daquelas a que respeita o artigo 93, X, da Constituição, devendo ser apurada de modo a prestigiar-se o juízo dos membros do tribunal quanto aos requisitos acima indicados, no cumprimento do dever-poder que os vincula, atendida inclusive a regra da maioria absoluta de votos. 5. Nenhum dos indicados obteve a maioria absoluta de votos, consubstanciando-se a recusa, pelo Superior Tribunal de Justiça, da lista encaminhada pelo Conselho Federal da Ordem dos Advogados. Recurso ordinário improvido" (STF – 2.ª Turma, ROMS 27.920, rel. Min. Eros Grau, j. 06.10.2009).

Art. 105. Compete ao Superior Tribunal de Justiça:

Doutrina

Competência do STJ. É do conjunto de suas atribuições que mais ressalta o seu papel de guardião do direito federal. A sua competência é dividida em: a) *originária*, quando processa e julga originariamente a causa; b) *recursal ordinária*, quando julga em sede de recurso ordinário; c) *recursal especial*, quando julga, em sede de recurso especial, para garantir a uniformidade do direito federal.

Jurisprudência

> "A Constituição, ao delimitar a competência do STJ, no seu art. 105, não discriminou a forma pela qual essa competência deveria ser exercida, se por órgãos fracionários ou individualmente por seus integrantes. Essa tarefa foi implementada pela Lei n. 8.038/90 e pelo Regimento Interno dessa Corte, sobre os quais não pesa juízo de inconstitucionalidade" (STJ – 4.ª Turma, AgI 22.210/RS AgRg, rel. Min. Sálvio de Figueiredo, DJU, 27.06.1994, p. 16.983).

I – processar e julgar, originariamente:

Doutrina

Competência originária do STJ. A competência originária do STJ, como a do STF, também é definida em razão da natureza da matéria e da qualidade das partes, em face do papel que estas desempenham no quadro das instituições. Nas matérias inscritas no dispositivo constitucional, que são *numerus clausus*, o STJ processa e julga em primeira e única instância.

a) nos crimes comuns, os Governadores dos Estados e do Distrito Federal, e, nestes e nos crimes de responsa-

bilidade, os desembargadores dos Tribunais de Justiça dos Estados e do Distrito Federal, os membros dos Tribunais de Contas dos Estados e do Distrito Federal, os dos Tribunais Regionais Federais, dos Tribunais Regionais Eleitorais e do Trabalho, os membros dos Conselhos ou Tribunais de Contas dos Municípios e os do Ministério Público da União que oficiem perante tribunais;

Doutrina

Competência criminal. Compete ao STJ processar e julgar: a) *nos crimes comuns*, os Governadores dos Estados e do Distrito Federal, que nos crimes de responsabilidade se submetem às Assembleias Legislativas e à Câmara Distrital, respectivamente; b) *nos crimes comuns e de responsabilidade*, os desembargadores dos Tribunais de Justiça dos Estados e do Distrito Federal, os membros dos Tribunais de Contas dos Estados e do Distrito Federal, os dos Tribunais Regionais Federais, dos Tribunais Regionais Eleitorais e do Trabalho, os membros dos Conselhos ou Tribunais de Contas dos Municípios e os do Ministério Público da União que oficiem perante tribunais.

Jurisprudência

> A competência do STJ para processar e julgar o Governador de Estado somente será exercida após autorização da Assembleia Legislativa, seguindo o modelo federal que exige seja autorizada pela Câmara dos Deputados a instauração do processo contra o Presidente da República. (STF, RTJ, 158/280).
>
> "A despeito de os crimes eleitorais, que não são de responsabilidade, enquadrarem-se melhor entre os comuns, na dicotomia restritiva constitucional (crimes comuns – crimes de responsabilidade), a existência de uma Justiça especializada em matéria eleitoral, com competência sobre crimes eleitorais, leva, na omissão da lei, a atribuir-se ao TSE, não ao STJ, a competência para o processo e julgamento do Governador do Estado,

nos crimes eleitorais, resguardando-se, assim, a competência por prerrogativa de função instituída no art. 105, I, *a*, da Constituição, sem ferir-se a da Corte especializada." (STJ – Corte Especial, Rp 19/PE, rel. Min. Assis Toledo, RSTJ, 31/475).

b) os mandados de segurança e os *habeas data* contra ato de Ministro de Estado, dos Comandantes da Marinha, do Exército e da Aeronáutica ou do próprio Tribunal;

Doutrina

***Competência para o mandado de segurança e o* habeas data.** Compete ao Superior Tribunal de Justiça processar e julgar originariamente o mandado de segurança e o *habeas data* impetrados contra atos emanados de Ministro de Estado, dos Comandantes da Marinha, do Exército e da Aeronáutica ou do próprio Tribunal.

Jurisprudência

Súmula do STF: 267. "Não cabe mandado de segurança contra ato judicial passível de recurso ou correição."

Súmulas do STJ: 41. "O Superior Tribunal de Justiça não tem competência para processar e julgar, originariamente, mandado de segurança contra atos de outros tribunais ou dos respectivos órgãos." 177. "O Superior Tribunal de Justiça é incompetente para processar e julgar, originariamente, mandado de segurança contra ato de órgão colegiado presidido por Ministro de Estado."

"Compete ao STJ processar e julgar, originariamente, mandado de segurança contra ato do próprio Tribunal. Mas, ato administrativo e não ato judicial." (STJ – 6.ª Turma, ROMS 4.144/RJ AgRg, rel. Min. Nilson Naves, DJ 1, 18.03.1996, p. 7.497).

c) os *habeas corpus*, quando o coator ou paciente for qualquer das pessoas mencionadas na alínea *a*, ou quando o coator for tribunal sujeito à sua jurisdição, Ministro de Estado ou Comandante da Marinha, do Exército ou da Aeronáutica, ressalvada a competência da Justiça Eleitoral;

Doutrina

Sistema de competência. Com relação ao *habeas corpus*, o sistema de competência que deflui da norma constitucional é o seguinte: a) compete ao STJ o processo e julgamento da ação quando nela figurar, na condição de coator ou paciente, qualquer pessoa constante da alínea *a*, ou seja: Governador de Estado ou do Distrito Federal, desembargador de Tribunal de Justiça de Estado ou Distrito Federal, membro de Tribunal de Contas de Estado ou do Distrito Federal, membro de Tribunal Regional Federal, Eleitoral ou do Trabalho, membro de Conselho ou Tribunal de Contas de Município, ou membro do Ministério Público da União que oficie perante tribunais; b) compete ao STJ o processo e julgamento quando o coator for tribunal sujeito à sua jurisdição, ou seja, os tribunais regionais federais e os tribunais estaduais, Ministro de Estado, Comandante da Marinha, do Exército ou da Aeronáutica, salvo quando estes forem pacientes, caso em que a competência é do STF (art. 102, I, *d*).

Exceção. A norma ressalva a competência da Justiça Eleitoral, cabendo a esta processar e julgar o *habeas corpus* quando referir-se a matéria eleitoral.

Jurisprudência

> "A EC 22, de 18.03.1999, deu nova redação aos arts. 102, I, *i*, e 105, I, *c*, da Constituição, de modo a transferir, do Supremo Tribunal para o Superior Tribunal de Justiça, a competência originária para conhecer de *habeas corpus* contra coação imputada aos tribunais de segundo grau sujeitos à sua jurisdição. Essa a espécie e sendo a emenda constitucional de aplicabilidade imediata

aos processos em curso, declino da competência do STF para o Superior Tribunal de Justiça, ao qual se remeterão os autos" (STF – 1.ª Turma, HC 78.756-6/SP, rel. Min. Sepúlveda Pertence, DJ 1, 29.03.1999, p. 21).

"Competência – Habeas Corpus – Ato de Desembargador. A teor do disposto na alínea 'c' do inciso I do artigo 105 da Constituição Federal, compete ao Superior Tribunal de Justiça julgar habeas corpus direcionado contra ato omissivo de desembargador. Crime – Desclassificação – Habeas Corpus – Impropriedade. O habeas corpus não é o meio hábil a, mediante o exame dos elementos probatórios coligidos na ação penal, chegar-se a conclusão sobre a desclassificação do delito – de tráfico para consumo de drogas" (STF – 2.ª Turma, HC 72.922/SP, rel. Min. Marco Aurélio, j. 17.10.1995).

d) os conflitos de competência entre quaisquer tribunais, ressalvado o disposto no art. 102, I, *o*, bem como entre tribunal e juízes a ele não vinculados e entre juízes vinculados a tribunais diversos;

Doutrina

Conflitos de competência. A competência do Superior Tribunal de Justiça se fixa por exclusão dos conflitos de competência do Supremo Tribunal Federal (art. 102, I, *o*). Assim, cabe-lhe dirimir os conflitos entre quaisquer tribunais, desde que não incida na competência deste tribunal.

Jurisprudência

Súmulas do STJ: 22. "Não há conflito de competência entre o Tribunal de Justiça e o Tribunal de Alçada do mesmo Estado-membro". 236. "Não compete ao Superior Tribunal de Justiça dirimir conflitos de competência entre juízes trabalhistas vinculados a Tribunais Regionais do Trabalho diversos".

"De acordo com a letra 'd' do inciso I do art. 105 da Magna Carta, compete ao Superior Tribunal de Justiça processar e julgar originariamente os conflitos entre juízes vinculados a tribunais diversos. No caso, transparece um virtual conflito de jurisdição entre os juízos federal e estadual perante os quais funcionam os órgãos do Parquet ora em divergência. Tal situação impõe uma interpretação extensiva do dispositivo constitucional acima referido, de sorte a fixar a competência daquela Corte Superior para solucionar o dissenso instaurado nos presentes autos. Precedente: Pet 1.503, Relator Ministro Maurício Corrêa. Conflito de atribuições não conhecido" (STF – Pleno, ACO 756/SP, rel. Min. Carlos Britto, j. 04.08.2005).

"Conflito de competência – Junta de Conciliação e Julgamento e Tribunal de Justiça – Competência originária do Superior Tribunal de Justiça (CF, art. 105, I, d) – Incompetência originária do Supremo Tribunal Federal – Conflito não conhecido. – O Supremo Tribunal Federal, dentro do sistema normativo consagrado pela Carta da República, não se apresenta investido de atribuição jurisdicional para, em sede originária, dirimir conflito de competência instaurado entre órgãos da Justiça do Trabalho situados no primeiro e no segundo graus de jurisdição (JCJ e TRT) de um lado, e o Tribunal de Justiça dos Estados-membros, de outro. A competência para dirimir esse conflito pertence, originariamente, ao Superior Tribunal de Justiça (CF, art. 105, I, d)" (STF – Pleno, CC 7.035/SP, rel. Min. Celso de Mello, j. 20.09.1995).

O Superior Tribunal de Justiça ocupa posição de eminência na organização constitucional do Poder Judiciário, o que impede que se configure entre o mesmo e os Tribunais Regionais Federais conflito negativo ou positivo de competência, ainda que se contraste decisão singular de Ministro do STJ com decisão emanada de órgão colegiado de TRF. (STF, RTJ, 143/550).

> "Não estando o juízo estadual investido de competência delegada federal, compete ao Superior Tribunal de Justiça dirimir conflito surgido entre aquele juízo e o federal, porque subordinados a tribunais diversos" (STJ, CC 12.499/SP, rel. Min. Américo Luz, DJ 1, 05.06.1995, p. 16.610).
>
> Compete ao STJ dirimir conflito de competência entre Tribunal de Justiça Estadual e Tribunal Regional Federal (STJ, RSTJ, 30/57).

e) as revisões criminais e as ações rescisórias de seus julgados;

Doutrina

Revisão criminal no âmbito do STJ. A revisão criminal destina-se ao reexame de condenação criminal anterior visando a sua desconstituição. A competência do STJ para a ação limita-se aos casos de revisão de decisões emanadas do próprio Tribunal.

Ação rescisória de seus julgados. A ação rescisória visa a desconstituição de sentença civil transitada em julgado. Da mesma forma, a competência do STJ para esta ação limita-se àquelas destinadas à rescisão de seus próprios julgados.

Jurisprudência

> Súmulas do STF: 343. "Não cabe ação rescisória por ofensa a literal disposição de lei, quando a decisão rescindenda se tiver baseado em texto legal de interpretação controvertida nos tribunais." 393. "Para requerer revisão criminal, o condenado não é obrigado a recolher-se à prisão." 514. "Admite-se a ação rescisória contra sentença transitada em julgado, ainda que contra ela não se tenham esgotado todos os recursos."

f) a reclamação para a preservação de sua competência e garantia da autoridade de suas decisões;

Doutrina

Reclamação perante o STJ. Destina-se a preservar a competência do Tribunal subvertida em face de decisões proferidas por outros juízos ou tribunais, ou para garantir a autoridade de suas decisões quando indevidamente questionadas.

Jurisprudência

> A reclamação destina-se a preservar a competência global do STF e o seu objetivo específico é o salvaguardar a extensão, o *imperium* e os efeitos dos julgados da Corte (STF, RTJ, 149/354).
>
> É inadmissível a reclamação requerida por terceiro, pretensamente interessado, com base em alegação de eventual prejuízo em face do descumprimento da decisão, pois o uso da via reclamatória somente se legitima quando fundado em desrespeito à autoridade das decisões do STF (STF, RTJ, 160/788).

g) os conflitos de atribuições entre autoridades administrativas e judiciárias da União, ou entre autoridades judiciárias de um Estado e administrativas de outro ou do Distrito Federal, ou entre as deste e da União;

Doutrina

Conflitos de atribuições. Ocorrem quando autoridade judiciária e autoridade administrativa se dão, ambas, por competentes ou incompetentes para o desempenho de certa tarefa administrativa. Observe-se que a autoridade judiciária, além de exercer a função jurisdicional, exerce também parcela da função administrativa e é no exercício desta que pode ocorrer conflito de atribuições, já que a jurisdição é exercida em caráter exclusivo pelos órgãos judiciários.

Jurisprudência

> Cabe ao Superior Tribunal de Justiça processar e

julgar os conflitos de competência entre membros do *Parquet* de Estados diversos ou entre membros de Ministério Público Estadual e Federal (STJ, RSTJ, 4/1219).

A atitude de autoridade administrativa federal que se nega a cumprir requisição de processo administrativo feita por autoridade judiciária estadual configura desobediência e não conflito de atribuição (STF, RF, 90/99).

h) o mandado de injunção, quando a elaboração da norma regulamentadora for atribuição de órgão, entidade ou autoridade federal, da administração direta ou indireta, excetuados os casos de competência do Supremo Tribunal Federal e dos órgãos da Justiça Militar, da Justiça Eleitoral, da Justiça do Trabalho e da Justiça Federal;

Doutrina

Mandado de injunção perante o STJ. Cabe ao Superior Tribunal de Justiça processar e julgar o mandado de injunção quando a ausência de norma regulamentadora – regulamento, portaria, instrução normativa, ordem de serviço etc. – inviabilizar o exercício dos direitos e liberdades constitucionais e das prerrogativas inerentes à nacionalidade, à soberania e à cidadania. Porém, a competência do STJ limita-se apenas aos casos em que a norma regulamentadora for de atribuição de órgão, entidade ou autoridade federal, da administração direta ou indireta, não sujeitos à jurisdição dos órgãos expressamente referidos na norma constitucional. Estabelece-se, pois, a sua competência por exclusão.

Jurisprudência

"O novo *writ* constitucional, consagrado pelo art. 5.º, LXXI, da Carta Federal, não se destina a constituir direito novo nem a ensejar ao Poder Judiciário o anômalo desempenho de funções normativas que lhe são institucionalmente estranhas. O mandado de injunção não é o sucedâneo constitucional das funções político-jurídicas atribuídas aos órgãos estatais inadimplentes. A própria excepcionalidade desse novo instrumento jurídico *impõe* ao Judiciário o dever de estrita observância do princípio constitucional da divisão funcional do poder" (STF – Pleno, MI 284/DF, rel. Min. Celso de Mello, RTJ 139-03/712).

Compete ao STJ, a teor da norma contida no art. 105, I, *h*, da Constituição, processar e julgar mandado de injunção impetrado contra o Instituto Nacional de Previdência Social.

Compete ao Superior Tribunal de Justiça (Constituição, art. 105, I, *h*) processar e julgar mandado de injunção impetrado contra Ministro de Estado (STJ, MI 414-5/SC, DJ 1, 06. 05.1994, p. 10.468).

i) a homologação de sentenças estrangeiras e a concessão de *exequatur* às cartas rogatórias;

Doutrina

Homologação de sentença estrangeira. É o ato de natureza constitutiva destinado a reconhecer sentença proferida por juízo estrangeiro e revesti-la de força executiva. Na atual ordem constitucional compete ao Superior Tribunal de Justiça e na ordem constitucional anterior cabia ao Presidente do Supremo Tribunal Federal homologar as sentenças estrangeiras se presentes os requisitos legais de que trata o art. 15 da Lei de Introdução às Normas do Direito Brasileiro. Por outro lado, não será homologada a sentença estrangeira que ofenda a soberania nacional, a ordem pública e os bons costumes. Isso significa que o ordenamento jurídico brasileiro filia-se ao chamado sistema do *juízo de delibação*, pelo qual o exame que se faz restringe-se à forma, à autenticidade, à competência do órgão, não adentrando o mérito da sentença objeto de homologação.

***Concessão do* exequatur *às cartas rogatórias*.** É a ordem exarada nas cartas rogatórias, para que estas sejam cumpridas no território brasileiro, com a finalidade de citação de réu, intimação ou oitiva de testemunhas, realização de diligência destinada a instruir o processo, perícia, vistoria, constatação etc. As cartas rogatórias não se prestam para a solicitação de atos de natureza executiva, como prisão, busca ou apreensão, extradição, sequestro de bens etc., pois são atos que dependem da homologação prévia da sentença estrangeira.

Jurisprudência

> Súmulas do STF: 381. "Não se homologa sentença de divórcio obtida, por procuração, em país de que os cônjuges não eram nacionais". 420. "Não se homologa sentença proferida no estrangeiro sem prova do trânsito em julgado".
>
> "O processo de homologação de sentença estrangeira reveste-se de caráter constitutivo e faz instaurar uma situação de contenciosidade limitada. A ação de homologação destina-se, a partir da verificação de determinados requisitos fixados pelo ordenamento positivo nacional, a propiciar o reconhecimento de decisões estrangeiras pelo Estado Brasileiro, com o objetivo de viabilizar a produção dos efeitos jurídicos que são inerentes a esses atos de conteúdo sentencial. O sistema de controle limitado que foi instituído pelo Direito brasileiro em tema de homologação de sentença estrangeira não permite que o Supremo Tribunal Federal, atuando como Tribunal do foro, proceda, no que se refere ao ato sentencial formado no exterior, ao exame da matéria de fundo ou à apreciação de questões pertinentes ao *meritum causae*, ressalvada, tão-somente, para efeito do juízo de delibação que lhe compete, a análise dos aspectos concernentes à soberania nacional, à ordem pública e aos bons costumes. Não se discute, no processo de homologação, a relação de direito material subjacente à sentença estrangeira homologanda" (STF, SE Contestada 4.738/EUA, rel. Min. Celso de Mello, Ementário, n.º 1.782-01, p. 47).

A homologação de sentença estrangeira tem como condição necessária o seu trânsito em julgado no país de origem. Porém, se o divórcio operou-se consensualmente, e não existir na sentença homologanda qualquer referência a recurso e as partes estiverem de acordo com a homologação, mediante declaração expressa chancelada pela autoridade consular brasileira no país que o decretou, fica suprida a exigência do trânsito em julgado (STF, RTJ, 121/459).

"Tratando-se de matéria situada no campo jurisdicional, o meio próprio ao implemento das providências seria o relativo ao *exequatur*, não o julgamento de reclamação – como ocorreu na espécie –, que, por sinal, não tem mão dupla. A organicidade do Direito é elemento voltado à segurança jurídica e aí, a prevalecer a óptica formalizada, ter-se-á o esvaziamento, ao menos no campo penal, do instituto da carta rogatória, sobrepondo-se a economia processual a aspectos relevantes e de envergadura maior, como é o da competência para conferir execução a medidas pretendidas por autoridades estrangeiras no território nacional, passando os diversos órgãos do Judiciário brasileiro a atuar, sob pretexto de cooperação, sem a necessidade do crivo que ontem incumbia ao Supremo e hoje cabe ao Superior Tribunal de Justiça". (STF – 1.ª Turma, HC 85.588/RJ, rel. Min. Marco Aurélio, DJ, 15.12.2006).

"I – Não sendo hipótese de ofensa à soberania nacional, à ordem pública ou de inobservância aos requisitos da Resolução n.° 9/2005, cabe apenas a este e. Superior Tribunal de Justiça emitir juízo meramente delibatório acerca da concessão do *exequatur* nas cartas rogatórias. II – Para realização de quebra de sigilo bancário ou de sequestro de bens pela via da carta rogatória, é necessária uma decisão judicial estrangeira, que deve ser delibada por esta Corte, como ocorreu na hipótese". (STJ – Corte Especial, CR 4.037 AgRg, rel. Min. Felix Fischer, , DJE, 29.11.2012).

"(...). 2. As relações entre Estados soberanos que têm por objeto a execução de sentenças e de cartas rogatórias representam, portanto, uma classe peculiar de relações internacionais, que se estabelecem em razão da atividade dos respectivos órgãos judiciários e decorrem do princípio da territorialidade da jurisdição, inerente ao princípio da soberania, segundo o qual a autoridade dos juízes (e, portanto, de suas decisões) não pode extrapolar os limites territoriais do seu próprio País. Ao atribuir ao STJ a competência para a 'concessão de *exequatur* às cartas rogatórias' (art. 105, I, i), a Constituição está se referindo, especificamente, ao juízo de delibação consistente em aprovar ou não o pedido feito por autoridade judiciária estrangeira para cumprimento, em nosso país, de diligência processual requisitada por decisão do juiz rogante. É com esse sentido e nesse limite, portanto, que deve ser compreendida a referida competência constitucional" (STJ – Corte Especial, Recl. 2.645, rel. Min. Teori Albino Zavascki, DJE, 16.12.2009).

II – julgar, em recurso ordinário:

Doutrina

Recurso ordinário constitucional. Aquele cabível nas estritas hipóteses previstas pela norma constitucional, ou seja, nos casos previstos nas alíneas *a*, *b* e *c*.

Decisões denegatórias. São aquelas que indeferem o pleito de segurança, com apreciação de mérito, ou as que não conhecem da impetração, extinguindo o processo sem julgamento da questão de direito material posta.

Jurisprudência

Súmula 299 do STF: "O recurso ordinário e o extraordinário interpostos no mesmo processo de mandado de segurança, ou no de 'habeas corpus', serão julgados conjuntamente pelo Tribunal Pleno."

"A competência recursal ordinária do Superior Tribunal de Justiça possui extração constitucional. É indispensável, é inderrogável, quer pelo ministério da lei, quer pela interpretação dos juízes e, na concreção do seu alcance, qualifica essa elevada Corte judiciária nacional a exercer – à semelhança dos *demais* Tribunais e juízes – o controle difuso de constitucionalidade, ainda que este venha a ser instaurado, *como é processualmente lícito*, no âmbito do recurso ordinário cabível nos termos do art. 105, II, *b*, da Constituição Federal" (STF – 1.ª Turma, AgI 145.395-9/SP AgRg, rel. Min. Celso de Mello, RTJ, 158/976).

"Só se admite o recurso ordinário para a impugnação do julgamento das questões suscitadas e discutidas na instância inferior, ainda que não tenham sido julgadas por inteiro. O que não ficar circunscrito a esse âmbito – como as questões jurídicas não suscitadas nem discutidas no processo – não pode ser conhecido, sob pena de violação do princípio do duplo grau de jurisdição" (STF – 1.ª Turma, ROMS 21.300/DF, rel. Min. Moreira Alves, RTJ, 142/782).

"O sentido da expressão constitucional decisão denegatória, comum tanto às ações de mandado de segurança quanto às ações de *habeas corpus*, reveste-se de conteúdo amplo, abrangendo, em seu domínio conceitual, os pronunciamentos jurisdicionais que apreciem o fundo da controvérsia jurídica suscitada ou que, sem julgamento do mérito, impliquem a extinção do processo" (STF – 1.ª Turma, AgI 145.395-9/SP AgRg, rel. Min. Celso de Mello, RTJ, 158/976).

"O recurso especial está vocacionado, no campo de sua específica atuação temática, a tutela do direito objetivo infraconstitucional da União. A sua apreciação jurisdicional compete do Superior Tribunal de Justiça que detém, *ope constitutionis*, a qualidade de guardião do direito federal comum. O legislador constituinte, ao criar o Superior Tribunal de Justiça, atribuiu-lhe, dentre outras eminentes funções de índole jurisdicional, a prerrogativa de uniformizar a interpretação das leis e normas infraconstitucionais emanadas da União Federal (CF, art. 105, III, c)" (STF – 1.ª Turma, AgI 149.534/SP AgRg, rel. Min. Celso de Mello, j. 04.02.1994).

a) os *habeas corpus* decididos em única ou última instância pelos Tribunais Regionais Federais ou pelos tribunais dos Estados, do Distrito Federal e Territórios, quando a decisão for denegatória;

Doutrina

Competência do STJ. Firma-se a competência do STJ apenas nas hipóteses de *habeas corpus* decididos em única ou última instância e sendo denegatória a decisão proferida por quaisquer dos tribunais mencionados pela norma constitucional.

Jurisprudência

> Compete ao STJ conhecer de *habeas corpus* originário em substituição de recurso ordinário, ainda que transitada em julgado a decisão recorrida (STF, RTJ, 138/165).

b) os mandados de segurança decididos em única instância pelos Tribunais Regionais Federais ou pelos tribunais dos Estados, do Distrito Federal e Territórios, quando denegatória a decisão;

Doutrina

Decisão de única instância. Trata-se de decisão proferida no exercício da competência originária por quaisquer dos tribunais referidos na norma constitucional, ensejando o recurso ordinário desde que denegatória a decisão.

Jurisprudência

"As decisões denegatórias de mandado de segurança, quando proferidas em única instância pelos Tribunais Regionais Federais ou pelos Tribunais locais, comportam uma só e específica modalidade recursal: *o recurso ordinário constitucional*, interponível, nos termos do art. 105, II, *b*, da Carta Política, para o Superior Tribunal de Justiça. A previsão constitucional do recurso ordinário em tal hipótese *não permite* a imediata utilização do recurso extraordinário para o Supremo Tribunal Federal, eis que, enquanto não esgotada a via recursal ordinária, revela-se inadmissível a interposição do apelo extremo" (STF – 1.ª Turma, AgI 145.395-9/SP AgRg, rel. Min. Celso de Mello, RTJ, 158/976).

"A competência recursal ordinária do Superior Tribunal de Justiça possui extração constitucional. É indispensável, é inderrogável, quer pelo ministério da lei, quer pela interpretação dos juízes e, na concreção do seu alcance, qualifica essa elevada Corte judiciária nacional a exercer – à semelhança dos *demais* Tribunais e juízes – o controle difuso de constitucionalidade, ainda que este venha a ser instaurado, *como é processualmente lícito*, no âmbito do recurso ordinário cabível nos termos do art. 105, II, *b*, da Constituição Federal" (STF – 1.ª Turma, AgI 145.395-9/SP AgRg, rel. Min. Celso de Mello, RTJ, 158/976).

c) as causas em que forem partes Estado estrangeiro ou organismo internacional, de um lado, e, do outro, Município ou pessoa residente ou domiciliada no País;

Doutrina

Competência recursal do STJ. Cabe ao STJ julgar o recurso ordinário nas causas entre Estado estrangeiro ou organismo internacional e Município ou pessoa domiciliada ou residente no país, pois a competência originária para processar e julgar tais lides é dos juízes federais (art. 109, II). Quando se tratar de litígio entre Estado estrangeiro ou organismo internacional e a União, o Estado, o Distrito Federal ou Território, a competência originária é do STF (art. 102, I, *e*).

Jurisprudência

> "Agravo Regimental. Competência interna. Recurso Especial. Ação de busca e apreensão proposta com base na Convenção de Haia. Direito Internacional Privado. Ação de guarda do menor. Competência da 1.ª Seção. 1. A competência para a ação de guarda, de direito de família, é da Segunda Seção, mas a competência para a ação de repatriação, proposta pela União, em cumprimento a tratado internacional, é da Primeira Seção (Regimento Interno, art. 9.º, § 1.º, XIII). A. Agravo regimental a que se dá provimento, para reconhecer a competência da 1.ª Seção" (STJ – Corte Especial, REsp 1.239.777/PE AgRg, rel. Min. Maria Isabel Gallotti, DJE, 21.10.2011).
>
> É relativo o princípio da imunidade jurisdicional dos Estados estrangeiros, podendo, pois, vir a ser afastado em casos como o de reclamação trabalhista, o de indenização civil por danos, ou naqueles em que os mesmos atuem como particulares ou na prática de atos de comércio. (STF, RTJ, 133/159).

III – julgar, em recurso especial, as causas decididas, em única ou última instância, pelos Tribunais Regionais Federais ou pelos tribunais dos Estados, do Distrito Federal e Territórios, quando a decisão recorrida:

Doutrina

Recurso Especial. Tem por finalidade garantir a integridade do direito federal e a uniformidade de sua jurisprudência. A doutrina entende que o recurso não devolve ao STJ o conhecimento de matéria de fato, prestando-se apenas para a apreciação e decisão das questões de direito que autorizem a sua interposição.

Jurisprudência

Súmulas do STJ: 5. "A simples interpretação de cláusula contratual não enseja recurso especial." 7. "A pretensão de simples reexame de prova não enseja recurso especial." 13. "A divergência entre julgados do mesmo Tribunal não enseja recurso especial." 83. "Não se conhece do recurso especial pela divergência, quando a orientação do tribunal se firmou no mesmo sentido da decisão recorrida." 86. "Cabe recurso especial contra acórdão proferido no julgamento de agravo de instrumento." 123. "A decisão que admite, ou não, o recurso especial deve ser fundamentada, com o exame dos seus pressupostos gerais e constitucionais."

126. "É inadmissível recurso especial, quando o acórdão recorrido assenta em fundamentos constitucional e infraconstitucional, qualquer deles suficiente, por si só, para mantê-lo, e a parte vencida não manifesta recurso extraordinário." 207. "É inadmissível recurso especial quando cabíveis embargos infringentes contra o acórdão proferido no Tribunal de origem."

"A alegação de ofensa do art. 105, III, CF pode servir de base a recurso extraordinário, quando, para conhecer ou não conhecer do recurso especial, a decisão do STJ contiver proposição contrária, em tese, aos seus pressupostos típicos de admissibilidade, que aquele preceito constitucional define; não cabe, porém, o extraordinário para o reexame das premissas concretas de que haja partido a decisão do STJ, em tese, correta" (STF – 1.ª Turma, AgI 156.184-1/SP AgRg, rel. Min. Sepúlveda Pertence, RTJ, 155/609).

a) contrariar tratado ou lei federal, ou negar-lhes vigência;

Doutrina

Contrariedade a tratado ou à lei federal. A alínea veicula quatro hipóteses de interposição de recurso especial: a) *decisão contrária a tratado*, aquela que colide com cláusula expressa de tratado internacional firmado pelo país; b) *decisão contrária à lei federal*, aquela que viola a lei federal; c) *decisão que nega vigência a tratado*, aquela que não reconhece estar vigente o tratado e apto a ser aplicado; d) *decisão que nega vigência à lei federal*, aquela que não reconhece à lei federal vigência e aptidão para ser aplicada.

Jurisprudência

> Na interposição do recurso especial com base no art. 105, III, *a*, da Constituição Federal, é obrigatória a indicação do dispositivo legal, tratado ou lei federal violados (STJ, DJ 1, 29.04.1996, p. 13.427).

b) julgar válido ato de governo local contestado em face de lei federal;

Doutrina

Conflito entre direito federal e direito local. Enseja a interposição de recurso especial o conflito entre normas de direito federal e direito estadual, distrital ou municipal quando o mesmo se coloca no plano da legalidade, sendo julgados válidos dispositivos de leis ou atos destes contestados em face de norma daquele. A questão é, pois, de hierarquia e aí prevalece o princípio de que direito federal prevalece sobre direito local. Contudo, se a questão se colocar no plano das competências, sendo estas divididas pela Constituição entre os entes políticos, o conflito assume foro de constitucionalidade, sendo constitucional a norma legislada conforme a competência deferida pela Carta Política e, nesse âmbito, por se tratar de exercício de competência, direito local prevalece sobre direito federal e o caso se resolve através de ação de inconstitucionalidade, de constitucionalidade ou pela via do recurso extraordinário.

Jurisprudência

Súmulas do STF: 280. "Por ofensa a direito local não cabe recurso extraordinário". 399. "Não cabe recurso extraordinário por violação de lei federal, quando a ofensa alegada for a regimento de tribunal".

c) der a lei federal interpretação divergente da que lhe haja atribuído outro tribunal.

Doutrina

Interpretação divergente. Cabe recurso especial quando a decisão recorrida der à lei federal interpretação que diverge, difere no sentido e alcance, de outra oriunda de tribunal diverso.

Jurisprudência

Súmula do STJ: 13. "A divergência entre julgados do mesmo Tribunal não enseja recurso especial".

"O legislador constituinte, ao criar o Superior Tribunal de Justiça, atribuiu-lhe, dentre outras eminentes funções de índole jurisdicional, a prerrogativa de uniformizar a interpretação das leis e normas *infraconstitucionais* emanadas da União Federal (CF, art. 105, III, *c*). *Refoge*, assim, ao domínio temático do recurso especial o dissídio pretoriano que, instaurado entre tribunais diversos, tenha por fundamento questões de Direito Constitucional positivo. A alegação de divergência jurisprudencial que verse tema exclusivamente constitucional há de ser tida como *reforço do fundamento* do apelo extremo interposto com base no art. 102, III, *a*, da Carta Política, em ordem a viabilizar o exercício, pelo Supremo Tribunal Federal, de sua competência recursal extraordinária (RTJ 129/947). É inadmissível o recurso especial quando, apoiando-se o acórdão recorrido *também* em fundamento constitucional suficiente, não vem ele, *neste ponto*, a ser objeto de impugnação pela via recursal extraordinária ou, ainda que utilizada esta, o apelo extremo deixa, *qualquer que tenha sido o motivo*, de ter seguimento em virtude de ato decisório transitado em julgado. A existência de fundamento constitucional inatacado revela-se, *só por si*, para manter, em face de seu caráter autônomo e subordinante, a decisão proferida por Tribunal inferior. O acórdão do Superior Tribunal de Justiça somente legitimará o uso da via recursal extraordinária se nele se desenhar, *originalmente*, a questão de direito constitucional. Surgindo esta, contudo, *em sede jurisdicional inferior*, a impugnação, por meio de recurso extraordinário, deverá ter por objeto a decisão emanada do *Tribunal de segundo grau*, pois terá sido este, e não o STJ, o acórdão judiciário responsável pela resolução *incidenter tantum* da controvérsia de constitucionalidade. *Precedente*s" (STF – 1.ª Turma, AgI 155.523-9/SP AgRg, rel. Min. Celso de Mello, RTJ, 156/288).

"1. Para efeito de prequestionamento, não basta que a norma federal tenha sido objeto de embargos declaratórios e seja mencionada no relatório do acórdão respectivo. O prequestionamento, mesmo implícito, exige que o conteúdo da norma legal e a questão jurídica nela disciplinada sejam enfrentados e decididos pelo Tribunal de origem, o que não ocorreu no presente caso quanto aos artigos 265 e 1.345 do Código Civil em vigor. 2. O dissídio jurisprudencial deve ser comprovado adequadamente, seguindo os requisitos legais, no momento da interposição do recurso especial, não se admitindo a emenda da petição recursal para sanar eventuais defeitos. Incide, no caso, a preclusão consumativa e, com efeito, a alegada regularização do dissídio jurisprudencial neste regimental não socorre os agravantes" (STJ – 3.ª Turma, REsp 761.238/SP AgRg, rel. Min. Carlos Alberto Menezes Direito, j. 24.08.2006, DJ, 18.12.2006, p. 375).

§ 1.º Funcionarão junto ao Superior Tribunal de Justiça:

I – a Escola Nacional de Aperfeiçoamento de Magistrados, cabendo-lhe dentre outras funções, regulamentar os cursos oficiais para o ingresso e promoção na carreira;

II – O Conselho da Justiça Federal, cabendo-lhe exercer, na forma da lei, a supervisão administrativa e orçamentária da Justiça Federal de primeiro e segundo graus, como órgão central do sistema e com poderes correicionais, cujas decisões terão caráter vinculante.

Doutrina

Conselho da Justiça Federal. É o órgão colegiado que tem por objetivo exercer a supervisão administrativa e orçamentária da Justiça Federal de primeiro e segundo graus, abrangendo, pois, os juízes federais e os Tribunais Regionais Federais. A sua presidência é exercida pelo Presidente do STJ e é composto por doze membros efetivos, sendo seis ministros deste Tribunal e mais os seis presidentes dos Tribunais Regionais Federais.

Jurisprudência

> "Dispor, em seus regimentos internos, sobre a competência dos respectivos órgãos jurisdicionais, expressão do princípio do autogoverno da magistratura, é atribuição constitucionalmente cometida aos tribunais (art. 96, I, *a*)" (STJ – 6.ª Turma, HC 493/RS, rel. Min. Costa Leite, RSTJ, 15/128).

§ 2º No recurso especial, o recorrente deve demonstrar a relevância das questões de direito federal infraconstitucional discutidas no caso, nos termos da lei, a fim de que a admissão do recurso seja examinada pelo Tribunal, o qual somente pode dele não conhecer com base nesse motivo pela manifestação de 2/3 (dois terços) dos membros do órgão competente para o julgamento.

§ 3º Haverá a relevância de que trata o § 2º deste artigo nos seguintes casos:

I – ações penais;

II – ações de improbidade administrativa;

III – ações cujo valor da causa ultrapasse 500 (quinhentos) salários mínimos;

IV – ações que possam gerar inelegibilidade;

V – hipóteses em que o acórdão recorrido contrariar jurisprudência dominante do Superior Tribunal de Justiça;

VI – outras hipóteses previstas em lei.

Seção IV
DOS TRIBUNAIS REGIONAIS FEDERAIS E DOS JUÍZES FEDERAIS

Art. 106. São órgãos da Justiça Federal:

I – os Tribunais Regionais Federais;

II – os Juízes Federais.

Doutrina

Justiça Federal. Foi instituída como Justiça da União pelo Decreto n.° 848, de 11.10.1890. A Constituição de 1891 dispunha que o Poder Judiciário da União seria exercido pelo Supremo Tribunal Federal, com tantos juízes e tribunais federais quantos fossem criados pelo Congresso Nacional. A Constituição de 1934 criou uma Corte Suprema e manteve os juízes e tribunais federais. A Constituição de 1937 extinguiu a Justiça Federal de primeira instância e a Justiça Eleitoral. A Constituição de 1946 restabeleceu a Justiça Eleitoral e criou o Tribunal Federal de Recursos, porém não restaurou a Justiça Federal de primeiro grau. Foi por meio do Ato Institucional n.° 2, de 27.10.1965, que a Justiça Federal de primeira instância foi restaurada. As Constituições de 1967 e 1969 trataram de mantê-la e a Constituição de 1988 estruturou-a dispondo sobre os seus órgãos e competência e convertendo a Justiça Federal, definitivamente, em instituição necessária à defesa dos interesses da União e reverente aos princípios federativo e republicano.

Tribunais Regionais Federais. A previsão da criação de tribunais regionais já constava do art. 55 da Constituição de 1891, mas, jamais converteu-se em realidade até o advento da Constituição de 1988 que, finalmente, instituiu-os como órgãos de segunda instância da Justiça Federal. Atualmente, são seis os

Tribunais Regionais Federais: o da 1.ª Região, com sede em Brasília; o da 2.ª Região, com sede no Rio de Janeiro; o da 3.ª Região, com sede em São Paulo; o da 4.ª Região, com sede em Porto Alegre; o da 5.ª Região, com sede em Recife; e o da 6.ª Região, com sede em Belo Horizonte.***Juízes Federais***. São os magistrados que integram o primeiro grau de jurisdição da Justiça Federal e têm a competência para processar e julgar as causas de interesse da União ou de entidades autárquicas ou empresas públicas federais.

Jurisprudência

> "Ao órgão recursal competente da Justiça Federal incumbe processar e julgar o recurso interposto de sentença de juiz federal, ainda que seja para declarar a nulidade por vício de jurisdição ou competência" (STJ, 2.ª Seção, CC 1.133/RS, rel. Min. Sálvio de Figueiredo, DJU, 13.04.1992, p. 4.971).

Art. 107. Os Tribunais Regionais Federais compõem-se de, no mínimo, sete juízes, recrutados, quando possível, na respectiva região e nomeados pelo Presidente da República dentre brasileiros com mais de trinta e menos de setenta anos de idade, sendo:

I – um quinto dentre advogados com mais de dez anos de efetiva atividade profissional e membros do Ministério Público Federal com mais de dez anos de carreira;

II – os demais, mediante promoção de juízes federais com mais de cinco anos de exercício, por antiguidade e merecimento, alternadamente.

Doutrina

Composição dos Tribunais Regionais Federais. O critério para a composição dos referidos tribunais é o seguinte: a) um quinto dos cargos será preenchido por membros do Ministério Público, com mais de dez anos de carreira e por advogados de notório saber jurídico e reputação ilibada, com mais de dez anos de efetiva atividade profissional; b) quatro quintos dos cargos mediante promoção de juízes federais com mais de cinco anos de exercício, por antiguidade e merecimento, de forma alternada. Outrossim, os nomeados deverão, sempre que possível, ser recrutados dentro da região de jurisdição do tribunal e preencherem, ainda, o requisito de idade mínima e máxima.

Composição atual. Atualmente, os tribunais têm as seguintes composições: TRF da 1.ª Região: vinte e seis juízes; TRF da 2.ª Região: trinta e quatro juízes; TRF da 3.ª Região: quarenta e três juízes; TRF da 4.ª Região: trinta e nove juízes; TRF da 5.ª Região: vinte e quatro juízes; e TRF da 6.ª Região: dezoito juízes.

Jurisprudência

> "1. Nos termos do disposto no art. 93, III, da Constituição Federal, o acesso dos magistrados aos tribunais de segundo grau far-se-á por antiguidade e merecimento. 2. Os Tribunais Regionais Federais são compostos por brasileiros com mais de sessenta e cinco anos, sendo um quinto dentre advogados com mais de dez anos de efetiva atividade profissional e membros do Ministério Público Federal com mais de dez anos de carreira e os demais, mediante promoção de juízes federais com mais de cinco anos de exercício, por antiguidade e merecimento, alternadamente (CF, art. 107). 3. A partir da interpretação sistemática dos arts. 93 e 107 do texto constitucional chega-se à conclusão de que o limite etário de 65 anos prescrito no *caput* do art. 107, da Constituição Federal, não é aplicável aos magistrados federais de carreira, restringindo-se apenas aos juízes pertencentes ao quinto constitucional, sob pena de ofensa à garantia da progressão na carreira de magistrado. 4. Agravo regimental a que se nega provimento, mantendo a concessão parcial da segurança" (STF – 2.ª Turma, MS 28.678/DF AgRg, rel. Min. Edson Fachin, j. 07.08.2018).

Quando o número de juízes do tribunal não for múltiplo de cinco, arredonda-se a fração – superior ou inferior a meio – para cima, obtendo-se o número inteiro seguinte como representativo do quinto constitucional; caso contrário, o órgão não terá a composição correta de advogados e membros do Ministério Público, restando violada a norma constitucional (STF, RDA, 205/212).

§ 1.º A lei disciplinará a remoção ou a permuta de juízes dos Tribunais Regionais Federais e determinará a sua jurisdição e sede.

§ 2.º Os Tribunais Regionais Federais instalarão a justiça itinerante, com a realização de audiências e demais funções da atividade jurisdicional, nos limites territoriais da respectiva jurisdição, servindo-se de equipamentos públicos e comunitários.

§ 3.º Os Tribunais Regionais Federais poderão funcionar descentralizadamente, constituindo Câmaras regionais, a fim de assegurar o pleno acesso do jurisdicionado à justiça em todas as fases do processo.

Doutrina

Remoção ou permuta de juízes federais. A norma tem por objetivo viabilizar a mobilidade de magistrados à consideração de que a Justiça Federal atua, por seus órgãos, em todo o território nacional. Não é por outra razão que o Conselho da Justiça Federal exerce a supervisão administrativa e orçamentária da Justiça Federal de primeiro e segundo grau.

Art. 108. Compete aos Tribunais Regionais Federais:

Doutrina

Competência dos Tribunais Regionais Federais. Divide-se em competência originária, para as matérias listadas nas alíneas abaixo, e competência recursal, para julgar como tribunal de recursos, as causas decididas pelos juízes federais e pelos juízes estaduais no exercício da competência federal da área de sua jurisdição.

Jurisprudência

> Súmulas do STJ: 3. "Compete ao Tribunal Regional Federal dirimir conflito de competência verificado, na respectiva Região, entre Juiz Federal e Juiz Estadual investido de jurisdição federal." 55. "Tribunal Regional Federal não é competente para julgar recurso de decisão proferida por juiz estadual não investido de jurisdição federal".

I – processar e julgar originariamente:

a) os juízes federais da área de sua jurisdição, incluídos o da Justiça Militar e da Justiça do Trabalho, nos crimes comuns e de responsabilidade, e os membros do Ministério Público da União, ressalvada a competência da Justiça Eleitoral;

Doutrina

Competência criminal. Cabe aos Tribunais Regionais Federais processar e julgar, tanto nos crimes comuns como nos de responsabilidade, os juízes federais aos mesmos vinculados, os magistrados da Justiça Militar e da Justiça do Trabalho de primeira instância, bem como os membros do Ministério Público da União.

Competência da Justiça Eleitoral. A ressalva da parte final da norma visa reafirmar a competência da Justiça Eleitoral para os crimes eleitorais. Com relação aos crimes comuns, os seus autores responderão perante o foro próprio ou naquele decorrente de prerrogativa de função.

Jurisprudência

> "Compete originariamente aos Tribunais Regionais Eleitorais processar e julgar, por crimes eleitorais, as autoridades estaduais que, em crimes comuns, tenham no Tribunal de Justiça o foro por prerrogativa de Função" (STF, Pleno, RHC 69.773/PR, rel. Min. Moreira Alves, DJ 1, 12.02.1993, p. 1.452).

> "(...). No caso, em se tratando, como se trata, de *habeas corpus* contra membro do Ministério Público Federal que atua junto a Juízo de primeiro grau, e tendo em vista que, em virtude do disposto no artigo 108, I, 'a', da Constituição Federal, compete aos Tribunais Regionais Federais processar e julgar originariamente esses membros, a esses Tribunais compete, também, por aplicação do mesmo fundamento, julgar os *habeas corpus* impetrados por essas autoridades. Recurso extraordinário conhecido e provido" (STF – 1.ª Turma, RE 285.569/SP, rel. Min. Moreira Alves, j. 18.12.2000).

b) as revisões criminais e as ações rescisórias de julgados seus ou dos juízes federais da região;

Doutrina

Revisões criminais. Têm por objetivo desfazer a imutabilidade da coisa julgada – decorrente de sentença ou acórdão penais – para a correção de erro judiciário ou restabelecimento da justiça substancial nos casos admitidos por lei.

Ações rescisórias. Têm por objetivo desconstituir a sentença de mérito ou acórdão cíveis transitados em julgado, com eventual rejulgamento da causa.

Jurisprudência

Súmulas do STF: 343. "Não cabe ação rescisória por ofensa a literal disposição de lei, quando a decisão rescindenda se tiver baseado em texto legal de interpretação controvertida nos tribunais." 393. "Para requerer revisão criminal, o condenado não é obrigado a recolher-se à prisão." 514. "Admite-se ação rescisória contra sentença transitada em julgado, ainda que contra ela não se tenham esgotado todos os recursos."

Ocorrendo no feito a habilitação de empresa pública federal como assistente litisconsorte, a competência para o julgamento da ação rescisória de acórdão do Tribunal de Justiça Estadual passa para o Tribunal Regional Federal. Essa competência excepcional justifica-se em face da evidência de que, via de regra, a ação rescisória envolve o judicium rescindens e o judicium rescissorium (STJ – 2.ª Seção, CC 5.427, rel. Min. Fontes de Alencar, j. 15.12.1994).

c) os mandados de segurança e os *habeas data* contra ato do próprio Tribunal ou de juiz federal;

Doutrina

***Remédios contra ato do próprio Tribunal*.** Para a correção de ilegalidade de ato do próprio tribunal cabe mandado de segurança ou *habeas data*, devendo ser entendido como tal qualquer ato praticado por órgãos do tribunal, como os emanados do Presidente, do Vice-Presidente, da Corregedoria, de órgãos fracionários, ou de relatores.

Jurisprudência

"A Constituição Federal de 1988 prevê mandado de segurança contra ato do próprio Tribunal Regional Federal (art. 108, I, *c*), não apenas contra atos de seu Presidente ou do Presidente das Turmas Reunidas ou dos

Presidentes de suas Turmas. Considera-se ato do próprio Tribunal Regional Federal aquele praticado por um de seus órgãos, aí incluído o de responsabilidade do Relator. Ordem concedida porque contraria a natureza dos recursos o entendimento de que o mesmo juiz possa praticar o ato judicial e desenganar o agravo regimental contra ele interposto" (TRF4 – Pleno, MS 90.04.13913/RS, rel. Juiz Ari Pargendler, DJ 2, 31.10.1990, p. 25.867).

d) os *habeas corpus*, quando a autoridade coatora for juiz federal;

Doutrina

Competência. A competência originária do tribunal parece restringir-se, no caso da norma em comento, apenas aos *habeas corpus* quando o ato coator for praticado por Juiz Federal. Contudo, é de ser reconhecida a sua competência também nos casos em que a autoridade coatora for Juiz do Trabalho ou Procurador da República.

Jurisprudência

"1 - O Tribunal Regional Federal tem competência para processar e julgar *habeas corpus*, 'quando a autoridade coatora for juiz federal' (art. 108, I, d, CF). Não assim, quando ele próprio, TRF, for o coator, na qualidade de prolator do acórdão impugnado (confirmatório de condenação). 2 – Nessa hipótese, a competência para o processo e julgamento do HC é do Supremo Tribunal Federal (art. 102, I, i, CF)." (STF, Pleno, HC 70.645/MG, rel. Min. Sydney Sanches, DJ 1, 13.05.1994, p. 11.352).

Quando a coação partir de membro do Ministério Público Federal que atue perante a Justiça Federal de primeira instância, a competência para o processo e julgamento do *habeas corpus* será do Tribunal Regional Federal. (STJ – 5.ª Turma, HC 5.750/RJ, DJ 1, 29.09.1997, p. 48.231).

e) os conflitos de competência entre juízes federais vinculados ao Tribunal;

Doutrina

Conflitos de competência. Cabe ao tribunal processar e julgar tanto os conflitos de competência entre juízes federais, quanto os conflitos de competência entre juízes federais e juízes estaduais no exercício de jurisdição federal.

Jurisprudência

> Súmula do STJ: 3. "Compete ao Tribunal Regional Federal dirimir conflito de competência verificado, na respectiva Região, entre Juiz Federal e Juiz Estadual investido de jurisdição federal."

II – julgar, em grau de recurso, as causas decididas pelos juízes federais e pelos juízes estaduais no exercício da competência federal da área de sua jurisdição.

Doutrina

Competência recursal. Compreende todos os recursos interpostos contra decisões proferidas pelos juízes federais e também pelos juízes estaduais no exercício excepcional da competência federal, como ocorre, v.g., nas causas intentadas contra instituição de previdência social (CF, art. 109, § 3.º).

Jurisprudência

> A norma contida no art. 108, II, da Constituição Federal não é norma instituidora de recursos para os Tribunais Regionais Federais, mas apenas de previsão de competência para julgamento daqueles previstos pela lei processual (STF, DJU, 28.02.1997, p. 4.071).
>
> "A competência para processar e julgar recurso interposto pela União Federal, contra decisão de magis-

trado estadual, no exercício da jurisdição local, que não reconheceu a existência de interesse federal na causa e nem determinou a remessa do respectivo processo à Justiça Federal, pertence ao Tribunal Regional Federal (órgão de segundo grau da Justiça Federal comum), a quem incumbe examinar o recurso e, se for o caso, invalidar o ato decisório que se apresenta eivado de nulidade, por incompetência absoluta de seu prolator. Precedentes". (STF – 1.ª Turma, RE 144.880-6/DF, rel. Min. Celso de Mello, DJ, 02.03.2001).

"I – Em se tratando de decisão de juiz estadual, que não se encontra no exercício de competência da Justiça Federal, ao Tribunal Estadual cabe apreciá-la recursalmente. II – Entendendo o Tribunal de Justiça ser incompetente o juiz estadual, incumbe-lhe apreciar o recurso para invalidar a decisão de primeiro grau e determinar a remessa dos autos ao juiz federal competente, não lhe sendo admitido declinar para o Regional Federal, que não tem competência para rever decisão de juiz que não lhe esteja vinculado jurisdicionalmente" (STJ – 2.ª Seção, CC 2.783/RS, rel. Min. Sálvio de Figueiredo, DJ 1, 08.06.1992, p. 8.598).

Art. 109. Aos juízes federais compete processar e julgar:

Doutrina

Competência dos juízes federais. Os juízes federais integram o primeiro grau de jurisdição da Justiça Federal e têm sua competência fixada por esta norma constitucional, que somente por meio de emenda à Constituição poderá ser objeto de ampliação ou redução.

Jurisprudência

Súmula 517 do STF: "As sociedades de economia mista só têm foro na Justiça Federal quando a União intervém como assistente ou opoente".

Súmulas do STJ: 32. "Compete à Justiça Federal processar justificações judiciais destinadas a instruir pedidos perante entidades que nela têm exclusividade de foro, ressalvada a aplicação do art. 15, II, da Lei 5.010/66". 66. "Compete à Justiça Federal processar e julgar execução fiscal promovida por Conselho de Fiscalização Profissional". 82. "Compete à Justiça Federal, excluídas as reclamações trabalhistas, processar e julgar os feitos relativos à movimentação do FGTS". 150. "Compete à Justiça Federal decidir sobre a existência de interesse jurídico que justifique a presença, no processo, da União, suas autarquias ou empresas públicas". 173. "Compete à Justiça Federal processar e julgar o pedido de reintegração em cargo público federal, ainda que o servidor tenha sido dispensado antes da instituição do Regime Jurídico Único". 224. "Excluído do feito o ente federal, cuja presença levara o Juiz Estadual a declinar da competência, deve o Juiz Federal restituir os autos e não suscitar conflito".

"A competência da Justiça Federal está sujeita a regime jurídico definido na Constituição da República. A competência outorgada à Justiça Federal possui extração constitucional e reveste-se, por isso mesmo, de caráter absoluto e improrrogável, expondo-se, unicamente, às derrogações fixadas no texto da Constituição da República. Somente à Justiça Federal compete dizer se, em determinada causa, há, ou não, interesse da União Federal. A legitimidade do interesse jurídico manifestado pela União só pode ser verificada, em cada caso ocorrente, pela própria Justiça Federal (RTJ 101/881), pois, para esse específico fim é que a Justiça Federal foi instituída: para dizer se, na causa, há, ou não, interesse jurídico da União (RTJ 78/398). O ingresso da União Federal numa causa, vindicando posição processual definida (RTJ 46/73 – RTJ 51/242 – RTJ 164/359), gera a incompetência absoluta da Justiça local (RT 505/109), pois não se inclui, na esfera de atribuições jurisdicionais dos magistrados e Tribunais estaduais, o poder para aferir e dizer da legitimidade do interesse da União Federal, em determinado processo (RTJ 93/1291 – RTJ 95/447 – RTJ 101/419 – RTJ 164/359)" (STF – 1.ª Turma, RE 144.880-6/DF, rel. Min. Celso de Mello, DJ, 02.03.2001).

"Segundo precedentes desta Corte Superior, 'a competência fixada no art. 109 da Magna Carta não se dá em razão da matéria discutida na demanda, mas se firma *ratione personae*, de modo que o deslocamento do feito para a Justiça Federal somente se justifica ante a presença na lide de alguma das pessoas elencadas naquele dispositivo constitucional, o que não é o caso dos autos'". (STJ – 1.ª Seção, CC 114.777, rel. Min. Mauro Campbell Marques, DJE, 18.09.2012).

"Não é dado ao juiz estadual examinar o acerto ou desacerto da decisão de juiz federal que excluiu da lide entes federais listados no art. 109, I, da Constituição Federal. Se entender que carece ao réu remanescente legitimidade *ad causam*, deve decretar a carência da ação, ensejando à parte interessada o recurso cabível" (STJ, RSTJ 76/31).

"Pacificou-se a jurisprudência das Turmas da 1.ª Seção do STJ no sentido de que, em demandas sobre a legitimidade da cobrança de tarifas por serviço de telefonia, movidas por usuário contra a concessionária, não se configura hipótese de litisconsórcio passivo necessário da Anatel, que, na condição de concedente do serviço público, não ostenta interesse jurídico qualificada a justificar sua presença na relação processual" (STJ – 1.ª Seção, REsp 1.068.944/PB, rel. Min. Teori Albino Zavascki, j. 12.11.2008).

"Competência. Conflito. Justiça Estadual e Justiça Federal. Ação de reintegração de posse. Relação processual angularizada entre partes sem prerrogativa de foro na Justiça Federal. Aforamento. Precedentes. Conflito acolhido. – Se, embora pertencendo o imóvel à União Federal, a ação de reintegração de posse é travada entre partes sem prerrogativa de foro na Justiça Federal, sem que participe da relação processual qualquer ente que desafie a incidência do art. 109, I da Constituição, competente para julgar a causa é a Justiça Estadual" (STJ – 2.ª Seção, CC 20.918/RJ, rel. Min. Sálvio de Figueiredo Teixeira, j. 13.05.1998).

I – as causas em que a União, entidade autárquica ou empresa pública federal forem interessadas na condição de autoras, rés, assistentes ou oponentes, exceto as de falência, as de acidentes de trabalho e as sujeitas à Justiça Eleitoral e à Justiça do Trabalho;

Doutrina

Interesse da União, de entidade autárquica ou de empresa pública federal. O interesse dos entes referidos configura-se em face da necessidade de figurarem na ação como autores, réus, assistentes, na defesa de direito próprio juntamente com o autor ou réu, ou opoentes, intervindo, como terceiros, com o objetivo de excluir a pretensão do autor, do réu ou do assistente.

Critério de atribuição de competência. É em razão da pessoa, pois sempre que presente o interesse da União, de entidade autárquica ou de empresa pública federal, a competência para a causa será dos juízes federais.

Exceção. A norma constitucional excepciona da competência dos juízes federais as causas relativas à falência, as de acidentes do trabalho – ambas de competência da justiça estadual – e aquelas sujeitas à Justiça Eleitoral e à Justiça do Trabalho.

Jurisprudência

Súmula 501 do STF: "Compete à justiça ordinária estadual o processo e julgamento, em ambas as instâncias, das causas de acidente do trabalho, ainda que promovidas contra a União, suas autarquias, empresas públicas ou sociedades de economia mista."

Súmula 150 do STJ: "Compete à Justiça Federal decidir sobre a existência de interesse jurídico que justifique a presença, no processo, da União, suas autarquias ou empresas públicas".

Súmula 61 do TFR: "Para configurar a competência da Justiça Federal, é necessário que a União, entidade autárquica ou empresa pública federal, ao intervir como assistente, demonstre legítimo interesse jurídico no deslinde da demanda, não bastando a simples alegação de interesse na causa".

O interesse da União na causa, capaz de deslocar a competência da Justiça Estadual para a Justiça Federal, deve ser real e que faça com que o ente se beneficie com o resultado favorável da demanda, ou tenha que responder no caso de condenação, não bastando o simples interesse *ad adjuvandum tantum* (STF, RTJ, 51/238).

"Embargos de declaração no agravo regimental no recurso extraordinário. Efeitos infringentes. Processual. Malversação de verbas federais recebidas mediante convênio com a FUNASA. Artigo 109, inciso I, da CF. Presença do MPF em um dos polos. Competência da Justiça Federal. Recurso aclaratório acolhido com efeitos infringentes. 1. A circunstância de figurar o Ministério Público Federal como parte na lide não é suficiente para determinar a perpetuação da competência da Justiça Federal para o julgamento da ação. 2. O Supremo Tribunal Federal consolidou o entendimento de que a mera alegação de existência de interesse de um dos entes enumerados no art. 109, inciso I, da Constituição Federal não enseja o deslocamento da competência para a Justiça Federal. 3. A existência de competência da Justiça Federal será aferida por ela própria com base no caso concreto e supedâneo no rol *ratione personae* do art. 109, inciso I, da Constituição. 4. O fato de a verba represada ser proveniente de recursos federais fiscalizáveis pelo TCU basta para afirmar a existência de interesse da União e a consequente competência da Justiça Federal para apreciar os autos. Precedentes da Suprema Corte. 5. Embargos de declaração acolhidos, em efeitos infringentes, para se anular o acórdão recorrido e se determinar novo julgamento pelo tribunal de origem" (STF – Pleno, RE 669.952/BA AgRg, rel. Min. Dias Toffoli, DJE – 251, 24.11.2016).

"A competência cível da Justiça Federal é definida *ratione personae*, sendo irrelevante a natureza da controvérsia posta à apreciação. Por isso, quando presente um dos entes relacionados no art. 109, I, da CF, a competência será da Justiça Federal. Precedentes do STJ" (STJ – 1.ª Seção, CC 107.369, rel. Min. Luiz Fux, DJE, 19.11.2009).

"Conflito positivo de competência. Processo civil. Competência absoluta. Guarda de menores. Ação de busca e apreensão proposta pela União. Aspectos civis de sequestro internacional de crianças. Reconhecimento da competência da Justiça Federal. Arts. 12 e 17 da Convenção de Haia. 1. É absolutamente competente a Justiça Federal para julgamento tanto do pedido de busca e apreensão de menores proposto pela União (art. 109, I, CF/88) com fundamento na Convenção de Haia sobre os Aspectos Civis do Sequestro Internacional de Crianças (art. 109, III, CF/88), como para definir a guarda das crianças nos termos dos artigos 12 e 17 do Tratado Internacional. 2. Conflito de competência conhecido para declarar a competência do Juízo Federal da Vara Única da Seção Judiciária de Varginha/MG, ora suscitado, para julgar a ação de busca e apreensão das crianças e decidir sobre o direito de guarda, remanescendo as demais questões subjacentes no juízo de família, competente para conhecer do divórcio e do pedido de pensão alimentícia" (STJ – 2.ª Seção, CC 123.094/MG, Rel. Min. Ricardo Villas Boas Cueva, DJE, 14.02.2014).

"(...). 2. A inclusão de autarquia federal no polo passivo da demanda é circunstância suficiente para atrai a competência da Justiça Federal, a quem compete verificar o efetivo interesse do ente público federal, consoante o enunciado da Súmula 150/STJ. 3. Recurso ordinário em mandado de segurança provido, para anular o acórdão recorrido e determinar a remessa dos autos à Justiça Federal" (STJ – 2.ª Turma, ROMS 31.930, rel. Min. Eliana Calmon, DJE, 20.08.2010).

II – as causas entre Estado estrangeiro ou organismo internacional e Município ou pessoa domiciliada ou residente no País;

Doutrina

Competência remanescente. Cabe aos juízes federais processar e julgar as causas entre Estado estrangeiro ou organismo internacional e Município ou pessoa domiciliada ou residente no país. Porém, se a outra parte litigante for a União, o Estado-membro, o Distrito Federal ou o Território, a competência originária é do Supremo Tribunal Federal (CF, art. 102, I, *e*).

Jurisprudência

> "1. Ambas as Turmas que compõem a Segunda Seção reiteradamente orientam que é de natureza absoluta a imunidade de jurisdição decorrente de ato de império, por força do princípio *par em parem non habet judicium*, segundo o qual, nessas hipóteses, nenhum Estado soberano pode ser submetido, contra a sua vontade, à condição de parte perante o foro doméstico de outro Estado (Precedentes). 2. Agravo regimental improvido" (STJ – 2.ª Seção, RO 68 AgRg, rel. Min. Marco Aurélio Bellizze, DJE, 19.02.2016).
>
> Nos termos do art. 109, II, da Constituição, causa envolvendo Estado estrangeiro e pessoa residente no Brasil é de competência da Justiça Federal (STJ, DJ 1, 17.04.1995, p. 9.580).

III – as causas fundadas em tratado ou contrato da União com Estado estrangeiro ou organismo internacional;

Doutrina

Causas fundadas em tratado ou contrato internacional. A competência dos juízes federais para o processo e julgamento de tais causas decorre do interesse da União em face de sua responsabilidade como signatária de tratados, convenções, acordos ou contratos internacionais, ainda que as partes sejam pessoas de direito privado.

Jurisprudência

> "Na hipótese em que a controvérsia versada na demanda é regida pela convenção internacional sobre responsabilidade civil em danos causados por poluição de óleo, aprovada pelo Decreto Legislativo 74/76, promulgado pelo Decreto 79.437/77, e regulamentado pelo Decreto 83.540/77, figurando ainda o Ministério Público Federal no polo ativo da ação, a competência para julgá-la é do juízo federal (art. 109, III, da Constituição Federal)" (STJ – 1.ª Seção, CC 10.445/SP, rel. Min. Demócrito Reinaldo, DJ 1, 10.10.1994, p. 27.058).

> "Não incide a regra de competência do art. 109, III, da Constituição pelo fato de uma das partes ser empresa estrangeira, o que não se confunde com organismo internacional" (STJ – 2.ª Seção, CC 1.616/MG, rel. Min. Eduardo Ribeiro, DJU, 20.05.1991, p. 6.504).

IV – os crimes políticos e as infrações penais praticadas em detrimento de bens, serviços ou interesse da União ou de suas entidades autárquicas ou empresas públicas, excluídas as contravenções e ressalvada a competência da Justiça Militar e da Justiça Eleitoral;

Doutrina

Crimes políticos. São aqueles cometidos contra a organização do Estado, atingindo as bases de suas instituições políticas.

Infrações penais contra bens, serviços ou interesses da União e entes federais. São os crimes praticados contra o patrimônio, os serviços públicos ou qualquer outro interesse da União, das autarquias ou das empresas públicas federais.

Exceções. Não é da competência dos juízes federais – e sim da justiça comum estadual – o processo e julgamento das contravenções penais praticadas contra os bens, serviços ou interesse da União ou dos entes federais citados na norma constitucional. Da mesma forma, a regra ressalva a competência criminal da Justiça Militar e da Justiça Eleitoral.

Jurisprudência

> Súmula do STF: 522. "Salvo ocorrência de tráfico para o exterior, quando, então, a competência será da Justiça Federal, compete à Justiça dos Estados o processo e julgamento dos crimes relativos a entorpecentes".
>
> Súmulas do STJ: 38. "Compete à Justiça Estadual Comum, na vigência da Constituição de 1988, o processo por contravenção penal, ainda que praticada em detrimento de bens, serviços ou interesses da União ou de suas entidades". 91. "Compete à Justiça Federal processar e julgar os crimes praticados contra a fauna". 122. "Compete à Justiça Federal o processo e julgamento unificado dos crimes conexos de competência federal e estadual, não se aplicando a regra do art. 78, II, *a*, do Código de Processo Penal". 147. "Compete à Justiça Federal processar e julgar os crimes praticados contra funcionário público federal, quando relacionados com o exercício da função". 151. "A competência para o processo e julgamento por crime de contrabando ou descaminho define-se pela prevenção do Juízo Federal do lugar da apreensão dos bens". 165. "Compete à Justiça Federal processar e julgar crime de falso testemunho cometido no processo trabalhista".

"A competência da Justiça Federal, em matéria penal, só ocorre quando a infração penal é praticada em detrimento de bens, serviços ou interesses da União como tal, ou seja, de bens ou serviços que possua, ou de seu interesse direto e específico" (STF – 1.ª Turma, RE 166.943-8/PR, rel. Min. Moreira Alves, DJ, 04.08.1995).

"O artigo 109, IV, que é regra de competência excepcional, não alcança o interesse genérico da União, pois o interesse a que ele alude é aquele que a faz sujeito passivo do delito cometido, à semelhança do que ocorre quando o interesse é de entidade autárquica ou de empresa pública federal. Por isso mesmo, não se refere o dispositivo constitucional a interesse federal, mas a interesse específico de um dos níveis de governo integrantes da Federação (a União Federal), ou de suas autarquias ou de suas empresas públicas". (STF – 1.ª Turma, RE 166.943-8/PR, rel. Min. Moreira Alves, DJ, 04.08.1995).

"Comprovado que o crime de roubo foi praticado contra agência da Caixa Econômica Federal, impõe-se a anulação da condenação prolatada pela Justiça Estadual para que o processo seja examinado pela Justiça Federal (art. 109, IV, CF)." (STF – 1.ª Turma, HC 71.027/RJ, rel. Min. Ilmar Galvão, DJ 1, 09.09.1994, p. 23.442).

"(...). 4. Compete à Justiça Federal o processamento e o julgamento da ação penal que versa sobre crime praticado no exterior, o qual tenha sido transferida para a jurisdição brasileira, por negativa de extradição, aplicável o art. 109, IV, da CF. 5. Conflito conhecido para declarar a competência do Juízo Federal da 1.ª Vara de Governador Valadares – SJ/MG, o suscitado" (STJ – 3.ª Seção, CC 154.656, rel. Min. Ribeiro Dantas, DJE, 03.05.2018).

"Crime contra o mercado de capitais. Interesse da União na higidez, confiabilidade e equilíbrio do Sistema Financeiro. Competência da Justiça Federal. 1. O fato de tratar-se do sistema financeiro ou da ordem econômico-financeira, por si só, não justifica a competência da

Justiça Federal, embora a União tenha interesse na higidez, confiabilidade e equilíbrio do sistema financeiro. 2. A Lei 6.385/76 não prevê a competência da Justiça Federal, porém é indiscutível que, caso a conduta possa gerar lesão ao sistema financeiro nacional, na medida em que põe em risco a confiabilidade dos aplicadores no mercado financeiro, a manutenção do equilíbrio dessas relações, bem como a higidez de todo o sistema, existe o interesse direto da União. 3. O art. 109, VI, da Constituição Federal não tem prevalência sobre o disposto no seu inciso IV, podendo ser aplicado à espécie, desde que caracterizada a relevância da questão e a lesão ao interesse da União, o que enseja a competência da Justiça Federal" (STJ – 3.ª Seção, CC 82.961, rel. Min. Arnaldo Esteves Lima, DJE, 22.06.2009, p. 283).

Compete à Justiça Federal o processo e julgamento de crime de falsificação de documentos com o objetivo de ingressar em instituição superior de ensino, ainda que particular. (STF, RTJ 159/1050).

"O crime de uso de documento falso, consubstanciado em apresentação em consulado de falsa declaração de rendas para obtenção de visto de passaporte, não se encarta nas hipóteses de competência da Justiça Federal, previstas no art. 109 da CF/88". (STJ – 3.ª Seção, CC 12.423/PR, rel. Min. Vicente Leal, DJ, 05.05.1997, p. 17.002).

"A utilização de documentos ideologicamente falsos para obtenção de passaporte não caracteriza 'fato posteriormente impunível', mas, exatamente, o crime-fim, delito de *falsum*; este cujo sujeito passivo – a União Federal – fixa a competência *ratione materiae* da Justiça Federal, prevista no art. 109, IV, da Constituição da República." (TRF2 – 2.ª Turma, Revisão Criminal 95.02.26.489/RJ, rel. Juiz Alberto Nogueira, DJ 2, 10.10.1996, p. 16.362).

V – os crimes previstos em tratado ou convenção internacional, quando, iniciada a execução no País, o resul-

tado tenha ou devesse ter ocorrido no estrangeiro, ou reciprocamente;

Doutrina

Crimes previstos em tratado ou convenção internacional. São os ditos crimes internacionais, porque iniciada a execução em um país, o resultado ocorre noutro. Além de previsão de tais crimes em tratados ou convenções internacionais, há necessidade de definição das condutas típicas e das penas por meio de lei penal.

Competência da Justiça Federal. Somente quando ocorrer início de execução no país o resultado tenha ou devesse ter ocorrido no exterior, ou quando lá tenha início de execução com resultado em território nacional.

Jurisprudência

> Súmula do STF: 522. "Salvo ocorrência de tráfico para o exterior, quando, então, a competência será da Justiça Federal, compete à Justiça dos Estados o processo e julgamento dos crimes relativos a entorpecentes".
>
> Súmula do TFR: 54. "Compete à Justiça Estadual de primeira instância processar e julgar crime de tráfico internacional de entorpecentes, quando praticado o delito em comarca que não seja sede de vara do juízo federal".
>
> "1 - Em se tratando de tráfico internacional de entorpecente, a jurisdição criminal é atribuída, em princípio, a Juiz Federal, em face do disposto nos incisos V e IX do art. 109 da Constituição Federal. 2 – Se o lugar em que tiver sido praticado o delito for município que não seja sede de Vara da Justiça Federal, o processo e julgamento caberão à Justiça Estadual, com recurso, hoje, para o Tribunal Regional Federal (v. art. 27 da Lei 6.368, de 21/10/1976 e art. 108, II, CF). 3 – A jurisdição prestada, nessa hipótese, por Juiz Estadual é, também, jurisdição federal, embora excepcional. E sua competência terri-

torial é relativa, não excluindo, em caráter absoluto, a do Juiz Federal com jurisdição na circunscrição judiciária. 4 – Sendo este último incompetente apenas relativamente (e não absolutamente), essa incompetência induz à nulidade relativa, que, não arguida oportunamente, mediante 'exceção de incompetência de juízo' (art. 95, II, do Código de Processo Penal), fica sanada, pela preclusão. 5 – Nulidade absoluta não caracterizada. Nulidade relativa sanada. (STF – 1.ª Turma, HC 70.627/PA, rel. Min. Sydney Sanches, DJ 1, 18.11.1994, p. 31.391).

V-A – as causas relativas a direitos humanos a que se refere o § 5.º deste artigo;

Doutrina

Causas decorrentes de graves violações aos direitos humanos. Quando a causa referir-se a violações graves aos direitos humanos, o Procurador-Geral da República deverá suscitar, perante o Superior Tribunal de Justiça, incidente de deslocamento de competência para a Justiça Federal. Justifica-se o deslocamento de competência nos casos em que a gravidade implique responsabilidade do Estado brasileiro como no caso de redução da pessoa à condição análoga de escravidão.

VI – os crimes contra a organização do trabalho e, nos casos determinados por lei, contra o sistema financeiro e a ordem econômico-financeira;

Doutrina

Crimes contra a organização do trabalho. Constituem condutas previstas em lei que atentam contra o bem comum e, eventualmente, contra a ordem pública e caracterizam-se por posturas violentas ou fraudulentas ou, ainda, por condutas perturbadoras da ordem econômica.

Crimes contra o sistema financeiro. São as condutas previstas em lei que atentam contra a organização, o funcionamento e a higidez das instituições que integram o sistema financeiro nacional.

Crimes contra a ordem econômico-financeira. São os delitos que atentam contra a organização econômica, fiscal e financeira da sociedade e por isso violam o interesse público e o bem comum.

Competência da Justiça Federal. Os crimes contra a organização do trabalho, de competência dos juízes federais, são somente aqueles que atentam contra o conjunto das organizações trabalhistas e não aqueles cometidos contra alguns empregados ou empregadores, pois a razão de ser dessa atribuição reside na defesa dos valores fundamentais do trabalho e da ordem pública. Com relação aos crimes contra o sistema financeiro e a ordem econômico-financeira, a competência restringe-se às hipóteses previstas em lei.

Jurisprudência

Súmulas do STJ: 62. "Compete à Justiça Estadual processar e julgar o crime de falsa anotação na Carteira de Trabalho e Previdência Social, atribuído a empresa privada". 165. "Compete à Justiça Federal processar e julgar crime de falso testemunho cometido no processo trabalhista".

Súmula do TFR: 115. "Compete à Justiça Federal processar e julgar os crimes contra a organização do trabalho, quando tenham por objeto a organização geral do trabalho ou direitos dos trabalhadores considerados coletivamente."

Os delitos decorrentes de greve, que se caracterizam como crimes contra a organização do trabalho, com reflexos na ordem pública, são de competência da Justiça Federal (STF, RT, 646/327).

"Ações lesivas a direitos trabalhistas individuais, tal como a omissão de registro de empregados no livro próprio, não configuram crime contra a organização do trabalho, susceptível de fixar a competência da Justiça

Federal, prevista no art. 109, VI, da Constituição Federal" (STJ – 3.ª Seção, CC 13.041/SP, rel. Min. Vicente Leal, DJ 1, 18.09.1995, p. 29.938).

Indemonstrado efetivo interesse da União e, à míngua de previsão legal sobre a competência da Justiça Federal, o processo e julgamento de crime contra a ordem econômica e as relações de consumo cabem à Justiça Estadual (TRF4, RT, 740/715).

VII – os *habeas corpus*, em matéria criminal de sua competência ou quando o constrangimento provier de autoridade cujos atos não estejam diretamente sujeitos a outra jurisdição;

Doutrina

***Competência para o* habeas corpus.** Compete aos juízes federais processar e julgar: a) os *habeas corpus* decorrentes de sua própria competência em matéria criminal definida nos incisos V, VI e X deste artigo; b) os *habeas corpus* decorrentes de coação de autoridade não submetida a outra jurisdição.

Jurisprudência

Súmula do STF: 344. "Sentença de primeira instância concessiva de *habeas corpus*, em caso de crime praticado em detrimento de bens, serviços ou interesses da União, está sujeita a recurso *ex officio*".

No *habeas corpus*, o órgão competente para o processo e julgamento não se vincula à causa de pedir ou ao pedido formulado, podendo conceder ordem em sentido diverso do pedido se se convencer da existência de ato ilegal não veiculado pelo impetrante (STF – 2.ª Turma, HC 69.421/SP, DJ 1, 28.08.1992, p. 13.455).

Compete à Justiça Federal processar e julgar *habeas corpus* impetrado contra oficial da Marinha de Guerra que impede o embarque de pessoa em lancha da Força para chegar à sua residência localizada em uma ilha (STJ – 2.ª Seção, CC 117/RJ, DJ 1, 26.06.1989, p. 11.100)

VIII – os mandados de segurança e os *habeas data* contra ato de autoridade federal, excetuados os casos de competência dos tribunais federais;

Doutrina

Competência da Justiça Federal. Cabe aos juízes federais o processo e julgamento dos mandados de segurança e *habeas data* impetrados contra ato de autoridade federal, salvo daqueles sujeitos à jurisdição de tribunal federal. Portanto, a competência aqui se estabelece por exclusão.

Jurisprudência

Súmula do STF: 511. "Compete à Justiça Federal, em ambas as instâncias, processar e julgar as causas entre autarquias federais e entidades públicas locais, inclusive mandados de segurança, ressalvada a ação fiscal, nos termos da Constituição Federal de 1967, art. 119, § 3.º"

Súmulas do TFR: 15. "Compete à Justiça Federal julgar mandado de segurança contra ato que diga respeito ao ensino superior, praticado por dirigente de estabelecimento particular." 60. "Compete à Justiça Federal decidir da admissibilidade de mandado de segurança impetrado contra atos de dirigentes de pessoas jurídicas privadas, ao argumento de estarem agindo por delegação do poder público federal."

A competência para processar e julgar o mandado de segurança se define em função da hierarquia da autoridade legitimada para praticar a conduta, comissiva ou omissiva, que possa resultar em lesão ao direito subjetivo da parte (STF, MS 22.606/RJ, decisão monocrática, rel. Min. Ilmar Galvão, DJ 1, 20.10.1996, p. 36.757).

> Empresa pública estadual, no exercício de competência delegada da União, se apresenta, para fins de mandado de segurança, como autoridade federal (STF, RTJ, 113/309).
>
> "Com a vigência da Constituição Federal de 1988 (arts. 109, VIII, e 27, § 7.º, das Disposições Transitórias), passou à competência da Justiça Federal de primeira instância o julgamento dos mandados de segurança contra ato do Diretor-Geral da Polícia Federal" (TFR – Pleno, MS 148.554/DF, rel. Min. Assis Toledo, Boletim do TFR, 161/5).

IX – os crimes cometidos a bordo de navios ou aeronaves, ressalvada a competência da Justiça Militar;

Doutrina

Crimes cometidos a bordo de navios ou aeronaves. Trata-se de competência *ratione loci* para o processo e julgamento de crime cometido a bordo de navio ou aeronave, independentemente da natureza do delito ou do lugar onde se encontrem referidos meios de transporte.

Exceção. A norma ressalva a competência da Justiça Militar para os crimes militares definidos em lei.

Jurisprudência

> "1. O artigo 109, inciso I, da Constituição Federal prescreve competir à Justiça Federal processar e julgar 'as causas em que a União, entidade autárquica ou empresa pública federal forem interessadas na condição de autoras, rés, assistentes ou oponentes, exceto as de falência, as de acidentes de trabalho e as sujeitas à Justiça Eleitoral e à Justiça do Trabalho', ao passo que o inciso IX confere à esfera federal competência para analisar 'os crimes cometidos a bordo de navios ou aeronaves, ressalvada a competência da Justiça Militar'" (STJ – 5.ª Turma, HC 352.480, rel. Min. Jorge Mussi, DJE, 07.06.2017).

Decorre da inteligência do art. 109, IX, da Constituição a competência da Justiça Federal para processar e julgar os crimes cometidos a bordo de navios, inclusive os praticados contra a segurança do transporte marítimo (STJ, RSTJ, 28/161).

"Compete à Justiça Federal de primeiro grau processar e julgar os crimes comuns praticados, em tese, no interior de navio de grande cabotagem, autorizado e apto a realizar viagens internacionais, *ex vi* do inciso IX, art. 109, da CF" (STJ – 3.ª Seção, CC 14.488/PA, rel. Min. Vicente Leal, DJ 1, 11.12.1995, p. 43.174).

X – os crimes de ingresso ou permanência irregular de estrangeiro, a execução de carta rogatória, após o *exequatur*, e de sentença estrangeira, após a homologação, as causas referentes à nacionalidade, inclusive a respectiva opção, e à naturalização;

Doutrina

Crime de ingresso ou permanência irregular de estrangeiro. Cabe aos juízes federais processar e julgar o crime de ingresso irregular – entrar ilegalmente no país – ou de permanência irregular – permanecer no país com prazo de visto expirado – de estrangeiros no território nacional porque são assuntos de interesse direto da União. O Código Penal prevê, ainda, no artigo 338, o crime de reingresso de estrangeiro expulso, que se verifica quando o alienígena reingressar no território nacional após sua expulsão.

Execução de carta rogatória. A carta rogatória é oriunda de Estado estrangeiro, competindo ao Presidente do Supremo Tribunal Federal, na forma de seu regimento interno, a concessão do *exequatur*, ordem para cumprimento, pelo juiz competente, do quanto solicitado e concedido e proferido no próprio corpo da carta rogatória.

Execução de sentença estrangeira. A sentença estrangeira, para ser executada no país, deverá, primeiramente, ser objeto de homologação pelo Presidente do Supremo Tribunal Federal, na forma de seu regimento interno. Outrossim, não serão homologadas as sentenças quando contrárias à soberania nacional, à ordem pública e aos bons costumes (Lei de Introdução às Normas do Direito Brasileiro, art. 17). Uma vez homologada, cabe ao juiz federal executá-la, ou seja, decretar a execução de todos os atos materiais necessários à consecução objetiva do quanto deferido na decisão.

Causas referentes à nacionalidade. São aquelas relativas ao *status* de nacional da pessoa, vínculo político-jurídico que a liga à dimensão pessoal de um Estado. Tais causas, inclusive às relativas à opção de nacionalidade e à naturalização, são de competência da Justiça Federal porque envolvem interesses diretos do Estado brasileiro.

Jurisprudência

> Súmula do TFR: 51. "Compete à Justiça Estadual decidir pedido de brasileira naturalizada para adicionar patronímico de companheiro brasileiro nato."

XI – a disputa sobre direitos indígenas.

Doutrina

Direitos indígenas. São aqueles relativos aos índios enquanto membros de seu grupo étnico, excepcionado, pois, o indivíduo aculturado e já integrado à comunidade nacional.

Jurisprudência

> Súmula do STJ: 140. "Compete à Justiça Comum Estadual processar e julgar crime em que o indígena figure como autor ou vítima."

> Compete à Justiça Federal processar e julgar ação penal relativa ao crime de genocídio praticado contra indígenas na disputa de terras, porquanto ínsito está,

na norma definidora da competência desta para a demanda em que envolvidos direitos indígenas, o direito maior que é à própria vida (STF, RTJ, 158/736).

A Justiça Estadual é incompetente para processar e julgar o crime de homicídio praticado por indígena contra outro, pois todos os direitos, inclusive o direito à vida, de uma comunidade indígena, ou de um índio em particular, estão compreendidos no inciso XI, art. 109, da Constituição Federal (STF, RTJ, 161/878).

"A proteção que a Constituição Federal confere à defesa dos interesses do indígena não alcança o privilégio do foro federal para o processo e julgamento de crime de homicídio por ele praticado" (STJ – 6.ª Turma, RHC 706/RS, rel. Min. William Patterson, RSTJ, 18/244).

"Competente é a Justiça Federal em se tratando de retomada de terras caracterizadas como reserva indígena, sobretudo quando o despejo é promovido pela Funai, espécie do gênero autarquia federal" (STJ – 2.ª Seção, CC 1.272/MS, rel. Min. Sálvio de Figueiredo, DJ 1, 04.02.1991, p. 560).

"A competência da Justiça Federal está consagrada no art. 109 da CF. O objeto jurídico é o referencial. Não obstante a tutela da União aos índios, competente é a Justiça Comum do Estado para processar e julgar crimes de homicídio e lesão corporal, ocorridos em área de reserva indígena, ainda que a vítima seja índio" (STJ – 3.ª Seção, CC 4.469/PE, rel. Min. Vicente Cernichiaro, RT, 701/382).

§ 1.º As causas em que a União for autora serão aforadas na seção judiciária onde tiver domicílio a outra parte.

Doutrina

Causas aforadas pela União. Nas causas ajuizadas pela

União, na condição de autora, competente é o juízo da seção judiciária de domicílio do réu, ou seja, o da capital de cada Estado ou do Distrito Federal. Contudo, hoje, com a interiorização da Justiça Federal, a União ajuíza as ações na subseção judiciária onde o réu tem domicílio (Lei n.º 5.010/66, art. 12).

Jurisprudência

> Súmula do STJ: 58. "Proposta a execução fiscal, a posterior mudança de domicílio do executado não desloca a competência já fixada."

§ 2.º As causas intentadas contra a União poderão ser aforadas na seção judiciária em que for domiciliado o autor, naquela onde houver ocorrido o ato ou fato que deu origem à demanda ou onde esteja situada a coisa, ou ainda, no Distrito Federal.

Doutrina

Causas aforadas contra a União. As ações contra a União poderão ser ajuizadas: a) na seção judiciária de domicílio do autor; b) naquela de ocorrência do ato ou fato de origem do conflito de interesses; c) naquela onde esteja localizada a coisa; d) no Distrito Federal. O claro objetivo da norma é o de oferecer várias opções aos demandantes nas causas contra a União.

Jurisprudência

> A regra de competência, consagrada pela Constituição Federal, é estabelecida em favor do jurisdicionado e aplica-se à ação de desapropriação indireta e também à ação real, ou a qualquer outro feito (TFR, Ag. 49.114/RJ, Boletim do TFR, 134/8).

§ 3.º Lei poderá autorizar que as causas de competência da Justiça Federal em que forem parte instituição de previdência social e segurado possam ser processadas

e julgadas na justiça estadual quando a comarca do domicílio do segurado não for sede de vara federal.

Doutrina

Outorga de competência. A norma veicula outorga de competência, conferida aos juízes estaduais do foro de domicílio de segurados ou beneficiários, para o processo e julgamento das causas em que estes demandarem contra instituição de previdência social, ou por esta forem demandados. Referida outorga pressupõe não ser a comarca sede de juízo federal, pois é dele a competência para a matéria.

Competência para outras causas. O legislador constitucional prevê, ainda, que a lei poderá atribuir competência para a justiça estadual processar e julgar outras causas, desde que a comarca não seja sede de juízo federal.

Jurisprudência

> Súmula do STF: 501. "Compete à Justiça Ordinária Estadual o processo e julgamento, em ambas as instâncias, das causas de acidente do trabalho, ainda que promovidas contra a União, suas autarquias, empresas públicas ou sociedades de economia mista."
>
> Súmulas do STJ: 15. "Compete à Justiça Estadual processar e julgar os litígios decorrentes de acidente de trabalho." 66. "Compete à Justiça Federal processar e julgar execução fiscal promovida por conselho de fiscalização profissional."
>
> Súmula do TFR: 40 "A execução fiscal da Fazenda Pública Federal será proposta perante o juiz de direito da comarca do domicílio do devedor, desde que não seja ela sede de Vara da Justiça Federal."
>
> "Competência: execução penal. Condenados pela Justiça Federal que cumprem pena em estabelecimento estadual: competência da Justiça Estadual. Inteligência do art. 109, § 3.º, da Constituição, que, atenta às peculia-

ridades da questão, adequadamente deslocou, da noção puramente geográfica de comarca para o caráter estadual ou federal do estabelecimento penitenciário do cumprimento da pena, o critério de determinação da competência para execução" (STF – 1.ª Turma, RE 145.318/RS, rel. Min. Sepúlveda Pertence, Ementário, n.º 1.762-01/144).

"Compete ao juízo federal processar e julgar causas de revisão de benefício previdenciário proposta por segurado ou beneficiário domiciliado em localidade diversa daquela em que tem sede Vara Federal, considerando-se que as disposições do § 3.º do art. 109 da Constituição tratam de competência instituída em benefício do segurado" (STJ – 3.ª Seção, CC 12.445/RJ, rel. Min. Jesus Costa Lima, DJ1, 12.06.1995, p. 17.590).

"É da Justiça Federal a competência para processar e julgar as execuções fiscais propostas por autarquia federal. Prevalente, entanto, o art. 109, § 3.º, da CF: na falta de Justiça Federal, o Juízo local é investido de jurisdição federal." (STJ – 1.ª Seção, CC 20.669/BA, rel. Min. Garcia Vieira, DJU, 25.02.1998).

§ 4.º Na hipótese do parágrafo anterior, o recurso cabível será sempre para o Tribunal Regional Federal na área de jurisdição do juiz de primeiro grau.

Doutrina

Competência recursal. A delegação restrita de competência do parágrafo anterior somente se aplica ao primeiro grau de jurisdição, pois, quanto aos recursos, estes são de competência do Tribunal Regional Federal com jurisdição na área da sede do juiz singular prolator da decisão recorrida.

Jurisprudência

Os recursos, nos casos do § 3.º, art. 109, da Constituição Federal, são de competência do Tribunal Regional Federal com jurisdição sobre a área do Juízo Estadual e não do Tribunal de Justiça. (STJ – 1.ª Seção, CC 2.230/RO ED, DJU, 01.03.1993, p. 2.478).

§ 5.º Nas hipóteses de grave violação de direitos humanos, o Procurador-Geral da República, com a finalidade de assegurar o cumprimento de obrigações decorrentes de tratados internacionais de direitos humanos dos quais o Brasil seja parte, poderá suscitar, perante o Superior Tribunal de Justiça, em qualquer fase do inquérito ou processo, incidente de deslocamento de competência para a Justiça Federal.

Doutrina

Casos de deslocamento de competência para a Justiça Federal. Não se trata de deslocar todos os casos para o âmbito da Justiça Federal e sim daqueles que se caracterizam como de graves violações aos direitos da pessoa humana. O deslocamento tem por finalidade assegurar o cumprimento de obrigações assumidas por meio de tratados internacionais de direitos humanos.

Art. 110. Cada Estado, bem como o Distrito Federal, constituirá uma seção judiciária que terá por sede a respectiva Capital, e varas localizadas segundo o estabelecido em lei.

Doutrina

Seção Judiciária. Compreende o território de cada Estado e do Distrito Federal, sempre com sede na respectiva Capital, podendo a lei criar, localizar e instalar varas federais no interior (subseções judiciárias).

Jurisprudência

Compete aos juízes locais o processo e julgamento das causas cometidas aos juízes federais enquanto não forem criadas e instaladas as Seções Judiciárias da Justiça Federal nos novos Estados, resultantes de transformação de antigos Territórios Federais (STJ, RSTJ 7/74).

Parágrafo único. Nos Territórios Federais, a jurisdição e as atribuições cometidas aos juízes federais caberão aos juízes da Justiça local, na forma da lei.

Doutrina

Exercício da jurisdição federal nos Territórios. Compete à União organizar e manter o Poder Judiciário nos Territórios Federais, cabendo aos juízes locais o exercício da jurisdição e atribuições dos juízes federais, na forma que a lei estabelecer. Anote-se que atualmente não existem territórios federais, conquanto os existentes quando da promulgação da Constituição Federal foram convertidos em Estados-membros.

Jurisprudência

"Nos Territórios Federais transformados em Estados (art. 14 do Ato das Disposições Constitucionais Transitórias), enquanto não instalada a Justiça Própria, a jurisdição e atribuições cometidas aos juízes federais caberão aos juízes da Justiça local, incidindo a regra do parágrafo único do art. 110 da Constituição" (STJ – 2.ª Seção, CC 571/AM, rel. Min. Sálvio de Figueiredo Teixeira, DJ 1, 04.12.1989, p. 17.874).

Seção V

DO TRIBUNAL SUPERIOR DO TRABALHO, DOS TRIBUNAIS REGIONAIS DO TRABALHO E DOS JUÍZES DO TRABALHO

Art. 111. São órgãos da Justiça do Trabalho:

I – o Tribunal Superior do Trabalho;

II – os Tribunais Regionais do Trabalho;

III – Juízes do Trabalho.

Doutrina

Justiça do Trabalho. Foi instituída, inicialmente, como órgão administrativo ligado ao Ministério do Trabalho (1932). As Constituições de 1934 e 1937 mantiveram a estrutura de seus órgãos vinculada ao Poder Executivo. Somente com o advento da Constituição de 1946 é que a Justiça do Trabalho passou a integrar o Poder Judiciário.

Órgãos da Justiça do Trabalho. Integram a Justiça do Trabalho: a) o Tribunal Superior do Trabalho, órgão máximo da Justiça trabalhista, com jurisdição em todo o território nacional; b) os Tribunais Regionais do Trabalho, que atuam como cortes recursais de segunda instância; c) os Juízes do Trabalho, que são os órgãos singulares de primeira instância.

Reforma da EC 24/1999. Referida emenda introduziu importante reforma na estrutura da Justiça do Trabalho ao extinguir a representação classista em todos os órgãos dessa justiça especializada. Desapareceram, com isso, os representantes classistas nos tribunais e o primeiro grau de jurisdição, que era colegiado (antigas Juntas de Conciliação e Julgamento) e passou a ser exercido por um juiz singular integrante da magistratura trabalhista de carreira.

Jurisprudência

Súmulas do STF: 433. "É competente o Tribunal Regional do Trabalho para julgar mandado de segurança contra ato de seu presidente em execução de sentença trabalhista." 505. "Salvo quando contrariarem a Constituição, não cabe recurso para o Supremo Tribunal Federal, de quaisquer decisões da Justiça do Trabalho, inclusive dos presidentes de seus Tribunais."

Súmulas do TFR: 114. "Compete à Justiça Comum Estadual processar e julgar as causas entre os sindicatos e seus associados." 169. "Na comarca em que não foi criada Junta de Conciliação e Julgamento, é competente o Juiz de Direito para processar e julgar litígios de natureza trabalhista."

"Não cabe reclamação ao Supremo Tribunal, para ilidir juízo negativo de admissibilidade de recursos proferidos, no âmbito de sua competência, por órgãos da Justiça do Trabalho, a pretexto de que estaria a orientação deste, no mérito da questão, a desafiar orientação jurisprudencial do Supremo Tribunal" (STF – Pleno, Recl. 650/DF AgRg, rel. Min. Octávio Gallotti, j. 24.04.1997.

§§ 1.º a 3.º *(Revogados pela Emenda Constitucional 45, de 08.12.2004).*

Art. 111-A. O Tribunal Superior do Trabalho compõe-se de vinte e sete ministros, escolhidos dentre brasileiros com mais de trinta e cinco e menos de setenta anos, de notável saber jurídico e reputação ilibada, nomeados pelo Presidente da República após aprovação pela maioria absoluta do Senado Federal, sendo:

I – um quinto dentre advogados com mais de dez anos

de efetiva atividade profissional e membros do Ministério Público do Trabalho com mais de dez anos de efetivo exercício, observado o disposto no art. 94;

II – os demais dentre juízes dos Tribunais Regionais do Trabalho, oriundos da magistratura da carreira, indicados pelo próprio Tribunal Superior.

Doutrina

Composição do Tribunal Superior do Trabalho. O TST é o órgão de cúpula da justiça laboral e compõe-se de vinte e sete ministros escolhidos dentre brasileiros com mais de trinta e cinco e menos de setenta anos de idade, de notável saber jurídico e reputação ilibada, nomeados pelo Presidente da República após aprovação pela maioria absoluta dos membros do Senado Federal. Um quinto das escolhas recairá dentre advogados com mais de dez anos de efetiva atividade profissional e membros do Ministério Público do Trabalho com mais de dez anos de efetivo exercício profissional, indicados em lista sêxtupla pelos respectivos órgãos de representação (OAB e MPT) que a remeterá ao tribunal e este formará a lista tríplice para fins de escolha e nomeação pelo Presidente da República.

Jurisprudência

> "(...). 3. Composição do Tribunal Superior do Trabalho. Proporcionalidade. Emenda n.° 24/99. Arts. 111, § 1.°, 94 e 115, *caput* da Constituição Federal. Por simetria com os TRF's e todos os demais tribunais de grau de apelação, as listas tríplices haverão de ser extraídas das listas sêxtuplas encaminhadas pelos órgãos representativos de ambas as categorias, a teor do disposto no art. 94, in fine. A regra de escolha da lista tríplice, independentemente de indicação pelos órgãos de representação das respectivas classes é restrita aos tribunais superiores (TST e STJ). Não procede a pretensão da impetrante de aplicar aos Tribunais Regionais do Trabalho a regra especial de proporcionalidade estatuída pelo §

1.° do art. 111 da Constituição, alusiva ao Tribunal Superior do Trabalho. Segurança denegada" (STF – Pleno, MS 23.769/BA, rel. Min. Ellen Gracie, 19.10.2005).

§ 1.° A lei disporá sobre a competência do Tribunal Superior do Trabalho.

Doutrina

Disciplina legal da competência do TST. Estabelece o § 1.° que lei disporá sobre a competência do Tribunal Superior do Trabalho.

§ 2.° Funcionarão junto ao Tribunal Superior do Trabalho:

I – a Escola Nacional de Formação e Aperfeiçoamento de Magistrados do Trabalho, cabendo-lhe, dentre outras funções, regulamentar os cursos oficiais para o ingresso e promoção na carreira;

II – O Conselho Superior da Justiça do Trabalho, cabendo-lhe exercer, na forma da lei, a supervisão administrativa, orçamentária, financeira e patrimonial da Justiça do Trabalho de primeiro e segundo graus, como órgão central do sistema, cujas decisões terão efeito vinculante.

Doutrina

Órgãos com atuação perante ao TST. Funcionarão junto ao Tribunal Superior do Trabalho: a) uma Escola Nacional de Formação de Magistrados do Trabalho, voltada, principalmente, para a realização de cursos oficiais para ingresso e promoção na carreira; b) um Conselho Superior da Justiça do Trabalho, voltado, principalmente, para a supervisão administrativa, orçamentária, financeira e patrimonial da Justiça do Trabalho de primeiro e segundo graus.

§ 3.º Compete ao Tribunal Superior do Trabalho processar e julgar, originariamente, a reclamação para a preservação de sua competência e garantia da autoridade de suas decisões.

Doutrina

Competência originária do TST. Estabelece o § 3.º ora em comento a competência originária para o Tribunal Superior do Trabalho para processar e julgar a reclamação para a preservação de sua competência e garantia da autoridade de suas decisões.

Art. 112. A lei criará varas da Justiça do Trabalho, podendo, nas comarcas não abrangidas por sua jurisdição, atribuí-la aos juízes de direito, com recurso para o respectivo Tribunal Regional do Trabalho.

Doutrina

Criação de Varas do Trabalho. Dispõe a norma constitucional que somente a lei criará varas da Justiça do Trabalho para o exercício da judicatura trabalhista dentro dos limites de sua jurisdição.

Competência delegada. Dispõe a segunda parte da mesma norma constitucional que, nas comarcas não abrangidas por jurisdição de vara especializada, esta poderá ser atribuída aos juízes de direito, cabendo recurso para o respectivo Tribunal Regional do Trabalho.

Jurisprudência

> "Processual Civil. Execução Fiscal. Competência da Justiça do Trabalho. 1. Trata-se de execução fiscal ajuizada pela União para cobrança de multa por infração a artigo da CLT, matéria afeta, a partir da edição da Emenda Constitucional n.º 45, de 2004, à Justiça do Trabalho, a qual impôs nova redação ao art. 114 da Cons-

tituição Federal de 1988. 2. Decisão proferida por juiz de direito investido em jurisdição trabalhista delegada, por força do art. 112 da CRFB. 3. Considerando que a competência para o julgamento da execução fiscal em questão passou a ser da justiça do trabalho, cabe observar a previsão constitucional contida no art. 112, com a redação dada pela EC 45, de 2004, *verbis*: A lei criará varas da Justiça do Trabalho, podendo, nas comarcas não abrangidas por sua jurisdição, atribuí-la aos juízes de direito, com recurso para o respectivo Tribunal Regional do Trabalho" (TRF4 – 4.ª Turma, AC 200972990011535/RS, rel. Des. Fed. Marga Inge Barth Tessler, D.E., 23.11.2009).

Art. 113. A lei disporá sobre a constituição, investidura, jurisdição, competência, garantias e condições de exercício dos órgãos da Justiça do Trabalho.

Doutrina

Instituição e funcionamento dos órgãos da Justiça do Trabalho. A norma constitucional comete à lei ordinária a criação e definição da jurisdição e competência, requisitos de investidura, garantias e condições de exercício dos órgãos da Justiça trabalhista, com os limites balizados nos artigos 111 e 115, respectivamente, que dispõem sobre a composição do Tribunal Superior do Trabalho e dos Tribunais Regionais do Trabalho.

Jurisprudência

Súmulas do STF: 338. "Não cabe ação rescisória no âmbito da Justiça do Trabalho." 433. "É competente o Tribunal Regional do Trabalho para julgar mandado de segurança contra ato de seu presidente em execução de sentença trabalhista."

Súmula do STJ: 225. "Compete ao Tribunal Regional do Trabalho apreciar recurso contra sentença proferida por órgão de primeiro grau da Justiça Trabalhista, ainda que para declarar-lhe a nulidade ou incompetência."

Súmulas do TST: 189. "A Justiça do Trabalho é competente para declarar a abusividade, ou não, da greve."

300. "Compete à Justiça do Trabalho processar e julgar ações ajuizadas por empregados em face de empregadores relativas ao cadastramento do Programa de Integração Social (PIS)."

"Trintídio que, contrariamente ao alegado, foi observado. Inexistência da pretendida reserva legal à lei complementar para regular a inativação dos magistrados classistas da Justiça do Trabalho, não se lhes destinando a norma do referido art. 93 da Constituição, de aplicação restrita aos magistrados vitalícios, mas a do art. 113, que prevê a disciplina, por meio de lei ordinária da 'investidura, jurisdição, competência, garantias e condições de exercício' dos órgãos da Justiça do Trabalho. Cautelar indeferida" (STF – Pleno, ADIN 1.878/DF MC, rel. Min. Ilmar Galvão, j. 09.09.1998).

Art. 114. Compete à Justiça do Trabalho processar e julgar:

I – as ações oriundas da relação de trabalho, abrangidos os entes de direito público externo e da administração pública direta e indireta da União, dos Estados, do Distrito Federal e dos Municípios;

Doutrina

Conciliação e julgamento dos dissídios individuais e coletivos. Compete à Justiça do Trabalho processar e julgar o *dissídio individual* – ação trabalhista individual entre partes singulares – e o *dissídio coletivo* – ação trabalhista destinada a solucionar um conflito coletivo de trabalho – entre empregados e empregadores. Os dissídios individuais são de competência do juízo de primeiro grau e os dissídios coletivos cabem aos tribunais, sendo que os Tribunais Regionais decidem aqueles ocorridos dentro de suas respectivas jurisdições e o Tribunal Superior do Trabalho decide aqueles que excedam da competência territorial dos regionais.

Entes de direito público externo. São os Estados estrangeiros – por suas representações diplomáticas –, os organismos internacionais e as demais pessoas regidas pelo direito das gentes e que mantenham relações contratuais de emprego com empregados brasileiros no território nacional. A doutrina e a jurisprudência já mitigaram o princípio da imunidade absoluta para admitir que país estrangeiro, através de sua embaixada, possa responder perante os tribunais nacionais em questões de domínio estritamente privado, quando seus agentes praticam atos que não guardam nenhuma relação com os atos típicos de império.

Entes da administração pública direta e indireta. Os órgãos da administração pública direta são aqueles centralizados da União, dos Estados-membros, do Distrito Federal e dos Municípios, respondendo estes entes quando demandados na Justiça Trabalhista. Os órgãos da administração indireta – autarquias, fundações públicas, empresas públicas e sociedades de economia mista – têm personalidade jurídica própria e respondem às respectivas ações trabalhistas contra si ajuizadas. Observe-se que a competência aqui prevista cinge-se às causas decorrentes de relação de emprego, não abrangendo, evidentemente, as questões decorrentes da relação institucional, de índole estatutária, existente entre a Administração e seus servidores.

Outras controvérsias decorrentes da relação de trabalho. Significa que compete à Justiça do Trabalho processar e julgar as ações relativas a conflitos oriundos de outros tipos de relação de' trabalho – que é gênero –, além da relação de emprego, que é mera espécie. Contudo, o exercício desta competência depende de *atribuição* de lei própria, como ocorre com as questões de trabalhadores avulsos (CLT, art. 643), de trabalhadores temporários (Lei n.° 6.019/74), de empreiteiros operários ou artífices (CLT, art. 652) etc.

Litígios originários do cumprimento de suas próprias decisões. São aqueles que têm origem na execução de sentença ou de acórdão, proferidos em dissídio individual ou coletivo, cabendo à Justiça do Trabalho o deslinde, desde que decorrentes da relação de trabalho.

Jurisprudência

Súmulas do STJ: 97. "Compete à Justiça do Trabalho processar e julgar reclamação de servidor público relativamente a vantagens trabalhistas anteriores à instituição do regime jurídico único." 137. "Compete à Justiça Comum Estadual processar e julgar ação de servidor público municipal, pleiteando direitos relativos ao vínculo estatutário." 170. "Compete ao juízo onde primeiro for intentada a ação envolvendo acumulação de pedidos, trabalhista e estatutário, decidi-la nos limites de sua jurisdição, sem prejuízo do ajuizamento de nova causa, com pedido remanescente, no juízo próprio." 180. "Na lide trabalhista, compete do Tribunal Regional do Trabalho dirimir conflito de competência verificado, na respectiva região, entre juiz estadual e Junta de Conciliação e Julgamento."

Súmula do TFR: 150. "Compete à Justiça do Trabalho processar e julgar os litígios entre a Administração direta ou indireta do Distrito Federal e seus servidores, regidos pela legislação trabalhista."

"À determinação da competência da Justiça do Trabalho não importa que dependa a solução da lide de questões de direito civil, mas sim, no caso, que a promessa de contratar, cujo alegado conteúdo é o fundamento do pedido, tenha sido feita em razão da relação de emprego, inserindo-se no contrato de trabalho." (STF – Pleno, CJ 6.959/6, rel. Min. Sepúlveda Pertence, DJU, 22.02.1991, p. 1.259).

Carece competência à Justiça do Trabalho para processar e julgar ação de servidor público estatutário, pois viola a Constituição a norma contida na alínea *e*, art. 240, da Lei n.º 8.112/90. (STF, RTJ, 145/68).

"Conforme decidido pelo Plenário no julgamento da Ação Direta de Inconstitucionalidade 492-1, foge à Justiça do Trabalho competência para apreciar controvérsias relacionadas com o chamado Regime Jurídico Único. A *contrario sensu*, subsiste a conclusão no sentido de que o art. 114 da Constituição Federal alberga a atuação da Justiça do Trabalho quando a relação jurídica está submetida à Consolidação das Leis do Trabalho." (STF – 2.ª Turma, RE 183.999/PE AgRg, rel. Min. Marco Aurélio, DJ 1, 22.09.1995, p. 30.639).

"A competência para o processo e julgamento das ações de cumprimento de sentenças normativas havidas em dissídios coletivos ou em convenções ou acordos coletivos de trabalho, é da Justiça do Trabalho, tendo em vista a inovação, em termos de competência, inscrita no art. 114 da Constituição Federal, presente, também, a Lei 8.984, de 1995, art. 1.º" (STF – 2.ª Turma, RE 131.546-6/PR, rel. Min. Carlos Velloso, DJ 1, 24.05.1996, p. 17.415).

"A imunidade de jurisdição do Estado estrangeiro, quando se tratar de litígios trabalhistas, revestir-se-á de caráter meramente relativo e, em consequência, não impedirá que os juízes e tribunais brasileiros conheçam de tais controvérsias e sobre elas exerçam o poder jurisdicional que lhes é inerente." (STF – 1.ª Turma, AgI 139.671-8/DF AgRg, rel. Min. Celso de Mello, DJ 1, 29.03.1996, p. 9.348).

"1. A jurisprudência do Supremo Tribunal Federal firmou-se no sentido de que compete à Justiça do Trabalho o julgamento das questões relativas à complementação de aposentadoria quando decorrentes de contrato de trabalho" (STF – 1.ª Turma, AgI 621.056/MG AgRg, rel. Min. Cármen Lúcia, j. 11.11.2008).

"A ação de indenização por perdas e danos morais e materiais ajuizada por ex-empregados contra ex-empregador, conquanto tenha remota ligação com a extinção do contrato de trabalho, não tem natureza trabalhista, fundando-se nos princípios e normas concernentes à responsabilidade civil." (STJ – 2.ª Seção, CC 11.732-1/SP, rel. Min. Sálvio de Figueiredo, j. 22. 05.1995).

II – as ações que envolvam exercício do direito de greve;

Jurisprudência

"'1. A determinação da competência da Justiça do Trabalho não importa que dependa a solução da lide de questões de direito civil' (Conflito de Competência n. 6.959), bastando que a questão submetida à apreciação judicial decorra da relação de emprego. 2. Ação de interdito proibitório cuja causa de pedir decorre de movimento grevista, ainda que de forma preventiva. 3. O exercício do direito de greve respeita a relação de emprego, pelo que a Emenda Constitucional n. 45/2003, incluiu, expressamente, na competência da Justiça do Trabalho conhecer e julgar as ações dele decorrentes (art. 114, inciso II, da Constituição da República). 4. Recurso extraordinário conhecido e provido para fixar a competência da Justiça do Trabalho" (STF – Pleno, RE 579.648/MG, rel. Min. Menezes Direito, j. 10.09.2008).

III – as ações sobre representação sindical, entre sindicatos, entre sindicatos e trabalhadores, e entre sindicatos e empregadores;

Jurisprudência

"É pacífico o entendimento da Corte, segundo o qual compete à Justiça do Trabalho processar e julgar ações que versem sobre representação sindical entre sindicatos, entre sindicatos e empregadores, quando não há sentença de mérito, antes da promulgação da Emenda Constitucional n.º 45/04" (STF – 2.ª Turma, RE 491.723/PR AgRg, rel. Min. Cezar Peluso, j. 30.10.2007).

IV – os mandados de segurança, *habeas corpus* e *habeas data*, quando o ato questionado envolver matéria sujeita à sua jurisdição;

V – os conflitos de competência entre órgãos com jurisdição trabalhista, ressalvado o disposto no art. 102, I, o;

VI – as ações de indenização por dano moral ou patrimonial, decorrentes da relação de trabalho;

Jurisprudência

"– Compete à Justiça do Trabalho, e não mais à Justiça dos Estados-membros e do Distrito Federal, o julgamento das ações de indenização por danos materiais e/ou morais resultantes de acidente do trabalho, desde que fundadas no direito comum e ajuizadas em face do empregador. – Inocorrência, na espécie, da situação excepcional – prolação de sentença de mérito, pela Justiça estadual, em momento anterior ao marco temporal definido no julgamento plenário do CC 7.204/MG, Rel. Min. Carlos Britto (data da promulgação da EC n.° 45/2004) – que, presente, justificaria o reconhecimento da competência do Poder Judiciário do Estado-membro para o processo e julgamento da causa acidentária. Consequente inaplicabilidade, ao caso, da ressalva feita no precedente referido" (STF – 2.ª Turma, RE 461.925/MG, rel. Min. Celso de Mello, j. 04.04.2006).

"1. É da jurisprudência do STF que, em geral, compete à Justiça do Trabalho conhecer de ação indenizatória por danos decorrentes da relação de emprego, não importando de a controvérsia ser dirimida à luz do direito comum e não do Direito do Trabalho. 2. Da regra geral são de excluir, por força do art. 109, I, da Constituição, as ações fundadas em acidente de trabalho, sejam as movidas contra a autarquia seguradora, sejam as propostas contra o empregador, que não é o caso dos autos" (STF – Pleno, RE 405.203/SP AgRg, rel. Min. Sepúlveda Pertence, j. 23.03.2004).

"Processo Civil. Demanda sobre acidente de trabalho. Competência. 1. Nova orientação jurisprudencial em face da EC 45/2004. Precedente: CC 7.204. Compete à Justiça do Trabalho o julgamento das causas de indenização decorrentes de acidente do trabalho propostas pelo empregado contra o empregador. 2. Inexistência de sentença de mérito proferida pela justiça comum antes da EC 45/2004. 3. Agravo regimental improvido" (STF – 2.ª Turma, AgI 669.077/MG AgRg, rel. Min. Ellen Gracie, j. 10.03.2009).

"Compete à Justiça do Trabalho apreciar e julgar pedido de indenização por danos morais e patrimoniais, decorrentes de acidente do trabalho, nos termos da redação originária do artigo 114 c/c inciso I do artigo 109 da Lei Maior. Precedente: CC 7.204. Competência que remanesce ainda quando a ação é ajuizada ou assumida pelos dependentes do trabalhador falecido, pois a causa do pedido de indenização continua sendo o acidente sofrido pelo trabalhador. Agravo regimental desprovido" (STF – 1.ª Turma, RE 503.043/SP AgRg, rel. Min. Carlos Britto, j. 26.04.2007).

VII – as ações relativas às penalidades administrativas impostas aos empregadores pelos órgãos de fiscalização das relações de trabalho;

VIII – a execução, de ofício, das contribuições sociais previstas no art. 195, I, *a*, e II, e seus acréscimos legais, decorrentes das sentenças que proferir;

Doutrina

Delegação de competência para a execução de contribuições sociais. A norma constitucional institui espécie de delegação de competência para a Justiça do Trabalho *executar*, de ofício, as contribuições sociais – do empregador e do trabalhador – incidentes sobre os salários e demais rendimentos do trabalho que reconhecer devidas nas sentenças que proferir. Trata-se de delegação nos moldes daquela conferida aos juízes estaduais para processar e julgar os executivos fiscais da União e de suas autarquias em comarcas onde não funcionam Vara da Justiça Federal, pois a competência é originária desta. Na verdade, não se trata aqui de execução fundada em certidão de dívida inscrita e sim de execução de sentença; quer dizer: o juiz do trabalho, quando da execução da sentença trabalhista, deverá determinar que se calcule o valor da contribuição social incidente sobre os salários e rendimentos do trabalho nela reconhecidos como devidos e que o devedor (empregador) responda também por esta verba naquilo que lhe toca e, quando do pagamento ao credor (trabalhador), deste será retida a contribuição que lhe cabe, sendo os valores repassados para a instituição previdenciária. Outra forma de "executar" a referida verba é a simples comunicação à autarquia previdenciária para que esta constitua o crédito previdenciário e proponha a execução perante o juízo competente, mas não se trata do meio mais adequado. Contudo, são estes os caminhos possíveis para dar sentido à tormentosa regra.

Jurisprudência

> Súmulas do STF: 227. "A concordata do empregador não impede a execução de crédito nem a reclamação de empregado na Justiça do Trabalho." 458. "O processo de execução trabalhista não exclui a remição pelo executado."
>
> Súmula do STJ: 10. "Instalada a Junta de Conciliação e Julgamento, cessa a competência do Juiz de Direito em matéria trabalhista, inclusive para a execução das sentenças por ele proferidas."
>
> "Compete à Justiça do Trabalho processar a execução de seus julgados, ainda que referentes a período de trabalho anterior à superveniência da Lei n. 8.112/90. Precedentes. Agravo regimental improvido" (STF – 1.ª Turma, RE 446.300/MG AgRg, rel. Min. Eros Grau, j. 14.03.2006).

IX – outras controvérsias decorrentes da relação de trabalho, na forma da lei.

§ 1.º Frustrada a negociação coletiva, as partes poderão eleger árbitros.

Doutrina

Frustração da negociação coletiva. Negociação coletiva é o conjunto de atos praticados pelos representantes dos sindicatos de empregados e de empregadores, com o objetivo de firmarem uma convenção coletiva de trabalho. Os sindicatos não podem recusar-se à negociação coletiva (CLT, art. 616); porém, se estes não lograrem acordo, restando frustrada a possibilidade de autocomposição, têm, ainda, a faculdade de elegerem árbitros para a solução do conflito.

Arbitragem. É o meio de solução do conflito utilizado pelas partes que elegem, de comum acordo, um árbitro, e se comprometem a acatar a decisão que este oferecer para o caso. Segundo a norma constitucional, a arbitragem pressupõe, necessariamente, a negociação coletiva e, em não havendo acordo nesta, as partes poderão submeter-se àquela.

Jurisprudência

> Da mesma forma com que ocorre no processo judicial, não se deve declarar a invalidade do juízo arbitral quando este alcança o seu objetivo, ainda que eventualmente tenha ocorrido alguma irregularidade formal (STJ, RSTJ, 29/544).

§ 2.º Recusando-se qualquer das partes à negociação coletiva ou à arbitragem, é facultado às mesmas, de comum acordo, ajuizar dissídio coletivo de natureza econômica, podendo a Justiça do Trabalho decidir o confli-

to, respeitadas as disposições mínimas de proteção ao trabalho, bem como as convencionadas anteriormente.

Doutrina

Poder normativo. É a outorga constitucional de competência para, na solução do dissídio coletivo, a Justiça do Trabalho estabelecer normas e condições destinadas a reger os contratos de trabalho e as relações entre as categorias profissionais e econômicas envolvidas. Anteriormente à Constituição de 1988, tratava-se de poder condicionado à prévia autorização de lei, que deveria especificar as hipóteses passíveis de sua incidência; porém, na presente ordem constitucional, referido condicionamento não mais existe e podem os tribunais trabalhistas estabelecer não apenas normas e condições de trabalho, mas, também, outras, como cláusulas obrigacionais entre sindicatos, contanto que se respeitem as disposições convencionais e legais mínimas de proteção ao trabalho, quer dizer, respeito aos avanços conquistados em negociações anteriores, salvo se renegociadas pelas partes. É possível afirmar que houve ampliação do poder normativo dos tribunais para a solução dos dissídios coletivos e criação de regras para gerir as relações entre as partes; contudo, limites existem, pois a sentença normativa não poderá dispor sobre matéria estranha à negociação ou sobre condições de trabalho tidas como inconstitucionais.

Jurisprudência

> Súmula do TST: 190. "Ao julgar ou homologar ação coletiva ou acordo nela havido, o Tribunal Superior do Trabalho exerce o poder normativo constitucional, não podendo criar ou homologar condições de trabalho que o Supremo Tribunal Federal julgue iterativamente inconstitucionais."
>
> A propositura da ação coletiva de que trata o art. 114, § 2.º, da Constituição Federal, pressupõe, como requisito indispensável, o exaurimento das tratativas negociais. (STF – 2.ª Turma, AgI 166.962-4, DJ 1, 30.08.1996, p. 30.607).

§ 3.º Em caso de greve em atividade essencial, com possibilidade de lesão do interesse público, o Ministério Público do Trabalho poderá ajuizar dissídio coletivo, competindo à Justiça do Trabalho decidir o conflito.

Doutrina

Caso de ajuizamento de dissídio coletivo. Dispõe a norma que, na hipótese de greve em atividade essencial, v.g., transporte coletivo, serviço de saúde etc., com evidente risco de lesão ao interesse público, o Ministério Público do Trabalho poderá ajuizar dissídio coletivo, sendo competente para processar e julgar o pleito a Justiça do Trabalho.

Art. 115. Os Tribunais Regionais do Trabalho compõem-se de, no mínimo, sete juízes, recrutados, quando possível, na respectiva região, e nomeados pelo Presidente da República, dentre brasileiros com mais de trinta e menos de setenta anos, sendo:

I – um quinto dentre advogados com mais de dez anos de efetiva atividade profissional e membros do Ministério Público do Trabalho com mais de dez anos de efetivo exercício, observado o disposto no art. 94;

II – os demais, mediante promoção de juízes do trabalho por antiguidade e merecimento, alternadamente.

Doutrina

Composição dos Tribunais Regionais do Trabalho. Referidos tribunais serão compostos por juízes togados, nomeados pelo Presidente da República, e observada a proporcionalidade de vagas para aqueles oriundos da magistratura trabalhista e para o quinto constitucional dos advogados e membros do Ministério Público do Trabalho.

Magistrados dos Tribunais Regionais do Trabalho. Integram referidos tribunais: a) juízes do trabalho, mediante promoção pelos critérios da antiguidade e do merecimento, utilizados de forma alternada; b) advogados, com notório saber jurídico e de reputação ilibada, com mais de dez anos de efetivo exercício da advocacia; c) membros do Ministério Público do Trabalho, com mais de dez anos de carreira.

Jurisprudência

> Norma constitucional expressa reserva um quinto das vagas dos tribunais para ser preenchido por juízes oriundos da advocacia e do Ministério Público. Assim sendo, se um quinto é dos advogados e membros do Ministério Público, quatro quintos serão dos juízes de carreira. Considerando, ainda, a regra de hermenêutica que diz prevalecer a norma expressa sobre a norma implícita, se o número total da composição do tribunal não for múltiplo de cinco, arredonda-se a fração para cima, obtendo-se, então, o número inteiro seguinte. É que, se assim não for feito, o Tribunal não terá, na sua composição, um quinto de juízes oriundos da advocacia e do Ministério Público, restando descumprido o art. 94 da Constituição (STF, MS 22.323-5/SP, DJ 1, 19.04.1996, p. 12.213).

§ 1.° Os Tribunais Regionais do Trabalho instalarão a justiça itinerante, com a realização de audiências e demais funções de atividade jurisdicional, nos limites territoriais da respectiva jurisdição, servindo-se de equipamentos públicos e comunitários.

§ 2.° Os Tribunais Regionais do Trabalho poderão funcionar descentralizadamente, constituindo Câmaras regionais, a fim de assegurar o pleno acesso do jurisdicionado à justiça em todas as fases do processo.

Art. 116. Nas Varas do Trabalho, a jurisdição será exercida por um juiz singular.

Doutrina

Jurisdição trabalhista de primeiro grau. Com a reforma implementada pela EC 24, o órgão de primeiro grau da magistratura trabalhista passou a ser o Juiz do Trabalho, que atua monocraticamente. Foram extintas as antigas Juntas de Conciliação e Julgamento, que eram integradas por um juiz togado e por classistas representantes dos empregados e dos empregadores.

Jurisprudência

> Súmula 478 do STF: "O provimento em cargos de Juízes Substitutos do Trabalho deve ser feito independentemente de lista tríplice, na ordem de classificação dos candidatos."
>
> "(...). A Emenda Constitucional n. 24, de 9 de dezembro de 1999, ao cuidar da extinção da representação classista, assim estabeleceu: Art. 1.º - Os arts. 111, 112, 113, 115 e 116, da Constituição Federal, passam a vigorar com a seguinte redação: Art. 116 – Nas Varas do Trabalho, a jurisdição será exercida por um juiz singular. Art. 2.º - É assegurado o cumprimento dos mandatos dos atuais ministros classistas temporários do Tribunal Superior do Trabalho e dos atuais juízes classistas temporários dos Tribunais Regionais do Trabalho e das Juntas de Conciliação e Julgamento. Assim, a partir da promulgação da citada Emenda Constitucional, em 09.12.1999, não mais integra a estrutura a Justiça do Trabalho a representação classista, restando preservado o exercício do mandato, até seu encerramento, daqueles que já se encontravam em exercício" (TRF1, AC 00086065319994013600, rel. Juiz Federal Itelmar Evangelista, e-DJF1, 24.06.2008, p. 07).

Parágrafo único. *(Revogado pela Emenda Constitucional n.º 24, de 09.12.1999).*

Art. 117. *(Revogado pela Emenda Constitucional n.º 24, de 09.12.1999).*

Seção VI
DOS TRIBUNAIS E JUÍZES ELEITORAIS

Art. 118. São órgãos da Justiça Eleitoral:

I – o Tribunal Superior Eleitoral;

II – os Tribunais Regionais Eleitorais;

III – os Juízes Eleitorais;

IV – as Juntas Eleitorais.

Doutrina

Justiça Eleitoral. Foi instituída no Brasil por meio do Decreto n.º 21.076, de 24.02.1932, com o objetivo de moralizar os pleitos eleitorais e tornar efetivo o instituto da representação. Sem dúvida, tem prestado relevantes serviços ao país ao garantir a realização de eleições escorreitas e o livre exercício do direito de voto; ao evitar a fraude eleitoral, bem como fazer respeitar o resultado do pleito. Em face dessas competências, as suas atribuições são mais de natureza administrativa do que jurisdicional.

Órgãos da Justiça Eleitoral. Integram a Justiça Eleitoral: a) o Tribunal Superior Eleitoral, seu órgão máximo, com jurisdição em todo o território nacional; b) os Tribunais Regionais Eleitorais, que exercem competências originárias e recursais, existindo um na Capital de cada Estado e no Distrito Federal; c) os Juízes Eleitorais, que são juízes de direitos investidos, por delegação, nas funções eleitorais; d) as Juntas Eleitorais, com funções na organização, realização e apuração dos pleitos, sob a presidência do juiz de direito.

Jurisprudência

Súmula do STF: 72. "No julgamento de questão

constitucional, vinculada a decisão do Tribunal Superior Eleitoral, não estão impedidos os Ministros do Supremo Tribunal Federal que ali tenham funcionado no mesmo processo, ou no processo originário."

"(...). 2. A questão central deste *writ* se resume na identificação do órgão jurisdicional competente para conhecer e julgar ordem de *habeas corpus* anteriormente impetrada em favor do paciente devido à certidão de trânsito em julgado, lavrada por determinação do Tribunal Regional Eleitoral. 3. O ato impugnado no *habeas corpus* anteriormente impetrado em favor do paciente é a suposta ilegalidade na decisão que determinou fosse certificado o trânsito em julgado de acórdão do TRE-SP, diante da manutenção da condenação criminal do paciente. 4. De acordo com a estrutura da Justiça Eleitoral brasileira, é competente o TSE para conhecer e julgar *habeas corpus* impetrado contra ato supostamente ilegal ou abusivo, perpetrado por qualquer dos órgãos fracionários do TRE, no caso, a Presidência da Corte regional. 5. O Supremo Tribunal Federal, em algumas oportunidades, já assentou a orientação acerca da competência do Tribunal Superior Eleitoral para processar e julgar *habeas corpus* quando a autoridade apontada como coatora for o presidente do TSE (HC 66.466/CE, rel. Min. Aldir Passarinho, 2.ª Turma, DJ 07.03.1989) ou quando o ato coator consistir em decisão condenatória do TRE (HC 70.153/MG, rel. Min. Néri da Silveira, 2.ª Turma, DJ 03.09.1993), nos termos do art. 121, § 4.º, da Constituição Federal, e art. 22. I, e, do Código Eleitoral. 6. HC parcialmente concedido. Agravo regimental prejudicado" (STF – 2.ª Turma, HC 88.769/SP, rel. Min. Ellen Gracie, j. 09.09.2008).

Art. 119. O Tribunal Superior Eleitoral compor-se-á, no mínimo, de sete membros, escolhidos:

I – mediante eleição, pelo voto secreto:

a) três juízes dentre os Ministros do Supremo Tribunal Federal;

b) dois juízes dentre os Ministros do Superior Tribunal de Justiça;

II – por nomeação do Presidente da República, dois juízes dentre seis advogados de notável saber jurídico e idoneidade moral, indicados pelo Supremo Tribunal Federal.

Parágrafo único. O Tribunal Superior Eleitoral elegerá seu Presidente e o Vice-Presidente dentre os Ministros do Supremo Tribunal Federal, e o corregedor eleitoral dentre os Ministros do Superior Tribunal de Justiça.

Doutrina

Composição do Tribunal Superior Eleitoral. O órgão máximo da Justiça Eleitoral é integrado, no mínimo, por sete membros, e tem composição mista de magistrados e advogados, escolhidos pelos critérios de eleição e de nomeação.

Eleição de magistrados. Os Ministros do Supremo Tribunal Federal e do Superior Tribunal de Justiça serão eleitos por seus pares dos respectivos tribunais, e pelo voto secreto, para integrarem o Tribunal Superior Eleitoral.

Juízes de investidura temporária. Serão nomeados pelo Presidente da República, a partir de indicação do Supremo Tribunal Federal, feita através de lista sêxtupla, dois advogados no exercício da profissão, de notável saber jurídico e reconhecida idoneidade moral. Não é de aplicação na hipótese a regra do art. 94 da Constituição.

Eleição de órgãos diretivos. O Tribunal Superior Eleitoral, na sua composição plena, fará eleição para indicar, dentre os Ministros do Supremo Tribunal Federal, o seu Presidente e Vice-Presidente, e dentre os Ministros do Superior Tribunal de Justiça, o Corregedor Eleitoral.

Jurisprudência

Súmula do STF: 72. "No julgamento de questão consti-tucional, vinculada a decisão do Tribunal Superior Eleitoral, não estão impedidos os Ministros do Supremo Tribunal Federal que ali tenham funcionado no mesmo processo, ou no processo originário."

Art. 120. Haverá um Tribunal Regional Eleitoral na Capital de cada Estado e no Distrito Federal.

Doutrina

Número, localização e sede dos Tribunais Regionais Eleitorais. Referidos tribunais serão em número de um para cada Estado-membro e Distrito Federal, onde terão localização, com sede nas respectivas Capitais estaduais e em Brasília.

§ 1.° Os Tribunais Regionais Eleitorais compor-se-ão:

Doutrina

Composição dos Tribunais Regionais Eleitorais. Referidos tribunais são integrados por sete membros e têm composição mista de magistrados e advogados, escolhidos pelos critérios de eleição e de nomeação.

Jurisprudência

Não se aplica o princípio do quinto constitucional na composição dos Tribunais Regionais Eleitorais. (STF, RTJ, 137/189).

I – mediante eleição, pelo voto secreto:

a) de dois juízes dentre os desembargadores do Tribunal de Justiça;

b) de dois juízes, dentre juízes de direito, escolhidos pelo Tribunal de Justiça;

Doutrina

Eleição de membros oriundos da Justiça Estadual. O Tribunal de Justiça do Estado escolherá, mediante eleição, pelo voto secreto, dois de seus desembargadores e pelo mesmo critério, dois juízes de direito, integrantes da magistratura estadual, para comporem o Tribunal Regional Eleitoral.

Jurisprudência

> "(...). 4. O processo de escolha dos desembargadores, para o fim de composição dos Tribunais Regionais Eleitorais, encontra disciplina no art. 120, § 1.°, I, da Constituição, que prevê a seleção mediante votação secreta" (STF – Pleno, ADIN 2.763/PE, rel. Min. Gilmar Mendes, j. 28.10.2004).

II – de um juiz do Tribunal Regional Federal com sede na Capital do Estado ou no Distrito Federal, ou, não havendo, de um juiz federal, escolhido, em qualquer caso, pelo Tribunal Regional Federal respectivo;

Doutrina

Representante da Justiça Federal. A representação da Justiça Federal no Tribunal Regional Eleitoral é feita por um juiz do Tribunal Regional Federal, com sede na Capital do Estado ou, se for o caso, no Distrito Federal, ou, em não sendo o Estado sede deste tribunal, caberá o encargo a um juiz federal de livre escolha do Tribunal Regional Federal respectivo.

III – por nomeação, pelo Presidente da República, de dois juízes dentre seis advogados de notável saber jurídico e idoneidade moral, indicados pelo Tribunal de Justiça.

Doutrina

Juízes de investidura temporária. Serão nomeados pelo Presidente da República, a partir de indicação do Tribunal de Justiça do Estado, feita através de lista sêxtupla, dois advogados no exercício da profissão, de notável saber jurídico e reconhecida idoneidade moral. Não é de aplicação na hipótese a regra do art. 94 da Constituição.

Jurisprudência

> A indicação de advogado para integrar o Tribunal Regional Eleitoral é atribuição exclusiva do Tribunal de Justiça do Estado, dela não participando o órgão de representação da classe, como ocorre nos casos previstos no art. 94 da Constituição Federal (STF, RDA, 184/198).

§ 2.º O Tribunal Regional Eleitoral elegerá seu Presidente e o Vice-Presidente dentre os desembargadores.

Doutrina

Eleição de órgãos diretivos. O próprio tribunal, na sua composição plena, elegerá o seu Presidente e Vice-Presidente dentre os desembargadores oriundos do Tribunal de Justiça do Estado.

Art. 121. Lei complementar disporá sobre a organização e competência dos tribunais, dos juízes de direito e das juntas eleitorais.

Doutrina

Organização e competência dos órgãos da Justiça Eleitoral. A exemplo do que ocorre com o Código Tributário Nacional, hoje aceito como lei materialmente complementar, também o Código Eleitoral, naquilo que diz respeito à organização e competência dos órgãos da Justiça Eleitoral, deve ser tido como lei complementar à Constituição que, aliás, trata de algumas atribuições do Tribunal Superior Eleitoral (art. 121, §§ 3.º e 4.º).

Jurisdição eleitoral. Abrange tanto a matéria civil, como as ações de impugnação de mandato eletivo e as de investigação de abuso de poder econômico, quanto a matéria penal, nesta compreendida os crimes eleitorais e os que lhes forem conexos.

Jurisprudência

> "(...) 5. O art. 121 da Constituição prevê, ademais, que lei complementar disporá sobre a organização e competência dos tribunais, dos juízes de direito e das juntas eleitorais" (STF – Pleno, ADIN 2.763/PE, rel. Min. Gilmar Mendes, j. 28.10.2004).
>
> Crime eleitoral é, na técnica do direito constitucional, crime comum. Portanto, Deputado Federal que o pratica tem direito a foro especial, em face da prerrogativa de função (STF, RTJ, 63/1).
>
> É da competência originária dos Tribunais Regionais Eleitorais o processo e julgamento, por crimes eleitorais, de autoridades estaduais que, em crimes comuns, tenham no Tribunal de Justiça o foro por prerrogativa de função. (STF, RTJ, 91/59 e 147/942).

§ 1.º Os membros dos tribunais, os juízes de direito e os integrantes das juntas eleitorais, no exercício de suas funções, e no que lhes for aplicável, gozarão de plenas garantias e serão inamovíveis.

Doutrina

Garantias dos membros da Justiça Eleitoral. Tanto os integrantes dos tribunais eleitorais quanto juízes de direito e membros das juntas eleitorais gozarão, no exercício de suas funções, das garantias da inamovibilidade e de outras compatíveis e necessárias ao pleno e escorreito exercício de suas atribuições, somente podendo ser afastados em razão de justificado interesse público e com a observância do disposto no art. 93, VIII, da Constituição.

Jurisprudência

"Os juízes são inamovíveis; podem ser removidos contra a vontade, apenas por interesse público, por voto de dois terços do respectivo Tribunal, assegurando-se ampla defesa." (STJ – 1ª. Turma, ROMS 945/AM, rel. Min. Garcia Vieira, DJ 1, 24.08.1992, p. 12.976).

§ 2.° Os juízes dos tribunais eleitorais, salvo motivo justificado, servirão por dois anos, no mínimo, e nunca por mais de dois biênios consecutivos, sendo os substitutos escolhidos na mesma ocasião e pelo mesmo processo, em número igual para cada categoria.

Doutrina

Prazo de investidura. A investidura nos cargos de juízes dos tribunais eleitorais tem duração mínima de dois anos, não se podendo exceder de dois biênios consecutivos, devendo os novos magistrados ser escolhidos na mesma oportunidade e pelo processo próprio e em número igual para cada uma das categorias.

Exceção. A investidura somente não terá a duração acima, cessando antes do prazo, nos casos fundados em motivo justificado, como ocorre, *v. g.*, na invalidez do juiz que o incapacita para o exercício do cargo, ou na necessidade de afastamento para ocupar cargo administrativo no seu tribunal de origem.

Jurisprudência

"A eleição de Desembargador para integrar Tribunal Regional Eleitoral ocorre considerado o mandato de dois anos previsto no § 2.° do art. 121 da Constituição Federal. A origem da vaga – término de mandato ou afastamento em face de investidura em cargo administrativo do Tribunal de Justiça – não repercute na duração do mandato, conflitando com o preceito constitucional restringir a permanência do eleito à complementação do mandato do antecessor. Na expressão 'salvo motivo justificado', do referido § 2.°, não se tem abrangência a alcançar hipótese de mandato não concluído, sendo irrelevante, em face da estatura da norma, possível acordo efetuado no âmbito do Tribunal de Justiça." (STF – Pleno, MS 21.272/DF, rel. Min. Marco Aurélio, Ementário, n.° 1.611-01/ 65).

§ 3.° São irrecorríveis as decisões do Tribunal Superior Eleitoral, salvo as que contrariarem esta Constituição e as denegatórias de *habeas corpus* ou mandado de segurança.

Doutrina

Irrecorribilidade das decisões do Tribunal Superior Eleitoral. As decisões proferidas pelo órgão máximo da Justiça Eleitoral não comportam, via de regra, qualquer recurso, esgotando- se, no seu âmbito, as questões legais de direito eleitoral.

Exceções ao princípio da irrecorribilidade. Contudo, a norma constitucional excepciona três hipóteses: a) *decisão contrária à Constituição*, entendida como tal aquela que implique contrariedade efetiva à regra constitucional, podendo ser objetada por meio de recurso extraordinário; b) *decisão denegatória de habeas corpus*, aquela que nega a ordem pretendida, podendo ser objeto de recurso ordinário; c) *decisão denegatória de mandado de segurança*, aquela que denega a ordem pretendida, comportando, também, recurso ordinário. Também nos casos das alíneas *b* e *c*, o recurso é para o Supremo Tribunal Federal.

Jurisprudência

> "Os pronunciamentos jurisdicionais do Tribunal Superior Eleitoral que se esgotem na esfera do ordenamento positivo infraconstitucional qualificam-se como manifestações revestidas de definitividade, insusce-

tíveis, em consequência, de revisão pelo Supremo Tribunal Federal na via recursal extraordinária, cuja instauração pressupõe, sempre, a ocorrência de conflito direto, imediato e frontal com o texto da Constituição" (STF – 1.ª Turma, RE 160.432/SP, rel. Min. Celso de Mello, DJ 1, 06.05.1994, p. 10.494).

A regra constitucional é de interpretação estrita, em razão da autonomia conferida a uma jurisdição política de competência especialíssima, como é o caso da Justiça Eleitoral. (STF, RTJ, 40/156).

Não é admissível mandado de segurança para rever, por via oblíqua, decisão irrecorrível do Tribunal Superior Eleitoral. (STF, RTJ, 34/345).

§ 4.º Das decisões dos Tribunais Regionais Eleitorais somente caberá recurso quando:

Doutrina

Recursos cabíveis contra decisões dos Tribunais Regionais Eleitorais. Contra os acórdãos proferidos por esses tribunais, somente cabe recurso nas hipóteses expressamente previstas nesta norma constitucional, sendo, pois, *numerus clausus*, ou de enumeração taxativa. Os recursos serão interpostos para o Tribunal Superior Eleitoral, prevendo a regra a competência recursal deste órgão.

Jurisprudência

A jurisprudência consolidada do Supremo Tribunal Federal é na direção de não ser admissível o recurso em sentido estrito em sede de direito eleitoral. (STF, AC 7.865, DJ 1, 17.08.1984, p. 12.924).

I – forem proferidas contra disposição expressa desta Constituição ou de lei;

Doutrina

Decisões contra norma expressa da Constituição ou de lei. O pressuposto necessário é que o acórdão tenha sido proferido contra norma expressa contida na Constituição Federal ou em lei, compreendendo neste caso as hipóteses de aplicação indevida ou de negação de vigência. Cabe, em todos os casos, o recurso ordinário.

Jurisprudência

> Ainda que o acórdão do Tribunal Regional Eleitoral discuta matéria constitucional, contra o mesmo somente cabe recurso para o Tribunal Superior Eleitoral, pois, no âmbito da Justiça Eleitoral, somente os acórdãos do TSE podem ser impugnados perante o Supremo Tribunal Federal (STF – 1.ª Turma, AgI 164.491/6/MG AgRg, DJ 1, 22.03.1996, p. 8.215).

II – ocorrer divergência na interpretação de lei entre dois ou mais Tribunais Eleitorais;

Doutrina

Recurso para a uniformização de jurisprudência. Ocorrendo divergência na interpretação da lei entre dois ou mais tribunais eleitorais, caberá recurso ordinário para o Tribunal Superior Eleitoral para que este uniformize o sentido e o alcance da lei eleitoral e pacifique o seu entendimento para facilitar a aplicação pelos órgãos de primeira e segunda instâncias.

Jurisprudência

> "Respeitadas as ressalvas legais, mesmo reiterada e diuturna a jurisprudência não tem força de vincular os pronunciamentos jurisdicionais. Não se justifica, no entanto, que os órgãos julgadores se mantenham renitentes à jurisprudência sumulada, cujo escopo, dentro do sistema jurídico, é alcançar exegese que dê certeza aos jurisdicionados em temas polêmicos, uma vez que

ninguém fica seguro de seu direito ante jurisprudência incerta." (STJ – 4.ª Turma, REsp 14.945-0/MG, rel. Min. Sálvio de Figueiredo, DJU, 13.04.1992, p. 5.002).

III – versarem sobre inelegibilidade ou expedição de diplomas nas eleições federais ou estaduais;

Doutrina

Inelegibilidade ou expedição de diploma. Nas eleições federais ou estaduais, os conflitos sobre inelegibilidade, em razão do alto interesse da matéria, ou expedição de diplomas, em face de serem estes os títulos que darão ensejo à posse, ensejarão recurso ordinário ao Tribunal Superior Eleitoral.

Jurisprudência

"Não viola o art. 121, § 4.°, III, da Constituição, a decisão que, sem negar a admissibilidade do recurso ordinário contra a diplomação de Deputado Federal, nega-lhe provimento, por entender preclusa, por força de lei, a questão da inelegibilidade arguida pelo recorrente" (STF – 1.ª Turma, RE 140.423/PB, rel. Min. Sepúlveda Pertence, RTJ, 158/654).

IV – anularem diplomas ou decretarem a perda de mandatos eletivos federais ou estaduais;

Doutrina

Anulação de diploma ou decretação de perda de mandato eletivo. Nas duas hipóteses caberá recurso ordinário para o Tribunal Superior Eleitoral, independentemente das razões de fato e de condição especial de admissibilidade. Observe-se que a regra diz respeito a mandatos eletivos federais e estaduais e não municipais, mas estes também comportam recurso com base nos incisos I a III.

Jurisprudência

> O processo de perda de mandato é de natureza política, sendo regido por normas *interna corporis*, devendo, tanto quanto possível, ser preservada a disciplina do funcionamento dos órgãos dos Poderes da União em obediência ao princípio da harmonia e independência, sem prejuízo do acesso ao Poder Judiciário, cuja atuação se faz sob a ótica da legalidade. (STF, RTJ, 146/153).

V – denegarem *habeas corpus*, mandado de segurança, *habeas data* ou mandado de injunção.

Doutrina

***Decisões denegatórias de* writs *constitucionais*.** Sempre caberá recurso para o Tribunal Superior Eleitoral contra as decisões denegatórias proferidas nas ações referidas, todas ligadas à tutela constitucional da liberdade.

Jurisprudência

> Compete ao Tribunal Superior Eleitoral processar e julgar *habeas corpus* em matéria eleitoral, aí incluídos crimes eleitorais, desde que fundados em atos coatores oriundos de Tribunal Regional Eleitoral (STF – Pleno, HC 72.336/MG, Ementário, n.º 1.797-03/474).

Seção VII
DOS TRIBUNAIS E JUÍZES MILITARES

Art. 122. São órgãos da Justiça Militar:

I – o Superior Tribunal Militar;

II – os Tribunais e Juízes Militares instituídos por lei.

Doutrina

Justiça Militar da União. Teve origem no Alvará de 1.º de abril de 1808, assinado por D. João VI, que instituiu o Conselho Supremo Militar de Justiça, e durante o império e primeira fase da República, era presidido pelo próprio Chefe de Estado, primeiro o Imperador e depois os Presidentes da República. A Constituição de 1891 (art. 77) criou, em substituição ao antigo Conselho Supremo, um Supremo Tribunal Militar, , que se mantém até hoje, tendo apenas mudado a denominação de Supremo para Superior, na Constituição de 1946.

Órgãos da Justiça Militar da União. Integram a Justiça Militar da União: a) o Superior Tribunal Militar, órgão de cúpula da justiça castrense brasileira, com sede na Capital do país e jurisdição em todo o território nacional; b) os Conselhos de Justiça Militar, órgãos colegiados de primeira instância e que se subdividem em Conselhos Especiais de Justiça e Conselhos Permanentes de Justiça, funcionando junto a estes o juiz-auditor que exerce as funções de preparador. Anote-se, ainda, que nos tempos de guerra, ou durante estado de sítio, a jurisdição superior militar é exercida pelos Conselhos Superiores de Justiça Militar, que funcionam como órgãos de segunda instância.

Justiça Militar dos Estados. Os Estados-membros podem criar, mediante proposta do Tribunal de Justiça, a Justiça Militar estadual, constituída, no primeiro grau, por Conselhos de

Justiça e, no segundo grau, pelo próprio Tribunal de Justiça, ou por Tribunal de Justiça Militar nos Estados em que o efetivo da polícia militar for superior a vinte mil integrantes (CF, art. 125, § 3.º).

Jurisprudência

Súmula do STF: 298: "O legislador ordinário só pode sujeitar civis à Justiça Militar, em tempo de paz, nos crimes contra a segurança externa do País ou as instituições militares.

Súmula do TFR: 20: "Compete à Justiça Militar Estadual processar e julgar os integrantes das polícias militares estaduais nos crimes militares."

Foi recepcionada pela atual Constituição a legislação ordinária anterior que previa a composição, por um capitão e por dois oficiais de menor posto, dos Conselhos de Justiça nos corpos, formações ou estabelecimentos militares. Contudo, restaram derrogadas as normas anteriores que admitiam a proposição da ação penal pública sem a participação do Ministério Público, pois se trata de função institucional privativa deste órgão (STF, Ementário *do STF*, n.º 1.592).

Art. 123. O Superior Tribunal Militar compor-se-á de quinze Ministros vitalícios, nomeados pelo Presidente da República, depois de aprovada a indicação pelo Senado Federal, sendo três dentre oficiais-generais da Marinha, quatro dentre oficiais-generais do Exército, três dentre oficiais-generais da Aeronáutica, todos da ativa e do posto mais elevado da carreira, e cinco dentre civis.

Doutrina

Composição do Superior Tribunal Militar. O mais alto tribunal militar do país é integrado por quinze Ministros vitalícios, nomeados pelo Presidente da República, após aprovada, em votação secreta, a indicação pelo Senado Federal, sendo a sua composição mista, formada por militares (três oficiais-generais oriundos da Marinha, quatro oficiais-generais oriundos do Exército e três oficiais-generais oriundos da Aeronáutica), e cinco civis.

Requisitos para a nomeação do Ministro militar. A nomeação para a vaga de Ministro reservada para militar pressupõe o preenchimento dos seguintes requisitos: ser o interessado brasileiro nato, Ter a patente de oficial-general, encontrar-se na ativa e ocupar o mais alto posto da carreira.

Jurisprudência

> "(...). A teor do disposto no artigo 123 da Constituição Federal, o Superior Tribunal Militar há de estar composto por quinze ministros vitalícios, sendo as vagas destinadas aos militares, em número de dez, preenchidas por oficiais-generais. As demais, ao menos neste primeiro exame, dado concluir, devem estar ocupadas por civis, tomado o vocábulo no sentido estrito. Ora, embora profissional da advocacia, o indicado mediante a Mensagem n.° 459, de 15 de abril de 1998, do Excelentíssimo Senhor Presidente da República ao Senado Federal, ostenta a qualificação de militar, porquanto, ao passar para a reserva, manteve a respectiva patente" (STF – Pleno, MS 23.138/DF, rel. Min. Marco Aurélio, DJ 1, 19.05.1998, p. 7).

Parágrafo único. Os Ministros civis serão escolhidos pelo Presidente da República dentre brasileiros com mais de trinta e cinco e menos de setenta anos de idade, sendo:

I – três dentre advogados de notório saber jurídico e conduta ilibada, com mais de dez anos de efetiva atividade profissional;

II – dois, por escolha paritária, dentre juízes auditores e membros do Ministério Público da Justiça Militar.

Doutrina

Escolha e nomeação de Ministros civis. A nomeação de Ministro civil para integrar o Superior Tribunal Militar será feita pelo Presidente da República, após aprovação da indicação pelo Senado Federal, dentre brasileiros natos ou naturalizados, com mais de trinta e cinco e menos de setenta anos de idade, sendo: a) três dentre advogados, de notório saber jurídico, conduta ilibada e mais de dez anos de exercício efetivo da advocacia; b) um dentre os juízes auditores; c) um dentre os membros do Ministério Público da Justiça Militar.

Jurisprudência

> A nomeação para o cargo de ministro do Superior Tribunal Militar, na vaga de advogado, exige mais de um decênio de efetiva atividade profissional, não satisfazendo o requisito a simples inscrição nos quadros da Ordem dos Advogados do Brasil. Outrossim, não existe norma expressa quanto ao limite de sessenta e cinco anos de idade para a investidura no referido cargo, não sendo invocável no caso a regra do art. 93, VI, da Constituição Federal. (STF, RT, 677/242).

Art. 124. À Justiça Militar compete processar e julgar os crimes militares definidos em lei.

Doutrina

Legislação de regência da matéria. A legislação de regência do direito militar compreende o Código Penal Militar, instituído pelo Decreto-Lei n.° 1.001/1969, e o Código de Processo Penal Militar, instituído pelo Decreto-Lei n.° 1.002/1969.

Jurisdição penal. A Justiça Militar somente tem jurisdição penal relativa aos crimes militares definidos em lei.

Crimes militares. São as condutas definidas em lei própria como tais, sendo, pois, *ratione legis*, em face do princípio da legalidade, consagrando o brocardo de que não há crime sem lei anterior que o defina.

Jurisprudência

"1. É excepcional a competência da Justiça castrense para o julgamento de civis, em tempo de paz. A tipificação da conduta de agente civil como crime militar está a depender do 'intuito de atingir, de qualquer modo, a Força, no sentido de impedir, frustrar, fazer malograr, desmoralizar ou ofender o militar ou o evento ou situação em que este esteja empenhado' (Conflito de Competência 7.040, da relatoria do ministro Carlos Velloso). 2. O cometimento de delito militar por agente civil em tempo de paz se dá em caráter excepcional. Isto é, apenas quando tal cometimento se traduz em ofensa àqueles bens jurídicos tipicamente associados à função de natureza militar: defesa da Pátria, garantia dos poderes constitucionais, da lei e da ordem (art. 142 da Constituição Federal). 3. Na concreta situação dos autos, não se extrai, minimamente que seja, a vontade do paciente de se voltar contra as Forças Armadas, tampouco a de impedir a continuidade de eventual operação militar. Pelo que não há nenhum indicativo de que, deliberadamente, o acusado praticou qualquer ato para se contrapor a instituição militar ou a qualquer de suas específicas finalidades ou operações. Ingrediente psicológico ou subjetivo de aversão ou propósito anticastrense sem o qual não é possível atrair a competência da Justiça Militar. Precedentes: HC 81.963, da relatoria do Ministro Celso de Mello; e HCs 86.216, 100.230 e 101.206, da minha relatoria. 4. Ordem concedida tão-somente para assentar a incompetência absoluta da Justiça Militar para processar e julgar o paciente" (STF – 2.ª Turma, HC 105.348/RS, rel. Min. Ayres Britto, unânime, j. 19.10.2010).

"(...). Função de policiamento ostensivo exercida por militar das Forças Armadas – encargo que qualifica, conceitualmente, como típica atividade de segurança pública. – Refoge à competência penal da Justiça Militar da União processar e julgar civis, em tempos de paz, por delitos supostamente cometidos por estes em ambiente estranho ao da Administração Militar e alegadamente praticados contra militar das Forças Armadas no contexto do processo de ocupação e pacificação das Comunidades localizadas nos morros cariocas, pois a função de policiamento ostensivo traduz típica atividade de segurança pública. Precedentes (STF – 2.ª Turma, HC 112.936/RJ, Rel. Min. Celso de Mello, j. 05.02.2013).

Parágrafo único. A lei disporá sobre a organização, o funcionamento e a competência da Justiça Militar.

Doutrina

Organização e funcionamento da Justiça Militar. A lei ordinária federal disporá sobre a organização e funcionamento dos órgãos da Justiça Militar, instituindo, inclusive, os tribunais e juízes militares, conforme previsto na Constituição Federal (art. 122, II).

Competência da Justiça Militar. À Justiça Militar compete processar e julgar os crimes militares, ou seja, aqueles definidos em lei como delitos dessa natureza. Observe-se, mais uma vez, que a Justiça Militar tem apenas jurisdição penal.

Jurisprudência

Súmulas do STJ: 47. "Compete à Justiça Militar processar e julgar crime cometido por militar contra civil, com emprego de arma pertencente à corporação, mesmo não estando em serviço." 172. "Compete à Justiça Comum processar e julgar militar por crime de abuso de autoridade, ainda que praticada em serviço."

"Agravo regimental no *habeas corpus*. 2. Código Penal Militar e Código de Processo Penal Militar. Constitucionalidade incontroversa. 3. Militares, estaduais ou das Forças Armadas, sujeitam-se às normas penais e processuais militares. 4. Corrupção passiva praticada por militar estadual. Crime praticado fora de estabelecimento militar. Irrelevância. 5. Bem jurídico violado é a Administração Militar. 6. Agravo a que se nega provimento" (STF – 2.ª Turma, HC 139.652/MG, rel. Min. Gilmar Mendes, DJE 256, j. 30.11.2018).

Compete à Justiça Militar processar e julgar crime de homicídio praticado por militar contra militar, ambos da ativa, ainda quando não estiver em serviço o militar acusado e o crime tenha sido cometido fora de zona militar. Ademais, referida Justiça não comporta a inclusão, na sua estrutura, de tribunal do júri, para o fim de julgar os crimes dolosos contra a vida. (STF, RTJ, 137/438).

"Insere-se na competência da Justiça Militar o julgamento dos delitos praticados por militares contra civil com emprego de arma da corporação, sendo irrelevante não estar, o agressor, de serviço (art. 8.º, II, *f*, do CPM)." (STJ – 3.ª Seção, CC 1.863/SP, rel. Min. Cid Flaquer Scartezzini, DJ 1, 01.07.1991, p. 9.159).

Seção VIII
DOS TRIBUNAIS E JUÍZES DOS ESTADOS

Art. 125. Os Estados organizarão sua Justiça, observados os princípios estabelecidos nesta Constituição.

Doutrina

Auto-organização dos Estados. Decorre do princípio da autonomia dos Estados-membros a competência para a organização da Justiça Estadual. Contudo, deverão os Estados ser reverentes aos princípios inscritos na Constituição Federal e obedecer ao modelo nela estabelecido, agregando ao direito constitucional estadual dentre outras as seguintes normas: garantias da magistratura (art. 95), inclusive as regras sobre vedações; competência dos tribunais (art. 96); regras sobre a criação de juizados especiais e de paz (art. 98); deveres decorrentes da autonomia administrativa e financeira (art. 99); regras sobre precatórios (art. 100); criação obrigatória de um Tribunal de Justiça, que terá iniciativa legislativa para a lei de organização judiciária (art. 125, § 1.º); instituição de representação de inconstitucionalidade de leis ou atos normativos estaduais ou municipais em face da Constituição Estadual (art. 126, § 2.º); etc. Em outras palavras, na organização de sua Justiça os Estados têm liberdade para dispor apenas sobre matéria que a Constituição Federal não dispôs, como, *v.g.*, criação ou não de Justiça Militar, de Tribunais de Alçada etc.

§ 1.º A competência dos tribunais será definida na Constituição do Estado, sendo a lei de organização judiciária de iniciativa do Tribunal de Justiça.

Doutrina

Competência dos tribunais. Instituídos, pela Constituição do

Estado, o Tribunal de Justiça e os demais tribunais que houve por bem de criar o legislador constituinte estadual, a Constituição Federal impõe que a competência desses órgãos seja prevista naquela Carta, o que afasta a possibilidade de a matéria vir a ser objeto de legislação infraconstitucional.

Lei de organização judiciária. Como o próprio nome diz, trata-se da lei que estabelece as regras de organização dos órgãos integrantes da Justiça Estadual, sendo de iniciativa exclusiva do Tribunal de Justiça a elaboração de seu projeto e apresentação à Assembleia Legislativa do Estado para fins de discussão, inclusive apresentação de emendas, e aprovação.

Jurisprudência

> Súmulas do STJ: 6. "Compete à Justiça Comum Estadual processar e julgar delito de acidente de trânsito envolvendo viatura de Polícia Militar, salvo se autor e vítima forem policiais militares em situação de atividade." 53. "Compete à Justiça Comum Estadual processar e julgar civil acusado de prática de crime contra instituições militares estaduais." 75. "Compete à Justiça Comum Estadual processar e julgar o policial militar por crime de promover ou facilitar a fuga de preso de estabelecimento penal."
>
> A Constituição Federal fez outorga de poder, sem reserva, ao Estado-membro para que este definisse a competência de seus tribunais e, sendo assim, situou no âmbito da organização judiciária estadual o poder de conferir foro especial por prerrogativa de função, observadas apenas as limitações decorrentes, de forma explícita ou implícita, da própria Carta. Desse modo, a matéria ficou subtraída do campo normativo da legislação processual, não incidindo, pois, na área de jurisdição dos Estados federados o art. 87 do Código de Processo Penal. (STF, RTJ, 152/548).
>
> "A cláusula constitucional que confere exclusividade ao Tribunal de Justiça para instaurar o processo legislativo em tema de organização e divisão judiciá-

rias do Estado não impede os parlamentares de oferecerem emendas ao correspondente projeto de lei. O poder de emendar, que não constitui derivação do poder de iniciar o processo de formação das leis, é prerrogativa deferida aos parlamentares, que se sujeitam, quanto ao seu exercício, apenas às restrições impostas, em *numerus clausus*, pela Constituição Federal" (STF – Pleno, ADIN 865/MA MC, rel. Min. Celso de Mello, DJ 1, 08.04.1994, p. 7.225).

§ 2.º Cabe aos Estados a instituição de representação de inconstitucionalidade de leis ou atos normativos estaduais ou municipais em face da Constituição estadual, vedada a atribuição da legitimação para agir a um único órgão.

Doutrina

Ação direta de inconstitucionalidade. É o instrumento de controle da constitucionalidade de leis ou atos normativos estaduais ou municipais contestados em face da Constituição Estadual e pode ser instituído pelos Estados, vedada apenas a atribuição de legitimação para agir a um único órgão. Isso significa que a Constituição Estadual deve considerar como parte legítima para propor a ação mais de uma pessoa ou ente, como, por exemplo, no âmbito estadual, o Governador do Estado e a Mesa da Assembleia Legislativa, e, no âmbito do Município, o Prefeito Municipal e a Mesa da Câmara de Vereadores, sem prejuízo da legitimação do Procurador-Geral de Justiça do Estado, de entidades sindicais ou de classe, de atuação estadual ou municipal, dos partidos políticos com representação nas respectivas casas legislativas etc.

Jurisprudência

"Viola a Constituição Federal, porque usurpa o papel do Supremo Tribunal Federal de guardião da Carta Política do país, norma de Constituição Estadual que atribua ao Tribunal de Justiça competência para processar e julgar representação de inconstitucionalidade de lei ou ato normativo municipal em face da Constituição da República" (STF, RT, 664/189).

"Nada impede que, nessa ação do art. 125, § 2.º, da Lei Magna, se impugne, como inconstitucional, perante a Constituição Federal, a interpretação dada ao preceito de reprodução existente na Constituição do Estado, por ser exegese violadora da norma federal reproduzida, que não pode ser desrespeitada, na Federação, pelos diversos níveis de Governo (Reclamação 383-3/SP). Desprezada a impugnação, em princípio, poderá caber recurso extraordinário, submetendo-se, assim, ao STF, o debate da matéria, onde se assentará o exato entendimento da regra federal reproduzida." (STF – Pleno, Recl. 425-2/RJ, rel. Min. Néri da Silveira, RTJ, 152/371).

§ 3.º A lei estadual poderá criar, mediante proposta do Tribunal de Justiça, a Justiça Militar estadual, constituída, em primeiro grau, pelos juízes de direito e pelos Conselhos de Justiça e, em segundo grau, pelo próprio Tribunal de Justiça, ou por Tribunal de Justiça Militar nos Estados em que o efetivo da polícia militar seja superior a vinte mil integrantes.

Doutrina

Justiça Militar Estadual. É o órgão especializado do Poder Judiciário do Estado-membro instituído por lei ordinária estadual de iniciativa exclusiva do Tribunal de Justiça. A sua estrutura compreenderá: a) no primeiro grau, os juízes de direito e os Conselhos de Justiça Militar, órgãos colegiados com a composição definida em lei; b) no segundo grau, o próprio Tribunal de Justiça, ou Tribunal de Justiça Militar, contanto que o efetivo da polícia militar tenha mais de vinte mil integrantes.

Jurisprudência

"Pelo disposto no art. 125, § 3.º, da Constituição Federal, há expressa reserva constitucional federal em favor da lei ordinária estadual, de iniciativa exclusiva do Tribunal de Justiça, para criação da Justiça Militar estadual, e, sendo certo que, competindo a essa lei ordinária a criação dessa Justiça a ela também compete a sua organização e extinção, não pode a Carta Magna estadual criar, ou manter a criação já existente, organizar ou extinguir a Justiça Militar estadual" (STF – Pleno, ADIN 725-4/RS, rel. Min. Moreira Alves, Pleno, DJ 1, 04.09.1998, p. 3).

§ 4.º Compete à Justiça Militar estadual processar e julgar os militares dos Estados, nos crimes militares definidos em lei e as ações judiciais contra atos disciplinares militares, ressalvada a competência do júri quando a vítima for civil, cabendo ao tribunal competente decidir sobre a perda do posto e da patente dos oficiais e da graduação das praças.

Doutrina

Competência da Justiça Militar Estadual. A Justiça Militar do Estado tem competência para processar e julgar os policiais militares e bombeiros militares nos crimes militares, ou seja, aqueles definidos em lei como delitos dessa natureza. Trata-se de lei federal, pois é da competência privativa da União legislar sobre direito penal, inclusive o penal militar (CF, art. 22, I).

Competência dos Conselhos de Justiça Militar. Compete a esses órgãos de primeiro grau o processo e julgamento dos policiais militares e bombeiros militares, inclusive os integrantes do oficialato, se a norma legal assim dispuser, nos crimes militares como tal definidos em lei.

Competência dos Tribunais de Justiça Militar. Referidos tribunais têm: a) *competência originária* para processar e julgar os integrantes da cúpula da Polícia Militar, como, *v. g.*, o comandante geral da Polícia Militar e outros oficiais, segundo o definido em lei, e também os mandados de segurança e os *habeas corpus* nos processos cujos recursos forem de sua competência, as revisões criminais de seus julgados e decidir, ainda, sobre a perda do posto e da patente dos oficiais e da graduação das praças; b) *competência recursal* nos recursos cabíveis das decisões proferidas pelos Conselhos de Justiça Militar. Onde não existir Tribunal de Justiça Militar, o segundo grau de jurisdição é exercido pelo Tribunal de Justiça.

Jurisprudência

> Súmulas do STJ: 47. "Compete à Justiça Militar processar e julgar crime cometido por militar contra civil, com emprego de arma pertencente à corporação, mesmo não estando em serviço." 78. "Compete à Justiça Militar processar e julgar militar de corporação estadual, ainda que o delito tenha sido praticado em outra unidade federativa." 90. "Compete à Justiça Estadual Militar processar e julgar o policial militar pela prática de crime militar, e à Comum pela prática do crime simultâneo àquele."
>
> "A Justiça Militar estadual não dispõe de competência penal para processar e julgar civil que tenha sido denunciado pela prática de crime contra a Polícia Militar do Estado. Qualquer tentativa de submeter os réus civis a procedimentos penais persecutórios instaurados perante órgãos da Justiça Militar estadual representa, no contexto de nosso sistema jurídico, clara violação ao princípio constitucional do juiz natural (CF, art. 5.°, LIII). A Constituição Federal, ao definir a competência penal da Justiça Militar dos Estados-membros, delimitou o âmbito de incidência do seu exercício, impondo, para efeito de sua configuração, o concurso necessário de dois requisitos: um, de ordem subjetiva (a prática de crime militar definido em lei) e outro, de índole subjetiva (a qualificação do agente como policial militar ou como bombeiro militar). A competência constitucional

da Justiça Militar estadual, portanto, sendo de direito estrito, estende-se, tão-somente, aos integrantes da Polícia Militar ou dos Corpos de Bombeiros Militares que hajam cometido delito de natureza militar." (STF – 1.ª Turma, HC 70.604/SP, rel. Min. Celso de Mello, , DJ 1, 01.07.1994, p. 17.497 e RTJ, 158/513).

Sob a luz do art. 125, § 4.º, da Constituição, a prática de ato incompatível com a condição de policial militar pode implicar na perda da graduação como pena aplicada em procedimento administrativo, desde que assegurado ao militar o direito de defesa e o contraditório. Contudo, não há invocar no caso processo e julgamento pela Justiça Militar estadual, a quem compete decidir sobre a perda da graduação das praças como pena acessória do crime que decidiu anteriormente no exercício de sua competência, pois não subsiste, com relação aos graduados, o art. 102 do CPM, que impunha como pena acessória da condenação criminal a prisão superior a dois anos. (STF, RE 195.783-2/MG, DJ 1, 06.04.1998, p. 25).

§ 5.º Compete aos juízes de direito do juízo militar processar e julgar, singularmente, os crimes militares cometidos contra civis e as ações judiciais contra atos disciplinares militares, cabendo ao Conselho de Justiça, sob a presidência de juiz de direito, processar e julgar os demais crimes militares.

Doutrina

Juízes de direito do juízo militar e competência. São órgãos de primeiro grau da Justiça Militar dos Estados e compete-lhes processar e julgar, singularmente, os crimes militares cometidos contra civis e as ações judiciais contra atos disciplinares militares. Aos Conselhos de Justiça compete, sob a presidência de juiz de direito, processar e julgar os demais crimes militares como tais definidos no Código Penal Militar.

Segundo grau da Justiça Militar. Convém relembrar – como dito antes – que o segundo grau da Justiça Militar é o próprio Tribunal de Justiça do Estado e, naqueles Estados com efetivo superior a vinte mil integrantes, poderão ser criados Tribunais de Justiça Militar.

Jurisprudência

> "(...). A Constituição Federal, ao definir a competência penal da Justiça Militar dos Estados-membros, delimitou o âmbito de incidência do seu exercício, impondo, para efeito de sua configuração, o concurso necessário de dois requisitos: um, de ordem objetiva (a prática de crime militar definido em lei), e outro, de índole subjetiva (a qualificação do agente como policial militar ou como bombeiro militar). A competência constitucional da Justiça Militar Estadual, portanto, sendo de direito estrito, estende-se, tão somente, aos integrantes da Polícia Militar ou dos Corpos de Bombeiros Militares que hajam cometido delito de natureza militar" (STF – 1.ª Turma, HC 70.604/SP, rel. Min. Celso de Mello, DJ 1, 01.07.1994, p. 17.497).

§ 6.º O Tribunal de Justiça poderá funcionar descentralizadamente, constituindo Câmaras regionais, a fim de assegurar o pleno acesso do jurisdicionado à justiça em todas as fases do processo.

Doutrina

Descentralização da Justiça de segundo grau. Dispõe o § 6.º que o Tribunal de Justiça poderá descentralizar as suas atividades, por meio da criação de Câmaras regionais, com a finalidade de permitir o acesso do jurisdicionado a todas as fases do processo, tornando-o mais acessível e mais democrático, conquanto ensejaria às partes melhor acompanhamento de ação de seu interesse.

§ 7.º O Tribunal de Justiça instalará a justiça itinerante, com a realização de audiências e demais funções da atividade jurisdicional, nos limites territoriais da respectiva jurisdição, servindo-se de equipamentos públicos e comunitários.

Doutrina

Justiça itinerante. Dispõe este § 7.º que os Tribunais de Justiça deverão instalar a justiça itinerante para a realização de audiências e demais atos da atividade jurisdicional, nos limites territoriais da respectiva jurisdição (comarca ou subseção judiciária), valendo-se, para tanto, equipamentos públicos (*v.g.* escolas) e comunitários (*v.g.* praças). A norma tem o objetivo de tornar a jurisdição mais próxima do jurisdicionado.

Art. 126. Para dirimir conflitos fundiários, o Tribunal de Justiça proporá a criação de varas especializadas, com competência exclusiva para questões agrárias.

Doutrina

Juízos agrários. A norma constitucional permite a criação de juízos especializados em questões agrárias, atribuindo-lhes competência exclusiva para julgar os conflitos fundiários.

Jurisprudência

> "Inocorrendo atentado à ordem política e social, mas apenas conflito fundiário, embora grave, declara-se a competência da Justiça estadual." (STJ – 3.ª Seção, CC 1.111/RS, rel. Min. José Cândido, DJ 1, 04.06.1990).

Parágrafo único. Sempre que necessário à eficiente prestação jurisdicional, o juiz far-se-á presente no local do litígio.

Doutrina

Inspeção judicial. O juiz fará inspeção judicial sempre que julgar necessário para a melhor verificação ou interpretação dos fatos relativos ao litígio; tanto nesta como em qualquer outra matéria, sempre que a inspeção se revelar útil para a decisão da causa.

Jurisprudência

> A inspeção judicial é meio de prova que se submete à discricionariedade do juiz quanto à conveniência e oportunidade de sua realização. (TJSP, RT, 629/206).

CAPÍTULO IV
DAS FUNÇÕES ESSENCIAIS À JUSTIÇA

Seção I
DO MINISTÉRIO PÚBLICO

Art. 127. O Ministério Público é instituição permanente, essencial à função jurisdicional do Estado, incumbindo-lhe a defesa da ordem jurídica, do regime democrático e dos interesses sociais e individuais indisponíveis.

Doutrina

Ministério Público. A doutrina mais autorizada anota que o Ministério Público teve origem numa ordenança de 1302, baixada por Felipe, o Belo, rei de França, ao instituir a função de procuradores do rei (*les gens du roi*), agentes encarregados da defesa judicial dos interesses do soberano. No Brasil, apesar de o Código de Processo Criminal do Império, de 1832, fazer menção a promotor da ação penal, somente com o Decreto n.° 1.030, de 1890, o Ministério Público foi instituído. Porém, o seu tratamento constitucional ocorreu apenas com a Constituição de 1934, que o institucionalizou como órgão de cooperação nas atividades governamentais. A Constituição de 1937, de índole ditatorial, retirou-lhe garantias. A Constituição de 1946 devolveu-lhe as suas garantias, conferiu-lhe outras e dispôs sobre sua organização. A Constituição de 1967 colocou-o no capítulo do Poder Judiciário. A Constituição de 1969 retornou-o ao capítulo do Poder Executivo. A Constituição de 1988 coloca o Ministério Público em capítulo próprio para reforçar a sua independência e autonomia e o erige à condição de instituição permanente, essencial à função jurisdicional do Estado, incumbindo-lhe da defesa da ordem jurídica, do regime democrático e dos interesses sociais e individuais indisponíveis.

Funções do Ministério Público. A sua atuação pode ser dividida em dois grandes grupos: a) *atua como parte*, quando exerce o direito de ação nos casos previstos em lei: b) *atua como fiscal da lei (custos legis)*, quando atua na defesa da ordem jurídica, fiscalizando a correta aplicação da lei.

Natureza jurídica das funções. Todas as funções do Ministério Público têm natureza administrativa, pois as suas atividades na defesa da ordem jurídica ou na promoção de ações de sua competência têm por finalidade a atuação concreta do ordenamento jurídico e isso caracteriza a função administrativa. Ademais, os seus órgãos não têm poder decisório, próprio dos órgãos jurisdicionais, e nem poder de legislar, próprio da função legislativa.

Jurisprudência

> "A cláusula constitucional que consagra o princípio da essencialidade do Ministério Público não tem a extensão pretendida pelo ora agravante e nem se revela aplicável àquelas situações – como a de que ora se cuida – em que a ausência do Ministério Público à audiência de instrução e julgamento não obstante a pessoal intimação de seu representante, tenha decorrido de fato exclusivamente imputável ao próprio *Parquet*. Na realidade, a ocorrência de eventuais deficiências operacionais, ou a configuração de dificuldades de ordem instrumental, ou,

ainda, a caracterização de possíveis obstáculos funcionais resultantes da precariedade do aparelho administrativo não podem ser invocadas pelo Ministério Público como causa de invalidação do processo penal, pois tais anômalas situações – unicamente imputáveis à organização administrativa do estado – não devem e não podem repercutir, de modo desfavorável, na esfera jurídica do réu" (STF – 1.ª Turma, AgI 172.244-4/RS, rel. Min. Celso de Mello, DJ 1, 13.11.1995, p. 38.611).

"1. Constatando-se que um único membro do Ministério Público, numa mesma peça processual, apresentou contrarrazões ao recurso de apelação e ofertou parecer sobre o caso, configura-se a ofensa ao disposto nos artigos 127 da Constituição Federal e 257 do Código de Processo Penal. 2. Em razão da diversidade de funções exercidas pelos representantes do Ministério Público, afigura-se inviável, por parte de qualquer agente público ou político, o exercício de uma fiscalização isenta após este mesmo agente ter atuado na defesa de interesse controvertido no seio de uma relação processual instituída em juízo. 3. Embora seja certo que a atuação do órgão do Ministério Público no segundo grau de jurisdição não tenha nenhuma carga vinculativa para o julgamento da insurgência, já que exprime o que a instituição reputa correto no caso concreto, trata-se de verdadeira instância de controle, essencial para a manutenção ou reparação da ordem jurídica, cuja defesa lhe é inerente. 4. A função fiscalizatória exercida pelo *parquet* também deve ser marcada pela imparcialidade, sob pena de se inviabilizar o alcance de suas incumbências constitucionais (artigo 127, *caput*, da Constituição Federal). 5. Ordem concedida para anular o julgamento da apelação, determinando-se a remessa dos autos ao Ministério Público Federal de primeira instância para que ofereça contrarrazões ao recurso, devendo o órgão ministerial em segundo grau, oportunamente, emitir parecer sobre o caso" (STJ – 5.ª Turma, rel. Min. Jorge Mussi, d. 08.04.2012, DJE, 23.04.2014).

§ 1.º São princípios institucionais do Ministério Público a unidade, a indivisibilidade e a independência funcional.

Doutrina

Princípios institucionais do Ministério Público. São destinados a assegurar, à instituição e aos seus membros, garantias efetivas para o pleno desempenho de suas atribuições. São os seguintes: a) *princípio da unidade*, significa que o Ministério Público é instituição una, estando todos os seus membros sob a orientação de um só chefe, o Procurador-Geral; b) *princípio da indivisibilidade*, segundo o qual os órgãos ministeriais não se vinculam aos feitos, podendo estes serem movimentados por outros, mediante substituição, em casos de impedimento ou ausência; c) *princípio da independência funcional*, significando que, no exercício de suas atribuições, o órgão ministerial tem plena liberdade de atuação, não se submetendo às ordens de nenhuma autoridade, pautando, no entanto, a sua conduta dentro dos limites da lei.

Princípio do promotor natural. A doutrina refere-se ainda ao princípio do promotor natural, no sentido de que a competência para o exercício de certa função é do órgão previamente definido em lei, sendo legítimas apenas as substituições operadas em estrita obediência ao critério legal definido para tal fim.

Jurisprudência

> "É indisputável que o Ministério Público ostenta, em face do ordenamento constitucional vigente, especial posição na estrutura do poder estatal. A independência institucional constitui uma das mais expressivas prerrogativas político-jurídicas do *parquet*, na medida em que lhe assegura o desempenho, em toda a sua plenitude e extensão, das atribuições a ele conferidas" (STF – Pleno, ADIN 789 MC, rel. Min. Celso de Mello, DJ 1, 26.02.1993, p. 2.356).
>
> O princípio do promotor natural consagra uma garantia de ordem jurídica que se destina tanto à prote-

ção do membro do Ministério Público, na medida em que lhe assegura o exercício pleno e independente de seu ofício, quanto à tutela da própria coletividade, a quem se reconhece o direito de ver atuando no processo apenas o promotor definido pelos critérios legais anteriormente fixados (STF, RTJ, 150/123).

§ 2.º Ao Ministério Público é assegurada autonomia funcional e administrativa, podendo, observado o disposto no art. 169, propor ao Poder Legislativo a criação e extinção de seus cargos e serviços auxiliares, provendo-os por concurso público de provas ou de provas e títulos, a política remuneratória e os planos de carreira; a lei disporá sobre sua organização e funcionamento.

Doutrina

Autonomia funcional e administrativa. A norma constitucional assegura ao Ministério Público tanto a autonomia funcional, ou capacidade de seus membros de agirem com plena liberdade no desempenho de suas atribuições, quanto a autonomia administrativa, ou capacidade de organizar por si próprio os seus serviços, criados por lei de sua iniciativa, e prover os seus cargos mediante concurso público, além de dispor sobre os planos de carreira e a política de remuneração de seus membros e servidores.

Jurisprudência

"(...). 1. Não obstante a autonomia institucional que foi conferida ao Ministério Público pela Carta Política, permanece na esfera exclusiva do Poder Executivo a competência para instaurar o processo de formação das leis orçamentárias em geral. A Constituição autoriza, apenas, a elaboração, na fase pré-legislativa, de sua proposta orçamentária, dentro dos limites estabelecidos na lei de diretrizes (ADI 514 MC, Rel. Min. Celso de Mello, Tribunal Pleno, DJ de 18/3/1994). 2. As Procuradorias e as Promotorias de Justiça são órgãos públicos e, como tais, apenas por lei podem ser criadas. 3. Lei de iniciativa do Procurador-Geral de Justiça não pode dispor sobre o enquadramento de servidores de outros poderes em quadro de pessoal específico do Ministério Público. Violação à iniciativa do chefe do Poder Executivo. Ademais, a previsão em análise configura provimento derivado inconstitucional, por ofensa à regra do concurso público (art. 37, II, CF). 4. A iniciativa legislativa prevista no art. 127, § 2.º, da Constituição para a criação de cargos e serviços auxiliares, a política remuneratória e os planos de carreira do Ministério Público é privativa do Procurador-Geral de Justiça, no âmbito estadual, e do Procurador-Geral da República, na esfera federal. 5. Ação direta parcialmente conhecida e, nessa parte, parcialmente procedente, confirmando-se a medida cautelar deferida" (STF – Pleno, ADIN 1.757/ES, rel. Min. Alexandre de Moraes, j. 20.09.2018).

A Constituição Federal consagra, com relação ao Ministério Público, o princípio de seu autogoverno, pois reconhece que a instituição tem relevante missão institucional na defesa da ordem jurídica, do regime democrático e na proteção dos interesses sociais e individuais indisponíveis (STF, RTJ, 147/162).

A Constituição Federal, a teor do art. 127, § 2.º, reconhece ao Ministério Público competência para apresentar ao Poder Legislativo projeto de lei para a criação e extinção de seus cargos e serviços auxiliares, inclusive quanto à fixação e revisão de vencimentos. (STF, RJT, 153/3).

§ 3.º O Ministério Público elaborará sua proposta orçamentária dentro dos limites estabelecidos na lei de diretrizes orçamentárias.

Doutrina

Autonomia financeira. É a capacidade conferida à instituição de elaborar a sua proposta orçamentária e encaminhá-la ao Poder Executivo para a consolidação no orçamento da União.

Jurisprudência

"(...). 4. Se ao Ministério Público é garantida a elaboração de sua proposta orçamentária dentro dos limites estabelecidos na lei de diretrizes orçamentárias, como preceitua o § 3.º do artigo 127 da Constituição Federal, conclui-se que esse é o meio normativo próprio (idôneo) para a imposição de eventual contenção de gastos. A autonomia financeira não se exaure na simples elaboração da proposta orçamentária, sendo consagrada, inclusive, na execução concreta do orçamento e na utilização das dotações postas em favor do Ministério Público" (STF – Pleno, ADIN 4.356/CE, rel. Min. Dias Toffoli, j. 09.02.2011).

A Constituição Federal autoriza o Ministério Público a elaborar, na fase pré-legislativa, a sua proposta orçamentária de acordo com os limites estabelecidos pela lei de diretrizes. Porém, permanece na esfera exclusiva do Poder Executivo a competência para instaurar o processo de formação das leis orçamentárias em geral (STF, RTJ, 152/677).

§ 4.º Se o Ministério Público não encaminhar a respectiva proposta orçamentária dentro do prazo estabelecido na lei de diretrizes orçamentárias, o Poder Executivo considerará, para fins de consolidação da proposta orçamentária anual, os valores aprovados na lei orçamentária vigente, ajustados de acordo com os limites estipulados na forma do § 3.º

Doutrina

Regulamentação da autonomia financeira do Ministério Público. A norma inscrita nesse § 4.º dispõe que, se o *Parquet* não enviar a sua proposta orçamentária dentro do prazo legal, previsto na lei de diretrizes orçamentárias, o órgão competente do Poder Executivo deverá tomar, para fins de consolidação da proposta orçamentária anual, os valores aprovados na lei orçamentária vigente, portanto, em execução, ajustados de acordo com os limites estipulados na mencionada lei de diretrizes.

§ 5.º Se a proposta orçamentária de que trata este artigo for encaminhada em desacordo com os limites estipulados na forma do § 3.º, o Poder Executivo procederá aos ajustes necessários para fins de consolidação da proposta orçamentária anual.

Doutrina

Ajustes para fins de consolidação da proposta de orçamento anual. Dispõe a norma do § 5.º que, no caso de a proposta orçamentária do Ministério Público for encaminhada ao Poder Executivo em desacordo com os parâmetros previstos na lei de diretrizes orçamentárias, estes valores serão reajustados na forma desta lei, para permitir a consolidação da proposta de orçamento anual.

§ 6.º Durante a execução orçamentária do exercício, não poderá haver a realização de despesas ou a assunção de obrigações que extrapolem os limites estabelecidos na lei de diretrizes orçamentárias, exceto se previamente autorizadas, mediante a abertura de créditos suplementares ou especiais.

Doutrina

Regras para a execução orçamentária do exercício. Dispõe o § 6.º sobre regras de execução do orçamento anual do Ministério Público, proibindo a realização de despesas ou a assunção de obrigações que ultrapassem dos limites estabelecidos na lei de diretrizes orçamentárias, ressalvando, contudo, as hipóteses de prévia autorização legal contida na abertura de créditos suplementares ou de créditos especiais.

Art. 128. O Ministério Público abrange:

I – O Ministério Público da União, que compreende:

a) o Ministério Público Federal;

b) o Ministério Público do Trabalho;

c) o Ministério Público Militar;

d) o Ministério Público do Distrito Federal e Territórios;

II – os Ministérios Públicos dos Estados.

Doutrina

Ministério Público da União. Compreende os seguintes órgãos: a) *Ministério Público Federal*, encarregado de oficiar perante o Supremo Tribunal Federal, o Superior Tribunal de Justiça, o Tribunal Superior Eleitoral, os Tribunais Regionais Federais e os Juízes Federais b) *Ministério Público do Trabalho*, que atua perante os tribunais e juízos do trabalho; c) *Ministério Público Militar*, que atua perante os tribunais e juízos militares; d) *Ministério Público do Distrito Federal e Territórios*, instituído e mantido pela União para atuar perante os tribunais e juízes do Distrito Federal e, quando existirem, Territórios.

Ministérios Públicos Estaduais. Organizam-se na forma das respectivas Constituições Estaduais, segundo o modelo federal, sendo estruturados em órgãos de primeiro grau, denominados promotorias e titularizados por promotores de justiça, que atuam junto aos juízos, e em órgãos de segundo grau, titularizados por procuradores de justiça e com atuação perante os tribunais.

Jurisprudência

"(...). A criação, por Corregedoria-Geral da Justiça, da figura do promotor *ad hoc* conflita com o disposto nos artigos 127, § 2.º, 128, cabeça, parágrafos e inciso I, e 129, §§ 2.º e 3.º, da Constituição da República. Inconstitucionalidade da alínea 'e' do artigo 196 da Consolidação dos Atos Normativos da Corregedoria-Geral da Justiça do Estado de Goiás" (STF – Pleno, ADIN 2.874/GO, rel. Min. Marco Aurélio, j. 28.08.2003).

"(...). 2. À luz do art. 128 da CF/88, o Ministério Público abrange: o Ministério Público da União, composto pelo Ministério Público Federal, o Ministério Público do Trabalho, o Ministério Público Militar e o Ministério Público do Distrito Federal e Territórios; e os Ministérios Públicos dos Estados. 3. Assim, o litisconsórcio ativo facultativo entre os ramos do MPU e os MPs dos Estados, em tese, é possível, sempre que as circunstâncias do caso recomendem para a propositura de ações civis públicas que visem à responsabilidade por danos morais e patrimoniais causados ao meio ambiente, ao consumidor, a bens e direitos de valor artístico, estético, histórico e paisagístico, à ordem econômica e urbanística, bem como a qualquer outro interesse difuso ou coletivo, inclusive de natureza trabalhista" (STJ – 1.ª Turma, REsp 1.444.484, rel. Min. Benedito Gonçalves, DJE, 29.09.2014).

"Em sede de ação civil pública, na qual se discute questão administrativa do âmbito da Secretaria de Segurança do Estado do Ceará, assunto cujo exame compete à Justiça Estadual, não há como se conceber a admissão do MP [Ministério Público] Federal no polo ativo da demanda, em litisconsórcio com o MP [Ministério Público] Estadual" (STJ – 6.ª Turma, ROMS 4.146/CE, rel. Min. Vicente Leal, DJ 1, 26.02.1996, p. 4.085).

"I – O Ministério Público é instituição nacional, subordinada aos princípios de unidade, indivisibilidade e independência funcional (CF, art. 127), e compreende o Ministério Público da União e o dos Estados (CF, art.

128). II – A atuação dos agentes do Ministério Público se dá em forma estruturalmente organizada e mediante repartição de atribuições. III – É incompatível com os princípios de regência da instituição e do sistema de repartição de atribuições a atuação do Ministério Público Estadual fora do seu Estado ou fora da jurisdição estadual. IV – Compete ao Ministério Público da União e não ao do Estado exercer as funções institucionais do órgão relativas à promoção de ações civis públicas de competência da Justiça Federal" (TRF4, AC 91.04.13275/RS, DJ 2, 06.11.1991, p. 27.825).

§ 1.º O Ministério Público da União tem por chefe o Procurador-Geral da República, nomeado pelo Presidente da República dentre integrantes da carreira, maiores de trinta e cinco anos, após a aprovação de seu nome pela maioria absoluta dos membros do Senado Federal, para mandato de dois anos, permitida a recondução.

Doutrina

Chefia do Ministério Público da União. A instituição tem como chefe o Procurador-Geral da República, escolhido e nomeado pelo Presidente da República, dentre os integrantes da carreira (na verdade, de quaisquer delas, podendo o escolhido ser oriundo do Ministério Público Federal, do Trabalho, Militar ou do Ministério Público do Distrito Federal e Territórios), com idade superior a trinta e cinco anos, após aprovação da indicação pelo Senado Federal, por voto da maioria absoluta de seus membros. Exerce mandato de dois anos de duração, sendo permitida a sua recondução indeterminada, desde que aprovada pelo Senado Federal.

Atribuições do Procurador-Geral da República. São as seguintes: a) propor a ação de inconstitucionalidade e a declaratória de constitucionalidade (art. 103, VI); b) ajuizar a ação direta de inconstitucionalidade interventiva, nos casos do art. 34, VII, ou de recusa à execução de lei federal; c) exarar parecer nas ações de controle de constitucionalidade, desde que não as tenha ajuizado, bem como nos demais processos de competência do Supremo Tribunal Federal (art. 103, § 1.º); d) exercer a chefia do Ministério Público da União; e) exercer, nos estritos limites da delegação recebida do Presidente da República, as atribuições constantes do art. 84, incisos VI, XII e XXV, primeira parte; f) outras atribuições que a lei estabelecer.

Jurisprudência

> A Constituição Federal assegura o autogoverno do Ministério Público da União, podendo o seu chefe ser oriundo de quaisquer das carreiras de um de seus ramos. (STF, RTJ, 147/104).

§ 2.º A destituição do Procurador-Geral da República, por iniciativa do Presidente da República, deverá ser precedida de autorização da maioria absoluta do Senado Federal.

Doutrina

Destituição do Procurador-Geral da República. Dependerá sempre da conjugação de vontades do Presidente da República, que tomará a iniciativa de propor ao Senado Federal a destituição, antes do término do mandato, e este deverá aprová-la, por maioria absoluta de seus membros, mediante voto secreto. Trata-se de mecanismo que visa a assegurar a independência da instituição, protegendo o seu chefe de ilegítimas injunções políticas no exercício de seu mandato.

Jurisprudência

> A Constituição Federal estabelece, no art. 128, § 2.º, inédito mecanismo de salvaguarda da independência da instituição ministerial, em face dos Poderes do Estado, ao garantir no cargo o Procurador-Geral da República, seu chefe. (STF, RTJ, 147/138).

§ 3.º Os Ministérios Públicos dos Estados e do Distrito Federal e Territórios formarão lista tríplice dentre integrantes da carreira, na forma da lei respectiva, para escolha de seu Procurador-Geral, que será nomeado pelo Chefe do Poder Executivo, para mandato de dois anos, permitida uma recondução.

Doutrina

Procuradores-Gerais de Justiça dos Estados. Serão nomeados, pelos Governadores dos respectivos Estados, para mandato de dois anos de duração, permitida uma recondução, a partir de lista tríplice formada mediante voto dos integrantes da carreira.

Procurador-Geral de Justiça do Distrito Federal e Territórios. Como presentemente não existem Territórios Federais no país, apesar de o Ministério Público do Distrito Federal e Territórios ser organizado e mantido pela União, a nomeação do Procurador-Geral de Justiça do Distrito Federal cabe ao Governador deste.

Jurisprudência

> Revela-se ofensiva ao princípio da separação dos Poderes e ao art. 128, § 3.º, da Constituição Federal, norma de Constituição Estadual que condiciona a nomeação do Procurador-Geral de Justiça à aprovação de seu nome pela maioria absoluta dos membros da Assembleia Legislativa. (STF – Pleno, ADIN 1.506/SE, DJ 1, 12.11.1999, p. 90).

§ 4.º Os Procuradores-Gerais nos Estados e no Distrito Federal e Territórios poderão ser destituídos por deliberação da maioria absoluta do Poder Legislativo, na forma da lei complementar respectiva.

Doutrina

Destituição do Procurador-Geral de Justiça. A sua destituição será precedida de deliberação da maioria absoluta dos membros do Poder Legislativo, mediante voto secreto, na forma da respectiva lei complementar.

Jurisprudência

> A Constituição Federal estabelece inédito mecanismo de salvaguarda da independência da instituição ministerial, em face dos Poderes do Estado, ao garantir no cargo o seu chefe (STF, RTJ, 147/138).

§ 5.º Leis complementares da União e dos Estados, cuja iniciativa é facultada aos respectivos Procuradores-Gerais, estabelecerão a organização, as atribuições e o estatuto de cada Ministério Público, observadas, relativamente a seus membros:

Doutrina

Organização do Ministério Público. Aos Procuradores-Gerais a norma confere a faculdade de iniciativa de lei complementar para estabelecer a organização e dispor sobre as atribuições e o estatuto de cada Ministério Público. Assim, lei complementar federal tratará do Ministério Público da União e leis complementares estaduais disporão sobre os respectivos Ministérios Públicos, e todas essas leis hão de obedecer aos princípios estabelecidos na Constituição Federal.

Jurisprudência

> As leis complementares estaduais, que tratam da organização, das atribuições e do estatuto de cada Ministério Público, não podem disciplinar a atuação desses órgãos em processos judiciais, pois é da União, nos termos do art. 22, I, da Constituição Federal, a competência para legislar sobre matéria processual (STF, RTJ, 151/447).

I – as seguintes garantias:

Doutrina

Garantias aos membros do Ministério Público. A Constituição de 1988 estende aos membros dos órgãos ministeriais as garantias tradicionalmente asseguradas aos membros da magistratura. Não são instituídas como privilégios pessoais, mas como meio de garantir a independência do órgão no cumprimento de suas atribuições legais, por isso não violam o princípio da isonomia.

Jurisprudência

> A Constituição Federal estabelece um sistema de garantias destinado a proteger o membro do Ministério Público para que este possa atuar na defesa dos direitos individuais e coletivos e na efetiva fiscalização do cumprimento da lei pelos Poderes do Estado. (STF, RTJ, 147/161).

a) vitaliciedade, após dois anos de exercício, não podendo perder o cargo senão por sentença judicial transitada em julgado;

Doutrina

Vitaliciedade do membro do Ministério Público. É a condição de quem adquire a titularidade do cargo por toda a vida. O objetivo da vitaliciedade é o de assegurar ao órgão ministerial independência para o exercício de suas funções, sendo, pois, prerrogativa da instituição e não pessoal de quem nela ocupe cargo. A condição de vitalício adquire-se, nos termos da regra constitucional, após dois anos de exercício, não podendo perder o cargo senão por sentença judicial transitada em julgado.

Jurisprudência

> "O processo alusivo ao estágio probatório não pode

surgir como uma verdadeira espada de Dâmocles passível de cair sobre a cabeça do servidor a qualquer momento. A par desse aspecto, tem-se o concernente ao desenrolar, em si, do processo administrativo, etapa na qual – ao menos nesse primeiro exame é essa a conclusão a que se chega –, restariam olvidados os princípios inerentes ao direito de defesa, quer em relação aos atos que são próprios ao cargo da servidora, quer no tocante à tomada de empréstimo de elementos coligidos sem o contraditório, sem a bilateralidade, sem o respeito irrestrito ao direito de acompanhamento pelo interessado. Mais do que isso, há notícia de ter-se procedido à apreciação e à deliberação no processo administrativo em sessão secreta, desprezando-se a publicidade que deve revestir os atos do administrador" (STF – Pleno, MS 23.441-5/DF MC, rel. Min. Marco Aurélio, DJ 1, 31.05.1999, p. 29).

"Processo administrativo. Legalidade de sua instauração para apuração de falta funcional grave, quanto mais que improcedente o óbice da vitaliciedade, ainda não alcançada por carência do requisito constitucional do interstício (CF, art. 128, § 5.º, I, a); exigência que não se releva pelo fato de uma antecipada promoção na carreira funcional" (STJ – 5.ª Turma, ROMS 4.738/AP, rel. Min. José Dantas, DJ 1, 02.10.1995, p. 32.390).

b) inamovibilidade, salvo por motivo de interesse público, mediante decisão do órgão colegiado competente do Ministério Público, pelo voto da maioria absoluta de seus membros, assegurada ampla defesa;

Doutrina

Inamovibilidade do membro do Ministério Público. É a condição que lhe assegura o direito de não ser removido do cargo que titulariza, salvo quando aceita promoção, pede remoção, ou esta ocorre por motivo de interesse público, fundando-se o ato, neste caso, em procedimento que lhe assegure ampla defesa, devendo a decisão ser tomada pelo voto da maioria dos membros do colegiado competente que, no caso do Ministério Público da União, é o seu Conselho Superior.

Jurisprudência

> Norma de Constituição Estadual não pode conceder a garantia da inamovibilidade em desacordo com a Constituição Federal, restando violada esta nos seus arts. 2.º e 84, II (STF – Pleno, ADIN 1.246/PR MC, j. 06.09.1995).
>
> "Na vigência da Lei Complementar 75/93, a garantia da inamovibilidade protege os agentes do Ministério Público do Distrito Federal, tanto no que respeita ao juízo ou ofício de lotação, quanto ao vínculo com determinado feito." (STJ – 1.ª Turma, ROMS 1.575/DF, rel. Min. Humberto Gomes de Barros, DJ 1, 22.08.1994, p. 21.206).

c) irredutibilidade de subsídio, fixado na forma do art. 39, § 4.º, e ressalvado o disposto nos arts. 37, X e XI, 150, II, 153, III, § 2.º, I;

Doutrina

Irredutibilidade nominal de subsídio. É a garantia conferida aos membros do Ministério Público, tal qual aos magistrados, de que os seus subsídios não sofrerão redução em seu valor nominal. Objetiva-se, com isso, resguardá-los da pressão econômica como instrumento de persuasão a obstar ou anular a sua independência. Contudo, referido subsídio somente será fixado por lei específica, não poderá ser superior ao pago, em espécie, aos Ministros do STF e está sujeito à incidência dos impostos de caráter geral, inclusive o de renda e proventos de qualquer natureza.

Jurisprudência

A garantia constitucional da irredutibilidade assegura e torna intangível o direito que já nasceu e que não pode mais ser suprimido. (STF, RTJ, 118/300).

O entendimento do Supremo Tribunal Federal, em reiteradas decisões, é que a garantia constitucional da irredutibilidade proíbe que o estipêndio seja reduzido ou afetado, por ato do Poder Público, em sua expressão nominal (STF, ADIN 1.396/SC, DJ 1, de 02.02.1996).

II – as seguintes vedações:

a) receber, a qualquer título e sob qualquer pretexto, honorários, percentagens ou custas processuais;

b) exercer a advocacia;

c) participar de sociedade comercial, na forma da lei;

d) exercer, ainda que em disponibilidade, qualquer outra função pública, salvo uma de magistério;

e) exercer atividade político-partidária;

f) receber, a qualquer título ou pretexto, auxílios ou contribuições de pessoas físicas, entidades públicas ou privadas, ressalvadas as exceções previstas em lei.

§ 6.º Aplica-se aos membros do Ministério Público o disposto no art. 95, parágrafo único, V.

Doutrina

Garantias de imparcialidade. As vedações se constituem em garantias de imparcialidade do membro do Ministério Público. Assim sendo, aos órgãos ministeriais é vedado: a) *receber, a qualquer título e sob qualquer pretexto, honorários, percentagens ou custas processuais*, quer dizer, receber qualquer soma em dinheiro a título de paga por serviços prestados, participação de natureza financeira ou patrimonial, ou custas do processo; b) *exercer a advocacia*, de fato está proibido, a partir da Constituição de 1988, o exercício da advocacia, salvo o direito adquirido daqueles que integravam a instituição antes da promulgação da referida Carta; c) *participar de sociedade comercial, na forma da lei*, não pode ser comerciante, diretor ou administrador de sociedade comercial; porém, dela pode participar na condição de quotista ou acionista; d) *exercer, ainda que em disponibilidade, qualquer outra função pública, salvo uma de magistério*, quer dizer, é vedado o exercício qualquer cargo ou função públicos, ainda que em disponibilidade, com exceção de um cargo ou uma função no magistério de qualquer grau; e) *exercer atividade político-partidária, salvo exceções previstas na lei*, portanto, como regra geral, está proibida a atividade político-partidária para todos os membros do Ministério Público que ingressaram na instituição após a promulgação da Carta de 1988, bem como para aqueles que não fizeram a opção de que trata o art. 29, § 3.º, do ADCT.

Jurisprudência

> O Egrégio Supremo Tribunal Federal decide dar ao art. 237, V, da Lei Complementar 75/93, interpretação conforme à Constituição, no sentido de que a filiação partidária de membro do Ministério Público da União somente pode efetivar-se nas hipóteses de afastamento de suas funções institucionais, mediante licença, nos termos da lei (STF – Pleno, ADIN 1.371-8/DF, DJ 1, 15.06.1998, p. 2).
>
> O Supremo Tribunal Federal decide dar ao art. 80 da Lei Complementar 75/93 interpretação conforme a Constituição para fixar como única exegese constitucional possível aquela que apenas admite a filiação partidária se o membro do Ministério Público estiver afastado de suas funções, devendo cancelar sua filiação partidária antes de reassumi-las, não podendo, ainda, exercer função relativa ao Ministério Público Eleitoral senão após dois anos do cancelamento da referida filiação partidária (STF – Pleno, ADIN 1.371-8/DF, DJ 1, 15.06.1998, p. 2).

Art. 129. São funções institucionais do Ministério Público:

Doutrina

Competência do Ministério Público. O dispositivo constitucional confere ao Ministério Público, por meio de seus órgãos, competência para o desempenho de uma gama variada de atribuições que caracteriza a sua atuação ora como parte e ora como fiscal da lei. Releva anotar que o Ministério Público atua também perante os tribunais como parte ou como *custos legis*.

Jurisprudência

> Súmula do STJ: 99. "O Ministério Público tem legitimidade para recorrer no processo em que oficiou como fiscal da lei, ainda que não haja recurso da parte."
>
> "(...). A pessoa sob investigação penal tem o direito de não ser acusada com base em denúncia inepta. – A denúncia deve conter a exposição do fato delituoso, descrito em toda a sua essência e narrado com todas as suas circunstâncias fundamentais. Essa narração, ainda que sucinta, impõe-se ao acusador como exigência derivada do postulado constitucional que assegura, ao réu, o exercício, em plenitude, do direito de defesa. Denúncia que deixa de estabelecer a necessária vinculação da conduta individual de cada agente aos eventos delituosos, qualifica-se como denúncia inepta. Precedentes. As acusações penais não se presumem provadas: o ônus da prova incumbe, exclusivamente, a que acusa. – Nenhuma acusação penal se presume provada. Não compete, ao réu, demonstrar a sua inocência. Cabe, ao contrário, ao Ministério Público, comprovar, de forma inequívoca, para além de qualquer dúvida razoável, a culpabilidade do acusado. Já não mais prevalece, em nosso sistema de direito positivo, a regra que, em dado momento histórico do processo político brasileiro (Estado Novo), criou, para o réu, com a falta de pudor que caracteriza os regimes autoritários, a obrigação de o acusado provar a sua própria inocência (Decreto-lei

n.º 88, de 20/12/37, art. 20, n. 5). Precedentes. Para o acusado exercer, em plenitude, a garantia do contraditório, torna-se indispensável que o órgão da acusação descreva, de modo preciso, os elementos estruturais ('essentialia delicti') que compõem o tipo penal, sob pena de se devolver, ilegitimamente, ao réu, o ônus (que sobre ele não incide) de provar que é inocente. – Em matéria de responsabilidade penal, não se registra, no modelo constitucional brasileiro, qualquer possibilidade de o Judiciário, por simples presunção ou com fundamento em meras suspeitas, reconhecer a culpa do réu. Os princípios democráticos que informar o sistema jurídico nacional repelem qualquer ato estatal que transgrida o dogma de que não haverá culpa penal por presunção nem responsabilidade criminal por mera suspeita" (STF – 2.ª Turma, HC 80.084/PE, rel. Min. Celso de Mello, j. 09.05.2000).

"O Ministério Público, na segunda instância, no julgamento dos recursos, não oficia como titular da ação, mas como *custos legis*, tanto que pode opinar pela absolvição do réu ou lhe propor outra medida que lhe seja favorável. Precedentes do STF: HC 54.651-SP, Neder, RTJ, 82/97 e HC 73.545-SP, I. Galvão, DJ 6-9-96." (STF – 2.ª Turma, HC 76.943-3/RJ, rel. Min. Carlos Velloso, DJ, 1, 30.10.1996, p. 22.293).

I – promover, privativamente, a ação penal pública, na forma da lei;

Doutrina

Ação penal pública. É aquela proposta pelo Ministério Público, perante o Juízo competente, de forma privativa, em face da ocorrência de um fato delituoso. Divide-se em: a) *ação penal pública incondicionada*, quando a atuação do órgão ministerial independerá de manifestação de vontade de qualquer interessado; b) *ação penal pública condicionada*, quando, embora sendo titular da ação, o Ministério Público somente agirá mediante representação do ofendido ou requisição do Ministro da Justiça (CP, art. 100, § 1.º).

Jurisprudência

Súmula do STF: 609. "É pública incondicionada a ação penal por crime de sonegação fiscal."

"Incumbe ao Ministério Público, em processo de estrutura acusatória, regido por valores e princípios que dão fundamento ao Estado Democrático de Direito, apresentar denúncia que veicule, de modo claro e objetivo, com todos os elementos estruturais, essenciais e circunstanciais que lhe são inerentes, a descrição do fato delituoso, em ordem a viabilizar o exercício legitimado da ação penal e a ensejar, a partir da estrita observância dos pressupostos estipulados no art. 41 do CPP, a possibilidade de efetiva atuação, em favor daquele que é acusado, da cláusula constitucional (do devido processo legal) "(STF – 1.ª Turma, HC 72.506-6/MG, rel. Min. Celso de Mello, DJ 1, 18.09.1998, p. 2).

"(...). 3. É assente na jurisprudência desta Corte que eventuais vícios existentes no inquérito policial, peça meramente informativa, não contaminam a ação penal (RHC 84083, 2.ª T, Rel. Min. Nelson Jobim, DJ de 28/05/04 e RHC 64318, 2.ª T, Rel. Min. Francisco Rezek, DJ 24/10/86)" (STF – 1.ª Turma, HC 111.094/SC, rel. Min. Luiz Fux, , j. 26.06.2012).

"A ação penal pública é privativa do Ministério Público (CF, art. 129), admitida apenas a exceção inscrita no art. 5.º, LIX, da Constituição. As disposições legais que instituíam outras exceções foram revogadas pela Constituição, porque não recebidas por esta." (STF – 2.ª Turma, HC 72.073-1/SP, rel. Min. Carlos Velloso, RTJ, 162/643).

"Descabe interpretar o inciso I do art. 129 da Constituição Federal de modo a nele ver albergada a ação penal pública condicionada. Sendo o Direito uma ciência, os institutos, as expressões e os vocábulos que o compõem têm sentido próprio. Aquela não se confunde com a ação penal pública, da iniciativa única do Ministério Público. A colocação da máquina acusadora do Estado ao alcance do servidor público, no que atingido na honra, não o torna parte ilegítima para atuar na via direta, porque o maior interessado na defesa da própria reputação. Não há como interpretar normas componentes da ordem jurídica de forma contrária aos interesses daquele a que visem a proteger. Legitimação concorrente admitida." (STF – 2.ª Turma, RE 173.938/AP, rel. Min. Marco Aurélio, Ementário, v. 1.782-06, p. 1.303).

"(...). 8. A separação entre as funções de acusar, defender e julgar é o signo essencial do sistema acusatório de processo penal (art. 129, I, CRFB), tornando a atuação do Judiciário na fase pré-processual somente admissível com o propósito de proteger as garantias fundamentais dos investigados (FERRAJOLI, Luigi. Derecho y razón – Teoria del Garantismo Penal. 3.ª ed., Madrid: Trotta, 1998. P. 567)" (STF – Pleno, ADIN 4.414/AL, rel. Min. Luiz Fux, Pleno, maioria, j. 31.05.2012).

"No sistema jurídico brasileiro, por força da Constituição – art. 129, I – o processo criminal somente pode ser deflagrado por denúncia ou por queixa, sendo a ação penal pública privativa do Ministério Público. Não subsistem a portaria ou o auto de prisão em flagrante como procedimentos instauradores da ação penal" (STJ – 5.ª Turma, RHC 2.363-0/DF, rel. Min. Jesus Costa Lima, Ementário do STJ, n.º 7/645).

"Esta Corte possui entendimento jurisprudencial no sentido de que compete ao Ministério Público, na condição de *dominus litis*, promover a ação penal pública, avaliando se as provas obtidas na fase pré-processual são suficientes para sua propositura, por ser ele o detentor do *jus persequendi*. Portanto, não cabe ao magistrado assumir o papel constitucionalmente assegurado ao órgão de acusação e, de ofício, determinar o arquivamento do inquérito policial" (STJ – 5.ª Turma, REsp 1.284.335/MG AgRg, rel. Min. Moura Ribeiro, DJE, 14.04.2014).

"(...). 2. Ao Ministério Público incumbe exclusivamente avaliar as condições para apresentação da denúncia, razão pela qual se entende que nenhum inquérito pode ser arquivado sem o expresso requerimento do Parquet (STF, AgReg no IP n. 2913, Rel. p/acórdão Min. Luiz Fux, j. 01.03.12; STF, HC n. 88.589, Rel. Min. Carlos Britto, j. 28.11.06; STJ, REsp n. 566.131, Rel. Min. Hamilton Carvalhido, j. 08.03.07). 3. Por se tratar de mero expediente administrativo desprovido de contraditório, eventual vício no inquérito policial não contamina a ação penal (STJ, HC n. 34.206/SP, Rel. Min. Paulo Gallotti, j. 14.09.04; STJ, RHC n. 13.691/SP, Rel. Min. Vicente Leal, l. 18.02.03; STJ, REsp n. 262.764/SP, Rel. Min. Felix Fischer, j. 04.02.02). 4. O trancamento da ação penal pela via do *habeas corpus* é medida de exceção, que só é admissível quando emerge dos autos, de forma inequívoca, a inocência do acusado, a atipicidade da conduta ou a extinção da punibilidade. Precedentes do STF e do STJ. 5. Ordem denegada" (TRF3 – 5.ª Turma, HC 00067662520154030000, Rel. Des. Fed. André Nekatschalow, DJF3, 26.06.2015).

II – zelar pelo efetivo respeito dos poderes públicos e dos serviços de relevância pública aos direitos assegurados nesta Constituição, promovendo as medidas necessárias a sua garantia;

Doutrina

Defesa de direitos. Na defesa de direitos assegurados na Constituição Federal e que caracterizem como de interesse social ou individuais indisponíveis, deve o Ministério Público promover as medidas necessárias para coibir eventuais abusos perpetrados por autoridades dos Poderes do Estado ou por responsáveis pelos serviços de relevância pública. Portanto, a norma constitucional não tem o elastério que aparenta à primeira vista, conquanto não faria sentido a atuação ministerial na defesa de direitos constitucionais quando os seus titulares devem fazê-lo, pois, com certeza, a intenção do legislador constituinte não foi a de substituir, por meio do Ministério Público, a atuação legítima do titular do direito assegurado pela Carta Política, mormente quando este diz respeito a interesse particular de quem o titulariza.

Jurisprudência

"A Constituição qualifica a educação como um dos direitos fundamentais da pessoa e dever do Estado e da família, devendo ser promovida e incentivada com a ajuda da coletividade com vistas ao exercício pleno da cidadania. O Ministério Público tem legitimidade para fiscalizar e propor medidas judiciais destinadas a proteger os direitos da criança e do adolescente, inclusive no que pertine ao ensino obrigatório e, assim agindo, atua em defesa dos menores e não contra estes. Tratando-se de injustificada resistência dos pais para comparecer a juízo, a condução coercitiva pode constituir constrangimento, mas não qualificado de ilegal e abusivo. Ordem de *habeas corpus* denegada que se confirma, improvendo-se o recurso" (STJ – 5.ª Turma, RHC 3.716/PR, rel. Min. Jesus Costa Lima, DJ 1, 15.08.1994, p. 20.342).

III – promover o inquérito civil e a ação civil pública, para a proteção do patrimônio público e social, do meio ambiente e de outros interesses difusos e coletivos;

Doutrina

Inquérito civil. É o procedimento administrativo instaurado para a apuração dos fatos considerados lesivos ao patrimônio público e social, ao meio ambiente e a outros interesses comuns da coletividade.

Ação civil pública. É o meio processual conferido ao Ministério Público para a busca da prestação jurisdicional em defesa do patrimônio público e social, do meio ambiente, e de outros interesses difusos e coletivos.

Jurisprudência

"1. A Constituição Federal confere relevo ao Ministério Público como instituição permanente, essencial à função jurisdicional do Estado, incumbindo-lhe a defesa da ordem jurídica, do regime democrático e dos interesses sociais e individuais indisponíveis (CF, art. 127). 2. Por isso mesmo detém o Ministério Público capacidade postulatória, não só para a abertura do inquérito civil, da ação penal pública e da ação civil pública para a proteção do patrimônio público e social, do meio ambiente, mas também de outros interesses difusos e coletivos (CF, art. 129, I e III)" (STF – Pleno, RE 163.231-3/SP, rel. Min. Maurício Corrêa, DJ, 1, 26.02.1997).

"Quando a Constituição dispõe que o Ministério Público tem como função, entre outras, promover ação civil pública para a proteção de interesses difusos e coletivos (art. 129, III), está contemplando, inclusive, a proteção dos interesses individuais homogêneos". (STF, RE 444.357/PR, rel. Min. Ricardo Lewandowski, DJE 211, 11.11.2009).

O Ministério Público tem legitimidade para ingressar com ação civil pública objetivando adequação às normas de reajuste fixadas pelo Conselho Estadual de Educação, pois se trata de defesa de interesse coletivo (STF – 1.ª Turma, RE 190.976-5/SP, DJ, 1, de 06.02.1998, p. 35).

"Tem o Ministério Público legitimidade para propor ação civil pública em defesa do patrimônio público e social visando à verificação da situação do Sistema Único de Saúde e sua operacionalidade" (STJ – 1.ª Turma, REsp 124.236/MA, rel. Min. Garcia Vieira, DJ, 1, de 04.05.1998, p. 84).

Compete ao Ministério Público do Trabalho e não ao Ministério Público Estadual instaurar, contra empresa privada, inquérito civil para apurar o descumprimento de normas relativas à higiene e segurança do trabalho, bem como a respectiva ação civil pública. (STJ, RDA, 204/205).

O Ministério Público não tem legitimidade para a propositura de ação civil pública para questionar a constitucionalidade da instituição e cobrança de taxa de iluminação pública, pois o caso não configura interesse difuso, como tal considerado o pertencente concomitantemente a todos e a cada um dos membros da sociedade, e sim interesse de grupo ou classe de pessoas, sujeitos passivos de uma obrigação tributária que pode ser impugnada de forma individual ou coletiva. (STF – Pleno, RE 213.631/0/MG, DJ 1, 07.04.2000, p. 69).

IV – promover a ação de inconstitucionalidade ou representação para fins de intervenção da União e dos Estados, nos casos previstos nesta Constituição;

Doutrina

Ação de inconstitucionalidade ou representação para fins de intervenção. A competência para a representação é do Procurador-Geral da República que a fará da forma seguinte: a) perante o Supremo Tribunal Federal, nos casos de violação dos chamados princípios constitucionais sensíveis previstos no art. 34, VII; e b) perante o Superior Tribunal de Justiça, nos casos de recusa à execução de lei federal. Em ambos os casos, a Constituição dispensa (art. 36, § 3.º) a apreciação do decreto de intervenção pelo Congresso Nacional, limitando-se o mesmo a suspender a execução do ato impugnado, se essa medida bastar ao restabelecimento da normalidade.

Jurisprudência

Súmulas do STF: 360. "Não há prazo de decadência

para a representação de inconstitucionalidade prevista no art. 8.°, parágrafo único, da Constituição Federal." (refere-se à CF de 1946, hoje seria o art. 36, III). 614. "Somente o Procurador-Geral da Justiça tem legitimidade para propor ação direta interventiva por inconstitucionalidade de lei municipal."

A intervenção federal decretada com fundamento em quaisquer das hipóteses previstas no art. 34, VI e VII, da Constituição Federal, está dispensada do controle político exercido pelo Congresso Nacional. (STF, RTJ, 87/716 e RT, 646/49).

V – defender judicialmente os direitos e interesses das populações indígenas;

Doutrina

Defesa dos direitos das populações indígenas. Cabe ao Ministério Público empreender as iniciativas necessárias para a defesa dos direitos das populações indígenas, entendidas estas como tribos ainda não integradas à comunidade brasileira e por isso merecedoras de proteção especial. Contudo, essa atribuição não retira dos índios legitimidade para ingressarem em juízo na defesa de seus direitos devendo, nesse caso, o Ministério Público intervir em todos os atos do processo (CF, art. 232).

Jurisprudência

Como se trata de função institucional do Ministério Público Federal a defesa judicial dos direitos e interesses das populações indígenas, a teor da norma contida no art. 129, V, da Constituição Federal, é dispensável a manifestação da Funai antes da concessão de qualquer medida requerida ao Juízo pelo *Parquet*. (TRF1, DJ 2, 10.02.1992, p. 1.875).

VI – expedir notificações nos procedimentos administrativos de sua competência, requisitando informações e documentos para instruí-los, na forma da lei complementar respectiva;

Doutrina

Instrução de procedimentos administrativos. Instaurado procedimento administrativo em matéria de sua competência, pode o Ministério Público notificar pessoas ou autoridades para que prestem informações ou ofereçam documentos necessários para a instrução do mesmo. A norma refere-se à requisição; portanto, se o notificado detém a informação ou os documentos solicitados, é de seu dever oferecê-los e, no caso de certidões de órgãos públicos, não há necessidade de requerimento, devendo ser fornecidas assim que requisitadas.

Jurisprudência

> "A competência do Ministério Público no concernente à requisição de informações e documentos de quaisquer órgãos da Administração, independentemente de hierarquia, advém de sede constitucional e visa ao interesse público que se sobrepõe a qualquer outro (a fim de que possíveis fatos constitutivos de crimes sejam apurados), pondo-lhe, a Lei Maior, à disposição, instrumentos eficazes para o exercício das atribuições constitucionalmente conferidas. Em sendo a ação penal pública de iniciativa exclusiva do Ministério Público, e se a Constituição lhe confere o poder de expedir notificações e de requisitar informações e documentos (Constituição Federal, arts. 127 e 129), resulta, daí, que as suas atividades se revestem de interesse público relevante – oponível a qualquer outro – que deve ser cuidado com previdência, eis que a outorga desse poder constitui reflexo de suas prerrogativas institucionais. A ocultação e o não-fornecimento de informações e documentos é conduta impeditiva da ação ministerial e, consequentemente, da justiça, se erigindo em abuso de

poder. Os documentos e informações requisitados (e em poder do Ministério da Aeronáutica) não serão, desde logo, acolhidos como verdadeiros e incontestáveis, mas, submetidos ao crivo da autoridade judiciária e do Ministério Público; deste, para auxiliar, e, até, impulsionar as diligências subsequentes e do Judiciário para que as submeta, em temo oportuno, ao contraditório, em que se assegurará as indiciados ou acusados a mais ampla defesa" (STJ – 1.ª Seção, MS 5.370/DF, rel. Min. Demócrito Reinaldo, Ementário do STJ, 20/29).

Não é admissível a quebra do sigilo bancário por meio de requisição direta das informações bancárias pelo Ministério Público. Referidas informações, cobertas pelo sigilo, podem e devem ser obtidas pelo órgão ministerial através do Poder Judiciário. (STJ – 6.ª Turma, HC 2.353/RJ, DJ 1, 09.05.1994, p. 10.882).

VII – exercer o controle externo da atividade policial, na forma da lei complementar mencionada no artigo anterior;

Doutrina

Controle externo da atividade policial. Trata-se de atribuição a ser exercida nos estritos limites da lei, visando mais a correção e legalidade dos atos próprios da atividade policial, sem ingerência nas atividades operacionais que são típicas da função administrativa.

Jurisprudência

É obrigatório o cumprimento, pelas autoridades policiais, de requisição de informações feita pelo Ministério Público, pois referida atribuição está compreendida no exercício do controle externo da atividade policial cometido à instituição pela Carta Política de 1988 (STJ – 5.ª Turma, RHC 3.457-2/SP, DJ 1, 02.05.1994, p. 10.015).

VIII – requisitar diligências investigatórias e a instauração de inquérito policial, indicados os fundamentos jurídicos de suas manifestações processuais;

Doutrina

Diligências investigatórias e inquérito policial. Compete ao Ministério Público requisitar sejam realizadas, pela autoridade administrativa competente, as diligências de caráter investigatório necessárias para o esclarecimento de fatos ou produção de provas. Cabe-lhe, ainda, requisitar a instauração de inquérito policial destinado a apurar fatos delituosos e autoria nos casos que lhe chegarem ao conhecimento. Em ambas as hipóteses, as requisições deverão indicar os fundamentos jurídicos que lhes oferecem supedâneo.

Jurisprudência

> A disposição contida no inciso VIII do art. 129 da Constituição Federal não confere ao Ministério Público poder para quebrar sigilo bancário de qualquer pessoa. Esta quebra somente se legitima por ordem expressa de autoridade judiciária. (STF, RT, 767/179).

IX – exercer outras funções que lhe forem conferidas, desde que compatíveis com sua finalidade, sendo-lhe vedada a representação judicial e a consultoria jurídica de entidades públicas.

Doutrina

Exercício de outras funções. A lei poderá atribuir ao Ministério Público o exercício de outras atribuições, desde que estas guardem compatibilidade com a sua finalidade de defensor da ordem jurídica, dos interesses sociais e individuais indisponíveis e do regime democrático.

Funções vedadas. A segunda parte da norma proíbe ao Ministério Público a representação em juízo e a consultoria jurídica de entidades públicas, devendo ser entendidas como tais tanto os órgãos da administração direta quanto da administração indireta.

Jurisprudência

Súmula do STJ: 189. "É desnecessária a intervenção do Ministério Público nas execuções fiscais."

"1. A alternativa radical da jurisdição constitucional ortodoxa entre a constitucionalidade plena e a declaração de inconstitucionalidade ou revogação por inconstitucionalidade da lei com fulminante eficácia *ex tunc* faz abstração da evidência de que a implementação de uma nova ordem constitucional, não um fato instantâneo, mas um processo, no qual a possibilidade de realização da norma da Constituição – ainda quando teoricamente não se cuide de preceito de eficácia limitada – subordina-se muitas vezes a alterações de realidade fática que a viabilizem. 2. No contexto da Constituição de 1988, a atribuição anteriormente dada ao Ministério Público pelo art. 68 do C. Proc. Penal – constituindo-se modalidade de assistência judiciária – deve reputar-se transferida para a Defensoria Pública: essa, porém, para esse fim, só se pode considerar existente, onde e quando organizada, de direito e de fato, nos moldes do art. 134 da própria Constituição e da lei complementar por ela ordenada: até que – na União ou em cada Estado considerado –, se implemente essa condição de viabilização da cogitada transferência constitucional de atribuições (art. 68 C. Proc. Penal) ser considerado ainda vigente: o caso do Estado de São Paulo, como decidiu o plenário no RE 135.328." (STF – 1.ª Turma, RE 147.776-8/SP, rel. Min. Sepúlveda Pertence, DJ, 1, 19.06.1998, p. 9).

§ 1.º A legitimação do Ministério Público para as ações civis previstas neste artigo não impede a de terceiros, nas mesmas hipóteses, segundo o disposto nesta Constituição e na lei.

Doutrina

Legitimação para as ações civis. Em que pese ser função institucional do Ministério Público ajuizar ação civil pública, a norma constitucional dispõe que não se trata de legitimação exclusiva, pois terceiros poderão ajuizá-la nas mesmas hipóteses. De fato, tanto a ação principal quanto a cautelar poderão ser propostas, além do Ministério Público, pela União, pelos Estados, pelo Distrito Federal e Municípios, ou por autarquias, empresas públicas, fundações, sociedades de economia mista, ou associações, desde que constituídas há mais de ano e que tenham entre as suas finalidades a proteção do meio ambiente, do consumidor, do patrimônio artístico, estético, histórico, turístico e paisagístico (Lei n.º 7.347/85, art. 5.º).

Jurisprudência

> A ação civil pública constitui-se em instrumento de defesa jurisdicional de direitos e interesses metaindividuais, não se confundindo com a ação penal que se destina a promover a responsabilidade criminal do autor de ato delituoso. Portanto, entre tais ações não há qualquer situação de litispendência ou prejudicialidade, sendo independentes as instâncias e podendo ambas ter tramitação simultânea (STF, HC 72.506-6/MG, DJ 1, de 18.09.1998, p. 2).

§ 2.º As funções do Ministério Público só podem ser exercidas por integrantes da carreira, que deverão residir na comarca da respectiva lotação, salvo autorização do chefe da instituição.

Doutrina

Funções privativas. O exercício das funções próprias do Ministério Público é privativo dos membros que integram a carreira, sendo vedada, em princípio, a indicação de promotor *ad hoc*. Outrossim, tanto quanto o magistrado (art. 93, VII), o promotor deve residir no território da comarca de sua lotação, salvo caso excepcional, fundado em justa causa e devidamente autorizado pelo chefe da instituição.

Jurisprudência

> "O Plenário, em precedente mais recente, na ADI n.° 1.748-9/RJ, suspendeu ato da Corregedoria Geral da Justiça do Estado do Rio de Janeiro, que determinou aos Juízes a nomeação de Promotores *ad hoc*, ou seja, de pessoas estranhas ao Ministério Público estadual, para, em certas circunstâncias, exercer as funções constitucionais privativas deste último (julgamento ocorrido em 15.12.1997)" (STF – Pleno, ADIN 1.791-1/PE MC, rel. Min. Sydney Sanches, DJ 1, 11.09.1998, p. 3).
>
> "Embora a Lei Orgânica Nacional do Ministério Público e a Constituição da República Federativa do Brasil estabeleçam regras de que as funções do Ministério Público são privativas dos integrantes da carreira, em casos excepcionais, como a paralisação da classe, é de se dar como válidos os atos praticados por Promotor *ad hoc*, dado que ninguém pode obstaculizar o funcionamento do Poder Judiciário" (STJ – 6.ª Turma, HC 1.669/GO, rel. Min. Pedro Acioli, DJ, 1, 14.06.1993, p. 11.790).

§ 3.° O ingresso na carreira do Ministério Público far-se-á mediante concurso público de provas e títulos, assegurada participação da Ordem dos Advogados do Brasil em sua realização, exigindo-se do bacharel em direito, no mínimo, três anos de atividade jurídica e observando-se, nas nomeações, a ordem de classificação.

Doutrina

Ingresso na carreira do Ministério Público. Dar-se-á sempre no cargo inicial da carreira, através de concurso público de provas e títulos, organizado pelo próprio Ministério Público, assegurada a participação, em todas as fases do certame, de representante da Ordem dos Advogados do Brasil, sendo as nomeações feitas segundo rigorosa ordem de classificação.

Jurisprudência

> "Coaduna-se com o princípio da razoabilidade constitucional conclusão sobre a circunstância de a pontuação dos títulos apenas servir à classificação do candidato, jamais definindo aprovação ou reprovação. Alcance emprestado por tribunal de justiça à legislação estadual, em tudo harmônico com o princípio da razoabilidade, não se podendo cogitar de menosprezo aos critérios da moralidade e da impessoalidade" (STF – 2.ª Turma, AgI 194.188-8/RS AgRg, rel. Min. Marco Aurélio, DJ 1, 15.05.1998, p. 48).

§ 4.º Aplica-se ao Ministério Público, no que couber, o disposto no art. 93.

Doutrina

Promoção na carreira. Dar-se-á, alternadamente, pelos critérios da antiguidade e do merecimento, aferido este por critérios objetivos de presteza e segurança no exercício da função e pela frequência em cursos de aperfeiçoamento.

Aposentadoria ou pensão de dependentes. Tanto a aposentadoria do membro do Ministério Público quanto a pensão de seus dependentes observarão as regras gerais do regime geral de previdência fixadas pelo art. 40 da Constituição. A EC 20 estabelece no art. 8.º regras de transição do antigo regime previdenciário para o novo por meio dela fixado.

Jurisprudência

> "Ainda que mais antigo, não tem direito líquido e certo à promoção o Promotor recusado na forma do art. 93, II, *d*, c.c. o art. 129, § 4.º, ambos da Constituição Federal, tanto mais que o foi por ato plenamente funda-

mentado, defeso ao amparo mandamental refutar os desabonadores fatos funcionais irrogados" (STJ – 5.ª Turma, ROMS 6.712-0/SC, rel. Min. José Dantas, Ementário do STJ, 17/46).

§ 5.º A distribuição de processos no Ministério Público será imediata.

Doutrina

Imediatidade da distribuição. A norma contida nesse § 5.º trata de determinar a imediata distribuição do processo assim que apresentado junto ao órgão próprio do Ministério Público.

Art. 130. Aos membros do Ministério Público junto aos Tribunais de Contas aplicam-se as disposições desta seção pertinentes a direitos, vedações e forma de investidura.

Doutrina

Membros do Ministério Público junto aos Tribunais de Contas. Aos mesmos aplicam-se as disposições previstas nesta seção relativas a direitos, garantias (art. 128, § 5.º, I), vedações (art. 128, § 5.º, II) e forma de investidura (art. 129, § 3.º). A Lei n.º 8.443/92 define o Ministério Público junto ao Tribunal de Contas da União como instituição ligada ao próprio tribunal, não sendo, pois, órgão do Ministério Público da União e o Supremo Tribunal Federal já se pronunciou pela constitucionalidade da referida lei.

Jurisprudência

"O Ministério Público especial junto aos Tribunais de Contas estaduais não dispõe das garantias institucionais pertinentes ao Ministério Público comum dos Estados-membros, notadamente daquelas prerrogativas que concernem à autonomia administrativa e financeira dessa Instituição, ao processo de escolha, nomeação e destituição de seu titular e ao poder de iniciativa dos projetos de lei relativos à sua organização. Precedentes. – A cláusula de garantia inscrita no art. 130 da Constituição – que não outorgou, ao Ministério Público especial, as mesmas prerrogativas e atributos conferidos ao Ministério Público comum – não se reveste de conteúdo orgânico-institucional. Acha-se vocacionada, no âmbito de sua destinação tutelar, a proteger, unicamente, os membros do Ministério Público especial no relevante desempenho de suas funções perante os Tribunais de Contas. Esse preceito da Lei Fundamental da República – que se projeta em uma dimensão de caráter estritamente subjetivo e pessoal – submete os integrantes do Ministério Público especial junto aos Tribunais de Contas ao mesmo estatuto jurídico que rege, em tema de direitos, vedações e forma de investidura no cargo, os membros do Ministério Público comum. – O Ministério Público especial junto aos Tribunais de Contas estaduais não dispõe de fisionomia institucional própria e, não obstante as expressivas garantias de ordem subjetiva concedidas aos seus Procuradores pela própria Constituição da República (art. 130), encontra-se consolidado na 'intimidade estrutural' dessas Cortes de Contas (RTJ 176-540-541), que se achavam investidas – até mesmo em função do poder de autogoverno que lhes confere a Carta Política (CF, art. 75) – da prerrogativa de fazer instaurar, quanto ao Ministério Público especial, o processo legislativo concernente à sua organização" (STF – Pleno, ADIN 2.378/GO, rel. Min. Maurício Corrêa, revisor Min. Celso de Mello, j. 19.05.2004).

"(...). 2. O Ministério Público Especial, cujas atividades sejam restritas ao âmbito dos Tribunais de Contas, não se confunde nem integra o Ministério Público comum. 3. É obrigatória a adoção, pelos Estados, do modelo federal de organização do Tribunal de Contas da União e do Ministério Público que perante ele atua.

Aplicação do princípio da simetria" (STF – Pleno, ADIN 3.307/MT, rel. Min. Cármen Lúcia, j. 02.02.2009).

Art. 130-A. O Conselho Nacional do Ministério Público compõe-se de quatorze membros nomeados pelo Presidente da República, depois de aprovada a escolha pela maioria absoluta do Senado Federal, para um mandato de dois anos, admitida uma recondução, sendo:

I – o Procurador-Geral da República, que o preside;

II – quatro membros do Ministério Público da União, assegurada a representação de cada uma de suas carreiras;

III – três membros do Ministério Público dos Estados;

IV – dois juízes, indicados um pelo Supremo Tribunal Federal e outro pelo Superior Tribunal de Justiça;

V – dois advogados, indicados pelo Conselho Federal da Ordem dos Advogados do Brasil;

VI – dois cidadãos de notável saber jurídico e reputação ilibada, indicados um pela Câmara dos Deputados e outro pelo Senado Federal.

§ 1.° Os membros do Conselho oriundos do Ministério Público serão indicados pelos respectivos Ministérios Públicos, na forma da lei.

§ 2.° Compete ao Conselho Nacional do Ministério Público o controle da atuação administrativa e financeira do Ministério Público e do cumprimento dos deveres funcionais de seus membros, cabendo-lhe:

I – zelar pela autonomia funcional e administrativa do Ministério Público, podendo expedir atos regulamentares, no âmbito de sua competência, ou recomendar providências;

II – zelar pela observância do art. 37 e apreciar, de ofício ou mediante provocação, a legalidade dos atos administrativos praticados por membros ou órgãos do Ministério Público da União e dos Estados, podendo desconstituí-los, revê-los ou fixar prazos paras que se adotem as providências necessárias ao exato cumprimento da lei, sem prejuízo da competência dos Tribunais de Contas;

III – receber e conhecer das reclamações contra membros ou órgãos do Ministério Público da União ou dos Estados, inclusive contra seus serviços auxiliares, sem prejuízo da competência disciplinar e correicional da instituição, podendo avocar processos disciplinares em curso, determinar a remoção ou a disponibilidade e aplicar outras sanções administrativas, assegurada ampla defesa;

IV – rever, de ofício ou mediante provocação, os processos disciplinares de membros do Ministério Público da União ou dos Estados julgados há menos de um ano;

V – elaborar relatório anual, propondo as providências que julgar necessárias sobre a situação do Ministério Público no País e as atividades do Conselho, o qual deve integrar a mensagem prevista no art. 84, XI.

§ 3.º O Conselho escolherá, em votação secreta, um Corregedor nacional, dentre os membros do Ministério Público que o integram, vedada a recondução, competindo-lhe além das atribuições que lhe forem conferidas pela lei, as seguintes:

I – receber reclamações e denúncias, de qualquer interessado, relativas aos membros do Ministério Público e dos seus serviços auxiliares;

II – exercer funções executivas do Conselho, de inspeção e correção geral;

III – requisitar e designar membros do Ministério Público, delegando-lhes atribuições, e requisitar servidores de órgãos do Ministério Público.

§ 4.º O Presidente do Conselho Federal da Ordem dos Advogados do Brasil oficiará junto ao Conselho.

§ 5.º Leis da União e dos Estados criarão ouvidorias do Ministério Público, competentes para receber reclamações e denúncias de qualquer interessado contra membros ou órgãos do Ministério Público, inclusive contra seus serviços auxiliares, representando diretamente ao Conselho Nacional do Ministério Público.

Doutrina

Conselho Nacional do Ministério Público. Foi criado pela Emenda Constitucional 45, de 08.12.2004, e compõe-se de quatorze membros nomeados pelo Presidente da República, após aprovada a escolha pela maioria absoluta dos membros do Senado Federal, para um mandato de dois anos, admitida uma única recondução.

Composição do Conselho Nacional do Ministério Público. Integram o conselho os seguintes membros: a) o Procurador-Geral da República, que é o seu presidente; b) quatro membros do Ministério Público da União, assegurada a representação de cada uma de suas carreiras (Ministério Público Federal, Ministério Público do Trabalho, Ministério Público Militar e Ministério Público do Distrito Federal e Territórios); c) três membros do Ministério Público dos Estados; d) dois juízes, indicados um pelo Supremo Tribunal Federal e outro pelo Superior Tribunal de Justiça; e) dois advogados, indicados pelo Conselho Federal da Ordem dos Advogados do Brasil; f) dois cidadãos de notável saber jurídico e reputação ilibada, indicados um pela Câmara dos Deputados e outro pelo Senado Federal.

Indicação dos membros oriundos do Ministério Público. Será feita, na forma da lei, pelo respectivo órgão, prestigiando-se, igualmente, as respectivas carreiras de origem.

Competência do Conselho Nacional do Ministério Público. Nos termos desse § 2.º, cabe-lhe o controle da atuação administrativa e financeira do Ministério Público bem como do cumprimento dos deveres funcionais de seus membros, competindo-lhe: a) zelar pela autonomia funcional e administrativa do Ministério Público, podendo expedir atos regulamentares, no âmbito de sua competência, ou recomendar providências; b) zelar pela observância do art. 37 e apreciar, de ofício ou mediante provocação, a legalidade dos atos administrativos praticados por membros ou órgãos do Ministério Público da União e dos Estados, podendo desconstituí-los, revê-los ou fixar prazos paras que se adotem as providências necessárias ao exato cumprimento da lei, sem prejuízo da competência dos Tribunais de Contas; c) receber e conhecer das reclamações contra membros ou órgãos do Ministério Público da União e dos Estados, inclusive contra seus serviços auxiliares, sem prejuízo da competência disciplinar e correicional da instituição, podendo avocar processos disciplinares em curso, determinar a remoção, a disponibilidade ou a aposentadoria com subsídios ou proventos proporcionais ao tempo de serviço e aplicar outras sanções administrativas, assegurada ampla defesa; d) rever, de ofício ou mediante provocação, os processos disciplinares de membros do Ministério Público da União ou dos Estados julgados há menos de um ano; e) elaborar relatório anual, propondo as providências que julgar necessárias sobre a situação do Ministério Público no País e as atividades do Conselho, o qual deve integrar a mensagem prevista no art. 84, XI.

Escolha do Corregedor Nacional. Os membros do Conselho escolherão, em votação secreta, o Corregedor nacional, dentre os membros do Ministério Público que o integram, vedada a recondução, competindo-lhe, além das atribuições que lhe forem conferidas pela lei, as seguintes: a) receber reclamações e denúncias, de qualquer interessado, relativas aos membros do Ministério Público e dos seus serviços auxiliares; b) exercer funções executivas do Conselho, de inspeção e correção geral; c) requisitar e designar membros do Ministério Público, delegando-lhes atribuições, e requisitar servidores de órgãos do Ministério Público.

Papel institucional da OAB. Dispõe esse § 4.º que o Presidente do Conselho Federal da Ordem dos Advogados do Brasil oficiará junto ao Conselho Nacional do Ministério Público, como já oficia, aliás, junto ao Conselho Nacional de Justiça.

Ouvidorias do Ministério Público. Serão criadas, mediante lei, no âmbito da União e dos Estados-membros, com atribuições para receber reclamações e denúncias de qualquer interessado contra membros ou órgãos do Ministério Público, inclusive contra seus serviços auxiliares, representando diretamente ao Conselho Nacional do Ministério Público.

Jurisprudência

> "(...). 3. Não se pode desqualificar decisão do Conselho Nacional do Ministério Público que, no exercício de suas atribuições constitucionais, identifica situação irregular de atuação de Procuradores de Justiça estaduais junto ao Tribunal de Contas, o que está vedado em julgados desta Corte Suprema. O argumento de que nasceu o exame de representação anônima, considerando a realidade dos autos, não malfere a decisão do colegiado que determinou o retorno dos Procuradores de Justiça às funções próprias do Ministério Público estadual. 4. Denegação da segurança" (STF – Pleno, MS 27.339/DF, rel. Min. Menezes Direito, j. 02.02.2009).

> "(...). Mandado de segurança – Ato do Conselho Nacional do Ministério Público – Procurador-Geral da República. A presidência do Conselho Nacional do Ministério Público pelo nome do Conselho. Promoções – Merecimento – Ministério Público da União – Disciplina. Cumpre ao Conselho Superior do Ministério Público Federal a disciplina das promoções de membros do Ministério Público da União, observadas a Constituição Federal e a Lei Complementar n.º 75/93. Promoção – Merecimento – Ministério Público da União – Lista Tríplice – Confecção – Empate. Surge harmônica com o arcabouço normativo e com a razoabilidade regra editada pelo Conselho Superior do Ministério Público Federal prevendo que, persistindo o empate no terceiro

escrutínio, a lista tríplice será integrada pelo membro mais antigo envolvido no impasse, não sendo aplicável a norma do artigo 56, § 1.º, da Lei Complementar n.º 75/93. Promoção – Merecimento – Aferição. Há de fazer-se considerado o perfil profissional dos candidatos, aferindo-se o merecimento de cada qual" (STF – Pleno, MS 26.264/DF, rel. Min. Marco Aurélio, j. 21.05.2007.

"(...). 2. A competência revisora conferida ao Conselho Nacional do Ministério Público da União ou dos Estados (inc. IV do § 2.º do art. 130-A da Constituição da República), não sendo possível a revisão de processo disciplinar contra servidores. Somente com o esgotamento da atuação correicional do Ministério Público paulista o ex-servidor apresentou, no Conselho Nacional do Ministério Público, reclamação contra a pena de demissão aplicada. 3. A Constituição da República resguardou o Conselho Nacional do Ministério Público da possibilidade de se tornar instância revisora dos processos administrativos disciplinares instaurados nos órgãos correicionais competentes contra servidores auxiliares do Ministério Público em situações que não digam respeito à atividade-fim da própria instituição. 4. Mandado de segurança concedido, prejudicados os recursos interpostos contra o deferimento da liminar" (STF – 1.ª Turma, MS 28.827/SP, rel. Min. Cármen Lúcia, j. 28.08.2012).

Seção II
DA ADVOCACIA PÚBLICA

Art. 131. A Advocacia-Geral da União é a instituição que, diretamente ou através de órgão vinculado, representa a União, judicial e extrajudicialmente, cabendo-lhe, nos termos da lei complementar que dispuser sobre sua organização e funcionamento, as atividades de consultoria e assessoramento jurídico do Poder Executivo.

Doutrina

Advocacia Pública. A seção II foi renomeada pela EC 19, de 04.06.1998, e, de fato, a expressão Advocacia Pública reflete de forma mais adequada o seu conteúdo, conquanto trata não somente da Advocacia-Geral da União, mas também da Procuradoria-Geral da Fazenda Nacional e das Procuradorias-Gerais dos Estados e do Distrito Federal.

Advocacia-Geral da União. Foi instituída para cuidar da representação judicial e extrajudicial da União, cabendo-lhe, ainda, as atividades de advocacia consultiva e de assessoria jurídica do Poder Executivo. Com isso, a Constituição corrige a situação anterior na qual cabia ao Ministério Público a representação judicial da União.

Jurisprudência

> "1. As Advocacias Públicas de que tratam os arts. 131 e 132 da Constituição Federal são órgãos autônomos vinculados ao Poder Executivo da União ou Estado, o que não obsta a defesa de interesses cotidianos próprios dos demais Poderes do ente federativo a que pertencerem. Excepcionalmente, admite-se a existência de órgão de assessoramento jurídico, com finalidade, inclusive, postulatória, quando o objetivo for zelar

pela independência funcional e as prerrogativas inerentes ao Poder. Precedentes: RE 595.176-AgR, Rel. Min. Joaquim Barbosa; ADI 94, Rel. Min. Gilmar Mendes; ADI 175, Rel. Min. Octavio Gallotti; ADI-MC 825, Rel. Min. Ilmar Galvão" (STF – Pleno, ADIN 5.024/SP, rel. Min. Roberto Barroso, DJE-213, 05.10.2018).

O Advogado-Geral da União deve intervir, necessariamente, na ação direta de inconstitucionalidade, para fazer a defesa da lei ou ato normativo impugnado em face do princípio da presunção de constitucionalidade de que gozam os mesmos, não sendo esta atribuição incompatível com as funções previstas no art. 131 da Constituição (STF, RT, 670/200).

§ 1.° A Advocacia-Geral da União tem por chefe o Advogado-Geral da União, de livre nomeação pelo Presidente da República dentre cidadãos maiores de trinta e cinco anos, de notável saber jurídico e reputação ilibada.

Doutrina

Advogado-Geral da União. É o chefe da Advocacia-Geral da União e, sendo cargo de confiança do Presidente da República, a este cabe a sua livre escolha e nomeação dentre cidadãos maiores de trinta e cinco anos com notável saber jurídico e reputação ilibada. Da mesma forma, é livre o Presidente da República para exonerá-lo, não participando do processo, em nenhum momento, o Senado Federal, como ocorre no caso de nomeação ou exoneração do Procurador-Geral da República.

Jurisprudência

Somente podem ser instituídos em comissão os cargos que pressuponham o vínculo de confiança a autorizar a livre nomeação e exoneração (STF, RTJ, 166/749).

§ 2.º O ingresso nas classes iniciais da carreira da instituição de que trata este artigo far-se-á mediante concurso público de provas e títulos.

Doutrina

Ingresso nas carreiras da Advocacia-Geral da União. Ocorre sempre nas categorias iniciais, mediante nomeação, em caráter efetivo, de candidatos habilitados em concursos públicos de provas e títulos, obedecida sempre a ordem de classificação. As categorias iniciais são as seguintes: Advogado da União de 2.ª Categoria; Procurador da Fazenda Nacional de 2.ª Categoria e Assistente Jurídico de 2.ª Categoria

Jurisprudência

> A exigência de concurso público para provimento de cargo não se restringe apenas à primeira investidura, sendo inviável toda forma de provimento derivado do servidor público em cargo diverso do que detém, com a única ressalva da promoção, que pressupõe cargo da mesma carreira. (STF, RTJ, 167/345).

§ 3.º Na execução da dívida ativa de natureza tributária, a representação da União cabe à Procuradoria-Geral da Fazenda Nacional, observado o disposto em lei.

Doutrina

Procuradoria-Geral da Fazenda Nacional. É o órgão incumbido da representação judicial da União nas causas de natureza fiscal, bem como na execução de sua dívida ativa de caráter tributário.

Jurisprudência

> É legítima delegação de competência da Procuradoria-Geral da Fazenda Nacional, como encarregada da representação judicial da União nas causas de natureza

fiscal, para o Incra promover a cobrança da dívida ativa referente ao ITR (STF, DJ 1, 23.05.1997).

Art. 132. Os Procuradores dos Estados e do Distrito Federal, organizados em carreira, na qual o ingresso dependerá de concurso público de provas e títulos, com a participação da Ordem dos Advogados do Brasil em todas as suas fases, exercerão a representação judicial e a consultoria jurídica das respectivas unidades federadas.

Doutrina

Atribuições dos Procuradores dos Estados e do Distrito Federal. Compete-lhes a representação judicial dos Estados-membros e do Distrito Federal, bem como a consultoria jurídica aos órgãos da administração estadual ou distrital, devendo ser organizados em carreira, com ingresso precedido de concurso público de provas e títulos, assegurada, em todas as suas fases, a participação da Ordem dos Advogados do Brasil.

Jurisprudência

O princípio da razoabilidade, a nortear no sentido da presunção do que normalmente ocorre, dispensa o Procurador do Estado, cujo mandato decorre de lei, da comprovação dessa qualidade quando assim se apresenta e subscreve ato processual (STF, RE 192.553-1/SP, 15.12.1998).

"O desempenho das atividades de assessoramento jurídico no âmbito do Poder Executivo estadual traduz prerrogativa de índole constitucional outorgada aos Procuradores do Estado pela Carta Federal. A Constituição da República, em seu art. 132, operou uma inderrogável imputação de específica e exclusiva atividade funcional aos membros integrantes da Advocacia Pública do Estado, cujo processo de investidura no cargo que exercem depende de prévia aprovação em concurso público de provas e títulos" (STF – Pleno, ADIN 881-1 MC, rel. Min. Celso de Mello, RTJ, 166/94).

A Procuradoria do Estado, como representante da pessoa jurídica de direto público lesada por conduta de servidor, tipificada como crime de peculato, tem legitimidade para recorrer de sentença absolutória (STF, RTJ, 159/613).

Parágrafo único. Aos procuradores referidos neste artigo é assegurada estabilidade após três anos de efetivo exercício, mediante avaliação de desempenho perante os órgãos próprios, após relatório circunstanciado das corregedorias.

Doutrina

Estabilidade dos procuradores estaduais ou distritais. Somente será assegurada após três anos de efetivo exercício de suas atribuições e após comprovação de desempenho adequado e relatório circunstanciado das respectivas corregedorias.

Jurisprudência

Súmulas do STF: 20. "É necessário processo administrativo com ampla defesa, para demissão de funcionário admitido por concurso." 21. "Funcionário em estágio probatório não pode ser exonerado nem demitido sem inquérito ou sem as formalidades legais de apuração de sua capacidade."

Efetividade é atributo do cargo, designando o funcionário desde o instante da nomeação e estabilidade é aderência, é integração no serviço público, após preenchidas as condições previstas em lei e adquirida pelo decurso de tempo (STF, RTJ, 165/684).

Seção III
DA ADVOCACIA

Art. 133. O advogado é indispensável à administração da justiça, sendo inviolável por seus atos e manifestações no exercício da profissão, nos limites da lei.

Doutrina

Indispensabilidade do advogado. Significa que a participação do advogado é necessária ao exercício da função jurisdicional do Estado. De fato, por ser detentor do *ius postulandi*, esse profissional exerce importante papel na garantia dos direitos e das liberdades públicas.

Exceção ao princípio da indispensabilidade. Contudo, a lei, excepcionalmente, confere o *ius postulandi* a qualquer pessoa, nos casos de impetração de *habeas corpus*, de pedido de revisão criminal, quando não firmado por procurador, e também para pleitear perante os juizados especiais, sendo facultativa a representação por advogado.

Imunidade do advogado. Significa que o advogado é inviolável por seus atos e manifestações, escritas ou orais, no curso do processo e no exercício da profissão. Contudo, não se trata de garantia absoluta, pois sujeita aos limites da lei, respondendo o causídico pelas ofensas perpetradas sem vinculação com o exercício profissional ou não pertinentes à discussão da causa. Da mesma forma, responde o advogado pelos abusos cometidos em entrevistas concedidas à imprensa.

Ordem dos Advogados do Brasil. Foi criada pelo Decreto 19.408, de 18 de novembro de 1930, da lavra do Presidente Getúlio Vargas, como órgão de disciplina e seleção da classe dos advogados, profissionais de nível universitário de quem se exige, além da formação superior, aprovação no chamado exame de Ordem como requisito para o registro profissional. Trata-se de instituição reconhecida como autarquia *sui generis*, prestadora de relevante serviço, com índole de *múnus* público. Sua estrutura compreende: a) o Conselho Federal, com sede na Capital Federal e jurisdição nacional; b) os Conselhos Seccionais, com sede nas capitais de cada Estado Federado e jurisdição nesse território; c) As Subseções, com sede em determinado Município e jurisdição regional; d) as Caixas de Assistência dos Advogados, destinadas a prestar assistência – principalmente à saúde, e serviços no âmbito do Conselho Seccional de sua inscrição.

Jurisprudência

O postulado da indispensável intervenção do advogado encontra-se inscrito no art. 133 da Constituição Federal, porém não se trata de princípio absoluto, vez que acha-se condicionado, quanto ao seu alcance e conteúdo, pelos limites traçados pela lei, sendo, pois, legítima a outorga, também por lei e em casos excepcionais, de *ius postulandi* a qualquer pessoa, como ocorre nas ações penais de *habeas corpus* e de revisão criminal. (STF, RTJ, 146/49).

"(...). 6. O princípio da necessária intervenção do advogado não é absoluto (CF, artigo 133), dado que a Carta Federal faculta a possibilidade excepcional da lei outorgar o *jus postulandi* a outras pessoas. Ademais, a substituição processual extraordinária do Ministério Público é legítima (CF, artigo 129; CPC, artigo 81; Lei 8560/92, artigo 2.°, § 4.°) e socialmente relevante na defesa dos economicamente pobres, especialmente pela precariedade da assistência jurídica prestada pelas defensorias públicas" (STF – Pleno, RE 248.869/SP, rel. Min. Maurício Corrêa, j. 16.06.2004).

"A proclamação constitucional da inviolabilidade do advogado, por seus atos e manifestações no exercício da profissão, traduz uma significativa garantia do exercício pleno dos relevantes encargos cometidos pela ordem jurídica a esse indispensável operador do direito. A garantia de intangibilidade profissional do advogado não se reveste, contudo, de valor absoluto, eis que a cláusula assecuratória dessa especial prerrogativa jurídico-constitucional expressamente a submete aos limites da lei. A invocação da imunidade constitucional, necessariamente sujeita às restrições fixadas pela lei, pressupõe o exercício regular e legítimo da advocacia. Revela-se incompatível, no entanto, com práticas abusivas ou atentatórias à dignidade da profissão ou às normas ético-jurídicas que lhe regem o exercício." (STF – 1.ª Turma, HC 69.085-8/RJ, rel. Min. Celso de Mello, DJ, 1, 26.03.1993, p. 5.003 e RTJ, 146/588).

A inviolabilidade consagrada no art. 133 da Constituição Federal protege o advogado, por seus atos e manifestações, no exercício da profissão, e encontra os seus limites na lei. Não está imune o advogado que, inconformado com a sentença, valeu-se do recurso para investir contra a honra do magistrado, imputando-lhe fatos ofensivos à sua reputação. (STF, RTJ, 144/513).

"O exercício do direito de petição, junto aos poderes públicos, de que trata o art. 5.º, XXXIV, *a*, da Constituição não se confunde com o de obter decisão judicial, a respeito de qualquer pretensão, pois, para esse fim, é imprescindível a representação do peticionário por advogado (arts. 133 da Constituição e 36 do Código de Processo Civil)" (STF – Pleno, PET 762/BA AgRg, rel. Min. Sydney Sanches, Ementário, n.º 1739-03/469).

"(...). 2. Não procede a alegação de que a OAB sujeita-se aos ditames impostos à Administração Pública Direta e Indireta. 3. A OAB não é uma entidade da Administração Indireta da União. A Ordem é um serviço público independente, categoria ímpar no elenco das personalidades jurídicas existentes no direito brasileiro. 4. A OAB não está incluída na categoria na qual se inserem essas que se tem referido como 'autarquias especiais' para pretender-se afirmar equivocada independência das hoje chamadas 'agências'. 5. Por não consubstanciar uma entidade da Administração Indireta, a OAB não está sujeita a controle da Administração, nem a qualquer das suas partes está vinculada. Essa não-vinculação é formal e materialmente necessária. 6. A OAB ocupa-se de atividades atinentes aos advogados, que exercem função constitucionalmente privilegiada, na medida em que são indispensáveis à administração da Justiça [artigo 133 da CB/88]. É entidade cuja finalidade é afeita a atribuições, interesses e seleção de advogados. Não há ordem de relação ou dependência entre a OAB e qualquer órgão público. 7. A Ordem dos Advogados do Brasil, cujas características são autonomia e independência, não pode ser tida como congênere dos demais órgãos de fiscalização profissional. A OAB não está voltada exclusivamente a finalidades corporativas. Possui finalidade institucional. 9. Improcede o pedido do requerente no sentido de que se dê interpretação conforme o artigo 37, inciso II, da Constituição do Brasil ao *caput* do artigo 79 da Lei n. 8.906, que determina a aplicação do regime trabalhista aos servidores da OAB. 10. Incabível a exigência de concurso público para admissão dos contratados sob o regime trabalhista pela OAB. 11. Princípio da moralidade. Ética da legalidade e moralidade. Confinamento do princípio da moralidade ao âmbito da ética da legalidade, que não pode ser ultrapassada, sob pena de dissolução do próprio sistema. Desvio de poder ou de finalidade. 12. Julga improcedente o pedido" (STF – Pleno, ADIN 3.026/DF, rel. Min. Eros Grau, j. 08.06.2006, DJ, 29.09.2006, p. 31).

"(...). Segundo a jurisprudência da corte, a imunidade conferida ao advogado no exercício da sua bela e árdua profissão não constitui um *bill of indemnity*. A imunidade profissional, garantida ao advogado pelo Estatuto da Advocacia, não alberga os excessos cometidos pelo profissional em afronta à honra de qualquer das pessoas envolvidas no processo. 'O advogado, assim como qualquer outro profissional, é responsável pelos danos que causar no exercício de sua profissão. Caso contrário, jamais seria ele punido por seus excessos, o que não tem respaldo em nosso ordenamento jurídico, inclusive, no próprio Estatuto da Ordem' (STJ, Resp n. 163221/ES, rel. Min. Sálvio de Figueiredo Teixeira). O abuso no direito de petição, mediante acusações infundadas contra Promotor de Justiça, acusando-o de parcialidade, covardia e descumprimento de suas funções, buscando conspurcar e enxovalhar sua honra, configura danos morais passíveis de reparação. O abalo moral em face de ofensa à honra profissional ocorre *in re ipsa*, sendo despicienda a prova de sua ocorrência" (STF – 1.ª Turma, ARE 730.067/SC AgRg, rel. Min. Luiz Fux, DJE-148, 01.08.2013).

"1. A OAB possui natureza de autarquia especial ou *sui generis*, pois, mesmo incumbida de realizar serviço público, nos termos da lei que a instituiu, não se inclui entre as demais autarquias federais típicas, já que não busca realizar os fins da Administração. 2. As contribuições pagas pelos filiados à OAB não têm natureza tributária. 3. As cobranças das anuidades da OAB, por não possuírem natureza tributária, seguem o rito do Código de Processo Civil, e não da Lei n. 6830/80. Recurso especial provido" (STJ – 2.ª Turma, REsp 915.753, rel. Min. Humberto Martins, DJ, 04.06.2007, p. 333).

"1. A Ordem dos Advogados do Brasil – OAB é uma autarquia *sui generis* e, por conseguinte, diferencia-se das demais entidades que fiscalizam as profissões. 2. O 'título executivo extrajudicial', referido no art. 46, parágrafo único, da Lei n. 8.906/94, deve ser exigido em execução disciplinada pelo Código de Processo Civil, não sendo possível a execução fiscal regida pela Lei n. 6.830/80" (EREsp n. 503.252/SC, relator Min. Castro Meira). 3. Recurso especial provido" (STJ – 2.ª Turma, REsp 447.124, rel. Min. João Otávio de Noronha, DJ, 28.06.2006, p. 230).

"1. É assente a jurisprudência do STJ e desta Corte quanto à natureza não tributária das contribuições cobradas pela OAB. Aplicam-se, portanto, as normas do art. 205 do Código Civil/02 quanto à prescrição. 2. No entendimento do STF, consubstanciado na ADI 3026/DF, a OAB é uma autarquia *sui generis*, que presta serviço público de fiscalizar a profissão de advogado, função esta essencial à administração da Justiça, nos termos do art. 133 da Constituição Federal, e típica da Administração Pública. 3. Por tal razão, não estão afetas às normas da LEF e, segundo posicionamento do STJ, as execuções das anuidades da OAB seguem o rito processual do Código de Processo Civil, referente às execuções por título extrajudicial. 4. Estando o embargante já inadimplente das anuidades, deve ser afastada a cobrança de multa decorrente de ausência nas eleições do OAB, porquanto seria dupla sanção originada do mesmo fato" (TRF4, AC 2001.172000092215, rel. Des. Federal Álvaro Eduardo Junqueira, D.E., 10.11.2009).

Seção IV
DA DEFENSORIA PÚBLICA

Art. 134. A Defensoria Pública é instituição permanente, essencial à função jurisdicional do Estado, incumbindo-lhe, como expressão e instrumento do regime democrático, fundamentalmente, a orientação jurídica, a promoção dos direitos humanos e a defesa, em todos os graus, judicial e extrajudicial, dos direitos individuais e coletivos, de forma integral e gratuita, aos necessitados, na forma do inciso LXXIV do art. 5.º desta Constituição Federal.

Doutrina

Defensoria Pública. É a instituição do Estado incumbida da orientação jurídica e da defesa do cidadão hipossuficiente em qualquer grau de jurisdição, devendo, para tanto, valer-se de todos os meios previstos no ordenamento jurídico para tornar efetiva a garantia constitucional de proteção legal aos interesses dos necessitados.

Jurisprudência

A Defensoria Pública, a exemplo do Ministério Público, é instituição considerada una e indivisível pelo artigo 3.º da LC n.º 80/94. Outrossim, os artigos 106 e 108 desta lei atribuem às Defensorias Públicas dos Estados a defesa dos necessitados no âmbito judicial de seus respectivos territórios, o que compreende, também, competência para a interposição de recursos para quaisquer tribunais, inclusive o Supremo Tribunal Federal, perante o qual atuará o Defensor Público-Geral. Portanto, encontrando-se providos este cargo e o de Subdefensor Público-Geral, cai por terra a justificativa de ainda não se encontrarem preenchidos os cargos do quadro de Defensores Públicos da União (STF – 1.ª Turma, AgI 237.400-0/RS ED, DJ 1, 24.11.2000, p. 102).

"1. À Defensoria Pública, instituição permanente e essencial à função jurisdicional do Estado, compete promover a assistência jurídica judicial e extrajudicial aos necessitados (art. 134 da Constituição Federal), sendo-lhe asseguradas determinadas prerrogativas para o efetivo exercício de sua missão constitucional. A intimação pessoal dos atos processuais constitui prerrogativa da Defensoria Pública" (STF – 2.ª Turma, HC 134.504/AC, rel. Min. Ricardo Lewandowski, rel. para o acórdão Min. Teori Zavascki, DJE-258, 05.12.2016).

Outorgando a Constituição poderes ao defensor público para defender os necessitados, atribui-lhe também todos os meios legítimos para tornar efetiva a sua atuação, inclusive confere-lhe legitimidade para propor ações objetivando obter documentos com aquele fim. (STJ, RSTJ, 43/149).

§ 1.º Lei complementar organizará a Defensoria Pública da União e do Distrito Federal e dos Territórios e prescreverá normas gerais para sua organização nos Estados, em cargos de carreira, providos, na classe inicial, mediante concurso público de provas e títulos, assegurada a seus integrantes a garantia da inamovibilidade e vedado o exercício da advocacia fora das atribuições institucionais.

Doutrina

Organização da Defensoria Pública. A sua instituição e organização se dá por meio de lei complementar que disporá, também, sobre as normas gerais de organização das defensorias estaduais, devendo todos os cargos de carreira serem providos, na classe inicial, por meio de concurso público de provas e títulos, assegurando a Constituição aos defensores públicos a garantia da inamovibilidade, não podendo ser removidos salvo por interesse público e vedando a todos o exercício da advocacia fora do âmbito de suas atribuições institucionais.

Jurisprudência

> "A matéria relativa aos provimentos de servidores, bacharéis em direito, no exercício de funções de Defensor Público, em cargo da carreira dessa denominação, prevista no parágrafo único do art. 134 da Constituição Federal, está regulada, quanto à excepcionalidade que o constituinte entendeu de conferir-lhe, no art. 22 do Ato das Disposições Constitucionais Transitórias, da Carta Política de 1988. Não é possível à Constituição estadual dar-lhe compreensão mais ampla. Constituição Federal, art. 37, II." (STF – Pleno, ADIN 112-4/BA, rel. Min. Néri da Silveira, DJ 1, 09.02.1996, p. 2.102).

§ 2.º Às Defensorias Públicas Estaduais são asseguradas autonomia funcional e administrativa e a iniciativa de sua proposta orçamentária dentro dos limites estabelecidos na lei de diretrizes orçamentárias e subordinação ao disposto no art. 99, § 2.º.

Doutrina

Autonomia funcional e administrativa. A autonomia funcional e administrativa assegura condições de autogoverno da instituição e inclui, também, a iniciativa de elaborar e apresentar ao órgão competente, para fins de consolidação do orçamento anual, a sua proposta orçamentária.

§ 3.º Aplica-se o disposto no § 2.º às Defensorias Públicas da União e do Distrito Federal.

Doutrina

Dispõe o § 3.º que se estendem às Defensorias da União e do Distrito Federal os princípios da autonomia administrativa e funcional inscritos no § 2.º acima.

§ 4.º São princípios institucionais da Defensoria Pública a unidade, a indivisibilidade e a independência funcional, aplicando-se também, no que couber, o disposto no art. 93 e no inciso II do art. 96 desta Constituição Federal.

Doutrina

Princípios institucionais da Defensoria Pública. Destinam-se a nortear a atuação da instituição. Entende-se por unidade a integração de seus agentes num mesmo órgão. Quanto à indivisibilidade, decorre do fato de seus membros não se vincularem aos processos, podendo qualquer deles assumir processos em quaisquer estágios. Quanto à independência funcional, expressa a liberdade de atuação de qualquer membro da Defensoria.

Art. 135. Os servidores integrantes das carreiras disciplinadas nas Seções II e III deste Capítulo serão remunerados na forma do art. 39, § 4.º

Doutrina

Organização de carreiras. As carreiras disciplinadas nas seções II e III do capítulo são as seguintes: as carreiras da Advocacia-Geral da União, as carreiras da Procuradoria-Geral da Fazenda Nacional, as carreiras das Procuradorias dos Estados e do Distrito Federal e as carreiras da Defensoria Pública da União.

Forma de remuneração. Dispõe a norma constitucional que referidas carreiras serão remuneradas exclusivamente por meio de subsídio (art. 39, § 4.º) fixado em parcela única, vedado o acréscimo de qualquer gratificação, adicional, abono, prêmio, verba de representação ou outra espécie remuneratória, devendo ser fixado por lei específica e de valor não excedente ao subsídio mensal, em espécie, dos Ministros do Supremo Tribunal Federal.

Jurisprudência

> "(...). O artigo 135 da Constituição estabeleceu um princípio geral concernente a Advocacia como instituição – a de ser o advogado em geral em geral órgão indispensável a administração da Justiça, sendo inviolável por seus atos e manifestações no exercício da profissão, nos limites da lei –, mas não disciplinou, obviamente, a carreira dos assistentes jurídicos da União, para ter-se que é ela uma das 'carreiras disciplinadas neste título', como exige o artigo 135 da Carta Magna a fim de que se aplique a extensão nele determinada – não há sequer que falar-se em não autoaplicabilidade do artigo 39, par. 1.º, a que se reporta o artigo 135, ambos da Constituição, porque a lei, prevista naquele, já existe (Lei 8.112, de 12.12.90, artigo 12), e está em vigor por independer, nesse particular, de regulamentação. Agravo regimental a que se nega provimento" (STF – Pleno, MI 304/DF AgRg, rel. Min. Moreira Alves, j. 17.06.1993).
>
> A disciplina jurídica da remuneração devida aos agentes públicos em geral está sujeita ao princípio da reserva legal absoluta. Esse postulado constitucional submete à lei formal a veiculação de normas relativas ao estipêndio dos servidores, não podendo os tribunais, em plena vigência de ato normativo, ampliar o alcance e conteúdo da lei para atingir situações subjetivas nela não previstas, ainda que a pretexto de isonomia (STF, *Lex*, 190/162).
>
> "Recurso ordinário. Mandado de segurança. Constitucional. Administrativo. Isonomia de vencimentos entre Delegado de Polícia e Procuradores. I – A igualdade de

vencimentos entre Delegados de Polícia e Promotores não está assegurada pela Carta Política de 88 ao dispor em seu art. 241, aplicar-se aos delegados de carreira o princípio do art. 39, par. 1.º, em correspondência as carreiras disciplinadas no art. 135, II – O que a Constituição Federal procura preservar é a isonomia de vencimentos para cargos de atribuições iguais, que são cargos assemelhados, sempre mantida a vedação legal da vinculação ou equiparação de vencimentos para os desiguais, como também nela fixado (art. 37, XII). III – Recurso improvido" (STJ – 1.ª Turma, ROMS 1990.00.3666-6, rel. Min. Cesar Asfor Rocha, DJ 1, 19.04.1993, p. 6.658).

QUEM SOMOS

As **Editoras LETRAS JURÍDICAS** e **LETRAS DO PENSAMENTO**, com 24 anos no mercado Editorial e Livreiro do país, são especializadas em publicações jurídicas e literatura de interesse geral, destinadas aos acadêmicos, aos profissionais da área do Direito e ao público em geral. Nossas publicações são atualizadas e abordam temas atuais, polêmicos e do cotidiano, sobre as mais diversas áreas do conhecimento.

As **Editoras LETRAS JURÍDICAS** e **LETRAS DO PENSAMENTO** recebem e analisam, mediante supervisão de seu Conselho Editorial, artigos, dissertações, monografias e teses jurídicas de profissionais dos Cursos de Graduação, de Pós-Graduação, de Mestrado e de Doutorado, na área do Direito e nas demais áreas técnicas e universitárias, além de obras na área de literatura e de interesse geral.

Na qualidade de Editora Jurídica e de Interesse Geral, mantemos uma relação em nível nacional com os principais Distribuidores e Livreiros do país, para divulgarmos e distribuirmos as nossas publicações em todo o território nacional. Temos ainda relacionamento direto com as principais Instituições de Ensino, Bibliotecas, Órgãos Públicos, Cursos Especializados de Direito e todos os segmentos do mercado.

Participamos também de **Feiras Nacionais e Internacionais**.

NOVIDADE!!! O(a) Autor(a) da LJ/LP terá uma página exclusiva para inserir sua biografia, fotos, vídeos e artigos de sua área e textos em geral, para interagir com o leitor e ganhar maior visibilidade no mercado.

Na qualidade de editora prestadora de serviços, oferecemos os seguintes serviços editoriais:

- Análise e avaliação de originais para publicação;
- Redação, revisão, edição e preparação de texto;
- Assessoria técnica editorial;
- Cadastro do ISBN – CBL e SNEL;
- Ficha catalográfica – CBL e SNEL;
- Design e montagem de arte de capa;
- Digitação e diagramação de textos;
- Direitos Autorais: consultoria e contratos;
- Elaboração de sumários, índices e índice remissivo;
- Fotografia e escaneamento de material fotográfico;
- Gráfica: pré-impressão, projetos e orçamentos;
- Ilustração: projeto e arte final;
- Audio-Books;
- Livro Digital: formatos E-book e Epub;
- Organização de lançamentos, eventos, palestras e workshops;
- Pesquisa Editorial CBL e SNEL;
- Peças Publicitárias para divulgação: banner, cartaz, convite de lançamento, folheto, marcador de página e material de apoio em geral.

Nesse período, as Editoras exerceram todas as atividades ligadas ao setor Editorial/Livreiro do país. É o marco inicial da profissionalização e de sua missão, visando exclusivamente ao cliente como fim maior de seus objetivos e resultados.

"NOSSAS MARCAS MOSTRAM AS LETRAS DO FUTURO"
O EDITOR

Impressão e Acabamento | Gráfica Viena
Todo papel desta obra possui certificação FSC® do fabricante.
Produzido conforme melhores práticas de gestão ambiental (ISO 14001)
www.graficaviena.com.br